Gregor Schöllgen

Geschichte der Weltpolitik
von Hitler bis Gorbatschow
1941–1991

Barber, James/Barrat, John: South Africa's foreign policy. The search for status and security 1945–1988, Cambridge u. a. 1990.

Barnds, William J.: India, Pakistan, and the Great Powers, London 1972.

Bender, Peter: Neue Ostpolitik. Vom Mauerbau bis zum Moskauer Vertrag, München ³1995.

Berg, Eugène: La politique internationale depuis 1955, Paris 1989.

Bergstraesser, Arnold [u. a.]: Die Internationale Politik. Jahrbücher des Forschungsinstituts der Deutschen Gesellschaft für Auswärtige Politik, München 1958 ff.

Beschloss, Michael R.: Powergame. Kennedy und Chruschtschow. Die Krisenjahre 1960–1963, Düsseldorf u. a. 1991.

Ders./Talbott, Strobe: Auf höchster Ebene. Das Ende des Kalten Krieges und die Geheimdiplomatie der Supermächte 1989–1991, Düsseldorf u. a. 1993.

Besson, Waldemar: Die Außenpolitik der Bundesrepublik. Erfahrungen und Maßstäbe, München 1970.

Bill, James A.: The Eagle and the Lion. The Tragedy of American-Iranian Relations, New Haven/London 1988.

Binoche, Jacques: De Gaulle et les Allemands, o. O. 1990.

Bradnock, Robert W.: India's Foreign Policy since 1971, London 1990.

Buhite, Russell D.: Soviet-American Relations in Asia, 1945–1954, Norman 1981.

Carrère d'Encausse, Hélène: Ni paix ni guerre. Le nouvel Empire soviétique ou du bon usage de la détente, Paris 1986.

Cohen, Samy/Smouts, Marie-Claude: La politique extérieure de Valéry Giscard d'Estaing, Paris 1985.

Conze, Eckart: Die gaullistische Herausforderung. Deutsch-französische Beziehungen in der amerikanischen Europapolitik 1958–1963, München 1995.

Czempiel, Ernst-Otto: Machtprobe. Die USA und die Sowjetunion in den achtziger Jahren, München 1989.

Danylow, Peter: Die außenpolitischen Beziehungen Albaniens zu Jugoslawien und zur UdSSR 1944–1961, München/Wien 1982.

Davis, Lynn Etheridge: The Cold War Begins. Soviet-American Conflict over Eastern Europe, Princeton 1974.

Dreyer, June (Hrsg.): Chinese Defense and Foreign Policy, New York 1988.

Eveland, Wilbur Crane: Ropes of Sand. America's Failure in the Middle East, London/New York 1980.

Felken, Detlef: Dulles und Deutschland. Die amerikanische Deutschlandpolitik 1953–1959, Bonn/Berlin 1993.

Fisch, Jörg: Krieg und Frieden im Friedensvertrag. Eine universalgeschichtliche Studie über Grundlagen und Formelemente des Friedensschlusses, Stuttgart 1979.

Fleron, Frederic J., Jr., u. a. (Hrsg.): Contemporary Issues in Soviet Foreign Policy. From Brezhnev to Gorbachev, New York 1991.

Forndran, Erhard: Die Vereinigten Staaten von Amerika und Europa. Erfahrungen und Perspektiven transatlantischer Beziehungen seit dem Ersten Weltkrieg, Baden-Baden 1991.

Frazier, Robert: Anglo-American Relations with Greece. The Coming of the Cold War, 1942–47, Houndmills u. a. 1991.

Gaddis, John Lewis: The United States and the Origins of the Cold War 1941–1947, New York 1972.

Ders.: The Long Peace. Inquiries Into the History of the Cold War, New York/Oxford 1987.

Gardner Feldman, Lily: The Special Relationship between West Germany and Israel, Boston u. a. 1984.

Garthoff, Raymond L.: Détente and Confrontation. American-Soviet Relations from Nixon to Reagan, Washington 1985.

Ders.: The Great Transition: American-Soviet Relations and the End of the Cold War, Washington 1994.

Gati, Charles: Hungary and the Soviet Bloc, Durham 1986.

Glaubitz, J./Heinzig, D. (Hrsg.): Die Sowjetunion und Asien in den 80er Jahren. Ziele und Grenzen sowjetischer Politik zwischen Indischem Ozean und Pazifik, Baden-Baden 1988.

Golan, Galia: Soviet policies in the Middle East from World War Two to Gorbachev, Cambridge u. a. 1990.

Griswold, A. Whitney: The Far Eastern Policy of the United States, New Haven/London ⁴1964.

Grosser, Alfred: Frankreich und seine Außenpolitik 1944 bis heute [1986], München 1989.

Hacke, Christian: Von Kennedy bis Reagan. Grundzüge der amerikanischen Außenpolitik 1960–1984, Stuttgart 1984.

Ders.: Weltmacht wider Willen. Die Außenpolitik der Bundesrepublik Deutschland, Frankfurt a. M./Berlin ²1993.

Haftendorn, Helga: Sicherheit und Entspannung. Zur Außenpolitik der Bundesrepublik Deutschland 1955–1982, Baden-Baden ²1986.

Dies.: Sicherheit und Stabilität. Außenbeziehungen der Bundesrepublik zwischen Ölkrise und NATO-Doppelbeschluß, München 1986.

Hahn, Peter L.: The United States, Great Britain, and Egypt, 1945–1956. Strategy and Diplomacy in the Early Cold War, Chapel Hill/London 1991.

Hajnicz, Artur: Polens Wende und Deutschlands Vereinigung. Die Öffnung zur Normalität 1989–1992, Paderborn u. a. 1995.

Hanrieder, Wolfram F.: Deutschland, Europa, Amerika. Die Außenpolitik der Bundesrepublik Deutschland 1949–1989, Paderborn u. a. 1991.

Harbutt, Fraser J.: The Iron Curtain. Churchill, America, and the Origins of the Cold War, New York/Oxford 1986.

Hatschikjan, Magarditsch A.: Tradition und Neuorientierung in der bulgarischen Außenpolitik 1944–1948. Die «nationale Außenpolitik» der Bulgarischen Arbeiterpartei (Kommunisten), München 1988.

Hausleitner, Mariana: Die sowjetische Osteuropapolitik in den Jahren der Perestrojka, Frankfurt a. M./New York 1994.

Heuser, Beatrice: Western ‹Containment› Policies in the Cold War. The Yugoslav Case, 1948–53, London/New York 1989.

Hoensch, Jörg K.: Sowjetische Osteuropa-Politik 1945–1975, Düsseldorf 1977.

Joyaux, François: La nouvelle question d'Extrême-Orient. L'ère de la guerre froide (1945–1959), Paris 1985.

Kaplan, Lawrence S. u. a. (Hrsg.): Dien Bien Phu and the Crisis of Franco-American Relations, 1954–1955, Wilmington 1990.

Kim, Samuel S.: China and the World. Chinese Foreign Policy in the Post-Mao Era, Boulder/London 1984.

Kimminich, Otto: Einführung in das Völkerrecht, Tübingen/Basel ⁵1993.

Kindermann, Gottfried-Karl (Hrsg.): Chinas unbeendeter Bürgerkrieg: Im Spannungsfeld Peking – Taiwan – USA 1949–1980, München 1980.

Kissinger, Henry A.: The Necessity for Choice. Prospects of American Foreign Policy, New York 1960.

Ders.: Die Vernunft der Nationen. Über das Wesen der Außenpolitik, Berlin 1994.

Knapp, Wilfrid: A History of War and Peace 1939–1965, London u. a. 1967.

Kolodziej, Edward A.: French International Policy under de Gaulle and Pompidou. The Politics of Grandeur, Ithaca/London 1974.

Kovrig, Bennett: The Myth of Liberation. East-Central Europe in U. S. Diplomacy und Politics since 1941, Baltimore/London 1973.

Krosby, H. Peter: Friede für Europas Norden. Die sowjetisch-finnischen Beziehungen von 1944 bis zur Gegenwart, Wien/Düsseldorf 1981.

Larkin, Bruce D.: China and Africa 1949–1970. The Foreign Policy of the People's Republic of China, Berkeley u. a. [2]1973.

Lévesque, Jacques: l'U.R.S.S. et sa politique internationale de Lénine à Gorbatchev, Paris [2]1987.

Link, Werner: Der Ost-West-Konflikt. Die Organisation der internationalen Beziehungen im 20. Jahrhundert, Stuttgart u. a. [2]1988.

Lippmann, Walter: The Cold War. A Study in U. S. Foreign Policy, New York/London 1947.

Loth, Wilfried: Die Teilung der Welt 1941–1955. Geschichte des Kalten Krieges, München [7]1989.

Louis, Wm. Roger/Bull, Hedley (Hrsg.): The ‹Special Relationship›. Anglo-American Relations Since 1945, Oxford 1986.

Lucas, Hans-Dieter: Europa vom Atlantik bis zum Ural? Europapolitik und Europadenken im Frankreich der Ära de Gaulle (1958–1969), Bonn/Berlin 1992.

Lundestad, Geir: East, West, North, South. Major Developments in International Politics 1945–1990, Oslo [2]1991.

Maillard, Pierre: De Gaulle und Deutschland. Der unvollendete Traum, Bonn/Berlin 1991.

Mastny, Vojtech: Moskaus Weg zum Kalten Krieg. Von der Kriegsallianz zur sowjetischen Vormachtstellung in Osteuropa, München/Wien 1980.

Nogee, Joseph L./Donaldson, Robert H.: Soviet Foreign Policy since World War II, New York u. a. [3]1988.

Polvinen, Tuomo: Between East and West. Finland in International Politics, 1944–1947, Minneapolis 1986.

Ramazani, Rouhollah K.: Iran's Foreign Policy 1941–1973. A Study of Foreign Policy in Modernizing Nations, Charlottesville 1975.

Rattinger, Hans u. a.: Außenpolitik und öffentliche Meinung in der Bundesrepublik. Ein Datenhandbuch zu Umfragen seit 1954, Frankfurt a. M. 1995.

Rubin, Barry: The Great Powers in the Middle East 1941–1947. The Road to the Cold War, London 1980.

Saint-Prot, Charles: La France et le renouveau Arabe. De Charles de Gaulle à Valéry Giscard d'Estaing, Paris 1980.

Saiu, Liliana: The Great Powers and Rumania, 1944–1946. A Study of the Early Cold War Era, Boulder/New York 1992.

Schmid, Günther: Entscheidung in Bonn. Die Entstehung der Ost- und Deutschlandpolitik 1969/70, Köln 1979.

Schöllgen, Gregor: Die Macht in der Mitte Europas. Stationen deutscher Außenpolitik von Friedrich dem Großen bis zur Gegenwart, München 1992.

Ders.: Angst vor der Macht. Die Deutschen und ihre Außenpolitik, Berlin/Frankfurt a. M. 1993.

Schwarz, Hans-Peter (Hrsg.): Handbuch der deutschen Außenpolitik, München [2]1976.

Ders.: Vom Reich zur Bundesrepublik. Deutschland im Widerstreit der außenpolitischen Konzeptionen in den Jahren der Besatzungsherrschaft 1945–1949, Stuttgart [2]1980.

Siebenmorgen, Peter: Gezeitenwechsel. Aufbruch zur Entspannungspolitik, Bonn 1990.

Staadt, Jochen: Die geheime Westpolitik der SED 1960–1970. Von der gesamtdeutschen Orientierung zur sozialistischen Nation, Berlin 1993.

Stourzh, Gerald: Geschichte des Staatsvertrages 1945–1955. Österreichs Weg zur Neutralität [²1980], Graz u. a. 1985.

Taubman, William: Stalin's American Policy. From Entente to Détente to Cold War, New York/London 1982.

Ulam, Adam B.: Expansion and Coexistence. The History of Soviet Foreign Policy 1917–1973, New York ²1974.

Vaisse, Maurice: Les relations internationales depuis 1945, Paris ²1991.

Watrin, Konrad W.: Machtwechsel im Nahen Osten. Großbritanniens Niedergang und der Aufstieg der Vereinigten Staaten 1941–1947, Frankfurt a. M./New York 1989.

Weinberg, Gerhard L.: Eine Welt in Waffen. Die globale Geschichte des Zweiten Weltkriegs, Stuttgart 1995.

Wheeler-Bennett, John/Nicholls, Anthony: The Semblance of Peace. The Political Settlement after the Second World War, London/Basingstoke 1972.

Yergin, Daniel: Der zerbrochene Frieden. Der Ursprung des Kalten Krieges und die Teilung Europas, Frankfurt a. M. 1979.

Young, John W.: Cold War Europe 1945–89. A political history, London u. a. 1991.

Zhai, Qiang: The Dragon, the Lion, and the Eagle. Chinese-British-American Relations, 1949–1958, Kent/London 1994.

Zündorf, Benno: Die Ostverträge. Die Verträge von Moskau, Warschau, Prag, das Berlin-Abkommen und die Verträge mit der DDR, München 1979.

8. Internationale Organisationen

Al-Chalabi, Fadhil J.: OPEC at the Crossroads, Oxford u. a. 1989.

Barnet, Richard J.: The Alliance. America – Europe – Japan. Makers of the Postwar World, New York 1983.

Birrenbach, Kurt: Die Zukunft der atlantischen Gemeinschaft, Freiburg 1962.

Bowett, D. W.: The Law of International Institutions, London ²1970.

Bozo, Frédéric: La France et l'OTAN. De la guerre froide au nouvel ordre européen, Paris u. a. 1991.

Clesse, Armand: Le projet de C.E.D. du Plan Pleven au «crime» du 30 août. Histoire d'un malentendu européen, Baden-Baden 1989.

Delors, Jacques: Das neue Europa, München/Wien 1993.

Dumoulin, Michel (Hrsg.): La Belgique et les débuts de la construction européenne de la guerre aux traités de Rome, Louvain-la-Neuve 1987.

Fursdon, Edward: The European Defense Community: A History, London/Basingstoke 1980.

Gaddum, Eckart: Die deutsche Europapolitik in den achtziger Jahren. Interessen, Konflikte und Entscheidungen der Regierung Kohl, Paderborn u. a. 1994.

Gillingham, John: Coal, steel, and the rebirth of Europe, 1945–1955. The Germans and French from Ruhr conflict to economic community, Cambridge u. a. 1991.

Gordon, Colin: The Atlantic Alliance. A bibliography, London/New York 1978.

Griffiths, Richard T.: The Netherlands and the Integration of Europe 1945–1957, Amsterdam 1990.

Grilli, Enzo R.: The European Community and the Developing Countries, Cambridge 1993.

Groeben, Hans von der/Möller, Horst (Hrsg.): Die Europäische Union als Prozeß, Baden-Baden 1980.

Ders.: Aufbaujahre der Europäischen Gemeinschaft. Das Ringen um den Gemeinsamen Markt und die Politische Union (1958–1966), Baden-Baden 1982.

Hacker, Jens: Der Ostblock. Entstehung, Entwicklung und Struktur 1939–1980, Baden-Baden 1983.

Haftendorn, Helga: Kernwaffen und die Glaubwürdigkeit der Allianz: Die NATO-Krise von 1966/67, Baden-Baden 1994.

Harrison, Michael M.: The Reluctant Ally. France and Atlantic Security, Baltimore/London 1981.

Ireland, Timothy P.: Creating the Entangling Alliance. The Origins of the North Atlantic Treaty Organization, London 1981.

Jouve, Edmond: Le Général de Gaulle et la construction de l'Europe (1940–1966), 2 Bde., Paris 1967.

Kaplan, Lawrence S.: NATO and the United States. The Enduring Alliance, Boston 1988.

Kissinger, Henry A.: The Troubled Partnership. A Re-appraisal of the Atlantic Alliance, New York u. a. 1965.

Kleiman, Robert: Atlantic Crisis. American Diplomacy Confronts a Resurgent Europe, New York 1964.

Küsters, Hanns Jürgen: Die Gründung der Europäischen Wirtschaftsgemeinschaft, Baden-Baden 1982.

Lister, Marjorie: The European Community and the Developing World, Aldershot u. a. 1988.

Loth, Wilfried: Der Weg nach Europa. Geschichte der europäischen Integration 1939–1957, Göttingen 1991.

Luard, Evan: A History of the United Nations, Bd. 1 ff., London/Basingstoke 1982 ff.

Melandri, Pierre: Les États-Unis face a l'unification de l'Europe 1945–1954, Paris 1980.

Mioche, Philippe: Le Plan Monnet. Genèse et élaboration 1941–1947, Paris 1987.

Moore, R. J.: Making the New Commonwealth, Oxford 1987.

Noack, Paul: Das Scheitern der Europäischen Verteidigungsgemeinschaft. Entscheidungsprozesse vor und nach dem 30. August 1954, Düsseldorf 1977.

Nuttall, Simon J.: European Political Co-Operation, Oxford 1992.

Parsons, Anthony: From Cold War to Hot Peace. UN Interventions 1947–1994, London 1995.

Reed, Jr., John A.: Germany and NATO, Washington 1987.

Rummel, Reinhardt (Hrsg.): Toward Political Union Planning a Common Foreign and Security Policy in the European Community, Baden-Baden 1992.

Sesay, Amadu u. a.: The OAU After Twenty Years, Boulder/London 1984.

Skeet, Ian: Opec: Twenty-five years of prices and politics, Cambridge u. a. 1989.

Teich, Gerhard: Der Rat für gegenseitige Wirtschaftshilfe 1949–1963. Fünfzehn Jahre wirtschaftliche Integration im Ostblock. Bibliographie, Kiel 1966.

Terzian, Pierre: OPEC: The Inside Story, London 1985.

Tiedke, Stephan: Die Warschauer Vertragsorganisation. Zum Verhältnis von Militär- und Entspannungspolitik in Osteuropa, München/Wien 1978.

Urwin, Derek W.: The Community of Europe: A History of European Integration since 1945, London/New York 1991.

Weidenfeld, Werner/Wessels, Wolfgang (Hrsg.): Jahrbuch der europäischen Integration 1 (1980), Bonn 1981 ff.

Weilemann, Peter: Die Anfänge der Europäischen Atomgemeinschaft. Zur Gründungsgeschichte von EURATOM 1955–1957, Baden-Baden 1983.

9. Krisen, Kriege, Friedensschlüsse

Bailey, Sydney D.: Four Arab-Israeli Wars and the Peace Process, New York 1990.

Ben-Dor, Gabriel:/Dewitt, David B. (Hrsg.): Conflict Management in the Middle East, Lexington/Toronto 1987.

Blight, James G./Welch, David A.: On the Brink. Americans and Soviets Reexamine the Cuban Missile Crisis, New York 1989.

Ders. u. a.: Cuba on the Brink. Castro, the Missile Crisis, and the Soviet Collapse, New York 1993.

Brecher, M. u. a.: Crises in the Twentieth Century, 2 Bde., Oxford u. a. 1988.

Cate, Curtis: The Ides of August: The Berlin Wall Crisis 1961, New York 1978.

Catudal, Honoré M.: Kennedy in der Mauer-Krise. Eine Fallstudie zur Entscheidungsfindung in USA, Berlin 1981.

Christopher, Warren u. a.: American Hostages in Iran. The Conduct of a Crisis, New Haven/London 1985.

Chubin, Shahram u. a. (Hrsg.): The Security in the Persian Gulf, 4 Bde., Aldershot 1982.

Close, David H. (Hrsg.): The Greek civil war, 1943–1950. Studies of polarization, London/New York 1993.

Cordesman, Anthony H.: The Gulf and the West. Strategic Relations and Military Realities, Boulder/London 1988.

Day, Alan J. (Hrsg.): Border and Territorial Disputes, Harlow [2]1987.

Freedman, Lawrence: Britain and the Falklands War, Oxford 1988.

Freiberger, Steven Z.: Dawn over Suez. The Rise of American Power in the Middle East, 1953–1957, Chicago 1992.

Friedman, Thomas L.: Von Beirut nach Jerusalem. Konfliktherd Naher Osten – eine Analyse der Hintergründe, Rastatt [2]1991.

Fürtig, Henner: Der irakisch-iranische Krieg 1980–1988. Ursachen, Verlauf, Folgen, Berlin 1992.

Gantzel, Klaus Jürgen/Schwinghammer, Torsten (Hrsg.): Die Kriege nach dem Zweiten Weltkrieg 1945 bis 1992. Daten und Tendenzen, Münster 1995.

Garthoff, Raymond: Reflections on the Cuban Missile Crisis, Washington 1989.

Goldstein, Erik: Wars and Peace Treaties 1816–1991, London/New York 1992.

Goncharov, Sergei N. u. a.: Uncertain Partners: Stalin, Mao, and the Korean War, Stanford 1993.

Greiner, Bernd: Kuba-Krise. 13 Tage im Oktober: Analysen, Dokumente, Zeitzeugen, Nördlingen 1991.

Hubel, Helmut: Das Ende des Kalten Kriegs im Orient. Die USA, die Sowjetunion und die Konflikte in Afghanistan, am Golf und im Nahen Osten 1979–1991, München 1995.

Kahin, George McT.: Intervention. How America Became Involved in Vietnam, New York 1986.

Király, Béla K. u. a. (Hrsg.): The First War between Socialist States: The Hungarian Revolution of 1956 and its Impact, New York 1984.

Kolko, Gabriel: Anatomy of a War: Vietnam, the United States, and the Modern Historical Experience, New York 1985.

Kuniholm, Bruce Robellet: The Origins of the Cold War in the Near East. Great Power Conflict and Diplomacy in Iran, Turkey, and Greece, Princeton 1980.

Kyle, Keith: Suez, New York 1991.

Lamb, Alastair: Kashmir. A Disputed Legacy 1846–1990, Hertingfordbury 1991.

Lebow, Richard Ned/Stein, Janice Gross: We All Lost the Cold War, Princeton 1994.

Legler, Anton u. a.: Der Krieg in Vietnam. Bericht und Bibliographie, 5 Bde., Frankfurt 1969–79.

L'Estrange Fawcett, Louise: Iran and the Cold War. The Azerbaijan Crisis of 1946, Cambridge u. a. 1992.

Louis, Wm. Roger/Owen, Roger (Hrsg.): Suez 1956. The Crisis and its Consequences, Oxford 1989.

Lucas, W. Scott: Divided we Stand. Britain, the US and the Suez Crisis, London u. a. 1991.

MacDonald, Callum: Britain and the Korean War, Oxford 1990.

Olschosky, Heinrich/Hahn, Hans Henning (Hrsg.): Das Jahr 1956 in Ostmitteleuropa, Berlin 1995.

Pfetsch, Frank R. (Hrsg.): Konflikte seit 1945. Daten – Fakten – Hintergründe, 5 Bde., Freiburg/Würzburg 1991.

Premdas, Ralph R. u. a. (Hrsg.): Secessionist Movements in Comparative Perspective, London 1990.

Quandt, William B.: Camp David. Peacemaking and Politics, Washington 1986.

Ders.: Peace Process. American Diplomacy and the Arab-Israeli Conflict since 1967, Washington u. a. 1993.

Radványi, János: Hungary and the Superpowers. The 1956 Revolution and Realpolitik, Stanford 1972.

Raszelenberg, Patrick: Die Roten Khmer und der Dritte Indochina-Krieg, Hamburg 1995.

Ridgway, Matthew B.: The Korean War [1967], New York 1986.

Rotter, Andrew J.: The Path to Vietnam. Origins of the American Commitment to Southeast Asia, Ithaca/London 1987.

Schlesinger, Stephen/Kinzer, Stephen: Bitter Fruit. The Untold Story of the American Coup in Guatemala, Garden City/New York 1982.

Schulz, Donald E./Graham, Douglas H. (Hrsg.): Revolution and Counterrevolution in Central America and the Caribbean, Boulder/London 1984.

Shuckburgh, Evelyn: Descent to Suez. Diaries 1951–56, New York/London 1986.

Tessler, Mark: A History of the Israeli-Palestinian Conflict, Bloomington/Indianapolis 1994.

Waldmann, Peter: Ethnischer Radikalismus. Ursachen und Folgen gewaltsamer Minderheitenkonflikte am Beispiel des Baskenlandes, Nordirlands und Quebecs, Opladen 1989.

Warner, Roger: Back Fire. The CIA's Secret War in Laos and Its Link to the War in Vietnam, New York u. a. 1995.

Werner, Jayne S./Huynh, Luu Doan (Hrsg.): The Vietnam War. Vietnamese and American Perspectives, Armonk/London 1993.

Zhang, Shu Guang: Deterrence and Strategic Culture. Chinese-American Confrontations, 1949–1958, Ithaca/London 1992.

10. *Rüstung, Strategie, Spionage*

Ambrose, Stephen E.: Ike's Spies. Eisenhower and the Espionage Establishment, Garden City 1981.

Arlinghaus, Bruce E. (Hrsg.): African Security Issues: Sovereignty, Stability, and Solidarity, Boulder 1984.

Black, Jan/Morris, Benny: Mossad, Shin Bet, Aman. Die Geschichte der israelischen Geheimdienste, Heidelberg 1994.

Brzoska, Michael/Ohlson, Thomas: Arms Transfers to the Third World, 1971–85, Oxford/New York 1987.

Carlier, Claude: Le Développement de l'Aéronautique Militaire Française de 1958 à 1970, Paris 1979.

Cuong Ngo-Anh: Die Vietcong. Anatomie einer Streitmacht im Guerillakrieg, München 1981.

Daalder, Ivo H.: The Nature and Practice of Flexible Response: NATO Strategy and Theater Nuclear Forces Since 1967, New York 1991.

Devereux, David R.: The Formulation of British Defense Policy Towards The Middle East, 1948–56, New York 1990.

Diehl, Ole: Die Strategiediskussion in der Sowjetunion. Zum Wandel der sowjetischen Kriegsführungskonzeption in den achtziger Jahren, Wiesbaden 1993.

Dockrill, Saki: Britain's Policy for West German Rearmament 1950–1955, Cambridge u. a. 1991.

Gaddis, John Lewis: Strategies of Containment. A Critical Appraisal of Postwar American National Security Policy, New York/Oxford 1982.

Gardner, Hall: Surviving the Millenium. American Global Strategy, the Collapse of the Soviet Empire, and the Question of Peace, Westport/London 1994.

Handzik, Helmut: Politische Bedingungen sowjetischer Truppenabzüge 1925–1958, Baden-Baden 1993.

Hartmann, Rüdiger u. a.: Der Vertrag über konventionelle Streitkräfte in Europa. Vertragswerk, Verhandlungsgeschichte, Kommentar, Dokumentation, Baden-Baden 1994.

Hubel, Helmut: Rüstungskontrollpolitik im Ostseeraum. Zur Steuerung der nordeuropäischen Sicherheitsbeziehungen innerhalb des Ost-West-Konflikts (1944–1978), Frankfurt a. M. u. a. 1980.

Institute for Defense and Disarmament Studies (Hrsg.): World weapon database, Bd. 1 ff., Lexington/Toronto 1986 ff.

Keegan, John: World Armies, Detroit [2]1983.

Leffler, Melvyn P.: A Preponderance of Power. National Security, the Truman Administration, and the Cold War, Stanford 1992.

Lepgold, Joseph: The Declining Hegemon. The United States and European Defense, 1960–1990, New York u. a. 1990.

Militärgeschichtliches Forschungsamt (Hrsg.): Aspekte der deutschen Wiederbewaffnung bis 1955, Boppard 1975.

Neilson, Keith/Haycock, Ronald G. (Hrsg.): The Cold War and Defense, New York u. a. 1990.

Porch, Douglas: The French Secret Service. From the Dreyfus Affair to the Gulf War, New York 1995.

Riebling, Mark: Wedge. The Secret War between the FBI and CIA, New York 1994.

Rudolf, Peter: Amerikanische Seemachtpolitik und maritime Rüstungskontrolle unter Carter und Reagan, Frankfurt a. M./New York 1990.

Rühl, Lothar: La politique militaire de la Cinquième République, Paris 1976.

Ders.: Mittelstreckenwaffen in Europa: Ihre Bedeutung in Strategie, Rüstungskontrolle und Bündnispolitik, Baden-Baden 1987.

Schmidt, Helmut: Strategie des Gleichgewichts. Deutsche Friedenspolitik und die Weltmächte, Stuttgart 1969.

Sherwood, Elizabeth D.: Allies in Crisis. Meeting Global Challenges to Western Security, New Haven/London 1990.

Silberzahn, Claude: Au cœur du secret, Paris 1995.

Stromseth, Jane E.: The Origins of Flexible Response. NATO's Debate over Strategy in the 1960s, Houndmills u. a. 1988.

Teufel Dreyer, June (Hrsg.): Chinese Defense and Foreign Policy, New York 1988.

Thoß, Bruno (Hrsg.): Vom Kalten Krieg zur deutschen Einheit. Analysen und Zeitzeugenberichte zur deutschen Militärgeschichte 1945 bis 1995, München 1995.

Wenzel, Otto: Kriegsbereit. Der Nationale Verteidigungsrat der DDR 1960 bis 1989, Köln 1995.

Wettig, Gerhard: Entmilitarisierung und Wiederbewaffnung in Deutschland 1943-1955. Internationale Auseinandersetzungen um die Rolle der Deutschen in Europa, München 1967.

Ders. (Hrsg.): Die sowjetische Militärmacht und die Stabilität in Europa, Baden-Baden 1990.

Wolf, Reinhard: Abschreckungstheorie und strategische Rüstungspolitik. Die Dislozierung der amerikanischen Interkontinental-Raketen in der Reagan-Administration, Baden-Baden 1992.

11. Nukleare Frage

Alperovitz, Gar: Atomic Diplomacy. Hiroshima and Potsdam, New York 1965.

Ders.: Hiroshima. Die Entscheidung für den Abwurf der Bombe, Hamburg 1995.

Betts, Richard K.: Nuclear Blackmail and Nuclear Balance, Washington 1987.

Blair, Bruce G.: The Logic of Accidental Nuclear War, Washington 1993.

Botti, Timothy J.: The Long Wait. The Forging of the Anglo-American Nuclear Alliance, 1945-1958, New York u. a. 1987.

Boyer, Paul: By the Bomb's Early Light. American Thought and Culture at the Dawn of the Atomic Age, New York 1985.

Bundy, McGeorge: Danger and Survival. Choices about the Bomb in the First Fifty Years, New York 1988.

Charles, Daniel: Nuclear Planning in NATO. Pitfalls of First Use, Cambridge 1987.

Cioc, Marc: Pax Atomica. The Nuclear Defense Debate in West Germany During the Adenauer Era, New York 1988.

Clark, Ian/Wheeler, Nicholas J.: The British Origins of Nuclear Strategy 1945-1955, Oxford 1989.

The Committee for the Compilation of Materials on Damage Caused by the Atomic Bombs in Hiroshima and Nagasaki (Hrsg.): The Impact of the A-Bomb. Hiroshima and Nagasaki, 1945-85, Tokio 1985.

Eden, Lynn/Miller, Steven E. (Hrsg.): Nuclear Arguments. Understanding the Strategic Nuclear Arms and Arms Control Debates, Ithaca/London 1989.

Freedman, Laurence: Britain and Nuclear Weapons, London/Basingstoke 1980.

Ders.: The Evolution of Nuclear Strategy, Houndmills u. a. [2]1989.

Gallagher, Carole: American Ground Zero. The Secret Nuclear War, o. O. 1993.

Helmreich, Jonathan E.: Gathering Rare Ores. The Diplomacy of Uranium Acquisition, 1943-1954, Princeton 1986.

Hersh, Seymour M.: Atommacht Israel. Das geheime Vernichtungspotential im Nahen Osten, München 1991.

Holloway, David: Stalin and the Bomb. The Soviet Union and Atomic Energy, 1939-1956, New Haven/London 1994.

Institut Charles de Gaulle (Hrsg.): L'aventure de la bombe. De Gaulle et la dissuasion nucléaire (1958-1969), Paris 1985.

Kelleher, Catherine M.: Germany and the Politics of Nuclear Weapons, New York 1975.

Kennan, George F.: Rußland, der Westen und die Atomwaffe, Frankfurt a. M. 1958.

Kissinger, Henry A.: Nuclear Weapons and Foreign Policy, New York 1957.

Kohl, Wilfrid L.: French Nuclear Diplomacy, Princeton 1971.

Künzel, Matthias: Bonn und die Bombe. Atomwaffenpolitik von Adenauer bis Brandt, Frankfurt a. M. 1992.

Lewis, John Wilson/Litai, Xue: China Builds the Bomb, Stanford 1988.

Mahncke, Dieter: Nukleare Mitwirkung. Die Bundesrepublik Deutschland in der atlantischen Allianz 1954–1970, Berlin/New York 1972.

Mandelbaum, Michael: The Nuclear Question: The United States and Nuclear Weapons, 1946–1976, Cambridge u. a. 1979.

Müller, Harald u. a.: Nuclear Non-Proliferation and Global Order, Oxford 1994.

Navias, Martin S.: Nuclear Weapons and British Strategic Planning, 1955–1958, Oxford 1991.

Newhouse, John: Krieg und Frieden im Atomzeitalter. Von Los Alamos bis SALT, München 1990.

Nolan, Janne E.: Guardians of the Arsenal. The Politics of Nuclear Strategy, New York 1989.

Paine, Christopher E./Reicher, Dan W. (Hrsg.): Controlling the Atom in the 21st Century, Boulder 1994.

Pierre, Andrew J.: Nuclear Politics. The British Experience with an Independent Strategic Force, 1939–1970, London 1972.

Pilat, Joseph F. u. a. (Hrsg.): Atoms for Peace. An Analysis After Thirty Years, Boulder/London 1985.

Rhodes, Richard: The Making of the Atomic Bomb, New York 1986.

Sagan, Scott D.: The Limits of Safety. Organizations, Accidents, and Nuclear Weapons, Princeton 1993.

Salewski, Michael (Hrsg.): Das Zeitalter der Bombe. Die Geschichte der atomaren Bedrohung von Hiroshima bis heute, München 1995.

Schwartz, David N.: NATO's Nuclear Dilemmas, Washington 1983.

Shaker, Mohamed I.: The Nuclear Non-Proliferation Treaty. Origin and Implementation 1959–1979, London u. a. 1980.

Steinhoff, Johannes/Pommerin, Reiner: Strategiewechsel: Bundesrepublik und Nuklearstrategie in der Ära Adenauer-Kennedy, Baden-Baden 1992.

Stölken-Fitschen, Ilona: Atombombe und Geistesgeschichte. Eine Studie der fünfziger Jahre aus deutscher Sicht, Baden-Baden 1995.

Titus, A. Constandina: Bombs in the Backyard. Atomic Testing and American Politics, Reno/Las Vegas 1986.

Walker, Mark: Die Uranmaschine. Mythos und Wirklichkeit der deutschen Atombombe, Berlin 1990.

Weart, Spencer R.: Nuclear Fear. A History of Images, Cambridge, Mass./London 1988.

Winkler, Allan M.: Life Under a Cloud. American Anxiety About the Atom, New York/Oxford 1993.

Wyden, Peter: Day One. Before Hiroshima and After, New York 1984.

12. *Ressourcen, Energie, Verkehr, Umwelt*

Albrecht, Ulrich u. a.: Die Spezialisten. Deutsche Naturwissenschaftler und Techniker in der Sowjetunion nach 1945, Berlin 1992.

Al-Chalabi, Fadhil J.: OPEC and the international oil industry. A changing structure, Oxford 1980.

Baark, Erik/Jaminson, Andrew (Hrsg.): Technological Development in China, India and Japan. Cross-Cultural Perspectives, Houndmills u. a. 1986.

Blanckenburg, Peter von: Welternährung. Gegenwartsprobleme und Strategien für die Zukunft, München 1986.

Braun, Hans-Joachim/Kaiser, Walter: Propyläen-Technikgeschichte, Bd. 5: Energiewirtschaft, Automatisierung, Information seit 1914, Berlin 1992.

Crabbe, David/McBride, Richard (Hrsg.): The World Energy Book. An A–Z Atlas and Statistical Source Book [1978], Cambridge, Mass./London 1979.

Engelman, Robert/LeRoy, Pamela: Mensch, Wasser! Die Bevölkerungsentwicklung und die Zukunft der erneuerbaren Wasservorräte, Hannover 1995.

Franke, Frank u. a.: Verstrahlt, vergiftet, vergessen. Die Opfer von Tschernobyl nach zehn Jahren, Frankfurt a. M./Leipzig 1996.

Garret, Laurie: Die kommenden Plagen. Neue Krankheiten in einer gefährdeten Welt, Frankfurt a. M. 1996.

Gimbel, John: Science, Technology and Reparations. Exploitation and Plunder in postwar Germany, Stanford 1990.

Goldschmidt, Bertrand: Le Complexe Atomique. Histoire politique de l'énergie nucléaire, Paris 1980.

Gowing, Margaret: Independence and Deterrence. Britain and Atomic Energy, 1945–1952, 2 Bde., London/Basingstoke 1974.

Gustafson, Thane: Crisis Amid Plenty. The Politics of Soviet Energy under Brezhnev and Gorbachev, Princeton 1989.

Gwynne, Robert N.: New Horizons? Third World Industrialization in an International Framework, Harlow 1990.

Holliday, George D.: Technology Transfer to the USSR, 1928–1937 and 1966–1975: The Role of Western Technology in Soviet Economic Development, Boulder 1979.

Jensen, W. G.: Energy in Europe 1945–1980, London 1987.

Kapstein, Ethan B.: The Insecure Alliance. Energy Crises and Western Politics Since 1944, New York/Oxford 1990.

Kennedy, Paul: In Vorbereitung auf das 21. Jahrhundert, Frankfurt a. M. 1993.

Lieber, Robert J.: The Oil Decade. Conflict and Cooperation in the West, New York 1983.

Matte, Nicolas Mateesco: Droit aérospatial. De l'exploiration scientifique à l'utilisation commerciale, Paris 1976.

Meadows, Dennis u. a.: Die Grenzen des Wachstums. Bericht des Club of Rome zur Lage der Menschheit, Stuttgart [15]1990.

Mejcher, Helmut: Die Politik und das Öl im Nahen Osten, Bd. 2: Die Teilung der Welt 1938–1950, Stuttgart 1990.

Opitz, Peter J. (Hrsg.): Weltprobleme, Bonn [4]1995.

O'Very, David P. u. a. (Hrsg.): Controlling the Atom in the 21st Century, Boulder u. a. 1994.

Pearce, Joan (Hrsg.): The Third Oil Shock. The Effects of Lower Oil Prices, London u. a. 1983.

Schneider, Steven A.: The Oil Price Revolution, Baltimore/London 1983.

Starr, Joyce R./Stoll, Daniel C. (Hrsg.): The Politics of Scarcity. Water in the Middle East, Boulder/London 1988.

Stent, Angela E.: Soviet Energy and Western Europe, New York 1982.

Westing, Arthur H. (Hrsg.): Global Resources and International Conflict. Environmental Factors in Strategic Policy and Action, Oxford/New York 1986.

Wöhlcke, Manfred: Umweltzerstörung in der Dritten Welt, München 1987.

World Commission on Environment and Development: Our Common Future, Oxford/New York 1987.

Worldwatch Institute (Hrsg.): Zur Lage der Welt – 87/88 ff., Frankfurt a. M.1987 ff.

13. Wirtschaft, Handel, Finanzen

Adriaansen, Willem L. M./Waardenburg, J. George: A dual world economy. Forty years of development experience, Rotterdam 1989.

Altvater, Elmar u. a.: Die Armut der Nationen. Handbuch zur Schuldenkrise von Argentinien bis Zaire, Berlin 1987.

Ambrosius, Gerold/Hubbard, William H.: Sozial- und Wirtschaftsgeschichte Europas im 20. Jahrhundert, München 1986.

Aronson, Jonathan David (Hrsg.): Debt and the Less Developed Countries, Boulder 1979.

Bellers, Jürgen: Außenwirtschaftspolitik der Bundesrepublik Deutschland, 1949–1989, Münster 1990.

Berend, Ivan T.: The Hungarian Economic Reforms 1953–1988, Cambridge u. a. 1990.

Berghahn, Volker R.: The Americsanisation of West German Industry 1945–1973, Leamington Spa/New York 1986.

Bergsten, C. Fred: America in the World Economy: A Strategy for the 1990s, Washington 1988.

Bonin, Hubert: Suez du canal à la finance (1858–1987), Paris 1987.

Bornstein, Morris (Hrsg.): The Soviet Economy. Continuity and Change, Boulder 1981.

Brackmann, Michael: Vom totalen Krieg zum Wirtschaftswunder. Die Vorgeschichte der westdeutschen Währungsreform 1948, Essen 1993.

Buchheim, Christoph: Die Wiedereingliederung Westdeutschlands in die Weltwirtschaft 1945–1958, München 1990.

Cairncross, Alec: The Price of War. British Policy on German Reparations 1941–1949, Oxford 1986.

Cowhey, Peter F./Aronson, Jonathan D.: Managing the world economy. The consequences of corporate alliances, New York 1993.

Dixon, C. J. u. a. (Hrsg.): Multinational Corporations and the Third World, Boulder 1986.

Dobson, Alan P.: The Politics of the Anglo-American Economic Special Relationship 1940–1987, Sussex/New York 1988.

Draguhn, Werner (Hrsg.): Asiens Schwellenländer. Dritte Weltwirtschaftsregion? Zur wirtschaftlichen Entwicklung der «Vier kleinen Tiger» sowie Thailands, Malaysias und Indonesiens, Hamburg 1991.

Erhard, Ludwig (Hrsg.): Deutschlands Rückkehr zum Weltmarkt, Düsseldorf 1953.

Fisch, Jörg: Reparationen nach dem Zweiten Weltkrieg, München 1992.

Fischer, Wolfram u. a. (Hrsg.): Handbuch der europäischen Wirtschafts- und Sozialgeschichte, Bd. 6: Europäische Wirtschafts- und Sozialgeschichte vom Ersten Weltkrieg bis zur Gegenwart, Stuttgart 1987.

Fukuchi, Takao/Kagami, Mitsuhiro (Hrsg.): Perspectives on the Pacific Basin Economy: A Comparison of Asia and Latin America, Tokio 1990.

Funigiello, Philip J.: American-Soviet Trade in the Cold War, Chapel Hill/London 1988.

Gall, Lothar u. a.: Die Deutsche Bank 1870–1995, München 1995.

Gardner, Richard N.: Sterling-Dollar Diplomacy. The Origins and the Prospects of our International Economic Order, New York u. a. ²1969.

Giersch, Herbert u. a.: The fading miracle. Four decades of market economy in Germany, Cambridge 1992.

Gilpin, Robert: The Political Economy of International Relations, Princeton 1987.

Hogan, Michael J.: The Marshall Plan. America, Britain, and the reconstruction of Western Europe, 1947–1952, Cambridge u. a. 1987.

Ilgen, Thomas L.: Autonomy and Interdependence. U.S.-Western European Monetary and Trade Relations, 1958–1984, Totowa 1985.

James, Harold: International Monetary Cooperation Since Bretton Woods, Washington/Oxford 1996.

Kaelble, Hartmut (Hrsg.): Der Boom 1948–1973. Gesellschaftliche und wirtschaftliche Folgen in der Bundesrepublik Deutschland und in Europa, Opladen 1992.

Kahn, Herman: World Economic Development 1979 and Beyond, London 1979.

Karlsch, Rainer: Allein bezahlt? Die Reparationsleistungen der SBZ/DDR 1945–1953, Berlin 1993.

Kaufman, Burton I.: Trade and Aid. Eisenhower's Foreign Economic Policy 1953–1961, Baltimore/London 1982.

Kemmler, Marc: Die Entstehung der Treuhandanstalt. Von der Wahrung zur Privatisierung des DDR-Volkseigentums, Frankfurt a. M./New York 1994.

Kunz, Diane B.: The Economic Diplomacy of the Suez Crisis, Chapel Hill/London 1991.

Lee, Molly K. S. C.: East Asian Economies. A Guide to Information Sources, Detroit 1979.

Linder, Staffan Burenstam: The Pacific Century. Economic and Political Consequences of Asian-Pacific Dynamism, Stanford 1986.

Luttwark, Edward N.: Weltwirtschaftskrieg. Export als Waffe – aus Partnern werden Gegner, Reinbek 1994.

Nicholls, A. J.: Freedom with Responsibility. The Social Market Economy in Germany, 1918–1963, Oxford 1994.

Nove, Alex: An Economic History of the U. S. S. R., Hammondsworth 1972.

Reading, Brian: The Fourth Reich, London 1995.

Reynolds, Bruce L. (Hrsg.): Chinese Economic Policy. Economic Reform at Midstream, New York 1988.

Roseman, Mark: Recasting the Ruhr, 1945–1958. Manpower, Economic Recovery and Labour Relations, New York/Oxford 1992.

Rustow, Dankwart A.: Oil and Turmoil. America Faces OPEC and the Middle East, New York/London 1982.

Smith, Alan H.: East European economic handbook, London 1985.

Stent, Angela: From Embargo to Ostpolitik. The Political Economy of West German-Soviet Relations, 1955–1980, Cambridge u. a. 1981.

Wee, Herman van der: Der gebremste Wohlstand. Wiederaufbau, Wachstum und Strukturwandel der Weltwirtschaft seit 1945, München 1984.

Yergin, Daniel: Der Preis. Die Jagd nach Öl, Geld und Macht, Frankfurt a. M. 1991.

14. Dekolonisierung, Befreiung, Dritte Welt

Ageron, Charles-Robert (Hrsg.): Les chemins de la décolonisation de l'empire colonial français, Paris 1986.

Albertini, Rudolf von: Dekolonisation. Die Diskussion über Verwaltung und Zukunft der Kolonien 1919–1960, Köln/Opladen 1966.

Allemann, Fritz René (Hrsg.): Die arabische Revolution. Nasser über seine Politik, Frankfurt a. M. 1958.

Allison, Roy/William, Phil: Superpower competition and crisis prevention in the Third World, Cambridge u. a. 1990.

Ansprenger, Franz: Auflösung der Kolonialreiche, München ³1977.

Balta, Paul: L'islam dans le monde, Paris 1986.

Brandt, Willy: Das Überleben sichern. Der Brandt-Report. Bericht der Nord-Süd-Kommission, Frankfurt a. M. u. a. 1981.

Coale, Ansley J./Hoover, Edgar M.: Population Growth and Economic Development in Low-Income Countries. A Case Study of India's Prospects, Princeton 1958.

Dalloz, Jacques: The War in Indo-China 1945–54, Savage 1990.

Darwin, John: Britain and Decolonisation. The retreat from empire in the post-war world, Houndmills u. a. 1988.

Djalili, Mohammed-Reza: Diplomatie islamique. Stratégie internationale du khomeynisme, Paris 1989.

Dunn, Peter M.: The First Vietnam War, London 1985.

Ehrlich, Paul R./Ehrlich, Anne H.: The Population Explosion, New York u. a. 1990.

Ende, W./Steinbach, U. (Hrsg.): Der Islam in der Gegenwart, München ³1991.

Gardner, Lloyd C.: Approaching Vietnam. From World War II through Dienbienphu 1941–1954, New York/London 1988.

Geiss, Imanuel: Panafrikanismus. Zur Geschichte der Dekolonisation, Frankfurt a. M. 1968.

Gifford, Prosser/Louis, Wm. Roger (Hrsg.): The Transfer of Power in Africa. Decolonization 1940–1960, New Haven/London 1982.

Dies. (Hrsg.): Decolonization and African Independence. The Transfers of Power, 1960–1980, New Haven/London 1988.

Goldsworthy, David: Colonial Issues in British Politics 1945–1961. From ‹Colonial Development› to ‹Wind of Change›, Oxford 1971.

Gould, David J.: Bureaucratic Corruption and Underdevelopment in the Third World. The Case of Zaire, New York u. a. 1980.

Grimal, Henri: Decolonization. The British, French, Dutch and Belgian Empires 1919–1963, London/Henley 1978.

Hargreaves, John D.: Decolonization in Africa, London/New York 1988.

Heinelt, Hubert (Hrsg.): Zuwanderungspolitik in Europa. Nationale Politiken – Gemeinsamkeiten und Unterschiede, Opladen 1994.

Holland, R. F.: European Decolonization 1918–1981: An Introductory Survey, Houndmills u. a. 1985.

Horne, Alistair: A Savage War of Peace. Algeria 1945–1962 [1977], London/Basingstoke 1987.

Hottinger, Arnold: Islamischer Fundamentalismus, Paderborn 1993.

Ingham, Kenneth: Politics in modern Africa: The uneven tribal dimension, London 1990.

Irving, R. E. M.: The First Indochina War. French and American Policy 1945–54, London 1975.

Kahler, Miles: Decolonization in Britain and France. The Domestic Consequences of International Relations, Princeton 1984.

Kalb, Madeleine G.: The Congo Cables. The Cold War in Africa – From Eisenhower to Kennedy, New York 1982.

Kappeler, Andreas: Rußland als Vielvölkerreich. Entstehung, Geschichte, Zerfall, München 1992.

Kurian, George Thomas: Encyclopedia of the Third World, 3 Bde., London ²1982.

Louis, Wm. Roger: The British Empire in the Middle East 1945–1951. Arab Nationalism, the United States, and Post War Imperialism, Oxford 1984.

Mansergh, Nicholas (Hrsg.): Constitutional Relations between Britain and India. The Transfer of Power 1942–7, Bd. 1 ff., London 1970 ff.

Matthies, Volker: Kriegsschauplatz Dritte Welt, München 1988.

McMahon, Robert J.: Colonialism and Cold War. The United States and the Struggle for Indonesian Independence, 1945–49, Ithaca/London 1981.

Minority Rights Group (Hrsg.): World Directory of Minorities, Harlow 1990.

Nohlen, Dieter/Nuscheler, Franz (Hrsg.): Handbuch der Dritten Welt, 8 Bde., Bonn ³1993–94.

Nuscheler, Franz: Lern- und Arbeitsbuch Entwicklungspolitik, Bonn ⁴1995.

Opitz, Peter J. (Hrsg.): Das Weltflüchtlingsproblem. Ursachen und Folgen, München 1988.

Patman, Robert G.: The Soviet Union in the Horn of Africa. The diplomacy of intervention and disengagement, Cambridge u. a. 1990.

Reimers, David M.: Still the Golden Door. The Third World Comes to America, New York 1985.

Rothstein, Robert L.: The Third World and U.S. Foreign Policy: Cooperation and Conflict in the 1980s, Boulder 1981.

Salomon, Kim: Refugees in the Cold War. Toward a New International Refugee Regime in the Early Postwar Era, Lund 1991.

Smith, Tony: The French State in Algeria, 1945–1962, Ithaca/London 1978.

Talbott, John: The War Without a Name. France in Algeria, 1954–1962, London/Boston 1981.

Tibi, Bassam: Die fundamentalistische Herausforderung. Der Islam und die Weltpolitik, München ²1993.

Wirz, Albert: Krieg in Afrika. Die nachkolonialen Konflikte in Nigeria, Sudan, Tschad und Kongo, Wiesbaden 1982.

Yacono, Xavier: Les étapes de la décolonisation française, Paris ⁴1985.

Zartman, I. William: Ripe for Resolution. Conflict and Intervention in Africa, New York/Oxford 1985.

Chronik

1941

22. 6.	Deutscher Überfall auf die Sowjetunion.
29. 6.	Das ZK der KPdSU erklärt den Abwehrkampf gegen die deutsche Invasion zum «Vaterländischen Krieg».
12. 7.	Britisch-sowjetisches Abkommen über gegenseitige Hilfeleistungen.
18. 7.	Stalin fordert von Churchill die Errichtung einer «Zweiten Front».
14. 8.	Atlantik-Charta.
25. 8.	Besetzung des Iran durch britische und sowjetische Truppen.
2. 10.	Beginn der deutschen Offensive gegen Moskau.
5. 12.	Beginn der sowjetischen Gegenoffensive vor Moskau.
7. 12.	Japanischer Angriff auf Pearl Harbor.
8. 12.	Amerikanische Kriegserklärung an Japan.
11. 12.	Deutsche Kriegserklärung an die USA.

1942

14. 1.	Roosevelt und Churchill verständigen sich auf «Germany first».
20. 1.	«Wannsee-Konferenz» bereitet die systematische Vernichtung des europäischen Judentums vor.
23. 2.	Stalins Befehl Nr. 55: «Die Hitler kommen und gehen; das deutsche Volk, der deutsche Staat bleiben».
26. 5.	Britisch-sowjetischer Bündnisvertrag.
3.–7. 6.	Die Schlacht bei den Midway-Inseln führt die Wende im Pazifik-Krieg herbei.
5. 8.	Die britische Regierung erklärt das Münchener Abkommen für ungültig.
19. 8.	Beginn des deutschen Angriffs auf Stalingrad.
29. 9.	Die Regierung de Gaulle erklärt das Münchener Abkommen für ungültig.
19. 11.	Beginn der sowjetischen Großoffensive bei Stalingrad.

1943

14.–25. 1.	Treffen Churchills und Roosevelts in Casablanca: «Unconditional surrender» wird zur Grundforderung der Beendigung des Krieges erhoben.
31. 1.–2. 2.	Kapitulation der 6. Armee in Stalingrad.
18. 2.	Goebbels verkündet im Berliner Sportpalast den «totalen Krieg».
13. 4.	Bei Katyn werden Massengräber mit mehr als 4000 ermordeten polnischen Offizieren entdeckt.
15. 5.	Auflösung der «Kommunistischen Internationale» (Komintern).
10. 7.	Alliierte Landung auf Sizilien.
13. 7.	Abbruch der am 5. 7. begonnenen deutschen Sommeroffensive an der Ostfront.
19.–30. 10.	Außenministerkonferenz in Moskau. Einsetzung der EAC.

28. 11.–1. 12. Konferenz von Teheran.

1944

4. 1. Die Rote Armee überschreitet die alte polnische Grenze.

14. 1. Die EAC tritt erstmals in London zusammen. Als Demarkationslinie zwischen der östlichen und den westlichen Besatzungszonen wird die Linie Lübeck–Helmstedt–Eisenach–Hof vorgeschlagen.

6. 6. Beginn der alliierten Landung in der Normandie.

22. 6. Beginn der sowjetischen Sommeroffensive.

1.–22. 7. Konferenz von Bretton Woods zur Klärung von Handels- und Währungsfragen.

20. 7. Staatsstreichversuch des deutschen Widerstandes scheitert.

21.–25. 7. Bildung des «Polnischen Komitees der Nationalen Befreiung» («Lubliner Komitee»).

25. 7. Die EAC veröffentlicht die Kapitulationsurkunde, die in Jalta durch Artikel 12a ergänzt wird.

25. 8. Einmarsch de Gaulles und seiner Verbände in Paris.

12. 9. Das Erste Zonenprotokoll etabliert einen besonderen Status für «Groß-Berlin» und bestätigt die Demarkationslinie.

15. 9. Der «Morgenthau-Plan» wird durch Roosevelt und Churchill gebilligt.

26. 9. Die Regierung Badoglio erklärt das Münchener Abkommen für ungültig.

2. 10. Mit der Kapitulation der polnischen «Heimatarmee» in Warschau scheitert der Aufstand nach zwei Monaten.

9.–20. 10. Moskauer Konferenz. Großbritannien und die Sowjetunion teilen den Balkan (Griechenland, Rumänien, Bulgarien, Ungarn und Jugoslawien) in beiderseitige Einflußzonen.

23. 10. Die USA, Großbritannien und die Sowjetunion erkennen die provisorische Regierung Frankreichs unter de Gaulle an.

14. 11. Zweites Zonenprotokoll und Vorlage eines Kontrollabkommens durch die EAC.

10. 12. Französisch-sowjetischer Beistandspakt.

1945

4.–11. 2. Konferenz von Jalta.

19. 3. Die Sowjetunion kündigt den Freundschaftsvertrag mit der Türkei von 1925.

5. 4. Die Sowjetunion kündigt den Neutralitätsvertrag mit Japan vom 13. 4. 1941.

30. 4. Selbstmord Hitlers.

7.–8./9. 5. Unterzeichnung der deutschen Kapitulation in Reims bzw. Berlin-Karlshorst.

5. 6. Übernahme der obersten Regierungsgewalt in Deutschland durch die Hauptsiegermächte.

26. 6. Gründung der UNO in San Francisco.

4. 7. Kontrollabkommen der Vier Mächte über Österreich.

16. 7. Erste erfolgreiche Zündung einer Atombombe in New Mexico.

17. 7.–2. 8. Potsdamer Konferenz.

27. 7. Regierungswechsel in Großbritannien: «Labour»-Regierung unter Clement Attlee.

6. 8. Abwurf einer amerikanischen Uranbombe auf Hiroshima.

8. 8.	Sowjetische Kriegserklärung an Japan. Invasion der Mandschurei.
9. 8.	Abwurf einer amerikanischen Plutoniumbombe auf Nagasaki.
17. 8.	Proklamation der Unabhängigkeit Indonesiens durch Ahmad Sukarno.
September	Rückzug der sowjetischen Besatzungstruppen aus Nordnorwegen.
2. 9.	– Unterzeichnung der bedingungslosen Kapitulation durch Japan.
	– Ho Chi Minh ruft in Hanoi die unabhängige «Demokratische Republik Vietnam» aus.
9. 9.	Kapitulation der japanischen China-Armee.
10. 9.–2. 10.	Londoner Außenministerkonferenz noch mit Beteiligung Chinas.
17. 10.	Veröffentlichung der Direktive Nr. 1067 der «Joint Chiefs of Staff».
9. 11.–21. 12.	Gründung einer «Internationalen Reparationsagentur» in Paris.
30. 11.	Abschluß des sowjetischen und amerikanischen Truppenabzugs aus der Tschechoslowakei.
16.–26. 12.	Außenministerkonferenz in Moskau.

1946

19. 1.	Beschwerde des Iran vor dem UNO-Sicherheitsrat über das sowjetische Vorgehen in Aserbaidschan.
20. 1.	Charles de Gaulle tritt von seinem Amt als Regierungschef zurück.
Februar	Französische Truppen beginnen mit der Wiederbesetzung Vietnams.
22. 2.	George F. Kennan empfiehlt entschiedene Haltung gegen die Herausforderung der sowjetischen Außenpolitik.
5. 3.	Churchill spricht in Fulton von einem «Eisernen Vorhang» in Europa.
5./6. 3.	Diplomatische Intervention der USA gegen die sowjetische Iran-Politik.
März	Rückzug der britischen Einheiten aus dem Iran.
April	Rückzug der sowjetischen Besatzungstruppen von Bornholm.
21. 4.	Zwangsweiser Zusammenschluß der KPD und SPD in der SBZ zur SED.
25. 4.–12. 7.	Außenministerkonferenz in Paris (Tagung in zwei Sessionen).
Mai	– Mit zwei Beschlüssen verfügt Clay den Demontagestop und die Einstellung der Reparationslieferungen an die Sowjetunion.
	– Rückzug der sowjetischen Truppen aus dem Iran.
3. 5.	Ende der sowjetischen Besetzung der Mandschurei.
22. 5.	Unabhängigkeit Transjordaniens.
26. 5.	Erste freie Wahlen in der Tschechoslowakei; die Kommunisten erhalten 38 % der Stimmen.
Juni	Ausbruch des chinesischen Bürgerkrieges.
4. 7.	Unabhängigkeit der Philippinen.
20. 7.	Die USA schlagen die Vereinigung ihrer Besatzungszone in Deutschland mit einer oder mehreren der übrigen Zonen vor.
6. 9.	Der amerikanische Außenminister James F. Byrnes verweist in Stuttgart auf den provisorischen Charakter der Oder-Neiße-Grenze.
19. 9.	Churchill fordert in Zürich die baldige Schaffung der «Vereinigten Staaten von Europa».
20. 10.	Bei den ersten Wahlen in der SBZ erhält die SED etwa 47,5 % der Stimmen, in «Groß-Berlin» 19,8 %.
21./22. 10.	Verpflichtung von 3 000 deutschen Wissenschaftlern zur Arbeit in der Sowjetunion.
4. 11.–11. 12.	Außenministerkonferenz in New York.
2. 12.	Unterzeichnung des britisch-amerikanischen Abkommens über die Zusammenlegung ihrer Besatzungszonen.

19. 12.	Beginn des Ersten Indochina-Krieges.
31. 12.	Mit der vollständigen Souveränität des Libanon ist auch der Abzug der französischen und britischen Truppen aus der Region abgeschlossen.

1947

1. 1.	Inkrafttreten der Bizone.
19. 1.	Wahlen in Polen. 90% der Sitze gehen an den kommunistisch beherrschten Block.
10. 2.	Pariser Friedensverträge mit Rumänien, Italien, Ungarn, Bulgarien und Finnland.
20. 2.	Die britische Regierung gibt den Rückzug aus Indien bis Mitte 1948 bekannt.
25. 2.	Auflösung Preußens mit dem Kontrollratsgesetz Nr. 46.
1. 3.	Der IWF nimmt seine Tätigkeit auf.
4. 3.	Bündnisvertrag von Dünkirchen zwischen Frankreich und Großbritannien.
10. 3.–24. 4.	Moskauer Außenministerkonferenz.
12. 3.	«Truman-Doktrin».
26. 3.	«Hoover-Bericht».
5.–8. 6.	Die letzte Konferenz aller deutscher Ministerpräsidenten (bis zum Dezember 1990) scheitert.
5. 6.	Der amerikanische Außenminister George C. Marshall stellt in einer Rede an der Harvard University ein wirtschaftliches Hilfsprogramm für Europa in Aussicht («Marshall-Plan»).
27. 6.	Molotow reist zu Verhandlungen über eine Beteiligung am ERP nach Paris. Absage der Sowjetunion am 2. Juli.
15. 7.	Die Direktive JCS 1067 wird durch die Weisung JCS 1779 ersetzt.
15. 8.	Unabhängigkeit Indiens und Pakistans.
30. 8.	Abschluß des «Inter-American Treaty of Reciprocal Assistance» in Petropolis bei Rio de Janeiro.
30. 9.	Gründung der Kominform.
21. 10.	Die Vollversammlung der UNO verurteilt die Unterstützung der Aufständischen im griechischen Bürgerkrieg durch Albanien, Bulgarien und Jugoslawien.
30. 10.	Entstehung des GATT mit Unterzeichnung des «Protocol of Provisional Application» durch 23 Staaten.
25. 11.–15. 12.	Außenministerkonferenz in London.

1948

1. 1.	Das GATT tritt in Kraft.
4. 1.	Unabhängigkeit Burmas.
22. 1.	Der britische Außenminister Bevin regt die Bildung einer «Westunion» an.
20. 2.	Rücktritt fast aller Minister der tschechoslowakischen Regierung.
23. 2.	Beginn der Konferenz in London mit den USA, Kanada und den Mitgliedern des Brüsseler Fünfmächtepaktes.
25. 2.	Staatspräsident Benesch stimmt der Regierung der «Erneuerten Nationalen Front» zu.
17. 3.	– Unterzeichnung des Brüsseler Fünfmächte-Paktes («Westunion»).
	– Mit einer Rede vor dem amerikanischen Kongreß bietet Truman Unterstützung für die «freien Staaten Europas» an.

20. 3.	Auszug des sowjetischen Vertreters aus dem Alliierten Kontrollrat.
1. 4.	Erste sowjetische Maßnahmen behindern den Verkehr nach Berlin. Die Westmächte richten eine Luftbrücke ein.
3. 4.	Inkrafttreten des «Economic Cooperation Act».
6. 4.	Sowjetisch-finnischer Bündnisvertrag.
16. 4.	Gründung der OEEC. Sie wird 1960 durch die OECD abgelöst.
30. 4.	Gründung der OAS in Bogotá.
14. 5.	Gründung des Staates Israel.
7. 6.	Die Ergebnisse der Londoner Konferenz werden veröffentlicht.
11. 6.	Annahme der «Vandenberg-Resolution» durch den amerikanischen Senat.
16. 6.	Der sowjetische Vertreter verläßt die Alliierte Kommandantur für Berlin.
20./21. 6.	Währungsreform in den drei Westzonen.
23. 6.	Währungsreform in der SBZ und in «Groß-Berlin».
24. 6.	Sowjetische Blockade sämtlicher Land- und Wasserwege nach Berlin.
27. 6.	Ausschluß Jugoslawiens aus dem Kominform.
1. 7.	Übergabe der «Londoner Empfehlungen» durch die Militärgouverneure an die Ministerpräsidenten der westlichen Zonen.
6. 7.	Beginn der Verhandlungen zwischen den Mitgliedern des Brüsseler Fünfmächtepaktes sowie Kanada und den USA.
1. 9.	Konstituierung des Parlamentarischen Rates in Bonn.
3. 9.	Absetzung Gomulkas.

1949

17. 1.	Gründung des Militärischen Sicherheitsamtes durch die drei Westmächte.
25. 1.	Gründung des RGW.
28. 1.	Gründung des Europarates.
24. 2.–20. 7.	Waffenstillstände beenden den Ersten, unmittelbar nach der Staatsgründung Israels ausgebrochenen Nahost-Krieg.
4. 4.	Unterzeichnung des NATO-Vertrages.
10. 4.	Veröffentlichung des Besatzungsstatuts.
28. 4.	Unterzeichnung des Ruhrstatuts.
12. 5.	Ende der Berlin-Blockade.
23. 5.	Inkrafttreten des Grundgesetzes.
23. 5.–20. 6.	Außenministerkonferenz in Paris.
10. 7.	Tito läßt die Grenzen zu Griechenland schließen.
14. 8.	Wahl zum Ersten Deutschen Bundestag.
29. 8.	Erster erfolgreicher Test einer Atombombe durch die Sowjetunion.
7. 9.	Erste Sitzung des Bundestages.
15. 9.	Wahl Konrad Adenauers zum ersten Bundeskanzler.
21. 9.	Inkrafttreten des Besatzungsstatuts.
1. 10.	Mao Tse-tung proklamiert in Peking die «Volksrepublik China».
7. 10.	Gründung der Deutschen Demokratischen Republik.
9. 10.	Die griechischen Kommunisten beschließen die «vorübergehende» Einstellung der Kampfhandlungen; Ende des Bürgerkrieges.
31. 10.	Aufnahme der Bundesrepublik in die OEEC.
2. 11.–14. 12.	Stufenweise Unabhängigkeit Indonesiens im Rahmen einer Union mit den Niederlanden.
22. 11.	– Unterzeichnung des «Petersberger Abkommens». – Gründung des COCOM.

Dezember	Chiang Kai-shek flieht mit 1,5 Millionen Anhängern nach Taiwan.
3. 12.	Adenauer läßt die Bereitschaft für eine Beteiligung deutscher Truppen im Rahmen einer europäischen Armee erkennen.

1950

Januar	Die Volksrepublik China und die Sowjetunion nehmen diplomatische Beziehungen zur Demokratischen Republik Vietnam auf.
10. 1.	Außenminister Acheson erklärt in einer geschlossenen Sitzung des außenpolitischen Senatsausschusses, daß weder Taiwan noch Korea im amerikanischen Verteidigungs-Perimeter lägen.
14. 2.	Sowjetisch-chinesischer Bündnisvertrag («Stalin-Mao-Vertrag»).
9. 5.	In einer Erklärung zu Europa spricht Robert Schuman von der «Vereinigung der europäischen Nationen» («Schuman-Plan»).
20. 6.	Beginn der Verhandlungen zwischen Frankreich, der Bundesrepublik und den drei Benelux-Staaten auf Basis der Schuman-Vorschläge.
25. 6.	Ausbruch des Korea-Krieges.
6. 7.	«Görlitzer Vertrag»: Anerkennung der Oder-Neiße-Linie durch die DDR.
7. 7.	Der UNO-Sicherheitsrat genehmigt Sanktionen gegen Nordkorea sowie die Einrichtung eines gemeinsamen Oberkommandos unter Führung der USA.
11. 8.	Churchill regt die Aufstellung einer Europa-Armee unter deutscher Beteiligung an.
29. 8.	Zwei Memoranden Adenauers zur Frage der deutschen Bewaffnung.
19. 9.	Kommuniqué der Außenminister Großbritanniens, Frankreichs und der USA zu einem deutschen Verteidigungsbeitrag.
7. 10.	Amerikanische und verbündete Truppen überschreiten den 38. Breitengrad in Korea.
19. 10.	Einnahme Pjöngjangs durch die amerikanischen und verbündeten Truppen.
24. 10.	Der französische Ministerpräsident René Pleven regt vor dem französischen Parlament eine Europa-Armee mit deutscher Beteiligung an («Pleven-Plan»).
3. 11.	Sowjetischer Vorschlag einer Viermächte-Konferenz über Deutschland.
26. 11.	Einheiten der Volksrepublik China greifen in den Korea-Krieg ein.
30. 11.	Vorschlag Grotewohls zur Bildung eines gesamtdeutschen konstituierenden Rates.
5. 12.	Rückeroberung Pjöngjangs durch chinesische und nordkoreanische Verbände.

1951

4. 1.	Einnahme Seouls durch nordkoreanische und chinesische Truppen.
9. 1.	Beginn der Verhandlungen über einen deutschen NATO-Beitritt auf dem Petersberg. Sie scheitern im Juni.
15. 1.	Adenauer lehnt die Vorschläge Grotewohls vom 30. 11. 1950 ab.
15. 2.	Beginn der «Conference pour l'Organisation de l'Armée Européenne» in Paris.
5. 3.	Beginn der Vorkonferenz für ein Vierer-Treffen in Paris. Sie scheitert nach dreieinhalb Monaten.
6. 3.	– Die Bundesrepublik erklärt sich zur Übernahme der Auslandsschulden bereit.

	– Erste Revision des Besatzungsstatuts und Wiedereinrichtung des Auswärtigen Amtes am 15. 3.
18. 4.	Unterzeichnung des EGKS-Vertrages.
21. 4.	Beitritt der Bundesrepublik zum GATT.
2. 5.	Beitritt der Bundesrepublik zum Europarat.
23. 5.	Ein Abkommen bestätigt die Souveränität Chinas über das im November 1950 besetzte Tibet.
9. 7.	Großbritannien erklärt den Kriegszustand mit Deutschland für beendet.
13. 7.	Frankreich erklärt den Kriegszustand mit Deutschland für beendet.
8. 9.	Unterzeichnung des Friedensvertrags zwischen Japan und den Siegermächten ohne die Sowjetunion in San Francisco.
15. 9.	Grotewohl präzisiert seine Vorschläge vom 30. 11. 1950.
20. 9.	Unterzeichnung des Interzonenabkommens. Es tritt rückwirkend zum 1. 7. 1951 in Kraft.
24. 10.	Die USA erklären den Kriegszustand mit Deutschland für beendet.
20. 12.	Die UNO-Vollversammlung billigt gegen die Stimmen der Sowjetunion und Israels die Einsetzung einer Untersuchungskommission für die Voraussetzungen gesamtdeutscher Wahlen.
21. 12.	Erlöschen des Ruhrstatuts.

1952

9. 1.	Entwurf der DDR-Regierung für ein Wahlgesetz auf der Basis des Reichstagswahlgesetztes der Weimarer Republik.
4. 2.	Konstituierung der Abrüstungskommission der UNO.
20.–25. 2.	NATO-Konferenz in Lissabon betont die Vereinbarkeit von EVG und NATO.
28. 2.	Beginn der Londoner Verhandlungen über die deutschen Schulden.
10. 3.	Note Stalins an die Regierungen der drei Westmächte.
20. 3.	Beginn der Verhandlungen über eine Wiedergutmachung zwischen der Bundesrepublik und Israel in Den Haag.
25. 3.	Antwort der drei Westmächte auf die Note Stalins.
9. 4.	Zweite Note Stalins an die Westmächte.
13. 5.	Antwort der Westmächte auf die zweite Note Stalins.
24. 5.	Stalin fordert direkte Gespräche der Vier Mächte über Deutschland.
26. 5.	Unterzeichnung des «Vertrages über die Beziehungen zwischen der Bundesrepublik Deutschland und den Drei Mächten» («Deutschland-Vertrag»).
27. 5.	Unterzeichnung des EVG-Vertrages in Paris.
10. 7./23. 8.	Letzte Briefwechsel über direkte Gespräche zwischen den Vier Mächten.
23. 7.	Staatsstreich in Ägypten.
14. 8.	Die Bundesrepublik wird Mitglied des IWF.
8.–10. 9.	Konstituierende Sitzung des Ministerrates der EGKS.
10. 9.	– Unterzeichnung des deutsch-israelischen Wiedergutmachungsabkommen in Luxemburg.
	– Die EGKS-Außenministerkonferenz beschließt die Realisierung des Art. 38 des EVG-Vertrages zur Gründung der EPG.
10.–13. 9.	Konstituierende Sitzung der Gemeinsamen Versammlung der EGKS.
1. 11.	Die USA zünden die erste Wasserstoffbombe.
25. 12.	Stalin äußert sich in einem Interview mit der «New York Times» interessiert an der «Beendigung des Krieges in Korea».

1953

20. 1.	Amtsantritt des amerikanischen Präsidenten Dwight D. Eisenhower.
27. 2.	Unterzeichnung des Londoner Schuldenabkommens.
28. 2.	Freundschaftsvertrag zwischen Jugoslawien, Griechenland und der Türkei.
5. 3.	Tod Stalins.
19. 3.	Verabschiedung des EVG- und des Deutschland-Vertrages durch den Bundestag.
17. 6.	Massenproteste in Ost-Berlin werden von sowjetischen Truppen niedergeschlagen.
26. 7.	Erhebung Fidel Castros gegen das Regime Batistas auf Kuba.
27. 7.	Unterzeichnung des Waffenstillstandes zwischen Nordkorea und der UNO.
20. 8.	Zündung der ersten sowjetischen Wasserstoffbombe.
7. 9.	Nikita S. Chruschtschow wird Erster Sekretär des ZK der KPdSU.

1954

12. 1.	Außenminister Dulles spricht erstmals von der Strategie der «massiven Vergeltung».
25. 1.–18. 2.	Berliner Konferenz der Außenminister der vier alliierten Siegermächte.
21. 3.	Sowjetischer Vorschlag einer Konferenz über ein europäisches Sicherheitssystem.
25. 3.	Der Kreml veröffentlicht eine Erklärung über die Anerkennung der Souveränität der DDR.
31. 3.	Die Sowjetunion spricht sich in einer Note an die Westmächte für die Teilnahme der USA an einem Gesamteuropäischen Vertrag über kollektive Sicherheit aus und deutet die Möglichkeit eines Beitritts zur NATO an.
19. 4.	Gründung des Unterausschusses der UNO-Abrüstungskommission.
26. 4.–21. 7.	Genfer Konferenz über Korea und Indochina.
7. 5.	Französische Truppen kapitulieren bei Dien-Bien-Phu.
21. 7.	Abschluß des Waffenstillstandes für Vietnam in Genf.
24. 7.	Sowjetischer Vorschlag einer Konferenz über ein europäisches Sicherheitssystem.
August	Erste Gefechte in der Straße von Formosa zwischen der Volksrepublik China und Taiwan.
9. 8.	Beistandspakt zwischen Jugoslawien, Griechenland und der Türkei («Balkan-Pakt»).
10. 8.	Auflösung der niederländisch-indonesischen Union.
30. 8.	Der EVG-Vertrag scheitert im französischen Parlament.
8. 9.	Gründung der «South East Asia Treaty Organization» (SEATO).
14. 9.	Etwa 45 000 sowjetische Soldaten müssen den Einsatz einer Atombombe unter Kampfbedingungen erproben.
28. 9.–3. 10.	Londoner Neunmächte-Konferenz.
12. 10.	Chruschtschow und Bulganin kündigen in Peking die Rückgabe der sowjetischen Stützpunkte auf der Halbinsel Liaotung an China an.
19.–23. 10.	Pariser Konferenzen.
19. 10.	Zustimmung Großbritanniens zur Aufkündigung des Bündnisvertrages mit Ägypten aus dem Jahr 1936.
1./2. 11.	Beginn der Aufstandsbewegung in Algerien.
13. 11.	Sowjetischer Vorschlag einer Konferenz über ein europäisches Sicherheitssystem an 23 europäische Staaten und die USA.

2. 12.	Verteidigungsabkommen USA – Taiwan.
27.–30. 12.	Das französische Parlament billigt das Pariser Vertragspakét.

1955

25. 1.	Die Sowjetunion erklärt den Kriegszustand mit Deutschland für beendet.
9. 2.	Ratifizierung des amerikanisch-taiwanesischen Verteidigungsabkommens durch den amerikanischen Senat mit beträchtlichen Einschränkungen.
24. 2.	Gründung des «Bagdad-Paktes» durch die Türkei und den Irak.
27. 2.	Ratifizierung der Pariser Verträge durch den Bundestag gegen die Stimmen der SPD.
5. 4.	Beitritt Großbritanniens zum Bagdad-Pakt.
18.–24. 4.	Afro-asiatische Konferenz von Bandung.
5. 5.	– Inkrafttreten des Saarstatuts.
	– Inkrafttreten der Pariser Verträge.
7. 5.	– Konstituierende Sitzung des WEU-Rates.
	– Die Sowjetunion kündigt die Bündnisverträge mit Großbritannien und Frankreich aus den Jahren 1942 und 1944.
9. 5.	Aufnahme der Bundesrepublik in die NATO.
14. 5.	Gründung des Warschauer Paktes.
15. 5.	Unterzeichnung des österreichischen Staatsvertrages.
Juni	NATO-Manöver «Carte Blanche».
1.–3. 6.	Konferenz von Messina.
7. 6.	Einladung Adenauers durch die Sowjetunion.
1. 7.	Beitritt Pakistans zum Bagdad-Pakt.
9. 7.	Konstituierung einer Expertenkommission der WEU unter Vorsitz des belgischen Außenministers Spaak.
18.–23. 7.	Genfer Gipfelkonferenz.
20. 7.	Die Sowjetunion fordert den Abschluß eines multilateralen Nichtangriffsvertrages.
1. 8.	Beginn geheimer Botschafterbesprechungen zwischen den USA und der Volksrepublik China.
9. 9.–13. 9.	Besuch einer bundesdeutschen Delegation unter Leitung Adenauers in Moskau.
13. 9.	Deutsch-sowjetisches Abkommen.
15. 9.	Besuch einer DDR-Delegation in Moskau.
20. 9.	«Zweite» Souveränitätserklärung der Sowjetunion für die DDR.
16. 10.	Beitritt Irans zum Bagdad-Pakt.
23. 10.	Ablehnung des Saar-Statuts durch die Saar-Bevölkerung.
27. 10.–16. 11.	Genfer Außenministerkonferenz.
9. 11.	Der Kreml wiederholt seine Forderung nach einem multilateralen Nichtangriffsvertrag.
22. 11.	Die Sowjetunion zündet eine Zweistufen-Wasserstoffbombe.

1956

2. 1.	Die ersten Bundeswehreinheiten werden einberufen.
28. 1.	Die DDR wird Vollmitglied des Warschauer Paktes.
25. 2.	Abrechnung Chruschtschows mit dem Stalinismus in einer Geheimrede auf dem 20. Parteitag der KPdSU.
6. 5.	«Spaak-Bericht».

14. 5.	Ankündigung einseitiger Abrüstungsmaßnahmen durch die Sowjetunion.
16. 5.	Nasser verkündet den Abbruch der diplomatischen Beziehungen zu Taiwan und die Aufnahme solcher zur Volksrepublik China.
28. 6.	Posener Aufstand.
17. 7.	Der «Radford-Plan» wird durch eine Indiskretion bekannt.
19. 7.	Die USA ziehen die Finanzhilfe zum Bau des Assuan-Staudammes zurück.
26. 7.	Nasser verstaatlicht die Suezkanalgesellschaft.
19. 10.	– Gemeinsame sowjetisch-japanische Deklaration in Moskau. Mit ihr endet der Kriegszustand zwischen beiden Staaten.
	– Einsetzung Gomulkas in seine alte Funktion.
23. 10.	Beginn des Volksaufstandes in Ungarn.
24. 10.	Bildung einer reformkommunistischen Regierung in Budapest unter Imre Nagy.
25./28. 10.	Nagy fordert Verhandlungen mit der Sowjetunion über einen Truppenabzug.
29. 10.	Mit dem israelischen Angriff auf Ägypten beginnt der Zweite Nahost-Krieg.
31. 10./1. 11.	Britische und französische Bombardements ägyptischer Flugplätze.
1. 11.	Ungarn kündigt die Mitgliedschaft im Warschauer Pakt.
2. 11.	Die UNO-Vollversammlung fordert die Einstellung der Kämpfe in Ägypten.
4. 11.	Sowjetische Intervention in Ungarn.
5. 11.	– Landung britischer und französischer Fallschirmjäger in Ägypten.
	– Moskau droht Paris und London mit Gewaltmaßnahmen.
6. 11.	Großbritannien und Frankreich brechen ihr Militärunternehmen ab.
7. 11.	Die UNO-Generalversammlung beschließt die Entsendung einer Friedenstruppe in das nahöstliche Kampfgebiet.
14. 11.	Zusammenbruch des ungarischen Aufstandes.
18. 12.	Dulles erklärt, es sei nicht Absicht der USA, die Sowjetunion mit einem Gürtel feindlicher Staaten zu umgeben.
30. 12.	Das «Neue Deutschland» schlägt eine Konföderation der beiden deutschen Staaten vor.

1957

1. 1.	Eingliederung des Saarlandes in die Bundesrepublik gemäß Übereinkunft vom 27. 10. 1956.
7. 1.	«Eisenhower-Doktrin» für den Nahen Osten.
30. 1.	Ulbricht präzisiert die Föderationsvorschläge.
15. 2.	Andrej A. Gromyko wird als Nachfolger Molotows sowjetischer Außenminister.
6. 3.	Unabhängigkeit Ghanas.
12. 3.	Truppenstationierungsvertrag zwischen der DDR und der Sowjetunion.
25. 3.	Unterzeichnung des EWG- und des EURATOM-Vertrages in Rom.
12. 4.	– Washington erklärt sich bereit, seinen Verbündeten amerikanische Mittelstreckenraketen zur Verfügung zu stellen und eigene Streitkräfte in Europa auf taktische Kernwaffensysteme umzurüsten.
	– «Göttinger Erklärung» deutscher Atomphysiker.
5. 7.	Ratifizierung der Römischen Verträge im Deutschen Bundestag mit den Stimmen auch der SPD.

9. 7.	Ratifizierung der Römischen Verträge durch die französische Nationalversammlung.
29. 7.	Gründung der IAEO in Wien.
31. 8.	Unabhängigkeit des Malaiischen Bundes.
September	Die Türkei zieht an der Grenze zu Syrien Truppen zusammen.
6. 9.	Der Unterausschuß der UNO-Abrüstungskommission vertagt sich nach mehreren Sitzungsperioden seit dem 29. 8. 1955 ohne Festsetzung eines neuen Datums.
11. 9.	Militärische Zusammenarbeit zwischen Syrien und Ägypten vereinbart.
15. 9.	Bei der Wahl zum Dritten Bundestag erhalten CDU/CSU die absolute Mehrheit.
2. 10.	Polens Außenminister Rapacki schlägt der UNO-Vollversammlung eine «atomwaffenfreie Zone» in Mitteleuropa vor.
4. 10.	Die Sowjetunion gibt den Start des «Sputnik» bekannt.
13. 10.	Landung ägyptischer Truppen in Syrien.
15. 10.	Sowjetisch-chinesischer Atomhilfevertrag.
19. 10.	Abbruch der diplomatischen Beziehungen der Bundesrepublik zu Jugoslawien.
27. 10.	Sowjetisch-syrisches Kreditabkommen.
20. 11.	Grundsätzliche Einigung Frankreichs und der Bundesrepublik auf die gemeinsame Produktion von Nuklearwaffen und Trägersystemen.

1958

1. 1.	Inkrafttreten des EWG- und des EURATOM-Vertrages.
31. 1.	Start des ersten amerikanischen Satelliten «Explorer».
1. 2.	Proklamierung der VAR in Kairo und Damaskus.
14. 2.	Rapacki wiederholt seinen Plan vor dem polnischen Parlament.
19. 3.	Adenauer schlägt dem sowjetischen Botschafter Smirnow einen Österreich-Status für die SBZ vor.
25. 3.	Der Bundestag beschließt, die Bundeswehr mit Trägersystemen für taktische Nuklearwaffen auszurüsten.
8. 4.	Paraphierung eines Abkommens über «die gemeinsame Entwicklung und Produktion von Atomsprengkörpern» durch die Verteidigungsminister Frankreichs, Italiens und der Bundesrepublik.
15.–22. 4.	Konferenz unabhängiger afrikanischer Staaten in Accra.
29. 4.	Mit der Errichtung der ersten «Volkskommune» in der Volksrepublik China beginnt der «Große Sprung nach vorn», der in den drei «bitteren Jahren», der Hungerkatastrophe 1960–1963, endet.
Mai	Vizepräsident Nixon wird bei einem Besuch in Venezuela und Peru von einer aufgebrachten Menge beschimpft.
13. 5.	Die französische Algerien-Armee droht mit einem Putsch.
24. 5.	Der Warschauer Pakt kündigt einen erheblichen Abbau der konventionellen Streitkräfte an und legt einen ersten Entwurf über einen multilateralen Nichtangriffsvertrag vor.
1. 6.	De Gaulle wird von der französischen Nationalversammlung zum Ministerpräsidenten gewählt.
2. 6.	Gründung der NASA.
17. 6.	Geheimprozeß gegen Nagy endet mit dem Todesurteil.
Juli–Oktober	Libanesischer Bürgerkrieg.
14. 7.	Proklamierung der Republik Irak.
15. 7.	Amerikanische Intervention im Libanon.

17. 7.	Einsatz britischer Fallschirmjäger in Jordanien.
26. 7.	Abschluß des sowjetischen Truppenabzugs aus Rumänien.
1. 8.	Die USA und Großbritannien erkennen die Republik Irak an.
23. 8.	Die Volksrepublik China beginnt mit dem Dauerbombardement der nationalchinesischen Inseln Quemoy und Matsu.
14.–15. 9.	Treffen de Gaulles mit Adenauer bei Colombey-les-deux-Églises.
17./18. 9.	Vorschlag de Gaulles an Eisenhower und Macmillan für ein «Dreier-Direktorium».
5. 10.	Inkrafttreten der Verfassung der Fünften Französischen Republik.
10. 11.	Chruschtschow fordert im Moskauer Sportpalast die Aufgabe der Reste des «Besatzungsregimes in Berlin».
27. 11.	Erstes Berlin-Ultimatum Chruschtschows.
8.–14. 12.	Panafrikanische Konferenz in Accra.
14. 12.	Zurückweisung des sowjetischen Berlin-Ultimatums durch die Westmächte und die Bundesrepublik.

1959

1. 1.	Der kubanische Präsident Batista geht ins Exil.
8. 1.	De Gaulle wird Präsident der Fünften Republik.
10. 1.	Entwurf eines Friedensvertrages für Deutschland durch die Sowjetunion. Vorschlag zur Einberufung einer Friedenskonferenz in Warschau oder Prag.
16. 2.	– Castro übernimmt das Amt des kubanischen Ministerpräsidenten.
	– Grundsätzliche Zustimmung der drei Westmächte und der Bundesrepublik bezüglich des sowjetischen Vorschlags zur Einberufung einer Friedenskonferenz.
21. 2.–3. 3.	Macmillan besucht die Sowjetunion.
5. 3.	Chruschtschow droht in Leipzig den Abschluß eines Separatfriedensvertrages mit der DDR an.
15. 3.	Frankreich entzieht seine Mittelmeerflotte im Kriegsfall dem NATO-Oberbefehl.
24. 3.	Austritt des Irak aus dem Bagdad-Pakt. Dieser wird als «Central Treaty Organization» durch die Türkei, Großbritannien, Pakistan sowie den Iran fortgeführt.
25. 3.	De Gaulle fordert öffentlich die Anerkennung der Oder-Neiße-Linie durch die Bundesrepublik.
11. 5.–20. 6.	Erste Runde der Außenministerkonferenz in Genf. Erstmals nehmen Vertreter beider deutscher Staaten als «Berater» teil.
25. 5.–3. 6.	Chruschtschow besucht Albanien.
4. 6.	Mit einem Agrarreformgesetz beginnen die Enteignungen auf Kuba.
20. 6.	Die Sowjetunion kündigt den sowjetisch-chinesischen Atomhilfevertrag.
6. 7.	Abschluß der wirtschaftlichen Rückgliederung des Saarlandes in die Bundesrepublik.
13. 7.–5. 8.	Zweite Runde der Außenministerkonferenz in Genf.
15.–27. 9.	Chruschtschow besucht die USA.
30. 9.–4. 10.	Chruschtschow reist in die Volksrepublik China.
1. 12.	In Washington wird von zwölf Staaten der «Antarktis-Vertrag» unterzeichnet.

1960

1. 1.	– Indienststellung des ersten amerikanischen strategischen U-Bootes.
	– Unabhängigkeit des unter französischer Treuhandschaft stehenden Teils Kameruns.
4. 1.	Errichtung der EFTA.
19. 1.	Japanisch-amerikanischer Sicherheitsvertrag.
4.–13. 2.	Anläßlich des Besuches von Mikojan wird ein erstes kubanisch-sowjetisches Handels- und Kapitalhilfeabkommen abgeschlossen.
13. 2.	Zündung der ersten französischen Atombombe.
27. 4.	– Die britische Regierung gibt eine drastische Kürzung ihres Atomwaffenprogramms bekannt.
	– Unabhängigkeit Togos.
1. 5.	Abschuß eines «U-2»-Aufklärungsflugzeuges über sowjetischem Territorium.
6. 5.	Adenauer fordert geladene Journalisten auf, anstatt von der «Wiedervereinigung» vom «Recht der Selbstbestimmung» zu sprechen.
16./17. 5.	Chruschtschow läßt den Vierer-Gipfel in Paris platzen.
20. 6.	Unabhängigkeit der Föderation von Mali; seit 20. 8. Republik Senegal bzw. 22. 9. Republik Mali.
26. 6.	Unabhängigkeit Madagaskars.
28. 6.	Die Zehnmächte-Abrüstungskonferenz stellt ihre Arbeit vorzeitig ein.
30. 6.	– Mit einer Rede Herbert Wehners vor dem Bundestag bekennt sich die SPD zur Westintegration.
	– Unabhängigkeit des belgischen Kongo (seit 1971: Zaire).
1. 7.	Unabhängigkeit des italienischen Treuhandgebietes Somalia und Vereinigung mit dem vormaligen britischen Somaliland, das seit dem 26. 6. unabhängig ist.
6. 7.	Die USA reduzieren ihre Zuckerimporte aus Kuba um 700 000 Tonnen.
16. 7.	Die Sowjetunion kündigt das Kooperationsabkommen mit Peking, in dessen Verlauf etwa 10 000 Techniker und Berater nach China entsandt worden waren.
29.–30. 7.	Treffen Adenauers und de Gaulles in Rambouillet.
1. 8.	Unabhängigkeit Dahomeys.
3. 8.	Unabhängigkeit Nigers.
5. 8.	Unabhängigkeit Obervoltas.
7. 8.	Unabhängigkeit der Elfenbeinküste.
11. 8.	Unabhängigkeit des Tschad.
13. 8.	Unabhängigkeit der Zentralafrikanischen Republik.
15. 8.	Unabhängigkeit des französischen Kongo.
16. 8.	Unabhängigkeit Zyperns.
17. 8.	Unabhängigkeit Gabuns.
1. 10.	Unabhängigkeit Nigerias.
24. 10.	– Erstes deutsch-amerikanisches «Offset»-Abkommen.
	– Das französische Parlament verabschiedet eine Gesetzesvorlage zum Bau von Bombern, U-Booten und ballistischen Raketen: Beginn der «Force de frappe».
10. 11.–1. 12.	Zweite Weltkonferenz von 81 kommunistischen Parteien in Moskau.
28. 11.	Unabhängigkeit Mauretaniens.

1961

1. 1.	Inkrafttreten der Geldreform in der Sowjetunion.
3. 1.	Abbruch der diplomatischen Beziehungen zu Kuba durch die USA.
20. 1.	Amtsantritt des amerikanischen Präsidenten John F. Kennedy.
20. 1.	Die Sowjetunion kündigt an, alle Fachleute aus Albaniens Erdölindustrie abzuziehen.
10.–11. 2.	Die Regierungs- und Staatschefs der EWG-Staaten vereinbaren in Paris eine enge politische Zusammenarbeit.
4. 3.	Bekanntgabe der Aufwertung der D-Mark gegenüber dem US-Dollar um 4,76%.
27. 3.	Beitritt Finnlands zur EFTA.
30. 3.	Sowjetisch-jugoslawischer Handelsvertrag.
12. 4.	Jurij Gagarin umkreist als erster Mensch die Erde.
20. 4.	Endgültiges Scheitern der Invasion in der Schweinebucht.
26. 4.	Aufkündigung der Wirtschaftshilfe an Albanien durch die Sowjetunion.
Mai	Einstellung der sowjetischen Militärverpflichtungen gegenüber Albanien.
Mai	Mission Johnsons nach Saigon.
10. 5.	Frühjahrstagung der 14 NATO-Staaten garantiert nurmehr die Freiheit West-Berlins und seiner Bevölkerung.
3./4. 6.	Treffen Chruschtschows und Kennedys in Wien.
15. 6.	Auf einer Pressekonferenz erklärt Ulbricht, daß niemand die Absicht habe, eine Mauer zu errichten.
19. 6.	Unhabhängigkeit Kuwaits.
25. 7.	In einer Fernsehansprache stellt Kennedy das Berlin-Problem in einen globalen Zusammenhang und formuliert die «Three essentials».
5. 8.	In einer Geheimrede vor den Führern des Warschauer Paktes führt Chruschtschow aus, daß weder Frankreich, England und Italien noch die USA eine Wiedervereinigung Deutschlands wollten.
10. 8.	Kennedy erklärt öffentlich, die USA versuchten den Flüchtlingsstrom in Deutschland weder zu ermutigen noch zu entmutigen.
12./13. 8.	Schließung der Ost-West-Sektorengrenze. Wenige Tage später beginnt der Bau der Berliner Mauer.
1.–6. 9.	Erste Gipfelkonferenz der blockfreien Staaten in Belgrad.
28. 9.	Staatsstreich in Syrien führt zum Austritt des Landes aus der VAR. Am 8. 10. treten die syrischen Kabinettsmitglieder zurück.
17.–31. 10.	22. Parteikongreß der KPdSU verkündet den endgültigen Bruch mit Albanien.
27./28. 10.	Am «Checkpoint Charlie» in Berlin stehen sich amerikanische und sowjetische Panzer kampfbereit gegenüber.
30. 10.	Die Sowjetunion zündet eine 50-Megatonnen-Bombe.
15. 11.	Anordnung Kennedys zur Intensivierung der amerikanischen Beratertätigkeit in Südostasien.
Dezember	Indische Truppen besetzen Portugiesisch-Indien.
16. 12./18 1.	«Fouchet-Kommission» legt ihre Pläne vor.

1962

31. 1.	Ausschluß Kubas aus der OAS.
20. 2.	John Glenn umkreist als erster Amerikaner die Erde.
18. 3.	Waffenstillstand zwischen Frankreich und Algerien in Evian; Errichtung eines unabhängigen algerischen Staates.

6. 4.	Verteidigungsminister Strauß fordert vor dem Bundestag Information, Garantie und Mitspracherechte für auf deutschem Boden gelagerte Kernwaffen.
17. 4.	Die Außenministerkonferenz der EWG-Staaten bricht ihre Verhandlungen über eine Politische Union ab.
5. 5.	Offizielle Präsentation der «Flexible response» durch McNamara auf der Athener Ministerratstagung der NATO.
6. 6.	Adenauer schlägt der Sowjetunion einen «Burgfriedensplan» für die DDR vor.
31. 7.	In einem Schreiben an General Norstad fordert Strauß ein Verfügungsrecht über Atom-Minen.
22. 8.	Mit der Auflösung der sowjetischen Stadtkommandantur in Berlin und der Übertragung ihrer Befugnisse an die DDR endet die Berlin-Krise.
13. 9.	Kennedy warnt Chruschtschow und Castro erstmals öffentlich vor der Stationierung offensiver Waffensysteme auf Kuba.
6. 10.	Die USA verlegen Flugzeuge und Abwehrraketen nach Florida.
14. 10.	Fotos beweisen, daß auf Kuba Raketen stationiert werden.
16. 10.	Einberufung eines Exekutivkomitees des Nationalen Sicherheitsrates im Weißen Haus.
20. 10.	China eröffnet den Krieg gegen Indien.
20. 10.	Kennedy ordnet die Vorbereitung einer Quarantäne Kubas an.
22. 10.	– Die USA übergeben die «Jupiter»-Raketen offiziell an die Türkei. – Kennedy gibt die Seeblockade Kubas bekannt und fordert den bedingungslosen Abzug der sowjetischen Raketen. – Die strategischen Luftstreitkräfte der USA werden in Alarmbereitschaft («Defense Condition 2») versetzt.
24. 10.	Inkrafttreten der totalen Blockade Kubas.
27. 10.	Abschuß eines «U-2»-Flugzeuges über Kuba.
28. 10.	Chruschtschow erklärt sich bereit, die Abschußrampen auf Kuba abzubauen.
29. 10.	Die USA bereiten den Abzug der «Jupiter»-Raketen aus der Türkei vor, der Ende April 1963 abgeschlossen wird.
20. 11.	Castro beugt sich dem sowjetischen Druck, die Bomber an die Sowjetunion zurückzugeben.
21. 11.	– Die USA beenden die militärische Seeblockade Kubas. – Mit einem Waffenstillstand wird der chinesisch-indische Krieg beendet.
30. 11.	Im Zuge der «Spiegel-Affäre» verzichtet Verteidigungsminister Strauß auf einen Posten im neuen Kabinett.
18. 12.	Die Bundesregierung verhängt auf amerikanischen Druck ein Exportverbot für Stahlröhren in die Sowjetunion.
18.–21. 12.	Treffen zwischen Kennedy und Macmillan auf Nassau. Vereinbarung einer amerikanisch-britischen Kooperation bei der atomaren Bewaffnung.

1963

12. 1.	Kuba nimmt diplomatische Beziehungen zur DDR auf.
14. 1.	– Abbruch der diplomatischen Beziehungen zu Kuba durch die Bundesrepublik. – De Gaulle kündigt auf einer Pressekonferenz das französische Veto gegen eine EWG-Beitritt Großbritanniens an.

22. 1.	Unterzeichnung des Vertrages über die deutsch-französische Zusammenarbeit in Paris.
28. 1.	Beginn des Häftlingfreikaufs aus der DDR durch die Bundesrepublik.
29. 1.	Abbruch der Verhandlungen über einen britischen EWG-Beitritt.
7. 3.	Unterzeichnung eines Handelsabkommens zwischen der Bundesrepublik und Polen.
8. 3.	Nach einem Staatsstreich übernimmt in Syrien die «Baath-Partei» die Macht.
8. 5.	Der Bundestag versieht das Ratifizierungsgesetz zum deutsch-französischen Vertrag mit einer Präambel.
25. 5.	Gründung der OAU in Addis Abeba.
11. 6.	Unabhängigkeit Kenias.
16. 6.	Rücktritt Ben Gurions.
20. 6.	Einrichtung einer direkten Fernschreiberverbindung zwischen der Sowjetunion und den USA («Heißer Draht»).
15. 7.	Egon Bahr prägt in einer mit Willy Brandt abgestimmten Rede die Formel vom «Wandel durch Annäherung».
20. 7.	Erstes Jaunde-Abkommen zwischen der EWG und 17 afrikanischen Staaten.
5. 8.	Unterzeichnung des Atomteststoppabkommens.
19. 8.	Die Bundesrepublik tritt dem Atomteststoppabkommen bei.
29. 8.	Der NATO-Rat lehnt die Unterzeichnung eines multilateralen Gewaltverzichtsvertrages endgültig ab.
18. 9.	Eröffnung einer deutschen Handelsvertretung in Warschau.
2. 10.	Kennedy kündigt den Rückzug von amerikanischen Ausbildern aus Vietnam bis zum Jahresende an.
5. 10.	Rücktritt Adenauers.
17. 10.	Deutsch-rumänisches Abkommen über den Austausch von Handelsvertretungen.
18. 10.	– Rücktritt Macmillans.
	– Regierungserklärung Ludwig Erhards enthält den Wunsch nach verbesserten Beziehungen zu den osteuropäischen Staaten.
1. 11.	Staatsstreich gegen Diem in Südvietnam.
9. 11.	Austausch von Handelsvertretungen und Unterzeichnung eines Abkommens über Handels- und Zahlungsverkehr zwischen der Bundesrepublik und Ungarn.
22. 11.	Ermordung John F. Kennedys; Lyndon B. Johnson übernimmt das Amt des Präsidenten der USA.
5. 12.	Passierscheinangebot Ost-Berlins.
14. 12.–5. 2.	Afrika-Reise Tschou En-lais.
17. 12.	Unterzeichnung eines ersten Passierscheinabkommens mit Gültigkeit vom 19. 12. 1963 bis 5. 1. 1964.

1964

1. 1.	Frankreich entzieht seine Atlantikflotte dem NATO-Oberbefehl.
18. 1.	Gründung der Volksrepublik Sansibar.
19. 1.–21. 2.	Reise des stellvertretenden Ministerpräsidenten der DDR nach Indonesien, Kambodscha, Burma, Ceylon und Indien.
27. 1.	Diplomatische Anerkennung der Volksrepublik China durch Frankreich.
8. 2.–30. 3.	Militärische Auseinandersetzung zwischen Somalia und Äthiopien um den Ogaden.

24. 2.	Ausdrückliche Nichtanerkennung Sansibars durch die Bundesregierung.
März	Die UNO stationiert Friedenstruppen auf Zypern.
3. 3.	Belgien lehnt eine Teilnahme an der multinationalen Bemannung des NATO-Versuchsschiffes «Ricketts» ab.
26. 4.	Eine Erklärung des rumänischen ZK fordert die prinzipielle Gleichberechtigung der kommunistischen Parteien.
11.–13. 6.	Besuch Erhards in den USA. Johnson drängt auf weitere deutsche Waffenlieferungen an Israel.
12. 6.	Freundschafts- und Beistandspakt zwischen der DDR und der Sowjetunion.
3. 7.	Kanada zieht sich vom Projekt der MLF zurück.
13. 7.	Chinesischer Grundsatzartikel über den «gefälschten Kommunismus» Chruschtschows.
August	Türkische Luftangriffe auf den mehrheitlich von Griechen bewohnten Nordteil Zyperns.
2./4. 8.	Angriffe nordvietnamesischer Torpedoboote auf den US-Zerstörer «Maddox» im Golf von Tonkin.
4. 8.	Erste amerikanische Bombenangriffe auf Nordvietnam.
7. 8.	Verabschiedung der «Tonkin-Resolution» durch Senat und Repräsentantenhaus.
24. 9.	Zweites Passierscheinabkommen für die Zeiträume vom 30. 10. bis 12. 11. 1964 und 19. 12. 1964 bis 3. 1. 1965.
14. 10.	Sturz Chruschtschows; neuer Erster Sekretär (ab 1966 «Generalsekretär») wird Leonid I. Breschnew.
16. 10.	Die Volksrepublik China zündet ihren ersten atomaren Sprengsatz.
14. 12.	Der polnische Außenminister Rapacki schlägt vor der UNO eine europäische Sicherheitskonferenz vor.
15. 12.	Die EWG beschließt die Harmonisierung der Getreidepreise.
30. 12.	Die UNCTAD wird als ständiges Organ der UNO eingerichtet.

1965

26. 1.	Die Türkei gibt ihren Rückzug aus der MLF bekannt.
24. 2.–2. 3.	Staatsbesuch Ulbrichts in Ägypten.
8. 3.	Landung der ersten amerikanischen Bodentruppen in Vietnam.
22. 3.	Nicolae Ceaușescu folgt Gheorghe Gheorghiu-Dej als Erster Sekretär des ZK der rumänischen KP nach.
24. 3.	Der Präsident der Kommission der EWG, Walter Hallstein, schlägt ein eigenes Einkommen für die Kommission vor, um damit eine umfassende Lösung der Finanzprobleme herbeizuführen.
7. 4.	Letzte Plenarsitzung des Bundestages in Berlin bis zum Fall der Mauer.
8. 4.	Unterzeichnung des «Vertrages zur Einsetzung eines gemeinsamen Rats und einer gemeinsamen Kommission der Europäischen Gemeinschaften» in Brüssel.
25.–30. 4.	Gromyko besucht Paris.
28. 4.	Die USA greifen militärisch in der Dominikanischen Republik ein.
12. 5.	Bekanntgabe der Aufnahme diplomatischer Beziehungen zwischen Israel und der Bundesrepublik. In Reaktion darauf brechen zahlreiche arabische Staaten ihre Beziehungen zu Bonn ab.
28.–30. 6.	Die EWG-Ministerratssitzung zur Agrarmarktfinanzierung muß sich ohne Ergebnis vertagen.
Juli	Einstellung der amerikanischen Wirtschaftshilfen an Taiwan.

6. 7.	Frankreich kündigt den Rückzug seines Repräsentanten aus dem EWG-Ministerrat an.
5. 8.	Beginn des indisch-pakistanischen Krieges.
25. 11.	– Drittes Passierscheinabkommen für den Zeitraum vom 25. 11. 1965 bis 31. 3. 1966.
	– Im Kongo übernimmt nach einem Staatsstreich der Armee Mobutu Sese-Seko das Amt des Präsidenten.

1966

3.–15 1.	Erste «Solidaritätskonferenz» der Völker Afrikas, Asiens und Lateinamerikas in Havanna.
10. 1.	Die Deklaration von Taschkent stellt den Vorkriegsstatus zwischen Indien und Pakistan wieder her.
17.–18. 1.	«Luxemburger Kompromiß» der EWG.
3. 2.	Unbemannte Mondlandung der sowjetischen «Luna 9».
23. 2.	Staatsstreich in Syrien.
28. 2.	Nach Einführung des Konsensprinzips nimmt Frankreich seinen Sitz im EWG-Ministerrat wieder ein.
7. 3.	– In einem Brief an US-Präsident Johnson kündigt de Gaulle den französischen Rückzug aus der NATO an.
	– Viertes Passierscheinabkommen für den Zeitraum vom 7. 3. 1966 bis 30. 6. 1966.
25. 3.	«Friedensnote» der Regierung Erhard.
29. 3.	In Noten an alle NATO-Partner übermittelt Frankreich einen Zeitplan für seinen Rückzug aus der NATO.
29. 3.–8. 4.	Der 23. Parteitag der KPdSU führt den Titel eines Generalsekretärs sowie das Politbüro wieder ein und übernimmt offiziell den Vorschlag einer europäischen Sicherheitskonferenz.
16. 5.	Ankündigung der «Großen Proletarischen Kulturrevolution» in China.
1. 6.	Willy Brandt spricht auf dem Dortmunder Parteitag der SPD vom «qualifizierten, geregelten und zeitlich begrenzten Nebeneinander der beiden Gebiete» Deutschlands.
20. 6.–1. 7.	De Gaulle besucht die Sowjetunion.
1. 7.	Frankreich tritt aus der militärischen Integration der NATO aus.
6. 7.	«Bukarester Erklärung» des Warschauer Paktes.
27. 7.	Aufnahme Jugoslawiens in das GATT.
31. 8.	Der demokratische Fraktionsführer im US-Senat, Mansfield, fordert eine drastische Reduzierung der amerikanischen Truppen in Europa.
1. 9.	De Gaulle kritisiert in Phnom Penh öffentlich die Politik und Kriegführung der USA in Südostasien.
7. 10.	Präsident Johnson fordert in einer außenpolitischen Rede die «Aussöhnung mit dem Osten» und schlägt eine ausgewogene, beiderseitige Truppenreduzierung in Europa vor.
4. 11.	Ägyptisch-syrisches Verteidigungsabkommen.
30. 11.	Rücktritt Bundeskanzler Erhards.
1. 12.	Wahl Kurt Georg Kiesingers zum Bundeskanzler und Bildung einer Großen Koalition.
14. 12.	Einsetzung des «Nuclear Defense Affairs Commitee» und der «Nuklearen Planungsgruppe» der NATO.
19. 12.	Annahme der Menschenrechtskonventionen durch die Vollversammlung der UNO.

21. 12.	Eine deutsch-französische Regierungsvereinbarung regelt das Stationierungsrecht französischer Einheiten nach dem Austritt Frankreichs aus der NATO.

1967

23. 1.	Die USA geben öffentlich ihr Interesse an einer Einigung mit der Sowjetunion über die Einschränkung der Raketenabwehrsysteme zu erkennen; Startschuß für den SALT-Prozeß.
31. 1.	Vereinbarung zwischen der Bundesrepublik und Rumänien über die Aufnahme diplomatischer Beziehungen.
7. 2.	Die Bundesregierung übergibt dem sowjetischen Botschafter in Bonn den Entwurf einer Gewaltverzichtserklärung.
8.–10. 2.	Treffen der Warschauer-Pakt-Staaten in Warschau. Die DDR verkündet die «Ulbricht-Doktrin».
20. 2.	Einführung der DDR-Staatbürgerschaft.
27. 2.	– Wiederaufnahme der Beziehungen Bonns zu Amman.
	– Kiesinger beklagt öffentlich die Entwicklung des deutsch-amerikanischen Verhältnisses und warnt vor der Vorstellung, «es gäbe da so eine Freundschaft».
15./17. 3.	Freundschafts- und Beistandsvertrag der DDR mit Polen und der ČSSR («Eisernes Dreieck»).
7. 4.	Die syrisch-israelischen Spannungen eskalieren zu schweren Kämpfen.
21. 4.	Putsch der «Obristen» um Georgios Papadopoulos in Griechenland.
26. 4.	«Karlsbader Erklärung» der kommunistischen Parteien aus 24 Ländern.
9. 5.	Die «Graduated, flexible response» wird offzielle NATO-Doktrin.
10. 5.	Schreiben Stophs an Kiesinger enthält die bekannten Forderungen der DDR, u. a. die Abschaffung der «Alleinvertretungsanmaßung».
11. 5.	Großbritannien beantragt seinen Beitritt zur EWG.
16. 5.	Ägypten fordert die UN-Friedenstruppen zum Abzug auf.
22. 5.	Nasser gibt die Sperrung des Golfs von Akaba bekannt.
30. 5.	Mit der Unabhängigkeitserklärung der «Republik Biafra» beginnt in Nigeria eine zweieinhalbjährige Kriegs- und Hungerkatastrophe.
5. 6.	Beginn des Dritten Nahost-Krieges durch Israel («Sechstagekrieg»).
13. 6.	Das Schreiben Stophs vom 10. Mai wird von Kiesinger beantwortet.
17. 6.	Zündung der ersten chinesischen Wasserstoffbombe.
30. 6.	Abschluß der sechsten GATT-Runde («Kennedy-Runde»); beschlossen wird u. a. eine Zollsenkung von 35 %.
1. 7.	Fusion der Organe von EGKS, EURATOM und EWG.
21. 7.	Bis zum 21. 7. werden neben dem EWG-Beitrittsantrag Großbritanniens noch die Ersuchen Irlands, Dänemarks und Norwegens eingereicht.
September	Auch die zweite Runde des Stoph-Kiesinger-Briefwechsels führt zu keinem Ergebnis.
5. 9.	Abkommen zwischen China, Tansania und Sambia über den Bau einer 1 800 Kilometer langen, in Dar es-Salam beginnenden Eisenbahn. Dieses größte chinesische Entwicklungshilfeprojekt wird 1975 fertiggestellt.
29. 9.	Johnson bietet Nordvietnam erstmals öffentlich Gespräche an.
9. 10.	Che Guevara wird erschossen.
18. 11.	Abwertung des britischen Pfundes Sterling um 14,3 %.
22. 11.	Resolution 242 des UNO-Sicherheitsrates zum Nahost-Konflikt.

13./14. 12.	König Konstantin II. von Griechenland geht ins Exil.
14. 12.	Die Außenminister der NATO verabschieden den «Harmel-Bericht».
19. 12.	Der zweite Versuch Großbritanniens, der EWG beizutreten, scheitert.

1968

5. 1.	Alexander Dubček wird zum Ersten Sektretär der Kommunistischen Partei der ČSSR gewählt.
31. 1.	– «Tet-Offensive» des Vietcong. – Wiederaufnahme der diplomatischen Beziehungen zu Jugoslawien durch Bonn.
1. 2.–29. 3.	UNCTAD II mit 132 Teilnehmerstaaten in Neu-Delhi: «Handel statt Hilfe».
31. 3.	Johnson gibt die Einstellung der Bombenabwürfe auf Vietnam nördlich des 20. Breitengrades bekannt.
9. 4.	Zweite Verfassung der DDR tritt in Kraft.
Mai	– Die DDR-Führung drängt auf einen möglichst baldigen Beginn der Warschauer-Pakt-Manöver. – Erste Truppenbewegungen der Roten Armee in Südpolen Richtung ČSSR.
6.–8. 5.	Moskauer Treffen der KP-Parteiführungen ohne die Vertreter der ČSSR, Rumäniens und Albaniens.
11. 6.	Die DDR führt die Paß- und Visapflicht auf den Transitwegen nach West-Berlin ein.
18. 6.	Beginn der Kommandostabsübung «Sumava» in der Tschechoslowakei.
25. 6.	NATO-Vorschlag einer beiderseitigen und ausgewogenen Truppenverminderung («Signal von Reykjavik»).
28. 6.	Inkrafttreten der Notstandsgesetzgebung und gleichzeitiger Verzicht der drei Westmächte auf ihre Vorbehaltsrechte aus Art. 5. 2 des Deutschlandvertrages.
1. 7.	– Unterzeichnung des «Treaty for the Non-Proliferation of Nuclear Weapons» («Atomsperrvertrag»). – Vollendung der Zollunion der EG und Einführung eines gemeinsamen Zolltarifs gegenüber Drittländern.
11. 7.	Ende des deutsch-sowjetischen Dialogs über einen Gewaltverzicht.
15. 7.	Der «Warschauer Brief» macht die «Breschnew-Doktrin» bekannt.
20./21. 8.	Besetzung der ČSSR durch Truppen aus der Sowjetunion, Polen, Ungarn, Bulgarien und der DDR.
26. 8.	Dubček erklärt sich in Moskau zur Annahme von «Maßnahmen» zur Revidierung der Reformen bereit.
13. 9.	Austritt Albaniens aus dem Warschauer Pakt, aus dem es seit dem August 1961 faktisch ausgeschlossen ist.
16.–17. 9.	Erklärung der USA, Großbritanniens und Frankreichs zu den «Feindstaatklauseln» der Artikel 53 und 107 der UNO-Charta.
16. 10.	Stationierungsvertrag zwischen der Sowjetunion und der ČSSR über die dauernde Anwesenheit der sowjetischen Truppen. Bis 1991 bleiben etwa 80000 sowjetische Soldaten in der ČSSR stationiert.
20.–22. 11.	Treffen der zehn führenden westlichen Industriestaaten in Bonn. Die Bundesregierung weicht von ihrer Währungspolitik nicht ab.
29. 11.	Einführung einer vierprozentigen Einfuhrvergütung sowie einer vierprozentigen Sonderumsatzsteuer auf den deutschen Export bis zum 31. März 1970.

6. 12.	Deutsch-deutsche Vereinbarung über den innerdeutschen Handel. Darin gewährt die Bundesrepublik der DDR u. a. einen zinslosen Überziehungskredit («Swing»).
21.–27. 12.	Erste bemannte Mondumkreisung im Rahmen der «Appollo 8»–Mission.

1969

20. 1.	Bei der Amtsübernahme durch Präsident Richard M. Nixon stehen mehr als 500 000 amerikanische Soldaten in Vietnam.
25. 1.	Erste Vollsitzung der Vietnam-Konferenz in Paris.
März	Der amerikanische Verteidigungsminister Melvin Laird kündigt die «Vietnamisierung» des Krieges an.
2. 3.	– Erste Kampfhandlungen zwischen sowjetischen und chinesischen Truppen am Grenzfluß Ussuri. – Erster Probeflug der «Concorde».
5. 3.	Letzte Zusammenkunft der Bundesversammlung in Berlin bis zum Fall der Mauer: Wahl Gustav Heinemanns zum Bundespräsidenten.
17. 3.	«Budapester Appell» des Warschauer Pakts.
1.–24. 4.	Der Neunte Parteitag der KP Chinas beendet offiziell die»Große Proletarische Kulturrevolution».
17. 4.	Ablösung Dubčeks durch Gustáv Husák.
28. 4.	Rücktritt de Gaulles.
8. 5.	Kambodscha erkennt als erstes nicht-kommunistisches Land die DDR an.
17. 5.	Gomulka schlägt einen Grenz- und Normalisierungsvertrag zwischen der Bundesrepublik und Polen vor.
4. 6.	Die Bundesregierung beruft ihren Botschafter in Phnom Penh ab.
11. 6.	Kambodscha schließt seine Vertretung in Bonn.
26. 6.–18. 7.	«Fußballkrieg» zwischen El Salvador und Honduras.
Juli	Gromyko gibt die Bereitschaft zu Verhandlungen über Berlin bekannt.
4. 7.	Wiederaufnahme des Dialoges über Gewaltverzicht zwischen der Bundesrepublik und der Sowjetunion.
21. 7.	Neil Armstrong betritt als erster Mensch den Mond.
29. 7.	Zweites Jaunde-Abkommen zwischen der EWG und 17 afrikanischen Staaten.
6.–7. 8.	In gleichlautenden Noten an Moskau geben die Westalliierten ihr Interesse an Gesprächen über Berlin zu erkennen.
10. 8.	Abwertung des französischen Franc um 11 %.
13. 8.	Kämpfe an der chinesisch-sowjetischen Grenze in Xingjiang; die Sowjetunion droht indirekt mit einem Nuklearschlag.
12. 9.	– Moskau regt in Bonn Wiederaufnahme der Gespräche über einen Gewaltverzicht an. – Die Bundesregierung erklärt auf UNO-Ebene ihren Verzicht auf biologische und chemische Waffen.
24. 9.	Spekulative DM-Käufe im Zuge der Franc-Abwertung führen zur vorübergehenden Schließung der deutschen Devisenbörsen.
29. 9.	Freigabe des Wechselkurses der DM.
21. 10.	– Wahl Willy Brandts zum Bundeskanzler. – Armeeputsch in Somalia. Siad Barre wird somalischer Präsident.
24./27. 10.	Aufwertung der DM.
27. 10.	Die Bundesrepublik suspendiert ihre diplomatischen Beziehungen zur Demokratischen Volksrepublik Jemen.

28. 10.	In seiner ersten Regierungserklärung als Bundeskanzler spricht Willy Brandt von «zwei Staaten in Deutschland».
November	Die USA stellen ihre Patrouillenfahrten in der Straße von Taiwan ein.
3. 11.	Nixon beginnt seine erste große Verhandlungsinitiative für Vietnam.
15. 11.	In Washington demonstrieren 250 000 Menschen gegen den Vietnam-Krieg.
16. 11.	Das Massaker von My Lai (1968) wird bekannt.
28. 11.	– Beitritt der Bundesrepublik zum Atomsperrvertrag.
	– Paraphierung eines deutsch-sowjetischen Abkommens über die Lieferung deutscher Großröhren gegen sowjetisches Erdgas ab 1973.
2. 12.	EG stimmt der Eröffnung von Verhandlungen mit den beitrittswilligen Staaten zu.
8. 12.	Nachdem Außenminister Scheel schon am 30. 10. die Bereitschaft zur Fortsetzung des Gewaltverzichtsdialogs signalisiert hat, führt Botschafter Allardt mit Gromyko in Moskau ein erstes Gespräch.

1970

15. 1.	Ende des nigerianischen Bürgerkrieges.
20. 1.	Mit einem geheimen Treffen in Warschau beginnt die amerikanisch-chinesische Wiederannäherung.
30. 1.–22. 5.	Verhandlungen Egon Bahrs in Moskau.
1. 2.	Erstes deutsch-sowjetisches «Erdgas-Röhren-Geschäft».
5. 2.	Beginn der Verhandlungen über einen Normalisierungs-, Grenz- und Gewaltverzichtsvertrag zwischen der Bundesrepublik und Polen.
5. 3.	Inkrafttreten des Atomsperrvertrages.
18. 3.	Sturz König Norodom Sihanouks von Kambodscha.
19. 3.	Besuch Brandts in Erfurt.
20. 3.	Die «New York Times» berichtet über die Stationierung von sowjetischen Boden-Luft-Raketen am Suezkanal.
26. 3.	In Bonn beginnen Viermächte-Verhandlungen über Berlin.
24. 4.	Start des ersten chinesischen Weltraumsatelliten.
30. 4.	Nixon gibt den vorübergehenden Einmarsch nach Kambodscha bekannt.
21. 5.	Besuch Stophs in Kassel.
5.–6. 6.	Frankreich nimmt seinen Sitz im Ministerrat der WEU zum ersten Mal seit Februar 1969 wieder ein.
12. 6./1. 7.	Durch Indiskretion wird das «Bahr-Papier» publik.
26. 7.–7. 8.	Scheel zu förmlichen Verhandlungen in Moskau.
12. 8.	Mit Unterzeichnung des deutsch-sowjetischen Vertrages («Moskauer Vertrag») wird der sowjetischen Regierung ein «Brief zur deutschen Einheit» übergeben.
6.–9. 9.	Entführung und Sprengung mehrerer Verkehrsflugzeuge nach Jordanien und Ägypten durch die PFLP.
12. 9.	Die PFLP wird aus der PLO ausgestoßen.
17.–25. 9.	Schwere militärische Auseinandersetzungen zwischen Regierungstruppen und der PLO sowie syrischen Truppen in Jordanien («Schwarzer September»).
28. 9.	Tod Gamal Abd el-Nassers.
13. 10.	Beginn der Sondierungen zu einem deutsch-tschechoslowakischen Vertrag.
27. 10.	Die Außenminister der EG verständigen sich grundsätzlich über eine außenpolitische Zusammenarbeit.

2.–14. 11.	Scheel zu abschließenden Verhandlungen in Warschau.
19. 11.	Notenwechsel der Bundesregierung mit den drei Westmächten zum deutsch-polnischen Vertrag («Warschauer Vertrag»).
27. 11.	Beginn erster konkreter deutsch-deutscher «Gespräche».
Dezember	Der Einsatz von Armee und Miliz gegen Streikende in Danzig und anderen polnischen Städten fordert Dutzende von Toten und Hunderte von Verletzten («Danziger Dezember»).
7. 12.	Unterzeichnung des Warschauer Vertrages.
Dezember	Die Zahl der US-Soldaten in Südostasien ist auf 280 000 reduziert; das bedeutet eine Halbierung seit dem Amtsantritt Nixons.

1971

8.–9. 2.	Der Ministerrat der EG einigt sich auf einen Stufenplan zur Verwirklichung der Wirtschafts- und Währungsunion innerhalb von zehn Jahren.
1. 4.	Ein Jahr nach der ersten landgestützten amerikanischen Interkontinentalrakete mit MIRV wird die erste seegestützte des Typs «Poseidon» in Dienst gestellt.
Mai	«Korrektur-Revolution» in Ägypten.
3. 5.	Walter Ulbricht tritt als Erster Sekretär des ZK der SED zurück; Erich Honecker wird zu seinem Nachfolger bestimmt.
9. 5.	Freigabe des DM-Kurses und Aufwertung der DM.
27. 5.	Ägyptisch-sowjetischer Freundschaftsvertrag.
30. 6.	Die Bundesrepublik überweist die letzte Tilgungsrate auf die Nachkriegswirtschaftshilfe an die USA.
9.–11. 7.	Kissinger besucht China zu Geheimverhandlungen.
15. 8.	Nixon gibt die Einführung einer Importsteuer und die Aufhebung der Gold-Konvertibilität des US-Dollars bekannt.
3. 9.	Viermächte-Abkommen in Berlin unterzeichnet.
11. 9.	In Ägypten Volksabstimmung über neue Verfassung.
16.–18. 9.	Treffen Brandts mit Breschnew auf der Krim.
30. 9.–20. 12.	Deutsch-deutsche Ausfüllungsvereinbarungen zum Viermächte-Abkommen.
25. 10.	Aufnahme Chinas in die Vereinten Nationen. Taiwan verläßt die UNO.
17.–18. 12.	Washingtoner Währungskonferenz legt Währungsparitäten und Bandbreiten neu fest («Smithonian Agreement»).
22. 12.	Unabhängigkeit Bangladeshs.

1972

22. 1.	Unterzeichnung des Beitrittsabkommens zwischen der EG sowie Dänemark, Irland, Norwegen und Großbritannien.
25. 1.	Nixon gibt Geheimgespräche zwischen Kissinger und Le Duc Tho bekannt.
21.–28. 2.	Besuch Nixons in China. Am 27. 2. wird ein gemeinsames Kommunique verabschiedet.
23. 2.	Im Bundestag beginnen die Debatten über die Ratifizierung der Ostverträge.
25.–28. 2.	Israelische Invasion des südlichen Libanon.
6.–7. 3.	Der Ministerrat der EG vereinbart die Gründung des europäischen Wechselkursverbunds («Schlange im Tunnel»); am 24. 4. tritt dieser in Kraft.
27. 4.	Im Bundestag scheitert ein Konstruktives Mißtrauensvotum.

8. 5.	Beginn der Verminung nordvietnamesischer Küstengewässer durch amerikanische Einheiten.
10. 5.	Entschließungsantrag der Bundestagsfraktionen zu den Ostverträgen.
12. 5.	Paraphierung des deutsch-deutschen Verkehrsvertrages.
17. 5.	Der Bundestag ratifiziert die Ostverträge.
26. 5.	– Die Sowjetunion und die USA unterzeichnen eine Serie bilateraler Abkommen, darunter SALT I.
	– Unterzeichnung des deutsch-deutschen Verkehrsvertrages. In einem Brief an Bahr verspricht Michael Kohl Reiseerleichterungen zwischen den beiden deutschen Staaten.
3. 6.	Der Moskauer und der Warschauer Vertrag sowie das Viermächte-Abkommen treten in Kraft.
15. 6.	Egon Bahr und Michael Kohl beginnen mit «Gesprächen» (seit 16. 8.: «Verhandlungen») über einen Grundlagenvertrag.
17. 6.	Einbruch in das Hauptquartier der Demokratischen Partei im Washingtoner «Watergate»-Gebäudekomplex.
23. 6.	Großbritannien schert aus dem europäischen Wechselkursverbund aus.
4. 7.	Gemeinsames Kommunique Nord- und Südkoreas.
18. 7.	Sadat gibt die Ausweisung der sowjetischen Militärberater und -techniker bekannt.
5. 9.	Anschlag auf die israelische Olympiamannschaft in München.
10.–14. 9.	Bei einem Besuch Kissingers in Moskau werden parallele Zeitpläne für KSZE und MBFR festgelegt.
14./26. 9.	Eröffnung von Botschaften in Warschau und Bonn.
22. 9.	Der Bundestag verneint die Vertrauensfrage des Kanzlers und macht so den Weg für Neuwahlen frei.
29. 9.	Aufnahme diplomatischer Beziehungen zwischen der Volksrepublik China und Japan. Am selben Tag kommt es zum Abruch der diplomatischen Beziehungen zwischen Taiwan und Japan.
Oktober	Durchbruch bei den Verhandlungen über einen Waffenstillstand in Vietnam.
19.–20. 10.	In seiner «Erklärung von Paris» bekräftigt der EG-Gipfel die Verwirklichung der Wirtschafts- und Währungsunion bis zum Jahresende 1980.
7. 11.	Bei den Präsidentschaftswahlen in den USA wird Nixon im Amt bestätigt.
8. 11.	Paraphierung des deutsch-deutschen Grundlagenvertrages.
19. 11.	Bei den Wahlen zum Siebten Deutschen Bundestag wird die SPD erstmals stärkste Partei.
Dezember	Die DDR nimmt zu 21 Staaten diplomatische Beziehungen auf.
11. 12.	Im Rahmen der «Apollo 17»-Mission betritt zum vorerst letzten Mal ein Mensch den Mond.
22. 11.	Beginn der KSZE-Explorationen in Helsinki.
17.–18. 12.	Washingtoner Währungskonferenz.
18. 12.	Die USA dehnen ihre Luftangriffe auf nordvietnamesisches Gebiet nördlich des 20. Breitengrades aus. Schwerste Bombardierungen u. a. Hanois seit Kriegsbeginn.
21. 12.	Unterzeichnung des deutsch-deutschen Grundlagenvertrages.

1973

1. 1.	Dänemark, Irland und Großbritannien treten der EG bei.
27. 1.	Unterzeichnung des Waffenstillstandsabkommens für Vietnam.

31. 1.	Beginn der MBFR-Explorationen in Wien.
13. 2.	Italien schert aus dem europäischen Wechselkursverbund aus.
22. 2.	Veröffentlichung eines Kommuniques, wonach China und die USA für bestimmte Fälle ein koordiniertes Vorgehen in internationalen Streitfällen vereinbaren.
2.–19. 3.	Weltweit werden die Devisenbörsen geschlossen.
11.–12. 3.	Der EG-Rat beschließt bei Freigabe der Wechselkurse gegenüber dem US-Dollar die Beibehaltung der innereuropäischen Bandbreite von 2,25%.
29. 3.	Abzug der letzten amerikanischen Soldaten aus Vietnam.
23. 4.	Rede Kissingers zum amerikanisch-europäischen Verhältnis («Osterbotschaft»).
7. 5.	Beginn der offiziellen Verhandlungen der Außenminister über einen deutsch-tschechoslowakischen Vertrag («Prager Vertrag»).
18.–22. 5.	Mit Leonid Breschnew besucht erstmals ein sowjetischer Generalsekretär die Bundesrepublik.
7.–11. 6.	Brandt als erster Bundeskanzler zu einem offiziellen Besuch in Israel.
8. 6.	Abschluß der KSZE-Vorbereitungen.
20. 6.	Paraphierung des Prager Vertrages.
3.–7. 7.	Mit einem Außenministertreffen in Helsinki beginnt die KSZE.
11. 9.	Militärputsch in Chile.
18. 9.	– Die DDR und die Bundesrepublik werden Mitglieder der UNO. – Bis 21. 7. 1975 tagt die KSZE in Genf auf Expertenebene.
20. 9.	Grundsatzerklärung der EG zu den amerikanisch-europäischen Beziehungen. Am 29. 9. liegt ein amerikanischer Gegenentwurf vor.
6. 10.	Mit dem ägyptisch-syrischen Angriff auf Israel beginnt der Vierte Nahostkrieg («Jom-Kippur-Krieg»).
7. 10.	Der Irak beginnt mit der Nationalisierung der ausländischen Anteile an den Ölgesellschaften.
8. 10.	Israel geht zum Gegenangriff über.
16. 10.	Die Vertreter der arabischen Ölförderländer beschließen eine drastische Preiserhöhung für Rohöl.
17. 10.	Die OAPEC-Staaten einigen sich auf Produktionsverminderungen.
19. 10.	Der Öllieferboykott gegen die USA und die Niederlande tritt in Kraft.
22. 10.	Anordnung des UNO-Sicherheitsrates zur Feuereinstellung im Nahen Osten.
24.–25. 10.	Die USA setzen ihre Streitkräfte weltweit in Alarmbereitschaft.
27. 10.	Waffenruhe im Nahen Osten.
30. 10.	Beginn der MBFR-Hauptkonferenz in Wien.
7. 11.	In Reaktion auf die EG-Erklärung vom Vortag sieht Radio Kairo Europa «fest und dauerhaft auf der Seite der Araber».
18. 11.	Die OAPEC-Staaten heben das Ölembargo gegen die EG-Staaten mit Ausnahme der Niederlande auf.
11. 12.	Unterzeichnung des Prager Vertrages.
14.–15. 12.	Treffen der Staats- und Regierungschefs sowie der Außenminister der EG-Staaten in Kopenhagen.

1974

18. 1.	Unterzeichnung des ersten israelisch-ägyptisches Truppenentflechtungsabkommens.
19. 1.	Frankreich zieht sich aus der europäischen «Währungsschlange» zurück.
11.–13. 2.	Washingtoner Energiekonferenz.

14. 3.	Die Bundesrepublik und die DDR unterzeichnen ein Protokoll über die Errichtung ständiger Vertretungen in Bonn bzw. Ost-Berlin.
15. 3.	Nixon warnt in Chicago öffentlich die europäischen Verbündeten.
10. 4.	Deng Xiaoping erläutert vor der UNO die chinesische «Dreiwelten-Theorie».
25. 4.	Militärputsch in Portugal.
6. 5.	Rücktritt Willy Brandts als Bundeskanzler. Sein Nachfolger wird Helmut Schmidt.
15. 5.	Wahl Walter Scheels zum Bundespräsidenten.
18. 5.	Erster indischer Nukleartest.
31. 5.	Israelisch-syrisches Truppenentflechtungsabkommen wirksam.
10.–11. 6.	Beschluß der EPZ zu einem «euro-arabischen» Dialog.
15. 7.	Militärputsch gegen Makarios auf Zypern.
19. 7.	Der Prager Vertrag tritt in Kraft.
20. 7.	Türkische Intervention in Zypern. Unter internationalem Druck kommt es zwei Tage später zu einem Waffenstillstand.
24.–25. 7.	In Griechenland wird Konstantinos Karamanlis wieder zum Ministerpräsidenten berufen.
9. 8.	Der amerikanische Präsident Nixon tritt zurück.
14. 8.	Anläßlich des Zypern-Konflikts verläßt Griechenland die integrierte Verteidigungsstruktur der NATO.
4. 9.	Aufnahme der diplomatischen Beziehungen zwischen den USA und der DDR.
12. 9.	In Äthiopien wird Kaiser Haile Selassie I. gestürzt. In der Folge lebt der somalisch-äthiopische Konflikt um den Ogaden wieder auf.
27. 9.	Die Volkskammer der DDR beschließt das «Gesetz zur Ergänzung und Änderung der Verfassung der DDR», das den Begriff der «Deutschen Nation» aus ihrem Text tilgt. Am 7. 10. tritt das Gesetz in Kraft.
28.–31. 10.	Besuch Schmidts in Moskau. Unter anderem wird das dritte «Erdgas-Röhren-Geschäft» unterzeichnet.
10. 12.	Die Staats- und Regierungschefs der EG beschließen die Durchführung von allgemeinen Wahlen zum Europäischen Parlament.

1975

15. 1.	Im Vertrag von Alvor wird die Unabhängigkeit Angolas für den 11. November 1975 festgelegt.
28. 2.	Lomé-I-Abkommen zwischen der EG und 46 AKP-Staaten.
April	Am sowjetischen Marinemanöver «Okean 75» nehmen 220 Schiffe aller fünf Flotten teil.
17. 4.	Die «Roten Khmer» erobern Phnom Penh.
30. 4.	Verbände Nordvietnams und des Vietcong nehmen Saigon, das fortan «Ho-Chi-Minh-Stadt» heißt.
28. 5.	Gründung der «Wirtschaftsgemeinschaft Westafrikanischer Staaten» (ECOWAS).
30. 5.	Gründung der Europäischen Weltraumorganisation (ESA).
5. 6.	EG-Referendum in Großbritannien.
11. 6.	Die neue griechische Verfassung tritt in Kraft.
25. 6.	Mozambique erlangt die Unabhängigkeit von Portugal.
10. 7.	Frankreich kehrt in den europäischen Wechselkursverbund zurück.
30. 7.–1. 8.	Abschluß der KSZE mit einem Treffen der Staats- und Regierungs- bzw. Parteichefs in Helsinki.

9. 10.	Zweites Abkommen zwischen der Bundesrepublik und Polen.
18. 10.	Gründung des «Lateinamerikanischen Wirtschaftssystems» (SELA).
14. 11.	Nach voraufgegangener Besetzung durch Marokko tritt Spanien die Westsahara an Rabat ab.
15.–17. 11.	Erster Weltwirtschaftsgipfel auf Schloß Rambouillet in Frankreich.
20. 11.	Tod Francos. Zwei Tage darauf besteigt Juan Carlos I. von Bourbon den spanischen Thron.
16.–18. 12.	Eröffnungstagung der «Konferenz über Internationale Wirtschaftliche Zusammenarbeit» (KIWZ) in Paris.

1976

14. 3.	Frankreich zieht sich zum zweiten Mal aus dem europäischen Wechselkursverbund zurück.
24. 3.	Militärputsch in Argentinien: Sturz der Staatspräsidentin María Estela Perón; Nachfolger seit dem 26. 3. ist General Jorge Videla.
30. 3.	Deutsch-deutsches Abkommen über das Post- und Fernmeldewesen.
14. 4.	Radio Phnom Penh gibt die Ernennung Pol Pots zum Ministerpräsidenten von Kambodscha bekannt.
5.–30. 5.	UNCTAD IV bemüht sich in Nairobi vergeblich um eine «Neue Weltwirtschaftsordnung».
17. 7.	Proklamation der «Integration» Ost-Timors in den indonesischen Staat.
9. 9.	Tod Mao Tse-tungs.
20. 9.	EG-Ministerratsbeschluß zur Durchführung direkter Wahlen zum Europäischen Parlament.
18. 11.	In Spanien wird das Zweikammersystem eingeführt.

1977

11. 2.	In Äthiopien übernimmt unter Haile Mengistu eine kommunistisch orientierte Militärregierung die Macht. Der Ogaden-Konflikt geht als somalisch-äthiopische Auseinandersetzung 1977/78 in eine neue Phase.
2.–3. 6.	Abschluß der KIWZ.
15. 6.	Erste freie Parlamentswahl in Spanien seit 41 Jahren.
7. 9.	Unterzeichnung der Panama-Verträge zwischen den USA und Panama.
4. 10.	In Belgrad beginnt das I. KSZE-Folgetreffen; es endet am 9. 3. 1978.
14. 10.	Interpretationserklärung der USA und Panamas zu den Panama-Verträgen.
28. 10.	Rede Helmut Schmidts vor dem «International Institute for Strategic Studies» in London. «Geburtsstunde» des NATO-«Doppelbeschlusses».
9.–11. 12	Erste Tagung der «Unabhängigen Kommission für internationale Entwicklungsfragen» («Nord-Süd-Kommission») unter ihrem Vorsitzenden Willy Brandt.

1978

1. 3.	Der US-Dollar fällt erstmals unter 2 DM.
15. 3.	Israel interveniert im südlichen Libanon.
4.–7. 5.	Besuch Breschnews in Bonn.
12. 8.	Chinesisch-japanischer Vertrag über Frieden und Freundschaft.
8. 9.	Nach wochenlangen Unruhen Verhängung des Kriegsrechts über zwölf iranische Städte.
17. 9.	Israelisch-ägyptisches Abkommen von Camp David.

16. 10.	Der polnische Kardinal Karol Wojtyla wird zum Papst («Johannes Paul II.») gewählt.
3. 11.	Sowjetisch-vietnamesischer Freundschaftsvertrag.
16. 11.	Deutsch-deutsche Vereinbarungen über Verkehrsfragen.
29. 11.	Unterzeichnung eines Protokolls über den deutsch-deutschen Grenzverlauf.
5. 12.	Das EWS wird von den Staats- und Regierungschefs der EG verabschiedet.
25. 12.	Vietnamesischer Einfall in Kambodscha.
29. 12.	Die neue spanische Verfassung tritt in Kraft.

1979

1. 1.	Aufnahme diplomatischer Beziehungen zwischen den USA und China. Gleichzeitig werden die Beziehungen zwischen den USA und Taiwan abgebrochen.
5.–6. 1.	Treffen der Staats- und Regierungschefs der USA, Großbritanniens, Frankreichs und der Bundesrepublik auf Guadeloupe.
7.–11. 1.	Sturz des Pol-Pot-Regimes in Kambodscha.
16. 1.	Schah Resa Pahlewi verläßt Persien.
28. 1.–4. 2.	Besuch des stellvertretenden chinesischen Ministerpräsidenten Deng Xiaoping in den USA.
1. 2.	Rückkehr des Ayatollah Khomeini aus dem französischen Exil nach Teheran.
14. 2.	Angriff Chinas auf Vietnam; der Krieg wird am 16. 3. beendet.
13. 3.	Das EWS tritt in Kraft.
26. 3.	Unterzeichnung des ägyptisch-israelischen Friedensvertrages.
26./27. 3.	In Genf beschließen die OPEC-Staaten eine drastische Erhöhung des Ölpreises.
1. 4.	Ayatollah Khomeini proklamiert die «Islamische Republik Iran».
4. 5.	Margaret Thatcher wird britische Premierministerin.
Juni	Der amerikanische Geheimdienst entdeckt auf Kuba eine sowjetische «Kampfeinheit».
7.–10. 6.	Erste direkte und allgemeine Wahlen zum Europäischen Parlament.
18. 6.	Unterzeichnung von SALT II in Wien.
6. 10.	In Ost-Berlin kündigt Breschnew für den Fall der Stationierung amerikanischer Mittelstreckenraketen in der Bundesrepublik sowjetische Gegenmaßnahmen an.
31. 10.	Zweites Lomé-Abkommen zwischen der EG und 58 AKP-Staaten.
1. 11.	In Sofia kündigt Erich Honecker negative Folgen für den Fall an, daß die NATO im eurostrategischen Bereich nachrüstet.
4. 11.	Bei der Besetzung der amerikanischen Botschaft in Teheran nimmt ein «Revolutionskomitee» fast 70 Geiseln.
12. 12.	NATO-«Doppelbeschluß».
24. 12.	Offizielle Bekanntgabe der sowjetischen Intervention in Afghanistan, die am 24. 12. begonnen hat, und Sturz der Regierung Karmal.

1980

4. 1.	In Reaktion auf den sowjetischen Einmarsch nach Afghanistan verhängen die USA ein Weizenembargo gegen die UdSSR.
23. 1.	«Carter-Doktrin».
12. 2.	Willy Brandt übergibt dem Generalsekretär der UNO den Abschlußbericht der «Nord-Süd-Kommission».

17. 4.	Unabhängigkeit Zimbabwes.
24.–25. 4.	Ein amerikanischer Versuch zur Befreiung der Geiseln in der Teheraner Botschaft scheitert.
30. 4.	Deutsch-deutsches Abkommen über Verkehrsfragen.
13. 6.	Im Zusammenhang mit der zweiten Ölkrise erkennt der Europäische Rat anläßlich einer Tagung in Venedig ausdrücklich die «legitimen Rechte des palästinensischen Volkes» an.
31. 8.	«Stillhalteabkommen» zwischen Vertretern der polnischen Regierung und den Streikenden auf der Danziger Werft.
5. 9.	Edward Gierek wird als Erster Sekretär der «Polnischen Vereinigten Arbeiterpartei» abgesetzt.
17. 9.	Gründung der unabhängigen polnischen Gewerkschaft «Solidarność».
22. 9.	Irakische Truppen überfallen den Iran; Beginn des Ersten Golfkrieges.
9. 10.	Die DDR erhöht den Mindestumtausch für Einreisen auf 25 DM.
13. 10.	In Gera fordert Erich Honecker unter anderem die Anerkennung der DDR-Staatsbürgerschaft durch die Bundesrepublik sowie die Umwandlung der Ständigen Vertretungen in Botschaften.
20. 10.	Griechenland tritt der integrierten Verteidigungsstruktur der NATO, die es im August 1974 verlassen hatte, wieder bei.
11. 11.	Beginn des II. KSZE-Folgetreffens in Madrid.
16. 11.	«Krefelder Appell» der «Friedensbewegung».
Dezember	Die Führung der DDR trifft Vorbereitungen für die Teilnahme an einer eventuellen Intervention des Warschauer Paktes in Polen.

1981

1. 1.	Griechenland wird zehntes Mitglied der EG.
15. 1.	Eröffnung der ersten «Coca-Cola»–Fabrik in der Volksrepublik China.
20. 1.	Amtseinführung Ronald Reagans als neuer Präsident der USA.
11. 2.	Wojciech Jaruzelski wird Premierminister Polens.
12. 4.	Erfolgreicher Start der ersten US-Raumfähre.
10. 5.	Im zweiten Wahlgang wird François Mitterrand zum französischen Präsidenten gewäht.
7. 6.	Die israelische Luftwaffe zerstört den im Bau befindlichen irakischen Atomreaktor «Osirak».
6. 10.	Ermordung Sadats.
10. 10.	In Bonn nehmen 250000 Menschen an einer Demonstration gegen den NATO-«Doppelbeschluß» teil.
4. 11.	Veröffentlichung eines deutsch-italienischen Vorschlags für die Europäische Union.
18. 11.	Reagan gibt bekannt, daß er dem sowjetischen Generalsekretär Verhandlungen über Nuklearwaffen vorgeschlagen hat.
30. 11.	In Genf beginnen zwischen der Sowjetunion und den USA die INF-Verhandlungen.
11.–13. 12.	Treffen Honeckers und Schmidts in der Uckermark.
13. 12.	Kriegsrecht in Polen.
15. 12.	Die Außenminister der EG verurteilen die Ausdehnung der israelischen Hoheitsgewalt auf die besetzten Golanhöhen.
17. 12.	Die Vereinbarung über den deutsch-deutschen «Swing» aus dem Jahr 1974 wird bis zum 30. 6. 1982 verlängert. In den Handelsabkommen von 1982 und 1985 werden weitere «Swing»-Vereinbarungen getroffen.

1982

12. 3.	In Madrid wird das II. KSZE-Folgetreffen unterbrochen.
2. 4.	Argentinien besetzt die Falklandinseln.
5. 4.	Großbritannien entsendet Marinekampftruppen zur Rückeroberung der Malwinen.
6. 6.	Israelische Invasion im Libanon.
11. 6.	Die USA belegen europäische Stahlimporte mit einer Ausgleichsabgabe.
14.–15. 6.	Kapitulation der argentinischen Streitkräfte auf den Falklandinseln.
14. 6.–21. 8.	«Schlacht um Beirut».
18. 6.	Deutsch-deutsches Handelsabkommen.
29. 6.	In Genf beginnen die START-Verhandlungen zwischen den USA und der Sowjetunion.
16. 7.	Auf einem «Waldspaziergang» vereinbaren der sowjetische und der amerikanische Unterhändler in Genf, Kwizinskij und Nitze, Untergrenzen für Mittelstreckenraketen in Europa. Der Vorschlag wird von beiden Regierungen verworfen.
27. 8.	Unter dem Schutz einer multinationalen Friedensstreitmacht beginnt die Evakuierung der eingeschlossenen PLO-Truppen aus Beirut; Arafat verläßt den Libanon am 30. 8.
1. 10.	Mit den Stimmen von CDU/CSU und FDP wird Helmut Kohl im Zuge eines Konstruktiven Mißtrauensvotums zum Bundeskanzler gewählt.
21. 10.	Beilegung des europäisch-amerikanischen Streits um Stahlimporte.
9. 11.	Wiederaufnahme des II. KSZE-Folgetreffens in Madrid.
10. 11.	Tod Breschnews; Jurij W. Andropow wird am 12. 11. neuer Generalsekretär der KPdSU.

1983

20. 1.	Mitterrand setzt sich vor dem Deutschen Bundestag für die Umsetzung des NATO-«Doppelbeschlusses» ein.
8. 3.	Reagan spricht in einer Rede in Orlando/Florida von der Sowjetunion als dem «Reich des Bösen».
23. 3.	Der amerikanische Präsident kündigt umfangreiche Anstrengungen auf dem Gebiet der Raketenabwehr an (SDI).
17.–19. 6.	Auf der Tagung des Europäischen Rates in Stuttgart unterzeichnen die Staats- und Regierungschefs der EG eine «Feierliche Deklaration zur Europäischen Union».
29. 6.	Die Bundesregierung beschließt, einen Milliarden-Kredit an die DDR zu garantieren. Der Kreditvertrag wird am 1. 7. unterzeichnet.
September	– Während der Herbstaktionen der «Friedensbewegung» kommt es zu einer dreitägigen Blockade der amerikanischen Militärdepots in Mutlangen, an der auch zahlreiche prominente Persönlichkeiten beteiligt sind.
	– Die DDR beginnt mit dem Abbau der Selbstschußanlagen an der deutsch-deutschen Grenze.
9. 9.	In Madrid endet das II. KSZE-Folgetreffen.
23. 10.	Bei Bombenanschlägen im Libanon werden fast 300 Angehörige der amerikanischen und französischen MNF-Einheiten getötet.
25. 10.	Militärisches Eingreifen der USA in Grenada.
14. 11.	In Großbritannien beginnt die NATO mit der Stationierung von amerikanischen Marschflugkörpern.

19. 11.	Mit überwältigender Mehrheit spricht sich der Kölner Sonderparteitag der SPD gegen den NATO-«Doppelbeschluß» aus.
22. 11.	Nach heftiger Debatte beschließt der Bundestag, am NATO-«Doppelbeschluß» festzuhalten.
23. 11.	Die Sowjetunion reagiert auf die Umsetzung des Nachrüstungsteils des «Doppelbeschlusses» der NATO mit der Unterbrechung der Genfer INF-Verhandlungen und beginnt im Frühjahr 1984 mit der Verlegung von Mittelstreckenraketen kürzerer Reichweite nach Mitteleuropa.
10. 12.	In Argentinien übernimmt eine zivile Regierung die Amtsgeschäfte.
20. 12.	Jasir Arafat wird mit 4000 seiner Anhänger aus dem libanesischen Tripolis evakuiert.

1984

16./25. 1.	In zwei Grundsatzreden setzt sich US-Präsident Reagan für die Verbesserung der sowjetisch-amerikanischen Beziehungen ein.
17. 1.	Beginn der KVAE in Stockholm.
9. 2.	Tod Andropows. Neuer Generalsekretär wird am 13. 2. Konstantin U. Tschernenko.
März	Die MNF wird endgültig aus dem Libanon abgezogen.
12. 6.	Die Außenminister der WEU-Staaten beschließen die Verteidigungsgemeinschaft zu aktivieren.
17. 7.	Paraphierung eines sowjetisch-amerikanischen Abkommens über die Modernisierung des «Heißen Drahtes».
25. 7.	Die Bundesregierung garantiert einen Kredit für die DDR in Höhe von 950 Millionen DM.
26. 7.	Die USA heben das seit 1980 bestehende Fangverbot für die sowjetischen Fischereiflotte auf.
6. 9.	Absetzung des sowjetischen Generalstabschefs Ogarkow.
22. 9.	Symbolischer Händedruck zwischen Kohl und Mitterrand in Verdun.
28. 9.	Reagan empfängt zum erstenmal in seiner Amtszeit den sowjetischen Außenminister.
22. 11.	Die USA und die Sowjetunion geben die Wiederaufnahme der Verhandlungen über die Kontrolle der Kern- und Weltraumwaffen bekannt.
8. 12.	Lomé III zwischen der EG und 65 AKP-Staaten.

1985

7. 1.	Jacques Delors tritt sein Amt als Europäischer Kommissionspräsident an.
1. 2.	Grönland beendet seine Mitgliedschaft in der EG.
10. 3.	Tod Tschernenkos.
11. 3.	Michail S. Gorbatschow wird Generalsekretär der KPdSU.
12. 3.	In Genf nehmen die USA und die Sowjetunion Verhandlungen über INF und START wieder auf.
6. 6.	Die israelische Armee schließt ihren Abzug aus dem Libanon ab.
10. 6.	Reagan erklärt, daß die USA die Bestimmungen des SALT-II–Vertrages einhalten werden.
11. 6.	In einer Grundsatzrede zur Wirtschaftspolitik prangert Gorbatschow Mißstände in seinem Land an.
18. 6.	Die USA und die Sowjetunion unterzeichnen erstmals nach 1980 wieder ein Agrarabkommen.

28.–29. 6.	Frankreich und die Bundesrepublik legen auf der Tagung des Europäischen Rates in Mailand einen Vertragsentwurf zur späteren «Einheitlichen Europäischen Akte» vor.
2. 7.	Gromyko tritt nach achtundzwanzigjähriger Amtszeit als Außenminister zurück und übernimmt das Amt des Staatsoberhauptes der Sowjetunion.
5. 7.	Deutsch-deutsches Handelsabkommen.
17. 7.	17 europäische Staaten rufen in Paris EUREKA ins Leben.
19.–21. 11.	Amerikanisch-sowjetisches Gipfeltreffen in Genf.
25.–30. 12.	«Weihnachtskrieg» zwischen Burkina Faso und Mali.

1986

1. 1.	Mit der Aufnahme Spaniens und Portugals umfaßt die EG zwölf Mitglieder.
28. 1.	Die amerikanische Raumfähre «Challenger» explodiert nach dem Start mit sechs Astronauten an Bord. Bis September 1988 werden alle Flüge eingestellt.
17./28. 2.	Unterzeichnung der «Einheitlichen Europäischen Akte».
25. 2.	Gorbatschow kündigt den sowjetischen Abzug aus Afghanistan für die «nahe Zukunft» an.
27.–28. 2.	Bei den deutsch-französischen Konsultationen erklärt Mitterrand seine Bereitschaft, den Bundeskanzler über den eventuellen Einsatz der prästrategischen französischen Waffen zu konsultieren.
27. 3.	Unterzeichnung zweier deutsch-amerikanischer Abkommen u. a. über die deutsche Beteiligung an SDI.
15. 4.	In Reaktion auf ein Bombenattentat auf eine Berliner Diskothek, unter dessen Opfern sich zahlreiche Amerikaner befinden, bombardieren die USA libysche Städte.
26. 4.	Im sowjetischen Tschernobyl ereignet sich ein Reaktorunfall. Auch zehn Jahre nach der Katastrophe gibt es noch keine zuverlässige Bilanz.
6. 5.	Unterzeichnung eines deutsch-deutschen Kulturabkommens.
22. 7.	Deutsch-sowjetischer Vertrag über die wissenschaftlich-technische Zusammenarbeit.
19. 9.	Erfolgreicher Abschluß der KVAE in Stockholm.
5. 10.	Mit dem Abschuß eines CIA-Flugzeugs über Nicaragua beginnt die «Iran-Contra-Affäre», in deren Verlauf bekannt wird, daß die USA zwischen Februar 1985 und Oktober 1986 unter anderem Raketen der Typen «Hawk» und «Tow» an den Iran geliefert haben.
11.–12. 10.	Amerikanisch-sowjetisches Gipfeltreffen in Reykjavik.
1. 11.	Bis zum 1. November müssen 55 sowjetische Diplomaten wegen Spionagevorwürfen die USA verlassen.
4. 11.	In Wien beginnt das III. KSZE-Folgetreffen.
Dezember	In Alma-Ata kommt es zu Unruhen kasachischer Nationalisten.

1987

27.–28. 1.	Auf der Tagung des ZK-Plenums der KPdSU gibt Gorbatschow seiner Reformpolitik offiziell den Namen «Perestroika».
28. 2.	Gorbatschow schlägt den Vereinigten Staaten ein separates Abkommen über die landgestützten Mittelstreckenraketen in Europa vor.
25. 3.	Gemäß dem Beschluß der KVAE beobachten erstmals zwei Bundeswehroffiziere in Uniform ein Manöver auf dem Boden der DDR.
11.–12. 6.	Auf ihrem Frühjahrstreffen einigen sich die Außenminister der

NATO-Staaten neben den INF-Verhandlungen in vier weiteren Bereichen auf eine Rüstungsbegrenzung.

Sommer   Beginn öffentlicher Proteste gegen die Russifizierung in Moldawien.

1. 7.   Die «Einheitliche Europäische Akte» tritt in Kraft.

22. 7.   Die Sowjetunion stimmt der doppelten «Null-Lösung» zu.

26. 8.   Kohl erklärt die Bereitschaft der Bundesrepublik, nach Inkrafttreten des INF-Vertrages die deutschen «Pershing IA» abzubauen.

7.–11. 9.   Besuch Honeckers in der Bundesrepublik.

21. 10.   In einem Beschluß des Bundesverfassungsgerichts wird die «Identität des deutschen Staatsvolkes» gemäß der Präambel des Grundgesetzes bekräftigt.

26. 10.   Reagan gibt als Reaktion auf iranische Angriffe auf Öltransporte im Persischen Golf ein Einfuhrverbot für iranische Waren bekannt.

8. 12.   In Washington unterzeichenen Reagan und Gorbatschow den INF-Vertrag.

1988

7.–9. 1.   Besuch Honeckers in Frankreich.

17. 1.   Anläßlich der «Liebknecht/Luxemburg-Kampfdemonstration» kommt es in Ost-Berlin zu öffentlichen Protesten.

22. 1.   Schaffung eines gemeinsamen «Verteidigungs- und Sicherheitsrates» sowie eines «Finanz- und Wirtschaftsrates» durch Frankreich und die Bundesrepublik.

11.–12. 2.   Der Europäische Rat billigt mit dem «Delors-Paket I» Vorschläge zur Reform der Struktur-, Finanz- und Agrarpolitik der EG.

2. 3.   Bundeskanzler Kohl spricht sich auf der NATO-Gipfelkonferenz gegen eine «Null-Lösung» bei den atomaren Kurzstreckenraketen aus.

14. 4.   Pakistan und Afghanistan unterzeichnen in Genf zwei Abkommen über die Nichteinmischung bzw. «die freiwillige Rückkehr von Flüchtlingen nach Afghanistan».

15. 5.   Beginn des sowjetischen Truppenabzugs aus Afghanistan.

20. 5.   Rücktritt Kádárs in Ungarn.

29. 5.   Reagan besucht als erster amerikanischer Präsident seit 14 Jahren die Sowjetunion.

Juni   Eine nach Protesten der Krim-Tataren 1987 eingesetzte Regierungskommission gewährt diesen unter anderem das Recht, ihren Wohnort frei zu wählen.

28. 6.–1. 7.   Auf der 19. Allunions-Parteikonferenz unterbreitet Gorbatschow weitreichende Vorschläge für die Reform des politischen Systems der UdSSR.

3. 9.   Gründung des «Ungarischen Demokratischen Forums».

11. 9.   Willy Brandt spricht von der deutschen Wiedervereinigung in den Grenzen von 1937 als der «spezifischen Lebenslüge der zweiten deutschen Republik».

Oktober   In den baltischen Republiken der Sowjetunion kommt es zur Bildung von Volksfronten.

15. 11.   Erster Start einer sowjetischen Raumfähre.

1. 12.   In der Bundestagsdebatte über die «Lage der Nation im geteilten Deutschland» kommt es erstmals in der Geschichte der Bundesrepublik zu einem offenen Streit über das Fernziel Wiedervereinigung.

7. 12.	Gorbatschow kündigt bei einer Rede vor der UNO einseitige sowjetische Abrüstungsschritte auf konventionellem Gebiet an.
21. 12.	Bei einem Anschlag auf ein amerikanisches Großraumflugzeug werden über dem schottischen Lockerbie 270 Menschen getötet.

1989

15. 1.	In Wien wird das III. KSZE-Folgetreffen erfolgreich beendet.
2. 2.	Nach ca. 500 Plenarsitzungen gehen die MBFR-Verhandlungen ohne Ergebnis zu Ende.
6. 2.	In Polen beginnen die Gespräche am «Runden Tisch».
10.–11. 2.	Das Plenum des ZK der Ungarischen Sozialistischen Arbeiterpartei verzichtet auf die politische Führungsrolle.
15. 2.	Abschluß des sowjetischen Abzugs aus Afghanistan.
9. 3.	Beginn der KSE- sowie der VSBM-Verhandlungen in Wien.
6. 4.	Vor der norwegischen Küste sinkt ein sowjetisches Atom-U-Boot.
20. 4.	Konstituierende Sitzung des deutsch-französischen Verteidigungs- und Sicherheitsrates.
2. 5.	Ungarn beginnt mit dem Abbau seiner Grenzbefestigungen an der Grenze zu Österreich.
29.–30. 5.	Auf dem NATO-Gipfeltreffen einigen sich die Staats- und Regierungschefs auf einen Kompromiß in der umstrittenen Frage der Kurzstreckenraketen in Europa.
3./4. 6.	– Die chinesische Führung setzt in Peking die Armee gegen eine Großdemonstration ein. Tausende werden getötet oder verwundet.
	– In «halbfreien» Wahlen in Polen wird mit Tadeusz Mazowiecki zum erstenmal ein nicht-kommunistischer Politiker Premierminister in einem Staat des Warschauer Paktes.
8. 6.	Die Volkskammer der DDR billigt das Vorgehen der chinesischen Führung gegen die Demonstranten auf dem Platz des Himmlischen Friedens.
12.–15. 6.	Besuch Gorbatschows in der Bundesrepublik.
25.–27. 6.	Besuch des ungarischen Außenministers Gyula Horn in Österreich. Zum Abschluß der Visite entfernt er gemeinsam mit dem österreichischen Außenminister ein Stück des Stacheldrahtes an der österreichisch-ungarischen Grenze.
26.–27. 6.	Mit der Annahme des «Delors-Berichts» ebnet der Europäische Rat in Madrid den Weg zur Wirtschafts- und Währungsunion.
8. 7.	Gipfeltreffen des Warschauer Paktes in Bukarest: Aufgabe der «Breschnew-Doktrin».
8. 8.	Die Ständige Vertretung der Bundesrepublik in Ost-Berlin wird wegen des großen Andrangs ausreisewilliger DDR-Bürger geschlossen.
18. 8.	Der Kreml gibt zum erstenmal offiziell die Existenz sämtlicher Dokumente des «Hitler-Stalin-Paktes» zu.
25. 8.	Bei einem Treffen mit Kohl und Genscher versprechen Ministerpräsident Németh und Außenminister Horn, DDR-Flüchtlingen die Ausreise aus Ungarn in die Bundesrepublik zu ermöglichen.
31. 8.	Ungarn unterrichtet die DDR-Führung von der Absicht, DDR-Flüchtlinge ausreisen zu lassen.
10. 9.	Der ungarische Außenminister gibt die Grenzöffnung bekannt. Innerhalb von 48 Stunden überschreiten 10 000 DDR-Flüchtlinge die Grenze.
30. 9.	In der Botschaft der Bundesrepublik in Prag befinden sich etwa 4 000

Flüchtlinge aus der DDR. Genscher gibt vom Balkon des Botschaftsgebäudes die Genehmigung zur Ausreise bekannt.

Oktober Großdemonstrationen in der DDR. Am 16. Oktober protestieren in
Leipzig 150 000 Menschen. An der Montagsdemonstration zwei Wochen später nehmen 300 000 Menschen teil.

1./4. 10. Etwa 7 000 bzw. 11 000 «Botschaftsflüchtlinge» aus Warschau und Prag
reisen mit Sonderzügen über die DDR in die Bundesrepublik aus.

6.–7. 10. Feiern zum 40. Jahrestag der Gründung der DDR in Ost-Berlin.

18. 10. Erich Honecker wird auf eigenen Wunsch von seinen Funktionen als
Staats- und Parteichef entbunden. Zu seinem Nachfolger wird Egon
Krenz gewählt, der noch am selben Tag die Vorbereitung eines Reise-
gesetzes ankündigt.

23. 10. In Ungarn werden einschneidende Verfassungsänderungen beschlossen.

4. 11. In Ost-Berlin demonstrieren bis zu einer Million Menschen.

8. 11. Das SED-Politbüro tritt geschlossen zurück.

9.–14. 11. Besuch Kohls in Polen. Wegen der Ereignisse in der DDR unterbricht
der Bundeskanzler die Visite am 10. November für zwei Tage.

9. 11. Öffnung der Berliner Mauer.

10. 11. Sturz Schiwkows in Bulgarien.

18. 11. In offener Abstimmung bestätigt die DDR-Volkskammer einen neuen
Ministerrat. Zwölf seiner 28 Mitglieder gehören nicht der SED an.
Hans Modrow wird Vorsitzender.

28. 11. «Zehn-Punkte-Programm» Kohls im Bundestag.

7. 12. In der DDR tritt ein «Runder Tisch», bestehend aus allen Parteien
und gesellschaftlichen Gruppen, zusammen.

8.–9. 12. Kohl stimmt auf der Tagung des Europäischen Rates in Straßburg der
Einberufung einer Regierungskommission zur EWWU zu.

11. 12. In Berlin treffen sich erstmals seit 1971 die Botschafter der vier Siegermächte.

15. 12. Lomé IV zwischen der EG und 68 AKP-Staaten.

19. 12. Vor dem Europäischen Parlament meldet der sowjetische Außenminister Schewardnadse Bedenken hinsichtlich der deutschen Einheit an.

19.–20. 12. Erstes Treffen zwischen Kohl und Modrow in Dresden.

20.–22. 12. Besuch Mitterrands in der DDR.

22. 12. Umsturz in Rumänien. Ceauşescu wird festgenommen und am 25.
Dezember hingerichtet.

24. 12. Der sowjetische Kongreß der Volksdeputierten verurteilt im zweiten
Anlauf offiziell den «Hitler-Stalin-Pakt».

1990

3. 1. Mit der Gefangennahme Noriegas wird die am 20. 12. 1989 begon-
nene amerikanische Intervention Panamas abgeschlossen.

28. 1. Die Regierung der DDR und der «Runde Tisch» einigen sich auf
vorgezogene Neuwahlen zur Volkskammer.

10.–12. 2. Während Kohls Besuch in Moskau signalisiert die sowjetische Führung ihre grundsätzliche Zustimmung zur deutschen Einheit.

12.–14. 2. Die Außenminister der Vier Mächte und der beiden deutschen Staaten
vereinbaren Besprechungen über die «äußeren Aspekte der Herstellung
der deutschen Einheit».

14. 2. Der polnische Ministerpräsident Mazowiecki fordert eine Beteiligung sei-

nes Landes an den Gesprächen über die deutsche Einheit. Bei den Verhandlungen vom 17. 7. nimmt zeitweilig Außenminister Skubiszewski teil.

15. 2.	Besuch Bundeskanzler Kohls in Frankreich. Staatspräsident Mitterrand signalisiert seine grundsätzliche Zustimmung zur deutschen Einheit.
20. 2.	Die Kandidatin der oppositionellen Koalition in Nicaragua, Chamorra, gewinnt die Präsidentschaftswahlen gegen Ortega; Ende der Herrschaft der Sandinisten.
24.–25. 2.	Kohl besucht Washington. Im Vorfeld signalisiert Thatcher Bush telefonisch ihre Zustimmung zur deutschen Einheit.
1. 3.	Der DDR-Ministerrat beschließt die Gründung der «Treuhandanstalt».
11. 3.	Unabhängigkeitserklärung Litauens.
13. 3.	Paraphierung eines Handels- und Kooperationsabkommens zwischen der EG und der DDR.
18. 3.	Die Volkskammerwahlen in der DDR bringen eine Mehrheit für die von der CDU der DDR angeführte «Allianz für Deutschland».
21. 3.	Unabhängigkeit Namibias.
25. 3./8. 4.	Erste freie Wahlen in Ungarn.
30. 3.	Unabhängigkeitserklärung Estlands.
12. 4.	– Lothar de Maizière bildet in Ost-Berlin eine Koalitionsregierung. – Die DDR-Volksammer bekennt sich zur historischen Verantwortung für die Vernichtung des europäischen Judentums.
13. 4.	Moskau gibt die sowjetische Verantwortung für die Massaker von Katyn zu.
18. 4.	Gemeinsame deutsch-französische Initiative zur Schaffung einer «Europäischen Politischen Union».
4. 5.	Unabhängigkeitserklärung Lettlands.
5. 5.	Beginn der «Zwei-plus-Vier»-Verhandlungen in Bonn.
18. 5.	Unterzeichnung des Vertrages über die Währungs-, Wirtschafts- und Sozialunion zwischen der Bundesrepublik Deutschland und der DDR; am 1. 7. tritt er in Kraft.
20. 5.	Erste freie Wahlen in Rumänien.
10./17. 6.	Erste freie Wahlen in Bulgarien.
12. 6.	Souveränitätserklärung Rußlands.
21. 6.	In gleichlautenden Erklärungen bekräftigen der Bundestag und die Volkskammer der DDR ihre Bereitschaft, den deutsch-polnischen Grenzverlauf zu bestätigen.
22. 6.	Die Bundesrepublik bürgt für einen Fünf-Milliarden-Kredit an die Sowjetunion.
25.–26. 6.	Ein Sondergipfel der Staats- und Regierungschefs der EG in Dublin beschließt zwei Regierungkonferenzen zur EWWU bzw. EPU.
2.–13. 7.	Mit dem 28. Parteitag der KPdSU wird Gorbatschow in geheimer Abstimmung als Parteichef bestätigt.
5.–6. 7.	Auf einem Gipfeltreffen der NATO erklären die Staats- und Regierungschefs, den Warschauer Pakt nicht länger als Gegner zu betrachten und «niemals und unter keinen Umständen als erste Gewalt» anzuwenden.
9.–11. 7.	16. Weltwirtschaftsgipfel in Houston. Die Bundesrepublik setzt sich für die Interessen der Sowjetunion ein.
15.–16. 7.	Anläßlich eines Besuchs von Kohl gibt Gorbatschow seine Zustimmung zur NATO-Mtgliedschaft des vereinigten Deutschland.

2. 8.	Irakische Truppen überfallen Kuwait. Am 8. 8. wird Kuwait vom Irak offiziell annektiert.
12. 9.	In Moskau enden die «Zwei-plus-Vier»-Gespräche mit der Unterzeichnung des «Vertrages über die abschließende Regelung in bezug auf Deutschland».
13. 9.	Der «Vertrag über gute Nachbarschaft, Partnerschaft und Zusammenarbeit» zwischen Deutschland und der Sowjetunion wird paraphiert.
1. 10.	Das Viermächte-Abkommen wird suspendiert.
3. 10.	Deutsche Einheit.
4. 10.	Erste Plenarsitzung eines freigewählten gesamtdeutschen Parlaments im Berliner Reichstagsgebäude seit 57 Jahren.
9. 10.	Deutsch-sowjetischer «Überleitungsvertrag».
12. 10.	Deutsch-sowjetischer Vertrag über den Abzug der sowjetischen Truppen.
27.–28. 10.	Sondertagung der Staats- und Regierungschefs der EG in Rom. Beschlüsse zur «Europäischen Union» und zur Umsetzung der «zweiten Stufe» der EWWU am 1. 1. 1994.
9. 11.	Deutsch-sowjetischer «Vertrag über gute Nachbarschaft, Partnerschaft und Zusammenarbeit».
14. 11.	Deutsch-polnischer Grenzvertrag.
17. 11.	Unterzeichnung von VVSBM I in Wien.
19.–21. 11.	KSZE Gipfeltreffen in Paris. Am Rande kommt es zur Unterzeichnung von VKSE I.
22. 11.	Rücktritt Margaret Thatchers als britische Premierministerin. Fünf Tage später wird John Major ihr Nachfolger.
Dezember	Kroatien und Slowenien unternehmen entscheidende Schritte auf dem Weg zur Unabhängigkeit.
2. 12.	Erste gesamtdeutsche Wahlen nach der Vereinigung.
9. 12.	Lech Wałeşa wird im zweiten Wahlgang zum Staatspräsidenten Polens gewählt.
15. 12.	Die Regierungkonferenzen über EWWU und EPU nehmen ihre Arbeit auf.
20.–21. 12.	Erste Konferenz der Ministerpräsidenten der Länder der Bundesrepublik in München seit 1947.

1991

13. 1.	In der litauischen Hauptstadt Wilna werden mehrere Bürger von sowjetischen Soldaten getötet. Eine Woche später kommt es in Lettland zu ähnlichen Vorgängen.
16./17. 1.	In der Nacht zum 17. 1. eröffnet eine alliierte Koalition die Luftoffensive gegen den Irak.
18. 1.	Der Irak beginnt mit Raketenangriffen auf Israel.
27. 1.	Sturz des somalischen Präsidenten Siad Barre.
24. 2.	Beginn der Bodenoffensive zur Befreiung Kuwaits. Vier Tage später wird die Aktion mit einer Feuerpause erfolgreich beendet.
4. 3.	Der Oberste Sowjet ratifiziert den deutsch-sowjetischen Vertrag über «gute Nachbarschaft, Partnerschaft und Zusammenarbeit» sowie den «Zwei-plus-Vier»-Vertrag.
15. 3.	Der «Zwei-plus-Vier»-Vertrag tritt in Kraft.
17. 3.	In einem Referendum sprechen sich über 75% der Bevölkerung für den Erhalt der Sowjetunion aus.

31. 3.	– Serbische Freischärler eröffnen in Plitvice das Feuer.
	– Erste freie Wahlen in Albanien.
2. 4.	Ratifizierung des deutsch-sowjetischen Vertrages über den Abzug der sowjetischen Truppen durch den Obersten Sowjet.
12. 5.	Die Sowjetunion vernichtet die letzte Rakete vom Typ «SS 20».
31. 5.	Abkommen zwischen UNITA und MPLA zur Beendigung des angolanischen Bürgerkriegs.
12. 6.	Boris Jelzin wird zum Präsidenten der RSFSR gewählt.
17. 6.	Die letzten sowjetischen Truppen verlassen Ungarn.
25. 6.	Unabhängigkeitserklärungen Sloweniens und Kroatiens.
27. 6.	– Angriff der jugoslawischen Bundesarmee auf Slowenien.
	– Auflösungsbeschluß des RGW.
1. 7.	Der Politische Beratende Ausschuß des Warschauer Paktes beschließt die Auflösung des Bündnisses.
15. 7.	Angriff der jugoslawischen Bundesarmee auf Kroatien.
31. 7.	Bush und Gorbatschow unterzeichnen START I.
18.–19. 8.	Putsch gegen Gorbatschow in der Sowjetunion. Die Revolte bricht nach wenigen Tagen zusammen.
23. 8.	Jelzin verbietet alle Aktivitäten der kommunistischen Partei in Rußland.
24. 8.	Gorbatschow tritt als Generalsekretär der KPdSU zurück.
27. 8.	Unabhängigkeitserklärung Moldawiens.
8. 9.	In einer Volksabstimmung in Makedonien stimmen 74% für die Unabhängigkeit.
23. 9.	Unabhängigkeitserklärung Armeniens.
26.–30. 9.	In einer heimlichen Abstimmung plädieren über 90% der Bewohner Kosovos für eine selbständige Republik.
27. 9.	Der amerikanische Präsident kündigt einen weitreichenden, einseitigen Abbau nuklearer Systeme an, darunter den Abzug aller landgestützten Kurzstreckenwaffen aus Europa.
14. 10.	Kohl und Mitterrand regen gemeinsam eine europäische Sicherheits- und Verteidigungspolitik an.
15. 10.	Das Parlament von Bosnien-Herzegowina beschließt ohne die serbischen Abgeordneten die Souveränität.
November	Referendum der bosnischen Serben für einen Verbleib bei Jugoslawien.
8. 12.	Rußland, Weißrußland und die Ukraine günden die «Gemeinschaft Unabhängiger Staaten».
9.–10. 12.	Abschluß der EG-Regierungskonferenzen zur EWWU und EPU durch den Europäischen Rat in Maastricht.
16. 12.	Unabhängigkeitserklärung Kasachstans.
23. 12.	Die Bundesrepublik erkennt Slowenien und Kroatien an.
25. 12.	Gorbatschow tritt als Staatspräsident der UdSSR zurück.

Abbildungsnachweis

Personenregister

Abs, Hermann Josef 75
Acheson, Dean 69 f., 166, 168, 260
Adenauer, Konrad 37, 47, 56, 58–61,
  64–67, 73–77, 79, 81, 83, 86, 94, 98,
  102, 105 f., 110–114, 125, 127–129,
  131, 133–135, 138, 140, 144–150,
  156, 159, 162, 166, 168, 171, 173–176,
  182 f., 185–188, 190, 192, 198 f., 202,
  214, 250, 259, 284, 287, 328, 331, 388,
  469
Adschubej, Alexej 215
Allardt, Helmut 250 f., 256
Allende Gossens, Salvador 382
Andropow, Jurij W. 231, 391
Arafat, Jasir Mohammed 299, 381
Armstrong, Neil 129
Assad, Hafis al- 226
Attlee, Clement 22, 30
Augstein, Rudolf 336, 420
Aziz, Tarek 452

Badoglio, Pietro 290
Bahr, Egon 144, 174 f., 251–254, 256 f.,
  271, 276, 281–283, 285, 326, 362, 420,
  451
Baker, James 398, 407, 445, 452
Baring, Arnulf 327
Barzel, Rainer 278 f.
Batista y Zaldivar, Fulgencio 154
Bender, Peter 309, 372
Benesch, Eduard 39
Ben Gurion, David 78, 192
Bessmertnych, Alexander 458
Besson, Waldemar 286
Bevin, Ernest 48, 52
Bidault, Georges 95
Birrenbach, Kurt 161, 279
Bismarck, Otto von 34, 58, 262
Blank, Theodor 76, 130
Blankenhorn, Herbert 187
Böll, Heinrich 378
Bölling, Klaus 371

Brandt, Willy 143, 148, 159 f., 174 f.,
  209, 214, 219, 223 f., 229, 233, 235,
  237, 246–251, 254, 257–262, 265,
  275–277, 279–281, 283, 285, 287–
  289, 291 f., 297 f., 305, 307, 321, 327,
  339, 420, 451, 502
Braun, Wernher von 47
Brentano, Heinrich von 144, 173
Breschnew, Leonid I. 215, 231–233,
  246, 251, 253 f., 271, 274, 279, 282,
  288 f., 291, 339 f., 348, 353, 360 f.,
  363 f., 375, 387, 390 f., 429 f., 432
Broz, Josip s.: Tito
Brüning, Heinrich 13
Brzezinski, Zbigniew 329 f., 347, 350
Bui Tin 268
Bulganin, Nikolaj A. 91, 109, 111–113,
  126, 197
Bundy, McGeorge 152, 164–166
Bush, George 403, 408, 410, 442, 445 f.
Byrnes, James F. 25, 31, 34 f., 41, 48

Caetano, Marcello José das Neves Alves
  345
Callaghan, James 364
Carstens, Karl 173, 198, 219
Carter, James Earl (Jimmy) 329–332,
  353 f., 360, 362 f., 373 f., 390, 404
Castro Ruz, Fidel 88, 154 f., 164 f., 174,
  347, 382, 386
Ceauşescu, Nicolae 195 f., 430, 433
Chaban-Delmas, Jacques 180 f.
Chamberlain, Arthur Neville 16
Chamorro, Violeta Barrios de 410
Chiang Kai-shek 30, 69, 71
Chruschtschow, Nikita S. 90 f., 109,
  111 f., 117, 121, 128, 137–139, 141–
  144, 148–150, 153, 155, 160–161,
  163–166, 175 f., 178, 183, 185, 195–
  197, 215, 231, 255, 341, 361, 390, 392
Churchill, Winston S. 18–24, 31, 37 f.,
  40, 44 f., 73, 105, 109, 153, 296

Geschichte und Zeitgeschichte

Gregor Schöllgen
Die Macht in der Mitte Europas
Stationen deutscher Außenpolitik
von Friedrich dem Großen bis zur Gegenwart
1992. 208 Seiten. Gebunden

Gregor Schöllgen
Ulrich von Hassell 1881–1944
Ein Konservativer in der Opposition
1990. 278 Seiten mit 12 Abbildungen.
Gebunden

Hagen Schulze
Kleine deutsche Geschichte
Mit Bildern aus dem
Deutschen Historischen Museum
1996. 276 Seiten mit 122 Abbildungen,
davon 60 in Farbe. Gebunden

Fritz Stern
Verspielte Größe
Essays zur deutschen Geschichte
des 20. Jahrhunderts
1996. Etwa 320 Seiten. Gebunden

David A. Hackett (Hrsg.)
Der Buchenwald-Report
Bericht über das
Konzentrationslager Buchenwald bei Weimar
1996. Etwa 460 Seiten
mit 1 Karte und 1 Faksimile. Gebunden

Petra Weber
Carlo Schmid 1896–1979
Eine Biographie
1996. Etwa 990 Seiten mit 20 Abbildungen.
Leinen

Verlag C. H. Beck München

Europa bauen

Leonardo Benevolo
Die Stadt in der europäischen Geschichte
Aus dem Italienischen von Peter Schiller
1993. 316 Seiten mit 149 Abbildungen. Leinen

Peter Brown
Die Entstehung des christlichen Europa
Aus dem Englischen von Peter Hahlbrock
1996. 404 Seiten. Leinen

Umberto Eco
Die Suche nach der vollkommenen Sprache
Aus dem Italienischen von Burkhart Kroeber
3., durchgesehene Auflage. 1994.
388 Seiten mit 22 Abbildungen. Leinen

Josep Fontana
Europa im Spiegel
Eine kritische Revision der europäischen Geschichte
Aus dem Spanischen von Joan Weiss i Knopf. 1995.
244 Seiten. Leinen

Aaron J. Gurjewitsch
Das Individuum im europäischen Mittelalter
Aus dem Russischen von Erhard Glier
1994. 341 Seiten. Leinen

Ulrich Im Hof
Das Europa der Aufklärung
2., durchgesehene Auflage. 1995. 270 Seiten. Leinen

Hagen Schulze
Staat und Nation in der europäischen Geschichte
2., durchgesehene Auflage. 1995. 376 Seiten. Leinen

Charles Tilly
Die europäischen Revolutionen
Aus dem Englischen von Hans-Jürgen Baron von Koskull
1993. 368 Seiten mit 2 Karten. Leinen

Verlag C. H. Beck München

GREGOR SCHÖLLGEN

Geschichte der Weltpolitik
von Hitler bis Gorbatschow
1941–1991

VERLAG C.H. BECK MÜNCHEN

Mit 14 Abbildungen

Die Deutsche Bibliothek – CIP-Einheitsaufnahme

Schöllgen, Gregor:
Geschichte der Weltpolitik von Hitler bis
Gorbatschow : 1941–1991 / Gregor Schöllgen.
– München : Beck, 1996
  ISBN 4-406-41144-4

ISBN 3 406 41144 4

© C. H. Beck'sche Verlagsbuchhandlung (Oscar Beck), München 1996
Satz: Fotosatz Janß, Pfungstadt
Druck und Bindung: Ebner Ulm
Gedruckt auf säurefreiem, alterungsbeständigem Papier
(hergestellt aus chlorfrei gebleichtem Zellstoff)
Printed in Germany

Inhalt

7. Gehversuche
Was ist Entspannung?
1966–1969
Seite 221

8. Gipfelstürmer
Die Wege der Detente
1969–1973
Seite 245

14. Bilanz
Der Dritte Krieg
1941–1991
Seite 463

Die Erblasten des Jahrhunderts · Die Dritte Welt · Die Wurzeln des Übels · Heiße Kriege · Atomare Logik · Strahlendes Erbe · Politische Disziplinierung · Die Strukturen der Weltwirtschaft · Inter-nationale Gemeinschaften · Von den Folgen der Entspannung · Die Wege des Nationalstaats · Der Zusammenbruch der UdSSR, das Ende der Anti-Hitler-Koalition und die Vereinigung Deutschlands · Die Lehren des Dritten Krieges

Anhang

1. Weichenstellung
Entscheidungen im Weltkrieg
1941–1945

Frühmorgens brach die Hölle los. Es war der 22. Juni 1941, gegen 03.15 Uhr, als drei Millionen deutsche Soldaten auf ganzer Front, von der Ostsee bis zu den Karpaten, zum Angriff auf die Sowjetunion antraten. Mit diesem Angriff bekam der Zweite Weltkrieg eine neue infernalische Dimension und lag von nun an zugleich im Schatten einer ganz anderen, nicht minder dramatischen Auseinandersetzung. Sie sollte das Weltgeschehen für ein halbes Jahrhundert bestimmen und bald nach Beendigung der Kampfhandlungen der «Kalte Krieg» genannt werden. Dieser wurde einer der längsten und verlustreichsten Kriege, welche die Menschheit je geführt hatte; und er teilte die Welt – in eine westliche und eine östliche, in eine hochindustrialisierte und eine vernachlässigte, in eine wohlhabende und eine verarmte, in eine überlebensfähige und eine durch seine Hinterlassenschaften wie die Zerstörung der Umwelt schwer geschädigte Hemisphäre.

Das alles wissen wir heute. Damals, im Morgengrauen jenes 22. Juni, war noch nicht erkennbar, daß es sich auch um die Dämmerung einer neuen Weltordnung handelte. Den Machthabern in Deutschland war der Überfall auf die Sowjetunion vorerst nichts weiter als die letzte Etappe eines bis dahin unaufhaltsamen Eroberungs- und Beutezuges. Die Vorbereitungen liefen seit Jahren: Schritt für Schritt hatte Adolf Hitler, seit dem 30. Januar 1933 deutscher Reichskanzler, die Machtbasis des «Dritten Reiches» konsolidiert und ausgebaut. Das war zunächst kaum aufgefallen, weil sich der außenpolitische Kurs der neuen Reichsregierung wenig von dem ihrer Vorgängerinnen zu unterscheiden schien. Offenbar stellte sich auch die Regierung Hitler lediglich in den Dienst jener übergeordneten Zielsetzung, die für sämtliche Kabinette der Weimarer Republik verbindlich gewesen war: Seit Deutschland am 28. Juni 1919 den Versailler Vertrag hatte unterzeichnen müssen, bildete dessen Revision so etwas wie den kleinsten gemeinsamen Nenner aller maßgebenden politischen Kräfte in Deutschland. Denn der Vertrag, mit dem nach einem verlustreichen vierjährigen Krieg der Friede zwischen Deutschland und den alliierten Siegern zu deren Bedingungen wiederhergestellt worden war, galt im Reich durchweg als ungerechtes Diktat.

Bei dem Versuch, ihn zu Deutschlands Gunsten zu revidieren, waren die Politiker der Weimarer Republik in Maßen erfolgreich gewesen. Das gilt für den langjährigen Außenminister Gustav Stresemann, der zwischen 1923 und 1929 den mühsamen Weg des Ausgleichs und der Verständigung mit Frankreich eingeschlagen hatte; es gilt aber auch für die Reichskanzler

Heinrich Brüning, Franz von Papen und Kurt von Schleicher, die von März 1930 bis zum Januar 1933 mit rüderen, aber recht wirksamen Methoden einige spektakuläre Erfolge erzielen konnten, darunter die fast vollständige Einstellung der drückenden Reparationszahlungen und die grundsätzliche Anerkennung der Gleichberechtigung Deutschlands in der Rüstungsfrage. Dennoch mußte manche Revisionsforderung als noch nicht erfüllt gelten.

Hier setzte der Reichskanzler Adolf Hitler an. In gewisser Weise mußte er den Revisionismus auf breiter Basis erst wieder mobilisieren, hatten doch die Menschen zu Beginn der dreißiger Jahre andere Sorgen als die Lösung tatsächlich oder vermeintlich offener Grenz- und Rüstungsfragen. Die Massenarbeitslosigkeit und ihre Begleiterscheinungen, Folgen der schweren Weltwirtschaftskrise, diktierten die Tagesthemen. Doch kam Hitler zugute, daß die Weltwirtschaft bald wieder Tritt zu fassen begann. Mit jedem Erfolg gewann der Katalog seiner Forderungen an Umfang. Daß Hitler bald auch Ansprüche erhob, die in den zwanziger Jahren niemals ernsthaft vorgetragen worden, geschweige denn als Revisionsforderungen zu betrachten waren, wurde im Zuge seiner außenpolitischen Offensiven oft übersehen, und das keineswegs nur in Deutschland. Manchem Beobachter kam der revisionistische Anstrich der Hitlerschen Außenpolitik wohl auch gelegen, da er ihr den Anschein der Normalität, ja der Legitimität gab: Die immer wieder vorgetragenen Forderungen nach Beseitigung des Versailler «Schanddiktats» hatten eben für die meisten Zeitgenossen etwas Vertrautes. Deshalb wurden sie von Hitler erhoben und für seine Zwecke instrumentalisiert.

Der neue Reichskanzler schien mithin auf alten Wegen weiterzugehen. Daß er das auch deshalb tat, um zu Zielen zu gelangen, die radikal mit der außenpolitischen Tradition nicht nur der Weimarer Republik, sondern Preußen-Deutschlands insgesamt brachen, erkannten vorerst nur wenige. Hier liegt einer der Gründe, warum die Nachbarn des Deutschen Reiches nicht schon beim ersten gravierenden Vertragsbruch aktiv wurden, warum sie etwa die Wiedereinführung der allgemeinen Wehrpflicht am 16. März 1935 nicht mit scharfen politischen oder gar militärischen Maßnahmen beantworteten, sondern lediglich mit dem Entschluß, sich künftig «jeder einseitigen Aufkündigung von Verträgen» widersetzen zu wollen.[1] Es blieb bei der Absicht.

Nachdenklicher wurde man erst ein Jahr darauf, am 7. März 1936. Der Einmarsch deutscher Truppen in die entmilitarisierte Zone des Rheinlandes war nicht nur ein Bruch des Versailler Vertrages, er verletzte darüber hinaus die Bestimmungen der Locarno-Verträge. Darin hatte sich Berlin am 16. Oktober 1925 unter anderem zur dauerhaften Respektierung des in Versailles festgeschriebenen Status quo an der Westgrenze des Deutschen Reiches verpflichtet. Zu einer überzeugenden, koordinierten Antwort der Nachbarn auf diesen jüngsten Vertragsbruch kam es freilich auch jetzt, im

Frühjahr 1936, nicht. Frankreich machte seine Reaktion von der Haltung Großbritanniens abhängig; Großbritannien konzentrierte seine Kräfte fast ausschließlich auf den Zusammenhalt des zusehends gefährdeten Empire und drückte deshalb ein ums andere Mal beide Augen zu. Die Sowjetunion war, aufs ganze gesehen, international isoliert; und die Vereinigten Staaten übten sich einstweilen in weltpolitischer Enthaltsamkeit.

Das kam Hitlers Absichten zugute. Seine wahren Pläne erläuterte er am 5. November 1937 hinter verschlossenen Türen den Oberbefehlshabern der drei Wehrmachtteile sowie dem Reichskriegs- und dem Reichsaußenminister. Unumwunden erklärte der Kanzler seinen Zuhörern, daß der in seinen Augen für das deutsche Volk notwendige «Lebensraum» nur in Europa gesucht werden könne, daß er die «Raumfrage» spätestens 1943/45 zu lösen beabsichtige und daß er zu diesem Zweck die Niederwerfung Österreichs und der Tschechoslowakei für das Jahr 1938 ins Auge fasse.[2]

So geschah es dann auch: Nach einschlägigen Inszenierungen marschierten deutsche Truppen am 12. März 1938 in Österreich ein und ein gutes halbes Jahr später, am 1. Oktober 1938, in die sudetendeutschen Gebiete der Tschechoslowakei. Dem Einmarsch nach Österreich folgte am nächsten Tag der «Anschluß» an das Deutsche Reich. Im Falle der Tschechoslowakei markierte die Besetzung den Beginn der vollständigen Zerschlagung des Landes, die am 15. März 1939, mit dem Einmarsch deutscher Truppen in Prag, ihren Höhepunkt erreichte.

Hitler ging es bei der Eingliederung Österreichs in das Deutsche Reich, der Zerschlagung der Tschechoslowakei und der Einverleibung großer Teile dieses 1918 gegründeten Vielvölkerstaates allenfalls in zweiter Linie um die Umsetzung tatsächlicher oder vermeintlicher Revisionsforderungen. Ihm ging es, wie er das im November 1937 den führenden deutschen Militärs unmißverständlich klargemacht hatte, um die systematische Erweiterung der territorialen Ausgangsbasis. Auch wenn die genannten Aktionen nicht als Umsetzung eines in allen Details festliegenden Planes betrachtet werden können, dienten sie doch am Ende der Vorbereitung des «Unternehmens Barbarossa», wie der Feldzug gegen die Sowjetunion später genannt wurde.

Das gilt auch für den deutschen Überfall auf Polen am 1. September 1939, den Großbritannien und Frankreich zwei Tage später mit Kriegserklärungen an das Deutsche Reich beantworteten, für die deutschen Feldzüge gegen Dänemark und Norwegen vom April 1940, für den sich daran anschließenden Krieg gegen Belgien, die Niederlande und Frankreich, der am 22. Juni 1940 mit dem deutsch-französischen Waffenstillstand abgeschlossen wurde, und nicht zuletzt für die Niederwerfung Jugoslawiens und Griechenlands durch deutsche Truppen, die im April 1941 begann: Alle diese Maßnahmen zielten immer auch auf die Verbesserung der territorialen bzw. strategischen Ausgangsbasis für den nächsten Schritt und das eigentliche Ziel der Hitlerschen Politik und Kriegführung, die Zerschlagung der Sowjetunion.

Mit der beabsichtigten Niederwerfung dieses großen östlichen Nachbarn verband Hitler eine doppelte Zielsetzung. Einmal ging es um seine militärische Ausschaltung, die am Ende des Ersten Weltkrieges schon einmal gelungen war, dann aber wegen des Kriegsverlaufs im Westen und des Waffenstillstandes nicht dauerhaft gesichert werden konnte. Spätestens seit diesen Tagen hielten viele Militärs nicht nur einen Sieg über die Sowjetunion für möglich. Manche waren auch davon überzeugt, daß man einem als wahrscheinlich geltenden Angriff von dieser Seite zuvorkommen müsse. Daß ihn die sowjetischen Militärs, mit Billigung Stalins, tatsächlich für die zweite Hälfte des Jahres 1941 geplant hatten,[3] war damals freilich unbekannt. Insoweit war der deutsche Überfall gewiß keine Reaktion. Als maßgeblich hat viel eher eine Überzeugung zu gelten, die seit 1918 in Deutschland verbreitet und noch ganz dem Denken des imperialistischen Zeitalters verhaftet war. Danach bildeten die westlichen Gebiete der Sowjetunion den natürlichen «Lebensraum» für die ständig wachsende deutsche Bevölkerung. Hitler wußte, wie tief verwurzelt dieses Denken war. Es erschien ihm daher ein leichtes, diese Kräfte zu mobilisieren und für die Niederwerfung der Sowjetunion und die Ausschaltung der «bolschewistischen Gefahr» einzusetzen.

Hinter diesem erkennbaren, erklärten Ziel aber stand von Beginn an ein zweites, das eigentliche Motiv der Politik und Kriegführung Adolf Hitlers: die Versklavung, ja die systematische Vernichtung großer Teile der in den eroberten Territorien, aber keineswegs nur dort, lebenden Bevölkerung, namentlich der Juden. Von Anfang an besaß der Feldzug gegen die Sowjetunion eine in der zivilisierten Welt bis dahin unbekannte barbarische Grausamkeit, wurde er doch immer auch als rassenideologisch motivierter Vernichtungskrieg insbesondere gegen das europäische Judentum geplant und durchgeführt: Der «Endlösung», an deren Organisation seit der «Wannsee-Konferenz» vom 20. Januar 1942 auch Vertreter der deutschen Reichsbehörden beteiligt waren, fielen fast sechs Millionen Juden zum Opfer. Der Feldzug gegen die Sowjetunion und die Vernichtung des europäischen Judentums bildeten die unauflöslich miteinander verbundenen Zentren der Politik und Kriegführung Adolf Hitlers.

Die zweite Zielsetzung blieb den meisten zeitgenössischen Beobachtern lange Zeit verborgen, sowohl den Deutschen als auch ihren Nachbarn. Diese reagierten zunächst und vor allem auf das unmittelbar erkennbare Vorgehen des «Dritten Reiches», also auf dessen Kriegführung. Tatsächlich bestimmte diese das Geschehen in einem Maße, das den Blick auf den systematischen Genozid zunächst verstellte. Im Falle der Deutschen wirkten Hitlers Erfolge geradezu korrumpierend. Für die Gegner der deutschen Kriegführung stand vorerst das nackte Überleben im Vordergrund:

Gegen Ende des Jahres 1941 war das Donnern der deutschen Geschütze in Moskau zu hören, und das hieß nichts anderes, als daß Deutschland und seine Verbündeten jetzt praktisch den gesamten europäischen Kontinent, vom Nordkap bis zur Mittelmeerküste, unter ihrer Kontrolle hatten.

Das war die Situation, in der sich, unerwartet und in gewisser Weise ungewollt, die beiden noch nicht bezwungenen Mächte Europas in einem Boot wiederfanden. Die deutsche Kriegführung hatte mit Gewalt etwas zustande gebracht, was aus freiem Entschluß bis dahin nicht möglich erschienen war: ein gemeinsames militärisches Vorgehen Großbritanniens und der Sowjetunion gegen das Deutsche Reich. Bis zum 22. Juni 1941 wäre die Bekanntgabe einer solchen Zusammenarbeit einer Sensation gleichgekommen. Bis dahin nämlich hatte Großbritannien ebenso wie die Sowjetunion, jedenfalls zeitweilig, mit dem «Dritten Reich» kooperiert.

Daß Stalin am 23. August 1939 ausgerechnet mit Hitler einen Nichtangriffspakt abgeschlossen hatte, lag unter anderem an der konsequenten Isolationspolitik der Westmächte gegenüber der UdSSR. Nicht nur hatten London und Paris Moskau von der Münchener Konferenz ausgeschlossen, auf der am 29. September 1938 von den Regierungschefs Deutschlands, Italiens, Englands und Frankreichs über das Schicksal der Tschechoslowakei, in diesem Falle ihrer sudetendeutschen Gebiete, entschieden worden war. Vielmehr hatten Verlauf und Scheitern der Verhandlungen über eine Militärkonvention, die im Sommer 1939 zwischen der Sowjetunion auf der einen und Großbritannien und Frankreich auf der anderen Seite geführt worden waren, im Kreml Anlaß zu der Vermutung gegeben, daß die beiden westlichen Verhandlungspartner nicht wirklich an einer Kooperation interessiert seien. So erhielt am 23. August 1939 Deutschland den Zuschlag. Dieser «Hitler-Stalin-Pakt» sollte lediglich das erste einer ganzen Reihe von Abkommen sein, die in den kommenden Monaten zwischen den beiden neuen Partnern geschlossen wurden.

Nachdem auf der Basis des «Hitler-Stalin-Paktes» deutsche Truppen am 1. September 1939 den Angriff auf Polen eröffnet und sich die Sowjets, beginnend mit dem Einmarsch der Roten Armee am 17. September, ihren Teil der polnischen Beute gesichert hatten, wurde bereits am 28. September 1939 ein zweites deutsch-sowjetisches Abkommen, ein Grenz- und Freundschaftsvertrag, unterzeichnet. Wie der erste enthielt auch dieser Vertrag einen geheimen Zusatz, der die Bestimmungen der geheimen Abmachungen des «Hitler-Stalin-Paktes» modifizierte. Die beiden geheimen Vereinbarungen bezogen sich auf die Aufteilung Finnlands, der baltischen Staaten, Polens und eines Teils von Rumänien. Auf der Basis des Abkommens vom 28. September fielen Finnland, die baltischen Staaten mit Ausnahme einiger litauischer Gebiete, das rumänische Bessarabien sowie das östliche Polen an die Sowjetunion; Westpolen bis zum Bug – einschließlich der meisten polnischen Kerngebiete – hingegen wurde dem Deutschen Reich zugeschlagen. Das war das Fundament einer Kooperation zwischen

Deutschland und der Sowjetunion, die bis zum 22. Juni 1941 nahezu reibungslos funktionierte.

Nicht wesentlich anders hatte es bis zum Sommer 1939 mit Großbritannien ausgesehen, das erst durch die Ereignisse dieses 22. Juni 1941 zum Partner der Sowjetunion wurde. Bis zum Kriegsbeginn hatte London eher die Zusammenarbeit mit Berlin gesucht und, in der zweiten Hälfte der dreißiger Jahre, mit der «Appeasement»-Politik eine für beide Seiten akzeptable Form britisch-deutscher Kooperation entwickelt. Hitler verzichtete auf einen für England bedrohlichen Ausbau der deutschen Schlachtflotte und machte auch keine ernsthaften Anstalten, das Deutsche Reich in den Rang einer überseeischen Kolonialmacht und damit eines Konkurrenten des britischen Empire zu erheben. Im Gegenzug gestand die englische Regierung teils stillschweigend, teils expressis verbis – wie im Münchener Abkommen – Deutschland nicht nur eine grundlegende Revision wesentlicher Bestimmungen des Versailler Vertrages zu, sondern erheblich mehr, so zum Beispiel die Eingliederung der sudetendeutschen Gebiete der Tschechoslowakei. London begann mit einer vorsichtigen Kurskorrektur erst, als die deutsche Politik im März 1939 mit der «Zerschlagung der Rest-Tschechei», der erzwungenen Abtretung des Memelgebietes von Litauen sowie der ultimativen Forderung an Polen bezüglich eines Korridors nach Danzig und Ostpreußen das Gleichgewicht der Kräfte in Europa dauerhaft zu verschieben und damit auch die britische Position in Übersee zu gefährden drohte.

Aber selbst nach der englischen Kriegserklärung an Deutschland vom 3. September 1939, der Folge des deutschen Überfalls auf Polen, blieb die Initiative bei Hitler. Der verfolgte in den kommenden anderthalb Jahren die Strategie, England zum Nachgeben und damit zu einem Bündnis mit Deutschland zu zwingen. Das gilt sowohl für seine diversen öffentlichen Offerten an die englische Adresse als auch für den Versuch, London durch militärischen Druck, wie die «Luftschlacht um England» und die Bombardierung britischer Städte im August und September 1940, zum Einlenken zu bewegen. Schließlich ist auch in Hitlers Politik und Kriegführung gegenüber der Sowjetunion der Versuch erkennbar, auf diese Weise, also gleichsam indirekt, Druck auf England auszuüben. In diesen Zusammenhang gehören etwa die Gespräche, die er und Ribbentrop mit dem sowjetischen Außenminister Molotow am 12. und 13. November 1940 in Berlin geführt haben und in denen es um eine Kooperation Moskaus mit dem gegen England gerichteten Dreimächtepakt zwischen Japan, Italien und Deutschland ging. Das gilt aber auch noch für den deutschen Überfall auf die Sowjetunion, in dem nicht zuletzt der Versuch erkennbar ist, England einen potentiellen Verbündeten zu nehmen, ihm also seinen letzten «Festlandsdegen»[4] aus der Hand zu schlagen und damit von der Aussichtslosigkeit seines Widerstandes gegen Deutschland zu überzeugen.

Daß dieser Versuch mißlang, daß der deutsche Überfall vielmehr Großbritannien und die Sowjetunion in eine Koalition zusammenführte, sollte weit über den Krieg hinausweisende Folgen haben. Hier nämlich lag der Anfang der «Anti-Hitler-Koalition», hier wurde aber auch schon erkennbar, daß es sich dabei um eine «unnatürliche» Allianz handelte. Denn von Anfang an waren die Beziehungen zwischen London und Moskau von tiefem gegenseitigen Mißtrauen gekennzeichnet. Dieses wiederum wurzelte auf beiden Seiten in einer langen Vorgeschichte. In England hatte man die bolschewistische Revolution des Herbstes 1917 und ihre Folgen mit größter Skepsis betrachtet. Die Weigerung Lenins und seiner Gefolgsleute, für die enormen Vorkriegsschulden des zaristischen Rußland einzustehen, war in London ebensosehr auf Empörung gestoßen wie die subversiven Aktivitäten der Bolschewiki bzw. ihrer Anhänger in England selbst, die 1927 sogar zum vorübergehenden Abbruch der diplomatischen Beziehungen geführt hatten. Der Antibolschewismus war ein so herausragendes Merkmal der britischen Politik in der Zwischenkriegszeit, daß die Vertreter der deutschen Opposition gegen Hitler selbst im Krieg noch glaubten, daß er ein Fundament für die Verständigung zwischen dem deutschen Widerstand und der britischen Regierung bilden könne.

Nicht minder tief saß der sowjetische Argwohn gegenüber Großbritannien. Ihm lag die besagte britische Politik der zwanziger, vor allem aber die «Appeasement»-Politik der dreißiger Jahre zugrunde. Nicht nur Stalin fragte sich, ob dahinter wohl die Absicht stehe, Deutschland gleichsam als Speerspitze im Kampf der «imperialistischen Staaten» gegen die Sowjetunion zu rüsten. Natürlich mußte dieses Mißtrauen im Juli und August 1939 erneut Nahrung finden, als sich die britische Regierung, wie gesehen, weigerte, mit Moskau eine Militärkonvention zu sowjetischen Konditionen zu unterzeichnen und damit zugleich den Beistandspakt vom 24. Juli 1939 in Kraft zu setzen.

Das also waren die Ausgangsbedingungen, unter denen die Verbündeten wider Willen antraten, um vorerst gemeinsam den Kampf gegen Deutschland zu überleben und dann die Weichen für die künftige Entwicklung Europas und der Welt neu zu stellen. Ob ihnen dies ohne den Eintritt der Vereinigten Staaten von Amerika in die Koalition gelungen wäre, ist höchst zweifelhaft. Und auch dieser Eintritt der USA in die «Anti-Hitler-Koalition» war keineswegs selbstverständlich. Gewiß, Großbritannien und namentlich sein Premierminister Winston Churchill taten alles, um Washington auf die Seite der Koalition zu ziehen. Auch war der amerikanische Präsident Franklin D. Roosevelt überzeugt, daß sein Land den Kampf gegen Hitler-Deutschland aufnehmen müsse, und faktisch befanden sich die Vereinigten Staaten im Sommer des Jahres 1941 bereits im Krieg. Nicht nur unterstützten sie die Kriegsgegner Deutschlands mit Waffen und Krediten. Sie hatten sogar im April und Juli Grönland und Island besetzt, und seit dem September 1941 waren amerikanische Kriegsschiffe angewiesen, auf deutsche Schiffe zu schießen, die sich in Seegebieten aufhielten, deren Schutz für die «Verteidigung Amerikas» als «notwendig» erachtet wurde. Außerdem hatten bereits am 14. August dieses in vieler Hinsicht entscheidenden Jahres Roosevelt und Churchill die «Atlantik-Charta» unterzeichnet.

Darin konnte man unter anderem ein amerikanisches Kriegszielprogramm, aber eben auch eine offene Kritik an der sowjetischen Politik und Kriegführung der Jahre 1939/40 lesen. Denn der Wunsch Churchills und Roosevelts, es sollten keine territorialen Veränderungen zustandekommen, «die nicht mit den frei geäußerten Wünschen der betroffenen Völker übereinstimmen»,[5] war kaum mit dem sowjetischen Vorgehen in Nord-, Ostmittel- und Südosteuropa vereinbar. Nicht nur hatte sich die Sowjetunion im September 1939 am Überfall und an der Aufteilung Polens beteiligt. Vielmehr hatten die Sowjets dann wenige Wochen später, im November 1939, auf der Grundlage der geheimen Absprachen mit Hitler auch Finnland überfallen, sich im folgenden Jahr die drei baltischen Staaten Estland, Lettland und Litauen einverleibt sowie von Rumänien die Überlassung Bessarabiens und der nördlichen Bukowina erzwungen. Diese Eroberungs- und Unterdrückungspolitik stieß in der amerikanischen Öffentlichkeit auf schärfste Ablehnung. Schon deshalb mußte eine amerikanisch-sowjetische Koalition als wenig wahrscheinlich gelten.

Gegen ein solches Zusammengehen sprachen indessen noch andere gewichtige Gründe. Galten nicht die Sowjetunion und die USA seit 1917 als die Exponenten zweier unvereinbarer politischer Prinzipien? Waren die Vereinigten Staaten nicht auch deshalb im April jenes entscheidenden Jahres in den Krieg gegen Deutschland eingetreten, weil es ihnen um die Behauptung bzw. Durchsetzung des liberalen, des demokratischen Prinzips ging, und das in allen Bereichen, natürlich auch dem der Weltwirtschaft? Und waren nicht die Bolschewiki, die nur wenige Monate später, im November 1917, in Rußland gewaltsam die Macht an sich gerissen hatten, erklärte Vertreter einer in praktisch jeder Hinsicht entgegengesetzten Weltanschauung? Nein, seit 1917 hatten Amerikaner und Sowjets kaum etwas gemeinsam, es sei denn die Überzeugung, daß die eigene Weltsicht die richtige sei, die es deshalb zu behaupten und gegebenenfalls zu verteidigen gelte. Im übrigen nahm man lange Zeit von einander kaum Notiz. Erst 1933 wurden zwischen den USA und der UdSSR diplomatische Beziehungen aufgenommen, doch auch danach blieb das Verhältnis unterkühlt. 1941 änderte sich das.

Wie für Großbritannien waren es auch für die Vereinigten Staaten andere Gegner, die das Land in die unnatürliche Koalition mit der Sowjetunion drängten, allen voran die japanische Politik und Kriegführung in Ostasien. Begonnen hatte der Vorstoß im September 1931. In dem Maße, in dem die japanischen Truppen vorrückten, sich zunächst die Mandschurei sicherten und dann – am 7. Juli 1937 – den Krieg gegen China eröffneten, mußten sie die Aufmerksamkeit der USA auf den ostasiatisch-pazifischen Raum lenken, jene Region, die für Amerika seit der Jahrhundertwende namentlich in wirtschaftlicher Hinsicht wachsende Bedeutung besaß. Als die Japaner ihrerseits im schwelenden Konflikt mit den USA die Flucht nach vorn ergriffen und am 7. Dezember 1941 den amerikanischen Marinestützpunkt Pearl Harbor bombardierten, nahmen sie Roosevelt die Entscheidung zum Eintritt in den ostasiatischen Krieg ab. Vergleichbares gilt für den europäischen Kriegsschauplatz. Hitlers Kriegserklärung an die Vereinigten Staaten vom 11. Dezember 1941 entsprang weniger der Loyalität zum Bündnispartner Japan als vielmehr einem nüchternen Kalkül, glaubte er doch auf diese Weise sowohl einen schnellen Zusammenbruch Japans als auch den vollen Einsatz der USA auf dem westeuropäischen Kriegsschauplatz zumindest vorerst verhindern zu können. Denn daß Roosevelt über kurz oder lang auch in den europäischen Krieg eingreifen und damit dessen Verlauf nachhaltig bestimmen werde, stand für Hitler außer Frage.

Es waren mithin Politik und Kriegführung Hitler-Deutschlands, die seine drei wichtigsten Gegner in eine Koalition zwangen und durch die Verbindung der beiden großen Kriegsschauplätze im ostasiatisch-pazifischen Raum und in Europa die globale Auseinandersetzung herbeiführten. So hat die Bezeichnung dieser Kriegsallianz als «Anti-Hitler-Koalition» in mehrfacher Hinsicht ihre Berechtigung. Kam sie zum einen maßgeblich durch Hitlers Politik und Kriegführung zustande, so war andererseits allen Beteiligten klar, daß Deutschland der Hauptgegner sei, den es vorrangig zu bekämpfen gelte. Das stand übrigens auch in den Vereinigten Staaten fest, und zwar schon vor ihrem Eintritt in den europäischen Krieg. Immerhin hatten der amerikanische und der britische Generalstab bereits im März 1941 beschlossen, dem europäischen Kriegsschauplatz Priorität einzuräumen. Und seit dem 14. Januar 1942 war die Strategie «Germany first» auch für Roosevelt und Churchill verbindlich.

Schließlich aber bildete die gemeinsame Gegnerschaft gegen Hitler-Deutschland auch so etwas wie den kleinsten, wenn nicht den einzigen gemeinsamen Nenner, auf den sich die Mitglieder der Koalition festlegen konnten. Völlig einig waren sich Stalin, Roosevelt und Churchill eigentlich nur in einer Art Doppelbeschluß. Erstens mußte alles getan werden, um einen Wiederaufstieg Deutschlands für alle Zeit zu verhindern; nie mehr sollte die Macht in der Mitte Europas in der Lage sein, eine Katastrophe wie diesen Krieg herbeizuführen. Voraussetzung dafür war zweitens eine bedingungslose Kapitulation. Auf diese Weise sollte von vornherein verhindert werden, daß sich Deutschland wie nach dem Ersten Weltkrieg auf erklärte Maximen der Alliierten, vergleichbar den 14 Punkten Präsident Wilsons vom Januar 1918, zurückziehen konnte. Eben diese Forderung nach «Unconditional surrender» wurde von Churchill und Roosevelt bei ihrem Treffen in Casablanca vom 14. bis 25. Januar 1943 zur Kardinalforderung für die Beendigung des Krieges erhoben. Daß Stalin zweimal eine Einladung zur Teilnahme an dieser Konferenz ausschlug und sich erst im nachhinein die Formel zu eigen machte, hatte nicht nur damit zu tun, daß in diesen Tagen die kriegsentscheidende Schlacht um Stalingrad ihren Höhepunkt erreichte.

Denn wie weit die Vorstellungen der Alliierten über die Zukunft Deutschlands, Europas und der Welt voneinander entfernt waren, in welchem Maße es sich also bei ihrer Koalition um eine unnatürliche Allianz, um ein reines Zweckbündnis handelte, zeigte sich besonders kraß bei der Frage, wie man nach dem Kriege mit jenem Land verfahren wollte, das zu bekämpfen und in die Knie zu zwingen die einzige wirklich gemeinsame Überzeugung der drei Koalitionspartner war. Daß Deutschland nach der bedingungslosen Kapitulation für alle Zeit an einem wie immer gearteten Wiederaufstieg gehindert werden müsse, stand einstweilen fest. Alles andere war heftig umstritten. Das galt auch für die Frage, wie dieser Wiederaufstieg zu verhindern war. Genau genommen haben die Alliierten nie eine eindeutige und für alle verbindliche Antwort auf die Deutsche Frage gefunden, jedenfalls nicht bis zum «Zwei-plus-Vier»-Vertrag, mit dem Deutschland ein halbes Jahrhundert später und unter gänzlich anderen äußeren Umständen als europäischer Nationalstaat und damit auch als europäische Großmacht wiederhergestellt wurde. Insoweit wird man den Kalten Krieg auch als Ausdruck der Unfähigkeit, vielleicht auch des mangelnden Willens der Alliierten verstehen müssen, eine Lösung in der Deutschen Frage zu finden.

Was für Deutschland gilt, gilt im wesentlichen auch für alle anderen Probleme, mit denen sich die Alliierten insbesondere in den Jahren 1943 – 1945 zu befassen hatten. In der Regel handelte es sich bei den Ergebnissen um wenig tragfähige, kaum dauerhafte Kompromisse, die überdies durchweg zugunsten der sowjetischen Forderungen und Positionen geschlossen wurden. In allen für ihn wichtigen Fragen ging Stalin als der eigentliche Gewinner aus den Verhandlungen hervor, und dafür gab es einige kriegsbedingte, handfeste Gründe. Vor allem führten Großbritannien und namentlich die USA den Krieg nicht nur in Europa und an seinen Rändern, etwa in Nordafrika, sondern vor allem auch – und unter großen Verlusten – im Pazifik. Noch auf der letzten Konferenz der drei Regierungschefs in Potsdam war man in Washington der Überzeugung, daß der sowjetische Kriegseintritt für eine rasche Kapitulation Japans unabdingbar sei. Bereits im Februar 1945 hatte Stalin zugesagt, daß die Sowjetunion zwei bis drei Monate nach der deutschen Kapitulation in den Krieg gegen Japan eintreten würde. Tatsächlich erfolgte die sowjetische Kriegserklärung am 8. August 1945. Nach ordnungsgemäßer Kündigung des Neutralitätspaktes, den Moskau am 13. April 1941 mit Tokio geschlossen hatte, marschierten anderthalb Millionen sowjetische Soldaten mit mehr als 5 000 Panzern und 26 000 Geschützen in die Mandschurei ein.

Mindestens so wichtig wie der ostasiatische Kriegsschauplatz waren für die starke Verhandlungsposition Stalins allerdings der Verlauf des Krieges in Europa und das Vorrücken der Roten Armee. Nachdem der deutsche Vormarsch im Dezember 1941 vor Moskau steckengeblieben war und die Schlacht bei Stalingrad an der Jahreswende 1942/43 den Kriegsverlauf zugunsten der Sowjetunion gewendet hatte, schuf der Vormarsch der sowjetischen Truppen Tatsachen, die später auf dem Verhandlungswege praktisch nicht mehr zu revidieren waren. Als die Rote Armee im Januar 1944 die alte polnische Grenze überschritt, hatte noch kein einziger alliierter Soldat seinen Fuß auf französischen Boden gesetzt, und zum Zeitpunkt der deutschen Kapitulation, also am 7. bzw. 9. Mai 1945, hielten sowjetische Truppen nicht nur den größten Teil des Deutschen Reiches einschließlich der Hauptstadt Berlin besetzt, sondern auch Polen, Rumänien, Ungarn, Bulgarien, Teile der Tschechoslowakei einschließlich Prags und das östliche Österreich. Der Nordosten Jugoslawiens mit Belgrad wurde aufgrund eines Abkommens mit Tito bereits wieder geräumt. Das also waren die Rahmenbedingungen, unter denen die Repräsentanten der «Anti-Hitler-Koalition» auf den verschiedensten Ebenen zusammentrafen, um über die Zukunft Europas zu beraten.

Die «Großen Drei», ursprünglich Winston S. Churchill, Franklin D. Roosevelt und Jossif W. Stalin, begegneten sich insgesamt drei Mal: vom 28. November bis zum 1. Dezember 1943 in Teheran, vom 4. bis zum 11. Februar 1945 in Jalta und schließlich vom 17. Juli bis zum 2. August 1945 in Potsdam. Daß an der Potsdamer Konferenz nach dem Tode Roosevelts mit Harry S. Truman ein neuer amerikanischer Präsident teilnahm und während des Treffens Churchill durch den Wahlsieger in England, Clement Attlee, abgelöst wurde, stärkte insgesamt noch die Position des machtpolitisch erfahrenen Georgiers. Neben den Treffen der «Großen Drei» kam es zu mehreren Begegnungen der drei Außenminister, die ihrerseits schon im Oktober 1943 eine «European Advisory Commission» (EAC) eingesetzt hatten. Die EAC trat erstmals am 14. Januar 1944 in London zusammen. In diesem Expertengremium fielen auch die wichtigsten Vorentscheidungen in der Deutschen Frage, um von hier ihren Weg über die Außenminister zu den Treffen der «Großen Drei» zu nehmen, die endgültig bzw. in der Regel eben vorläufig entschieden.

Im Blick auf die Folgen hatten insbesondere drei Themen eine herausragende Bedeutung: der japanische Rückzug aus China, die Zukunft Ostmittel- und Südosteuropas sowie vor allem das Schicksal Deutschlands und Polens. Was China anging, so ließ sich Stalin in einem Geheimabkommen, das während der Konferenz von Jalta unterzeichnet wurde, zusichern, daß die Rechte Rußlands gegenüber China aus der Zeit vor dem russisch-japanischen Krieg der Jahre 1904/05 wiederhergestellt werden sollten. Überdies gestanden ihm seine Verhandlungspartner die Beibehaltung des Status der «Mongolischen Volksrepublik» zu, die damit ein Satellit der

Sowjetunion blieb. Keine Frage, hier wurden Einflußsphären auf eine Art und nach Kriterien verteilt, die einer nur scheinbar vergangenen Epoche angehörten, dem Zeitalter des Imperialismus. Man muß sich dabei vor Augen halten, daß China, auf dessen Kosten hier verhandelt wurde, in Ostasien ein gleichberechtigter, hauptkriegführender Alliierter der Briten und der Amerikaner war. Anders verhielt es sich mit jenen Gebietsabtretungen, die Stalin zu Lasten des Kriegsverursachers Japan beanspruchte. Aber auch in diesem Falle sollte die Abtretung namentlich der Kurilen-Inseln weit über das Kriegsende hinaus nachwirkende Folgen haben und die Beziehungen Rußlands zu Japan noch nach der Auflösung der Sowjetunion und dem Ende des Kalten Krieges belasten.

Nicht minder problematisch waren die Forderungen Stalins und die entsprechenden Zugeständnisse Churchills in bezug auf Südosteuropa. Schon auf ihrer Moskauer Konferenz vom Oktober 1944 wurde der Balkan in eine britische und eine sowjetische Einflußsphäre aufgeteilt. Nach der endgültigen Regelung sollte der britische Einfluß in Griechenland und der sowjetische in Rumänien jeweils 90%, der sowjetische in Bulgarien und Ungarn jeweils 80% und der Einfluß beider in Jugoslawien je 50% betragen. Sieht man einmal ab von der Frage, wie die Sowjetunion und Großbritannien ihren jeweils geringen Einfluß in Griechenland oder Rumänien hätten ausüben sollen, so wird man an den Absprachen vor allem erkennen können, in welchem Maße sie von der Macht des Faktischen, also vom Vorrücken der Roten Armee, bestimmt waren und mit welchem Nachdruck die Sowjetunion ihre Ziele verfolgte. Immerhin hatten Rumänien und Bulgarien schon auf der Wunschliste der zaristischen Außenpolitik gestanden. In dieser imperialistischen Manier verfolgten die Sowjets ihre Ziele konsequent weiter; bereits in den Verhandlungen mit Hitler während des Berlin-Besuchs von Außenminister Molotow im November 1940 war von ihnen die Rede gewesen.

Daß Stalin keinerlei Skrupel hatte, bei seinen neuen westlichen Weggefährten genau das einzuklagen, was er zuvor von seinem alten Verbündeten Hitler gefordert und erhalten hatte, wird besonders kraß bei der Lösung der polnischen Frage deutlich. Schon in Jalta war es Stalin gelungen, die Anerkennung des «Lubliner Komitees» als der rechtmäßigen polnischen Regierung durchzusetzen. Dieses Komitee war nichts anderes als ein Exekutivorgan der Sowjets, das nach dem Einmarsch ihrer Armeen nach Polen aus der Taufe gehoben worden war. Gegen das Zugeständnis, freie Wahlen durchführen und einige «demokratische Führer» in das Lubliner Komitee aufnehmen zu lassen, gaben die Westmächte die polnische Exilregierung preis, die ihren Sitz in London hatte. Wie sehr die westliche Polen-Politik inzwischen durch die faits accomplis bestimmt wurde, zeigte sich auch bei der Niederschlagung des Aufstandes der national-polnischen «Heimatarmee» durch deutsche Truppen und Sondereinheiten im August und September 1944. Die Sowjets hielten nicht nur still; sie verweigerten selbst westlichen Nachschubtransporten die Landeerlaubnis hinter ihren Linien und verhinderten damit eine Entlastung der Aufständischen und ein Ende des Massakers.

War damit das innere Schicksal Polens über das Kriegsende hinaus entschieden, so blieb seine äußere Gestalt nur scheinbar und insoweit offen, als die «endgültige Festlegung der Westgrenze Polens» gemäß der Potsdamer Verlautbarung «bis zu der Friedenskonferenz zurückgestellt werden» sollte.[6] Eine spätere Änderung der neuen, von den Alliierten vorläufig festgelegten Westgrenze Polens wäre allerdings nur unter der Voraussetzung denkbar gewesen, daß die Sowjetunion auch einer erneuten Revision der polnischen Ost- und damit ihrer eigenen Westgrenze zugestimmt hätte. Das war aber damals schon höchst unwahrscheinlich. Denn bereits in Teheran hatte Stalin von seinen westlichen Verhandlungspartnern eben jene neue sowjetisch-polnische Grenze gefordert, die schon Hitler im Grenz- und Freundschaftsvertrag vom 28. September 1939 nach der Zerschlagung Polens als deutsch-sowjetische Demarkationslinie akzeptiert hatte. Daß Roosevelt schon frühzeitig Kenntnis von den geheimen Absprachen Stalins mit Hitler hatte, machte das Zugeständnis noch brisanter.

Diese Grenze, die heute zwischen Polen einerseits und Weißrußland und der Ukraine andererseits verläuft und in ihren mittleren Abschnitten von den Flüssen Bug und San markiert wird, hatte, jedenfalls auf dem Papier, eine gewisse Tradition. Es war jene berühmte «Curzon-Linie», die der damalige britische Außenminister, Lord George Nathaniel Curzon, im Jahre 1919 als polnisch-sowjetrussische Grenze vorgeschlagen hatte. Der Vorschlag stützte sich auf das nicht ganz unbegründete Argument, daß östlich dieser Linie vor allem Weißrussen und Ukrainer lebten. Das spielte in Stalins Verhandlungen mit Hitler und später mit Churchill und Roosevelt eine maßgebliche Rolle. Dabei trat der Kremlherr in beiden Fällen skrupellos als «Befreier» der unter «fremder» Herrschaft lebenden Weißrussen und Ukrainer auf. Daß er tatsächlich den alten großrussisch-imperialen Anspruch nicht nur über diese Völker, sondern auch über Polen, Balten oder Finnen anmeldete und durchsetzte, interessierte den in ähnlichen Kategorien denkenden Hitler wenig, und die führenden Staatsmänner des Westens waren bei ihrem Zugeständnis von anderen Prioritäten und Zwängen geleitet.

Gegenüber den deutsch-sowjetischen Absprachen vom 28. September 1939 unterschied sich die polnisch-sowjetische Grenze, die Stalin fünf Jahre später mit seinen westlichen Verhandlungspartnern vereinbarte, in zwei wichtigen Punkten: Das polnische Kerngebiet Bialystok wurde Polen zugesprochen, das auch den südlichen Teil des vormals deutschen Ostpreußen erhielt. Im Gegenzug sicherte sich die Sowjetunion das nördliche Ostpreußen mit dem wichtigen Hafen Königsberg, dem heutigen Kaliningrad. Daß dieses Gebiet nach der Restitution der Unabhängigkeit der baltischen Staaten sowie der Auflösung der Sowjetunion im Dezember

1991 einmal ohne direkte Landverbindung zu Rußland sein würde, konnte sich damals niemand vorstellen. Die westliche Zustimmung zu einer vorläufigen, de facto aber definitiven Verschiebung der alten polnisch-sowjetischen Grenze nach Westen setzte voraus, daß der polnische Staat eine entsprechende territoriale Kompensation erhielt. Das war nur auf Kosten des Kriegsverursachers Deutschland möglich. So waren die Lösungen in der polnischen und in der deutschen Frage von vornherein miteinander verbunden.

Wie für Polen stellten sich auch für Deutschland zwei Fragen, nämlich die nach seinen künftigen Grenzen und die nach seiner inneren Ordnung. Es gehört zu den nur schwer begreifbaren Ergebnissen alliierter Politik in der Endphase des Zweiten Weltkrieges, daß der Täter Deutschland und das Opfer Polen nicht nur ähnlich behandelt wurden, sondern daß die Schicksale beider Staaten über die Grenzfrage aufs engste miteinander verknüpft und die beiden Völker so über Jahrzehnte in einem Zustand latenter Spannung gehalten worden sind. Die Potsdamer Konferenz bestimmte, «daß bis zur endgültigen Festlegung der Westgrenze Polens die früher deutschen Gebiete östlich der Linie, die von der Ostsee unmittelbar westlich von Swinemünde und von dort die Oder entlang bis zur Einmündung der westlichen Neiße und die westliche Neiße entlang bis zur tschechoslowakischen Grenze verläuft ... in dieser Hinsicht nicht als Teil der sowjetischen Besatzungszone in Deutschland betrachtet werden sollen».[7] Dabei sind offensichtlich sowohl Sowjets als auch Amerikaner davon ausgegangen, daß Stettin unter polnische Verwaltung kommen sollte, wie es dann auch geschah.[8] Die Potsdamer Konferenz verschob also die polnisch-deutsche Grenze der Zwischenkriegszeit deutlich nach Westen. Auf diese Weise trug sie nicht nur dazu bei, daß sich der deutsche Revisionismus der Nachkriegszeit gegen Polen richtete, sondern sie manövrierte auch die Sowjetunion in die Position einer Garantiemacht Polens. Stalin hat beides vorhergesehen und sich deshalb gegenüber seinen westlichen Verhandlungspartnern durchgesetzt.

Wie elementar die neue Westgrenze das deutsch-polnische Verhältnis belastet hat, zeigte sich darin, daß Polen immer wieder auf einer definitiven Anerkennung der Oder-Neiße-Linie durch die Deutschen bestand. Tatsächlich ist diese mehrfach ausgesprochen worden, so bereits im sogenannten Görlitzer Vertrag vom 6. Juli 1950 durch die DDR, am 7. Dezember 1970 im Warschauer Vertrag durch die Bundesrepublik und schließlich noch einmal am 14. November 1990 im deutsch-polnischen Grenzvertrag durch das vereinigte Deutschland. Für die Sowjets ihrerseits stand spätestens seit der Potsdamer Konferenz fest, daß es sich bei der Oder-Neiße-Linie um eine endgültige Grenze handelte. Als der amerikanische Außenminister James F. Byrnes in seiner berühmten Stuttgarter Rede vom 6. September 1946 auf den provisorischen Charakter dieser Grenzziehung hinwies, reagierte sein sowjetischer Kollege Molotow umgehend: «Dem

Wesen der Sache nach ... haben die drei Regierungen ihre Meinung über die künftige Westgrenze ausgesprochen, als sie Schlesien und die obenerwähnten Gebiete unter die Verwaltung der polnischen Regierung stellten und außerdem den Plan über die Aussiedlung der Deutschen aus diesen Gebieten annahmen. Wem könnte der Gedanke in den Kopf kommen, daß diese Aussiedlung der Deutschen nur als zeitweiliges Experiment vorgenommen wurde?»[9]

Wenig befriedigend waren auch jene Lösungen, die als Antwort auf die Deutsche Frage gefunden werden konnten. Gerade hier zeigte sich, in welch hohem Maße die Beschlüsse der Alliierten Kompromißcharakter besaßen. Als sicher galt nur, daß Deutschland erstens bedingungslos kapitulieren müsse, zweitens vollständig besetzt werden sollte und daß drittens zu diesem Zweck Besatzungszonen einzurichten waren. Die entsprechenden Dokumente wurden sämtlich in der EAC erarbeitet, dann den Außenministern und von ihnen den Regierungschefs vorgelegt. Mit einer Ausnahme bestätigten diese in der Regel die Vereinbarungen der EAC. Die Ausnahme bildete die Kapitulationsurkunde, die von der EAC am 14. Juli 1944 entworfen worden war. Sie wurde in Jalta durch einen Artikel 12a dahingehend ergänzt, daß die Alliierten sich auch die «Zerstückelung Deutschlands» vorbehielten.[10] Die in Jalta ergänzte Kapitulationsurkunde blieb das einzige alliierte Dokument, das diese Möglichkeit ausdrücklich vorsah. Es wurde dann auch vorübergehend ein «Zerstückelungs-Komitee» gebildet, das der EAC zugeordnet war, aber nur zweimal zusammentrat und deshalb keine Ergebnisse zeitigte, weil sich Stalin zusehends eines anderen besann. Im Umfeld der deutschen Kapitulation, die weder auf der Basis des EAC-Dokuments noch auf Basis des Jalta-Dokuments erfolgte, nahm er dann auch öffentlich von der Zerstückelungs-Idee Abstand.

Zu diesem Zeitpunkt lagen lediglich die Grenzen der alliierten Besatzungszonen in Deutschland fest. Bereits auf der ersten Sitzung der EAC hatte der britische Vertreter eine Demarkationslinie zwischen der östlichen und den westlichen Besatzungszonen in Deutschland vorgeschlagen, die entlang einer Linie Lübeck-Helmstedt-Eisenach-Hof verlaufen sollte. Diese Demarkationslinie, die schließlich auch von der Sowjetunion angenommen wurde, erschien den Westmächten zu diesem Zeitpunkt als außerordentlich günstig. Im Januar 1944, als der Vorschlag unterbreitet wurde, war man ja noch fast ein halbes Jahr von der alliierten Invasion in Frankreich entfernt, während die Rote Armee bereits in Polen vorrückte, und es galt allgemein als wahrscheinlich, daß die Sowjets bei Kriegsende am Rhein stünden. Daß jene Demarkationslinie nur fünf Jahre später die Grenze zwischen zwei deutschen Staaten bildete, konnte zu diesem Zeitpunkt kaum jemand für möglich halten.

In einem sogenannten Zonenprotokoll der EAC vom 12. September 1944, das am 14. November noch einmal ergänzt und modifiziert wurde,

ist nicht nur die Demarkationslinie zwischen der östlichen und den westlichen Besatzungszonen bestätigt, sondern – im zweiten Dokument – auch
Großbritannien die nördliche und den USA die südliche der westlichen
Besatzungszonen zugewiesen worden, wobei sich die Vereinigten Staaten
allerdings mit Bremen und Bremerhaven die wichtigen Nachschubverbin-
dungen zur See sichern wollten. Das Protokoll vom 12. September legte
überdies ausdrücklich fest, daß «Groß-Berlin» einen besonderen Status
erhalten und nicht als Teil der sowjetischen Besatzungszone gelten sollte.
Vielmehr war für die deutsche Hauptstadt wie für das Deutschland westlich der Oder-Neiße-Linie jeweils eine gemeinsame Verwaltung vorgesehen: Gleichzeitig mit dem zweiten Zonenprotokoll wurde durch die EAC
ein sogenanntes Kontrollabkommen vorgelegt, wonach die oberste Gewalt
in Deutschland von jedem in seiner Besatzungszone und zugleich in einem Alliierten Kontrollrat gemeinsam durch alle ausgeübt werden sollte.

Hier war der Kompromißcharakter der Beschlüsse mit Händen zu greifen, und auch das Potsdamer Kommuniqué, das die Sowjets von Anfang
an als «Abkommen» betrachteten, ließ die Frage nach der gesamt- bzw.
teilstaatlichen Zukunft Deutschlands offen. Das zeigten nicht zuletzt die
Auslassungen zur Frage der wirtschaftlichen Zukunft Deutschlands. So
sollte Deutschland einerseits während der Besatzungszeit «als eine wirtschaftliche Einheit» betrachtet werden,[11] andererseits aber durfte sich die
UdSSR in Ergänzung der Reparationen, die sie ihrer eigenen Besatzungszone entnahm, bis zu einer bestimmten Höhe und zum Teil im Tausch
gegen Naturalien aus «den westlichen Zonen» bedienen.[12] Damit wurde
einmal mehr auf einen grundsätzlich bestehenden Unterschied zwischen
der östlichen und den westlichen Besatzungszonen verwiesen. Vergleichbares gilt für die in Potsdam beschlossenen Prinzipien der Demokratisierung, der Entnazifizierung oder auch der Demilitarisierung. Das Kommuniqué stellte es den Besatzungsmächten frei, wie diese Prinzipien in ihrer
Zone realisiert werden sollten.

Mithin war die Frage, welche Entwicklung Deutschland nehmen werde,
sowohl zum Zeitpunkt der militärischen Kapitulation als auch bei der
Übernahme der obersten Regierungsgewalt in Deutschland durch die
Hauptsiegermächte des Krieges am 5. Juni und selbst bei der Verlautbarung
des Potsdamer Kommuniqués am 2. August 1945 noch gänzlich offen.
Sicher war nur, daß die Antwort auf diese Frage nicht von den Deutschen
selbst, sondern in erster Linie davon abhängen würde, wie sich die unnatürliche Koalition nach dem Erreichen ihres eigentlichen und zugleich
einzigen gemeinsamen Ziels, der Niederschlagung Hitler-Deutschlands, in
Zukunft entwickelte.

Diese Zukunft aber stand seit dem 6. August 1945 im Schatten einer
gewaltigen pilzförmigen Wolke, welche die Welt in ihren Bann ziehen und
die Entwicklung des kommenden halben Jahrhunderts wie kaum ein

zweiter Faktor bestimmen sollte. Um 8.15 Uhr Ortszeit an jenem schwül-
heißen Sommertag warf ein amerikanischer «B-29»-Bomber die erste
Uranbombe über der japanischen Stadt Hiroshima ab. Drei Tage später,
am 9. August, um 11.02 Uhr kam es zum Abwurf einer zweiten, einer
Plutoniumbombe, über Nagasaki. Nichts war mehr wie zuvor. Die Weichen in die Zukunft wurden in dieser atomaren Gegenwart gestellt. Kalter
Krieg und nukleare Bedrohung waren von nun an untrennbar miteinander
verbunden.

Das lag nicht einmal, jedenfalls nicht in erster Linie, an den unmittelbaren Folgen dieser Katastrophe: die beiden Bomben sollten etwa 200 000
Tote fordern. Aber auch die amerikanischen Angriffe, die am 9. und
10. März 1945 gegen Tokio geflogen worden waren, hatten schon mehr
als 80 000 Menschen das Leben gekostet. Allerdings waren daran 279 «B-
29»-Fernbomber beteiligt gewesen, die Tausende von Tonnen herkömm-
licher Sprengladungen abgeworfen hatten. In Hiroshima war durch eine
einzige Bombe eine weitaus verheerendere Wirkung erzielt worden. Die
Vernichtung menschlichen Lebens hatte eine neue Dimension erreicht,
soviel stand fest. Alles andere war eine Frage der Zeit. Das galt für die
Spätfolgen der freigesetzten Strahlung, und das galt für die weitere Entwicklung der Bombe. Denn es gab eben keine Möglichkeit, das Wissen
um sie zu verdrängen oder einfach auszulöschen, im Gegenteil. Mit dem
ersten Abwurf war der Wettlauf um die führende Stellung eröffnet.

Und das wiederum hatte mit den Motiven für diesen Abwurf zu tun.
Gewiß, der Kampf der Japaner wurde um so verbissener, je mehr sich die
Front den Hauptinseln näherte: Washington rechnete bei der Eroberung
mit enormen Verlusten; außerdem war man sich nicht sicher, wie Tokio
auf die Bombenabwürfe reagieren würde. Aber es gab auch andere Gründe
für Trumans Entscheidung. Sie erschien als klare Demonstration des amerikanischen Führungsanspruchs, wurde also bereits vor dem Hintergrund
der neuen weltpolitischen Frontbildungen getroffen und zeigte, wie un-
natürlich jene Allianz war, die ihre Entstehung einzig der deutschen Politik
und Kriegführung in der zweiten Hälfte des Jahres 1941 verdankte.

Als Stalin auf der Potsdamer Konferenz mit unbewegter Miene[13] die
Mitteilung über den ersten erfolgreichen Test der Bombe entgegennahm,
stand sein Entschluß fest: Der Dritte Krieg war eröffnet, bevor der Zweite
mit der Unterzeichnung der japanischen Gesamtkapitulation und der Kapitulation der japanischen China-Armee am 2. bzw. 9. September zu Ende
ging. Ob er ein Kalter bleiben würde, war lange Zeit nicht sicher. Daß er
nie zu einem Heißen mutierte, lag in erster Linie daran, daß der Kalte
Krieg im Schatten jener Erfindung ausgetragen worden ist, die ihre Möglichkeiten noch während des Zweiten Weltkrieges gezeigt hatte: der Atombombe.

2. Provisorien
Ergebnisse alliierter Europapolitik
1945—1949

Am Ende herrschte die Ohnmacht. Das war die schmerzliche Erkenntnis, die sich im Ausgang des Zeitalters der Weltkriege auf dem alten Kontinent ausbreitete. Denn die Zukunft Europas wurde nicht von den Europäern entschieden, und die Zukunft Deutschlands nicht von den Deutschen. Die Teilung des Kontinents und des Landes, die schon 1949 besiegelt schien und seit 1955 als vorläufig unumkehrbar gelten mußte, war das Ergebnis weltpolitischer Entwicklungen und externer Entscheidungen: Die USA handelten immer als außereuropäische Macht, und die Sowjetunion mußte stets im eurasischen Spannungsfeld agieren. So drifteten die Vorstellungen der vormaligen Verbündeten zwangsläufig auseinander – und mit ihnen Europa und sein deutsches Zentrum.

Bis 1948/49 gab es zumindest noch den Versuch einer gemeinsamen Lösung der anstehenden Fragen durch die alliierten Sieger des Zweiten Weltkrieges. Die Potsdamer Konferenz hatte sich auf die «Errichtung eines Rates der Außenminister» geeinigt, in dem alle «Hauptmächte» vertreten sein sollten,[1] also neben der Sowjetunion, den USA und Großbritannien noch Frankreich und China, das als hauptkriegführende Macht in Ostasien galt. Als solche nahm es auch einen der fünf ständigen Sitze im Sicherheitsrat der Vereinten Nationen ein, die am 26. Juni 1945 in San Francisco durch 51 Staaten gegründet worden waren. Und als Mitglied des Rates der Außenminister sollte China gemäß dem Potsdamer Beschluß der «Großen Drei» wie die anderen Mitglieder an der «Vorbereitung einer friedlichen Regelung für Deutschland»[2] beteiligt sein. Tatsächlich hat der chinesische Außenminister Wan-Tschi-Tschieh auch an der ersten Konferenz teilgenommen, die am 10. September 1945, acht Tage nach der japanischen Gesamtkapitulation, in London zusammentrat und am 2. Oktober ohne konkretes Ergebnis auseinanderging. China blieb fortan den Außenministerkonferenzen fern. Das hatte mit den noch zu beleuchtenden Spannungen zwischen der Nationalregierung der Kuomintang (KMT) unter ihrem Führer Chiang Kai-shek und der kommunistischen Partei Chinas (KPCh) unter Führung Mao Tse-tungs zu tun, die im Juni 1946 in einen offenen Bürgerkrieg mündeten.

Es fanden dann, abgesehen von einem Dreiertreffen der Außenminister Großbritanniens, der USA und der Sowjetunion im Dezember 1945 in Moskau, noch fünf Außenminister-Konferenzen ohne chinesische, aber mit französischer Beteiligung statt: Vom 25. April bis zum 12. Juli 1946 tagte man in zwei Sessionen in Paris, vom 4. November bis 11. Dezember 1946 in New York, vom 10. März bis zum 24. April 1947 in Moskau, vom 25. November bis zum 15. Dezember 1947 erneut in London und vom

23. Mai bis zum 20. Juni 1949 noch einmal in Paris. Das Pariser Treffen, das bereits im Schatten der westdeutschen Teilstaatsgründung lag, sollte für fast fünf Jahre das letzte sein. Auf sämtlichen Konferenzen, außer der New Yorker, spielte die Deutsche Frage eine zentrale Rolle, und wohl auch deshalb scheiterten sie alle.

Insbesondere gelang es nicht, eine Lösung der wirtschaftlichen Probleme zu finden. So forderten die Sowjets alleine zehn Milliarden Dollar Reparationszahlungen, die von den Westmächten schon deshalb abgelehnt wurden, weil man das Reparationsdesaster der Zwischenkriegszeit noch in lebhafter Erinnerung hatte. Außerdem wollten die Westmächte der sowjetischen Forderung nach einer Viermächte-Kontrolle des Ruhrgebiets, wie sie von Molotow auf der ersten Pariser Konferenz erhoben wurde, nicht zustimmen. Für die Sowjets – wie für die Franzosen – war das Ruhrgebiet der Inbegriff der deutschen Schwer- und Rüstungsindustrie. Beiden galt der Zugriff auf dieses Herzstück der deutschen Wirtschaft als eine Garantie gegen ein mögliches Wiedererstarken Deutschlands. So hatte Molotow einmal, wenn auch leicht alkoholisiert, Byrnes gegenüber bemerkt, daß er für die Ruhr, die «Zitadelle Europas», alles andere hergeben würde.[3]

Daneben erwiesen sich die Schwierigkeiten bei der Suche nach der künftigen politischen Gestalt Deutschlands als unüberwindlich. Das zeigten nicht nur die Außenministerkonferenzen, sondern auch die Sitzungen des Alliierten Kontrollrats, in dessen Händen die gemeinsame Verwaltung Deutschlands lag. Die Arbeit dieses Gremiums wurde immer wieder auch vom französischen Vertreter blockiert. Frankreich war in Jalta durch die «Großen Drei» in den exklusiven Klub der Besatzungsmächte in Deutschland aufgenommen worden. Allerdings waren die Franzosen weder in Jalta noch später in Potsdam dabei. So hatten sie keine Wahl, als sich im nachhinein die dort gefällten Beschlüsse zu eigen zu machen. Einem Mann wie Charles de Gaulle, dessen Verbänden die Amerikaner am 25. August 1944 beim Einzug nach Paris den Vortritt gelassen hatten, mußte die Nicht-Beteiligung an den Konferenzen von Jalta und Potsdam als Deklassierung erscheinen. Der General, der sensibel auf symbolische und rhetorische Gesten reagierte und sie selbst meisterhaft beherrschte, hat diese und andere Vorkommnisse und Entscheidungen nie vergessen. Hier liegt eine Wurzel französischer Animositäten gegenüber Amerika, die das Bild westlicher Bündnispolitik während des Kalten Krieges mitprägen und sich in den sechziger Jahren, in der Ära des Präsidenten Charles de Gaulle, mitunter zu einem handfesten Gegensatz verdichten sollten.

Die französische Deutschland- und damit Europapolitik der Jahre 1945-49 bestand vor allem aus zwei Elementen, der bündnispolitischen Rückversicherung und der Beschränkung bzw. der Beschneidung des deutschen Territoriums. Damit griff Paris auf die Mittel der Zwischenkriegszeit zurück. Allerdings mußte man sich nach neuen Partnern umse-

hen, lagen doch die damaligen Verbündeten, wie die meisten Staaten Ost-
mittel- und Südosteuropas, jetzt im unmittelbaren Einfluß- bzw. Machtbereich der Sowjetunion. So wandte sich die französische Außenpolitik
wieder jenem Land zu, das sich in der Zwischenkriegszeit einem Bündnis
verweigert, vor dem Ersten Weltkrieg aber eine zunehmend wichtige Rolle als Bündnispartner gespielt hatte: Der am 4. März 1947 zwischen Frankreich und Großbritannien geschlossene Bündnisvertrag von Dünkirchen
stand unverkennbar in der Tradition, die 1904 mit der englisch-französi-
schen «Entente cordiale» begründet worden war. Knapp zwei Jahre nach
Beendigung des Zweiten Weltkrieges verständigten sich London und Paris
auf Maßnahmen für den Fall, «daß Deutschland eine Angriffspolitik ein-
schlägt oder irgendeine Initiative ergreift, die eine solche Politik möglich
macht».[4] Aus französischer Sicht bildete das Abkommen eine notwendige
Ergänzung jenes Bündnis- und Beistandspaktes, der am 10. Dezember
1944 anläßlich des Besuchs von Charles de Gaulle in Moskau von den
Außenministern Frankreichs und der UdSSR unterzeichnet worden war.
Auch dieser Vertrag, der im übrigen eine Laufzeit von 20 Jahren hatte,
richtete sich vor allem gegen eine erneute deutsche Aggression.

　　Diese und andere Maßnahmen waren wichtig, aber sie reichten nach
den Erfahrungen der ersten Jahrhunderthälfte bei weitem nicht aus, um
das französische Sicherheitsbedürfnis zu befriedigen. Wenn schon die
Grenzfrage, über die Potsdamer Vereinbarungen hinausgehend, im französischen Sinne nicht zu lösen war, dann mußte man versuchen, sich ein
Mitspracherecht auch in solchen wirtschaftlichen Gebieten, etwa an der
Ruhr, zu sichern, die nicht Bestandteil der französischen Besatzungszone
waren. Im übrigen war der Aufbau gesamtstaatlicher deutscher Institutionen so lange als möglich zu verhindern. Eben diese Strategie verfolgte
Frankreich im Alliierten Kontrollrat, dessen Arbeit jedoch nicht nur durch
den französischen, sondern auch durch den sowjetischen Vertreter lahmgelegt wurde. Paris und Moskau hatten eben – aus bitterer eigener Erfahrung – in der unmittelbaren Nachkriegszeit einiges gemeinsam, so auch
die Auffassung darüber, wie man in der jeweiligen Besatzungszone vorzu-
gehen habe. Es überrascht daher nicht, daß sich die französischen Besatzer
anfänglich kaum eines höheren Zuspruchs erfreuten als die sowjetischen.

　　Ohne sowjetische Zustimmung wären die Franzosen erst gar nicht
Besatzungsmacht in Deutschland geworden. Weil Stalin seine Zustimmung
aber an die Bedingung geknüpft hatte, daß die französische aus der britischen und der amerikanischen Besatzungszone herausgeschnitten wurde,
besaß Frankreich als einzige Besatzungsmacht kein in sich geschlossenes
Zonenterritorium. Zwischen das rheinpfälzische Gebiet, das sich gleichsam als großer Gürtel um das ebenfalls von Frankreich besetzte Saarland
legte, und die badische Region schob sich wie ein Keil die amerikanisch
besetzte Zone. Die Rigidität der französischen Besatzungspolitik zeigte
sich nicht nur in der konsequenten Demontage, der rücksichtslosen Aus-

beutung aller Ressourcen und der besonders scharfen Zensur. Frankreich weigerte sich auch strikt, in seiner Zone Flüchtlinge und Vertriebene, insbesondere aus Polen, der Tschechoslowakei und Ungarn, aufzunehmen, so daß das Riesenheer der nach Westen strömenden Menschen überwiegend in der britischen und amerikanischen sowie der sowjetischen Zone untergebracht werden mußte: Ende 1950 waren mehr als 16 Millionen Flüchtlinge, Vertriebene und Evakuierte registriert.

Eine eigene Rolle in der französischen Besatzungspolitik spielte das Saarland, dem von Paris wie schon nach dem Ersten Weltkrieg eine besondere Bedeutung zugemessen wurde. Am 15. Dezember 1947 trat eine neue saarländische Verfassung in Kraft, mit der das Land dem französischen Wirtschaftsraum eingegliedert wurde und zugleich den Status politischer Autonomie erhielt. Angesichts dieser Politik in den französisch besetzten Teilen Deutschlands sprachen die Zeitgenossen von einem «Seidenen Vorhang», der sich zwischen diesen und den beiden übrigen westlichen Besatzungszonen herabsenkte und jenem «Eisernen Vorhang» ähnelte, der nicht nur die sowjetische von den westlichen Besatzungszonen in Deutschland, sondern den kommunistischen Machtbereich von der westlichen Welt insgesamt trennte.

Die Herauslösung des Saarlandes aus der französischen Besatzungszone war eine unmittelbare Reaktion auf die Gründung des Landes Nordrhein-Westfalen am 18. Juli 1946. Damit schoben die Briten sowohl der sowjetischen Forderung nach einer Viermächte-Kontrolle des Ruhrgebiets als auch entsprechenden französischen Ambitionen entschlossen einen Riegel vor. Wie in der Zwischenkriegszeit hatten die Franzosen nämlich auch in den ersten Monaten nach dem Zweiten Weltkrieg versucht, das Ruhrgebiet und das nördliche Rheinland unter internationale Kontrolle zu stellen. Dabei ließ man in Paris wenig Zweifel daran, daß Art und Intensität der Kontrolle sich im wesentlichen an französischen Sicherheitsvorstellungen orientieren sollten. Und so machten gerade die Entscheidungen bezüglich Nordrhein-Westfalens und des Saarlandes deutlich, daß in den Jahren 1945/46 kaum von einer einheitlichen westlichen Besatzungspolitik gesprochen werden konnte.

Während die Franzosen sehr entschieden an die Umsetzung ihrer deutschlandpolitischen Vorstellungen gingen, läßt sich im Falle Großbritanniens kaum von einer klar formulierten und konsequent durchgehaltenen Linie sprechen. Lediglich eine Entscheidung hatte sich schon während des Zweiten Weltkrieges in der englischen Deutschlandpolitik durchgesetzt: die Entschlossenheit, ein Wiedererstarken Deutschlands zu verhindern. Die Fehler der Jahre 1918/19 sollten nicht noch einmal gemacht werden. Zwar wollte man auch damals, nach dem Ersten Weltkrieg, die deutsche Weltmacht nachhaltig schwächen, doch sollte Deutschland im Kalkül der britischen Gleichgewichtspolitik eine europäische Großmacht bleiben, die ein potentielles Gegengewicht gegen die unbekannte

Größe Sowjetrußland, aber auch gegen ein zu sehr erstarkendes Frankreich bildete. Diese Strategie wurde unter dem Eindruck der deutschen Politik und Kriegführung seit 1939 grundlegend korrigiert.

In Großbritannien setzte sich jetzt endgültig die Auffassung durch, daß die Wurzel allen Übels im preußischen Militarismus zu suchen sei. Für London stellte sich der Zweite Weltkrieg als letztes Beispiel einer Tradition dar, die bei Friedrich dem Großen begonnen und sich über Bismarck und Wilhelm II. gleichsam nahtlos bis zu Hitler fortgesetzt hatte. So gesehen war die Auflösung Preußens, die rechtlich durch das Kontrollrats-Gesetz Nr. 46 am 25. Februar 1947 erfolgte, der konsequente letzte Schritt hin zur Zerschlagung dieser unheilvollen Tradition. Dabei saßen die Briten, aber keineswegs nur sie, einem Mißverständnis auf. Denn jenes Preußen, das hier auf administrativem Wege liquidiert wurde, gab es schon nicht mehr. Dafür hatte kein anderer als Hitler selbst gesorgt, seitdem er sich im Umfeld der Machtübernahme als Vollender des preußischen Weges in Szene gesetzt und auf diese Weise seine konservativen Steigbügelhalter für sich eingenommen hatte. Daß diese damit die Axt an die Wurzeln ihrer eigenen Tradition legten, erkannten viele erst, als es zu spät war. Ihre verzweifelte Reaktion, der gescheiterte Staatsstreich vom 20. Juli 1944, endete mit der Beseitigung der letzten Repräsentanten einer Staatsidee, die aus alliierter, vor allem aber aus britischer Sicht der Kern jenes Preußen war, das sie bekämpft hatten und das sie deshalb fast zwei Jahre nach Kriegsende noch einmal zerlegten.

Wenig einheitlich erschien zunächst die amerikanische Deutschlandpolitik. Hielt man sich an die am 17. Oktober 1945 veröffentlichte Direktive Nr. 1067 der «Joint Chiefs of Staff» (JCS), mußte man den Eindruck gewinnen, daß die amerikanische Politik vom Prinzip eines karthagischen Friedens bestimmt war. Immerhin hieß es in dem Papier, das in mancher Hinsicht an den berüchtigten «Morgenthau-Plan» vom September 1944 erinnerte: «Deutschland wird nicht besetzt zum Zwecke seiner Befreiung, sondern als besiegter Feindstaat».[5] Erkennbaren Niederschlag hat diese Maxime insbesondere in den Entnazifizierungsprogrammen sowie in den Nürnberger Kriegsverbrecherprozessen gefunden, wenn sich der Entschluß zu ihrer Einrichtung auch nicht allein auf diesen Grundsatz reduzieren läßt.

Alles in allem waren die amerikanischen Planungen zunächst auf ein nicht geteiltes Deutschland ausgerichtet. Jedenfalls sind bis Ende 1946 in den USA ernsthaft Pläne für eine Neutralisierung Gesamtdeutschlands diskutiert worden. Diese wurden auch in jenen Vorschlägen sichtbar, die der amerikanische Außenminister Byrnes sowohl auf der ersten Außenministerkonferenz in London als auch auf der Dreier-Konferenz in Moskau und der zweiten Außenministerkonferenz in Paris vorlegte. Den Kern seiner Vorschläge bildete ein bis zur Oder-Neiße-Linie verkleinertes, neutralisiertes und entmilitarisiertes Gesamtdeutschland, das auf 25 bzw. 40

Jahre von den Alliierten gemeinsam besetzt bleiben sollte. Als James Byrnes im «State Department» von George C. Marshall abgelöst wurde, ließ das Interesse an solchen Plänen erkennbar nach. Im übrigen wurden sie von der Sowjetunion ebenso abgelehnt wie alle anderen Deutschland-Pläne des Westens bis zum vorläufig letzten des Jahres 1955.

Auch heute ist nicht mit letzter Bestimmtheit zu sagen, welche Motive die sowjetische Führung bei ihrer Ablehnung dieser Vorschläge bewogen haben. Gewiß schlug erneut das alte Mißtrauen gegenüber den Absichten des Westens stärker durch, das auch während des Krieges immer wieder Nahrung gefunden hatte, insbesondere durch die aus Stalins Sicht relativ späte Errichtung der zweiten Front in Westeuropa. Jetzt witterte man hinter den westlichen Vorstellungen einen Versuch, den eigenen Machtbereich bis an das unmittelbare Vorfeld des sowjetischen Imperiums auszudehnen. Dabei haben auch die Sowjets, jedenfalls bis 1955, immer wieder mit dem Gedanken eines bis zur Oder-Neiße-Linie verkleinerten Gesamtdeutschlands gespielt. Vorstellbar war entweder eine vollständige Neutralisierung Deutschlands, dem neben militärischen und bündnispolitischen insbesondere auch wirtschaftliche Auflagen gemacht worden wären und aus dem sich alle Besatzungsmächte hätten zurückziehen müssen. Ob dahinter, zumal von Anfang an, die Absicht stand, das Land über kurz oder lang in den kommunistischen Machtbereich einzubinden, ist nicht mit letzter Sicherheit zu sagen. Die Alternative bestand, den skizzierten amerikanischen Plänen nicht unähnlich, in einem gemeinsam besetzten und dadurch indirekt neutralisierten Deutschland. Diese Option setzte freilich zunächst eine innere Stärkung der Sowjetunion, also die Erholung von den schlimmsten Kriegsfolgen voraus.

Neben den gesamtdeutschen Optionen hat man in Moskau stets auch die Alternative einer Teilstaatslösung im Auge behalten, falls die drei westlichen Zonen ihrerseits auf den verschiedenen Ebenen integriert und somit perspektivisch in eine staatliche Einheit überführt werden sollten. Für diesen Fall war die Herauslösung der sowjetisch besetzten Zone und ihre vollständige Eingliederung in den Gürtel der von den Sowjets überwachten «Volksdemokratien» Ost-, Ostmittel- und Südosteuropas vorgesehen. Im übrigen war ein sowjetisch kontrollierter deutscher Teilstaat auch eine nicht zu unterschätzende Verhandlungsmasse, wenn es darum ging, langfristige übergeordnete Interessen durchzusetzen. Die Kremlherren haben, wie es scheint, etwa zehn Jahre lang mit beiden Optionen, also mit der Gesamt- und der Teilstaatenlösung operiert und sich erst 1955, nach der irreversiblen Westintegration der Bundesrepublik und dem Scheitern des Genfer Gipfels, öffentlich auf die «Zwei-Staaten-Theorie» festgelegt.

Die sowjetische Deutschland- und Europapolitik nach 1945 gründete auf den Erfahrungen der ersten Jahrhunderthälfte. Immerhin hatte Rußland bzw. die Sowjetunion innerhalb nur dreier Jahrzehnte zweimal erleben müssen, was ein Angriff aus dem Westen anrichten konnte: Hatte schon der Vormarsch der deutschen Verbände bis zur Wolga seit dem Hochsommer 1941 schwere Schäden angerichtet, so erfolgte ihr Rückzug nach dem Prinzip der «verbrannten Erde». Alles, was den nachrückenden sowjetischen Armeen und der Zivilbevölkerung hätte von Nutzen sein können, wurde zerstört, Fabriken und Eisenbahnverbindungen ebenso wie Dörfer, Siedlungen und ganze Städte. Nach sowjetischen Angaben wurden 65 000 Kilometer Eisenbahnverbindungen zerstört, 32 000 Betriebe, darunter große Industrieanlagen, vernichtet und 70 000 Dörfer dem Erdboden gleichgemacht.

Vor allem aber forderte dieser zweite Krieg von der Sowjetunion einen ungeheueren Blutzoll: Etwa 20 bis 30 Millionen Sowjetbürger haben ihn nicht überlebt. Daß die Zahlen bis heute schwanken, daß man jetzt eher von mindestens 25 Millionen Toten spricht als von 20 Millionen, hat vor allem zwei Gründe: Einmal hätten die korrekten Zahlen zwangsläufig zu der Frage geführt, wer die Opfer waren; damit wäre die Vermutung bestätigt worden, daß zahlreiche Kriegstote auf sowjetischer Seite nicht russischer, sondern vor allem ukrainischer, weißrussischer oder anderer Nationalität waren, daß viele von ihnen auf das Konto des stalinistischen Terrors gingen und daß ungezählte Opfer auf schwere Fehler der politischen und militärischen Führung der Sowjetunion zurückzuführen waren. Schließlich – und eben deshalb – hätte eine genaue Angabe über die tatsächliche Zahl der Toten wohl auch den Mythos vom «Großen Vaterländischen Krieg» beschädigt, der für den inneren Zusammenhalt der Sowjetunion nach 1945 von kaum zu überschätzender Bedeutung gewesen ist.

In jedem Falle mußte die sowjetische Führung nach diesem Krieg alles tun, um eine dritte Katastrophe von vornherein zu verhindern. Es kann nicht überraschen, daß man dabei zunächst noch ganz in den Kategorien der traditionellen Kriegführung dachte und deshalb auf die Mittel der Zwischenkriegszeit zurückgriff. Die Installierung eines von der Sowjetunion abhängigen Staatengürtels, der späteren «Warschauer-Pakt»-Staaten, war ja im Prinzip nichts anderes als die Wiedereinführung des «Cordon sanitaire» der Zwischenkriegszeit. Der damalige französische Außenminister Stéphan Pichon hatte 1919 Begriff und Idee entwickelt. Damit war ein Staatenverbund gemeint, der sich von Finnland über die baltischen Staaten, Polen, die neugegründeten Staaten Südosteuropas bis zur Türkei erstrecken sollte. Diese Konstruktion, die in den zwanziger und dreißiger Jahren nur teilweise zustande kam, sollte aus französischer Sicht sowohl Deutschland im Osten umklammern als auch einen Puffer gegen Sowjetrußland und damit zugleich einen Schutz gegen dessen weltrevolutionäre Ambitionen bilden. Im Grunde also nutzten die Sowjets nach den Erfahrungen des Zweiten Weltkrieges diesen Gürtel nun von ihrer Seite als Vorfeld gegenüber den mißtrauisch beobachteten Aktivitäten der Westmächte, die sich zusehends von Alliierten zu Gegnern wandelten. Ganz gleich, welche Lösung der Deutschen Frage Moskau im ersten Jahrzehnt nach Beendigung des Krieges auch ins Auge faßte, sie mußte sich in dieses Konzept einfügen lassen.

Für die Sowjets hatte ihre Deutschland- und Europapolitik nach 1945 also eine stark defensive Grundausrichtung. Angesichts des brutalen Vorgehens in ihrem Machtbereich kamen westliche Beobachter freilich zu ganz anderen Schlüssen. Ohne dieses fundamental gegensätzliche Verständnis der sowjetischen Außenpolitik ist der Kalte Krieg in seiner Frühphase nicht zu deuten. Ohne diese einseitige Sicht hätte auch die Bundesrepublik kaum so rasch eine eigene Identität entwickelt, die ja nicht zuletzt auf dem Schutzbedürfnis vor den sowjetischen Ambitionen beruhte. In diesem Sinne brachte ihr erster Kanzler am 17. August 1950 wohl die Sorge der Mehrzahl seiner Landsleute in der Vermutung zum Ausdruck, «daß Stalin sich mit der Absicht trage, Westdeutschland möglichst unzerstört in seine Hände zu bekommen. Denn gelinge es, Westdeutschland in das sowjetrussische System zu inkorporieren, so erfahre dies einen Zuwachs an Kriegspotential, das ein Übergewicht über die Vereinigten Staaten darstelle.»[6] Darin wußte er sich mit dem Oppositionsführer im Bonner Parlament einig, der dem Kanzler wenige Monate später brieflich bescheinigte, daß die «sowjetrussische Politik gegenüber Deutschland ... auf seine politische Eroberung gerichtet» sei.[7] Tatsächlich stellte kein Geringerer als Stalin selbst noch im Jahre 1952 klar: «Um die Unvermeidlichkeit der Kriege zu beseitigen, muß man den Imperialismus vernichten.»[8] Das war eindeutig.

So wie es aussah, hatten die Sowjets für die Sicherung und den Ausbau ihrer Machtstellung drei Operationszonen abgesteckt. Da waren einmal die Staaten des erwähnten Gürtels, jenes sowjetischen «Cordon sanitaire», der von den baltischen Staaten über Polen, die Sowjetisch Besetzte Zone Deutschlands (SBZ), Ungarn, Rumänien, Bulgarien und auch Albanien reichte und zum unmittelbaren Machtbereich der Sowjetunion zählte, sodann solche Länder, die wie Finnland, Griechenland und die Türkei nicht direkt zu diesem Einflußbereich gehörten, ihn aber im Norden bzw. Süden politisch und strategisch ergänzten, und schließlich einige Gebiete der außereuropäischen Welt, wie der Iran oder Korea, die als Brückenköpfe für die weitere Expansion und den global zu führenden Kampf gegen den «Imperialismus» dienen konnten.

Der Festigung der sowjetischen Stellung in ihrem eigenen Machtbereich konnte der Westen insofern relativ wenig entgegenstellen, weil Churchill bereits Ende 1944 in der erwähnten Absprache mit Stalin diesem große Teile Ostmittel- und Südosteuropas als Einflußsphäre überlassen hatte. Was dagegen nach Beendigung des Krieges in vielen Staaten Westeuropas, aber auch in den Vereinigten Staaten mit Mißtrauen und wachsender Empörung betrachtet wurde, waren die Methoden, mit denen die

Sowjets vorgingen, zumal sie damit häufig jene Zusagen brachen, die sie ihren Gesprächspartnern in Jalta und Potsdam gegeben hatten. Die Manipulation von Wahlergebnissen, die massive Unterstützung kommunistischer Kader, der Umsturz gewählter Regierungen und die Abschaffung der Monarchien – wo es sie noch gab – waren die Mittel sowjetischer Europapolitik. Am Ende galt das für alle Staaten, auf deren Territorium zu diesem Zeitpunkt noch sowjetische Truppen standen. Dort war der Kreml nicht gerade zimperlich, wenn es um die Sicherung seiner Vorherrschaft ging, und aus westlicher Sicht setzten die Sowjets damit eine Strategie fort, die bereits in der Endphase des Krieges 1944/45 zu beobachten gewesen war.

Eine regelrechte Protestwelle lösten im Westen die Vorgänge in der SBZ, in Polen und in der Tschechoslowakei aus. In Mitteldeutschland empörte vor allem die ungewöhnlich harte, ja brutale Politik der Besatzer, auch wenn man darin nicht zuletzt eine Vergeltung für das sehen konnte, was die Deutschen in den voraufgegangenen Jahren in der Sowjetunion angerichtet hatten. Aber die konsequente sowjetische Demontagepolitik, von der noch zu sprechen sein wird, die drückenden Ablieferungsquoten der Landwirte, vor allem aber die Zwangsrekrutierungen für mitunter unmenschliche Arbeitseinsätze und die massenhaften Vergewaltigungen, deren Zahl in den von der Roten Armee besetzten Gebieten Deutschlands auf bis zu zwei Millionen geschätzt wird,[9] ließen sich nur schwer mit dem Geist der alliierten Absprachen vereinbaren.

Politisch kam es in der SBZ am 21. April 1946 zum zwangsweisen Zusammenschluß der «Kommunistischen Partei Deutschlands» und der «Sozialdemokratischen Partei Deutschlands» zur «Sozialistischen Einheitspartei Deutschlands» (SED). Die ersten Wahlen vom 20. Oktober 1946 zeigten, daß diese Neugründung in der Bevölkerung keine Mehrheit hatte: Obgleich die anderen Parteien erheblich benachteiligt und die Ergebnisse offenkundig manipuliert waren, erhielt die SED im Durchschnitt nur etwa 47,5 % der Stimmen und konnte nirgends die absolute Mehrheit erreichen. Noch krasser war das Ergebnis der Wahlen zur Stadtverordnetenversammlung von «Groß-Berlin», die am gleichen Tag stattfanden. Hier konnte die SED lediglich 19,8 % der Stimmen auf sich vereinigen, die SPD hingegen, die hier noch als eigenständige Partei in Konkurrenz zur SED kandidierte, 48,7 %, und selbst die noch in der Gründungsphase befindliche CDU immerhin 22,1 %.

Für den Westen noch gravierender waren die Vorgänge in Polen. Immerhin hatte Stalin im Gegenzug zu den beträchtlichen Konzessionen Churchills und Roosevelts in den Fragen der Anerkennung des «Lubliner Komitees» und der Westverschiebung des Landes in Jalta das Zugeständnis gemacht, «so bald wie möglich freie und unbehinderte Wahlen» in Polen durchführen zu lassen.[10] Diese Wahlen wurden aber bis zum 19. Januar 1947 hinausgeschoben, und das Ergebnis sprach Bände: 90 % der Sitze gingen an den kommunistisch beherrschten Block. Ohne mit der Wimper zu zucken hatten die Sowjets auch in Polen das Prinzip durchgesetzt, das Stalin bereits im April 1945 Milovan Djilas, dem Stellvertreter Titos, so erläutert hatte: «Dieser Krieg ist nicht wie in der Vergangenheit; wer immer ein Gebiet besetzt, erlegt ihm auch sein eigenes gesellschaftliches System auf. Jeder führt sein eigenes System ein, so weit seine Armee vordringen kann.»[11] Damit war klar, daß die Rote Armee nur aus solchen einmal besetzten Regionen bzw. Staaten abziehen würde, in denen die Installierung kommunistischer Regime als gesichert gelten konnte. Bis Ende des Jahres 1948 waren das acht von insgesamt 17.

Trug die Entwicklung in Polen schon erheblich zu einer Modifikation der amerikanischen Europa- und nicht zuletzt Deutschlandpolitik bei, so waren die Vorgänge in der Tschechoslowakei der letzte Anstoß für eine grundlegende Kurskorrektur. Nachdem amerikanische und sowjetische Truppen das Land bis zum 1. Dezember 1945 verlassen hatten, konnten die Kommunisten in den ersten freien Wahlen vom 26. Mai 1946 zwar immerhin knapp 40%, aber eben nicht die Mehrheit der Stimmen auf sich vereinigen. In den folgenden Monaten setzten sie daher zunehmend radikalere Methoden der Sabotage und des Drucks ein, um ihre Machtbasis «legal» zu erweitern. Dieser Prozeß wurde am 25. Februar 1948 abgeschlossen, als Staatspräsident Benesch unter dem Druck eines Generalstreiks, von Massendemonstrationen und anderen Aktionen einer Regierung der «Erneuerten Nationalen Front» zustimmte, die praktisch nur noch aus Kommunisten bestand. Die Minister fast aller übrigen Parteien waren am 20. Februar zurückgetreten. Unter dem Eindruck dieser Entwicklung sollten sich die Westmächte, die in diesen Tagen mit einer Konferenz in London begannen, für die Gründung eines westdeutschen Teilstaates auf der Basis der drei Zonen entscheiden.

Hatten im Falle der SBZ, Polens oder der Tschechoslowakei alliierte Zusagen während des Krieges dem sowjetischen Zugriff auf diese und weitere Gebiete bzw. Staaten selbst Vorschub geleistet, so mußte das Vorgehen des Kreml in anderen Teilen Europas oder auch in der außereuropäischen Welt den Verdacht nähren, daß es sich dabei um Etappen einer globalen, expansiven Strategie handelte. Bereits 1946 kam es zu einer Beschwerde des Iran, der im August 1941 von britischen und sowjetischen Einheiten besetzt worden war, vor dem Sicherheitsrat der Vereinten Nationen. Der Protest Teherans richtete sich gegen die von der Sowjetunion unterstützten, vor allem von Aserbaidschan ausgehenden Versuche, die nördlichen Gebiete von Persien zu lösen. Immerhin sah sich Moskau hier unter dem Druck der Vereinten Nationen und der Westmächte im Mai 1946 veranlaßt, seine Truppen aus dem Iran abzuziehen, so wie das im März bereits Großbritannien mit seinen Einheiten getan hatte. Die sowjetische Iran-Politik war zugleich der Anlaß für die erste scharfe diplomatische Intervention der USA, die am 5. März 1946 erfolgte und

sich in der Rückschau wie der Beginn der Ost-West-Konflikte aus-
nimmt.[12]

Signalwirkung zeitigte auch der Bündnisvertrag mit Finnland vom
6. April 1948, in dem Helsinki dem Druck des riesigen Nachbarn nachgab,
sich mit diesem unter anderem über Maßnahmen gegen eine «militärische
Aggression seitens Deutschlands»[13] verständigte und faktisch zustimmte,
daß die Verteidigung der Sowjetunion an Finnlands West- bzw. Nordgren-
ze beginne. Natürlich sahen die westlichen Alliierten in dem Vertrag, der
erst nach dem Kalten Krieg, am 20. Januar 1992, durch ein neues, nicht
mehr in erster Linie gegen Deutschland gerichtetes Abkommen ersetzt
wurde, auch einen Ausdruck sowjetischen Hegemonialstrebens. In Moskau
hingegen war nicht vergessen, daß sich die Finnen 1941 am Feldzug gegen
die Sowjetunion beteiligt hatten, um die im Winterkrieg 1939/40 an die
sowjetischen Angreifer verlorengegangenen Gebiete zurückzuerobern. Angesichts der komplizierten Vorgeschichte des finnisch-russischen bzw. fin-
nisch-sowjetischen Verhältnisses und seiner geographischen Gegebenheiten
hatte Finnland wohl keine andere Möglichkeit, als sich den russischen
Wünschen nach einer weitgehenden Neutralisierung zu beugen. Überdies
bildete der Freundschafts- und Beistandsvertrag, der am 19. September
1955 um 20 Jahre verlängert wurde, eine wichtige Voraussetzung für die
– mit der Vertragsverlängerung zugesagte – Räumung der Halbinsel Pork-
kala durch sowjetische Truppen. Schließlich war das Abkommen aus sowjetischer Sicht eben auch eine Reaktion auf die härtere Gangart der
amerikanischen Außenpolitik seit dem März 1947. Gerade hier zeigt sich,
in welchem Maße die Erkaltung des Klimas die beiden weltpolitischen
Hauptakteure in ihrer Auffassung bestärkte, man reagiere in erster Linie
auf Vorgaben des jeweils anderen.

Der eigentliche Anlaß für die konzeptionelle Neuorientierung der amerikanischen Außenpolitik waren kommunistische Vorstöße in Griechenland, das aufgrund der Absprachen zwischen Churchill und Stalin eindeutig zur britischen, zur westlichen Einflußsphäre gehörte. Angesichts der
sich wandelnden weltpolitischen Großwetterlage war es jetzt offenbar be-
langlos, daß Großbritannien während des Weltkrieges selbst auch die kommunistische «Griechische Befreiungsfront» in ihrem Kampf gegen
Deutschland unterstützt hatte. Zwar hielt sich die Sowjetunion in dem
seit dem Frühjahr 1946 an Intensität gewinnenden Bürgerkrieg zurück,
doch fanden die griechischen Kommunisten vielfältige Unterstützung
durch Albanien, Bulgarien und insbesondere Jugoslawien, die auch durch
eine Verurteilung der Vollversammlung der Vereinten Nationen vom
21. Oktober 1947 nicht unterbunden werden konnte. Die Vorgänge in
Griechenland wurden durch ein offensives sowjetisches Vorgehen gegenüber der Türkei flankiert. Bereits am 19. März 1945 hatte Moskau den
Freundschaftsvertrag mit der Türkei aus dem Jahre 1925 gekündigt und

im weiteren Verlauf des Jahres, so auch auf der Potsdamer Konferenz, Stützpunkte an den Dardanellen sowie den Zugang zu griechischen Häfen gefordert. Damit schien der Kreml auch nach dem Zweiten Weltkrieg jene Tradition wieder aufnehmen und fortsetzen zu wollen, die seit Katharina der Großen über alle weltpolitischen Wandlungen hinweg eine Konstante russischer bzw. sowjetischer Außenpolitik gewesen war.

Großbritannien, dem Stalin im Oktober 1944 maßgeblichen Einfluß in Griechenland zugestanden hatte, sah sich zu weiterer militärischer und finanzieller Hilfe für das Land außerstande. Nicht nur litt es selbst noch erheblich unter den Folgen des Krieges, vielmehr kämpfte London auch in der eigenen Besatzungszone in Deutschland mit beträchtlichen Versorgungsschwierigkeiten. Vor allem aber stand die alte Kolonialmacht am Ende des Krieges vor der Frage, wie lange das British Empire noch Bestand haben konnte. In dieser Situation ergriffen die Vereinigten Staaten die Initiative. Bereits in der ersten Hälfte des Jahres 1946 hatte die amerikanische Regierung durch öffentliche Stellungnahmen und durch Entsendung eines Flottenverbandes ins östliche Mittelmeer zu erkennen gegeben, daß sie einen russischen Zugriff auf die Meerengen nicht tatenlos hinnehmen werde.

Ein wichtiger Anstoß für dieses Umdenken war aus Moskau gekommen. Dort hatte sich der Botschaftsrat an der Vertretung der Vereinigten Staaten, George F. Kennan, die Frage gestellt, in welcher Tradition die sowjetische Außenpolitik stehe, was man von ihr zu erwarten habe und wie zu reagieren sei. Die Antwort auf diese Frage faßte er am 22. Februar 1946 in einer telegraphischen Botschaft zusammen, die wegen ihres ungewöhnlichen Umfangs von 8 000 Wörtern als «Long telegram» in die Geschichte eingegangen ist. In seiner klar gegliederten, systematisch argumentierenden Analyse reduzierte Kennan die aggressiv-mißtrauische Außenpolitik Stalins auf die Vorgaben und Handlungszwänge der Sowjetideologie. Unmißverständlich erklärte er die Konsequenz und die Kompromißlosigkeit des sowjetischen Vorgehens zur «größten Herausforderung», welche die amerikanische Diplomatie je zu bewältigen gehabt habe, und empfahl eine entschiedene Haltung.[14]

In einer Zeit allgemeiner Rat- und Orientierungslosigkeit war jede plausibel klingende Erklärung willkommen. Innerhalb kurzer Zeit machte das «lange Telegramm» in der Washingtoner Administration eine atemberaubende Karriere, und mit ihm sein Autor: Vermutlich wurde die Analyse vom Präsidenten gelesen, in jedem Falle aber vom Marineminister, James Forrestal, der sie vervielfältigen ließ und zur Pflichtlektüre für hochrangige Offiziere machte, und natürlich von den Mitarbeitern des «State Department», allen voran von Außenminister Byrnes, der mit einer Lobeshymne reagierte und den Botschaftsrat nach Washington beorderte.[15] Über Nacht war Kennan ein gemachter Mann, und die «Eindämmung» wurde zur Maxime amerikanischer Moskau-Politik. Dabei war offenbar niemandem so recht klar, was genau darunter zu verstehen sei, auch Kennan selbst nicht, der sich daher im Juli 1947, in einem anonymen Beitrag für die Zeitschrift «Foreign Affairs», um eine Erläuterung dessen bemühte, was inzwischen höchst offiziell zur Marschrichtung amerikanischer Außenpolitik erhoben worden war und seit diesem Artikel als «Containment» firmierte.[16]

Denn am 12. März 1947 hatte der Präsident die Konsequenz aus den Vorgängen in Griechenland und der Türkei gezogen, war rhetorisch in die Offensive gegangen und hatte vor dem Kongreß für eine Eindämmung der Gefahr durch Unterstützung der Gefährdeten plädiert. Konkret gab er in seinem hinfort als «Truman-Doktrin» firmierenden Plädoyer der Ansicht Ausdruck, «daß es die Politik der Vereinigten Staaten sein muß, die freien Völker zu unterstützen, die sich der Unterwerfung durch bewaffnete Minderheiten oder durch Druck von außen widersetzen», und daß die amerikanische Hilfe «in erster Linie in Form wirtschaftlicher und finanzieller Unterstützung gegeben werden sollte, die für eine wirtschaftliche Stabilität und geordnete politische Vorgänge wesentlich ist».[17] Ausdrücklich erwähnte Truman in diesem Zusammenhang Griechenland und die Türkei.

Wie George F. Kennans diverse Ausführungen zum Thema hat auch die Rede des Präsidenten zu manchem Mißverständnis verleitet. Viele meinten darin eine reine Propagandakampagne zu erkennen, mit welcher der Feldzug gegen die Sowjetunion eröffnet werden sollte. Aber das war nicht das eigentliche Anliegen des Präsidenten, sondern lediglich der Köder, mit dem er den zögernden Kongreß für sein Vorhaben gewinnen wollte. Denn Truman ging es, unmittelbar und pragmatisch, darum, die Abgeordneten von einer Erhöhung der Wirtschaftshilfe für die Anrainer der strategisch wichtigen Mittelmeerregion und damit eben auch von einem längerfristigen wirtschaftlichen Engagement in Europa zu überzeugen.

Die Kampagne war erfolgreich, und aus einer innenpolitisch motivierten Taktik wurde über Nacht eine außenpolitische Strategie. Der Kongreß bewilligte zunächst die beantragten Mittel in Höhe von insgesamt 400 Millionen US-Dollar für Griechenland und die Türkei. Weitere Staaten wurden in das Programm aufgenommen, so auch Jugoslawien, das seit 1952 erhebliche wirtschaftliche und finanzielle Unterstützung aus den USA bezog. Damit wurden auch die Folgen des Bruchs zwischen Tito und Stalin kompensiert. Am 27. Juni 1948 war Jugoslawien aus dem «Kommunistischen Informationsbüro» (Kominform) ausgeschlossen worden, dessen Gründung im September 1947 Tito selbst angeregt hatte und das in gewisser Weise die im Mai 1943 aufgelöste «Kommunistische Internationale» (Komintern) ersetzen sollte. Am 10. Juli 1949 schloß Tito die Grenze zu Griechenland und unterbrach damit die wichtigsten Nachschublinien der griechischen Kommunisten, die dann auch am 9. Oktober die «vorübergehende» Einstellung der Kämpfe beschlossen. Diese Neuorientierung Belgrads fand ihren vorläufigen Höhepunkt am 9. August 1954, als Jugoslawien gemeinsam mit der Türkei und Griechenland einen Beistandspakt, den sogenannten Balkanpakt, abschloß und damit den seit dem Februar des voraufgegangenen Jahres bestehenden Freundschaftsvertrag um eine militärische Komponente erweiterte. Zu diesem Zeitpunkt stand das Land schon in der Gunst des Westens. Die amerikanischen Zahlungen an Belgrad wurden sogar erst nach dem Ende des Kalten Krieges, im Mai 1991, eingestellt, und zwar wegen andauernder, schwerwiegender Verletzung der Menschenrechte in dem sich auflösenden Vielvölkerstaat.

Trumans Rede vor dem Kongreß und die ihr folgenden Maßnahmen machten deutlich, daß die «Eindämmung» der sowjetischen Expansionspolitik durch die politische und namentlich die wirtschaftliche Unterstützung jener Staaten erfolgen sollte, deren Unabhängigkeit gefährdet war. Anders als es schon zeitgenössische Interpretationen, wie etwa die realpolitisch akzentuierte Kritik des renommierten Journalisten Walter Lippmann,[18] vor allem aber spätere Umdeutungen der «Containment»-Idee, nahelegten, war zu diesem Zeitpunkt noch keine militärische Intervention vorgesehen. Im Gegenteil, die sowjetischen Rückzieher im Iran und dann auch in Griechenland und in der Türkei schienen eine Grundannahme der «Containment»-Politik zu bestätigen, wonach ein entschlossenes Auftreten des Westens ausreiche, um die Sowjetunion zum Einlenken zu zwingen.

Zu dieser Politik gab es ohnehin keine Alternative, denn die USA waren in der unmittelbaren Nachkriegszeit kaum für eine erneute militärische Konfrontation gerüstet. Einmal hatte Washington die Mannschaftsstärken der Streitkräfte bis Anfang 1947 auf 10% derjenigen von 1945 reduziert, und dann besaßen die Vereinigten Staaten zwar das atomare Monopol – mehr aber auch nicht. Es war ein streng gehütetes Geheimnis, daß der westlichen Vormacht keine einsatzbereiten nuklearen Streitkräfte zur Verfügung standen. So hatten die amerikanischen Flugzeuge, die im Sommer 1948 während der Berlin-Krise zur Demonstration nuklearer Stärke in Großbritannien stationiert worden waren, weder Atombomben an Bord, noch waren sie überhaupt für den Transport dieser Waffen umgerüstet worden. Das war der zweite nukleare «Bluff»[19] des an solchen nicht gerade armen Kalten Krieges. Den ersten hatten die Sowjets zu inszenieren versucht. Doch als Molotow im November 1947 suggerierte, die Sowjetunion hätte das «Geheimnis der Atomwaffe» entdeckt,[20] hielt man das im Westen von Anfang an für ein Täuschungsmanöver, mit dem die nukleare Sicherheitslücke kaschiert werden sollte. Es war kein Zufall, daß der erste erfolgreiche Test vom 29. August 1949 nicht vom Kreml, sondern fast vier Wochen später vom amerikanischen Präsidenten in der Absicht bekanntgegeben wurde, die entsprechenden Anstrengungen der USA zu verstärken.

Derartige Maßnahmen zeigten, wie sehr das sowjetische Vorgehen den Westen alarmierte. Schon 1946, nur ein Jahr nach Beendigung des europäischen Krieges, hatten aufmerksame Zeitgenossen das ganze Ausmaß westlicher Irritation erahnen können. Es war Winston S. Churchill, der die Richtung wies, in die sich nicht nur nach seinem Dafürhalten die westliche Politik zu orientieren hatte. Und Churchill war nicht irgendein Politiker, er war der Mann, der England erfolgreich durch einen der schwierigsten Existenzkämpfe seiner Geschichte geführt hatte. Im Jahre 1946 befand sich seine Partei allerdings in der Opposition, und eben dieser Umstand wird es ihm erleichtert haben, die neue Situation in drastischen Worten zu schildern. Das geschah am 5. März 1946 in Fulton, im amerikanischen Bundesstaat Missouri, und zwar in Anwesenheit des amerikanischen Präsidenten. Die zuvor mit diesem abgesprochene Rede entwarf ein dramatisches Bild der Lage in Europa, so wie sie sich für Churchill und Truman nur zehn Monate nach Beendigung des Großen Krieges darstellte: «Von Stettin an der Ostsee bis hinunter nach Triest an der Adria ist ein ‹Eiserner Vorhang› über den Kontinent gezogen. Hinter jener Linie liegen alle Hauptstädte der alten Staaten Zentral- und Osteuropas ... Alle ... sind sie in dieser oder jener Form nicht nur dem sowjetrussischen Einfluß ausgesetzt, sondern auch in ständig zunehmendem Maße der Moskauer Kontrolle unterworfen ... Welches auch die Schlußfolgerungen sind, die aus diesen Tatsachen gezogen werden können, eines steht fest, das ist sicher nicht das befreite Europa, für dessen Aufbau wir gekämpft haben. Es ist nicht ein Europa, das die unerläßlichen Elemente eines dauernden Friedens enthält.»[21]

Mit dem Bild des «Eisernen Vorhangs» griff Churchill eine Wendung auf, die Joseph Goebbels, der Propagandaminister des «Dritten Reiches», geprägt und unter anderem im Februar 1945, als Reaktion auf die Beschlüsse der Jalta-Konferenz und insbesondere auf die Westverschiebung Polens, gebraucht hatte. Das wußte auch Stalin, der es sich nicht nehmen ließ, den Briten als Antwort auf seine Fultoner Auslassungen in einem Interview, also öffentlich, als den neuen Hitler zu bezeichnen.[22] Konnte es da noch einen Zweifel geben, daß die beiden wichtigsten Verbündeten jener Koalition, die in einem mehrjährigen blutigen Ringen Hitler-Deutschland in die Knie gezwungen hatte, nicht einmal ein Jahr nach diesem Sieg zu unversöhnlichen Gegnern geworden waren?

Die Antwort auf die von Churchill in Fulton gestellte Frage, welche Schlüsse aus der neuen politischen Großwetterlage in Europa zu ziehen seien, gab er selbst ein halbes Jahr später, diesmal in der Schweiz. Am 19. September 1946 forderte er in Zürich die baldige Schaffung der «Vereinigten Staaten von Europa». Diese sollten ausdrücklich die «alten Staaten und Fürstentümer Deutschlands» einschließen, «frei vereint zu gegenseitigem Vorteil in einem Föderationssystem», aber «jede[r] für sich».[23] In der Rückschau muten viele Passagen der Züricher Rede Winston Churchills geradezu visionär an. Schon der Vorschlag, Deutschland in die «Vereinigten Staaten von Europa» aufzunehmen, eilte der Zeit voraus, auch wenn die

Formulierungen im einzelnen erkennen lassen, daß der Bezwinger Hitlers zu diesem Zeitpunkt weit davon entfernt war, an ein geeintes, zentral verwaltetes oder regiertes Deutschland zu denken. Gleichwohl war ihm, der ja die Geschichte der ersten Jahrhunderthälfte miterlebt und an maßgeblicher Stelle mitgestaltet hatte, bewußt, daß jede Einigung des westlichen Europa ohne Einbeziehung Deutschlands zum Scheitern verurteilt war. Dann aber wies der britische Konservative in seiner Rede nachdrücklich darauf hin, daß ein gutes deutsch-französisches Verhältnis den Kern der von ihm anvisierten europäischen Einigung bilden müsse, und auch hier standen die Erfahrungen der voraufgegangenen Jahrzehnte Pate.

Allerdings kam in diesen frühen Vorschlägen auch das ambivalente Verhältnis Großbritanniens zum Kontinent und seiner wie immer gearteten Einigung zum Ausdruck. Denn offensichtlich war der Beitritt desjenigen Landes, aus dem der Vorschlag zur Schaffung der «Vereinigten Staaten von Europa» kam, nicht vorgesehen. Vielmehr behielt Churchill Großbritannien die Rolle eines Mittlers zwischen einem sich einigenden Europa und den Vereinigten Staaten von Amerika vor. Dafür hatte er gleich mehrere Gründe. Abgesehen von dem in den folgenden Jahren noch häufig zu hörenden Argument, Großbritannien müsse sich um sein «Commonwealth» kümmern, kamen in dieser Haltung auch das insulare Selbstverständnis und der Wille zum Ausdruck, über eine Mittlerrolle den Status einer europäischen Großmacht wiederherzustellen und so jene Gleichgewichtspolitik fortzuschreiben, mit der England über mehr als zwei Jahrhunderte auf die Geschicke des Kontinents Einfluß genommen hatte. Offenbar sollte sie nun den Weltmaßstäben angepaßt werden, an denen sich auch die Europa-Politik seit den globalen Auseinandersetzungen der ersten Jahrhunderthälfte orientierte.

Churchills Züricher Rede flankierte jene politische Offensive, mit der die Amerikaner im Verlaufe des Jahres 1946 auf die sich verschärfende Situation Deutschlands und Europas reagierten. Sie hatte zwei Ursachen, zum einen die zusehends als Herausforderung angesehene sowjetische Politik, zum anderen die wirtschaftliche Situation Europas, und die machte eine sukzessive Neuorientierung der amerikanischen Besatzungspolitik unabdingbar. Am 15. Juli 1947 wurde die nicht mehr zeitgemäße Direktive JCS 1067 durch die konstruktiv gehaltene Weisung JCS 1779 ersetzt.

Eine der treibenden Kräfte hinter diesem Kurswechsel war die amerikanische Militäradministration für Deutschland und namentlich General Lucius D. Clay, bis zum Januar 1947 stellvertretender, danach verantwortlicher Militärgouverneur der amerikanischen Zone. Bei diesem gewann die Überzeugung an Boden, daß der wirtschaftliche Wiederaufstieg Deutschlands eine Bedingung für die allgemeine Stabilisierung des schwer angeschlagenen Kontinents sei. Die wirtschaftliche Rekonstruktion erforderte verschiedene Maßnahmen, so etwa die Herstellung eines einheitlichen Wirtschaftsgebiets ohne Zonengrenzen, eine zentrale Finanzverwaltung und vor allem eine Beendigung, jedenfalls aber eine deutliche Verringerung der Demontagen.

Diese Demontagen bildeten eines der schwierigsten und sensibelsten Probleme der unmittelbaren Nachkriegszeit. Sie waren unter anderem so etwas wie der Ersatz für jene Reparationszahlungen, die vor allem die Sowjets immer wieder forderten, die ihnen jedoch bis zuletzt, bis zum endgültigen Scheitern der Viermächte-Verhandlungen im Jahre 1949, versagt wurden. Auf einer Konferenz von 18 anspruchsberechtigten Staaten, unter diesen die vier Besatzungsmächte in Deutschland, die vom 9. November bis zum 21. Dezember 1945 in Paris tagte, war die «Internationale Reparationsagentur» gegründet worden. Allerdings stellte sich schon damals die Frage, woher die Reparationen genommen und wie hoch sie veranschlagt werden sollten. Wegen der divergierenden Interessen der Besatzungsmächte, aber auch wegen der insgesamt chaotischen Lage jener Jahre und der problematischen Berechnungsgrundlage läßt sich nur schwer feststellen, wie umfangreich die deutschen Reparationsleistungen tatsächlich gewesen sind. Zu diesen zählten ja nicht nur die Demontagen, Sachlieferungen etc. in der unmittelbaren Nachkriegszeit, sondern zum Beispiel auch langfristige finanzielle Verpflichtungen, wie die Wiedergutmachungszahlungen in Höhe von etwa 80 Milliarden D-Mark, welche die Bundesrepublik über Jahrzehnte unter anderem auch an Israel entrichtete.

Bei der Demontagepolitik der Alliierten seit 1945 gab es in Methode, Zielsetzung und Dauer beträchtliche Unterschiede. Die Sowjets demontierten in ihrer Zone so ziemlich alles, was nicht niet- und nagelfest war. Das gilt zumindest für das erste Jahr. Danach gingen die Besatzer in der östlichen Zone, aus pragmatischen Gründen, etwas vorsichtiger zu Werke. 1950 kam es zu einem Teilerlaß der Reparationsleistungen, 1953 wurden sie eingestellt. In diesen acht Jahren zahlte die SBZ bzw. die DDR – nach ihren Angaben – insgesamt knapp 4,3 Milliarden US-Dollar, gerechnet in den Weltmarktpreisen des Jahres 1938, tatsächlich aber wohl rund 14 Milliarden.[24] Ähnlich gründlich gingen die Sowjets in einigen Staaten Südosteuropas, wie Rumänien, oder auch in der Mandschurei vor. Zwischen dem Beginn der Invasion am 8. August 1945 und ihrer Beendigung am 3. Mai des folgenden Jahres demontierten die Sowjets unter anderem bis zu 100% der mandschurischen Eisen-, Stahl- und Kohleindustrie sowie der Eisenbahnen.[25] Dort wie in anderen von der Roten Armee besetzten Ländern nahmen sie auf ihren Beutezügen alles mit, was für den Wiederaufbau der eigenen zerstörten Industrie und Infrastruktur von Nutzen sein konnte.

Dieses Problem hatten die USA nicht. Sie entschädigten sich deshalb auf ihre Weise. Als Molotow im März 1947 seinen britischen und amerikanischen Kollegen vorhielt, selbst Reparationen in Höhe von etwa zehn Milliarden Dollar aus ihren Besatzungszonen entnommen zu haben, und zwar vor allem in Form von Patenten, traf er ins Schwarze. In den beiden ersten Nachkriegsjahren wurden etwa 27 Kilometer Film mit technisch-wissenschaftlichem «Know-how» gefüllt.[26] Ein Gebiet, auf dem Amerikaner und Sowjets gleichermaßen bedeutendes Interesse zeigten, war die deutsche Raketentechnik. So wurden die deutschen «V-2»-Raketen gleichsam zum Nukleus jener strategischen Raketenarsenale beider Seiten, über die sich der Kalte Krieg seit den ausgehenden fünfziger Jahren zunehmend definieren sollte. Insbesondere die Produktionsstätten in Nordhausen, die zunächst für etwa zwei Monate von US-Truppen besetzt und dann entsprechend den von der EAC erarbeiteten Vorschlägen an die Sowjets übergeben wurden, fanden ihre Aufmerksamkeit. Was die Amerikaner nicht mitgenommen hatten, überführte die Rote Armee in die Sowjetunion. Das gilt sowohl für die Raketen bzw. ihre Bestandteile als auch für die Techniker, die sie gebaut hatten. Von diesen ging die führende Gruppe um Wernher von Braun in die USA, die anderen, das mittlere Management, in die Sowjetunion. Allein aus Thüringen wurden Ende Juni 1945 von amerikanischen Spezialkommandos mindestens 1 300 Wissenschaftler aller relevanten Fachrichtungen abtransportiert, und am 21./22. Oktober 1946 verpflichteten die Sowjets in der Nacht- und Nebelaktion «Ossawakim» etwa 3 000 deutsche Spezialisten zur Arbeit in der UdSSR.[27] Ähnlich gingen die Amerikaner in Japan vor: Dort zeigten sie sich vor allem an den Mitgliedern der Sondereinheit für die chemische und bakteriologische Kriegführung interessiert. Auch sie stellten – unter anderem gegen die Zusage der Straffreiheit – den amerikanischen Waffenbauern ihr Wissen zur Verfügung. Doch zurück zu den Demontagen.

Den Westmächten dienten sie anfänglich vor allem als Mittel zur weiteren Schwächung Deutschlands. Schon deshalb weigerten sich die USA und Großbritannien, aber auch die britischen Dominions zunächst, die Reparationen dem Produktionsprozeß zu entnehmen. Dabei spielte die Überlegung eine Rolle, daß die Entnahme aus der laufenden deutschen Produktion diese gerade steigern und damit auf die Dauer ein erneutes deutsches Sicherheitsproblem schaffen würde. In der zweiten Hälfte des Jahres 1946 begann sich die Haltung der USA und damit zwangsläufig auch die ihrer Verbündeten zu ändern.[28] So war der Abbau von Produktions- und Transportkapazitäten kaum mit dem Aufbauprinzip des noch zu erläuternden «Marshall-Planes» vereinbar. Außerdem zeigten die Demontagen bei den Deutschen erhebliche psychologische Wirkungen. Das war anfänglich durchaus beabsichtigt, entwickelte sich aber auch zu einem Handicap, da die vormaligen Kriegsgegner infolge der neuen politischen Frontbildung allmählich in Europa zu Schutzbefohlenen, ja Partnern der Westmächte wurden. Konrad Adenauer, damals Vorsitzender der CDU in der britischen Zone, wußte genau, was er tat, als er öffentlich immer wieder die Wirkung der Demontagen mit derjenigen des Versailler Vertrages und damit insbesondere der dort festgeschriebenen Reparationsproblematik verglich.[29]

Gerade den Amerikanern war diese noch in lebhafter Erinnerung. Immerhin hatte ihr Präsident Herbert Hoover am 20. Juni 1931 vor dem Hintergrund der Weltwirtschaftskrise ein einjähriges Moratorium für alle internationalen Zahlungsverpflichtungen einschließlich der Reparationszahlungen vorgeschlagen. Diese Erinnerung an die Zwischenkriegszeit spielte bei der vorsichtigen Neuorientierung der amerikanischen Besatzungspolitik eine gewisse Rolle. Jedenfalls ordnete General Clay im Mai 1946 erstens einen vorübergehenden Demontagestopp in der von ihm verwalteten Zone und zweitens die Einstellung sämtlicher Reparationslieferungen an die Sowjetunion an. Diesem zweiten Schritt vom 25. Mai 1946 schlossen sich wenig später Frankreich und Großbritannien an. Die drei Westmächte reagierten damit auf die Weigerung Moskaus, aus seiner Besatzungszone jene Mengen Nahrungsmittel und Rohstoffe in die Westzonen zu liefern, zu denen die Sowjets aufgrund der Potsdamer Absprachen verpflichtet waren.

Am 20. Juli 1946 gingen die Vereinigten Staaten noch einen entscheidenden Schritt weiter und schlugen die Verschmelzung ihrer Zone mit einem oder mehreren der anderen Besatzungsgebiete vor. Das geschah vor dem Hintergrund der ergebnislosen Verhandlungen der Pariser Außenministerkonferenz und wurde mit der Notwendigkeit begründet, die entsprechenden Potsdamer Beschlüsse in die Tat umzusetzen. Es war klar, daß man dabei kaum auf die Zustimmung aller übrigen Besatzungsmächte zählen konnte; denn in gewisser Hinsicht richtete sich der amerikanische Vorschlag sogar gegen die Besatzungspolitik der Sowjets und der Franzosen. Die Rede jedenfalls, die der amerikanische Außenminister Byrnes wenig später, am 6. September 1946, in Stuttgart hielt, war auch eine Kritik an deren Deutschlandpolitik. Zwar stimmte er der französischen Politik im Saarland ausdrücklich zu, doch wandte er sich nicht minder nachdrücklich gegen entsprechende Pläne einer Abtretung des Rhein-Ruhr-Gebiets an eine andere Besatzungsmacht.

Eine positive Reaktion auf den amerikanischen Vorschlag, die Besatzungszonen zusammenzulegen, kam erwartungsgemäß aus Großbritannien, das mit der Versorgung der Bevölkerung in seiner Zone erhebliche Schwierigkeiten hatte. Am 2. Dezember 1946 unterzeichneten die Außenminister der USA und Großbritanniens, Byrnes und Bevin, in New York ein Abkommen über den Zusammenschluß der britischen und der amerikanischen Zone, und am 1. Januar 1947 wurde auf dieser Basis das «Vereinigte Wirtschaftsgebiet», die sogenannte Bizone, offiziell eingerichtet. Ihre Gründung war zweifellos der erste Schritt zur Bildung eines westdeutschen Teilstaates. Unmittelbar beabsichtigt war diese Entwicklung an der Jahreswende 1946/47 freilich nicht. Ihren Ursprung hatte die Bizone zunächst und vor allem in den wirtschaftlichen Nöten und Notwendigkeiten der Zeit, die deshalb neben der sowjetischen Europa-Politik als die eigentlichen Geburtshelfer der späteren Bundesrepublik gelten müssen.

Auch die Bizone sah sich in ihren Anfängen mit erheblichen Problemen konfrontiert. Da war einmal der «Jahrhundertwinter» 1946/47, in dessen grimmiger Kälte selbst der Rhein zufror. Dann aber erwiesen sich die fünf bzw., seit dem Herbst 1948, sechs zentralen Verwaltungsämter als wenig effizient. Gewisse Verbesserungen waren erst nach ihrer Neuorganisation und der Einsetzung eines Verwaltungsrates unter einem «Oberdirektor», Hermann Pünder, seit dem Februar/März 1948 zu erkennen. Doch waren die Reibungsverluste nach wie vor groß, da die Ämter kaum eigene Befugnisse hatten und ihre Direktoren politisch keine eigenständigen Entscheidungen treffen durften. Schließlich aber blieb die Politik der Besatzungsmächte widersprüchlich. Einerseits wurde nicht nur in der französischen, sondern eben auch in der Bizone weiter am Prinzip der Demontagen festgehalten. Auf den Listen, die im Oktober/November 1947 für alle drei Besatzungszonen veröffentlicht wurden, standen immerhin noch 918 Industriebetriebe. Andererseits wurde in eben dieser Zeit in den Vereinigten Staaten an einem gewaltigen Programm zum wirtschaftlichen Wiederaufbau Europas einschließlich Deutschlands gearbeitet, das als «Marshall-Plan» in die Geschichte eingehen sollte.

Am 5. Juni 1947 hatte der seit Januar amtierende amerikanische Außenminister George C. Marshall in einer Rede an der Harvard University den Ländern Europas wirtschaftliche Hilfe in Aussicht gestellt. Ohne eine solche Unterstützung, so Marshall, gehe Europa dem wirtschaftlichen, sozialen und politischen Verfall entgegen. Eine Gesundung des europäischen Kontinents sei zugleich eine wichtige Voraussetzung für die Etablierung einer funktionierenden Weltwirtschaft und die Sicherung des Weltfriedens.[30] Damit hatte der Außenminister zugleich deutlich gemacht, daß der Wiederaufbau einer funktionierenden Weltwirtschaft durchaus im ureigensten Interesse der Vereinigten Staaten lag. Es sollte freilich fast noch ein Jahr dauern, bis das «European Recovery Program» (ERP) anlaufen konnte. Am 3. April 1948 trat das «Economic Cooperation Act» nach Annahme durch den amerikanischen Kongreß in Kraft, und knapp zwei Wochen später, am 16. April, wurde die «Organization for European Economic Cooperation» (OEEC) gegründet. Andere Organisationsformen waren zuvor gescheitert. Der OEEC, welche die Verteilung der Mittel organisieren sollte, gehörten zunächst 16 und dann, nach Aufnahme der Bundesrepublik Deutschland am 31. Oktober 1949, 17 Staaten an. Sie blieb bis 1960 bestehen und wurde dann in die «Organization for Economic Cooperation and Development» (OECD) umgewandelt. Deren Zweck waren die Vorbereitung und der Ausbau der politischen und wirtschaftlichen «Atlantischen Partnerschaft», aber auch in zunehmendem Maße die Koordinierung der Entwicklungshilfe der westlichen Länder.

Der «Marshall-Plan» war als Hilfe zur Selbsthilfe gedacht. Seine Leistungen bestanden in der Lieferung von Waren, insbesondere Lebensmitteln und Rohstoffen, aber auch in der Vergabe von Krediten, in der Weitergabe von «Know-how» und anderen Maßnahmen mehr. Bis zum 31. Dezember 1952 wurden etwa 14 Milliarden US-Dollar im Rahmen des ERP zur Verfügung gestellt. Den größten Anteil erhielt bezeichnenderweise Großbritannien. Die westlichen Besatzungszonen in Deutschland und später dann die Bundesrepublik lagen mit drei Milliarden Dollar an vierter Stelle. 1953 sagte Washington Bonn zu, daß von allen bis Mitte 1951 gewährten Hilfsleistungen nur ein Betrag von einer Milliarde Dollar zurückgezahlt zu werden brauche. Am 30. Juni 1971 überwies die Bundesrepublik die letzte Tilgungsrate in Höhe von 345 Millionen D-Mark an die Vereinigten Staaten.[31]

Zwar war die im Rahmen des ERP gewährte Hilfe in erster Linie wirtschaftlicher und finanzieller Art, aber selbstverständlich standen hinter diesem Plan auch Erwägungen genuin politischer Natur. Es war ja kein Zufall, daß die beiden wichtigsten programmatischen Äußerungen der amerikanischen Außenpolitik nach Kriegsende zeitlich fast zusammenfielen: Zwischen der Verkündung der «Truman-Doktrin» und der Ankündigung des «Marshall-Plans» vergingen nicht einmal drei Monate. Beide Programme standen in einem engen inhaltlichen Zusammenhang; beide waren Ausdruck der sich immer deutlicher abzeichnenden Blockbildung in Europa. Genau genommen konnte man den «Marshall-Plan» als konsequente Fortschreibung zentraler Elemente der «Containment»-Politik lesen, verfolgte doch auch er das Ziel, jene Staaten wirtschaftlich zu stabilisieren und damit auch politisch zu stärken, die ein Gegengewicht zur Sowjetunion und ihren tatsächlichen oder vermeintlichen Ambitionen bilden konnten.

Daher wird die Frage wohl nie eindeutig zu beantworten sein, wie das Angebot Washingtons an die Sowjetunion und die von ihr direkt oder indirekt kontrollierten Staaten zu verstehen war, sich an diesem Programm zu beteiligen. Sieht man den «Marshall-Plan» als logische Ergänzung der «Containment»-Politik, dann wird man das Angebot an Moskau vor allem als taktisches Manöver verstehen müssen. Jedenfalls kam die sowjetische Ablehnung nicht ganz unerwartet. Ob Molotow seinerseits von taktischen Erwägungen geleitet war, als er Ende Juni 1947 nach Paris reiste, um über die Modalitäten einer sowjetischen Beteiligung am ERP zu verhandeln, läßt sich nicht mit letzter Sicherheit sagen. Fest steht, daß Stalin am 1. Juli den sowjetischen Außenminister veranlaßte, die Verhandlungen für gescheitert zu erklären. Fest steht auch, daß sich Bulgarien, die Tschechoslowakei, Ungarn, Rumänien, Albanien und Polen, aber auch Jugoslawien und Finnland dieser Entscheidung anschlossen, und das wohl kaum aus Überzeugung und freiem Entschluß.

Die Sowjets argumentierten, das ERP beeinträchtige die Souveränität der Empfängerländer und bringe sie in «vollständige Abhängigkeit» von den westlichen «Imperialisten».[32] Tatsächlich hatte man an der Moskwa schon in der Zwischenkriegszeit keine guten Erfahrungen mit dem Versuch gemacht, westliche Kredite für den Wiederaufbau des von Krieg, Revolution, Bürgerkrieg und alliierter Invasion schwer in Mitleidenschaft gezogenen Landes zu erhalten. So nachvollziehbar 1947 der Wunsch der westlichen Geldgeber war, Garantien für die Rückzahlung ihrer Investitionen zu erhalten und nicht noch einmal dieselbe Erfahrung machen zu müssen wie 30 Jahre zuvor, als die Bolschewiki sich geweigert hatten, die Vorkriegsschulden des Zarenreiches anzuerkennen, so verständlich waren die sowjetischen Vorbehalte. Immerhin forderten die Vereinigten Staaten, Einblick in die Bilanzen der sowjetischen Wirtschaft und Einfluß auf die Verteilung der Mittel nehmen zu können. Wie nach dem Ersten Weltkrieg ging es den Sowjets auch jetzt darum, die Rolle des Bittstellers zu vermeiden und sich nicht auf Bedingungen einlassen zu müssen, die in ihren Augen für die östliche Vormacht demütigend und deklassierend waren. So zeichnete sich schon in dieser unmittelbaren Nachkriegszeit ein Grundzug sowjetischer Politik ab, der während des gesamten Kalten Krieges eine, wenn nicht die herausragende Rolle spielen sollte: der Wunsch nach Gleichberechtigung mit der westlichen Vormacht USA.

Deren Außen- und namentlich Europa-Politik wiederum war in den Jahren 1947/48 von pragmatischen Erwägungen geleitet. Es galt als ausgemacht, daß ein rascher und effektiver wirtschaftlicher Wiederaufbau des zerstörten Europa nicht um Deutschland herum gelöst werden konnte. So hatte Herbert Hoover in einem Bericht vom 26. März 1947 nachdrücklich darauf hingewiesen, daß Produktion und Handel der Länder Europas in hohem Maße miteinander verflochten und voneinander abhängig seien und das deutsche Potential unmöglich ersetzt werden könne. Nicht nur für den ehemaligen amerikanischen Präsidenten waren das Schicksal der europäischen und der deutschen Wirtschaft aufs engste miteinander verknüpft. Schon deshalb galt die Einbeziehung der westlichen Besatzungszonen und der Westsektoren Berlins in das ERP als zwingend. Die politische Konsequenz dieser wirtschaftlichen Maßnahme lag auf der Hand. Sie mußte die Auseinanderentwicklung der Westzonen und der SBZ und die Ausbildung eines westdeutschen Teilstaates beschleunigen, obgleich das für viele Zeitgenossen damals noch nicht absehbar war.

Wie weit die Dinge inzwischen gediehen waren, zeigte sich im Juni 1947. Am gleichen Tag, an dem der amerikanische Außenminister seinen Plan öffentlich vorstellte, trafen sich in München zum ersten Mal die Ministerpräsidenten aller vier Zonen. Als die fünf Vertreter der SBZ zwei Tage später vorzeitig abreisten, ahnten weder sie noch ihre Kollegen aus den westlichen Besatzungszonen, daß das nächste Treffen dieser Art erst fast ein halbes Jahrhundert später, am 20. und 21. Dezember 1990, stattfinden sollte. Der Grund für den Abbruch der Gespräche war aufschlußreich: Während die Ministerpräsidenten der SBZ weisungsgemäß darauf bestanden, als ersten Punkt die Bildung einer Zentralregierung zu verhandeln, weigerten sich die elf Vertreter der westlichen Besatzungszonen, ebenfalls weisungsgemäß, diese Frage zu besprechen. Gleichwohl ist die deutsche Einheit nicht auf dieser Konferenz und auch nicht an den Deutschen selbst gescheitert. Längst lag die Deutsche Frage im Schlepptau der gesamteuropäischen Entwicklung, und hier fielen die Entscheidungen in der ersten Hälfte des Jahres 1948. Die Weichen wurden auf zwei Konferenzen gestellt. Am 17. März 1948 kam es in der belgischen Hauptstadt zur Unterzeichnung des sogenannten Brüsseler Fünfmächte-Pakts. Mitglieder dieser «Westunion» waren neben Großbritannien und Frankreich die Benelux-Staaten. Die Initiative hatte am 22. Januar 1948 der britische Außenminister Ernest Bevin in einer Unterhausrede ergriffen, und zwar unter Hinweis auf die sowjetischen Expansionsabsichten in Ostmittel- und Südosteuropa. Die Sowjetunion war indessen nicht der einzige Adressat dieses Beistandspaktes. Vielmehr richtete er sich, gleichsam in Fortsetzung des Vertrages von Dünkirchen, ausdrücklich auch gegen ein «Wiederaufleben der deutschen Aggressionspolitik».[33] Keine Frage, die Angst der westlichen Nachbarn vor Deutschland saß tief, und aus ihrer Sicht war der Weg zu einer westdeutschen Teilstaatsgründung eine Notlösung, um der wirtschaftlichen Probleme Herr zu werden und sich zugleich gegen die erwartete neue, die sowjetische Herausforderung zu wappnen.

Weil sich der Pakt auch gegen jenes Deutschland richtete, dessen Wiederaufbau ja von ihnen gerade vorangetrieben wurde, lehnten die USA den Beitritt ab. Allerdings versicherte Präsident Truman am 17. März, also am Tag der Unterzeichnung des Brüsseler Paktes, vor dem amerikanischen Kongreß ohne Umschweife, «daß der Entschlossenheit der freien Staaten Europas, sich selbst zu schützen, unsere Entschlossenheit, ihnen zu helfen, nicht nachstehen wird».[34] Den Worten sollten alsbald Taten folgen. Vor dem Hintergrund der Entwicklungen im sowjetischen Machtbereich, insbesondere der Vorgänge in der Tschechoslowakei, nahm der amerikanische Senat am 11. Juni 1948 mit großer Mehrheit eine Resolution an, die vom republikanischen Senator Arthur H. Vandenberg eingebracht worden war. Darin wurde die Regierung aufgefordert, an «regionale und andere» Abkommen Anschluß zu suchen, «die auf wirksamer und fortgesetzter Selbsthilfe und gegenseitiger Hilfe beruhen und die die nationale Sicherheit der Vereinigten Staaten betreffen».[35]

Die Ankündigung kam einer Revolution gleich. Sieht man einmal davon ab, daß Amerika wie alle Großmächte im Zeitalter des Imperialismus Expansionspolitik betrieben hatte, so geschah es hier zum ersten Mal, daß sich die Vereinigten Staaten in Friedenszeiten auf einem anderen Erdteil für lange Zeit engagierten. Damit gaben sie jene selbstgewählte Abstinenz auf, die nach einer späteren Interpretation bereits 1823 zur verbindlichen Maxime ihrer Außenpolitik erhoben worden war. Damals hatte der amerikanische Präsident James Monroe die Europäer vor einer Einmischung in amerikanische Angelegenheiten gewarnt und damit auf eine mögliche

Intervention restaurativer Kräfte gegen die jungen unabhängigen Staaten Südamerikas angespielt. Erst späteren Generationen fiel auf, daß diese Warnung als Manifest der Selbstbeschränkung, als Ausdruck einer selbstgewählten Isolierung Amerikas zu deuten sei. Nur zweimal, während der großen Kriege in der ersten Hälfte des 20. Jahrhunderts, hatten die USA diesen Isolationismus aufgegeben. Der Grund war der gleiche wie jetzt, nach dem Ende des Zweiten Weltkrieges: Die Bindung an Europa diente der Wahrung und Behauptung der «nationalen Sicherheit der Vereinigten Staaten».

Bereits im Juli 1948 begannen die entsprechenden Verhandlungen zwischen den Mitgliedern des Brüsseler Paktes auf der einen sowie Kanada, das hier eine treibende Kraft war, und den USA auf der anderen Seite. Am 4. April 1949 schließlich wurde der Vertrag über die «North Atlantic Treaty Organization» von zwölf Staaten unterzeichnet. Seine Mitglieder waren sich darin einig, «daß ein bewaffneter Angriff gegen einen oder mehrere von ihnen in Europa oder Nordamerika als ein Angriff gegen sie alle betrachtet werden wird».[36] NATO und Ost-West-Gegensatz waren zwei Seiten derselben Medaille. Niemand wußte damals, daß ihnen eine gemeinsame vierzigjährige Geschichte bevorstand. Eine gewisse Ergänzung fand die NATO im November 1949 durch die Gründung des «Coordinating Committee on Multilateral Export Controls» (Cocom), das den Export moderner Technologie an die Sowjetunion und ihre Verbündeten unterbinden sollte. Zugleich wollte man verhindern, daß deren Rüstungsindustrie westliches Niveau erreichte. Das Cocom hatte keine vertragliche Grundlage. Gleichwohl beteiligten sich aber schließlich außer Island alle NATO-Staaten sowie Australien und Japan daran. Erst 1994 wurde das Cocom als Relikt des Ost-West-Konflikts aufgelöst.

Ohne Zweifel waren die Mitglieder der NATO überzeugt, mit der Gründung ihrer Organisation in erster Linie auf die expansive Politik der Sowjetunion zu antworten. Daß diese ganz offenkundig ihrerseits auf eine Politik reagierte, die sie als antisowjetisch empfand, zeigten die Jahre 1948/49. Als Stalins Mann am 20. März 1948 aus dem Alliierten Kontrollrat auszog und damit auch symbolisch die Viermächte-Kontrolle in Deutschland beendete, begründete Moskau diesen Schritt mit der Politik des Westens, und zwar mit dem Abschluß des Brüsseler Paktes und mit jener zweiten Konferenz, die seit dem 23. Februar in London tagte. An ihr waren die Mitglieder des Brüsseler Fünfmächte-Pakts sowie die Vereinigten Staaten von Amerika beteiligt. Nach mehrwöchiger Unterbrechung im März und April lagen am 7. Juni 1948 endlich die Verhandlungsergebnisse auf dem Tisch. Die Sprengung des Alliierten Kontrollrats durch die Sowjetunion hatte die Entscheidung für eine staatliche Organisation der Westzonen nicht nur erleichtert, sondern zu einer dringenden Aufgabe gemacht.

Die «Londoner Empfehlungen» waren Grundsätze für die Errichtung eines westdeutschen Bundesstaates. Die drei Dokumente wurden am 1. Juli 1948 durch die Militärgouverneure den elf Ministerpräsidenten der drei westlichen Besatzungszonen übergeben und enthielten den Auftrag zur Ausarbeitung einer Verfassung nach vorgegebenen Kriterien, die Aufforderung, Vorschläge für eine Neugliederung der Länder zu unterbreiten, und überdies die Grundzüge eines Besatzungsstatuts. Nachdem zunächst auf Herrenchiemsee vom 10. bis zum 23. August ein Verfassungskonvent zusammengetreten war, lag die Zuständigkeit für die Verhandlungen auf deutscher Seite seit dem 1. September 1948 beim «Parlamentarischen Rat» in Bonn, dem 65 durch die Landtage gewählte Abgeordnete sowie fünf Vertreter Berlins ohne Stimmrecht angehörten.

Zu diesem Zeitpunkt war bereits eine weitere wichtige Entscheidung gefallen; es war ein besonders folgenreicher Schritt auf dem Weg zur staatlichen Teilung Deutschlands: Am 20./21. Juni 1948 hatten die Westmächte nach langen geheimgehaltenen Vorbereitungen in den drei Westzonen gleichsam über Nacht eine Währungsreform durchgeführt. Das neue Geld war in den USA gedruckt und – unbemerkt von der deutschen Öffentlichkeit – nach Frankfurt transportiert worden. Diese massive alliierte Starthilfe, zu der neben der Währungsreform die Maßnahmen des Marshall-Planes zu zählen sind, tat das ihre, um in den Westzonen einem Modell zum Durchbruch zu verhelfen, das alsbald einen Siegeszug antreten sollte: Die Idee der «Sozialen Marktwirtschaft», vom damaligen Direktor der Frankfurter Wirtschaftsverwaltung, Ludwig Erhard, vorgetragen, übernahm nicht nur die Funktion einer verbindenden und verbindlichen Staatsidee in der sich formierenden Bundesrepublik. Sie wurde seit den sechziger Jahren auch von zahlreichen Staaten der Dritten, später, nach der Revolution der ausgehenden achtziger Jahre, auch der vormals kommunistischen Welt kopiert. Daß das Original den jeweiligen Verhältnissen angepaßt und dabei nicht selten bis zur Unkenntlichkeit modifiziert wurde, steht auf einem anderen Blatt.

Die Sowjetunion reagierte umgehend. Am 23. Juni führte auch sie eine Währungsreform durch, und zwar sowohl in der SBZ als auch in Groß-Berlin, das damit demonstrativ in ihr Besatzungsgebiet einbezogen wurde. Das wiederum veranlaßte die Westmächte, ihrerseits in Berlin die D-Mark einzuführen, so daß bis zum März 1949 in der Stadt beide Währungen parallel existierten. Bereits am 16. Juni 1948 hatte der sowjetische Vertreter die Alliierte Kommandantur für Berlin verlassen und damit auch die Viermächte-Kontrolle über die alte Reichshauptstadt lahmgelegt. Acht Tage später, am 24. Juni, begannen die Sowjets mit der Blockade sämtlicher Land- und Wasserwege nach Berlin. Schon seit dem 1. April war der Verkehr in die alte Reichshauptstadt durch erste Maßnahmen erheblich behindert worden. Diese Blockade sollte fast ein Jahr, bis zum 12. Mai 1949, andauern. Zu einer militärischen Konfrontation kam es jedoch nicht.

Das lag unter anderem daran, daß der Kreml von einer deutlichen militärischen Überlegenheit des Westens ausgehen mußte, nicht zuletzt von seinem nuklearen Monopol.

Die USA und Großbritannien beantworteten die Blockade Berlins mit einer bis dahin einzigartigen Maßnahme: mit der Einrichtung einer Luftbrücke. Das war eine gewaltige Herausforderung. Zwei Millionen Menschen mußten auf dem Luftweg versorgt werden. Nach amerikanischen Berechnungen waren dafür täglich 4 500 Tonnen nötig. Mit den anfänglich zur Verfügung stehenden Mitteln war das nicht zu schaffen. Eine ganze Armada amerikanischer Flugzeuge, unterstützt von britischen und französischen, mußte aufgestellt, ein weiterer Flughafen gebaut werden: Tegel. Im Dezember 1948 war die Mindestversorgung sichergestellt, im Frühjahr 1949 erreichten sogar 8 000 Tonnen täglich die Stadt. Während der populäre Berliner Bürgermeister Ernst Reuter die Bevölkerung beschwor, durchzuhalten und den Blick der Weltöffentlichkeit auf «diese Stadt» lenkte, landete alle 30 Sekunden einer jener «Rosinenbomber», die während des Winters 1948/49 das Überleben der West-Berliner sicherten. Diese humanitäre und logistische Leistung hatte Konsequenzen, die weit über den Fall und die Zeit hinauswirken sollten. Denn natürlich wuchsen Zustimmung, ja Zuneigung der Westdeutschen und der West-Berliner zu den Besatzungsmächten beträchtlich. Sie wurden jetzt zu Schutzmächten; aus den vormaligen Gegnern wurden Verbündete. Das galt für beide Seiten.

In dem Maße, in dem die Deutschen unter dem Eindruck der Vorgänge im sowjetischen Machtbereich und insbesondere der Blockade Berlins an die Seite der Alliierten rückten, verloren diese erkennbar das Interesse an der Umerziehung, Entnazifizierung oder auch Bestrafung der neuen Weggefährten. Für diese wiederum waren das Verhalten der Westmächte und die neue Situation Grund genug und häufig willkommener Anlaß, um sich von der Vergangenheit ab- und der Lösung der drängenden Gegenwarts- und Zukunftsprobleme zuzuwenden. Man darf davon ausgehen, daß nach den Nürnberger Kriegsverbrecherprozessen, in denen ja aus der Sicht vieler Deutscher die Schuldigen bestraft und damit die anderen scheinbar entlastet worden waren, die Konzentration der Deutschen und ihrer neuen Beschützer auf die greifbare sowjetische Herausforderung nicht unerheblich dazu beigetragen hat, daß sich die jüngste Vergangenheit zusehends im Nebel des Vergessens verflüchtigte.

Darüber hinaus hatte die Einrichtung der Luftbrücke auch unmittelbare Folgen für die Beratungen über die künftige Gestalt des westdeutschen Teilstaates. Sie half nämlich den Deutschen, sich relativ rasch mit dem Gedanken einer Teilstaatsgründung abzufinden, wenn auch unter dem Vorbehalt, ein «Provisorium» zu errichten. Nachdem das «Grundgesetz» – außer durch den bayerischen – durch die Landtage bzw. Senate der Westzonen ratifiziert worden war, konnte es am 23. Mai 1949 in Kraft treten. Immer wieder hatten die Alliierten in die Verhandlungen des Parlamentarischen Rates eingegriffen und ihre Handschrift in dieser deutscherseits als vorläufig betrachteten Verfassung hinterlassen. Am 7. September 1949 versammelte sich der am 14. August gewählte Deutsche Bundestag zu seiner ersten Sitzung. Fünf Tage später, am 12. September 1949, wählte die Bundesversammlung Theodor Heuss zum ersten Bundespräsidenten, und am 15. September wurde der 73jährige Konrad Adenauer durch den Bundestag mit einer Stimme Mehrheit, seiner eigenen, zum Bundeskanzler gewählt.

Die Rechtsgrundlage der Beziehungen zwischen dem neuen Staat und den alten Besatzungsmächten bildete vorläufig ein Besatzungsstatut, das am 10. April 1949 veröffentlicht worden war und am 21. September in Kraft trat. Es schränkte die Bewegungsfreiheit der deutschen Politik nach innen erheblich ein, von einer äußeren Souveränität konnte ohnehin keine Rede sein. So behielten sich die Besatzungsmächte die Zuständigkeit für zahlreiche Bereiche ausdrücklich vor, darunter die Kontrolle über die Ruhr, die Restitutionen, Reparationen usw., außerdem bedurfte jede Änderung des Grundgesetzes «vor ihrem Inkrafttreten der ausdrücklichen Zustimmung der Besatzungsbehörden».[37]

Die Gründung der Bundesrepublik Deutschland hat die staatliche Teilung des Landes besiegelt. Das wurde spätestens am 7. Oktober 1949 deutlich, als auf dem Gebiet der SBZ ein ostdeutscher Teilstaat gegründet wurde, der sich «Deutsche Demokratische Republik» nannte und unverkennbar als «Gegenstaat»[38] zur Bundesrepublik fungieren sollte. Allerdings gingen damals wohl die wenigsten Deutschen davon aus, daß mit der doppelten Staatsgründung zugleich der Status quo für lange Zeit – schließlich fast ein halbes Jahrhundert – festgeschrieben werden würde. Zumal die Westdeutschen nahmen vorderhand erleichtert zur Kenntnis, daß sich ihre Situation wenige Jahre nach der bedingungslosen Kapitulation und dem Ende des Krieges grundlegend geändert und zum Besseren gewendet hatte. Wer hätte im Mai 1945 vorauszusagen gewagt, daß es vier Jahre später wieder eine deutsche Regierung und eine deutsche Verfassung geben würde, daß die Militärgouverneure durch die «Hohen Kommissare» abgelöst werden könnten und daß mit dem Besatzungsstatut eine rechtliche, also auch eine einklagbare Grundlage zur Verfügung stehen würde, welche die Beziehungen zwischen den Besatzern und den Besetzten regelte?

All das war in erster Linie ein Resultat der spezifischen Verhältnisse in Europa nach der großen Katastrophe, und neben den erheblichen wirtschaftlichen Schwierigkeiten sind wohl auch die sowjetischen Aktivitäten in Ostmittel- und Südosteuropa als Geburtshelfer der Bundesrepublik zu betrachten. Es bedurfte keiner prophetischen Gaben, um die Prognose zu wagen, daß der nächste Schritt, die Erlangung mehr oder weniger vollständiger Souveränität und außenpolitischer Handlungsfreiheit, ebenfalls maßgeblich von den internationalen Rahmenbedingungen abhängig sein würde.

3. Antwort
Die Deutsche Frage in der Weltpolitik
1949–1955

Auch Provisorien brauchen Perspektiven. Die Repräsentanten des Bonner Teilstaates hatten drei Nahziele im Visier: Westintegration, äußere Sicherheit und Gleichberechtigung. Das war ein außerordentlich ambitiöses Programm, gab es doch vorerst noch keine eigenständige deutsche Außenpolitik. Um die genannten Ziele erreichen zu können, war ein Höchstmaß loyalen Verhaltens gegenüber den Westmächten erforderlich, das von Kritikern dieser Politik auch durchaus anders interpretiert werden konnte, und natürlich hing alles von den internationalen Rahmenbedingungen ab. Diese bestimmten letztendlich die Strategie der Westmächte, auch in der Deutschen Frage, und damit den Preis, den die Deutschen zu zahlen hatten: Die Verankerung ihres Rumpfstaates in der westlichen Welt ging mit der Teilung der Welt, des Kontinents und des Landes einher.

Der Mann, der mit großer, gelegentlich an Altersstarrsinn erinnernder Hartnäckigkeit die westdeutsche Politik in ihren Grundzügen konzipierte und unter Ausnutzung der jeweiligen Konstellationen umsetzte, war Konrad Adenauer, der, wie Henry Kissinger meinte, «größte deutsche Staatsmann seit Bismarck».[1] Rheinischer Herkunft und katholisch, insoweit antipreußisch, war Adenauer der gleichermaßen typische wie ideale Repräsentant des neuen Teilstaates. Lag einst das Zentrum des Reiches zwischen Elbe und Weichsel, so das der neuen Republik zwischen Elbe und Rhein. War der Blick von Berlin aus vor allem auch nach Osten, nach Rußland oder auch nach Polen, geschweift, so blickte man von Rhöndorf, wo Adenauer lebte, bzw. von Bonn aus seit jeher nach Westen. Die Nachbarschaft Frankreichs und die wiederholte Besetzung durch die Franzosen hatten ihre Spuren hinterlassen – bis hinein in die Sprache: Man spazierte nicht auf dem Bürgersteig, man flanierte auf dem Trottoir. Man war provinziell, aber man gab sich weltläufig.

Die Orientierung nach Westen war aber auch hilfreich, wenn es darum ging, ein Verhältnis zu den USA zu finden, und das war leichter gesagt als getan. Den meisten Deutschen war der amerikanische Kontinent, waren Kultur, Lebens- und Denkweise der Amerikaner fremd und fern. Nicht nur das unterschied die Vereinigten Staaten von Frankreich. Die transatlantische Orientierung war schon deshalb bis 1946/47 keine wirkliche Option deutscher Politik gewesen, weil die USA eine solche Bindung nie gesucht hatten, im Gegenteil: Bis 1945 hatte das amerikanisch-deutsche Verhältnis vor allem in zwei Waffengängen bestanden. Das läßt erahnen, vor welcher Herausforderung Bonner Politiker standen, als sie sich daran machten, eine Beziehung zu den Vereinigten Staaten aufzubauen.

Hier ging es ja nicht zuletzt darum, der jungen Bundesrepublik eine neue Identität zu verschaffen. Man hat diesem Aspekt der transatlantischen Beziehungen lange Zeit wenig Aufmerksamkeit geschenkt. Aber nach dem, was bis 1945 in Deutschland und im deutschen Namen geschehen war, konnte es nicht einfach ein ungebrochenes Fortschreiben der Tradition geben, auch nicht der kulturellen in weiterem Sinne. Überdies fehlte die vollständige staatliche Souveränität, mit der ja das kulturelle Selbstverständnis in aller Regel einhergeht. Die Bundesrepublik wurde aus diesen Gründen in besonderem Maße von dem mächtigen Trend zur Amerikanisierung des politischen, wirtschaftlichen und vor allem kulturellen Lebens erfaßt, der nun um so stärker in Westeuropa Einzug hielt, je offenkundiger dessen politisches Überleben von der Sicherheitsgarantie der Vereinigten Staaten abhing. Ob der vehemente Antiamerikanismus, der sich seit den sechziger Jahren vor allem in der Bundesrepublik auszubreiten begann, neben der Angst vor dem Verlust tradierbarer europäischer Kulturformen auch Ausdruck eines ohnmächtigen Protestes der Provinz gegen diesen dominanten Trend gewesen ist, sei dahingestellt.

Da die CDU maßgeblich die Regierungsverantwortung trug und die SPD vorerst in Fundamentalopposition zur politischen Westbindung der Bundesrepublik verharrte, fiel den Christdemokraten die Durchsetzung der transatlantischen Öffnung des westdeutschen Provisoriums zu. Für den im Jahrzehnt der Reichsgründung geborenen Konrad Adenauer war das keine Selbstverständlichkeit. Daß er, auch wegen dieser Leistung, als einer der großen deutschen Staatsmänner des 20. Jahrhunderts in die Geschichte eingehen würde, ließen die ersten 70 Jahre seines Lebens nicht erkennen. Sein Werdegang wies ihn als Mann der Innen-, vor allem der Kommunalpolitik aus: Von 1917 bis 1933, bis zu seiner Amtsenthebung durch die Nationalsozialisten, und dann noch einmal 1945, bis zu seiner erneuten Absetzung, diesmal durch die britischen Besatzer, war er Oberbürgermeister von Köln gewesen, und dann 1948/49 Präsident des Parlamentarischen Rates. Ursprünglich Mitglied der Zentrumspartei, stand Adenauer seit 1946 der CDU in der britischen Besatzungszone, seit 1950 der Gesamtpartei vor. Mit der internationalen Politik war er allenfalls gelegentlich und eher am Rande in Berührung gekommen. Das ist ein Grund, gewiß nicht der einzige, warum der Bundeskanzler zunächst nicht mit einem fertigen außenpolitischen Konzept aufwarten konnte. Immerhin aber hatte er einige klare Zielvorstellungen. Schon wegen der engen Verknüpfung der drei Nahziele Westintegration, äußere Sicherheit und Gleichberechtigung ist nur schwer zu sagen, was für Adenauer die größte Bedeutung hatte. Die Integration des jungen deutschen Teilstaates in den Westen bildete für den ersten Kanzler jedenfalls nicht nur eine politische Notwendigkeit, sie wurde für den gebürtigen Rheinländer zum persönlichen Anliegen.

Die feste Westbindung der Republik, die ihre Zelte provisorisch in Bonn aufgeschlagen hatte, diente vor allem auch der Überwindung des deutsch-französischen Gegensatzes. Im Jahre 1949 schien das freilich ein schier aussichtsloses Unterfangen zu sein, und das keineswegs nur wegen der Härte der französischen Besatzungspolitik. Vielmehr galt es mit einer gemeinsamen Geschichte fertig zu werden, die nie wie irgendeine andere gewesen war. Seit 1870 hatten Deutsche und Franzosen drei Mal Krieg gegeneinander geführt: 1870/71, 1914–1918 und schließlich erneut 1940– 1945. Diese Kriege waren durchweg von deutscher Seite ausgegangen und auf französischem Territorium ausgetragen worden. Die Narben, die der zähe Stellungskrieg der Jahre 1914–1918 hinterlassen hatte, waren 1949 noch keineswegs verheilt. Es gab Franzosen, die als Kinder noch den deutsch-französischen Krieg des Jahres 1870 erlebt hatten. Aus den Erzählungen der Eltern und Großeltern, aus Büchern, selbst aus Filmen war er auch den Jüngeren gegenwärtig, und kaum ein Franzose konnte vergessen, daß Deutschland seinen westlichen Nachbarn damals gezwungen hatte, Elsaß und Lothringen an das Reich abzutreten.

Der Wunsch nach Aussöhnung mit dem französischen Nachbarn war ein wesentlicher Grund für Adenauers Bestrebungen, die Bundesrepublik in den Westen zu integrieren, aber es war beileibe nicht der einzige. Denn die Mehrzahl der Deutschen und ihrer politischen Repräsentanten war der Auffassung, daß die Bundesrepublik auch deshalb fest in den westlichen Kulturkreis eingebunden werden müsse, weil Deutschland, erst recht der westlichste seiner drei Teile, in ihm historisch beheimatet war. Diese Auffassung gewann um so mehr an Boden, je deutlicher sich im Zuge des Kalten Krieges der west-östliche Gegensatz ausbildete. Schließlich aber sollte die Verankerung der Bundesrepublik in der westlichen Staatengemeinschaft jedem Verdacht vorbeugen, daß sie eine «Schaukelpolitik» zwischen West und Ost treiben, also gewissermaßen an die Außenpolitik der Weimarer Republik anknüpfen wolle. Den Westmächten, an deren Seite die Bonner Republik jetzt Schritt für Schritt rückte, war dieses Changieren noch allzu gut im Gedächtnis.

Denn in London oder namentlich in Paris verbanden sich mit der deutschen Außenpolitik der zwanziger und dreißiger Jahre die geheimen und öffentlichen Kontakte Berlins mit Moskau, die im sogenannten Rapallo-Komplex weiterlebten. In Rapallo hatten sich am 16. April 1922, für die Westmächte unerwartet, mit dem Deutschen Reich und Sowjetrußland die beiden eigentlichen Verlierer des Ersten Weltkrieges über vitale Fragen, zu denen unter anderem Reparationen und Vorkriegsschulden zählten, vertraglich verständigt. Anders als von den westlichen Nachbarn vermutet, war es allerdings nicht zu einem geheimen Militärbündnis oder zu geheimen Absprachen über ein gemeinsames Vorgehen gegen Polen gekommen. Gleichwohl aber schienen dann die geheimen Abmachungen des «Hitler-Stalin-Paktes» vom 23. August 1939, als sie nach 1945 allgemein bekannt wurden, das westliche Mißtrauen zu bestätigen. Wann immer sich seitdem Deutsche und Russen tatsächlich oder auch nur vermeintlich näher kamen, zeigte sich, daß das Gespenst von Rapallo im Westen durchaus lebendig war.

Das stellte man in Bonn schon bei den ersten politischen Gehversuchen nach 1945 in Rechnung, und es ist bemerkenswert, wie sorgfältig die deutsche Außenpolitik bis zum Ende des Kalten Krieges darauf bedacht war, alles zu unterlassen, was diesem Mißtrauen hätte Nahrung geben können. Indessen waren deutsche Politiker, jedenfalls in den Anfängen, nicht allein von derartigen äußeren Rücksichten geleitet. Vielmehr hegten nicht wenige von ihnen, allen voran Konrad Adenauer, ein gehöriges Maß an Skepsis gegenüber der politischen Reife ihres Volkes. Auch sie hatten die jüngste deutsche Vergangenheit noch in lebhafter Erinnerung, und ihr Bestreben nach einer raschen Westintegration war nicht zuletzt von der Absicht getragen, die deutsche Unruhe, den «furor teutonicus», zu bändigen und die Deutschen – auch – vor sich selbst zu schützen. Selbstverständlich verbanden die Politiker der ersten Nachkriegsgeneration mit ihrem Angebot und ihrer Zustimmung zu einer weitestgehenden Integration der Bundesrepublik in die westliche Staatengemeinschaft auch Erwartungen. Die beiden wichtigsten waren die Erlangung politischer Gleichberechtigung für den jungen Staat und eine Garantie seiner äußeren Sicherheit.

So wie die Dinge in den ausgehenden vierziger Jahren lagen, war eine solche Sicherheitsgarantie insbesondere gegen die sowjetische Bedrohung gefragt. Die wiederum wurde von der überwältigenden Mehrzahl der Bundesdeutschen als akut empfunden: Im Sommer 1948 erklärten bei einer von der amerikanischen Militärregierung veranstalteten Umfrage etwa 95 % der befragten Einwohner der drei Westzonen, daß sie lieber in einem westdeutschen Teilstaat als in einem «geeinte[n] Deutschland unter kommunistischer Kontrolle» leben wollten.[2] Die Westintegration der Bundesrepublik sollte diese also sowohl gegen eine unmittelbare Aggression schützen, als auch vor der Schaffung eines zwar wiedervereinten, aber womöglich neutralisierten Gesamtdeutschlands bewahren. Viele Deutsche waren eben der Ansicht, daß ein von den westlichen Besatzungsmächten geräumtes Deutschland den sowjetischen Absichten schutzlos ausgeliefert sei. Und in der Tat boten die Vorgänge im kommunistischen Machtbereich nach 1945 genügend Anschauungsunterricht für eine solche Sicht der Dinge.

Aus all dem erwuchs spätestens seit dem Ausbruch des Korea-Krieges im Juni 1950 die zentrale Frage, ob sich die Bundesrepublik selbst aktiv an der Verteidigung jenes Westens beteiligen solle, müsse oder auch nur dürfe, von dessen Stabilität ihre eigene Sicherheit abhing. Bei solchen Überlegungen spielte auf deutscher Seite von vornherein der Gedanke eine Rolle, daß ein wie immer gearteter Verteidigungsbeitrag der Bundesrepublik zugleich ein Schritt hin zu ihrer Gleichberechtigung mit den westlichen Nachbarn und späteren Verbündeten sein müsse. Dieses Ziel, davon legen die Erinnerungen der Zeitgenossen beredtes Zeugnis ab, besaß seit der Staatswerdung der Bundesrepublik eine überragende Bedeutung: Souveränität und Gleichberechtigung waren zwei Seiten derselben Medaille und zugleich ein enormes Unterfangen. Denn mit Deutschland meldete eben jenes Land den Anspruch auf prinzipielle Gleichberechtigung an, das unzweifelhaft für die größte Katastrophe der europäischen Geschichte verantwortlich zeichnete.

Dieser Wunsch nach Gleichberechtigung mit seinen näheren und ferneren Nachbarn hatte eine lange, nicht unproblematische Tradition: Mehr als einmal war Deutschland zu spät auf der politischen Bildfläche erschienen. So waren die Deutschen 1871 neben Italien die letzte europäische Nation dieser Größenordnung, die sich in einem Nationalstaat zusammenfand. Das hatte erhebliche und in der Konsequenz verhängnisvolle Folgen. Weil der deutsche Nationalstaat seit seinen Anfängen aufgrund seines faktischen Gewichts und seiner geostrategisch exponierten Lage eine europäische Großmacht war, erhob er den Anspruch, wie die anderen Großmächte der Zeit auch als solche zu handeln. Im Zeitalter des Imperialismus lief das geradezu zwangsläufig darauf hinaus, daß sich Deutschland an jenem letzten Aufteilungsprozeß der außereuropäischen Welt beteiligte, der in den Jahren 1881/82 einsetzte. Die Erkenntnis aber, daß dieser Anspruch auf Gleichberechtigung, nicht nur als Großmacht, sondern eben auch als «Weltmacht», mit dem Gleichgewicht der Kräfte in Europa kaum vereinbar war, setzte sich in Deutschland selbst dann nicht durch, als man die Erfahrung des Ersten Weltkrieges hinter sich hatte.

Indessen leisteten die alliierten Sieger dieses Krieges dem erneuten Aufleben der Gleichberechtigungsforderung in Deutschland ihrerseits Vorschub, indem sie zwar das Deutsche Reich durch den Versailler Vertrag als Weltmacht demontierten und auch seine Machtbasis auf dem Kontinent deutlich beschnitten, den Großmachtstatus dabei aber durchaus erhielten. Dafür war in erster Linie ihre Unsicherheit gegenüber der neuen bolschewistischen Herausforderung verantwortlich. Irritiert und beunruhigt war man in den westlichen Metropolen weniger über den inneren Umbruch im zaristischen Rußland, die sogenannte Oktoberrevolution des Jahres 1917 und die Machtergreifung durch die bis dahin im Westen praktisch unbekannten Bolschewiki gewesen. Der Alarm wurde vielmehr durch eine Reihe von revolutionären Maßnahmen ausgelöst, etwa die Annullierung sämtlicher Staatsanleihen der zaristischen Regierungen, die Liquidation der ausländischen Banken oder auch die Gründung der «Kommunistischen Internationale», deren erklärtes Ziel die revolutionäre Umgestaltung der Staaten Westeuropas, allen voran Deutschlands, war.

Solche Signale zwangen zur Reaktion. Neben anderen Maßnahmen, wie der direkten Intervention, schien es den alliierten Siegern des Ersten Weltkrieges ratsam, die deutsche Großmacht soweit zu erhalten, daß sie als potentielles Gegengewicht zu Sowjetrußland dienen konnte. Und so war es aus dem Denken der Zeit heraus naheliegend, daß Deutschland in der Zwischenkriegszeit nicht nur erneut die Forderung nach prinzipieller Gleichberechtigung mit den anderen Großmächten erhob, sondern daß ihm diese durch die führenden Mächte des Westens etwa auf dem Gebiet der Rüstung 1932 auch grundsätzlich zugestanden wurde. Als das Reich dann aber ein zweites Mal unter Berufung auf das Gleichberechtigungsprinzip in Europa den entscheidenden Schritt weiter ging und dieses Prinzip skrupellos außer Kraft setzte, blieb nur der Schluß, daß es in Zukunft weder einen deutschen Nationalstaat, noch eine deutsche Großmacht und mithin auch keine Basis für eine wie immer geartete deutsche Gleichberechtigung geben dürfe.

Die Geschichte wollte es, daß die äußeren Umstände sich noch einmal in einer Weise änderten, welche die westlichen Siegermächte nur wenige Jahre nach der zweiten Katastrophe wieder zum Umdenken zwang. Abermals war die kommunistische Herausforderung der eigentliche Anstoß: Ohne Zweifel verdankte die Bundesrepublik ihre Entstehung und ihre Existenz jenen Spannungen, die sich schon während des Zerfalls der «Anti-Hitler-Koalition» immer deutlicher abgezeichnet hatten. Die rheinische Republik wurde nun auch zunehmend gebraucht, und zwar als Partner und Verbündeter. Indem die zuständigen Sieger sie schrittweise in die äußere staatliche Souveränität entließen und damit die Forderung verbanden, sich an der Behauptung ihrer äußeren Sicherheit zu beteiligen, leisteten sie zugleich dem deutschen Verlangen Vorschub, eine prinzipiell gleichberechtigte Rolle neben den westlichen Bündnispartnern einzunehmen.

Alle drei Ziele durften 1955 als weitgehend erreicht gelten. Aber nicht erst zu diesem Zeitpunkt, sondern bereits mit der Staatsgründung stellte sich für die deutsche Politik unausweichlich die Frage, ob und in welchem Maße das Bestreben, den Teilstaat fest in den Westen zu integrieren und ihn so zu einem gleichberechtigten Partner seiner Verbündeten zu machen, mit jenem Gebot der Wiedervereinigung Deutschlands kollidierte, das seit 1949 das oberste Ziel der deutschen Politik war. Gemäß der Präambel des Grundgesetzes blieb das «gesamte Deutsche Volk ... aufgefordert, in freier Selbstbestimmung die Einheit und Freiheit Deutschlands zu vollenden».

Dabei ging man in der Bundesrepublik zunächst ganz selbstverständlich davon aus, daß es sich bei dem wieder zu vereinigenden Deutschland um dasjenige in den Grenzen von 1937 handelte, also um die Bundesrepublik, die DDR und eben auch jene Gebiete östlich von Oder und Neiße, die gemäß den Potsdamer Beschlüssen unter polnischer Verwaltung standen. Sieht man einmal von der «Kommunistischen Partei Deutschlands» (KPD) ab, wurde diese Forderung von allen maßgeblichen Kräften der Republik geteilt. Das gilt in besonderem Maße auch für die SPD unter ihrem ersten Vorsitzenden Kurt Schumacher, dem eigentlichen politischen Gegenspie-

ler Adenauers in den Gründerjahren der Bundesrepublik. Der 1895 geborene Journalist und Politiker, der im Ersten Weltkrieg schwer verwundet
worden war, hatte schon von 1930 bis zum Verbot der SPD im Sommer
1933 die Partei im Reichstag vertreten. 1944 war er nach elfjähriger Haft
als körperlich gebrochener Mann aus dem Konzentrationslager entlassen
worden. Seine schweren Leiden taten freilich der politischen Willenskraft
und dem rhetorischen Temperament Schumachers keinen Abbruch. In den
großen Debatten des Parlaments warf der Vorsitzende der Opposition dem
Kanzler immer wieder vor, mit der Westintegration die Wiedervereinigung
Deutschlands zu gefährden statt sie zu befördern.

Wieweit sich die deutschen Parteien in der Zielsetzung selbst einig
waren, zeigt die Entschließung des Deutschen Bundestages zur nationalen
Einheit am 14. September 1950, die auf Antrag des Vorsitzenden des Ausschusses für gesamtdeutsche Fragen, des SPD-Abgeordneten Herbert Wehner, zustandegekommen war. Sie enthielt die beiden Kardinalbekenntnisse
zur deutschen Einheit. Danach erklärte der Bundestag «den unerschütter-
lichen Willen des ganzen deutschen Volkes zu seiner nationalen Einheit»
und stellte ausdrücklich fest, «daß kein Terror den Freiheitswillen der Menschen in der sowjetischen Besatzungszone» habe «brechen können» und
daß das deutsche Volk «in der Anerkennung der Oder-Neiße-Linie» ein
«Verbrechen an Deutschland» sehe.[3] Noch stand man unter dem unmittelbaren Erlebnis der Vertreibung von Millionen von Menschen; noch gab
es hunderttausendfach direkte familiäre Bindungen zwischen West- und
Ostdeutschland; noch sah man sich politisch wie moralisch in der Pflicht,
die «Landsleute im Osten» nicht ihrem Schicksal zu überlassen.

Aber auch in der DDR gab es gesamtdeutsche Tendenzen. Noch die
zweite Verfassung vom 9. April 1968 definierte die DDR ausdrücklich als
«sozialistischen Staat deutscher Nation». Erst das Gesetz zur Ergänzung
und Änderung dieser Verfassung vom 27. September 1974 beseitigte alle
gesamtdeutschen Hinweise, was freilich bis in die achtziger Jahre hinein
ostdeutsche Offerten für eine Wiedervereinigung nicht ausschloß. Allerdings unterschied sich der gesamtdeutsche Impetus der DDR seit deren
Anfängen in entscheidenden Punkten vom Wiedervereinigungsgebot der
Bundesrepublik: Nicht nur ließen die Machthaber in Ost-Berlin keinen
Zweifel daran, daß sich ein wiedervereinigtes Deutschland in seinem inneren Aufbau am sozialistischen Vorbild der DDR zu orientieren habe.
Vielmehr bezog sich der Vorschlag der DDR zur Wiederherstellung eines
gesamtdeutschen Nationalstaates ausschließlich auf die Territorien der
DDR und der Bundesrepublik, also auf das bis zur Oder-Neiße-Linie
verkleinerte Deutschland. Bereits am 6. Juli 1950 erkannte die DDR auf
sowjetischen Druck im sogenannten Görlitzer Abkommen diese Linie als
«Staatsgrenze zwischen Deutschland und Polen» an.[4] Für die Bundesrepublik erfolgte die Anerkennung der «Unverletzlichkeit» dieser Grenze erst
mit der Unterzeichnung des Warschauer Vertrages am 7. Dezember 1970.

Aber ganz gleich, worauf sich die Forderung nach Wiedervereinigung auch bezog, es blieb die Frage, ob sich nicht die konsequente Westintegration der Bundesrepublik, die Festigung ihrer Eigenstaatlichkeit sowie die Ausbildung einer eigenen Identität und die deutsche Wiedervereinigung gegenseitig ausschlossen. Ohnehin lag die Antwort nicht im deutschen Ermessen, sondern bei den vier alliierten Siegern des Zweiten Weltkrieges. Sie allein hatten darüber zu entscheiden, ob, wann und mit wem sie einen Friedensvertrag unterzeichnen wollten. Kein realistisch denkender Zeitgenosse konnte übersehen, daß die Chancen für einen solchen Vertrag und damit für eine Wiedervereinigung abnahmen, je mehr sich der Ost-West-Gegensatz im Zuge des Kalten Krieges vertiefte.

Das gilt auch für Konrad Adenauer. Der Bundeskanzler versuchte auf seine Weise, die internationale Lage und den deutschen Wunsch nach Wiedervereinigung in Einklang zu bringen. Dabei ging er von zwei Grundannahmen aus: Erstens, daß ein wiedervereinigtes Deutschland, das wie schon die Bundesrepublik fest in den Westen integriert und damit auch bündnispolitisch eingebunden war, für die Westmächte, womöglich sogar für die Sowjetunion, akzeptabler sei als ein weitgehend unabhängiges. Und zum anderen war der Kanzler der Überzeugung, daß eine in der westlichen Gemeinschaft prosperierende Bundesrepublik auf den anderen deutschen Teilstaat eine zunehmende Anziehungskraft ausüben werde. Daraus entwickelte sich die sogenannte «Magnettheorie» in ihren diversen Varianten und Variationen, deren erste Fassung übrigens aus den Reihen der SPD gekommen war. Daß die Entwicklung der Jahre 1989/90 diese Einschätzung weitestgehend bestätigt hat, heißt jedoch nicht, daß sie in den fünfziger und sechziger Jahren auch nur als halbwegs realisierbar gelten durfte. Vorderhand sah es nämlich eher so aus, als behielten die Kritiker Adenauers recht mit der Vermutung, die Integration der Bundesrepublik in den Westen und die dadurch erzielte Gleichberechtigung werde den Weg zu einer Wiedervereinigung gerade versperren.

Einen ersten Schritt hin zu einer eingeschränkten Gleichberechtigung tat die Bundesrepublik am 22. November 1949 mit der Unterzeichnung des sogenannten Petersberger Abkommens, benannt nach jenem Ort, dem Petersberg bei Bonn, auf dem die Hohen Kommissare ihren Sitz genommen hatten. Hier fanden seit dem 29. September 1949 in der Regel die Begegnungen zwischen Besatzern und Besetzten statt, also zwischen den Hohen Kommissaren, dem Briten Sir Brian Robertson bzw. seit 1950 Sir Ivone Kirkpatrick, dem Amerikaner John McCloy und dem Franzosen André François-Poncet, auf der einen und dem Bundeskanzler auf der anderen Seite.

Die Verhandlungen waren hart, zäh und langwierig. Alles mußte besprochen und genehmigt werden, von der Frage der «geistlichen Betreuung deutscher Kriegsgefangener in Frankreich» über die Demontage von Hochöfen bis hin zum Problem der Nationalhymne. Nicht selten griff

Adenauer, der in den Gesprächen eine subtile Mischung aus Geduld und Humor an den Tag legte, zu anschaulichen Beispielen, so etwa im April 1950, als er François-Poncet bat, sich «einmal in die Lage der Deutschen zu versetzen», und ihm von einem Vorkommnis erzählte: «Im vorigen Sommer war im Kölner Stadion ein großer Wettkampf zwischen Belgien und Deutschland. Es wurde die belgische Nationalhymne gespielt. Alles stand auf und salutierte. Nun kamen die Deutschen an die Reihe. Der Kapellmeister spielte – ob aus eigener Eingebung, weiß ich nicht –: ‹Wir sind die Eingeborenen von Trizonesien›. Die Belgier haben gemeint, daß sei die deutsche Nationalhymne und haben salutiert. Durch solche Vorgänge wird natürlich die Bundesrepublik in den Augen der Deutschen selber etwas lächerlich gemacht. Das ist eine Gefahr, die man wirklich nicht unterschätzen darf.»[5]

Adenauers Verhandlungsgeschick zeitigte Erfolge, bescheidene und beachtliche. Zu letzteren zählte das erwähnte Petersberger Abkommen. Es enthielt Zugeständnisse beider Seiten. So durfte sich die Bundesrepublik jetzt internationalen Organisationen wie der OEEC anschließen und eigene Handels- und konsularische Beziehungen mit anderen Ländern aufnehmen. Zudem sah das Abkommen eine deutliche Verringerung, wenn auch noch keineswegs das Ende der Demontagen vor. Im Gegenzug trat die Bundesrepublik dem Militärischen Sicherheitsamt und der Internationalen Ruhrbehörde bei. Ersteres war am 17. Januar 1949 von den drei Westmächten gegründet worden. Es sollte in gewisser Weise die Aufgaben des vormaligen Kontrollrats auf dem Gebiet der Bundesrepublik erfüllen und insbesondere dem französischen Sicherheitsbedürfnis Rechnung tragen, indem es die Entmilitarisierung Deutschlands kontrollierte. Die Internationale Ruhrbehörde überwachte jenes Ruhrstatut, das am 28. April 1949 von Vertretern der drei westlichen Besatzungsmächte und der Benelux-Staaten in London unterzeichnet worden war und die internationale Kontrolle der Kohle- und Stahlproduktion des Ruhrgebiets regelte.

Der deutsche Beitritt zum Militärischen Sicherheitsamt, insbesondere aber zur Internationalen Ruhrbehörde war problematisch und im Innern der jungen Republik höchst umstritten. Konnte man darin nicht auch eine erneute Einschränkung jener bescheidenen Handlungsfreiheit sehen, welche die Bundesrepublik mit ihrer Staatswerdung soeben erlangt hatte? Hinzu kam, daß Adenauer selbst das Ruhrstatut seinerzeit heftig attackiert hatte. Nunmehr, im November 1949, versuchte er den Beitritt damit zu begründen, daß das Petersberger Abkommen eben auch eine Reduktion der Demontagen vorsah. Tatsächlich handelte es sich bei dem Abkommen um eine Art Kompensationsgeschäft. Für die Westmächte und für Frankreich waren die Demontagen ja auch deshalb wichtig, weil durch sie einem raschen Wiederaufbau der deutschen Schwer- und damit auch Rüstungsindustrie vorgebeugt werden sollte. Die Londoner Beschlüsse, die den Weg zur Gründung eines westdeutschen Staates freigemacht hatten, waren in

Paris als Katastrophe empfunden und nur unter Zähneknirschen mitgetragen worden. Der Bonner Beitritt zum Sicherheitsamt, vor allem aber zur Ruhrbehörde, erleichterte das westliche und namentlich das französische Zugeständnis in der Demontagefrage.

Das Petersberger Abkommen bot erwartungsgemäß Zündstoff für heftige innenpolitische Kontroversen. Seine Unterzeichnung war Gegenstand der turbulenten Sitzung des Bundestages in der Nacht vom 24. auf den 25. November 1949, in welcher Schumacher Adenauer als «Bundeskanzler der Alliierten» bezeichnete und daraufhin für 20 Sitzungen von den Verhandlungen des Parlaments ausgeschlossen wurde.[6] Adenauer selbst bewertete das Ergebnis seiner Verhandlungen begreiflicherweise anders. Das galt erst recht für den nächsten Schritt, der zugleich der erste auf dem Weg zur Westintegration der Bundesrepublik sein sollte: den deutschen Beitritt zur sogenannten Montanunion. Ihre Gründung ging auf einen Plan zurück, der in wesentlichen Punkten von Jean Monnet, einem französischen Wirtschaftsexperten, entwickelt worden war, und dann vom französischen Außenminister Robert Schuman der Öffentlichkeit vorgestellt wurde. Schuman, ein gläubiger Katholik, war schon aufgrund seiner Biographie gleichsam Europäer par excellence. 1886 in Luxemburg geboren, lebte er in Elsaß-Lothringen und war folglich bis zur Rückgliederung dieser Gebiete an Frankreich erst deutscher, danach französischer Staatsbürger. Wenn jemand das Verhältnis zwischen Frankreich und Deutschland erlebt und auch durchlitten hatte, dann war es Robert Schuman.

Schon seine Erklärung vom 9. Mai 1950 ließ erkennen, daß es den Initiatoren um mehr ging als um ein reines Wirtschaftsabkommen: «Europa läßt sich nicht mit einem Schlage herstellen und auch nicht durch eine einfache Zusammenfassung: es wird durch konkrete Tatsachen entstehen, die zunächst eine Solidarität der Tat schaffen. Die Vereinigung der europäischen Nationen erfordert, daß der Jahrhunderte alte Gegensatz zwischen Frankreich und Deutschland ausgelöscht wird … Zu diesem Zweck schlägt die französische Regierung vor, in einem begrenzten, doch entscheidenden Punkt sofort zur Tat zu schreiten. Die französische Regierung schlägt vor, die Gesamtheit der französisch-deutschen Kohlen- und Stahlproduktion unter eine gemeinsame Oberste Aufsichtsbehörde (Haute Autorité) zu stellen, in einer Organisation, die den anderen europäischen Ländern zum Beitritt offen steht.»[7] Schuman sprach bewußt von einer «Vereinigung der europäischen Nationen». Man hat das später aus den Augen verloren, aber in ihren Ursprüngen war die Europa-Idee vor allem auch Ausdruck des Versuchs, den Nationalstaat in einem größeren Verbund zu erhalten und mithin zu retten. Charles de Gaulle sollte später vom «Europa der Vaterländer» sprechen.

Am 20. Juni 1950 begannen auf der Basis des Schuman-Vorschlages die Verhandlungen zwischen Frankreich, der Bundesrepublik, Italien und den drei Benelux-Staaten. Großbritannien, das durch die französische Initiative in Zugzwang geriet und wohl auch gebracht werden sollte, blieb den Gesprächen mit der Begründung fern, sich nicht vorzeitig auf Prämissen festlegen zu können, deren Auswirkungen auf die britische Politik nicht absehbar waren.[8] Aber natürlich spielte auch die Skepsis gegenüber dem Gedanken der Supranationalität eine unverkennbare Rolle. Am 18. April 1951 konnte dann der Vertrag über die «Europäische Gemeinschaft für Kohle und Stahl» (EGKS) unterzeichnet werden. Er war auf 50 Jahre angelegt und schrieb einen wirtschaftlichen Verbund der westeuropäischen Schwerindustrie mit supranationaler Lenkungsbehörde fest. Was auf den ersten Blick wie eine radikale Kehrtwendung der französischen Besatzungspolitik aussah, war eine Flucht nach vorn. Auch in Paris wußte man, daß die alliierte Deutschlandpolitik unter amerikanischer Führung auf ein wirtschaftliches Wiedererstarken des Nachbarn hinauslaufen mußte. Die Montanunion bot mithin aus französischer Sicht nicht nur wirtschaftliche Vorteile, beispielsweise für die auf den Rohstoffimport angewiesene französische Stahlindustrie, sondern auch die Möglichkeit zu einer zumindest indirekten Kontrolle der deutschen Schwerindustrie, vor allem auch der des Ruhrgebiets.

Für die Bundesrepublik lagen die Vorteile dieses Zusammenschlusses auf der Hand. War die Montanunion nicht auch ein Schritt auf dem Weg zur Gleichberechtigung und zugleich zur Integration der Bundesrepublik in die westliche Staatengemeinschaft? In der Konsequenz bedeutete der Bonner Beitritt die Auflösung der Ruhrbehörde: Das Ruhrstatut erlosch am 21. Dezember 1951. Auch der Weg in die Montanunion stieß im Innern, und insbesondere bei der Opposition im Bundestag, auf heftigen Widerstand. Die Kritik, die einmal mehr von Kurt Schumacher vorgetragen wurde, macht deutlich, wie sehr diese Politikergeneration noch in den traditionellen politischen Kategorien dachte: «Der Schumanplan ist die Fortsetzung der alten Politik französischer Herrschaftsansprüche mit europäischen Worten ... Alle Spezialpläne, wie Schumanplan ... usw., sind nur Versuche, eine kommende deutsche Gleichberechtigung dadurch zu verhindern, daß man möglichst viele Tatsachen der Ungleichheit schafft. Heute verwechselt die Bundesregierung Europa mit den eigensüchtigen Wünschen einzelner Alliierter. Die Sozialdemokratische Partei Deutschlands will Europa, ein starkes, lebenskräftiges Europa ... Nur so kann die Gefahr des Kommunismus überwunden werden.»[9]

Offenbar versuchte die SPD, die Regierung nicht nur in ihrem entschiedenen Antikommunismus, sondern auch in der Forderung nach europäischer Einigung und nach nationaler Geltung und Gleichberechtigung noch zu übertreffen, und gerade darin zeigt sich, wieweit diese Werte ein gemeinsames politisches Fundament aller maßgeblichen politischen Kräfte jener Tage bildeten. So erklärt sich schließlich auch der Streit, der über die Aufnahme der Bonner Republik in den Europarat entbrannte. Natürlich war an dem Beitritt zu diesem im Januar 1949 durch die Mitglieder

der «Westunion» gegründeten Gremium, der am 2. Mai 1951 erfolgte, nichts auszusetzen. Allerdings hatte Frankreich daran die Bedingung geknüpft, daß gleichzeitig das Saarland als assoziiertes Mitglied aufgenommen würde. Sicher bedeutete das vorderhand einen Rückschlag für den von der Bundesregierung eingeschlagenen Kurs; grundlegend zu ändern oder gar aufzuhalten vermochte er die Entwicklung aber nicht. Vielmehr gewann der Integrationsprozeß noch an Tempo und Intensität. Der Anstoß dafür, daß die Westintegration der Bundesrepublik nunmehr auch auf den militärischen Bereich ausgedehnt wurde, kam einmal mehr von außen.

Am 25. Juni 1950 überfielen Truppen des kommunistisch geführten Nordkorea den südlichen Teil des Landes, der inzwischen ebenso von den amerikanischen Besatzungstruppen geräumt worden war wie zuvor der Norden von der Roten Armee. Damit sahen sich beide Vormächte vor die Frage gestellt, wie sie reagieren sollten. Die Antwort fiel sowohl Washington als auch Moskau nicht leicht. In einer besonders unangenehmen Situation befanden sich die Amerikaner. Das hatte mit ihrem Verhalten im chinesischen Bürgerkrieg zu tun, der seit 1945 geschwelt hatte und im Juni 1946 offen ausgebrochen war. Zwar wurden die von dem Generalissimus Chiang Kai-shek geführten nationalchinesischen Verbände bis zu ihrer endgültigen Niederlage durch amerikanische Rüstungslieferungen und andere Maßnahmen unterstützt, direkt eingreifen in den Konflikt wollten die USA aber nicht. Nachdem Mao Tse-tung am 1. Oktober 1949 die Gründung der Volksrepublik China proklamiert hatte, verließ der unterlegene Chiang Kai-shek im Dezember das Festland und wich nach Taiwan aus. Mit ihm machten sich der Staatsschatz sowie etwa anderthalb Millionen Getreue, darunter ein Großteil der Beamtenschaft, der Streitkräfte sowie des 1948 gewählten gesamtchinesischen Parlaments, auf die kurze Reise.

Auch in Washington war klar, daß mit dieser Notlösung das Problem schon deshalb nicht aus der Welt war, weil beide, die Volksrepublik China wie die im taiwanesischen Exil residierende Republik China, gleichermaßen davon ausgingen, daß es nur «Ein China» gebe, von dem sowohl Peking als auch Taipeh behaupteten, es zu repräsentieren. Zwar hatte der amerikanische Außenminister Dean Acheson am 10. Januar 1950 in einer geschlossenen Sitzung des außenpolitischen Senatsausschusses indirekt erklärt, weder Taiwan noch Korea lägen innerhalb des unmittelbaren amerikanischen Verteidigungs-Perimeters,[10] und damit einen Entschluß des Nationalen Sicherheitsrates vom Dezember des voraufgegangenen Jahres bestätigt, der den Einsatz amerikanischer Truppen zur Verteidigung Taiwans ausschloß. Das war eine «Doktrin», deren Formulierung Acheson schon bald bereuen sollte. Dennoch konnte man sich am Potomac nicht der Erkenntnis verschließen, daß es ein Fehler gewesen war, den chinesischen Kommunisten das Festland und damit dem Kommunismus insgesamt eine strategisch wichtige Region zu überlassen. Wohl auch deshalb hatte Acheson am 30. Juli 1949 anläßlich der Übergabe des «China-Weißbuches» an Präsident Truman geschrieben, daß ein aggressives Vorgehen des «kommunistischen Regimes» in China gegen seine Nachbarn die USA mit einer Situation konfrontieren werde, die eine Bedrohung des «internationalen Friedens und der Sicherheit» bedeute.[11] Eben diese Situation war mit dem nordkoreanischen Überfall auf Südkorea gegeben.

Der Ausbruch des Krieges war ein Schock für die westliche Welt. Nur drei Tage nach Eröffnung der Kampfhandlungen drangen nordkoreanische Einheiten in die Hauptstadt des Südens, Seoul, ein. Die USA reagierten umgehend, und man legte die zitierte «Acheson-Doktrin» gleichsam über Nacht zu den Akten. Militärische Initiativen, die nun hastig anliefen, wurden von diplomatischen flankiert: Am 7. Juli 1950 genehmigte der Sicherheitsrat der Vereinten Nationen, wie schon zuvor am 25. und 27. Juni, Sanktionsmaßnahmen gegen Nordkorea und richtete jetzt zudem ein Gemeinsames Oberkommando unter Führung der Vereinigten Staaten ein, die ausdrücklich auch zur Ernennung eines Oberbefehlshabers aufgefordert wurden.[12] Das Ergebnis war der erste und bis zum Krieg gegen den Irak vom Januar 1991 zugleich letzte Krieg, der mit Ermächtigung der Vereinten Nationen geführt worden ist. Neben den USA und Südkorea beteiligten sich Großbritannien, Frankreich, die Niederlande, Belgien, Luxemburg, Kanada, Australien, Neuseeland, Griechenland, die Türkei, die Philippinen, Thailand, Kolumbien, Äthiopien und Südafrika an den Kampfhandlungen. Angesichts der gegebenen Machtverhältnisse war klar, daß sie im wesentlichen durch amerikanische Einheiten geführt werden würden.

Westlichen Beobachtern galt als ausgemacht, daß die Sowjetunion und China hinter dem Überfall Nordkoreas standen, wenn man auch in Washington geraume Zeit nicht ernsthaft mit einem militärischen Eingreifen der Volksrepublik rechnete. Im Herbst 1950 änderte sich das. Nachdem amerikanische und verbündete Truppen am 7. Oktober den 38. Breitengrad, also die Demarkationslinie, überschritten, am 19. Oktober die nordkoreanische Hauptstadt Pjöngjang eingenommen und schließlich sogar an einem Punkt den koreanisch-chinesischen Grenzfluß erreicht hatten, gingen am 26. November fast eine Viertelmillion Chinesen, denen nahezu unbemerkt die Überquerung des Jalu gelungen war, zum Gegenangriff über. Schließlich kämpften etwa 700 000 Soldaten der Volksrepublik, offiziell als «Freiwillige», auf Seiten Nordkoreas. Bereits am 5. Dezember war Pjöngjang zurückerobert, und am 4. Januar 1951 nahmen chinesische und nordkoreanische Einheiten erneut Seoul ein.

Die chinesische Führung muß für den Kriegseintritt gute Gründe gehabt haben. Immerhin war das Land nach fast 30 Jahren Krieg und Bürgerkrieg völlig erschöpft. Aber das amerikanische Eingreifen ließ bei den geschichtsbewußten chinesischen Kommunisten die Alarmglocken läuten.

Am 24. Oktober 1950, als in Peking der Entschluß zum Krieg gegen die Vereinigten Staaten fiel, brachte Tschou En-lai, Ministerpräsident und Außenminister der Volksrepublik China, vor dem «Ständigen Ausschuß der Politischen Konsultativkonferenz des Chinesischen Volkes» das Problem auf den Punkt: «China und Korea sind füreinander wie Lippen und Zähne: Wenn man der Lippen beraubt ist, frieren die Zähne ... Die Hälfte von Chinas Schwerindustrie befindet sich in der Mandschurei ... Um China zu schlucken, muß man zuerst die Mandschurei erobern, und um die Mandschurei zu erobern, muß man zuerst Korea erobern.»[13] Das war zwar ein Mißverständnis der amerikanischen Absichten, aber es bestimmte die chinesische Korea-Politik.

Bis zum Ende des Kalten Krieges konnte nicht mit letzter Sicherheit gesagt werden, ob der Angriff des Nordens mit Wissen oder gar auf Initiative Stalins erfolgte, oder ob es sich dabei um einen Alleingang Nordkoreas handelte, das versuchte, den amerikanischen Abzug zu seinen Gunsten zu nutzen, und sicher mit sowjetischer und chinesischer Unterstützung rechnete. Tatsächlich ging der Krieg auf nordkoreanische Initiative mit sowjetischer Billigung zurück, ohne die er wohl kaum begonnen worden wäre. Allerdings hat Stalin seine Zustimmung zur Kriegführung und seine Zusage, diese mit Waffenlieferungen zu unterstützen, nur zögernd erteilt. Dabei ging er davon aus, daß die Vereinigten Staaten nicht intervenieren und die Kampfhandlungen in kürzester Zeit abgeschlossen sein würden.[14]

Ein direktes Eingreifen der Sowjetunion stand angesichts der absehbaren Folgen nicht zur Debatte. Hingegen betrachtete Stalin offenbar eine chinesische Intervention als notwendig, wenn es darum ging, eine Niederlage Nordkoreas zu verhindern. Möglicherweise hat er sogar Mao zu diesem Schritt gedrängt; doch das war ein zweischneidiges Schwert: Gewiß, das chinesische Eingreifen stand im Dienst der kommunistischen Sache. Aber war das noch eine gemeinsame? Zwar hatte die pragmatische Annäherung, welche die Volksrepublik schon während des Bürgerkrieges an den großen Nachbarn gesucht hatte, am 14. Februar 1950 im sowjetisch-chinesischen Bündnisvertrag, dem sogenannten Stalin-Mao-Vertrag, einen vorläufigen, konsequenten Abschluß gefunden. Dennoch war nicht zu übersehen, daß das Verhältnis zwischen den chinesischen und den sowjetischen Kommunisten seit den zwanziger Jahren von tiefem Mißtrauen geprägt war. In Peking war eben nicht vergessen, daß Stalin die chinesischen Kommunisten zunächst zu einer «Einheitsfront» mit den Nationalchinesen unter Chiang Kai-shek gedrängt hatte und dann 1927 tatenlos ihrer blutigen Ausschaltung durch diese zusah. Öffentlich war 1949/50 von diesen Belastungen natürlich keine Rede, mußte Moskau Peking sogar unterstützen. So kam es, daß der sowjetische Vertreter bei der entscheidenden Abstimmung über die Reaktion auf den nordkoreanischen Überfall im Sicherheitsrat der Vereinten Nationen nicht anwesend war, weil der

Kreml dieses Gremium schon seit Januar aus Protest gegen die Nichtaufnahme der Volksrepublik China boykottierte. Diesen Fehler haben die Sowjets übrigens nicht noch einmal gemacht, im Gegenteil: Das Veto wurde danach zu einem ausgesprochenen Lieblingsinstrument der sowjetischen UN-Politik. In den kommenden 20 Jahren sollte Moskau mehr als 100 Mal die Entscheidungen des Sicherheitsrates durch sein Veto blokkieren.

Der Waffenstillstand, der am 27. Juli 1953 unterzeichnet wurde und über das Ende des Kalten Krieges hinaus die Basis der Beziehungen zwischen Nord- und Südkorea geblieben ist, schrieb praktisch den Status quo ante fest. Die Verluste des Krieges waren außerordentlich hoch: Insgesamt dürften weit über zwei Millionen koreanischer Zivilisten ums Leben gekommen sein. Die Zahl der gefallenen, verwundeten und vermißten südkoreanischen Soldaten belief sich auf 257 000, die der Amerikaner auf 157 530 und die der übrigen auf Seiten der UN kämpfenden Einheiten auf 14 000 Mann. Noch höher lagen die Verluste bei den nordkoreanischen und chinesischen Streitkräften. Sie werden auf etwa anderthalb Millionen Soldaten geschätzt. Überdies warf die amerikanische Luftwaffe über nordkoreanischen Städten mehr Bomben ab als während des Pazifik-Krieges, darunter 32 557 Tonnen Napalm.[15]

Das Eingreifen Rot-Chinas, die Absicht des dann freilich seines Postens enthobenen Oberkommandierenden, General Douglas MacArthur, die Kampfhandlungen auf die Mandschurei auszudehnen,[16] und vor allem die Diskussion über den Einsatz der Atomwaffe,[17] führten bereits in dieser ersten und dann auch einzigen militärisch ausgetragenen Ost-West-Konfrontation des Kalten Krieges allen Beteiligten drastisch vor Augen, wie schnell Konflikte eskalieren und welche Dimensionen und Formen sie annehmen konnten. Seine Auswirkungen waren dann auch beträchtlich. Genau genommen hat der Aufbau der Bundeswehr seine Wurzeln in Ostasien. Der Korea-Krieg zementierte die Blockbildung in Europa, er förderte die Durchsetzung der westlichen Militärorganisation, und er besiegelte die Westintegration der Bundesrepublik durch Erweiterung um die militärische Komponente. In der westlichen Welt nämlich hatte kaum jemand einen Zweifel, daß der Angriff Nordkoreas nicht nur zumindest mit Zustimmung Stalins erfolgt sei, sondern daß sich Vergleichbares in Europa wiederholen könne. Vor diesem Hintergrund und angesichts der Tatsache, daß es inzwischen in der DDR eine «Volkspolizei» mit etwa 60 000 Mann, also – zusammen mit den sogenannten Betriebskampfgruppen – paramilitärische Streitkräfte gab, gewann die 1949/50 im Westen geführte Diskussion über einen eventuellen westdeutschen Verteidigungsbeitrag unüberhörbar an Intensität.

Schon vor dem Korea-Krieg hatte man in Großbritannien und in den USA vereinzelte Stimmen vernommen, die auf eine Beteiligung der Bundesrepublik an den Verteidigungslasten und -kosten drängten; seit Anfang

Juni 1950 gab es Gespräche zwischen der Bundesregierung und den Hohen Kommissaren über Sicherheitsfragen, die den Aufbau deutscher Freiwilligeneinheiten einschlossen. Der erste große öffentliche Vorstoß in diese Richtung war eine unmittelbare Reaktion auf die Vorgänge in Korea. Am 11. August 1950 regte Winston Churchill vor dem Europarat in Straßburg die Aufstellung einer Europa-Armee unter Einschluß deutscher Kontingente an. Die Beratende Versammlung des Rates faßte dann auch einen entsprechenden Beschluß. In eine ähnliche Richtung ging das Kommuniqué der Außenminister Großbritanniens, Frankreichs und der USA, das nach ihrem Treffen sowie einer anschließenden Tagung des NATO-Rats in New York am 19. September veröffentlicht wurde. Darin hieß es eher vage, ein deutscher Verteidigungsbeitrag sei Gegenstand der Erörterungen gewesen. Dieser Formelkompromiß hatte seinen Grund in der Haltung Frankreichs, für das der Gedanke einer deutschen Wiederaufrüstung nur fünf Jahre nach Beendigung des Zweiten Weltkrieges einem Alptraum gleichkommen mußte. Im übrigen enthielt das Kommuniqué ein für die Bundesrepublik wichtiges Bekenntnis: die Westmächte würden «jeden Angriff gegen die Bundesrepublik oder Berlin, gleichgültig von welcher Seite er ausgeht», so behandeln, «als wäre es ein Angriff gegen sie selbst».[18]

Tatsächlich bot die Frage einer deutschen Beteiligung an der Verteidigung des Westens für Adenauer, der hier weitgehend im Alleingang operierte, über die Erhöhung der Sicherheit hinausweisende Vorteile. Der Mann aus Rhöndorf war überzeugt, daß diese Entwicklung nicht nur zu einer Beschleunigung der Westintegration, sondern auch zu Fortschritten in der Gleichberechtigungsfrage führen könne. Für ihn gingen die Wiederbewaffnung Deutschlands und die Revision bzw. die Ablösung des Besatzungsstatuts Hand in Hand. Schon am 3. Dezember 1949, also noch vor dem «Korea-Schock», hatte er in einem Interview mit der amerikanischen Zeitung «Cleveland Plain Dealer» zwar eine «deutsche Wiederaufrüstung» ausdrücklich abgelehnt, aber zugleich für den «äußersten Fall» seine Bereitschaft zu erkennen gegeben, «die Frage eines deutschen Kontingentes im Rahmen der Armee einer europäischen Föderation zu überlegen».[19] Am 17. August 1950 signalisierte der Kanzler dann in einem Gespräch mit den Hohen Kommissaren seine grundsätzliche Zustimmung zu Churchills Plan einer Europa-Armee. In diesem Rahmen hielt er es für denkbar, «eine deutsche Verteidigungsmacht ... in Form von freiwilligen Formationen bis zu einer Gesamtstärke von 150 000 Mann» aufzustellen.[20] Knapp zwei Wochen später, am 29. August, präzisierte Adenauer seine Angebote – und seine Forderungen – in zwei Memoranden für den Vorsitzenden der Hohen Alliierten Kommission, John McCloy. Von dieser folgenreichen Initiative waren weder seine eigene Partei, noch das Kabinett, noch gar das Parlament unterrichtet.

Das erste Dokument brachte «eindeutig zum Ausdruck», daß der Bundeskanzler «eine Remilitarisierung Deutschlands durch Aufstellung einer eigenen nationalen militärischen Macht» ablehnte.[21] Damit waren alle anderen Möglichkeiten einer Wiederbewaffnung, etwa durch Beteiligung an einer Europa-Armee, offengelassen. Im zweiten Memorandum ging es um die Frage der Neuordnung der Beziehungen der Bundesrepublik zu den Besatzungsmächten. Es ließ mithin erkennen, daß mit dem deutschen Angebot einer Beteiligung an der Verteidigung auch Hoffnungen, Erwartungen, ja Ansprüche verbunden waren: «Wenn die deutsche Bevölkerung die Pflichten erfüllen soll, die ihr im Rahmen der europäischen Gemeinschaft aus der gegenwärtigen Lage und ihren besonderen Gefahren erwachsen, muß sie innerlich hierzu instand versetzt werden ... Wenn der deutsche Mensch Opfer jeder Art bringen soll, so muß ihm wie allen anderen westeuropäischen Völkern der Weg zur Freiheit offen sein ... Die Bundesregierung hält es daher für notwendig, daß die Beziehungen Deutschlands zu den Besatzungsmächten auf neue Grundlagen gestellt werden.»[22] Daß sich gegen die lauter werdende Forderung nach einem deutschen Verteidigungsbeitrag zahlreiche Stimmen im In- und Ausland erhoben, war unvermeidlich. In der Bundesrepublik ging der Widerstand, abgesehen von der KPD, nicht nur von der Sozialdemokratie aus, sondern auch von großen Teilen der Bevölkerung und der evangelischen Kirche, allen voran vom Präses ihrer Synode, Gustav Heinemann, der damals Innenminister im ersten Kabinett Adenauer war und über diese Frage im Oktober 1950 seinen Rücktritt einreichte.

Die Haltung der vier alliierten Sieger des Zweiten Weltkrieges zu der sich abzeichnenden Militarisierung Westdeutschlands war höchst unterschiedlich. Sie reichte von strikter Ablehnung, wie im Falle der Sowjetunion, über tiefe Skepsis, die naturgemäß in Frankreich weit verbreitet war, bis hin zu Erwartungen, die an eine Revision des Besatzungsstatuts geknüpft wurden. Die drei Westmächte, vor allem die Vereinigten Staaten, machten eine solche Revision von der Bereitschaft der Bundesregierung abhängig, für die deutschen Auslandsschulden einzustehen, und zwar sowohl für die der Nachkriegs- als auch für die der Zwischenkriegszeit. Gemeint waren in erster Linie jene Kredite, welche die Amerikaner im Zuge des Dawes- und des Young-Plans dem Deutschen Reich gewährt hatten, um dieses wirtschaftlich instandzusetzen, seinen Reparationsverpflichtungen nachzukommen. Anfang der fünfziger Jahre ging es den Amerikanern dabei offenkundig weniger um das Geld selbst als vielmehr ums Prinzip. Die von ihnen ins Auge gefaßte neue Weltwirtschaftsordnung setzte unter anderem die Bereitschaft aller Industriestaaten voraus, ihre Schulden zu zahlen. Für die Bundesregierung hatte diese Lösung der Schuldenfrage zumindest einen Vorteil: «Sie hat mit voller Zustimmung der Opposition den Standpunkt proklamiert, *daß die Bundesrepublik mit dem Deutschen Reich identisch ist.* Sie hat also auch die Haftung für solche öffentlichen Schulden übernommen, die auf die abgetretenen Gebiete oder die Ostzone entfallen und damit ein weiteres Bekenntnis zur Einheit

Deutschlands ausgedrückt, für das sie nun auch in ihren finanziellen Verpflichtungen geradesteht.»[23]

Nachdem sich die Bundesrepublik anläßlich der Revision des Besatzungsstatuts, von der noch zu reden sein wird, am 6. März 1951 grundsätzlich zur Übernahme der Auslandsschulden bereiterklärt hatte, begannen im Februar 1952 die Verhandlungen in London, die deutscherseits unter der Leitung des Bankiers Hermann Josef Abs geführt wurden. Es dauerte immerhin ein Jahr, bis am 27. Februar 1953 das sogenannte Londoner Schuldenabkommen von der Bundesrepublik und 18 weiteren Staaten unterzeichnet werden konnte. Darin erklärte sich Bonn zur Rückzahlung von sechs Milliarden D-Mark für Vor- und sieben Milliarden für Nachkriegsschulden bereit. Das war zweifellos eine bedeutende, aber gemessen an den ursprünglichen Forderungen noch moderate Summe. Das Abkommen wurde ja unterzeichnet, ehe sich das «Wirtschaftswunder» einstellte und noch bevor es die Außenhandelsüberschüsse und die enorme Zahlungsfähigkeit der Bundesrepublik gab. Insgesamt bot das Abkommen für den jungen Teilstaat sogar eine Reihe von Vorteilen. Es führte zu einem steilen Anstieg ausländischer Kapitalanlagen in der Bundesrepublik, die ihrerseits wiederum den wirtschaftlichen Aufschwung des Landes beförderten, und es setzte alle eventuell noch anstehenden Reparationszahlungen sowie anfallende Zinsverpflichtungen aus den Anleihen der Zwischenkriegszeit bis zum Abschluß eines Friedensvertrages aus. Mit dem Tag der (Wieder-)Vereinigung lebten folglich am 3. Oktober 1990 die Zinsverpflichtungen wieder auf.

Das Abkommen hatte gewichtige, aber keineswegs alle Bedenken gegen die Revision oder gar Kündigung des Besatzungsstatuts und gegen einen deutschen Verteidigungsbeitrag ausgeräumt, der ja durch Adenauer aufs engste mit der Forderung nach dessen Revision verknüpft worden war. Der französische Widerstand konnte eigentlich keinen überraschen, der in Rechnung stellte, daß Deutschland nur etwa zehn Jahre zuvor die größte Katastrophe der neueren europäischen Geschichte ausgelöst hatte. Angesichts des wachsenden englischen und insbesondere amerikanischen Drucks, angesichts auch der erheblichen Abhängigkeit Frankreichs von den Vereinigten Staaten in nahezu jeder Hinsicht, hatte Paris keine Wahl, als noch einmal die Flucht nach vorn anzutreten.

Am 24. Oktober 1950 gab der französische Ministerpräsident René Pleven vor dem französischen Parlament eine Erklärung ab, in der es unter anderem hieß: «Die Aufstellung deutscher Divisionen, die Einrichtung eines deutschen Verteidigungsministeriums würden früher oder später in verhängnisvoller Weise zur Wiederherstellung einer nationalen Armee führen und dadurch zum Wiedererwachen des deutschen Militarismus.» Um das zu vermeiden, schlug er «für eine gemeinsame Verteidigung die Schaffung einer europäischen Armee vor, die mit den politischen Institutionen des geeinten Europas verbunden» sein und, «soweit dies irgend möglich ist, eine vollständige Verschmelzung der Mannschaften und der Ausrüstung herbeiführen» sollte.[24] Damit war die Absicht der französischen Regierung eindeutig benannt. Ihr Vorstoß war zugleich der Versuch, das aus ihrer Sicht größere Übel zu verhindern, nämlich die Aufstellung einer unabhängigen westdeutschen Armee, die innerhalb der NATO die Rolle eines im wesentlichen gleichberechtigten Partners hätte spielen können. Ihr Vorschlag zielte dagegen auf eine zumindest indirekte Kontrolle der deutschen Wiederaufrüstung durch Frankreich. Überdies mußte der Plan, der von einer vollständigen Verschmelzung der Mannschaften und der Ausrüstung ausging, die deutsche Wiederbewaffnung erheblich verlangsamen.

Die Geschichte dieser «Armee des geeinten Europas» ist die Geschichte ihres vierjährigen Scheiterns, und sie gehört zu den unerfreulichsten Kapiteln der europäischen Einigungsbestrebungen überhaupt. Die Gründe für dieses Desaster lassen sich heute mehr oder weniger eindeutig erkennen. Zu ihnen zählen die bleibenden Bedenken und Vorbehalte in Frankreich selbst, das Abseitsstehen Großbritanniens und das ungeklärte Verhältnis der Europa-Armee zur NATO. Unübersehbar haftete dem Unternehmen von Anfang an der Charakter eines wenig glücklichen Kompromisses an. Das wurde bereits am 18. Dezember 1950 deutlich, als der NATO-Rat in Brüssel dem sogenannten Spofford-Plan zustimmte, der nach dem amerikanischen Vertreter im NATO-Stellvertreter-Rat benannt war. Danach sollten sich parallele Verhandlungen über einen deutschen Beitrag sowohl zur Europa-Armee als auch zur NATO nicht ausschließen. Tatsächlich begannen am 9. Januar 1951 zunächst die Verhandlungen über einen möglichen NATO-Beitritt der Bundesrepublik auf dem Petersberg. Sie wurden seitens der Alliierten durch die Hohen Kommissare und auf seiten der Bundesrepublik durch die sogenannte Dienststelle Blank, die Vorläuferin des späteren Verteidigungsministeriums, geführt. Nur ein halbes Jahr später, Mitte Juni 1951, mußten sie wegen des anhaltenden französischen Widerstandes endgültig als gescheitert gelten.

Adenauer, aber etwa auch Dwight D. Eisenhower, zu diesem Zeitpunkt Oberbefehlshaber der NATO-Streitkräfte in Europa, setzten jetzt ganz auf die europäische Alternative. Insgesamt war das Verhältnis amerikanischer Politiker und Militärs zu den Bemühungen um eine europäische Integration wenig einheitlich. Für das Unternehmen sprach anfänglich der verbreitete Widerstand vieler Amerikaner gegen ein intensives und vor allem gegen ein dauerhaftes Engagement ihres Landes in Europa. Im Laufe der Zeit wurde ein geeintes Europa aber für Washington auch deshalb zu einem förderungswürdigen Unternehmen, weil es den Westen gegen die sowjetische Herausforderung stärkte, die Bundesrepublik von Alleingängen abhielt und überdies als Handelspartner eine interessante Größenordnung besaß. In der zweiten Hälfte der fünfziger Jahre erschien die Einigung Europas führenden Repräsentanten der amerikanischen Administration «gleichsam als eine politische Superwaffe im Kalten Krieg».[25]

Am 15. Februar 1951 begann in Paris die «Conférence pour l'Organisation de l'Armée Européenne». Teilnehmer waren neben Frankreich und Deutschland die Benelux-Staaten sowie Italien. England blieb auch diesem Unternehmen von Anfang an fern. Seit Oktober setzte sich dann die Sprachregelung «La Comunautée Européenne de Défense» durch. Die Verhandlungen über diese «Europäische Verteidigungsgemeinschaft» (EVG) gestalteten sich außerordentlich kompliziert und langwierig. Nachdem die NATO-Konferenz in Lissabon im Februar 1952 ausdrücklich die Vereinbarkeit von EVG und NATO betont und überdies Großbritannien und die USA noch zusätzliche Sicherheitsgarantien in Aussicht gestellt hatten, konnte der EVG-Vertrag am 27. Mai 1952 nach mehr als zweijährigen Verhandlungen in Paris unterzeichnet werden.

Einen Tag zuvor, am 26. Mai 1952, war es in Bonn zur Unterzeichnung des «Vertrages über die Beziehungen zwischen der Bundesrepublik Deutschland und den Drei Mächten» gekommen. So lautete der offizielle Titel des Dokuments, das nach einer Wortschöpfung des Staatssekretärs im Bundeskanzleramt, Otto Lenz, allerdings unter dem populäreren Titel «Deutschland-Vertrag» firmierte.[26] Die Unterzeichnung beider Vertragswerke, des EVG-Vertrages einerseits und des sogenannten General- oder auch Deutschland-Vertrages andererseits, hing aufs engste zusammen. Denn letzterer enthielt jene Revision des Besatzungsstatuts, die Adenauer im Gegenzug gegen den deutschen Verteidigungsbeitrag eingefordert hatte.

Schon während der Verhandlungen über die EVG konnte man ein entsprechendes Entgegenkommen der Besatzungsmächte erkennen. So kam es am 6. März 1951 zur ersten Revision des Statuts: Im Gegenzug zur formellen Anerkennung der deutschen Auslandsschulden ließen die Alliierten die Zügel des Besatzungsregimes etwas lockerer und gestatteten der Bundesrepublik mehr außenpolitische Handlungsfreiheit. Die Bundesregierung fackelte nicht lange. Mit der Wiedereinrichtung des Auswärtigen Amtes am 15. März 1951 wurde der neue Spielraum zielstrebig genutzt. Der erste Außenminister der Bundesrepublik war niemand anders als Konrad Adenauer selbst, der das Amt dann auch bis zur Erlangung der – fast vollständigen – Souveränität im Mai 1955 für sich beanspruchen sollte.

Natürlich waren die außenpolitischen Möglichkeiten der Bundesrepublik auch nach der Einrichtung des Auswärtigen Amtes ziemlich begrenzt. Noch durfte man zum Beispiel keine diplomatischen Beziehungen aufnehmen. Dennoch lassen sich schon für diese Vor- und Frühphase neuer deutscher Außenpolitik einige Schwerpunkte identifizieren. Das gilt vor allem für das Bemühen Bonns, die Kontakte zur außereuropäischen Welt wiederaufzunehmen. Der Bundesrepublik kam dabei zugute, daß Deutschland aufgrund der Bestimmungen des Versailler Vertrages vom 28. Juni 1919 alle Kolonien hatte aufgeben müssen. Da diese fortan als Mandatsgebiete

des Völkerbundes von anderen Mächten verwaltet wurden, fungierte das
Reich nirgends als letzte Kolonialmacht. Deutschland war folglich auch
nicht mit den Auswirkungen der Dekolonisierung und Befreiung konfrontiert, die nach 1945 viele Staaten Europas vor gewaltige Probleme
stellten. Vielmehr wurde den Deutschen in der Dritten Welt sogar zugute
gehalten, daß ihre Kriegführung indirekt zur Destabilisierung der Kolonialreiche Englands und Frankreichs beigetragen hatte. Überdies wuchs
die Attraktivität der jungen Bundesrepublik in der außereuropäischen Welt
in dem Maße, in dem der deutsche Wiederaufbau an Tempo und Solidität
gewann und sich das deutsche «Wirtschaftswunder» abzuzeichnen begann.
Schließlich war nicht zu übersehen, wenn das auch in der Bundesrepublik
nicht laut gesagt wurde, daß die rheinische Republik vielerorts deshalb
auf Sympathie stieß, weil sie eben auch als Nachfolgestaat jenes «Dritten
Reiches» galt, das in vielen Ländern der Dritten Welt ein nicht unbe-
trächtliches Ansehen genossen hatte. Denn aus deren Sicht hatten die
Deutschen ja auch einen Kampf gegen die verhaßten Kolonialherren geführt.

Bemerkenswert gut ließen sich zunächst die Kontakte zu den Staaten
des Nahen und Mittleren Ostens an. Bereits seit 1952, also unmittelbar
nach Wiedereinrichtung des Auswärtigen Amtes, wurde mit Ägypten, Libanon, Syrien, Irak und Jordanien über die Aufnahme diplomatischer Beziehungen verhandelt. Gerade hier konnte Deutschland an eine weitgehend ungebrochene Tradition anknüpfen. Das deutsche Engagement, das
in der Zeit des Kaiserreichs einen Höhepunkt erreicht und im Bau der
berühmten Bagdadbahn seinen sichtbaren Niederschlag gefunden hatte,
war in guter Erinnerung. Ähnlich wie die wichtigsten deutschen Handelspartner in «Lateinamerika» fühlten sich viele «Partner im Mittleren
Osten ... mit Deutschland kulturell und auch politisch meist verbunden».
Im «Mittelpunkt des deutschen Nah- und Mittelostgeschäftes» stand
Ägypten. 1952 ging die Abteilung Außenhandel des Bundeswirtschafts-
ministeriums davon aus, daß für etwa 60% des geplanten gewaltigen As-
suan-Staudamm-Projektes «deutsche Lieferungen in Frage kommen»
könnten.[27]

Allerdings sollte sich der Nahe Osten in der Zeit des Kalten Krieges
zu einem der explosivsten Krisengebiete der Erde überhaupt entwickeln,
und auch das war in gewisser Weise eine Spätfolge der deutschen Politik.
Denn ohne die systematische Verfolgung und Ermordung des europäischen Judentums, ohne die fast sechs Millionen Opfer, die der deutsche
Vernichtungswahn gefordert hatte, wäre es wohl kaum zur Gründung
eines unabhängigen Staates Israel in Palästina gekommen, auf den die
zionistische Bewegung schon seit dem 19. Jahrhundert gehofft hatte. Der
souveräne Staat Israel, der am 14. Mai 1948 von David Ben Gurion gegründet wurde, sollte den Überlebenden des Holocaust eine neue, ange-
fochtene und doch unanfechtbare Heimat geben.

Die Beziehungen beider deutscher Teilstaaten zu Israel mußten besonderer Natur sein. Bis in die Dämmerstunden des Kalten Krieges, bis zu einer anderslautenden Entscheidung der Volkskammer vom 12. April 1990, lehnte die DDR die Übernahme jedweder historischen Verantwortung für das ab, was vor 1945 in deutschem Namen geschehen war, da sie sich eben nicht als Nachfolgerin des Deutschen Reiches begriff. Dagegen hat sich die Bundesrepublik frühzeitig und eindeutig zur Schuld Deutschlands bekannt: Seit März 1952 wurde in Den Haag über ein sogenanntes Wiedergutmachungsabkommen verhandelt. Am 10. September 1952 konnte es von Adenauer und dem israelischen Außenminister Moses Scharett in Luxemburg unterzeichnet werden. Darin verpflichtete sich die Bundesrepublik, innerhalb von zwölf Jahren drei Milliarden D-Mark an den Staat Israel zu zahlen und auf diese Weise unter anderem die Eingliederung von 500 000 jüdischen Flüchtlingen zu unterstützen. Das war ein erster Schritt auf dem langen und dornigen Weg einer mühsamen Annäherung zwischen Israel und der Bundesrepublik. Diplomatische Beziehungen wurden erst 1965 aufgenommen, und natürlich konnte auch dieser Schritt noch nicht das Ende des Weges bedeuten.

Die Gründung des Staates Israel und die jüdische Einwanderung hatten fast zwangsläufig den Konflikt zwischen den Neuankömmlingen und den arabischen Staaten der Region zur Folge. Indem die Bundesrepublik sich zu den Wiedergutmachungszahlungen bereiterklärte und damit den Aufbau und die Konsolidierung Israels förderte, nahm sie eine vorübergehende Verschlechterung der Beziehungen zu den übrigen Staaten des Nahen Ostens in Kauf. Das Luxemburger Abkommen verlangsamte die 1952 begonnenen Verhandlungen über die Aufnahme diplomatischer Beziehungen. Zwar konnten diese im Oktober 1952 mit Ägypten und ein Jahr darauf mit dem Irak auf Botschafterebene hergestellt werden, Jordanien und Syrien waren indessen erst 1956 bzw. 1961 zur Eröffnung einer Botschaft in der Bundesrepublik bereit. Insgesamt aber bestätigten auch diese verspäteten Einrichtungen fremder Missionen in Bonn den allgemeinen Trend recht guter Beziehungen zwischen der Bundesrepublik und vielen Staaten der Dritten Welt. Nicht von ungefähr kamen die ersten Staatsbesucher, beginnend mit Kaiser Haile Selassie I. von Äthiopien, aus solchen Ländern.

Die Grundlage dieser Entwicklung war durch die besagte Revision des Besatzungsstatuts im März 1951 geschaffen worden. Sie bildete einen ersten Schritt hin zu jenem General- bzw. Deutschland-Vertrag, von dem das Statut endgültig abgelöst werden sollte. Eine aus Bonner Sicht wichtige Etappe auf diesem Weg war die Aufhebung des Kriegszustandes durch die drei Westmächte. Nachdem Großbritannien diesen Schritt am 9. Juli 1951 getan hatte, folgten Frankreich und die USA am 13. Juli bzw. am 24. Oktober. Damit hatten insgesamt 46 Staaten den Kriegszustand aufgehoben.[28] Der schließlich am 26. Mai 1952 unterzeichnete Deutschland-Vertrag wurde ausdrücklich «auf der Grundlage der Gleichberechtigung» abgeschlossen. Er gestand der Bundesrepublik die «volle Macht» über ihre inneren und äußeren Angelegenheiten zu, allerdings «vorbehaltlich der Bestimmungen dieses Vertrages».[29] Diese wiederum bezogen sich insbesondere auf die Rechte der Westmächte in bezug auf Deutschland als Ganzes und auf Berlin. Schließlich enthielt Artikel 7.3 eine Bestimmung, die, wäre der Vertrag in dieser Form in Kraft getreten, erhebliche Folgen für die weitere Entwicklung Deutschlands hätte haben können: «Im Falle der Wiedervereinigung Deutschlands ... werden die drei Mächte die Rechte, welche der Bundesrepublik auf Grund dieses Vertrages und der Zusatzverträge zustehen, auf ein wiedervereinigtes Deutschland erstrecken und werden ihrerseits darin einwilligen, daß die Rechte auf Grund der Verträge über die Bildung einer integrierten europäischen Gemeinschaft in gleicher Weise erstreckt werden, wenn ein wiedervereinigtes Deutschland die Verpflichtungen der Bundesrepublik gegenüber den drei Mächten oder einer von ihnen auf Grund der genannten Verträge übernimmt.»[30]

Diese sogenannte Bindungsklausel des Deutschland-Vertrages mußte heftigen Widerspruch auslösen. Er kam erwartungsgemäß vor allem von seiten der KPD und der SPD. Die lehnten am 19. März 1953 im Bundestag sowohl den EVG- als auch den Deutschland-Vertrag ab, und die Sozialdemokraten riefen sogar das Ende 1951 eingerichtete Bundesverfassungsgericht an. Aus ihrer Sicht war nicht zuletzt wegen jener Klausel der Deutschland-Vertrag ein weiterer Beleg für ihre These, daß sich die konsequente Westintegration der Bundesrepublik und das erklärte Ziel der Wiedervereinigung Deutschlands ausschließen mußten, obgleich oder eben weil sich auch die Westmächte ausdrücklich zu ihm bekannten. Die Sozialdemokraten nämlich gingen davon aus, daß die Sowjetunion diesem Ziel um so weniger zustimmen werde, je mehr sich abzeichnete, daß auch ein wiedervereinigtes Deutschland definitiv und auf allen Gebieten, also auch dem militärischen, fest in die westliche Gemeinschaft eingebunden sein würde.

Tatsächlich wurde schon 1950 deutlich, daß – neben Frankreich – vor allem die Sowjetunion äußerst alarmiert war, als die Diskussionen über einen deutschen Verteidigungsbeitrag konkretere Gestalt anzunehmem begannen. Jedenfalls begegnete Moskau dieser Entwicklung in den Jahren 1950-1952 mit einer ganzen Serie von Initiativen, Vorschlägen und Vorstößen, die zum Teil auch von der DDR vorgetragen wurden. Bereits am 3. November 1950, also nur zehn Tage nach Plevens Initiative, schlug die sowjetische Führung erstmals den Westmächten eine Vierer-Konferenz über Deutschland vor und ließ auch die Möglichkeit einer Wiederbelebung der Viermächte-Kontrolle durchblicken. Die Beratungen, die daraufhin am 5. März 1951 in Paris begannen, scheiterten allerdings nach dreieinhalb Monaten an den verhärteten Fronten.

So gesehen, muß, auf den ersten Blick, die hohe Flexibilität überraschen, mit der sowohl Ost-Berlin als auch Moskau in den Jahren 1951/52 auf westliche Forderungen in der Deutschen Frage reagierten. Am Anfang stand ein Brief des DDR-Ministerpräsidenten Otto Grotewohl an Adenauer vom 30. November 1950, der inhaltlich an Vorschläge erinnerte, die kurz zuvor auf einer Konferenz der Ostblockstaaten in Prag erhoben worden waren. Im einzelnen schlug Grotewohl die Bildung eines gesamtdeutschen konstituierenden Rates vor, der paritätisch aus Vertretern beider deutscher Teilstaaten zusammengesetzt sein sollte. Die Aufgaben dieses Rates sollten die Vorbereitung der Bildung einer gesamtdeutschen Regierung, die Organisation gesamtdeutscher Wahlen sowie die Beratung der vier alliierten Mächte bei der Ausarbeitung eines Friedensvertrages sein. Vorbedingung dieser wie aller folgenden Offerten war freilich der Abbruch der EVG-Verhandlungen durch die Bundesregierung.

Am 15. Januar 1951 lehnte der Bundeskanzler den Vorschlag Grotewohls ab. Er konnte sich dabei auf eine breite Zustimmung nicht nur der Regierungsparteien, sondern in diesem Falle auch der oppositionellen Sozialdemokraten stützen. Insbesondere Kurt Schumacher wandte sich, wie Carlo Schmid, ein enger Weggefährte des Parteivorsitzenden, später notierte, gegen «jede gemeinsame Beratung mit den Machthabern Ostdeutschlands», da diese keine «demokratische Legitimation» besaßen.[31] Für die Politiker des Deutschen Bundestages war insbesondere die paritätische Zusammensetzung des von Grotewohl vorgeschlagenen konstituierenden Rates nicht akzeptabel. Immerhin lebten in der Bundesrepublik mehr als dreimal so viele Menschen wie in der DDR. Die Forderung, die Adenauer für die Bundesrepublik im Gegenzug erhob, sollte während der kommenden Jahre in allen Vorschlägen des Westens Priorität besitzen: Danach hätte der erste Schritt in freien gesamtdeutschen Wahlen zu einer verfassungsgebenden Nationalversammlung bestanden, zu der sämtliche Parteien zugelassen werden sollten. Zur großen Überraschung westlicher Beobachter ging Ost-Berlin auf diese Forderung ein. Denn am 15. September 1951 präzisierte Otto Grotewohl seine Vorschläge, stimmte freien Wahlen zu einer Nationalversammlung in ganz Deutschland zu, und zwar zu gleichen Bedingungen für alle Parteien, und am 9. Januar 1952 wurde dann sogar noch der Entwurf für ein Wahlgesetz auf der Basis des Reichstagswahlgesetzes der Weimarer Republik nachgereicht.

Dieses Entgegenkommen, das eine nicht unbeträchtliche Beweglichkeit nahezulegen schien, war indessen eine unmittelbare Reaktion auf Ereignisse, die mit Deutschland, ja mit Europa nichts oder doch nur wenig zu tun hatten. Auch in diesem Falle spielten die Entwicklungen in Ostasien eine kaum zu überschätzende Rolle: Zum einen hatten sich die Vorgänge im Korea-Krieg ganz offenkundig verselbständigt. Die geschilderte chinesische Intervention war von Moskau aus nicht mehr zu steuern. Vor allem aber gewann mit Ausbruch des Korea-Krieges Japan für die amerikanische

Politik und Kriegführung unvermittelt an Bedeutung und Gewicht. Die japanischen Inseln wurden zu einer unverzichtbaren Nachschubbasis für ihre in Korea kämpfenden Truppen. Hatten Berlin-Blockade und alliierte Luftbrücke dazu geführt, daß Deutsche und Amerikaner sich immer weniger als Besetzte und Besatzer und immer stärker als Partner, ja Verbündete betrachteten, so führte der Korea-Krieg zu einer beschleunigten Annäherung zwischen Japan und den USA. Gewiß war die Kriegführung der Japaner ebensowenig vergessen wie die amerikanischen Atombombenabwürfe auf Hiroshima und Nagasaki. Aber der Überfall auf das schutzlose Südkorea ließ in Tokio die Frage aufkommen, ob das Land sich nicht über kurz oder lang einer ähnlichen Bedrohung ausgesetzt sehen könnte.

Vor diesem Hintergrund wurde am 8. September 1951 in San Francisco der Friedensvertrag zwischen Japan und den Siegermächten im ostasiatisch-pazifischen Krieg unterzeichnet. Nur die Sowjets weigerten sich, ihre Unterschrift unter ein Dokument zu setzen, dessen Artikel 6 ausdrücklich die Möglichkeit der Stationierung fremder Truppen zum Schutze Japans und außerdem die Rückerstattung japanischen Eigentums vorsah. Daß mit der letztgenannten Bestimmung auch japanische Forderungen nach Rückgabe der von der Sowjetunion besetzten Kurilen-Inseln begründet werden konnten, galt in Moskau als ebenso ausgemacht wie die Antwort auf die Frage, welche Truppen in Zukunft die Sicherheit und den Schutz Japans gewährleisten würden. Denn am selben Tag und am selben Ort, an dem der Friedensvertrag unter Dach und Fach gebracht wurde, kam es auch noch zur Unterzeichnung eines Sicherheitsvertrages zwischen Japan und den Vereinigten Staaten. Darin war ausdrücklich der Wunsch Japans nach Schutz «vor einem bewaffneten Angriff» festgehalten, und zwar durch «amerikanische Streitkräfte».[32]

Zweifellos haben diese Entwicklung in Ostasien und insbesondere die feste Einbindung Japans in das westliche, das amerikanische Bündnissystem die nächsten Schritte der sowjetischen Europa-Politik maßgeblich mitbestimmt. Das Entgegenkommen, das Grotewohl am 15. September, also nur wenige Tage nach Unterzeichnung der Verträge von San Francisco, signalisierte, war auch ein Versuch zu verhindern, daß nach Japan nunmehr die Bundesrepublik fest im westlichen Block verankert werde. In Bonn war man von diesem Schritt gleichermaßen überrascht und beeindruckt: Sollte der Kreml tatsächlich bereit gewesen sein, den hohen Preis einer Wiedervereinigung Deutschlands zu zahlen, um die Westintegration der Bundesrepublik zu verhindern?

Der Deutsche Bundestag reagierte mit der Verabschiedung einer Wahlordnung, welche die Überwachung «freier gesamtdeutscher Wahlen» durch eine internationale Kontrollkommission der Vereinten Nationen vorsah.[33] Das wiederum war für Moskau und damit natürlich auch für Ost-Berlin nicht akzeptabel. Denn die Vereinten Nationen wurden in den Anfangsjahren nach ihrer Gründung klar von den Vereinigten Staaten und ihren

Verbündeten majorisiert. Überdies befand sich die UNO ja zu eben diesem Zeitpunkt im Krieg gegen das kommunistische Nordkorea, einen Verbündeten der Sowjetunion und also auch der DDR. Der dann am 20. Dezember 1951 von der UN-Vollversammlung gegen die Stimmen der Sowjetunion und Israels eingesetzten Kontrollkommission zur Überwachung freier Wahlen wurde konsequenterweise die Einreise in die DDR und nach Ost-Berlin verweigert.

Am 10. März 1952 wandte sich Jossif W. Stalin persönlich in gleichlautenden Noten an die Regierungen der drei Westmächte und unterbreitete ihnen «Grundlagen eines Friedensvertrages mit Deutschland». Die Schreiben enthielten folgendes Angebot: «Deutschland wird als einheitlicher Staat wiederhergestellt. Damit wird der Spaltung Deutschlands ein Ende gemacht, und das geeinte Deutschland gewinnt die Möglichkeit, sich als unabhängiger, demokratischer, friedliebender Staat zu entwickeln ... Es wird Deutschland gestattet sein, eigene nationale Streitkräfte (Land-, Luft- und Seestreitkräfte) zu besitzen, die für die Verteidigung des Landes notwendig sind.» An diese Offerte waren nun freilich einige Bedingungen geknüpft, die deutlich machten, wogegen sich diese sowjetische Initiative in erster Linie richtete. So hieß es unter anderem: «Deutschland verpflichtet sich, keinerlei Koalitionen oder Militärbündnisse einzugehen, die sich gegen irgendeinen Staat richten, der mit seinen Streitkräften am Krieg gegen Deutschland teilgenommen hat.» Und schließlich ging Stalin selbstverständlich davon aus, daß das Territorium Deutschlands durch die «Grenzen» bestimmt war, «die durch die Beschlüsse der Potsdamer Konferenz der Großmächte festgelegt wurden».[34] Der sowjetische Vorschlag bezog sich also auf ein in gewissem Maße zur Selbstverteidigung fähiges, aber neutralisiertes Gesamtdeutschland, das um die Gebiete östlich von Oder und Neiße verkleinert und aus den Machtblöcken ausgeklammert sein sollte, folglich auch nicht der EVG oder der NATO angehören durfte.

Die drei Westmächte antworteten am 25. März in ebenfalls gleichlautenden Noten, deren Inhalt nicht zuletzt nach recht intensiven Konsultationen mit dem deutschen Bundeskanzler festgelegt worden war. Erwartungsgemäß brachten sie darin zum Ausdruck, «daß es der gesamtdeutschen Regierung sowohl vor wie nach Abschluß eines Friedensvertrages freistehen sollte, Bündnisse einzugehen, die mit den Grundsätzen und Zielen der Vereinten Nationen in Einklang» standen. Überdies waren nach ihrem Verständnis in Potsdam «keine endgültigen deutschen Grenzen ... festgelegt» worden. Schließlich konfrontierten die Westmächte die Sowjets mit eben jener Forderung, die bereits Adenauer in Beantwortung des Schreibens von Otto Grotewohl vorgetragen hatte und die dann auch bis zur definitiven Festschreibung der deutschen Teilung im Jahre 1955 die Kardinalforderung aller westlichen, auf Deutschland bezogenen Initiativen sein sollte. Danach konnte eine gesamtdeutsche Regierung «nur auf der

Grundlage freier Wahlen der Bundesrepublik, der sowjetischen Besatzungszone und in Berlin geschaffen werden».[35]

Es gehört zu den bemerkenswerten Ereignissen dieser Zeit, daß, wie zuvor Ost-Berlin gegenüber Bonn, nunmehr auch Moskau gegenüber Washington, London und Paris in einem entscheidenden Punkt nachgab. Am 9. April 1952 kam Stalin in einer zweiten Note den westlichen Vorstellungen weit entgegen, indem er den Primat freier Wahlen in Gesamtdeutschland zugestand, allerdings forderte, daß diese unter der Kontrolle der Vier Mächte durchgeführt werden müßten. Aus den genannten Gründen war eine Wahlaufsicht durch die Vereinten Nationen für die Sowjetunion zu diesem Zeitpunkt nicht akzeptabel. Im übrigen blieb die Position des Kreml in der Bündnis- und der Grenzfrage unverändert. Und so lag es dann ganz in der Logik der alliierten Deutschlandpolitik jener Jahre, daß die Westmächte in ihrer Antwort vom 13. Mai in eben diesen beiden Punkten bei ihrer bekannten Haltung blieben und überdies eine Wahlaufsicht durch die Vier Mächte mit der Begründung ablehnten, daß die Erfahrungen mit der 1948 gescheiterten Viermächte-Kontrolle Deutschland keine Hoffnung ließen, ausgerechnet in diesem Falle zu «zweckdienlichen Entscheidungen» zu kommen.[36] Damit waren die sowjetischen Vorschläge mehr oder weniger eindeutig zurückgewiesen.

Der letzte Briefwechsel hierüber vom Juli und August 1952 lag bereits im Schatten der vertraglich vollzogenen Westintegration der Bundesrepublik und der entsprechenden Reaktionen der DDR-Behörden: Am 26. Mai war eine «Verordnung über Maßnahmen an der Demarkationslinie» zum ostdeutschen Teilstaat in Kraft getreten. Diese enthielt unter anderem die Einrichtung einer fünf Kilometer breiten Sperrzone entlang der Grenze zur Bundesrepublik Deutschland und die Aufhebung des sogenannten kleinen Grenzverkehrs. Die Aufgaben des Grenzschutzes wurden fortan von der «Kasernierten Volkspolizei» wahrgenommen, die 1956 in der «Nationalen Volksarmee» aufging. Eine Wiederherstellung Deutschlands «als einheitlicher Staat» stand unter diesen Bedingungen und zu diesem Zeitpunkt nicht mehr zur Debatte.

Die Initiativen Stalins vom Frühjahr 1952 haben schon die Phantasie der Zeitgenossen beflügelt, und natürlich bildeten sie einen schier unerschöpflichen Quell für eine jahrzehntelange politisch-wissenschaftliche Diskussion über die Frage, ob 1952 eine bzw. *die* Chance zur Wiedervereinigung Deutschlands vertan worden sei. Mit letzter Sicherheit wird sich die Frage, welche Ziele Stalin mit seinem Vorstoß tatsächlich verfolgte, wohl kaum je beantworten lassen. So wie es aussieht, lag seinem Schritt ein ganzes Motivbündel zugrunde: Handelte es sich bei dem sowjetischen Vorschlag eines unter bestimmten Bedingungen wiedervereinigten Deutschlands um ein ernstzunehmendes Angebot? Kam also in der Initiative Stalins seine Sorge oder gar seine Angst vor einer vollständigen, auch militärischen Integration der Bundesrepublik in die westlichen Gemeinschaften zum Ausdruck? Die Katastrophen der Jahre 1914–1918, vor allem aber der Jahre 1941–1945 vor Augen, mußte der sowjetischen Führung jede deutsche Wiederaufrüstung, die nicht von ihr direkt oder indirekt kontrolliert werden konnte, suspekt sein. Gewiß konnte sich Stalin jenen Teil der Regierungserklärung Plevens zu eigen machen, in welchem der französische Ministerpräsident vor der «Wiederherstellung einer nationalen Armee» gewarnt und die Gefahr eines «Wiedererwachens des deutschen Militarismus» beschworen hatte.

Zudem war soeben Japan fest in das westliche System eingebunden worden. Auf einen Mann wie Stalin, der stets in historischen Dimensionen dachte, mußte die feste Verankerung der Bundesrepublik in eben diesem System alarmierend wirken, weil sich damit perspektivisch wieder jene Umklammerung abzuzeichnen drohte, die in den ausgehenden dreißiger Jahren der Alptraum sowjetischer Außenpolitik gewesen war: Bis zum Dezember 1941 hatte man in Moskau eben nicht grundsätzlich ausschließen können, daß Japan von seiner koreanisch-mandschurischen Basis aus gegen die Sowjetunion vorgehen und diese damit in die lebensgefährliche Situation eines Zweifrontenkrieges manövrieren würde. Es liegt auf der Hand, daß sich Männer wie Stalin und Molotow an diese Situation erinnert fühlten und erinnert fühlen mußten, als sich in den Jahren 1951/52 die Integration Japans und der Bundesrepublik in das westliche Bündnis abzeichnete. Zwar war zu diesem Zeitpunkt nicht an eine rasche Aufrüstung dieser beiden Staaten und schon gar nicht an ihren Wiederaufstieg zu Weltmächten alten Zuschnitts zu denken, wohl aber konnten sie als Ausgangsbasen für eine gegen die Sowjetunion gerichtete Aktion des Westens gelten. Dabei war es aus sowjetischer Sicht gleichgültig, ob diese Bewegung als «Containment» oder aber als «Roll back» firmierte. Mit eben dieser Parole nämlich führte der republikanische Kandidat für das Amt des amerikanischen Präsidenten, Dwight D. Eisenhower, in diesen Tagen seinen Wahlkampf.

Oder handelte es sich bei dem sowjetischen Vorstoß vom März 1952 um eine langfristig angelegte Strategie? Ging es Stalin vielleicht darum, die Westmächte aus Deutschland herauszudrängen und das schutzlose Land dem von Moskau kontrollierten Staatengürtel einzuverleiben? Immerhin wäre ein von den Besatzungsmächten geräumtes, politisch neutralisiertes und allenfalls im Ansatz zur Selbstverteidigung fähiges Deutschland kaum in der Lage gewesen, sich einem sowjetischen Druck oder einer sowjetischen Erpressung ernsthaft zu widersetzen. Angesichts des kommunistischen Vorgehens in den Staaten Ost-, Ostmittel- und Südosteuropas, aber beispielsweise auch in Korea und vor allem in der SBZ bzw. dann der DDR sprach vieles für diese Vermutung. Ein Aspekt dieser Strategie könnte in dem Versuch bestanden haben, mit Hilfe des besagten «Angebots» die westdeutsche Bevölkerung gegen ihre eigene Regierung und die Westmächte zu «mobilisieren».[37] Ob die «Notenoffensive» auf eine Stabilisierung der sowjetischen Herrschaft in der eigenen Besatzungszone abzielte, blieb über das Ende des Kalten Krieges hinaus umstritten.

Am Rhein hatte man damals wenig Zweifel an Stalins Absichten, auch wenn Kurt Schumacher und Teile der SPD nach der zweiten Note vom 9. April forderten, diese ernsthafter zu prüfen und als Grundlage für weitere Verhandlungen zu nehmen. Allerdings waren nicht Adenauer und seine Mitstreiter, sondern die drei Westmächte die Ansprechpartner Stalins, und ob deren Reaktion anders ausgefallen wäre, falls der Bundeskanzler entsprechende Verhandlungen gefordert hätte, muß als höchst unwahrscheinlich gelten. So machten gerade diese Debatten um eine tatsächlich oder vermeintlich «vertane» Chance, die zuletzt noch einmal im Januar 1958 durch heftige Angriffe Gustav Heinemanns und des FDP-Vorsitzenden Thomas Dehler im Deutschen Bundestag ausgetragen werden sollten, das ganze Ausmaß der deutschen Handlungsunfähigkeit in der zentralen Frage der Wiedervereinigung deutlich. Daran vermochte auch die Erlangung weitgehender außenpolitischer Souveränität im Mai 1955 nichts zu ändern. Die deutsche Politik blieb in vitalen Fragen auf Debatten beschränkt.

Mit der Zurückweisung der sowjetischen Offerte durch die drei Westmächte rückte die Wiedervereinigung zunächst einmal in weite Ferne. Realistischerweise konnte man nicht davon ausgehen, daß sich in absehbarer Zeit noch einmal eine solche Konstellation ergeben würde. Das war nüchtern denkenden Politikern, wie namentlich Konrad Adenauer, klar, der im Zuge seiner auch öffentlich vorgetragenen Attacken gegen die Stalin-Noten offenbar schon von dieser Erkenntnis geleitet wurde und deshalb im Zuge seiner rhetorischen Offensiven erst recht auf eine «Politik der Stärke» gegenüber «Sowjetrußland» setzte, wie der auch hier stark in den Kategorien der Vorkriegszeit denkende Kanzler zu formulieren pflegte: «Wenn der Westen stärker ist als Sowjetrußland, dann ist der Tag der Verhandlungen ... gekommen.»[38]

Beobachtete man freilich das Verhandlungs- und Ratifizierungsdrama der EVG, war solche Stärke von Europa offenbar nicht zu erwarten. Aber zum Glück gab es ja noch die USA, und dort deutete einiges auf eine neue Orientierung hin: Am 20. Januar 1953 trat der Republikaner Dwight D. Eisenhower das Amt des Präsidenten der Vereinigten Staaten an. Eisenhower war während des Zweiten Weltkrieges Oberbefehlshaber der Alliierten Streitkräfte und von 1950 bis 1952 Oberbefehlshaber der NATO-Verbände in Europa gewesen. Schon deshalb waren ihm die Probleme des alten Kontinents nicht fremd. Das galt erst recht für seinen Außenminister, John Foster Dulles. Der Rechtsanwalt, Bruder des CIA-Chefs Allan Dulles, war schon 1919 auf der Pariser Friedenskonferenz dabei gewesen und mit den europäischen, vor allem auch mit den deutschen Verhältnissen bestens vertraut. Eisenhower hatte während des Wahlkampfes, der sich vor dem Hintergrund des Korea-Krieges abspielte, die «Containment»-Politik der amtierenden demokratischen Regierung für gescheitert erklärt und statt dessen eine Politik des «Roll back», des offensiven Zurückdrängens des Kommunismus, gefordert.

Dieses Konzept, mit dem der neue Präsident bei seinen Wählern im Wort stand, fand ein Jahr später seine sicherheitspolitische Ergänzung in der Doktrin der «Massive retaliation», der massiven Vergeltung. Am 12. Januar 1954 sprach Außenminister Dulles in einer Rede vor dem «Council on Foreign Relations» in New York erstmals öffentlich von der Notwendigkeit, Aggressoren «abzuschrecken», indem man ihnen Gegenmaßnahmen bis hin zu einer massiven nuklearen Vergeltung in Aussicht stellte. Die Vereinigten Staaten behielten sich damit ausdrücklich vor, einen konventionell vorgetragenen Angriff gegebenenfalls atomar zu beantworten. Die Gründe für die neue Strategie wurden von Dulles in seiner Rede gleich mitgeliefert. Einmal war es unmöglich, sich gleichzeitig auf eine mögliche Auseinandersetzung «in der Antarktis und in den Tropen, in Asien, im Nahen Osten und in Europa, zur See, zu Land und in der Luft» vorzubereiten.

Und dann ging es darum, durch einen deutlichen Abbau, wenigstens aber durch ein Einfrieren der konventionellen Streitkräfte die Verteidigungslasten «weniger kostenaufwendig» zu machen.[39] Dem Oberbefehlshaber der alliierten Streitkräfte in Europa standen Mitte der fünfziger Jahre 13 Divisionen zur Verfügung, kaum genug, um gegen einen Angriff der Roten Armee bestehen zu können, die allein in der DDR 22 kampfbereite Divisionen stationiert hatte. Eine wirkungsvolle Verbesserung dieser Lage hätte enorme Mittel verschlungen; der damit einhergehende Ausbau der Heeresstärke erwies sich zudem in den meisten europäischen Staaten als politisch nicht durchsetzbar. Vor Finanzierungsproblemen stand offenkundig auch die sowjetische Führung. Die Erklärung des Warschauer Paktes vom 24. Mai 1958, die von einem erheblichen Abbau der konventionellen Streitkräfte sprach, war wohl auch Ausdruck des Bemühens, deren Kosten im nuklearen Zeitalter deutlich senken zu können. Der Abzug der Roten Armee aus Rumänien im Sommer 1958 erklärt sich unter anderem so. Daß diese Überlegungen auf Fehlrechnungen basierten, sollten Moskau wie Washington in den sechziger Jahren erkennen.

Offenbar waren sich anfänglich weder Eisenhower noch Dulles der enormen Probleme ihrer außen- und sicherheitspolitischen Vorstellungen bewußt. Zwar ließen die Vertreter der neuen Administration nie einen Zweifel, daß der nukleare Vergeltungsschlag eine, aber nicht die einzige mögliche Antwort auf einen Angriff sei. Aber natürlich mußte das Konzept, zumal in Verbindung mit der «Roll-back»-Drohung, aggressiv wirken. Im Verlaufe der fünfziger Jahre wurde offenkundig, in welchem Maß die amerikanische Politik gleichsam zum Gefangenen ihrer eigenen Doktrin zu werden drohte. Die Ankündigung zweier derart offensiv vorgetragener Maximen, die eben keine ausformulierten Konzepte waren und auch nicht sein konnten, ließ nämlich nur zwei Optionen zu: Entweder man folgte ihnen und wurde im Sinne von «Roll back» und gegebenenfalls «Massive retaliation» unmittelbar aktiv, wenn eine kommunistische Aggression zu verzeichnen war, und das bedeutete Krieg. Oder aber man tat das nicht und verlor damit erheblich an Glaubwürdigkeit. Auch eine solche Entscheidung war nicht ungefährlich, mußten doch die eigenen Verbündeten in zunehmendem Maße an der Zuverlässigkeit der westlichen Führungsmacht zweifeln. Zudem konnte das Nichtbefolgen der eigenen Maxime auf amerikanischer Seite eine wachsende Sicherheitslücke schaffen. Tatsächlich gab es in den Monaten und Jahren nach der Ankündigung der beiden neuen Strategien zahlreiche, noch zu erläuternde Fälle einer direkten oder indirekten kommunistischen Aggression, die ausnahmslos einen Anlaß zur Umsetzung der einen oder anderen Strategie hätten bilden können.

Daß sich die amerikanische Führung dann doch nicht zu einer militärischen Aktion entschloß, welche die Vereinigten Staaten nach ihrem strategischen Verständnis in eine direkte militärische Konfrontation mit der Sowjetunion oder mit der Volksrepublik China hätte bringen können, hatte in erster Linie mit dem sich abzeichnenden atomaren Patt zu tun. Auch deshalb griffen die Amerikaner in den fünfziger Jahren nur zweimal militärisch ein und zwar in Regionen bzw. in Staaten, in denen zu diesem Zeitpunkt kein Kräftemessen mit einer der beiden kommunistischen Mächte zu erwarten war.

Das gilt einmal für die Intervention im libanesischen Bürgerkrieg vom Juli bis zum Oktober 1958, die noch zu betrachten sein wird, und dann für die amerikanische Intervention in Guatemala. Hier war es in der Amtszeit von Jacobo Arbenz Guzmán 1951–1954 zu einer Teilenteignung der «United Fruit Company» gekommen. Die Furcht vor einem endgültigen Verlust der Besitzungen dieser Gesellschaft, an der im übrigen auch Außenminister Dulles beteiligt war, und der zunehmende Einfluß der Kommunisten in Guatemala führten dazu, daß der amerikanische Geheimdienst CIA beim Sturz des Präsidenten kräftig nachhalf. Diese Aktion war eine von vielen im Rahmen einer recht zweifelhaften Mittel- und Südamerika-Politik. Als Vizepräsident Richard M. Nixon 1958 bei einem Besuch Venezuelas und Perus von einer aufgebrachten Menge beschimpft wurde, war das die Antwort auf eine Politik, die einerseits die Diktatoren dieser beiden und anderer Länder unterstützte und andererseits Reformer wie Fidel Castro auf Kuba immer stärker boykottierte und auf diese Weise einiges dazu beitrug, daß dieser schließlich mit der Sowjetunion ins Geschäft kam. So wurde auch der südamerikanische Kontinent in den globalen Ost-West-Konflikt des Kalten Krieges hineingezogen. Das sollte sich erstmals dramatisch in der Kuba-Krise des Jahres 1962 zeigen.

Allerdings demonstrierten die Vereinigten Staaten in diesen Krisen unmißverständlich, daß sie Mittel- und Südamerika einschließlich der Karibik als ihr direktes und exklusives Einflußgebiet betrachteten. Insofern lagen die Intervention in Guatemala und die Reaktion auf das sowjetische

Vorgehen auf Kuba ganz in jener Tradition, die mit dem spanisch-amerikanischen Krieg des Jahres 1898 begonnen hatte und die auch über den Scheitelpunkt des Kalten Krieges hinaus ihre Fortsetzung finden sollte. Als besonders spektakulär blieb das militärische Eingreifen der USA in der Dominikanischen Republik 1965 und in Grenada 1983 in Erinnerung. So sehr sich alle diese Entwicklungen im Schatten des Ost-West-Konfliktes abspielten, so wenig wirkten sie jedoch, von der Kuba-Krise einmal abgesehen, unmittelbar auf diesen zurück.

Anders verhielt es sich mit den Krisen und Kriegen in Deutschland, Vietnam, Taiwan und Ungarn. Dort waren sowjetische bzw. rotchinesische Truppen direkt oder indirekt engagiert, und schon deshalb kam es in keinem dieser Fälle zu einer militärischen Intervention der USA. Das galt sowohl für die brutale Niederschlagung der Massendemonstrationen in Ost-Berlin durch sowjetische Truppen am 17. Juni 1953, die mit Protesten gegen die Erhöhung der Arbeitsnormen ihren Anfang genommen hatten, als auch für die blutige Niederwerfung des Aufstandes in Ungarn, von dem in anderem Zusammenhang noch die Rede sein wird. Konsequent zurück hielten sich die Amerikaner auch in Vietnam, wo die militärische Lage der Franzosen zusehends kritischer wurde, oder auch im Konflikt zwischen Taiwan und China.

Dort war es im August und September 1954 erstmals zu Gefechten um einige nationalchinesische Inseln in der Straße von Taiwan gekommen, eine Entwicklung, die am 23. August 1958 mit dem Beginn des Dauerbombardements von Quemoy und Matsu durch Truppen der Volksrepublik China eine gefährliche Zuspitzung erfuhr. Allerdings war Washington in diesen Situationen darauf bedacht, sich durch Taipeh nicht das Heft aus der Hand nehmen und in eine politisch-militärische Zwangslage bringen zu lassen. Zwar verpflichteten sich die Vereinigten Staaten am 2. Dezember 1954 vertraglich zur Unterstützung Taiwans gegen einen bewaffneten Angriff im Westpazifik; zwar sprach Außenminister Dulles am 4. September 1958 von der Ermächtigung des Präsidenten, «die bewaffneten Streitkräfte der Vereinigten Staaten» unter anderem für die «Sicherung und den Schutz» Quemoys und Matsus einzusetzen.[40] Doch schränkte schon der amerikanische Senat bei der Ratifizierung das besagte Abkommen am 9. Februar 1955 beträchtlich ein; seit dem 1. August 1955 verhandelten amerikanische und chinesische Diplomaten mit Unterbrechungen geheim über einen Gewaltverzicht in der Straße von Taiwan; und in der schweren Krise des Sommers 1958 beließen es die USA im wesentlichen bei demonstrativen Gesten. Darauf hatte Peking wohl spekuliert. Denn auch der chinesischen Führung war bekannt, daß sich die Vereinigten Staaten zu eben dieser Zeit im Nahen Osten in einer schwierigen Lage befanden.

Ein Jahrzehnt nach Ende des Zweiten Weltkrieges mußte man in Washington bilanzieren, daß der Abschied vom vertrauten Isolationismus und die Hinwendung zum dauerhaften weltpolitischen Engagement nicht nur sehr kostspielig waren, sondern auch höchst riskant. Das erklärt die auffallende Umsegelung von Klippen, die den Anstoß für eine direkte, militärische Konfrontation mit der Vormacht der kommunistischen Welt hätten bilden können. Daher peilte schon die Regierung Eisenhower, unmittelbar nach ihrer Amtsübernahme und unbeschadet ihrer rhetorischen Offensiven, ein neues sicherheitspolitisches Ziel an, das alsbald alle anderen überragen sollte. Dieses Ziel hieß «Entspannung». Die Ent-Spannung der internationalen Beziehungen war die Antwort auf die Waffe des Kalten Krieges, die Nuklearwaffe. Etwa zehn Jahre lang, von 1953 bis 1963, verliefen beide Entwicklungen parallel, und es war nicht vorherzusagen, ob Konfrontation oder Detente schließlich die Oberhand gewinnen würde. Erst die schweren internationalen Krisen um Berlin und Kuba in den Jahren 1961/62 sollten am 5. August 1963 mit dem Atomteststoppabkommen zu einem ersten meßbaren Schritt auf dem Weg zur Kontrolle der neuen Vernichtungswaffen und damit zur Entspannung führen.

Daß dieser Prozeß in den Jahren 1953/54 begann, war kein Zufall: Am 5. März 1953 starb Jossif Stalin. Zwar hatte der Diktator noch selbst am 25. Dezember 1952 in einem Interview mit der «New York Times» betont, daß die Sowjetunion an einer «Beendigung des Krieges in Korea interessiert» sei.[41] Aber das hatte nichts mehr daran ändern können, daß Stalin für westliche Beobachter die Verkörperung von Expansion und Aggression blieb. Nach seinem Tod, der auch das Ende einer dreißigjährigen Epoche sowjetischer Geschichte bedeutete, machte sich im Westen die Hoffnung auf eine Kurskorrektur in der Außenpolitik Moskaus breit. Noch war freilich nicht abzusehen, wer der neue starke Mann sein und welches Konzept er verfolgen würde. Nachfolger als Ministerpräsident wurde Georgij M. Malenkow, und am 7. September 1953 übernahm ein im Westen relativ unbekannter Mann die Position des Ersten Sekretärs des Zentralkomitees der KPdSU: Nikita S. Chruschtschow, der dann auch von 1958 bis 1962 das Amt des Ministerpräsidenten bekleiden sollte.

Der gebürtige Ukrainer, Jahrgang 1894, hatte seine Karriere in der Moskauer Parteihierarchie gemacht und von dieser Basis aus 1934 den Sprung ins ZK der allmächtigen KPdSU geschafft. Chruschtschow war ein Mann der Widersprüche. Er stand für die «Entstalinisierung» des politischen, aber auch des kulturellen Lebens in der Sowjetunion, obgleich er selbst diesen Begriff nie gebrauchte, und zugleich für die Niederschlagung des Aufstandes in Ungarn. Er bescherte der Welt die schweren Krisen um Berlin und Kuba und öffnete ihr doch auch das Fenster zur Entspannung. Anders als sein Vorgänger reagierte Chruschtschow mitunter beunruhigend emotional. Seine wilden Temperamentsausbrüche, für die er wiederholt das Forum der Vereinten Nationen wählte, waren schon in ihrer Zeit legendär, auch deshalb, weil Fernsehen und Filmwochenschauen sie einem westlichen Millionenpublikum in Wohnzimmer und Kino übertrugen. Die Reaktionen auf solche Spektakel waren gespalten. Sie schwankten zwischen Amüsement und besorgter Skepsis.

Auf jeden Fall war die neue Garde im Kreml immer für eine Überraschung gut. Das wurde spätestens 1955/56 deutlich. So mußte Malenkow im Februar 1955 seinen Hut nehmen. Er zog damit die Konsequenz aus einer verfehlten Außen-, vor allem aber Wirtschaftspolitik. Seine Nachfolge trat Nikolaj A. Bulganin an, der alsbald zusammen mit Chruschtschow in der sowjetischen Außenpolitik einen neuen Stil einführte, die «Reisediplomatie».[42] Gemeinsam fuhren die beiden zunächst nach Belgrad, dann zum Vierer-Gipfel nach Genf, Ende des Jahres nach Indien, Burma und Afghanistan, 1956 unter anderem nach England und 1957 nach Finnland. Den Höhepunkt dieser Kampagne bildete zweifellos ein Besuch in den USA, den Chruschtschow im September 1960, allerdings ohne den inzwischen entmachteten Bulganin, unternahm und in dessen Verlauf es zu einem prestigeträchtigen Gipfeltreffen mit Präsident Eisenhower kam.

Dieser Neuorientierung in der Außenpolitik korrespondierte ein entsprechender Kurswechsel im Innern: Auf dem 20. Parteitag der KPdSU hatte Chruschtschow in einer Geheimrede am 25. Februar 1956, deren Text erstmals in der Geschichte der Partei nicht mit dem ZK abgesprochen war und bald darauf auch im Westen bekannt wurde, mit der Stalin-Zeit und ihren Verbrechen abgerechnet. Der Rücktritt von Außenminister Molotow, Stalins Mann von 1939 bis 1949, war danach nur eine Frage der Zeit. Sein Nachfolger wurde, nach einer kurzen Zwischenperiode, am 15. Februar 1957 Andrej A. Gromyko, der sich schon auf der Potsdamer Konferenz im engeren Kreis der Mächtigen bewegt hatte und das wichtige Amt bis zum Juli 1985 bekleiden sollte.

Nicht weniger bedeutsam für den sich anbahnenden Entspannungsprozeß als die Personalentscheidungen im Kreml waren die atemberaubenden technischen Fortschritte im nuklearen Bereich. Am 1. November 1952 zündeten die Vereinigten Staaten erfolgreich die erste Wasserstoffbombe. Sie hatte die hundertfache Sprengkraft der Hiroshima-Bombe. Am 8. August 1953 kündigte Malenkow an, daß die Vereinigten Staaten «nicht Monopolisten in der Produktion der Wasserstoffbombe» seien.[43] Vier Tage später wurde eine starke nukleare Explosion im sowjetischen Zentralasien registriert. Fortan mußte man davon ausgehen, daß auch auf diesem Gebiet grundsätzlich eine Patt-Situation herrschte. Die Experten in den USA nahmen sogar an, daß es den Sowjets seit dem Sommer 1953 möglich war, eine Wasserstoffbombe nicht nur zu zünden, sondern auch in einer Größe herzustellen, die ihren Transport mit einem Flugzeug zuließ. Am 22. November 1955 gelang sowjetischen Wissenschaftlern schließlich die Zündung der ersten Zweistufen-Wasserstoffbombe, der «Superbombe». Das war nicht einmal 20 Monate nach dem ersten erfolgreichen Versuch ihrer amerikanischen Kollegen: Das Tempo der Aufholjagd erhöhte sich, die

Abstände wurden kürzer, und der Druck auf beide Seiten, Konsequenzen zu ziehen, nahm zu.

Schließlich kam es in den Jahren 1953/54 auch in Asien zu einer deutlichen Entspannung der internationalen Lage: Im Juli 1953 wurde der Waffenstillstand für Korea geschlossen und 13 Monate später derjenige für Indochina. Mit ihm ging ein Konflikt zu Ende, der lange im Schatten des Korea-Krieges gestanden hatte, dessen Verlauf und Beendigung jedoch gleichfalls eine weit über die Region hinausgehende Bedeutung erlangen sollte. Auch in Vietnam, das als Annam über Jahrzehnte Bestandteil der französischen Kolonie «Indochina» gewesen war, hatte der japanische Vormarsch seit 1941 das Ende der alten Kolonialherrschaft gebracht. Zwar war das japanische Besatzungsregime im südostasiatisch-pazifischen Raum für die Betroffenen nicht besser als die vormalige Kolonialherrschaft der Europäer und – auf den Philippinen – der Amerikaner, im Gegenteil. Aber die Vertreibung der japanischen Eroberer durch die Alliierten, also die alten Kolonialherren, hielt gleichwohl bei den solchermaßen «befreiten» Völkern den Wunsch nach nationaler Unabhängigkeit wach. Und so wurde am 2. September 1945, dem Tag der japanischen Gesamtkapitulation, in Hanoi durch einen damals unbekannten Mann namens Ho Chi Minh die «Demokratische Republik Vietnam» ausgerufen. Am 19. Dezember des folgenden Jahres eröffnete diese den Kampf gegen die Franzosen, die in Saigon erneut ihr koloniales Regiment errichtet hatten.

Das war der Beginn des ersten Indochina-Krieges, der sich fast acht Jahre hinziehen sollte. Mit zunehmender Dauer wurde dieser Konflikt fast zwangsläufig und auch in dem Sinne ein Bestandteil des Kalten Krieges, daß die Supermächte und ihre Verbündeten auf Seiten der beiden kriegführenden Parteien Stellung bezogen. Das geschah verstärkt seit 1950: Im Januar nahmen China und die Sowjetunion diplomatische Beziehungen zur Demokratischen Republik Vietnam auf und unterstützten deren Krieg gegen die französischen Kolonialherren in zunehmendem Maße durch Waffenlieferungen. Frankreich wiederum erfuhr entsprechende Hilfe durch die Vereinigten Staaten; 1954 bestritten die USA fast 80% der französischen Kriegskosten. Dennoch erlitt Frankreich in Indochina eine schwere Niederlage, von der sich die Kolonialmacht nie mehr erholte. Es war der Anfang vom Ende des traditionsreichen französischen Übersee-Imperiums.

Symbol und Legende dieses Debakels war Dien-Bien-Phu. Der Kommandeur der französischen Indochina-Armee, General Henri Navarre, hatte diesen Ort als einen von mehreren Ausgangsbasen für die große Frühjahrsoffensive des Jahres 1954 ausgewählt, durch die der Gegner empfindlich geschwächt und zugleich Laos vor einem Übergreifen der Kampfhandlungen geschützt werden sollte. Sträflich unterschätzte er dabei dessen Fähigkeit, innerhalb kurzer Zeit und unter Mobilisierung enormer menschlicher Energien große Verbände zu verlegen. So sahen sich die

Franzosen in Dien-Bien-Phu unerwartet von einer dreifachen Übermacht eingekesselt, die ihrerseits am 13. März 1954 zum Angriff überging. Rasch wurde klar, daß die Entlastung von außen kommen mußte, und zwar entweder durch eine militärische Intervention oder durch eine Lösung am Verhandlungstisch. Die eine konnte, so wie die Dinge lagen, effektiv nur durch die USA gewährt, die andere allein durch die UdSSR bewirkt werden. Eisenhower war zu einem Einsatz der US-Luftwaffe nur unter der Bedingung bereit, daß sich weitere Verbündete, allen voran Großbritannien, an dem Unternehmen beteiligten. In London verspürte man jedoch keinerlei Neigung, für Frankreich die Kastanien aus dem Feuer zu holen. Die Sowjets ihrerseits wußten, daß sie ein Pfund in der Hand hatten, mit dem sich wuchern ließ, und warteten daher die Kapitulation der französischen Einheiten ab: Am 7. Mai 1954 zog der Gegner die Rote Fahne auf dem französischen Kommandobunker in Dien-Bien-Phu auf.

Der südostasiatische Krieg und insbesondere der Waffenstillstand hatten weit über die Region hinausweisende Folgen. Die Beendigung des Krieges in Vietnam verstärkte, wie gut ein Jahr zuvor das Ende des Korea-Krieges, den Trend zu einer allgemeinen Entspannung, für die ja auch der Wechsel in der sowjetischen Führung und das sich einstellende atomare Patt zu sprechen schienen. Außerdem aber hatten die Verwicklungen in Indochina auch direkte Rückwirkungen auf Europa. So ist seit der Indochina-Konferenz das Gerücht nicht verstummt, wonach es sich bei der Vermittlung des Waffenstillstandes, der am 21. Juli 1954 unterzeichnet wurde, um eine sowjetische Vorleistung gehandelt habe, die durch das Scheitern der EVG im französischen Parlament abgegolten worden sei. Ob und wieweit das der Fall gewesen ist, läßt sich auch heute noch nicht mit letzter Bestimmtheit sagen. Fest steht jedenfalls, daß sich die Sowjetunion weigerte, einen Kompromiß zu ermöglichen, der den Abzug der bei Dien-Bien-Phu eingeschlossenen französischen Verbände ermöglicht hätte, und vielmehr deren Kapitulation mit allen Folgen, wie dem Sturz der Regierung Laniel, abwartete. Fest steht auch, daß die neue französische Regierung unter Pierre Mendès-France den angestrebten, vergleichsweise glimpflichen Waffenstillstand durch die Vermittlung der Sowjetunion erhielt, die ihrerseits zu diesem Zeitpunkt in Europa das Kardinalziel verfolgte, den Beitritt der Bundesrepublik in die EVG zu verhindern.

Fest steht schließlich, daß der EVG-Vertrag am 30. August 1954 in der französischen Nationalversammlung scheiterte. Genau genommen scheiterte er indirekt, da er erst gar nicht auf die Tagesordnung kam. Das Ergebnis der Abstimmung über diese Verfahrensfrage war nicht einmal knapp: 264 Abgeordnete sprachen sich dafür aus, zwölf enthielten sich der Stimme und 319 Abgeordnete votierten dagegen, daß der EVG-Vertrag dem Parlament zur Ratifizierung vorgelegt wurde. Problematisch war das Scheitern der EVG weniger in militärischer Hinsicht. Mit der NATO stand ja eine Alternative bereit, und schon seit Ende Juni 1954 hatten in

Washington amerikanisch-britische Besprechungen in dieser Angelegenheit stattgefunden. Schwerwiegender waren die politischen Folgen, welche die Entscheidung der französischen Nationalversammlung zeitigen sollte. Mit Recht hat Adenauer den 30. August deshalb als «schwarzen Tag» für Europa[44] bzw. als das «große Unglück», ja als «furchtbaren» und «entscheidenden Rückschlag» bezeichnet.[45]

Tatsächlich war den wenigsten Zeitgenossen bewußt, daß der EVG-Vertrag «in erster Linie» den Sinn hatte, die europäische Einigung zu fördern.[46] Denn Artikel 38 sah ausdrücklich die Möglichkeit der Gründung einer «Europäischen Politischen Gemeinschaft» (EPG) vor, und am 10. September 1952 hatte die Konferenz der EGKS-Außenminister dann auch die Realisierung dieses Artikels beschlossen. Sie hatte damit einen Vorschlag des italienischen Ministerpräsidenten Alcide De Gasperi aufgegriffen, der wie Adenauer, Schuman oder Monnet zu den Vätern des modernen Europa-Gedankens gehört. Diese überzeugten «Europäer» verbanden mit der EPG die Überlegung, daß nur ein politisch voll integrierter Kontinent die Chance habe, sich in Zukunft gegenüber der Sowjetunion, aber eben auch gegenüber den USA zu behaupten.

Der Gedanke selbst war nicht neu. Er hatte Vorläufer zum Beispiel in Plänen der konservativen Opposition gegen Hitler und gründete in der Überzeugung, daß die Weltpolitik der kommenden Jahrzehnte gerade in wirtschaftlicher Hinsicht durch große, in sich mehr oder weniger geschlossene Staatenverbünde bestimmt werden würde. Zu diesen zählten die Europa-Protagonisten der ersten Stunde neben dem amerikanischen Kontinent den ostasiatisch-pazifischen Raum und eben Europa. Der Gründergeneration war zudem sehr wohl bewußt, daß die Länder Osteuropas grundsätzlich durchaus Bestandteile einer umfassenden europäischen Gemeinschaft sein mußten. In diesem Sinne konnte Adenauer im Januar 1963 dem italienischen Botschafter berichten, «daß sowohl er wie de Gaulle unabhängig voneinander um die Jahreswende auch von dem Hinzutritt der osteuropäischen Länder gesprochen hätten; das liege aber natürlich noch in der Zukunft. Jede deutsche Regierung müsse gute Beziehungen zu Polen als dem am weitesten nach Osten gelegenen westlichen Staat unterhalten, sobald das wieder einmal möglich sei.»[47]

In den fünfziger und sechziger Jahren war das noch Zukunftsmusik. Anders sah es mit der angestrebten, auch politischen Einigung Westeuropas aus, die ein wichtiges Ziel der EVG-Verhandlungen war. Die Verständigung Deutschlands mit Frankreich im Rahmen einer europäischen Gemeinschaft mußte gelingen. Nur so war jene verhängnisvolle Isolierung zu vermeiden, in die sich die deutsche Außenpolitik um die Jahrhundertwende manövriert hatte. Gewiß, das Scheitern der EVG lag nicht in der Verantwortung der Bundesregierung, und insoweit war schon im August 1954 absehbar, daß eine Alternative zur EVG gefunden und die Bundesrepublik nicht in die Situation des vereinsamenden Außenseiters zurückfallen würde. Dennoch hatte das Ende der EVG in anderer Hinsicht weitreichende Folgen: Mit der Europa-Armee war eben auch die politische Gemeinschaft vorläufig gescheitert. Daß es fast 40 Jahre dauern sollte, bis am 1. November 1993 die «Europäische Union» ins Leben trat, ohne daß damit auch der ursprünglich inaugurierte europäische Bundesstaat geschaffen worden wäre, das freilich hat sich damals wohl kaum jemand vorstellen können.

Das unrühmliche Ende von EVG und EPG bedeutete aber nicht nur einen Rückschlag für Europa, sondern auch für Deutschland. Wie wollte man jetzt noch den Westmächten die Wiedervereinigung schmackhaft machen? Ohnehin erlahmte deren Bereitschaft zur Unterstützung des deutschen Wunsches in dem Maße, in dem der nukleare Wettlauf an Tempo gewann. Mit der Zündung der ersten sowjetischen Wasserstoffbombe und den Fortschritten auf dem Gebiet der entsprechenden Trägersysteme wie Langstreckenbombern und Raketen mußten sich die Prioritäten in den westlichen Metropolen und vor allem in Washington ändern. Das wußten auch die Sowjets, und sie setzten fortan konsequent auf diese Karte. In den kommenden Jahren standen die beiden zentralen Fragen, die Wiedervereinigung Deutschlands und die Entspannung im internationalen Bereich, in einem Konkurrenzverhältnis. In Bonn sah man mit wachsender Besorgnis, daß die Westmächte ihren Entspannungskurs offenkundig auf Kosten der Deutschen Frage verfolgten. Klarsichtige Beobachter, wie Karl Georg Pfleiderer, FDP-Abgeordneter und später Deutscher Botschafter in Belgrad, wußten, daß dafür die «beiden großen Problemkreise Atom und Ostasien» verantwortlich waren. Daraus erwachse zwangsläufig die «Neigung ..., die Teilung Deutschlands zur Grundlage einer west-östlichen Verständigung zu machen».[48] Fühlbar wurde diese allmähliche Änderung der internationalen Großwetterlage auf den alliierten Vierer-Konferenzen der Jahre 1954–1959.

Den Anfang machte die Außenministerkonferenz der vier alliierten Siegermächte in Berlin, die erste dieser Art seit fünf Jahren. Daß sich Dulles, Molotow, Eden und Bidault am 25. Januar 1954 trafen, hatte mehrere Gründe: Neben dem Friedensvertrag für Korea und dem Waffenstillstand in Indochina ging es um einen Staatsvertrag für Österreich, eine Lösung der Deutschlandfrage oder auch eine Erörterung jener Probleme, die sich aus dem atomaren Patt ergaben. Zwar trennte man sich am 18. Februar ohne greifbares Ergebnis, doch in der Gewißheit, wie die Weichen in der internationalen Politik gestellt und welche Lösungen fortan auszuschließen waren. Die Forderungen des Westens wurden durch den britischen Außenminister Eden vorgetragen. Sie sahen an erster Stelle einen Friedensvertrag für Österreich vor, das auf Grund des Kontrollabkommens vom 4. Juli 1945 von den vier Mächten gemeinsam besetzt war. An zweiter Stelle folgte die Deutsche Frage, deren Lösung in mehreren Schritten erfolgen sollte. Erst nach freien Wahlen in Gesamtdeutschland und der

Wiederherstellung der staatlichen Einheit des Landes war die Unterzeichnung eines Friedensvertrages mit den alliierten Siegern des Zweiten Weltkrieges vorgesehen. Angesichts der Debatten über die «Stalin-Noten» des Jahres 1952 war es höchst unwahrscheinlich, daß sich die Sowjetunion auf diesen sogenannten ersten Eden-Plan, der von der Reihenfolge der einzelnen Schritte lebte, einlassen würde.

Tatsächlich lehnte Molotow die westlichen Forderungen rundweg ab und trat seinerseits mit Vorschlägen hervor, die an die Initiativen Stalins vom Frühjahr 1952 erinnerten und zugleich in einem entscheidenden Punkt über diese hinausgingen. So regte der sowjetische Außenminister den Abzug aller Besatzungstruppen aus West- und Ostdeutschland innerhalb eines halben Jahres an, mit Ausnahme einiger weniger Verbände, die den weiteren Gang der Dinge zu überwachen hatten. Der Plan ging vom Status quo der Teilung Deutschlands aus. Den beiden neutralisierten Staaten sollte zur Aufrechterhaltung der inneren Ordnung eine Polizeitruppe zur Verfügung stehen. Dann aber legte Molotow den Entwurf eines Vertrages über die «kollektive Sicherheit» in Europa auf den Verhandlungstisch.[49]

Damit nahmen die Sowjets einen Gedanken wieder auf, der bereits in der Zwischenkriegszeit eine beträchtliche Rolle gespielt hatte. Auch der Völkerbund war schon ein erster Versuch gewesen, «internationale» kollektive Sicherheit zu institutionalisieren. Ganz im Sinne dieser Idee hatte Maxim M. Litwinow, der sowjetische Delegationsleiter in der vorbereitenden Abrüstungskommission des Völkerbundes, am 30. November 1927 eine vollständige Abrüstung vorgeschlagen und am 23. März des folgenden Jahres noch einmal den Entwurf einer Konvention über die «progressive Einschränkung sämtlicher Arten von Rüstungen» vorgelegt.[50] Angesichts des tiefen Mißtrauens, mit dem der Westen die Bolschewiki und ihre Absichten verfolgte, war diesen Vorschlägen schon damals kein Erfolg beschieden. Litwinow gab jedoch nicht auf. Nachdem er 1930 das Amt des sowjetischen Außenministers übernommen hatte, setzte er sich nachdrücklich dafür ein, die Politik regionaler Sicherheitspakte, welche die internationalen Beziehungen im Europa der zwanziger und frühen dreißiger Jahre charakterisierte, durch ein kollektives Sicherheitssystem zu ersetzen. In diesem Zusammenhang sprach er im Januar 1935 davon, daß der Friede «unteilbar», also eben nicht regional begrenzbar sei.

Zumindest indirekt knüpfte Molotow mit seinen Berliner Vorschlägen an diese Tradition an. Das war nicht selbstverständlich. Immerhin war Litwinow im Mai 1939 auch deshalb von Stalin seines Postens als Außenminister enthoben und durch Molotow ersetzt worden, weil die Politik «kollektiver Sicherheit» in den Augen des Georgiers gescheitert und die Rückkehr zur bilateralen Vertragspolitik das Gebot der Stunde war. Und bekanntlich wurde dann auch das aus sowjetischer Sicht wichtigste Ergebnis dieser neuen Politik, der «Hitler-Stalin-Pakt», durch Molotow unterzeichnet. Aber das alles lag zum Zeitpunkt der Berliner Konferenz 15 Jahre zurück, und seitdem hatte man einen zweiten Weltkrieg, die Anfänge eines neuen, eines Kalten Krieges und vor allem die Geburt einer Massenvernichtungswaffe, der Atombombe, erlebt.

Man darf annehmen, daß Molotow mit seinem Berliner Vorschlag auch das Ziel verfolgte, den Ausbruch eines Krieges zu verhindern, der die Sowjetunion in die dritte große Katastrophe innerhalb weniger Jahrzehnte hätte führen können, und daß dieses Bestreben eine Konstante sowjetischer Außenpolitik bis hin zum KSZE-Prozeß geblieben ist. Aber natürlich hat der Kreml mit seinem Vorschlag immer auch ein zweites Ziel im Auge behalten, nämlich die Festschreibung des Status quo in Europa und insbesondere in Deutschland. Allein 1954 unternahmen die Sowjets drei weitere Vorstöße in diese Richtung – am 31. März, am 24. Juli und am 13. November. Bemerkenswert ist vor allem der Vorschlag vom 31. März, weil er nicht nur die Teilnahme der USA an einem «Gesamteuropäischen Vertrag über die kollektive Sicherheit in Europa» in Aussicht stellte, sondern weil die Sowjets darin anregten, gemeinsam eine Beteiligung der UdSSR an der NATO zu erörtern, und das ganze in der Absicht, hier endgültig die projektierte Europa-Armee vom Tisch zu bringen, in der nach sowjetischer Lesart «den westdeutschen Streitkräften mit hitlerfaschistischen Generälen an der Spitze die Hauptrolle zugewiesen» wurde.[51]

Die Westmächte lehnten diese Initiativen in der Regel mit dem gleichen Argument ab, mit dem sie Molotow schon in Berlin entgegengetreten waren. Danach besaß für sie, abgesehen von einer Lösung der Österreich-Frage, die Wiedervereinigung Deutschlands die Priorität vor einem Vertrag über «kollektive Sicherheit in Europa», und insofern stand Deutschland in diesen Jahren tatsächlich im Zentrum der Weltpolitik. Indem sich Washington, London und Paris auf einen solchen Katalog festlegten, schlossen sie allerdings einen Vertrag über die kollektive Sicherheit in Europa grundsätzlich nicht aus. Darin konnte man bereits ein erstes Entgegenkommen sehen, und für manchen Beobachter war es nur eine Frage der Zeit, bis sich auch für die Westmächte die Prioritätenliste zugunsten der Sicherheitsfrage verändern würde. Wilhelm Grewe, damals kommissarischer Leiter der Rechtsabteilung im Auswärtigen Amt, sah in der Berliner Konferenz den Zeitpunkt, «an dem die Weichen endgültig auf die getrennte und sich immer weiter voneinander entfernende Entwicklung der beiden Teile Deutschlands gestellt wurden».[52]

Am 25. März 1954 veröffentlichte die Regierung der UdSSR eine Erklärung über die Anerkennung der Souveränität der DDR. Wie im Deutschland-Vertrag zwischen der Bundesrepublik und den westlichen Alliierten waren auch in diesem Dokument einige einschränkende Vorbehalte festgeschrieben. Dazu zählten insbesondere jene Funktionen, die mit der Gewährleistung der Sicherheit im Zusammenhang standen und die

sich auf Berlin und auf Deutschland als Ganzes bezogen. Durch die Erklärung wurde der Bundesregierung das von ihr nicht anerkannte SED-
Regime als direkter Verhandlungspartner zugeordnet. Diese Zumutung
mußte nicht nur das Ziel der Wiedervereinigung gefährden, sondern auch
den Bonner Anspruch auf die alleinige Vertretung des deutschen Volkes.
Aber konnte man verkennen, daß die anvisierte Aufhebung des Besatzungsstatuts und die Erlangung weitgehender Souveränität durch die Bundesrepublik diesen Trend mitverursacht, in jedem Falle aber beschleunigt
hatte? Auch der 30. August 1954 änderte daran nichts, im Gegenteil, mußte
doch jetzt so rasch wie möglich eine alternative Lösung gefunden werden.

Insgesamt waren die Ausgangsbedingungen während der anstehenden Verhandlungen für die Bundesrepublik günstiger als in den voraufgegangenen
Jahren, da der EVG- und damit der Deutschland-Vertrag in seiner alten
Fassung nicht in Bonn Schiffbruch erlitten hatte, sondern in Paris. Zur
Debatte stand ein ganzes Paket von Abmachungen, die auf mehreren Konferenzen ausgehandelt und unterzeichnet wurden. Den Anfang machte die
sogenannte Londoner Neunmächte-Konferenz vom 28. September bis
zum 3. Oktober 1954. An ihr nahmen Belgien, die Bundesrepublik
Deutschland, Frankreich, Großbritannien, Italien, Kanada, Luxemburg, die
Niederlande und die Vereinigten Staaten teil. Hier einigte man sich im
Prinzip darauf, das Besatzungsstatut aufzuheben und die Bundesrepublik
in eine fast vollständige Souveränität zu entlassen. Im Gegenzug erklärte
sich Bonn bereit, sowohl der NATO als auch dem Brüsseler Pakt, also der
sogenannten Westunion vom 17. März 1948, beizutreten. Um den nach
wie vor erheblichen Bedenken Frankreichs gegenüber einer weitgehend
souveränen und zudem aufgerüsteten Bundesrepublik die Spitze zu nehmen, sicherten die USA, Kanada und Großbritannien zu, ihre Truppen auf
dem Kontinent zu belassen. In Anbetracht der politisch-militärischen Entwicklungen der ersten Jahrhunderthälfte hatte für Paris vor allem die
englische Zusage großes Gewicht. Überhaupt trug der britische Außenminister Eden durch seine entschiedene Vermittlertätigkeit maßgeblich
zum Verhandlungserfolg bei.

Drei Wochen später nahmen dann diese und andere Vereinbarungen
konkrete Vertragsformen an. Vom 19. bis zum 23. Oktober 1954 fanden in
Paris insgesamt fünf Konferenzen zwischen den drei Westmächten und der
Bundesrepublik, den neun Unterzeichnern der Londoner Akte, den 14
NATO-Staaten und der Bundesrepublik, den fünf «Westunions»-Staaten,
der Bundesrepublik und Italien sowie schließlich eine Zweimächte-Kon-
ferenz zwischen der Bundesrepublik und Frankreich statt. Im Ergebnis
wurden auf diesen Konferenzen insbesondere vereinbart: die Neuregelung
des Verhältnisses der drei westlichen Siegermächte des Zweiten Weltkrieges
zur Bundesrepublik, deren Beitritt zur NATO, die Aufnahme der Bundesrepublik und Italiens in die «Westunion», die damit gleichzeitig in «West-

europäische Union» (WEU) umbenannt wurde, sowie ein deutsch-französisches Abkommen über ein Saar-Statut.

Letzteres ging auf eine Forderung zurück, deren Erfüllung Paris zur Voraussetzung für seine Zustimmung zu jenen Verträgen erhob, die dann tatsächlich zwischen dem 27. und 30. Dezember 1954 nach erregten Auseinandersetzungen das Parlament passierten. Die Bereitschaft der Bundesregierung, sich darauf einzulassen, setzte sie im Innern erneut heftiger Kritik aus. Das Statut sollte die Stellung des Saarlandes bis zum Abschluß des Friedensvertrages regeln. Es sah für dieses einen autonomen Status im Rahmen der WEU vor, definierte es aber nicht als «europäisches Territorium». Vielmehr sollte das Saarland auch weiterhin durch eine Währungs- und Zollunion mit Frankreich verbunden bleiben. Paris wollte das Saar-Statut, das am 5. Mai 1955 in Kraft trat, durch einen Volksentscheid bestätigt sehen. Offensichtlich hatte man im Herbst 1954 an der Seine wenig Zweifel, daß sich die Mehrheit der Saarländer für das Statut entscheiden würde, waren sie doch in den voraufgegangenen Jahren, verglichen mit der französischen Besatzungszone, durchaus bevorzugt behandelt worden.

Wie sehr sich die Auguren geirrt hatten, zeigte sich genau ein Jahr nach Abschluß der Pariser Konferenzen. Als am Abend des 23. Oktobers 1955 die Urnen geöffnet und die Stimmzettel ausgezählt wurden, fanden sich all jene bestätigt, die ein sensationelles Ergebnis vorausgesagt hatten: Mehr als zwei Drittel der Saar-Bewohner, die sich an der Abstimmung beteiligt hatten, und das waren immerhin 96 %, lehnten das Statut ab und votierten damit für die Rückkehr ihres Landes nach Deutschland. Erstmals hatte sich das bundesdeutsche «Wirtschaftswunder» als unwiderstehlich attraktiv erwiesen. 35 Jahre später, nach dem unerwarteten Fall der Berliner Mauer und im Zuge der ersten freien Wahlen zur Volkskammer der DDR, sollte sich das erneut zeigen, allerdings in ungleich gravierenderen Dimensionen. Am 27. Oktober 1956 zogen die Bundesrepublik und Frankreich die Konsequenzen aus dem Volksentscheid, indem sie vertraglich festlegten, daß das Saarland zum 1. Januar 1957 in die Bundesrepublik eingegliedert werden sollte. Am 6. Juli 1959 wurde schließlich auch vorzeitig die wirtschaftliche Rückgliederung abgeschlossen.

Indem sich Adenauer in Paris gegen heftigen Widerstand aus dem eigenen Land zur Unterzeichnung des Saar-Abkommens bereit fand, beseitigte er zugleich das letzte Hindernis auf dem Weg zu einer grundsätzlichen Neuregelung des Verhältnisses der Westmächte zur Bundesrepublik. Auf der Basis des sogenannten zweiten Deutschland-Vertrages, der gegenüber der ersten Fassung für die Bundesrepublik weitere Vorteile brachte, wurde endlich die Besatzungszeit in der Bundesrepublik beendet. Die Hohen Kommissare wurden durch Botschafter der drei Westmächte ersetzt, und die Stationierung ihrer Truppen erfuhr durch jeweils bilaterale Verträge eine Neuregelung. Ausdrücklich bekräftigten die drei Westmächte ihre Sicherheitsgarantien für die Bundesrepublik und für Berlin, ausdrücklich bestätigten sie auch den Alleinvertretungsanspruch der Bundesrepublik.

Die Frage, ob es sich dabei um ein einseitiges Entgegenkommen handelte oder ob die Westmächte ihrerseits ein Interesse an der Festschreibung des Alleinvertretungsanspruchs hatten, ist relativ eindeutig zu beantworten: Indem die Bundesrepublik diesen Anspruch erhob, trat sie zugleich die Nachfolge des Deutschen Reiches an. Damit hatten die Westmächte den Ansprechpartner gewonnen, den sie für die Handlungen, Verträge oder auch Verbrechen des Deutschen Reiches in die Pflicht und in die Verantwortung nehmen konnten. Das war um so wichtiger, als die DDR ja jedwede historische Bindung und damit Verantwortung ablehnte. In diese Pflicht wurde die Bundesrepublik dann auch immer wieder genommen, und keineswegs nur, wie im Falle des Londoner Schuldenabkommens oder des Wiedergutmachungsabkommens mit Israel, in finanzieller Hinsicht, sondern auch in politischer und moralischer. Es gehört zu den Besonderheiten des Kalten Krieges, daß Bonn nicht selten auch die Funktion des Feindbildes übernehmen mußte, konnte man sich auf den westdeutschen Teilstaat doch vergleichsweise leicht verständigen: Begriff sich die Bundesrepublik nicht ausdrücklich als Nachfolgerin jenes Deutschen Reiches, in dessen Namen Millionen von Menschen getötet bzw. systematisch vernichtet worden waren? Das totalitäre SED-Regime hingegen, das in seinem inneren Zuschnitt demjenigen des «Dritten Reiches» glich, die historische Verbindung zu diesem aber leugnete, wurde zu keinem Zeitpunkt in die historische, politische oder moralische Haftung für das Vergangene genommen, von den Westmächten nicht, und von der Sowjetunion schon gar nicht.

Auch in der geänderten Fassung des «Vertrages über die Beziehungen zwischen der Bundesrepublik Deutschland und den Drei Mächten» vom 23. Oktober 1954 behielten sich Washington, London und Paris «die bisher von ihnen ausgeübten oder innegehabten Rechte und Verantwortlichkeiten in bezug auf Berlin und auf Deutschland als Ganzes einschließlich der Wiedervereinigung Deutschlands und einer friedensvertraglichen Regelung» vor.[53] Daran hat sich bis zum Inkrafttreten des «Zwei-Plus-Vier»-Vertrages am 15. März 1991 nichts geändert. Gemäß Artikel 5.2 des Deutschland-Vertrages verfügten die drei Westmächte solange über die «bisher innegehabten oder ausgeübten Rechte in bezug auf den Schutz der Sicherheit von in der Bundesrepublik stationierten Streitkräften», bis die deutsche Gesetzgebung entsprechende «wirksame Maßnahmen» bereitstellen konnte.[54] Das geschah mit der Notstandsgesetzgebung des Jahres 1968. Der umstrittene Artikel 7.3, also die sogenannte Bindungsklausel, wurde hingegen nicht in die geänderte Fassung des Deutschland-Vertrages übernommen.

Als besonders wichtig erwies sich der häufig unterschätzte Beitritt der Bundesrepublik zum Brüsseler Pakt, der mit diesem und mit dem italienischen Beitritt in die WEU überführt wurde. Damit entfiel die antideutsche Stoßrichtung der Union von 1948, die sich ja auch gegen den Fall «der Wiederaufnahme einer deutschen Angriffspolitik» gerichtet hatte. Im übrigen gab die Bundesregierung im Rahmen des WEU-Vertrages eine einseitige Erklärung auf Gewaltverzicht ab. Auf diese hat sich Bonn bis Mitte der sechziger Jahre immer wieder berufen, wenn die Sowjetunion oder einer ihrer Verbündeten einen Vorstoß zur Unterzeichnung eines Gewaltverzichtsabkommens unternahm, mit dem nach damaliger Auffassung eben auch der Status quo im geteilten Deutschland festgeschrieben worden wäre.

Aus französischer Sicht schließlich bedeutete die WEU, die im Unterschied zur NATO eine automatische Beistandspflicht gegen jeden bewaffneten Angriff auf einen Partner vorsieht, auch einen Ersatz für die EVG, ja insofern sogar gegenüber dieser einen Gewinn, als Großbritannien Gründungsmitglied des Brüsseler Paktes und damit der WEU war. Tatsächlich bildete die WEU in der Sturmphase der europäischen Desintegration der sechziger Jahre mitunter die letzte institutionelle Brücke Großbritanniens nach Westeuropa. Da es sich bei der WEU um ein rein europäisches Unternehmen handelte, hoffte man in Paris zudem, eine weitgehende Kontrolle über die deutsche Wiederaufrüstung ausüben zu können. Die Annahme war jedenfalls in einem Punkt zutreffend. In den Anlagen I–III des Protokolls Nr. III zum WEU-Vertrag findet sich nämlich der einseitige Verzicht der Bundesrepublik auf die Herstellung bestimmter Waffen auf ihrem eigenen Territorium. Dazu zählten neben weitreichenden und gelenkten Geschossen, wie sie Deutschland in der Endphase des Zweiten Weltkrieges in Form der «V»-Raketen entwickelt hatte, strategischen Bombern oder auch Kriegsschiffen, außer zur Selbstverteidigung, insbesondere atomare, bakteriologische und chemische Waffen. Wie gesagt, der Verzicht bezog sich auf die Herstellung solcher Waffen auf eigenem Territorium. Das schloß folglich nicht aus, daß die Bundesrepublik beispielsweise Atomwaffen besaß und stationierte. Es mußte sich nur jemand finden, der Deutschland diese Waffen zur Verfügung stellte, und das galt im Herbst 1954 als höchst unwahrscheinlich. Daß sich diese Situation nur wenige Jahre später ändern könnte, schloß man nicht nur in Paris zu diesem Zeitpunkt aus.

Nachdem der Deutsche Bundestag am 27. Februar 1955 die Pariser Verträge gegen die Stimmen der SPD ratifiziert hatte, traten sie am 5. Mai 1955 in Kraft. Damit war die Bundesrepublik, von den zitierten Vorbehalten und Einschränkungen abgesehen, souverän. Am 7. Mai fand die konstituierende Sitzung des WEU-Rates statt, und zwei Tage später, am 9. Mai 1955, wurde der junge Teilstaat schließlich in die NATO aufgenommen. Damit war nicht nur die politische und militärische Westintegration der Bundesrepublik völkerrechtlich vollzogen und besiegelt. Vielmehr war die rheinische Republik auf den Tag genau zehn Jahre nach der bedingungs-

losen Kapitulation des Deutschen Reiches «nicht mehr isoliert», wie Adenauer schon nach Unterzeichnung des EVG-Vertrages prognostiziert hatte;
ihre Vertreter saßen jetzt im Kreise «dieser ganzen Nationen am gleichen
Tisch».[55]

Dieser atemberaubende politische Aufstieg wurde von den wirtschaftlichen, aber auch den sportlichen Leistungen des jungen Staates eindrucksvoll flankiert. Mit dem Jahr 1954 begannen der Übergang zur Hochkon-
junktur und die Blütezeit der Investitionen. Der Auftragseingang für die
Industrie überstieg im ersten Halbjahr 1954 den des ersten Halbjahres
1953 um mehr als 20%, und die Indexziffer der industriellen Nettopro-
duktion hatte sich, verglichen mit dem Jahr 1936, Ende 1954 nahezu
verdoppelt.[56] Dem entsprach der sportliche Erfolg dieses Jahres. Als die
deutsche Nationalmannschaft, angeführt von Trainer Sepp Herberger und
Spielführer Fritz Walter, als frisch gekürter Weltmeister in München einfuhr, wurde sie von Hunderttausenden begeistert gefeiert. Die internationale Anerkennung, die der Titel zum Ausdruck brachte, bedeutete noch
mehr als der sportliche Durchbruch.

Es liegt auf der Hand, daß dieser Prozeß nicht nur von den westlichen
Nachbarn der Bundesrepublik mit Neugier, Interesse und gelegentlich mit
Argwohn beobachtet wurde, sondern auch von seinen östlichen, allen
voran von der Sowjetunion. Wie schon im Umkreis des EVG- und des
ersten Deutschland-Vertrages begleitete Moskau die Entwicklung der Jahre 1954/55 mit einer Serie von Vorstößen. Dazu gehörte auch die schon
erwähnte Note vom 13. November 1954, in welcher der Kreml 23 europäische Staaten, die USA sowie einen Beobachter der Volksrepublik China
nach Moskau einlud, um über den Vorschlag einer europäischen Sicherheitskonferenz zu beraten. Nach Ablehnung dieses Vorschlages durch die
Westmächte hielten die Sowjets die Konferenz ausschließlich mit Teilnehmern aus den kommunistischen Staaten ab. Das war die Geburtsstunde
des Warschauer Paktes, von dem noch die Rede sein wird.

Vor allem aber veröffentlichte der Kreml am 15. Januar 1955 eine Erklärung, in der sich Warnung und Angebot die Waage hielten. Dem unmißverständlichen Hinweis, daß die Ratifizierung der Pariser Abkommen
«mit der Wiederherstellung Deutschlands als einheitlichen, friedliebenden
Staat nicht zu vereinbaren» sei, folgte eine Offerte in sorgfältig gewählten
Formulierungen: «Gegenwärtig gibt es noch ungenutzte Möglichkeiten
zur Erreichung eines Abkommens in der Frage der Wiedervereinigung
Deutschlands unter gebührender Berücksichtigung der rechtmäßigen Interessen des deutschen Volkes und über die Durchführung von gesamtdeutschen freien Wahlen zu diesem Zweck im Jahre 1955. Solche Mög-
lichkeiten sind vorhanden, wenn das Haupthindernis, ... die Pläne der
Remilitarisierung Westdeutschlands ..., beseitigt sein wird. Das deutsche
Volk muß durch die Abhaltung allgemeiner freier Wahlen in ganz
Deutschland, einschließlich Berlin, die Möglichkeit haben, seinen freien

Willen zu äußern, damit ein einheitliches Deutschland als Großmacht wiederersteht und einen würdigen Platz unter den anderen Mächten einnimmt.»[57] Zehn Tage später untermauerte der Kreml sein Angebot, indem die Sowjetunion als letzte der alliierten Sieger den Kriegszustand mit ganz Deutschland für beendet erklärte und ihre Nachrichtenagentur TASS an diesem 25. Januar von der möglichen Freilassung der noch etwa 10 000 Kriegsgefangenen sprach.

Indessen vermochte auch das nichts mehr an der Entscheidung der Bundesregierung zu ändern, obgleich die SPD, anders als im Falle der «Stalin-Noten», nachdrücklich eine sorgfältige Prüfung und gegebenenfalls Verhandlungen forderte. Die Weichen waren gestellt, und am 5. Mai war das anvisierte Ziel erreicht. Die sowjetische Reaktion ließ erwartungsgemäß nicht lange auf sich warten. Am 7. Mai 1955, dem Tag, an dem sich die WEU mit deutscher Beteiligung konstituierte, kündigte Moskau die Bündnisverträge mit Großbritannien und Frankreich von 1942 bzw. 1944, die ursprünglich auf eine Dauer von 20 Jahren und in der Absicht geschlossen worden waren, nach Beendigung des Krieges «eine neue Bedrohung von seiten Deutschlands zu verhindern», wie es im Text des sowjetisch-französischen Bündnis- und Beistandspaktes hieß.[58] Eine Woche später, am 14. Mai 1955, kam es in der polnischen Hauptstadt zur Gründung des sogenannten Warschauer Paktes. Seine Mitglieder waren neben der Sowjetunion Polen, Bulgarien, Ungarn, Rumänien, die Tschechoslowakei, Albanien sowie die DDR, die allerdings erst am 28. Januar 1956 Vollmitglied wurde. Der Vertrag sollte 20 Jahre und für die Vertragsparteien, die ihn nicht zwölf Monate vor Ablauf dieser Frist kündigten, weitere zehn Jahre in Kraft bleiben. Er sollte in dem Augenblick seine Gültigkeit verlieren, in dem ein gesamteuropäischer Vertrag über «kollektive Sicherheit» in Kraft treten würde, den anzustreben sich die Mitglieder des Warschauer Paktes unentwegt bemühen wollten.[59]

Einen Tag nach Gründung des Warschauer Paktes fand schließlich am 15. Mai 1955 in Wien die Unterzeichnung des österreichischen Staatsvertrages statt, gegen den sich die Sowjetunion jahrelang gesperrt hatte. Er sah die Aufhebung des Besatzungsstatuts und die Wiederherstellung eines souveränen, unabhängigen und demokratischen Staates in den Grenzen vom 1. Januar 1938 vor. Im Gegenzug verpflichtete sich Österreich unter anderem, keine politische oder wirtschaftliche Vereinigung mit Deutschland einzugehen und sich strikt an eine Reihe von Rüstungsbeschränkungen zu halten. Zweifellos stand hinter der sowjetischen Bereitschaft zur Unterzeichnung des österreichischen Staatsvertrages die Befürchtung, auch der größere, von den Westmächten besetzte Teil Österreichs werde andernfalls über kurz oder lang in die westlichen Gemeinschaften einbezogen.

Diese Grundüberlegung mußte für die eurasische Macht Sowjetunion zu entsprechenden Konsequenzen auch in ihrer Ostasien-Politik führen.

Und in der Tat signalisierte Molotow im September 1954 gegenüber Japan Gesprächsbereitschaft. Nach äußerst schwierigen Verhandlungen kam es am 19. Oktober 1956 in Moskau zur Unterzeichnung einer sowjetisch-japanischen Deklaration, mit deren Inkrafttreten der Kriegszustand zwischen beiden Staaten beendet wurde. In der sensiblen Frage der Kurilen einigte man sich auf einen Kompromiß: Danach sollten zwei dieser Inseln nach Abschluß des Friedensvertrages von Moskau an Tokio zurückgegeben werden. Dazu ist es nie gekommen. Die sowjetische und später die russische Regierung haben sich über das Ende des Kalten Krieges hinaus konsequent geweigert, diesen Schritt zu tun. Dafür mobilisierten sie bis in die Amtszeit Michail Gorbatschows hinein zwei Argumente: Einmal habe Japan «unverzüglich die Forderung nach vier Inseln geltend» gemacht.[60] Vor allem aber habe sich Tokio am 19. Januar 1960 durch einen Sicherheitsvertrag erneut an die USA gebunden. Tatsächlich ersetzte dieser Pakt, der in Japan zu heftigen Auseinandersetzungen führte und Präsident Eisenhower bewog, auf einen geplanten Besuch Tokios zu verzichten, den Vertrag von San Francisco aus dem Jahre 1951. Wohl kam er in einigen Punkten, wie etwa der Kündigungsmöglichkeit nach zehn Jahren, den japanischen Interessen entgegen. Insgesamt aber war auch dieses Dokument Ausdruck und Ergebnis der Ost-West-Konfrontation, deren Verschärfung sich selbst durch sowjetische Avancen an die deutsche und japanische Adresse nicht mehr aufhalten ließ.

So sahen die Jahre 1954/55 den Abschluß der Blockbildung, und das keineswegs nur in Europa. Zwar lag das Gravitationszentrum noch eindeutig auf dem alten Kontinent, da die Nahtstelle zwischen den beiden großen Blöcken eben mitten durch Deutschland verlief. Doch fand die Blockbildung in der außereuropäischen Welt ihre Fortsetzung und Ergänzung. Bereits am 30. August 1947 hatten in Rio de Janeiro 19 Staaten den «Inter-American Treaty of Reciprocal Assistance» geschlossen und damit die Gründung der «Organization of American States» (OAS), ebenfalls ein Defensivbündnis, vorbereitet, die am 30. April 1948 im kolumbianischen Bogotá erfolgte. Sechs Jahre später, am 8. September 1954, wurde durch die Vereinigten Staaten, Großbritannien, Frankreich sowie Australien, Neuseeland, die Philippinen, Thailand und Pakistan die «South East Asia Treaty Organization» (SEATO) gegründet. Im Unterschied zur NATO und zur OAS sah dieser «Südostasien-Pakt», der eine unmittelbare Reaktion auf das französische Indochina-Desaster war, aber keine Beistands-, sondern lediglich eine Konsultationspflicht vor. Außerdem blieben ihm wichtige Länder der Region wie Japan, Indonesien oder Indien fern. Den Trend zur Blockbildung verstärkte schließlich auch der sogenannte Bagdad-Pakt, der am 24. Februar 1955 durch die Türkei und den Irak gegründet worden war. Nach dem noch zu beleuchtenden Sturz der Monarchie im Irak 1958 und dem Austritt des Landes aus dem Pakt im März des folgenden Jahres wurde er als «Central Treaty Organization» (CENTO) durch die Türkei sowie durch Großbritannien, Pakistan und Iran fortgeführt, die dem Abkommen im Laufe des Jahres 1955 beigetreten waren.

Natürlich konnten die letztgenannten Pakte in ihrem politischen oder militärischen Gewicht kaum einem Vergleich mit der NATO oder dem Warschauer Pakt standhalten. Aber sie machten doch deutlich, daß sich der Kalte Krieg über seine eigentlichen, europäischen, ja deutschen Ursprünge hinaus inzwischen zu einem globalen Phänomen ausgeweitet hatte. Am Rhein verfolgte man diese Entwicklung mit gemischten Gefühlen. Einerseits kam jede Entlastung gelegen, andererseits mußte man sich aber fragen, wann dieser Trend zur Globalisierung der Spannungen zwangsläufig in eine umfassende Entspannung umschlagen werde und wer wohl die Zeche zahlen müsse. Vorderhand überwog aber in Bonn noch die Genugtuung, mit der Westintegration des Landes zugleich die entscheidenden Schritte hin auf dem Weg zu äußerer Souveränität und insbesondere auch zur Gleichberechtigung mit den westlichen Nachbarn getan zu haben, und Adenauer konnte vor dem Bundesvorstand seiner Partei nicht ohne Stolz bilanzieren: «Wenn Sie an die neun Jahre seit dem Zusammenbruch im Jahre 1945 zurückdenken, dann ist dieser Weg doch sehr schnell zurückgelegt worden, und wir haben das Ziel, das wir uns gesetzt haben, sehr bald erreicht.»[61]

Allerdings waren die Kosten für dieses Unternehmen hoch. Mit der Erlangung der Souveränität durch beide deutsche Teilstaaten und ihrer Einbindung in die Blöcke war die Teilung Deutschlands und im übrigen auch Europas abgeschlossen, und außer den Deutschen selbst waren alle, namentlich die Hauptakteure, mit diesem Ergebnis zufrieden. Denn mit der umfassenden Westintegration wurde auch die «Doppeleindämmungspolitik»[62] vollendet: Die feste Einbindung der Bundesrepublik in die westlichen Gemeinschaften verstärkte den Damm gegen eine mögliche sowjetische Offensive, und sie beugte zugleich dem Wiederaufstieg einer unabhängigen deutschen Großmacht vor. Warum aber machten sich die Westmächte dann, jedenfalls rhetorisch, die deutsche Forderung nach Wiedervereinigung gerade in dieser Zeit zu eigen? Die einen taten das, weil sie genau wußten, daß eine deutsche «Wiedervereinigung ja doch nicht» kommen würde;[63] und die anderen, wie der von Adenauer und vielen seiner Landsleute hochgeschätzte amerikanische Außenminister Dulles, unterstützten den deutschen Wunsch nicht einfach deshalb, weil er ihnen am Herzen lag, sondern weil der demonstrative Schulterschluß dazu beitrug, die Bundesrepublik gegen sowjetische Lockungen zu wappnen. Wie die Avancen Stalins gezeigt hatten, konnten diese ja durchaus auf ein wiedervereinigtes Deutschland hinauslaufen. Eigentlich hatte der britische Staatsminister und spätere Außenminister John Selwyn Lloyd schon am 22. Juni 1953 in einem Memorandum für Churchill die Sache auf den Punkt gebracht: Deutschland sei der Schlüssel für den Frieden Europas. Ein geteiltes Europa habe ein geteiltes Deutschland bedeutet: «Deutschland wieder zu vereinigen, solange Europa geteilt ist, ist – selbst wenn dies machbar wäre – gefahrvoll für alle. Deshalb fühlen alle, Dr. Adenauer, die Russen, die Amerikaner, die Franzosen und wir selbst im Grunde unseres Herzens, daß ein geteiltes Deutschland zur Zeit die sicherere Lösung ist. Aber keiner von uns wagt, dies wegen seiner Auswirkungen auf die öffentliche Meinung in Deutschland offen zuzugeben. Deshalb unterstützen wir alle öffentlich ein vereintes Deutschland, jeder zu seinen eigenen Bedingungen».[64]

So konnten sich die Deutschen in ihrer Hoffnung bestätigt und überdies in ihrer Neigung bestärkt fühlen, auch weiterhin einem Phantom nachzujagen. Von den drei bzw. vier wichtigsten Zielen deutscher Politik nach 1945 waren zwei erreicht worden. Die Bundesrepublik war auf praktisch allen Ebenen fest in die westlichen Gemeinschaften integriert und seit 1955 zu einem erheblichen Teil, aber eben nicht vollständig souverän. Die Totalintegration hatte ihr die Teilsouveränität beschert. Anders sah es mit der Gleichberechtigung und der Wiedervereinigung aus: Gleichberechtigt im vollen Sinne wäre man ja nur dann gewesen, wenn man wie die anderen eine nicht unter äußeren Vorbehalten stehende Außenpolitik hätte treiben können. Die alliierten Vorbehalte bezogen sich aber gerade auf den ausdrücklichen deutschen Wunsch nach Wiedervereinigung. Eine Aufhebung dieser Vorbehalte und damit die Herstellung einer vollen Gleichberechtigung wäre mithin nur möglich gewesen, wenn die Deutschen entweder das selbst auferlegte Gebot der Wiedervereinigung definitiv aufgegeben oder aber diese Wiedervereinigung erlangt hätten. Da beides nicht der Fall war, blieb die Gleichberechtigung bis 1991 ein in letzter Konsequenz unerfüllter Wunsch. Damit waren zwei Hauptziele der Bonner Außenpolitik nach 1955, Wiedervereinigung und Gleichberechtigung, gerade auf Grund ihrer gegenseitigen Bedingtheit nicht erreichbar, jedenfalls nicht aus eigener Kraft und nicht auf absehbare Zeit.

Diese Lage wurde solange als schmerzlich empfunden, als die doppelte Zielsetzung noch im Bewußtsein der Deutschen fest verankert war und aktiv verfolgt wurde. Das ließ im Laufe der Zeit nach. Im Falle der Wiedervereinigung sollte der August 1961 nachhaltig ernüchternd wirken, und was den Mangel an voller Gleichberechtigung anging, so wurde er eben immer weniger wahrgenommen und kaum noch als schmerzlich empfunden. Im täglichen Leben hatte ohnehin anderes Vorrang. War es nicht beachtlich, daß die «Lufthansa» nach zehnjähriger Zwangspause im April 1955 wieder den innerdeutschen Luftverkehr aufnehmen, im Mai auch einige europäische Metropolen und im Juni sogar New York anfliegen konnte? Das zählte. Das war sichtbare Gleichberechtigung, zumal auf einem Gebiet, dem die Zukunft gehörte: der Luft- und Raumfahrt.

4. Sputnik
Die Marginalisierung Europas
1955–1961

Die Welt hielt den Atem an. Am Samstag, dem 4. Oktober 1957, wurde bekannt, daß es der Sowjetunion gelungen war, einen Satelliten in eine Umlaufbahn um die Erde zu schicken. Am folgenden Sonntag widmete die «New York Times» den verschiedenen Aspekten dieses sensationellen Vorgangs 16 Artikel. Eine Woche später glaubte der «Spiegel» bilanzieren zu können, daß sich der «amerikanischen Nation ein Bangen» bemächtigt habe, «das den Gefühlen eines Mädchenpensionats beim Anblick einer Maus nicht unähnlich war».[1] Mit dem Ereignis hatte eben niemand gerechnet. Über Nacht sah die Welt anders aus. Wer in der Lage war, einen Flugkörper in die Stratosphäre zu schicken, der besaß grundsätzlich auch die Fähigkeit zu einem interkontinentalen nuklearen Schlag, und das hieß: Die Unangreifbarkeit des amerikanischen Kontinents gab es nicht mehr. Diese Aussichten ließen zwangsläufig anderes in den Hintergrund treten, so die europäischen Probleme und namentlich die deutschen Querelen.

Der Schock des Oktobers 1957 war der spektakuläre Höhepunkt einer Entwicklung, die sich seit Mitte der fünfziger Jahre kaum mehr übersehen ließ und die eigentlich zwei Wurzeln hatte. Neben der sich rapide beschleunigenden Eigendynamik der atomaren Rüstungsspirale war in den fünfziger Jahren ein wachsendes Engagement der beiden Führungsmächte in der außereuropäischen Welt zu beobachten: Was 1950, bei Ausbruch des Korea-Krieges, noch die Ausnahme gewesen war, wurde zur Regel. Angesichts dieser neuen Herausforderungen, angesichts aber auch der erneuten Zuspitzung der Berlinfrage, einigten sich Washington und Moskau stillschweigend darauf, mit der Deutschen Frage die eigentliche Ursache des Kalten Krieges auf dem 1955 erreichten Niveau einzufrieren und damit als akuten Spannungs- und Gefahrenherd weitgehend auszuschalten. Im Zuge dieser Marginalisierung des brisantesten europäischen Problems rückte der alte Kontinent nach 1961 insgesamt – im globalen Maßstab und für etwa ein Jahrzehnt – vom Zentrum der Weltpolitik an dessen Peripherie.

Eine wichtige Voraussetzung war die definitive Festlegung der sowjetischen Deutschland- und Europa-Politik. Bis 1955 hatte sich Moskau zwei bzw. drei Möglichkeiten offengehalten. Wie zuletzt die sowjetischen Initiativen der Jahre 1952 und 1955 gezeigt hatten, schloß der Kreml eine gesamtdeutsche Lösung nicht grundsätzlich aus. Dabei dachte man entweder an ein Gesamtdeutschland, das in seinem inneren Zuschnitt nach dem Vorbild der DDR gestaltet worden wäre, oder aber, und darauf liefen die sowjetischen Vorstöße hinaus, an ein bis zur Oder-Neiße-Linie verkleinertes, neutralisiertes, in Maßen zur Selbstverteidigung fähiges vereinigtes Deutschland, das sich allerdings keinem gegen die Sowjetunion gerichteten Bündnis hätte anschließen dürfen.

Zweifellos haben die Gründung der Bundesrepublik Deutschland und ihre konsequente Westintegration der sowjetischen Führung einige Entscheidungen abgenommen. Jedenfalls legte sich Moskau unmittelbar nach Inkrafttreten der Pariser Verträge auf die «Zwei-Staaten-Theorie» fest. Danach gab es auf dem Boden des Deutschen Reiches westlich der Oder-Neiße-Linie, die für die Sowjetunion längst den Charakter einer definitiven Grenze angenommen hatte, zwei deutsche Staaten mit unterschiedlicher Gesellschaftsordnung. Daran ließen Bulganin und Chruschtschow auf der Gipfelkonferenz des Sommers 1955, der ersten seit Potsdam, wenig Zweifel. An dem Treffen, das vom 18. bis zum 23. Juli in Genf stattfand, nahmen Präsident Eisenhower für die Vereinigten Staaten, Anthony Eden, der im April die langersehnte Nachfolge Churchills angetreten hatte, für das Vereinigte Königreich sowie Ministerpräsident Edgar Faure für Frankreich teil. Im Zentrum dieser «Konferenz des Lächelns» stand die Deutsche Frage und eben deshalb konnte sie keine Ergebnisse vorweisen, die irgendeine Bewegung in die festgefahrene Situation gebracht hätten. Aber das war wohl auch gar nicht beabsichtigt.

Die sowjetische Delegation präsentierte ihren Entwurf eines «gesamteuropäischen Vertrages über kollektive Sicherheit in Europa (Grundprinzipien)», der direkt an die entsprechenden Berliner Vorstöße Molotows von 1954 anknüpfte. Der Plan legte eine Übergangzeit von zwei bis drei Jahren zugrunde, in denen Maßnahmen zur Schaffung eines Systems kollektiver Sicherheit ergriffen werden sollten. Für diese Zeit ging der Kreml von einem Weiterbestehen sowohl der NATO als auch des Warschauer Paktes aus. Erst danach sollten die beiden Militärblöcke aufgelöst und durch einen gesamteuropäischen Pakt von fünfzigjähriger Gültigkeit ersetzt werden.[2] Die Zeit bis zur Implementierung des Systems kollektiver Sicherheit wollte man mit Gewaltverzichtabkommen und Nichtangriffspakten überbrücken. Allerdings war diesem Vorschlag noch kein konkreter Vertragsentwurf des gesamteuropäischen Paktes selbst beigefügt. Den stellten die Sowjets erstmals 1958 vor.

In der Bundesrepublik, die ebensowenig wie die DDR als Partner am Genfer Verhandlungstisch saß, registrierte man mit mißtrauischer Aufmerksamkeit, daß die Männer aus Moskau zehn Jahre nach Potsdam ganz selbstverständlich vom Status quo des geteilten Deutschlands ausgingen. Bulganin wies in seiner Schlußerklärung sogar pointiert darauf hin, daß die «Frage einer mechanischen Verschmelzung der beiden Teile Deutschlands ... unrealistisch» sei.[3] Die Hoffnung der Bundesregierung, daß sich die Westmächte mit ihren Gegenvorschlägen entschieden auf den Boden der Bonner Wünsche stellten, erwies sich indessen als trügerisch. Vor allem der Plan, den Eden jetzt in Genf vorlegte, unterschied sich in entscheidenden Nuancen von jenen Vorschlägen, die er anderthalb Jahre zuvor als Außenminister seinen in Berlin versammelten Kollegen präsentiert hatte. So brachte er allenfalls noch indirekt zum Ausdruck, daß die Wiedervereinigung Deutschlands, zumal auf der Grundlage freier gesamtdeutscher Wahlen, für den Westen die Priorität besaß. Schließlich hielt die «Direktive der Regierungschefs an die Außenminister» vom 23. Juli 1955 fest, daß die Vertreter der Vier Mächte übereingekommen seien, die Lösung der Deutschen Frage und die Wiedervereinigung Deutschlands «im Einklang mit den nationalen Interessen des deutschen Volkes und den Interessen der europäischen Sicherheit» herbeizuführen.[4]

Gerade dieses abschließende Dokument offenbarte das ganze Ausmaß westlichen Entgegenkommens gegenüber der UdSSR. Zwar übernahm hier, jedenfalls rhetorisch, nochmals ein sowjetischer Politiker die Formel von der «Wiedervereinigung Deutschlands» − übrigens zum letztenmal bis zum Beginn der «Zwei-Plus-Vier»-Gespräche bzw. zum Besuch Bundeskanzler Kohls in der Sowjetunion im Februar 1990. Doch rangierten im abschließenden Kommuniqué die «Interessen des deutschen Volkes» auf der gleichen Ebene wie die «europäische Sicherheit». Damit hatten die Westmächte die 1954 in Berlin aufgestellte Reihenfolge aufgegeben. Überdies gingen einige vielbeachtete Vorschläge Edens zur Rüstungskontrolle und zur gemeinsamen Inspektion der Streitkräfte ganz ungeniert von der deutschen Teilung aus, sollten diese Maßnahmen doch ausdrücklich auf beiden Seiten «in» Deutschland zur Durchführung kommen.[5]

Man kann sich leicht vorstellen, welche Reaktionen das in Bonn auslöste: Die politische Szene in der rheinischen Provinzmetropole glich einem Ameisenhaufen, dessen mühsam angelegte Pfade mutwillig lädiert worden waren. Emsig machte man sich an die Schadensbegrenzung. Adenauer intervenierte umgehend und massiv in Washington und London, und das nicht ohne Erfolg. Auf der Folgekonferenz der vier Außenminister, die vom 27. Oktober bis zum 16. November 1955 gleichfalls in Genf tagte, wurden die westlichen Vorschläge in einigen Punkten korrigiert und insbesondere der Berliner Stufenplan wieder aufgegriffen, in dem die Wiedervereinigung Deutschlands vor der Installierung eines europäischen Sicherheitssystems rangierte. Vor allem aber legte der Westen als Demarkationslinie, entlang derer es zu einer Beschränkung der Streitkräfte und der Rüstung kommen sollte, diejenige «zwischen einem wiedervereinigten Deutschland und den osteuropäischen Ländern» fest.[6]

Für die Sowjets waren das kosmetische und ohnehin unverbindliche Korrekturen. Sie blieben in der Offensive: Propagandistisch geschickt griff Molotow jetzt jene Vorschläge auf, die Eden auf dem Gipfel für den Westen unterbreitet hatte und sprach seinerseits von einer «Demarkationslinie in Deutschland», entlang derer Rüstungskontroll-, Inspektions- und andere Maßnahmen durchgeführt werden sollten. Konnte es noch einen Zweifel geben, daß die sowjetische Außenpolitik auch in Zukunft von der

Existenz zweier deutscher Staaten ausgehen würde? Tatsächlich ließ sich der sowjetische Außenminister, wie der Leiter der deutschen Beobachterdelegation im Rückblick festhielt, in Genf erst gar nicht auf Verhandlungen ein, «die in irgendeiner Form auf das Ziel der Wiedervereinigung Deutschlands gerichtet waren».[7]

Damit bestätigte Wilhelm Grewe einen Eindruck, den sich inzwischen auch Adenauer selbst hatte machen können. In der Zeit zwischen dem Genfer Gipfel und der Folgekonferenz der Außenminister am gleichen Ort war der Kanzler nämlich nach Moskau gereist. Der Besuch ging auf eine Einladung der Sowjets zurück, die am 7. Juni, also nach Inkrafttreten der Pariser Verträge, ausgesprochen worden war. Insofern ist auch in dieser Einladung ein unmittelbarer Ausdruck der «Zwei-Staaten-Theorie» zu sehen. Adenauer war das natürlich bewußt, und mit der Annahme der Einladung und dem Besuch trug er auf seine Weise den weltpolitischen Realitäten Rechnung. Konkret verfolgte er mit seiner Visite einen doppelten Zweck: Einmal reiste er nach Moskau, «um für die Heimkehr vieler tausend Menschen zu kämpfen».[8] Dann aber versuchte der Mann aus Rhöndorf einer Tendenz gegenzusteuern, die sich seit dem Genfer Gipfel drohend abzeichnete und auf eine Lösung der Deutschen Frage durch die Vier Mächte ohne deutsche Beteiligung hinauslief. Im übrigen nahm der Kanzler die Einladung erst an, nachdem er zuvor die drei westlichen Verbündeten konsultiert hatte, und selbstverständlich hielt er deren Moskauer Botschafter während der Gespräche stets auf dem Laufenden.

Der Besuch fand vom 9. bis zum 13. September 1955 statt. Der Kanzler reiste in Begleitung einer hochrangigen Delegation, zu der zum Beispiel auch der SPD-Abgeordnete Carlo Schmid in seiner Eigenschaft als stellvertretender Vorsitzender des Auswärtigen Ausschusses des Bundestages gehörte. Übereinstimmend wußten Adenauers Begleiter von seiner beeindruckend würdigen und zugleich mutigen Haltung zu berichten. So fragte der Kanzler zum Beispiel den ihn heftig attackierenden Molotow: «Gestatten Sie mir einmal folgende Frage: Wer hat denn eigentlich das Abkommen mit Hitler abgeschlossen, Sie oder ich?»[9]

Immerhin gelang es ihm, von den sowjetischen Gesprächspartnern Chruschtschow und Bulganin die Zusage zur Freilassung der noch in der Sowjetunion internierten Deutschen zu erhalten. Es handelte sich dabei um 9 628 Kriegsgefangene, die nach sowjetischem Recht als Kriegsverbrecher verurteilt worden waren, sowie eine etwa doppelt so große Zahl von Zivilinternierten. Die Heimkehr der letzten deutschen Gefangenen im Oktober 1955 wurde in der Bundesrepublik vor allem als persönliches Verdienst Konrad Adenauers gewertet. Sie hat nicht unmaßgeblich zu seiner wachsenden Popularität und damit zu seinem überlegenen Sieg in den Wahlen zum Dritten Deutschen Bundestag beigetragen, welcher CDU und CSU im September 1957, zum ersten und einzigen Mal in der Epoche des geteilten Deutschland, die absolute Mehrheit sicherte.

Zu den bemerkenswerten Aspekten der Moskauer Gespräche gehörte das hohe Maß an Vertrauen, das Adenauer seinen Gesprächspartnern entgegenbrachte. Das überrascht einerseits, wenn man bedenkt, mit welchem Mißtrauen der Kanzler das Vorgehen der Sowjets in der unmittelbaren Nachkriegszeit begleitet hatte. Andererseits behandelte Adenauer seine «sowjetrussischen» Gesprächspartner aber als das, was sie waren: Real- und Machtpolitiker. Das erklärt zu einem gewissen Teil, warum er sich darauf verließ, daß Chruschtschow und Bulganin ihr Wort halten und die Gefangenen auch ohne schriftliche Zusage freigeben würden. Schwarz auf Weiß wurde hingegen das festgehalten, was die Sowjets wollten, die Aufnahme diplomatischer Beziehungen zwischen Moskau und Bonn. In der deutschen Delegation war man sich der Brisanz dieses Schrittes bewußt. Die Sowjetunion war nunmehr das erste und vorerst einzige Land, das diplomatische Beziehungen zu beiden deutschen Staaten unterhielt. Damit hatte die Bundesregierung ihrerseits einen nicht unbeträchtlichen Beitrag zur «Zwei-Staaten-Theorie» geleistet.

So sah man das auch in Moskau. Dort wurde zwei Tage nach Abreise der bundesdeutschen Delegation demonstrativ eine Delegation der DDR empfangen. Hatte Chruschtschow schon bei einem Zwischenaufenthalt auf seinem Rückweg vom Genfer Gipfel in Ost-Berlin am 26. Juli die Frage aufgeworfen «Ist denn nicht klar, daß die mechanische Vereinigung beider Teile Deutschlands, die sich in verschiedenen Richtungen entwikkeln, eine unreale Sache ist?»,[10] so wurde dieser Refrain am 20. September in einem von Bulganin und Grotewohl unterzeichneten Vertrag einmal mehr intoniert. Nach dem auf der Basis «völliger Gleichberechtigung» geschlossenen Vertrag war die DDR «frei in der Entscheidung über Fragen ihrer Innenpolitik und Außenpolitik, einschließlich der Beziehungen zur Deutschen Bundesrepublik sowie der Entwicklung der Beziehungen zu anderen Staaten».[11] Gezielt war der Text dieser zweiten sogenannten Souveränitätserklärung im Inhalt wie in seiner Wortwahl dem modifizierten Deutschland-Vertrag zwischen den Westmächten und der Bundesrepublik nachempfunden.

Das gilt auch für die Modalitäten der Stationierung sowjetischer Truppen, die «zeitweilig» in der DDR verbleiben sollten. Näheres regelte dann der Truppenstationierungsvertrag vom 12. März 1957. Der Status der «Westgruppe der sowjetischen Streitkräfte in Deutschland», wie die Einheiten bis zum Sommer 1989 heißen sollten, unterschied sich in den Augen der DDR-Regierung auch in den folgenden Jahrzehnten grundlegend von dem anderer sowjetischer Einheiten, namentlich derjenigen, die nach der Niederschlagung der Aufstände in Ungarn und in der Tschechoslowakei dort 1956 bzw. 1968 stationiert blieben. Erst nach Ende des Kalten Krieges wurde bekannt, daß das Oberkommando der Westgruppe der sowjetischen Streitkräfte im brandenburgischen Wünsdorf jahrzehntelang auf einer scharfen amerikanischen Zehn-Zentner-Bombe aus dem Zweiten Weltkrieg saß.[12]

Spätestens im September 1955 waren also Tatsachen geschaffen worden: Auf dem Territorium Deutschlands westlich der in Potsdam beschriebenen und inzwischen unausgesprochen von allen vier Siegermächten als Grenze akzeptierten Oder-Neiße-Linie gab es zwei Staaten. Diese waren auf der Grundlage der Verträge, die sie mit den jeweiligen Besatzungsmächten geschlossen hatten, in ihren inneren Angelegenheiten vollständig und in den äußeren Angelegenheiten weitgehend souverän. Eingeschränkt wurde die äußere Souveränität in beiden Fällen durch jene Vorbehalte, die sich auf den künftigen Friedensvertrag, also insbesondere auf Deutschland als Ganzes und Berlin bezogen. Schließlich hatten sowohl Bonn wie Ost-Berlin vertraglich die Stationierung fremder Truppen auf ihrem Territorium vereinbart.

Ein wichtiger Unterschied zwischen den beiden deutschen Staaten war allerdings darin zu sehen, daß der eine, die Bundesrepublik, den anderen, die DDR, nicht anerkannte und überdies für sich beanspruchte, alleine das gesamte deutsche Volk vertreten zu können, da nur die Bundesregierung, nicht aber das SED-Regime demokratisch legitimiert sei. Eben dieser «Alleinvertretungsanspruch» der Bundesrepublik wurde durch die Aufnahme diplomatischer Beziehungen Bonns zu Moskau gefährdet. Gewiß, in Bonn konnte mit gutem Grund argumentiert werden, daß dieser Schritt deshalb notwendig gewesen sei, weil es sich bei der Sowjetunion schließlich um eine der alliierten Siegermächte des Zweiten Weltkrieges handele und es zu einer wie immer gearteten Lösung der Deutschen Frage ihrer Zustimmung bedürfe. Indessen war die prekäre Situation entstanden, daß die Bundesrepublik diplomatische Beziehungen zu einem Land aufgenommen hatte, welches seinerseits solche zur DDR besaß. Das konnte ein erster Schritt hin auf dem Weg zur Anerkennung der DDR und damit zur Aufgabe des Alleinvertretungsanspruchs der Bundesrepublik sein.

Mit einer ganzen Serie von Maßnahmen versuchte sich Bonn dieser Gefahr entgegenzustemmen. So übergab Adenauer am letzten Besuchstag seinem Moskauer Gesprächspartner Bulganin einen Brief, der unter anderem feststellte, daß die Aufnahme diplomatischer Beziehungen keine Aufgabe des Alleinvertretungsanspruchs bedeute. Die Frage, ob die Entgegennahme des Briefes durch den sowjetischen Ministerpräsidenten gleichbedeutend mit der Akzeptierung seines Inhalts gewesen sei, wurde in Moskau und Bonn sehr unterschiedlich beantwortet. Um Mißverständnissen vorzubeugen, verlas der Bundeskanzler am 22. September vor dem Bundestag noch einmal den Bulganin überreichten Brief und fügte hinzu, daß nach Auffassung der Bundesregierung durch die darin zum Ausdruck gebrachten Vorbehalte Vorsorge getroffen sei, «daß dritte Staaten unseren Entschluß, diplomatische Beziehungen zur Sowjetunion aufzunehmen, mißverstehen. Alle Staaten, die zu uns diplomatische Beziehungen unterhalten, können nun klar sehen, daß sich der Standpunkt der Bundesregierung gegenüber der sogenannten ‹DDR› sowie zu den Grenzfragen nicht im geringsten geändert hat.»[13]

Die Bundesregierung wollte keinen Zweifel an ihrer Entschlossenheit aufkommen lassen. Von vornherein galt es deshalb zu verhindern, daß die Aufnahme diplomatischer Beziehungen Bonns zu Moskau von dritten Staaten als willkommene Rechtfertigung benutzt werden konnte, ihrerseits diplomatische Beziehungen zur DDR herzustellen, damit das Regime anzuerkennen und zugleich den bundesdeutschen Alleinvertretungsanspruch zu gefährden. Um dieser Irrfahrt gegenzusteuern, wurde in Bonn eine windungsreiche Maxime entwickelt, die als «Hallstein-Doktrin» in die Geschichte eingegangen ist. Sie war zwar nach dem damaligen Staatssekretär des Auswärtigen Amtes, Walter Hallstein, benannt, stammte aber eigentlich nicht von ihm. Die Bezeichnung tauchte erst Jahre später in der Presse auf. Ersonnen worden ist die Doktrin vom Leiter der Politischen Abteilung des Auswärtigen Amtes, Wilhelm Grewe. Allerdings handelte es sich dabei nicht um ein einziges Dokument oder um eine in sich geschlossene Konzeption. Vielmehr entwickelte sich die «Hallstein-Doktrin» allmählich aus einer Reihe öffentlicher Erklärungen der Bundesregierung, zu denen zum Beispiel auch der fragliche Brief oder die Regierungserklärung zählten.

Für diese Doktrin gab es sogar ein Vorbild, und zwar ausgerechnet in der kommunistischen Volksrepublik China. Dort wurde seit dem Bürgerkrieg zwischen den Nationalchinesen und den chinesischen Kommunisten unter Führung Mao Tse-tungs offensiv der Anspruch vertreten, daß allein die Volksrepublik die Interessen Chinas wahrnehmen und für dieses sprechen könne. Das sah die nationalchinesische Regierung auf Taiwan ganz anders. Auch sie hat den Anspruch, wonach es lediglich ein China gebe, das nur durch Taipeh vertreten werde, offiziell bis zum Ende des Kalten Krieges aufrecht erhalten, wenn sie mit dieser Auffassung zuletzt auch fast allein stand. Schon 1955 hatte Außenminister Dulles der nationalchinesischen Regierung klargemacht, daß es aus amerikanischer Sicht zwei chinesische Staaten gebe – ebenso wie zwei koreanische, zwei vietnamesische und nicht zuletzt zwei deutsche – und ihr pikanterweise die Geduld Adenauers anempfohlen.[14]

Eben diesen Umstand, daß die Teilung des Landes nicht ein Einzelfall war, sondern in Ostasien als geradezu typische Erscheinung des Kalten Krieges gelten konnte, hat man jedoch in Bonn mit erstaunlicher Konsequenz übersehen und ignoriert. Eine angemessene Berücksichtigung dieses Phänomens hätte wohl der trüben Aussicht Raum geben müssen, daß die Deutsche Frage im globalen Maßstab auf dem Weg in die Marginalisierung war und daß die Anerkennung des zweiten deutschen Staates durch Maßnahmen wie die «Hallstein-Doktrin» bestenfalls hinausgeschoben, nicht aber verhindert werden konnte.

Gemäß dieser Doktrin betrachtete die Bundesregierung die Aufnahme diplomatischer Beziehungen mit der DDR durch all jene Staaten als unfreundlichen Akt, mit denen sie selbst solche unterhielt. Für diesen Fall drohte sie mit Sanktionen, wobei Bonn allerdings bewußt die Frage offenließ, mit welchen Maßnahmen man jeweils reagieren würde. Das erläuterte Grewe in einem Interview vom 11. Dezember 1955: «Klar ist ..., daß die Intensivierung der Beziehungen mit Pankow von uns als eine unfreundliche Handlung empfunden wird. Auf unfreundliche Akte anderer Staaten kann man mit verschieden gestuften Maßnahmen reagieren, kann entweder seinen Botschafter zunächst einmal zur Berichterstattung zurückberufen, oder man kann auch einen weiteren Abbau einer solchen Mission vornehmen. Kurz, es gibt eine ganze Reihe von Maßnahmen, die noch vor dem Abbruch der diplomatischen Beziehungen liegen ... Aber so viel ist klar, daß diese ganze Frage für uns in der Tat eine äußerst ernste Frage ist».[15]

Als besonders wirksames Mittel zur Durchsetzung dieser Doktrin bzw. zur Verhinderung einer massenhaften Anerkennung der DDR diente die wachsende Wirtschaftskraft der Bundesrepublik. Die Drohung, den Hahn der Wirtschaftshilfe zu schließen, zeitigte vor allem bei den Staaten der Dritten Welt Wirkung. Diese wurden auch für die deutsche Politik schon deshalb immer wichtiger, weil ihre Zahl als Folge der Unabhängigkeits- bzw. Dekolonisierungsbewegung sprunghaft zunahm. Der Empfang des DDR-Handelsministers Heinrich Rau durch den indischen Premierminister Nehru im Oktober 1955 führte Bonn vor Augen, welche Bedeutung den jungen Staaten zukommen konnte. Für die DDR bildeten sie den eigentlichen Ansatzpunkt in ihrem «Kampf» gegen die bundesdeutsche «Alleinvertretungsanmaßung». Also mußte die Bundesrepublik ihren Anspruch immer stärker auch in der Dritten Welt behaupten. Dabei konnte sie anfänglich durchaus Erfolge verbuchen. So genügte zum Beispiel schon die Drohung mit der Einstellung der Hilfe für den Bau des Assuan- bzw. des Euphrat-Staudammes, um Ägypten und Syrien zu der Einsicht zu bekehren, bei ihrer Annäherung an Ost-Berlin Vorsicht walten zu lassen. Scharfe Reaktionen, wie zum Beispiel die Einstellung der Wirtschaftshilfe an Ceylon, mit der Bonn selbst noch 1964 auf die Aufwertung der DDR-Vertretung zu einem Generalkonsulat reagierte, verfehlten eben nicht ihre Wirkung. Zum äußersten Mittel, dem Abbruch der diplomatischen Beziehungen, griff man nur zwei- bzw. dreimal. Am 19. Oktober 1957 wurden die diplomatischen Beziehungen zu Jugoslawien, am 14. Januar 1963 diejenigen zu Kuba abgebrochen, und am 24. Februar 1964 wurde die am 18. Januar gegründete Volksrepublik Sansibar ausdrücklich nicht anerkannt.

Diese letzten Schritte erfolgten zu einem Zeitpunkt, als in der Bundesrepublik selbst bereits eine vorsichtige Demontage der «Hallstein-Doktrin» zu beobachten war. Denn je stärker sich der Status quo in der Welt, in Europa und damit eben auch in Deutschland verfestigte, um so hinderlicher war dieses Instrument für eine erfolgreiche Außenpolitik. Vor allem aber belastete die Doktrin nicht nur die Ostpolitik der Bundesrepublik selbst, sondern auch die Außen- und Ostpolitik ihrer Verbündeten. Je energischer allen voran die Vereinigten Staaten von Amerika auf einen Entspannungskurs einschwenkten, um so mehr mußten sich Wiedervereinigungsforderung und Alleinvertretungsanspruch, mit denen die «Hallstein-Doktrin» gerechtfertigt wurde, als Ballast erweisen.

Aber nicht nur in dieser Frage kam es Mitte der fünfziger Jahre erstmals zu Spannungen. Ausgesprochen unerfreulich gestalteten sich vor allem die Verhandlungen zwischen der Bundesrepublik und den Westmächten über die Kosten für die Stationierung alliierter Truppen in der Bundesrepublik. Eine erste Einigung konnte hier nicht vor dem 6. Juni 1956 gefunden werden.[16] Unzufrieden quittierte Washington das Tempo der deutschen Wiederbewaffnung, von der man sich eine Entlastung der eigenen Verteidigungsbürden versprach. Bonn seinerseits drängte nach wie vor vergeblich auf eine Rückerstattung der im Zweiten Weltkrieg in den USA beschlagnahmten deutschen Vermögen. Besondere Irritation und Verärgerung rief aber am Rhein die Diskussion über ein «Disengagement» hervor. Seit Mitte der fünfziger Jahre kristallisierte sich in den Reihen der Verbündeten, und wiederum vor allem in den USA, eine wachsende Tendenz zur Status-quo-Sicherung heraus. In der Konsequenz war das gleichbedeutend mit einer stillschweigenden Bestattung der «Roll-back»-Konzeption, die ja ohnehin nirgends zur Anwendung kam, wie die Krisen des Jahres 1956 in bzw. um Polen, Ungarn und Ägypten zeigten. Deren Brisanz lag in ihrer inhaltlichen bzw. zeitlichen Verknüpfung, die sich vielen Zeitgenossen als ein einziges großes «Durcheinander» darstellte.[17]

In Osteuropa war die Luft stickig geworden. Nicht einmal zehn Jahre waren seit der Einführung des «neuen» Modells vergangen, und doch reichte vielen diese Erfahrung. Die angekündigte Wende zum besseren, freieren Leben ließ auf sich warten, und die tägliche Wirklichkeit gab kaum Veranlassung zu weitgehender Hoffnung. Zwar war es in einigen Bereichen zunächst bergauf gegangen, vor allem für die industriell zurückgebliebenen Staaten Südosteuropas. Erhebliche Probleme gab es hingegen bei der landwirtschaftlichen Produktion und Versorgung: In der DDR, in Ungarn und der Tschechoslowakei sank die landwirtschaftliche Erzeugung zu Beginn der sechziger Jahre noch unter die Werte der Vorkriegszeit, und 1964 sollte die Summe der Sozialprodukte aller sechs kommunistischen Staaten Mittel- und Osteuropas zusammen nicht einmal das Bruttosozialprodukt der Bundesrepublik erreichen.[18] Das war unerfreulich genug. Als noch gravierender empfanden freilich viele die Unfreiheit und Zensur im kulturellen, wissenschaftlichen und publizistischen Bereich, von der Besetzung ihrer Länder durch die Rote Armee gar nicht zu reden.

Doch plötzlich geriet die Szene in Bewegung. Ausgelöst auch durch den 20. Parteitag der KPdSU und die Geheimrede Chruschtschows vom 25. Februar 1956, kam es in Polen und Ungarn zu Rebellionen gegen die kommunistischen Regime. In Polen entlud sich die Unzufriedenheit am 28. Juni 1956 im Posener Aufstand, der durch das Militär niedergeschlagen wurde. Diese Ereignisse führten immerhin dazu, daß sich in der «Polnischen Vereinigten Arbeiterpartei» reformerische Kräfte durchsetzten und mit Wladyslaw Gomulka einen Mann an die Spitze der Politik zurückbrachten, der bis zu seiner Absetzung am 3. September 1948 schon einmal Generalsekretär der polnischen Arbeiterpartei gewesen war. Gomulka wurde im August 1956 rehabilitiert und nach Massendemonstrationen unter anderem in Warschau am 19. Oktober wieder in seine alte Funktion eingesetzt. Er ließ es dann sogar auf eine Kraftprobe mit der sowjetischen Führung ankommen, die nach Warschau gereist war. Nach heftigen Auseinandersetzungen beorderten Chruschtschow, Molotow und Mikojan, der Erste Stellvertretende Ministerpräsident der UdSSR, die bereits in Marsch gesetzten sowjetischen Panzer in ihre polnischen Kasernen zurück und akzeptierten zähneknirschend den neuen Mann und seinen politischen Kurs. Für diesen erstaunlichen Kompromiß gab es mehrere Gründe. Vor allem vermochte Gomulka die Sowjets von der polnischen Bündnistreue zum Warschauer Pakt zu überzeugen. Im Dezember wurden dann die in Polen stehenden Teile der Sowjetarmee vertraglich polnischem Oberbefehl unterstellt.

Daß sich Polen solchermaßen behaupten und auch in der Folge einen gewissen Sonderweg innerhalb des Warschauer Paktes gehen konnte, hatte aber auch damit zu tun, daß die polnische Krise mit der ungarischen zusammenfiel. So blieb den Polen das Los der Ungarn erspart: Dort hatte am 23. Oktober 1956 mit Studentenunruhen ein Volksaufstand begonnen, der innerhalb kürzester Zeit zum Zusammenbruch der alten Staats- und Parteistrukturen und am 24. Oktober zur Bildung einer reform-kommunistischen Regierung unter dem Alt-Kommunisten Imre Nagy führte. Am 25. und 28. Oktober forderte Nagy öffentlich Verhandlungen mit der Sowjetunion über die «Frage des Abzugs der in Ungarn stationierten sowjetischen Streitkräfte».[19] Damit rief der ungarische Regierungschef der Weltöffentlichkeit laut und vernehmlich ins Gedächtnis, daß Moskau sich nicht an die Friedensverträge mit Ungarn und Rumänien hielt. Denn mit der Unterzeichnung des Staatsvertrages und dem Abzug der Roten Armee aus Österreich war – gemäß den Bestimmungen der Pariser Friedensverträge vom 10. Februar 1947 – auch der Grund für die Stationierung sowjetischer Verbände in Ungarn und Rumänien entfallen.

Am 1. November 1956 kündigte Ungarn einseitig seine Mitgliedschaft im Warschauer Pakt und erklärte sich für neutral. Hier dürfte wohl der eigentliche Grund für die Intervention durch die Rote Armee liegen, die am 4. November begann und durch den Einsatz der Panzerwaffe eine dramatische Eskalation erfuhr. Wie schwer die Kämpfe waren, zeigte die hohe Zahl der Opfer – allein in den Reihen der Roten Armee immerhin fast 700. Am 14. November brach der Aufstand endgültig zusammen. Nagy wurde auf Betreiben seines Nachfolgers János Kádár verhaftet, 1958 nach einem Geheimprozeß hingerichtet und erst nach dem Zusammenbruch des kommunistischen Systems und dem Ende des Kalten Krieges in Ungarn rehabilitiert.

Wäre die amerikanische Administration in dieser Zeit wirklich der Strategie eines «Roll back» gefolgt, so hätte die blutige Niederschlagung des ungarischen Aufstandes geradezu zwingend ein militärisches Eingreifen geboten. Doch nicht nur befanden sich die Vereinigten Staaten in der Endphase des Wahlkampfes. Vielmehr wäre es wohl kaum einem verantwortlichen amerikanischen Politiker in den Sinn gekommen, in solche Vorgänge im sowjetischen Machtbereich einzugreifen und damit eine militärische, wenn nicht gar eine nukleare Eskalation zu riskieren. Insofern bestätigte die völlige amerikanische Zurückhaltung in den Krisen um Polen und vor allem Ungarn den weit verbreiteten Eindruck, daß die USA entgegen allen rhetorischen Kraftakten im Grunde konsequent die defensiv angelegte Politik des «Containment» fortsetzten oder gar noch hinter diese zurückgingen. Unmißverständlich stellte Dulles am Ende des Jahres 1956 auf einer Pressekonferenz klar, daß es nicht Absicht Washingtons sei, «die Sowjetunion mit einem Gürtel aus feindlichen Staaten zu umgeben» und jenen «Cordon sanitaire» der Zwischenkriegszeit wieder aufleben zu lassen, «der nach dem Ersten Weltkrieg maßgeblich von den Franzosen in der Absicht entwickelt worden war, die Sowjetunion mit feindlichen Kräften einzukreisen».[20]

Bei manchem Verbündeten rief die peinliche Zurückhaltung der USA schon deshalb Befremden hervor, weil die westliche Führungsmacht zur gleichen Zeit ihren eigenen Verbündeten Großbritannien und Frankreich eine bittere machtpolitische Lektion erteilte. Denn zeitlich parallel zu den Krisen in Osteuropa hatte sich die Konfliktsituation im Nahen Osten gefährlich zugespitzt. Am 29. Oktober 1956 begann auf der Sinai-Halbinsel der israelische Angriff gegen Ägypten und damit zugleich der nach 1948 zweite Nahost-Krieg. Auch diese Krise hatte weit über die Region hinausweisende Folgen. In der Nahost-Krise des Jahres 1956 liefen nämlich verschiedene Stränge zusammen. Nicht nur spielte sich das aufziehende Drama auf der Bühne des globalen Ost-West-Konfliktes ab. Es hatte vielmehr auch eine Dimension, die in dieser Zeit gemeinhin für extreme Reaktionen sorgte. Denn hier ging es auch um die Frage von Kolonisierung und Befreiung. Für die arabischen Staaten der Region war die Gründung des Staates Israel nichts anderes als eine moderne Form imperialistischer Landnahme gewesen, und auch das Eingreifen der alten Kolonialmächte Großbritannien und Frankreich in die Krise des Jahres 1956 erinnerte manchen an die Kanonenbootpolitik des 19. Jahrhunderts.

1922 hatte Großbritannien das seit 1882 besetzte und 1914 zum Protektorat erklärte Ägypten in eine bedingte Unabhängigkeit entlassen, sich aber die Kontrolle des Suezkanals vorbehalten. Der ägyptisch-britische Vertrag vom 26. August 1936 hatte auch die sich daraus ergebende militärische Besetzung beendet, allerdings Großbritannien das Recht vorbehalten, im Falle eines Krieges, einer Kriegsdrohung oder eines bewaffneten Konflikts für den Einsatz seiner Streitkräfte ägyptische Häfen, Verkehrswege und Flughäfen zu benutzen. Während des Zweiten Weltkrieges und insbesondere als Reaktion auf den Vorstoß des deutschen Afrikacorps war dann das Land der Pharaonen zwischenzeitlich de facto wieder zu einem britischen Protektorat geworden. Diese Rekolonialisierung trug das ihre zur Verfestigung jener alten politischen, wirtschaftlichen und sozialen Strukturen bei, auf deren Überwindung Teile der Intellektuellen, aber auch der jüngeren Offiziere seit dem Ende des Krieges immer stärker drängten. Nach einem Staatsstreich und der Abdankung König Faruks I. am 23. Juli 1952 hatte mit Gamal Abd el-Nasser ein Mann die Zügel der Politik in die Hand genommen, der Ägypten politisch, wirtschaftlich und wohl auch militärisch an die Spitze der arabischen Welt führen wollte.

Daß dieser Kurs schließlich gegen die Interessen des Westens eingeschlagen und hartnäckig durchgehalten wurde, lag nicht zuletzt an dessen unzeitgemäßem und törichtem Verhalten gegenüber dem jungen Staat, das in vieler Hinsicht typisch für diese Phase der Dekolonisierung bzw. Befreiung war. Zwar stimmte Großbritannien am 19. Oktober 1954 vertraglich der Aufkündigung des britisch-ägyptischen Bündnisvertrages aus dem Jahre 1936 zu und versprach, alle britischen Streitkräfte innerhalb von 20 Monaten abzuziehen. London war aber nicht bereit, ohne weiteres den von Nasser eingeschlagenen Kurs außenpolitischer Neutralität mit seinen weitreichenden Konsequenzen zu akzeptieren. Dieser sollte es Ägypten ermöglichen, aus den weltpolitischen Rivalitäten der beiden Blöcke unmittelbaren Nutzen zu ziehen. So ließ Nasser einerseits den geplanten Bau des gewaltigen, für das Nil-Land als lebenswichtig betrachteten Assuan-Staudammes durch westliche Gelder finanzieren und kaufte andererseits über die Tschechoslowakei sowjetische Waffen ein. Als er dann, ermutigt durch die Anfangserfolge seiner Politik, im Mai 1956 den Abbruch der diplomatischen Beziehungen zu Taiwan und die Aufnahme solcher zur Volksrepublik China ankündigte, reagierte der Westen mit Maßnahmen, die Ägypten geradezu in die Arme der Sowjetunion treiben mußten: Am 19. Juli 1956 zogen die USA, gefolgt unter anderem von Großbritannien und der Weltbank, ihre Finanzhilfe für den Bau des Assuan-Staudammes zurück. Sieben Tage später, am 26. Juli, antwortete Nasser mit der Verstaatlichung der Suezkanal-Gesellschaft. Die Einnahmen, so sein Argument, benötige er für den Bau des Stauwerkes.

Das war der Auslöser des Krieges zwischen Israel und Ägypten, in den dann auch Frankreich und Großbritannien mit der Begründung eingriffen, die Kämpfe einstellen zu wollen. In Wirklichkeit handelte es sich um ein abgekartetes Unternehmen, stand doch das gemeinsame Vorgehen Israels und der beiden Westmächte spätestens seit dem 24. Oktober fest. Nach Ultimaten an beide kriegführende Parteien, das erwartungsgemäß von Kairo abgelehnt wurde, begannen britische und französische Einheiten mit der Bombardierung ägyptischer Städte und der Landung in Port Said. Die Motive waren offenkundig: Nicht nur war den beiden europäischen Westmächten der außenpolitische Kurs Ägyptens, etwa die Zusammenarbeit mit Jugoslawien oder die Anerkennung der Volksrepublik China, äußerst suspekt. Vielmehr beeinträchtigte die Verstaatlichung des Suezkanals auch ihre Wirtschafts- und Handelsinteressen. Und schließlich hatte Nasser innerhalb weniger Jahre in der Dritten Welt eine beträchtliche Popularität erlangt, da er sich vielerorts für die Befreiungsbewegungen gegen die Kolonialherren einsetzte und zum Beispiel den Algerien-Aufstand gegen die Franzosen unterstützte. Das vor allem löste in Paris den Alarm aus.

Das britisch-französische Suez-Abenteuer war nur von kurzer Dauer. Am 2. November 1956 forderte die UNO-Vollversammlung zur Einstellung der Kämpfe auf, drei Tage später, am 5. November, meldete sich auch die Sowjetunion zu Wort. Unüberhörbar drohte der Kreml, Großbritannien und Frankreich gegebenenfalls mit militärischen Mitteln aufzuhalten und «durch Einsatz von Gewalt die Aggressoren zurückzuschlagen».[21] Der diskrete aber wirkungsvolle Hinweis auf einen Einsatz von Raketen, also von Atomwaffen, war durchaus auch so zu verstehen, daß sich dieser direkt gegen Frankreich und Großbritannien richten könne. Nicht nur für deutsche Beobachter waren dieser Wink mit dem nuklearen Zaunpfahl und die Absicht, «mindestens bis an den Rand des Weltkrieges zu gehen»,[22] «das Ungeheuerlichste, was in der diplomatischen Geschichte seit langem geschehen» war.[23] Daß London und mit ihm Paris dann tatsächlich am folgenden Tag, am 6. November 1956, das Unternehmen abbrachen, hatte indessen nur bedingt und allenfalls in zweiter Linie mit Chruschtschows wilder Drohung zu tun. Ausschlaggebend war vielmehr die Haltung der USA, die sich noch vor der offiziellen Stellungnahme der Vereinten Nationen für eine Intervention der UNO ausgesprochen hatten. So gesehen überrascht es nicht, daß Moskau in den Vereinten Nationen die von Washington eingeschlagene Linie durchweg unterstützte.

Eine nicht unbeträchtliche Rolle bei der Beilegung und der weiteren Abwicklung der Krise spielten im übrigen der kanadische Außenminister, Lester B. Pearson, der dafür 1957 mit dem Friedensnobelpreis ausgezeichnet wurde, und der Generalsekretär der Vereinten Nationen, Dag Hammarskjöld. Der Schwede führte in der Suez-Krise eine grundlegende Reform der UN-Strategie durch: Da der Sicherheitsrat durch das Veto Frankreichs und Großbritanniens lahmgelegt war, wandte er sich direkt an die Generalversammlung, die dann in mehreren Resolutionen, zuletzt in ihrer Entschließung Nr. 1001 vom 7. November, die Entsendung einer UN-Friedenstruppe in das Kampfgebiet beschloß, diese Entscheidung aber von der Zustimmung aller betroffenen Staaten abhängig machte. Damit war das Prinzip der Friedenssicherung geboren, das jenes vor allem in Korea angewandte der Friedenserzwingung ersetzte und bis zum Ende des Kalten Krieges in Kraft bleiben sollte.

Für Großbritannien und Frankreich bedeuteten Verlauf und Abbruch des Kanal-Unternehmens einen schweren Rückschlag. Daß sich dieses Debakel vor dem Hintergrund heftiger sowjetischer Drohungen abspielte, machte die Situation nicht gerade einfacher, im Gegenteil: Der Gesichtsverlust, den die beiden dadurch hinnehmen mußten, zwang auch den letzten Träumer zu dem ernüchternden Eingeständnis, daß sich Großbritannien und Frankreich, verglichen mit den Vormächten der beiden Bündnisse, auf dem absteigenden Ast befanden. Nach dem Zweiten Weltkrieg beruhte ihr Großmachtstatus auf vier Säulen, von denen allerdings eine noch kaum entwickelt und eine andere bereits im Wanken begriffen war. Neben dem Ständigen Sitz im Sicherheitsrat der Vereinten Nationen und dem Status als Siegermacht in Deutschland definierte sich die Großmachtstellung Frankreichs und Großbritanniens über die nukleare Fähigkeit, die aber vorerst nur in Testerfolgen bestand, und schließlich und vor allem über die Kolonialreiche.

Die imperialen Bauten Großbritanniens und Frankreichs waren über Jahrhunderte hinweg Stein um Stein errichtet und im Zeitalter des Imperialismus weitgehend vollendet worden. Mit dem Ersten Weltkrieg hatten sie sogar noch beträchtliche Erweiterungen erfahren, weil sich Paris und London in das koloniale Erbe Deutschlands und der Türkei teilten. Gleichzeitig offenbarte aber dieser erste global geführte Krieg, daß die beiden alten europäischen Kolonialmächte im Grunde mit der Verwaltung und dem Zusammenhalt ihrer riesigen Imperien überfordert waren. Der Zweite Weltkrieg brachte daher fast zwangsläufig den Übergang von der imperialen Überbürdung zur Auflösung der Kolonialreiche. Was das für die beiden Großmächte bedeuten mußte, hatte der politische Routinier Gaston Monnerville, der sich in der Kolonialfrage bestens auskannte, unmittelbar nach Kriegsende mit Blick auf den damaligen Status Frankreichs so formuliert: «Ohne das Empire wäre Frankreich lediglich ein befreites Land. Dem Empire ist es zu verdanken, daß Frankreich zu den Siegern zählt.»[24]

Ihre schwere politisch-diplomatische Niederlage in Ägypten konfrontierte Briten wie Franzosen endgültig mit einem unabwendbaren Haupttrend des Zeitalters: der Dekolonisierung. War nicht die Zeit der Kolonialmächte abgelaufen und eine neue Ära angebrochen? Ausgerechnet die vormalige britische Kolonie, die Vereinigten Staaten von Amerika, sollte den beiden traditionsreichen Großmächten durch ihre Politik in der Suez-Krise ihren Abstieg vor Augen führen. In diesem Punkt setzte die Regie-

rung Eisenhower die Politik der Roosevelt-Administration fort, die schon
während des Zweiten Weltkrieges erklärt hatte, daß für sie eine Rekonstruktion der Kolonialreiche nicht zur Debatte stehe.

Die zweite wichtige und weitreichende Konsequenz der Suez-Krise
bestand in einer beträchtlichen Stärkung der sowjetischen Position im
Nahen Osten. Das war keineswegs selbstverständlich. Denn vorderhand
hatte die Intervention des Kreml in Ungarn gerade auch bei den jungen
Staaten der Dritten Welt zu einem eindeutigen Sympathieverlust geführt.
Das entschiedene Auftreten gegen die alten Kolonialmächte erwirkte dann
jedoch, jedenfalls in der betroffenen Region, eine erneute Klimaänderung.
Hatte Moskau bis dahin praktisch keinen Fuß in die nahöstliche Tür
bekommen können, so änderte sich die Lage seit 1956 in geradezu atem-
beraubendem Tempo zu seinen Gunsten. Auch hier nutzte der Kreml in
erster Linie die Chancen, die sich als Folge der westlichen Politik unerwartet auftaten. Denn seit Mitte der fünfziger Jahre machten Briten wie
insbesondere Amerikaner selbst nach Einschätzung wohlmeinender Beobachter «im Mittleren Osten Fehler über Fehler».[25] Mit scheinbar gutem
Grund konnte sich die Sowjetunion jetzt als Speerspitze der nationalen
Bewegungen gegen den neuerlichen «Imperialismus» des Westens profilieren. Lieferten die USA nicht einen Vorwand nach dem anderen?

Ohne große Verrenkungen konnte man die am 7. Januar 1957 proklamierte «Eisenhower-Doktrin» als Kampfansage interpretieren. Diese ging
davon aus, daß die Suez-Krise in der Region ein Machtvakuum hinterlassen habe, und versprach, alle Staaten, die das wünschten, gegen einen
Angriff seitens eines vom «internationalen Kommunismus kontrollierten
Landes» zu schützen.[26] Alsbald wurde Washington im Sinne des neuen
Konzepts aktiv: Die Ende April 1957 bekanntgegebene Entscheidung, daß
die Vereinigten Staaten die Wahrung der Unabhängigkeit und Integrität
Jordaniens als «nationales» Interesse betrachteten, war zugleich eine Warnung an die Adresse Syriens. Dieses hatte wie kein zweites arabisches Land
Nasser selbst auf dem Höhepunkt der Suez-Krise unterstützt. Fortan
schien Syrien das Zentrum nahöstlicher Unruhe zu sein. Nicht nur gab
es hier eine kommunistische Partei, Damaskus bezog auch sowjetische
Entwicklungshilfe und stand auf Moskaus Liste der Waffenempfänger. Die
USA zögerten nicht lange mit Gegenmaßnahmen, wie der Kündigung
von Kredit- und Handelsabsprachen oder auch der demonstrativen Entsendung der Sechsten US-Flotte in die levantinischen Gewässer. Das alles
trug nicht wenig dazu bei, die Annäherung Syriens an Ägypten zu beschleunigen.

Diese hatte aber auch unfreiwillige Geburtshelfer in der Region selbst,
allen voran die Türkei. Im September und Oktober 1957 zog Ankara an
der Grenze zu Syrien Truppen zusammen. Der NATO-Partner und
Schutzbefohlene der USA reagierte damit sowohl auf die sich seit Anfang
September abzeichnende syrisch-sowjetische Kooperation, zu der es für

Damaskus nach der Kündigung entsprechender Vereinbarungen durch die USA kaum eine Alternative gab und die am 27. Oktober in einem Kreditabkommen kulminierte, als auch auf die Intensivierung der syrisch-ägyptischen militärischen Zusammenarbeit. Diese war am 11. September vereinbart worden und erfuhr am 13. Oktober mit der überraschenden Landung ägyptischer Truppen in Syrien eine demonstrative Bestätigung. Der Versuch der Türkei, den Nachbarn Syrien durch Manöver im Grenzgebiet, also durch Druck von der Annäherung an die Sowjetunion und an Nassers Ägypten abzuhalten, stärkte freilich noch die gegenläufigen Tendenzen: Am 1. Februar 1958 wurde in Kairo und Damaskus die «Vereinigte Arabische Republik» (VAR) proklamiert. Sie sollte den Nukleus eines gesamtarabischen Zusammenschlusses bilden. Doch schon 1961 entzog sich Syrien Nassers Vereinnahmungsversuchen.

Auf der Siegerseite fand sich 1957 einmal mehr der Kreml wieder, der fortan in Syrien einen weiteren, mehr oder weniger zuverlässigen Verbündeten besaß. Konsequent nutzte Moskau die Gunst der Stunde, um seine Position im Nahen Osten wie in der Dritten Welt insgesamt zu verbessern, zugleich eine durch die «Truman-Doktrin» verbaute Stoßrichtung seiner Politik, die Türkei, wieder ins Visier zu nehmen und damit im globalen Ringen der Weltmächte insgesamt aufzuholen: Die «gewissenlose, vorsätzliche Verschärfung des türkisch-syrischen Konflikts durch Moskau» erschien selbst George F. Kennan, der in eben dieser Zeit öffentlich um ein größeres Verständnis für die «sowjetische Denkart» warb, «als das Bedenklichste», was man seit der «russischen Blockade Berlins» knapp zehn Jahre zuvor erlebt habe.[27]

Daß die amerikanische Nahost-Politik solchen Machenschaften Vorschub geleistet hatten, geriet offenbar rasch in Vergessenheit. Dabei schienen die USA auch in den kommenden Monaten kaum eine Gelegenheit versäumen zu wollen, um ihren weltpolitischen Rivalen den Einstieg in das nahöstliche Geschäft zu erleichtern. Das galt vor allem für ihre Intervention in den libanesischen Bürgerkrieg, die am 15. Juli 1958 mit der Landung von 5000 Marineinfanteristen in Beirut begann und seit dem 17. Juli von einem Einsatz britischer Fallschirmjäger in Jordanien flankiert wurde. Die Aktionen verfolgten drei Ziele. Einmal galt es die Ordnung im Libanon wiederherzustellen, selbstredend im westlichen Sinne. Dann sollte die Stellung Jordaniens und seines jungen Königs Hussein II. in der Region stabilisiert werden, insbesondere vor dem Hintergrund des Umsturzes im Irak, der zugleich den dritten Grund für die Intervention bildete.

Dort, in Bagdad, war am 14. Juli nach dem Staatsstreich durch eine Gruppe bis dahin unbekannter Offiziere und der Ermordung König Feisal II. die Republik proklamiert worden. Die irakische Revolution hätte aufmerksamen Beobachtern eine Lehre sein können, wie wenig sich solche Entwicklungen ursprünglich in das starre Korsett des Ost-West-Konflikts zwängen ließen, wie verzerrt also eine jede von diesem Schema geprägte Wahrnehmung sein mußte. Die Clique der neuen Machthaber, die hier wie anderenorts in der sich ausbildenden Dritten Welt mit dem Anspruch einer Sozial- und Agrarreform antrat, war alles andere als politisch homogen. Der Chef der Militärregierung, General Abd al-Karim Kassem, hatte alle Hände voll zu tun, die zentrifugalen Tendenzen unter Kontrolle zu bringen. Die Anhänger Nassers, seine wohl gefährlichsten Konkurrenten, wurden Ende 1958 ausgeschaltet; den prokommunistischen Kräften zollte der General 1959/60 den notwendigen Tribut. Obgleich Washington und London am 1. August 1958 mit der Aufnahme diplomatischer Beziehungen die Republik anerkannt hatten, auch um sie gegen die Nasseristen zu stützen, trat der Irak am 24. März 1959 aus dem «Bagdad-Pakt» aus, kündigte in den folgenden Monaten zahlreiche Abkommen mit Briten und Amerikanern und schloß entsprechende mit den Sowjets. Und diese wußten, warum sie die Nichtaufnahme Kuwaits in die UNO betrieben. Immerhin erhob Kassem Anspruch auf das Emirat, das am 19. Juni 1961 von den Briten in die Unabhängigkeit entlassen wurde. Diese taktische Annäherung der irakischen Militärs an Moskau war mithin weniger Ausdruck einer überzeugten prosowjetischen Einstellung als vielmehr das Ergebnis einer «antiimperialistischen», «antikapitalistischen», kurzum: antiamerikanischen Politik.

Kein Zweifel: das politische Kapital, das den Amerikanern dank ihrer Haltung in der Suez-Krise verblieben war, hatten sie mit ihren sich daran anschließenden Aktionen, wie insbesondere der Landung im Libanon, auf lange Zeit verspielt. In Verkennung der Absichten und Ambitionen der «Helden der arabischen Nation» galt am Potomac jede Form nationaler Selbstbehauptung als indirekte Aggression und als Vorbote des «internationalen Kommunismus». Das war ein Irrtum. Die jungen Kräfte in Ägypten, Syrien oder dem Irak, sowenig sie auch sonst gemeinsam hatten, waren nämlich keine Kommunisten, jedenfalls nicht durch die Bank und schon gar nicht im orthodoxen Sinne. Sie suchten nach einem dritten Weg. Als ihnen dabei die westliche Unterstützung versagt oder entzogen wurde, nahmen sie ohne lange zu zögern die sowjetische Offerte an.

Und noch in einer dritten Hinsicht zeitigte die Krise des Jahres 1956 ihre Folgen. Sie war der eigentliche Auslöser für den Sonderweg Frankreichs, der das Land in den sechziger Jahren auf Distanz zur Atlantischen Allianz führen sollte. Das Suez-Debakel bildete den letzten Anstoß für den Aufbau einer nationalen Atomstreitmacht, mit der sich Paris so schnell wie möglich aus der nuklearen und der damit verbundenen politischen Abhängigkeit von den USA lösen wollte. Denn bei manchem Verbündeten der Vereinigten Staaten, und keineswegs nur bei Frankreich, wuchsen die Sorgen, wie sich Washington wohl im Falle einer sowjetischen Bedrohung Westeuropas verhalten werde. In dieser Skepsis und in der Beobachtung eines «nachlassenden» amerikanischen Interesses an Europa wußten sich der deutsche Bundeskanzler und der französische Regierungschef, Guy Mollet, einig.[28] Man darf eben nicht vergessen, daß die USA in enger Absprache ausgerechnet mit den Sowjets bei ihren eigenen Verbündeten intervenierten, während die Kremlherren in Ungarn einen Volksaufstand blutig niederschlugen, ohne daß sich die Vereinigten Staaten zu einer Maßnahme genötigt gesehen hätten, die dem Vorgehen gegenüber London und Paris vergleichbar gewesen wäre. Aber natürlich war auch den Zweiflern klar, wo die Gründe für dieses Verhalten lagen: «Die großen nuklearen Waffen», so analysierte Adenauer im November 1956, «haben eine merkwürdige Eigenschaft mit sich gebracht, sie haben ihre Besitzer ... mehr oder weniger neutralisiert.»[29]

So kam es, daß in dieser Zeit die Debatte über ein «Disengagement» der Mächte einen Höhepunkt erlebte. Erste Stimmen für eine Entspannung waren schon 1953 zu vernehmen gewesen, und zwar insbesondere in der Sowjetunion, in Frankreich und in Großbritannien, aber auch bei den deutschen Sozialdemokraten. Bald tauchten konkrete Pläne für eine entmilitarisierte bzw. atomwaffenfreie Zone in Europa auf, und auch hier brachte der Genfer Gipfel einen Durchbruch: Dort hatte Eden seinen Vorschlag einer «entmilitarisierten Zone zwischen Ost und West» vorgetragen; dort hatten die Sowjets ihren Vorschlag eines Sicherheitspaktes einschließlich der Auflösung der beiden Militärblöcke vorgelegt; dort hatten die Gipfelteilnehmer übereinstimmend die Außenminister beauftragt, dafür Sorge zu tragen, daß ihre Vorschläge im Unterausschuß der UNO Berücksichtigung fanden.

Dieser «Unterausschuß» der seit 1952 bestehenden «Abrüstungskommission» der Vereinten Nationen war im April 1954 gegründet worden. Neben den Vier Mächten gehörte ihm Kanada an. Seine Sitzungsperioden erstreckten sich mit Unterbrechungen vom 29. August 1955 bis zum 6. September 1957, als sie ohne Datum erfolglos vertagt wurden. Immerhin konnte aber in einem Punkt eine gewisse Annäherung erzielt werden. So signalisierte die Sowjetunion am 17. November 1956 ihr grundsätzliches Einverständnis, einen Vorschlag Eisenhowers vom Genfer Gipfel zu übernehmen, demzufolge das Prinzip des «Open sky» gelten und die Sicherheit durch Luftinspektionen erhöht werden sollte. Allerdings wollte Moskau solche Inspektionen nur in einem Raum von je 800 Kilometern beiderseits der Berührungslinie der Machtblöcke zulassen, nicht aber, wie das der Westen forderte, in ihrem «ganze[n] Territorium».[30] Ein Durchbruch gelang hier erst mehr als 35 Jahre später, am 24. März 1992, als am Rande des 4. KSZE-Folgetreffens in Helsinki ein Vertrag über «Open skies» unterzeichnet werden konnte. Da aber war der Kalte Krieg vorbei, die Sowjetunion existierte nicht mehr, und der Warschauer Pakt auch nicht.

Daß sich die Festschreibung von vertrauens- und sicherheitsbildenden Maßnahmen in der Zeit des Kalten Krieges so schwierig gestaltete, lag einmal an der Forderung des Westens, die Sowjetunion müsse ihr gesamtes Territorium für entsprechende Inspektionsmaßnahmen öffnen. Dann aber gründete die Abschreckungslogik gerade in der Frühphase des Kalten Krieges in der beiderseitigen Annahme, in etwa das gleiche militärische, vor allem nukleare Potential wie der Gegner zu besitzen. Eine konsequente Inspektion, wie sie Eisenhower dann mit den «U-2»-Flügen durchzuführen suchte, hätte die tatsächliche Unterlegenheit der Sowjetunion auf dem Gebiet der nuklearen Rüstung offenlegen und damit aus ihrer Sicht eine gefährliche Sicherheitslücke entstehen lassen können.

Obgleich die Beratungen im Unterausschuß der Abrüstungskommission der UNO letztendlich scheiterten, trugen sie doch zusammen mit Edens und Bulganins Initiativen in Genf zur Belebung der «Disengagement»-Debatte bei, die 1957 ihren Höhepunkt erlebte und auch in der westlichen Welt prominente Befürworter hatte. Zu ihnen zählte der Vorsitzende der britischen «Labour Party», Hugh Gaitskell. 1956/57 legte er in mehreren Anläufen einen Stufenplan vor, der zunächst den Rückzug aller fremden Truppen aus Polen, Ungarn, Rumänien und beiden Teilen Deutschlands vorsah. Nach Begründung eines europäischen Sicherheitspaktes sollten sich dann die beiden Militärblöcke aus den genannten Staaten zurückziehen. In den Vereinigten Staaten engagierte sich neben einigen Politikern, wie den Senatoren Hubert H. Humphrey oder William S. Knowland, insbesondere George F. Kennan für ein «Disengagement» in Europa. Der Diplomat und Historiker knüpfte dabei an Pläne an, die er selbst in der unmittelbaren Nachkriegszeit für das «State Department» erarbeitet hatte. In einer vielbeachteten Vortragsreihe für die BBC machte er sich zum Befürworter einer Neuorientierung der amerikanischen Europapolitik, deren Ziel die Neutralisierung eines wiedervereinigten Deutschlands im Rahmen einer mitteleuropäischen Blockfreiheit sein sollte. Damit flankierte Kennan Überlegungen, die ihren Ursprung in der Sowjetunion bzw. bei deren Verbündeten hatten.

Nachhaltige Berühmtheit erlangte in ihrer Zeit eine Rede des polnischen Außenministers Adam Rapacki vom 2. Oktober 1957 vor der Vollversammlung der Vereinten Nationen. Damit führte der Pole Gedanken weiter, die der sowjetische UN-Delegierte Gromyko bereits im März 1956 vorgetragen hatte, und Rapacki selbst erläuterte in den folgenden Monaten seinen eigenen Plan auch an anderem Ort, so zum Beispiel am 14. Februar 1958 vor dem polnischen Parlament. Im Mittelpunkt stand der Vorschlag einer «atomwaffenfreien» Zone beiderseits der Ost-West-Demarkationslinie. In späteren Modifikationen hat der polnische Außenminister dann auch die konventionellen Streitkräfte miteinbezogen. Der sogenannte Rapacki-Plan traf nicht nur in der Sowjetunion, in der DDR oder in der ČSSR auf breite Zustimmung, sondern auch im Westen, zum Beispiel bei der SPD-Opposition im Deutschen Bundestag.

Schließlich aber entpuppte sich selbst Adenauer als entschiedener Befürworter einer «kontrollierten Abrüstung», auch wenn das anfänglich manchen verblüffte. Aber der inzwischen fast Achtzigjährige hatte nicht nur zwei Weltkriege miterlebt, vielmehr waren ihm auch die verheerenden Folgen eines Einsatzes nuklearer Waffen durchaus bewußt. Seine unermüdlich vorgetragenen Mahnungen zu einer Rüstungsbegrenzung und -kontrolle sind daher zunächst einmal wörtlich zu nehmen, denn, so legte er im Juni 1955 dem Bundesvorstand seiner Partei trocken dar, «wenn wir nicht mehr am Leben sind, findet auch keine Wiedervereinigung statt».[31] Damit war aber zugleich gesagt, welches Ziel der Kanzler vor allem verfolgte: Indem er immer wieder das ja ursprünglich von den Westmächten hergestellte Junktim von Wiedervereinigung und Entspannung einklagte und auf die Spaltung Deutschlands als Ursache der Spannung verwies, wollte er die deutsche Forderung nach Wiedervereinigung im öffentlichen Bewußtsein verankern und sie zugleich mit dem gerade bei den Westmächten populären Vorschlag einer kontrollierten Abrüstung verbinden.

In den Diskussionen um ein «Disengagement» offenbarte sich mithin einmal mehr eine Eigenschaft des betagten Herrn, die sich auch schon beim schnellen Umschalten von der EVG- auf die NATO-Lösung gezeigt hatte, nämlich eine beträchtliche politische Flexibilität und eine erhebliche taktische Finesse. Vordringlich kam es darauf an, sich nicht von den Westmächten und insbesondere von den Vereinigten Staaten abzukoppeln, an deren herausragender Rolle für die Existenz und für die Sicherheit der Bundesrepublik kein Zweifel bestehen konnte. Mit seiner Forderung nach kontrollierter Abrüstung verfolgte der Kanzler also auch das Ziel, den Aufbau der Bundeswehr einschließlich ihrer Ausrüstung mit nuklearen Trägerwaffen, von der noch zu reden sein wird, durch die unsichere Zone westlicher Entspannungseuphorie zu bringen. Denn die Entwicklung von neutralen, Inspektions- oder sonstigen Zonen und der Aufbaustopp der Bundeswehr hätten ja zugleich eine «Diskriminierung» und damit eine nachhaltige Gefährdung der Gleichberechtigung gegenüber den westlichen Nachbarn bedeutet. Diese gefährliche Klippe galt es zu umschiffen.

Schließlich wußte Adenauer recht genau, daß die Sowjets jene allgemeine Abrüstung, zu deren Protagonisten sie sich machten, gar nicht wollen konnten. Spätestens sein Moskau-Besuch hatte ihn davon überzeugt, daß der sowjetischen Hochrüstung auch eine defensive Komponente zugrunde lag. Insofern ging es ihm in den fünfziger Jahren darum, dem sowjetischen Vorschlag den Wind aus den Segeln zu nehmen, ja die Sowjets in die wenig populäre Rolle des Nein-Sagers zu manövrieren und also mit ihren eigenen Mitteln zu schlagen. Das war angesichts der massiven sowjetischen Entspannungsoffensive, die am 14. Mai 1956 mit der Ankündigung einseitiger Abrüstungsmaßnahmen einen vorläufigen Höhepunkt erreichte, gleichermaßen notwendig und schwierig. In Deutschland wuchsen die Befürchtungen, daß es vielleicht doch zu einer voreiligen amerikanisch-sowjetischen Verständigung auf Kosten der Europäer und insbesondere der Deutschen kommen könnte.

So gesehen kam Adenauer der Start des sowjetischen «Sputnik», einer Weiterentwicklung der deutschen «V-2», in eine Erdumlaufbahn am 4. Oktober 1957 höchst gelegen. Während die westliche Welt in momentanem Schock verharrte, zumal wenig später eine entsprechende amerikanische Rakete beim Start explodierte, dankte der Kanzler «Gott, daß die Russen das gemacht haben».[32] Denn nunmehr hatte er die begründete Hoffnung auf ein Ende der amerikanischen «Lethargie» bzw. jenes «Dämmerschlafes», in den die freie Welt seiner Meinung nach versunken war.[33] Das sah übrigens ein anderer Staatsmann, der sich zu diesem Zeitpunkt von der Politik zurückgezogen hatte, ganz ähnlich. Im Mai 1956 diagnostizierte Charles de Gaulle mit sicherem Blick, daß die Zukunft der NATO allein von «Rußland» abhänge. Wenn dieses keine Bedrohung mehr darstelle, werde die NATO «sterben».[34]

Der «Sputnik» tat das seine, um die Bedrohungsängste wachzuhalten. Zugleich bewirkte er einen neuen gewaltigen Schub für das «Wettrennen der beiden Weltkolosse um wissenschaftliche, technische, und das heißt allemal auch militärische Macht, um Prestige, und das heißt politische Macht».[35] So kam es dann auch. Mit dem Start des Satelliten wurde das Raumfahrtzeitalter eröffnet, begann der Wettlauf um die Eroberung des Weltalls, und natürlich ging es dabei nicht nur um technischen Fortschritt. Nein, mit dem Vorsprung in der Raumfahrt verband sich die Frage der führenden Rolle in der Welt, vor allem auch in der Dritten. Die sowjetischen Erfolge auf diesem Gebiet trugen erheblich dazu bei, das Ansehen Moskaus in der Dritten Welt seit den ausgehenden fünfziger Jahren auf Kosten Washingtons zeitweilig beunruhigend zu steigern.

Hier ging es in der Tat um Prestige und damit um politische Macht. Das gilt auch für die Zündung der sowjetischen 50-Megatonnen-Bombe am 30. Oktober 1961, durch die mehr Energie freigesetzt wurde als durch alle während des Zweiten Weltkrieges eingesetzten Sprengstoffe einschließlich der beiden über Japan abgeworfenen Atombomben. Militärisch war diese Bombe ohne Bedeutung. Sie war, wie zwei der beteiligten Wissenschaftler nach dem Kalten Krieg betont haben, eine «singuläre Machtdemonstration»[36] – nach außen wie nach innen. Immerhin fand das Experiment vor dem Hintergrund des 22. Parteitages statt, und Chruschtschow hatte vollmundig angekündigt, daß die UdSSR sogar zum Bau einer 100-Megatonnen-Bombe fähig sei. Im übrigen besaßen die Sowjets nicht die Trägersysteme, mit denen ein Sprengkopf dieses Gewichts auf das Territorium der USA hätte befördert werden können. Aber darum ging es eigentlich auch nicht. Die überragende Zielsetzung des Experiments, dessen Vater der Physiker Andrej Sacharow war, bestand in dem Versuch, die tatsächliche sowjetische Unterlegenheit zu kaschieren.

Eben weil Washington auf den meisten Gebieten die Nase vorn hatte und von der Zündung der Atom- und Wasserstoffbombe, über die Indienststellung eines mit Nuklearsprengköpfen ausgerüsteten, atomgetriebenen U-Bootes im Jahre 1960 bis hin zur Bereitstellung einer Rakete mit Mehrfachsprengköpfen zehn Jahre darauf in der Regel die Vorreiterrolle spielte, zählten entsprechende Erfolge Moskaus besonders. Das galt für die Zahlen bestimmter Systeme, und es galt für den qualitativen Vorsprung auf einigen wenigen Gebieten, wie dem der Raumfahrt. Hier hatten die Sowjets zunächst eindeutig die besseren Karten, jedenfalls bei den spektakulären Aktionen. Erst vier Monate nach dem «Sputnik» konnte am 31. Januar 1958 mit dem «Explorer» ein amerikanischer Satellit erfolgreich in eine Umlaufbahn um die Erde gebracht werden. Ähnlich lagen die Dinge bei der bemannten Raumfahrt: Jurij Gagarin war der erste Mensch, der am 12. April 1961 in einer sowjetischen Kapsel die Erde umkreiste; erst acht Monate darauf, am 20. Februar 1962, folgte ihm sein amerikanischer Kollege John Glenn. Das nächste Ziel im Wettlauf um das All war der Mond, und den wollten unter allen Umständen die Amerikaner als erste betreten.

Zwar konnten die Sowjets mit der unbemannten Mondlandung von «Luna 9» im Februar 1966 noch einmal einen Etappensieg verbuchen. Inzwischen hatte aber das amerikanische «Apollo»-Programm Tritt gefaßt und Erfolge vorzuweisen. Durchgeführt wurde es von der 1958 gegründeten «National Aeronautics and Space Administration» (NASA). Im Dezember 1968 gelang «Apollo 8» die erste bemannte Mondumkreisung, und am 21. Juli 1969 betrat mit Neil Armstrong, dem Kapitän der «Apollo 11»-Mission, der erste Mensch den Mond. Einmal mehr hielt die Welt den Atem an, in diesem Falle allerdings nicht deshalb, weil sie von dem Ereignis überrascht worden wäre, sondern weil sie, gerade umgekehrt, den unerhörten Vorgang an den Bildschirmen verfolgen konnte.

Die Kenner wußten, daß die Mondlandung auch ein Ergebnis jenes «Sputnik-Schocks» war, der die westliche Welt zwölf Jahre zuvor erfaßt hatte. Die hatte darauf, der Logik des Kalten Krieges entsprechend, umgehend reagiert. Das galt für alle Staaten des westlichen Bündnisses, auch für die Bundesrepublik. Der Bundeskanzler sah sich durch den Start des «Sputnik» einmal mehr in seiner Auffassung bestätigt, daß es in dieser Hinsicht nur zwei Möglichkeiten gab. Entweder es kam wirklich zu einer beiderseitigen, allgemeinen und kontrollierten Abrüstung. In diesem Falle hätten allerdings die Sowjets auf dem Gebiet der konventionellen Rüstung erhebliche einseitige Vorleistungen erbringen müssen. Das sagte übrigens Adenauer 1958 indirekt auch dem sowjetischen Botschafter Andrej A. Smirnow: «In dem Augenblick, in dem ... effektiv mit der Abrüstung begonnen wird, rüsten wir nicht weiter auf!»[37]

Oder aber, da das höchst unwahrscheinlich war, die Bundesrepublik setzte konsequent den Weg der Aufrüstung fort. So kam es dann auch.

Bereits am 2. Januar 1956 waren die ersten Bundeswehreinheiten einberufen worden und am 6. März hatte der Bundestag die zweite Wehrergänzung des Grundgesetzes sowie das Soldatengesetz verabschiedet, mit dem die Allgemeine Wehrpflicht eingeführt wurde. Am 16. Oktober 1956 hielt schließlich Franz Josef Strauß Einzug in das Amt des Verteidigungsministers, nachdem zuvor Theodor Blank von diesem Posten hatte zurücktreten müssen. Von Anfang an sollte sich der Chefsessel im Verteidigungsministerium als Schleudersitz erweisen. Strauß harrte immerhin sechs Jahre in dieser Schlüsselposition aus, bevor auch er, im Zuge der «Spiegel-Affäre», am 30. November 1962 seinen Hut nehmen mußte.

Anlaß für den ersten Ministerwechsel waren erhebliche Widerstände gegen eine Wiederaufrüstung, die als «Ohne-mich-Bewegung» bekannt geworden sind, sowie wachsende Spannungen zwischen Bonn und seinen westlichen Alliierten. In beiden Fällen spielte die nukleare Strategie der NATO eine wichtige Rolle. Im Juni 1955 war in Frankreich, der Bundesrepublik, den Benelux-Staaten sowie einem Teil Großbritanniens das NATO-Manöver «Carte blanche» durchgeführt worden, an dem über 3 000 Kampfflugzeuge aus elf Nationen teilgenommen hatten.[38] Es wurden 12 000 Einsätze geflogen sowie der Abwurf von 335 Atombomben simuliert. In der deutschen Presse wurde die Zahl der fiktiven Toten und Verwundeten auf über fünf Millionen hochgerechnet. Damit kam vielen erst richtig zu Bewußtsein, daß im Falle einer nuklearen Auseinandersetzung Deutschland «in jedem Fall Schlachtfeld und Bombenziel für beide Blöcke werden» würde.[39]

Ferner war im Juli 1956 durch eine Indiskretion in der «New York Times» der sogenannte Radford-Plan bekannt geworden. Der Logik der «Massive retaliation» folgend, schlug danach der Chef der Vereinigten Generalstäbe, Arthur W. Radford, vor, insbesondere die in Übersee stationierten amerikanischen Streitkräfte bis 1960 drastisch um etwa 800 000 Mann, also um nahezu 30%, zu reduzieren und gleichzeitig das strategisch-nukleare Vergeltungspotential zu erhöhen.[40] Daraus entwickelte sich das «Schild-Schwert-Konzept», wonach die konventionellen Streitkräfte der NATO als «Schild» dienen sollten, um lokale bzw. regionale Einbrüche zu verhindern, mindestens aber zeitweilig aufzuhalten. Ein massiver, auch konventioneller Angriff des Warschauer Paktes sollte dann gegebenenfalls mit dem nuklearen «Schwert» der Vereinigten Staaten zurückgeschlagen werden.

Aus solchen Planungen ergaben sich schwerwiegende Konsequenzen insbesondere für die Bundesrepublik und ihre im Aufbau befindliche Bundeswehr: Bestätigte der Plan nicht gerade die wachsende Bedeutung der nuklearen Waffen auch im Rahmen der NATO-Strategie? Wurden damit nicht die konventionellen Streitkräfte insgesamt abgewertet? Bedeutete das nicht die Entwicklung einer NATO-internen «Zweiklassengesellschaft», in der die «Have nots», also die Nicht-Nuklearstaaten, Faktoren zweiter Ordnung waren? War das nicht für die Bundesrepublik ein schwerer Rückschlag auf dem Weg hin zur sehnlich angestrebten Gleichberechtigung mit den westlichen Verbündeten, insbesondere mit Frankreich und Großbritannien? Mußte nicht der geplante Abbau der amerikanischen Streitkräfte in Europa deren Funktion als «Stolperdraht» deutlich vermindern und damit die Wahrscheinlichkeit eines konventionellen sowjetischen Angriffs erhöhen? Und konnte man schließlich wirklich davon ausgehen, daß die USA dann gegebenenfalls mit Atomwaffen reagierten und damit das eigene Land einem entsprechenden sowjetischen Vergeltungsschlag aussetzten?

In Bonn forderten die beiden Genfer Konferenzen des Jahres 1955, die «Disengagement»-Diskussion sowie der «Radford-Plan» erheblichen Handlungsbedarf. Vor allem mußte man die fortschreitende Marginalisierung der Deutschen Frage in der Weltpolitik aufhalten. Das konnte durch eine verstärkte Konzentration auf Europa geschehen, indem sowohl die westeuropäische Integration weiter vorangetrieben als auch die Kontakte zur Sowjetunion aufrechterhalten, wenn nicht sogar intensiviert wurden. Das konnte aber auch durch eine intelligente Antwort auf die Frage geschehen, welche Schlüsse aus dem «Radford-Plan» für die im Aufbau befindliche Bundeswehr und für die Sicherheit der Bundesrepublik zu ziehen waren. Hier setzte sich relativ rasch die Erkenntnis durch, daß die Bundeswehr nur dann in der Lage sei, die Funktion des «Schildes» zu erfüllen und einen konventionellen Angriff des Warschauer Paktes nicht nur, wie geplant, für ein bis zwei Wochen aufzuhalten, sondern auch zu überstehen, wenn sie die entsprechende Ausrüstung besaß. Dazu rechnete man nunmehr auch taktische Nuklearwaffen. Am 25. März 1958 beschloß der Bundestag mit der absoluten Mehrheit der CDU/CSU-Stimmen, die Bundeswehr mit Trägersystemen für taktische Nuklearwaffen auszurüsten. Im Umfeld dieses Votums kam es zu heftigen Auseinandersetzungen in der deutschen Öffentlichkeit. Im Bundestag stimmte die SPD gegen diesen Beschluß, während sich die Mehrheit der FDP-Abgeordneten der Stimme enthielt.

Entschiedener Befürworter einer Ausrüstung der Bundeswehr mit entsprechenden Systemen war neben Bundeskanzler Adenauer namentlich Verteidigungsminister Strauß, und der war überzeugt, daß die Bundesrepublik in letzter Konsequenz nicht nur über die Träger verfügen, sondern auch über den Einsatz der von ihnen transportierten atomaren Sprengköpfe mitbestimmen solle, auch wenn er das in der Bundestagsdebatte vom 25. März in Abrede stellte. Begründet wurde der deutsche Wunsch nach Nuklearwaffen vordergründig mit der problematischen militärischen bzw. strategischen Situation, in der sich die Bundesrepublik im Falle eines Angriffs des Warschauer Paktes befunden hätte. Bis in die sechziger Jahre hinein waren weder Bundesregierung noch Bundeswehrführung zureichend über jene nuklearen Planungen der Allianz unterrichtet, die sich auf das Territorium der Bundesrepublik bezogen. General Graf Johann Adolf von Kielmansegg kam – selbst als Oberbefehlshaber der NATO-Landstreitkräfte Mitteleuropa in den Jahren 1963-1966 – «an nichts heran».[41] Was die Militärs erfuhren, war immerhin beunruhigend genug, um sich gegen den Einsatz sogenannter Atom-Minen auf deutschem Territorium auszusprechen.

Wichtiger für den politischen Beschluß, die Bundeswehr mit taktischen Nuklearwaffen auszurüsten, war der Wunsch nach Gleichberechtigung. Es ging Bonn darum, eine Situation zu verhindern, in der «die deutschen Soldaten einen Minderwertigkeitskomplex gegenüber den anderen» bekämen.[42] Denn Atomwaffen galten damals, da erst drei Staaten – die Sowjetunion, die USA und seit 1952 auch Großbritannien – sie besaßen, als das Nonplusultra militärischer Sicherheit und Überlegenheit. Die Aufnahme in den Kreis der Nuklearmächte war mithin gleichbedeutend mit der Aufnahme in einen exklusiven Club, die Nichtaufnahme bedeutete Statuseinbuße, «Diskriminierung». Im Atomzeitalter war die «Nuklearmacht» nun einmal das «entscheidende Merkmal der Souveränität», wie Franz Josef Strauß erkannte.[43] Der Bayer vertrat schon damals entschieden die Auffassung, «daß die Deutschen wieder den aufrechten, normalen Gang lernen müßten».[44] Es nimmt also nicht wunder, daß ihm eine «mindere Rolle im Kreis der Verbündeten» als unvereinbar mit seinem Verständnis von «nationaler Würde» erscheinen mußte.[45] Das war der eigentliche Grund, warum bundesdeutsche Politiker immer wieder betonten, daß man «im Vertrage über die Westeuropäische Union auf die Herstellung nuklearer Waffen verzichtet» habe, nicht aber «auf den Gebrauch».[46]

Schon wegen dieses Produktionsverzichts war Bonn in der nuklearen Frage ganz und gar von den Entscheidungen und Planungen anderer abhängig. Denkbar war selbst ein indirekter Zugriff der Bundeswehr auf Atomwaffen ohnehin nur im Rahmen eines der Bündnisse. 1957/58 sah es vorübergehend so aus, als könne es im Rahmen der WEU zu einer französisch-deutsch-italienischen nuklearen Kooperation kommen. Mit der Rückkehr Charles de Gaulles an die Macht waren solche Pläne jedoch Makulatur. Das wird noch zu zeigen sein. Die Politik der NATO, auch die nukleare, wurde hingegen eindeutig von den Vereinigten Staaten bestimmt. Dort fiel im April 1957 eine erste Entscheidung, als sich Washington bereiterklärte, seinen Verbündeten moderne amerikanische Mittelstreckenraketen zur Verfügung zu stellen. Ihre Ausformulierung fand diese Vorgabe ein Jahr später, als die NATO-Verteidigungsminister in Paris das Strategiepapier «MC-70» verabschiedeten. Auf der Basis des sogenannten Radford-Planes entwickelt, handelte es sich bei dem Geheimdokument um das erste Gesamtkonzept der NATO, das die im Aufbau befindliche Bundeswehr einbezog. In diesem Zusammenhang war eine Ausrüstung der NATO-Einheiten mit Mehrzweckwaffen vorgesehen, die unter anderem auch für die taktisch-nukleare Kriegführung geeignet waren. Danach soll-

ten der Bundeswehr im Laufe der kommenden Jahre zirka 100 Abschußrampen zur Verfügung gestellt werden.

Aber das war Zukunftsmusik. Vorderhand wurden lediglich die in
Deutschland stationierten Einheiten der amerikanischen Armee mit taktischen Kernwaffensystemen ausgerüstet, ohne daß die Bundesregierung
im voraus davon unterrichtet worden wäre: Seit dem Frühjahr 1954 verfügte die Siebte US-Division über nukleare Granaten, die zunächst in
Heilbronn gelagert waren, später auch in Kaiserslautern und Pirmasens.
Für die Bundeswehr gab es hingegen lediglich die Beschlüsse des Bundestages und der NATO. Nicht nur notorische Skeptiker und Kritiker der
amerikanischen Außen- und Sicherheitspolitik hatten erhebliche Zweifel,
daß es in absehbarer Zeit tatsächlich zur Ausrüstung der Bundeswehr mit
Trägersystemen in der vorgesehenen Zahl kommen würde, von einer nationalen Verfügungsgewalt über die Sprengköpfe ganz zu schweigen.
Selbstverständlich gab es nicht nur in den Vereinigten Staaten Bedenken
gegen eine solche Politik, sondern auch in Frankreich und insbesondere
in der Sowjetunion, die alles tat, um einen Zugriff der Bundesrepublik
auf Atomwaffen zu verhindern. Das registrierte man auch in Bonn, und
für Konrad Adenauer war klar, daß es jetzt, auch in dieser Frage, darum
gehen müsse, «Stärke» zu zeigen.

Also mobilisierte der Kanzler in diesem Zusammenhang einmal mehr
den Gedanken einer «kollektiven, kontrollierten Abrüstung»: «Es ist niemals in der Welt so gewesen, daß ein Staat mit dem anderen um lebenswichtige Fragen verhandelt hat, wenn sie nicht mindestens auf gleichem
Niveau der Stärke standen. Daher können wir nur den Frieden retten,
wenn wir mit dazu beitragen, daß der friedliebende Teil der Welt stärker
ist als die Sowjetunion; nicht, um sie niederzuschlagen, sondern um auf
diese Weise wirklich zu aussichtsvollen Verhandlungen zu kommen.»[47] Das
war ein klassisches machtpolitisches Argument, das Kritiker dieser Politik
nicht verstehen wollten oder konnten. Zu diesen zählte der Physiker Carl
Friedrich von Weizsäcker, der während des Zweiten Weltkrieges an der
Entwicklung der deutschen Atomwaffe beteiligt gewesen war und sich
jetzt, im April 1957, als Unterzeichner der «Göttinger Erklärung» zusammen mit weiteren 17 deutschen Physikern für einen Verzicht der Bundesrepublik auf Atomwaffen aussprach. Mit der Argumentation, daß eine
einseitige Absage an die nukleare Option der Aufgabe eines wichtigen
Verhandlungsobjektes und damit einer Einladung an die Sowjets gleich-
komme, den Druck weiter zu erhöhen, vermochte Adenauer Weizsäcker
und einige seiner Mitstreiter auch nicht in einem persönlichen Gespräch
zu überzeugen.[48]

Unermüdlich, doch ohne durchschlagenden Erfolg, versuchte der Kanzler
insbesondere die Vereinigten Staaten zu einer solchen «Politik der Stärke»
zu bewegen. Die Vergeblichkeit dieser Bemühung war einer der Gründe,

warum sich die deutsche Außenpolitik seit Mitte der fünfziger Jahre verstärkt auf Europa konzentrierte und dabei nicht zuletzt den Kontakt zu Moskau suchte. Vor allem aber wurde intensiv an der Fortschreibung des westeuropäischen Integrationsprozesses gearbeitet. Zur Debatte standen ursprünglich die Bereiche Wirtschaft, Handel, Energie und Verkehr. Treibende Kräfte waren neben vielen anderen Jean Monnet, der aus Protest gegen die französische EVG-Politik von seinem Posten als erster Präsident der Hohen Behörde der «Montanunion» zurückgetreten war, der belgische Außenminister Paul Henri Spaak sowie Konrad Adenauer, der allerdings einer Lösung der genannten Fragen anfangs insofern skeptisch gegenüberstand, als er glaubte, daß ihre Behandlung von der eigentlichen Aufgabe, dem Aufbau einer politischen Union, eher ablenke. Das änderte sich sehr rasch, und das Schreiben, das er, Europa betreffend, am 19. Januar 1956 an die Bundesminister richtete, las sich wie ein großer Appell zu einer umfassenden Integration «mit *allen* in Betracht kommenden Methoden ...», also sowohl auf dem Gebiet der allgemeinen (horizontalen) Integration, wie bezüglich der geeigneten (vertikalen) Teilintegration».[49]

In den ersten Juni-Tagen des Jahres 1955 hatten sich die Außenminister Italiens, Frankreichs, der Bundesrepublik sowie der Benelux-Staaten im italienischen Messina getroffen, um die Weichen für die weitere Entwicklung zu stellen. Ihr Schlußkommuniqué vom 3. Juni mit seinem umfangreichen Katalog wünschenswerter Ergebnisse ließ bereits in dieser frühen Phase deutlich werden, daß es unterschiedliche Prioritäten und zum Teil gegensätzliche Interessen gab. Die Außenminister hatten sich deshalb zur Einsetzung eines Sachverständigenausschusses unter dem Vorsitz des belgischen Außenministers Spaak entschlossen, dem wiederum zahlreiche Unterausschüsse zugeordnet waren. Am 9. Juli 1955 wurden die Beratungen in Brüssel aufgenommen. Anfänglich nahm auch ein britischer Beobachter teil, der dann allerdings im November 1955 zurückgezogen wurde. Dabei spielte, wie schon 1950,[50] das Argument eine Rolle, daß die englischen «Commonwealth»-Verpflichtungen zu berücksichtigen seien. Fast zehn Monate gingen ins Land, bis am 6. Mai 1956 nach schwierigen Verhandlungen der «Spaak-Bericht» den Regierungen übergeben werden konnte. Diese benötigten ein weiteres Jahr, um die zahlreichen noch offenen Fragen einvernehmlich zu beantworten und die Probleme aus dem Weg zu schaffen.

Hier waren vor allem die beiden führenden Staaten in der Runde, Frankreich und Deutschland, gefordert. Während Bonn der europäischen Wirtschaftsgemeinschaft die Priorität einräumte, da die exportorientierte deutsche Industrie sich von offenen Märkten neue Chancen erhoffte, setzte Paris vor allem auf die Errichtung einer europäischen Atomgemeinschaft und damit auch auf eine indirekte Kontrolle der deutschen Atomindustrie. Schwierige Hürden bildeten die Frage der Einbeziehung der Landwirtschaft in den gemeinsamen Markt, Frankreichs Anspruch auf

Beibehaltung seiner freien Hand beim Aufbau einer nationalen Atomstreitmacht, aber auch die kompromißlose Pariser Forderung nach Einbeziehung der Kolonien und insbesondere nach Abnahme von Überseepro-
dukten.

Man darf dabei nicht vergessen, daß vier der sechs Gründungsmitglieder
der EWG – neben Frankreich Belgien, die Niederlande und Italien – noch
Kolonialmächte bzw. Treuhandstaaten waren. Auch nach der Unabhängigkeit von Laos, Kambodscha, Vietnam, Marokko oder Tunesien besaß Frankreich immer noch ein riesiges Kolonialreich in Schwarz-Afrika; Belgien
kontrollierte den «Haute-Congo», das spätere Zaire; Niederländisch
Guayana, also Surinam, sowie die niederländischen Antillen waren autonome Bestandteile des Königreichs; und Italienisch-Somaliland stand unter
der Treuhandschaft Roms. Diese überseeischen Gebiete spielten Mitte der
fünfziger Jahre für den Handel der jeweiligen Kolonialmächte bzw. Treuhandstaaten eine beträchtliche Rolle, insbesondere für Frankreich. Immerhin gingen im Jahre 1958, also zum Zeitpunkt der Einrichtung des gemeinsamen europäischen Marktes, lediglich gut 10 % der französischen
Exporte in die Bundesrepublik, hingegen fast 40 % in das eigene Kolonialreich.[51]

1956/57 wurde die von Belgien unterstützte Forderung Frankreichs
nach Einbeziehung des Kolonialreichs in den gemeinsamen Markt dadurch kompensiert, daß die Bundesrepublik das 1951 installierte System
des «Interzonenhandels» zwischen Bonn und Ost-Berlin beibehalten
konnte. Hier lagen die Ursprünge der besonderen Beziehung, welche die
DDR zu den europäischen Gemeinschaften haben sollte. Beschleunigend
auf die Verhandlungen wirkte sich dann die Suez-Krise aus. Sie führte den
Europäern kraß die Notwendigkeit eines Zusammenrückens vor Augen;
außerdem war man in Paris sehr von der solidarischen Haltung Adenauers
beeindruckt, der zum Zeitpunkt der sowjetischen Kampagne nach Paris
gereist war und keinen Zweifel an seiner Loyalität zu Frankreich gelassen
hatte.

Am 25. März 1957 konnten in Rom sowohl der «Vertrag über die
Gründung der Europäischen Wirtschaftsgemeinschaft» (EWG) als auch der
«Vertrag über die Gründung der Europäischen Atomgemeinschaft» (EU-
RATOM) unterzeichnet werden. Nach Ansicht der Bundesregierung lie-
ßen die Verträge die «Möglichkeiten einer Beteiligung oder Nichtbeteili-
gung des wiedervereinigten Deutschland» oder auch einer «Anpassung der
Verträge an die neu entstandene Lage» im Falle einer Wiedervereinigung
offen.[52] Das war ein Grund, warum sie am 5. Juli im Bundestag mit den
Stimmen der SPD ratifiziert werden konnten. Damit hatte die deutsche
Sozialdemokratie erstmals ihre Opposition gegen die Westintegration aufgegeben und zugleich einen Weg eingeschlagen, an dessen Ende im Juni
1960 das offene Bekenntnis zu dieser Politik stehen sollte. Auch in der
französischen Nationalversammlung, wo die Regierung Guy Mollet die

Verträge vier Tage später zur Abstimmung vorlegte, fanden sie eine überraschend breite Zustimmung.

Ziel der «Europäischen Atomgemeinschaft» war der Aufbau einer unabhängigen Nuklearindustrie vorwiegend zu friedlichen Zwecken. Dem
lag unter anderem die Überzeugung zugrunde, daß sich Europa nur so
gegenüber den beiden Weltmächten als eigenständiger Faktor behaupten
könne. Damals, 30 Jahre vor der Katastrophe von Tschernobyl, war man
der Überzeugung, daß der friedlichen Nutzung der Kernenergie die Zukunft gehöre: «So wenig eine Nation bisher weltpolitisch unabhängig, und
damit Gestalterin ihres Schicksals, sein konnte, die nicht über Kohle verfügte ..., so wenig kann es heute eine Nation sein, die nicht über die
Möglichkeit verfügt, Atomenergie zu erzeugen.»[53] Der Vertrag über die
«Europäische Wirtschaftsgemeinschaft» sah die Koordination der Wirtschaftspolitik der Mitgliedstaaten vor. Die angestrebte Wirtschaftsgemeinschaft sollte durch die Freiheit des Warenverkehrs, des Dienstleistungsver-
kehrs, des Kapital- und Zahlungsverkehrs sowie die Niederlassungsfreiheit
für Arbeitnehmer ergänzt werden. Wichtigstes Ziel war aber wohl die
Herstellung eines gemeinsamen Marktes durch den sukzessiven Fortfall
der Zoll- und Handelsschranken. Dafür war eine Frist von zwölf Jahren
vorgesehen.

Der EURATOM- und der EWG-Vertrag traten am 1. Januar 1958 in
Kraft. Sie ergänzten damit das EGKS-Abkommen aus dem Jahre 1951,
waren aber anders als dieses nicht auf 50 Jahre, sondern auf unbegrenzte
Zeit abgeschlossen. Alles in allem blieb der Zusammenschluß Europas
vorerst schon deshalb Stückwerk, weil mehr Staaten Westeuropas abseits
des Unternehmens standen als ihm angehörten. 1960 kam es auf britisches
Betreiben sogar zur Errichtung einer konkurrierenden Organisation, der
«European Free Trade Association» (EFTA). Allerdings besaß die europäi-
sche Freihandelszone keine supranationalen Organe, sah also im Unterschied zur EWG keine Beschränkung der Souveränitätsrechte ihrer Mitglieder vor. Auch kannte sie keinen gemeinsamen Außenzoll gegenüber
Drittländern und gab so Großbritannien die Möglichkeit, die engen wirtschaftlichen Beziehungen zum «Commonwealth» zu kultivieren. Die
EFTA umfaßte zunächst neben England noch Österreich, die Schweiz,
Portugal, Dänemark, Schweden und Norwegen, seit 1961 auch Finnland.
Schon bald wurde erkennbar, daß die EWG auch für manche EFTA-Staa-
ten eine erhebliche Attraktivität besaß. Die Verschmelzung beider Gemeinschaften, die in den siebziger Jahren mit dem EG-Beitritt einzelner Mitglieder begann, erlebte aber erst nach Ende des Kalten Krieges, mit der
Begründung des «Europäischen Wirtschaftsraums» (EWR) am 1. Januar
1994, den entscheidenden Durchbruch.

Auch in anderen Fragen blieb der Zusammenschluß Europas vorerst
unvollendet. Abgesehen von der Kooperation auf dem Gebiet der Atomenergie, scheiterte die ursprünglich angestrebte Koordination der Verkehrs-

und Energiepolitik. Vor allem kam man auf dem Weg zu einer politischen Integration Europas nicht voran. EGKS, EWG und EURATOM waren eben kein Ersatz für die gescheiterte EVG/EPG. 1958 gab es kein politisch und militärisch vollintegriertes Westeuropa, das ein effektives Gegengewicht zu dem von der Sowjetunion kontrollierten Block hätte bilden können. Das wurde manchem überzeugten Europäer am Ende des Jahres 1958 schmerzlich bewußt, als der Westen abrupt aus seinen ersten zarten Entspannungsträumen gerissen wurde.

Am 10. November 1958 forderte Chruschtschow in einer Rede im Moskauer Sportpalast von den Westmächten drohend die Aufgabe der «Überreste des Besatzungsregimes in Berlin».[54] Anlaß für diesen sowjetischen Vorstoß war die «Abstimmung mit den Füßen», jene Massenabwanderung aus Ost- nach Westdeutschland: es waren seit 1955 jährlich etwa 250000 Bürger der DDR. Vor allem die Suche nach einem höheren Lebensstandard, mitunter auch nach größerer politischer Freizügigkeit bewog sie, ihre Heimat zu verlassen. Am 27. November 1958 ließ der Kremlherr seiner Drohung ein «Ultimatum» in Form einer Note an die Westmächte folgen.[55] Es sollte nicht das letzte sein. Sobald sich Verhandlungen abzeichneten, wurden die Ultimaten verlängert oder durch neue ersetzt. Begleitet waren sie von Drohungen unter anderem auch mit dem Einsatz von Atomwaffen, und es war offensichtlich, daß Moskau herauszufinden suchte, wie weit man gehen konnte.

Das erste Ultimatum vom 27. November 1958 war auf sechs Monate befristet. Darin kündigte die Sowjetunion den Viermächte-Status von Berlin, also die Vereinbarungen der EAC vom 12. September 1944. Damit verbunden war die Forderung nach Abzug der westlichen Truppen aus Berlin und nach Aufnahme von Verhandlungen über den Status West-Berlins als entmilitarisierter «freier» Stadt. Für den Fall, daß dieses Ziel nicht innerhalb eines halben Jahres erreicht werden sollte, kündigte Chruschtschow die Übertragung der sowjetischen Rechte über die Zufahrtswege nach Berlin an das SED-Regime an. Das wäre einer dritten Souveränitätserklärung der DDR gleichgekommen. Am 10. Januar 1959 reichte Moskau noch den Entwurf eines Friedensvertrages nach, verbunden mit dem Vorschlag zur Einberufung einer Friedenskonferenz in Warschau oder Prag. Dieser einzige vollausformulierte und deshalb besonders interessante offizielle Vertragsentwurf in der Zeit des Kalten Krieges stellte im Unterschied zum Potsdamer Kommuniqué das deutsche Volk dem Hitler-Regime gegenüber, entlastete es auf diese Weise und sah es auf einer Stufe mit den anderen Völkern. Das war eine in der Geschichte der Friedensverträge «einmalige» Kehrtwendung.[56]

In der Begleitnote griff Chruschtschow im übrigen einen Gedanken auf, den der Erste Sekretär der SED, Walter Ulbricht, in die Diskussion gebracht hatte und der nach dem Fall der Berliner Mauer, im November

1989, noch einmal vorgetragen werden sollte, dann allerdings vom Bundeskanzler der Bundesrepublik Deutschland. In einem Artikel des «Neuen Deutschland» hieß es am 30. Dezember 1956 unter dem Titel «Was wir wollen und was wir nicht wollen» eher beiläufig: «Nachdem in Deutschland zwei Staaten mit verschiedenen gesellschaftlichen Systemen bestehen, ist es notwendig, zunächst eine Annäherung der beiden deutschen Staaten herbeizuführen, später eine Zwischenlösung in Form der Konföderation oder Föderation zu finden, bis es möglich ist, die Wiedervereinigung und wirklich demokratische Wahlen zur Nationalversammlung zu erreichen».[57] In einer Rede vom 30. Januar 1957 hatte Ulbricht seinen Vorschlag weiter präzisiert und der Konföderation unter anderem vorbereitende Maßnahmen für die Herstellung einer einheitlichen Verwaltung oder auch einer Zoll- und Valuta-Union zugewiesen.

Diesen Gedanken griff Chruschtschow mit seinem Vorschlag auf. Der Entwurf des beigefügten Friedensvertrages wiederholte im wesentlichen die bekannten Forderungen und Positionen der Sowjets. Danach war weder an den bestehenden Grenzen zu rütteln, noch durfte das vereinte Deutschland einem Militärbündnis beitreten, dem nicht «alle vier wichtigsten verbündeten Mächte der Anti-Hitler-Koalition» angehörten. Außerdem tauchte jetzt ausdrücklich die Forderung nach Anerkennung der Ungültigkeit des noch zu erläuternden Münchener Abkommens vom September 1938 auf.[58] Am 5. März 1959 verschärfte die sowjetische Führung die Krise noch einmal, als Chruschtschow in einer Rede in Leipzig dem Westen die Pistole auf die Brust setzte und kundtat, daß er für den Fall der Ablehnung seiner Vorschläge mit der DDR einen Separatfriedensvertrag abschließen werde. Damit hätte Moskau auf jene Vorbehaltsrechte der zweiten «Souveränitätserklärung» vom 20. September 1955 verzichtet, die sich auf Berlin und auf Deutschland als Ganzes bezogen.

Was aber wollten die Sowjets mit alledem erreichen? Es ist nicht auszuschließen, daß es sich um einen letzten Versuch handelte, möglicherweise die Weichenstellungen des Jahres 1955 doch noch zu revidieren und insbesondere zu verhindern, daß die Bundesrepublik tatsächlich militärisch voll in die NATO integriert wurde und einen auch nur indirekten Zugang zu Atomwaffen erhielt. Sofern dieses Ziel nicht erreichbar war, sollte zumindest der Status quo weiter zementiert und darüber hinaus die Einverleibung West-Berlins in den sowjetisch kontrollierten Teil Deutschlands betrieben werden. Denn je zügiger die militärische Integration des Westens, zumal unter Einschluß der Bundesrepublik, voranschritt, um so mehr mußte dessen Präsenz im Westteil der Stadt als «Gräte im Hals» des Sowjetimperiums wirken.

Es wird wohl nie ganz zu klären sein, ob man im Kreml ernsthaft glaubte, schon im Zuge der Berlin-Krise dieses Ziel erreichen zu können. Offenkundig suchten die Sowjets aber zumindest den Weg dorthin zu planieren, indem sie sich um eine Abkoppelung der Berlin- von der

Deutschlandfrage bemühten. Bereits gegen Ende des Jahres 1958 war absehbar, daß ihnen das gelingen würde. Denn der Westen zeigte sich, aufs Ganze gesehen, durchaus entgegenkommend. Diese Kompromißbereitschaft war in Anbetracht des lauten Säbelrasselns verständlich. Immerhin drohte Chruschtschow im Verlauf der Krise wiederholt mit Raketenangriffen auf westliche Hauptstädte, und das konnte man nicht einfach ignorieren. In jedem Fall stellte sich aber in dieser Situation die Frage, ob Berlin das Risiko einer womöglich globalen nuklearen Auseinandersetzung wert sei.

Den Anfang des westlichen Entgegenkommens machte ausgerechnet der amerikanische Außenminister Dulles. Auf einer Pressekonferenz beantwortete er am 26. November die Frage, ob die Vereinigten Staaten unter Umständen mit Beamten der DDR als «Beauftragten der Sowjetunion» verkehren würden, sibyllinisch: «Ja, wir könnten» und setzte damit die insbesondere in der Bundesrepublik heftig diskutierte «Agententheorie» in die Welt,[59] ohne daß dies nach seinem Verständnis eine Übernahme sowjetischer Verpflichtungen und Verantwortungen durch die DDR impliziert hätte. Reichlich Zeit ließ sich der Westen mit seiner Reaktion auf das erste Ultimatum: Erst am 14. Dezember 1958 wiesen die Außenminister der drei Westmächte und der Bundesrepublik die Note zurück, zwei Tage später tat der NATO-Rat ein gleiches, und am 18. Dezember kam es zu einem offiziellen Protest der WEU. Am 16. Februar 1959 schließlich stimmten die drei Westmächte und die Bundesrepublik grundsätzlich dem sowjetischen Vorschlag vom 10. Januar zur Einberufung einer Konferenz zu, allerdings unter der Voraussetzung, daß die Sowjetunion das Ultimatum zurücknahm. Der Logik der Entwicklung in diesen Monaten entsprechend beantwortete Chruschtschow das Entgegenkommen prompt mit einer erneuten Drohung, nämlich der am 5. März in Leipzig vorgetragenen Ankündigung zum Abschluß eines Separatfriedensvertrages mit der DDR.

In dieser Situation stellte sich für die Bonner Politik die Frage, auf welchen der westlichen Verbündeten eigentlich noch Verlaß sei. Die Nachrichten aus den Hauptstädten klangen nicht gerade ermutigend. Mit großem Mißtrauen nahm man am Rhein zur Kenntnis, daß der britische Premierminister, der Konservative Harold Macmillan, ausgerechnet auf dem Höhepunkt der Krise vom 21. Februar bis zum 3. März nach Moskau reiste, um mit dem Kremlchef zu verhandeln. Zwar blieben die Gespräche ohne konkrete Ergebnisse, doch waren sie eine Demonstration britischer Entspannungs- und Kooperationsbereitschaft. Wenige Wochen später, Ende März 1959, setzte sich Macmillan während eines Besuchs beim amerikanischen Präsidenten Eisenhower für die Installierung einer sogenannten «inneren Sicherheitszone» ein, ein Gedanke, der ganz in der Tradition der «Disengagement»-Vorschläge Gaitskells, Kennans oder Rapackis lag. Damit nicht genug, hatte der britische Premier bereits im April 1957 angekündigt, erstens die Wehrpflicht in Großbritannien aufzuheben, zweitens die Stärke der britischen «Rheinarmee» zu reduzieren und überdies, drittens, eine eigene, also von den USA unabhängige Atomstreitmacht aufzubauen. Was den letztgenannten Punkt angeht, so mußte die Regierung Macmillan allerdings im Frühjahr 1960 einen Rückzieher machen und eingestehen, daß das Projekt zu ehrgeizig und vor allem nicht finanzierbar war. Bei einem Treffen des britischen Premierministers mit dem amerikanischen Präsidenten Kennedy in Nassau wurde dann im Dezember 1962 endgültig eine amerikanisch-britische nukleare Kooperation vereinbart, von der noch zu sprechen sein wird.

Die Touren Macmillans riefen in Bonn Irritation, Verärgerung und tiefes Mißtrauen hervor, die nie mehr ganz überbrückt werden konnten. Für den Geschmack Adenauers, der nach der Erinnerung seines Vertrauten, des Fraktionsvorsitzenden der CDU/CSU, Heinrich Krone, auf Macmillan «schimpfte»,[60] bedeutete dessen Moskau-Reise einen «Sieg des Kreml».[61] Dabei ahnte der Kanzler nicht einmal, wie weit der Premier tatsächlich ging. So forderte er am 9. November 1961 den amerikanischen Präsidenten telefonisch auf, «daß Sie soviel Druck auf Adenauer ausüben, wie Sie können, und ihm begreiflich machen, daß die Möglichkeit eines Geschäfts besteht; daß er aber natürlich auch zu geben und nicht nur zu nehmen hat. Da Sie mich nun einmal gefragt haben, sollten sie (die Deutschen) meiner Meinung nach folgende Dinge akzeptieren: erstens die Oder-Neiße-Linie, worüber allgemeine Einigkeit herrscht; zweitens irgendeine Formel, die auf ein beträchtliches Maß an *de facto*-Anerkennung der DDR hinausläuft; ... drittens, meine ich, muß (Adenauer) anerkennen, daß politische Bindungen zwischen West-Berlin und der Bundesrepublik aufgegeben werden müßten, daß aber die wirtschaftlichen und finanziellen Bindungen sogar noch verstärkt und erweitert werden könnten . . .»[62]

Nicht von ungefähr wandte sich der britische Premierminister an Washington. Wie den anderen Beteiligten war auch ihm klar, daß keine Lösung der Berlin-Krise ohne oder gar gegen die Vereinigten Staaten denkbar war. Und dort zeichnete sich bereits vor dem Regierungswechsel, also noch in der ausgehenden Ära Eisenhower, eine Änderung der deutschlandpolitischen Position ab: Wie auch einer seiner republikanischen Nachfolger im Amt, Ronald Reagan, war Eisenhower bestrebt, als «Friedenspräsident» in die Geschichte einzugehen. Außerdem kam es 1959 zu einem personellen Wechsel in der amerikanischen Außenpolitik. Am 15. April trat Außenminister John Foster Dulles wegen seiner schweren Erkrankung zurück, der er wenige Wochen später erlag. Aus deutscher Sicht bedeutete das einen herben, für Adenauer auch einen persönlichen Verlust. Dulles galt nämlich in Bonn als einer der zuverlässigsten Stützen der deutschen Interessen, weshalb man dazu neigte, die deutschen Sympathien des amerikanischen Außenministers zu überschätzen. Was sein Tod bedeutete, notierte Heinrich Krone am 1. Januar 1960 in sein Tagebuch: «Dulles ist tot. Koexistenz ist die Parole. Die große Verführung! Armes Deutschland. Unsere Landsleute hinter dem Eisernen Vorhang.»[63]

Tatsächlich kündigte sich mit Christian Herter, der die Nachfolge von Dulles antrat, eine Korrektur der amerikanischen Deutschlandpolitik an. Herter vertrat die Vereinigten Staaten auf jener Außenministerkonferenz, die im Mai 1959 in Genf zusammentrat und die gewissermaßen das Ergebnis des diplomatischen Tauziehens nach Chruschtschows Vorschlägen, Forderungen und Drohungen war. Sie tagte in zwei Runden, vom 11. Mai bis zum 20. Juni und vom 13. Juli bis zum 5. August. Auch diese insgesamt neunte Außenministerkonferenz seit Beendigung des Krieges blieb ohne konkretes Ergebnis. Dennoch war sie bemerkenswert: Einmal sollte es bis zum Treffen von Ottawa im Februar 1990, also für mehr als 30 Jahre, die letzte Begegnung der vier Außenminister in dieser Angelegenheit sein.

Dann aber wurden erstmals Vertreter beider deutscher Staaten als «Berater» zugelassen, wobei die Art und Weise, in der das geschah, ein bezeichnendes Licht auf den Zustand der Deutschen Frage in dieser Zeit, und das heißt eben auf ihre fortschreitende Marginalisierung, warf. Zwar saßen die Deutschen mit in jenem Raum, in dem über das Schicksal ihres Landes bzw. ihrer Staaten entschieden wurde, aber eben nur als Berater an eigenen «Beobachter»- oder auch «Katzentischen», also nicht am großen Verhandlungstisch der Vertreter der Vier Mächte. An dessen Kopfende waren vielmehr zwei weitere Tische gestellt. Mit dieser Lösung der bis zuletzt heftig umstrittenen Frage setzten sich die Westmächte durch. Ihnen war auf Drängen ihres rheinischen Verbündeten vor allem daran gelegen, daß die DDR nicht als vollgültiger Verhandlungspartner in Erscheinung treten und auf diese Weise, also gewissermaßen durch die Hintertür, den Anspruch erheben konnte, ein «souveräner Staat» zu sein.

Daraus wiederum ergab sich für Bonn ein nicht unerhebliches Problem: Indem auch ihr Vertreter an einem der beiden «Katzentische» Platz nehmen mußte, wurde ihm der gleiche Rang wie dem Repräsentanten der DDR zugewiesen, so daß die Bundesrepublik nach außen nicht als vollwertige Verbündete der Westmächte erscheinen konnte. Hier war nun der Nachteil des Alleinvertretungsanspruchs bzw. der Nicht-Anerkennung der DDR mit Händen greifbar. Doch sollten noch einige Jahre ins Land gehen und noch manche Hürde zu nehmen sein, bis sich Bonn zu einer allmählichen Änderung seiner Ostpolitik entschließen konnte. Was heute wie eine diplomatische Posse aussehen mag, war damals, in den ausgehenden fünfziger Jahren, allerdings immer noch Ausdruck des von allen politischen Parteien getragenen Willens, das SED-Regime nicht als legitime Sprecherin der DDR-Bevölkerung zu akzeptieren.

Auf der Genfer Außenministerkonferenz legte Herter für die Westmächte einen neuen und zugleich den bis zum Fall der Mauer letzten Plan zur Wiedervereinigung Deutschlands auf der Grundlage freier, gesamtdeutscher Wahlen vor. Allerdings sollten diese schon nicht mehr, wie das bis dahin alle Vorschläge des Westens vorgesehen hatten, an erster Stelle stehen. Neben einigen kleineren Konzessionen an die sowjetische Adresse signalisierte der Plan vor allem in der ersten Stufe ein deutliches Entgegenkommen gegenüber jenen Forderungen, die Chruschtschow seit Ende des Jahres 1958 erhoben hatte: Danach sollten freie Wahlen in Ost- und West-Berlin die Eingangsstufe auf dem Wege zur Wiedervereinigung Berlins und Deutschlands, also gewissermaßen eine Art Probelauf bilden.

Mithin erklärten sich die Westmächte erstmals bereit, das Berlin-Problem und die Fragen von Wiedervereinigung und Abrüstung getrennt zu behandeln. Daß es sich dabei um ein beträchtliches Zugeständnis handelte, wußten natürlich auch die Sowjets, und weil sie von einer eher zunehmenden Konzessionsbereitschaft des Westens ausgehen konnten, wiesen sie dessen Angebot kühl zurück und beantworteten es mit der bekannten Gegenforderung, daß die sofortige Unterzeichnung eines Friedensvertrages mit beiden deutschen Staaten die Voraussetzung für alles weitere sei. Die Sowjetunion war im übrigen durch Andrej Gromyko vertreten, der auf der Genfer Konferenz seinen ersten großen Auftritt als Außenminister hatte.

Mit ihrem Einverständnis, die Berlinfrage gesondert zu behandeln, gaben die Westmächte «zwar nicht formal und verbal, wohl aber faktisch ihre eigene 'gesamtdeutsche' Zielsetzung auf. Damit war der entscheidende Wendepunkt in der Auseinandersetzung zwischen Ost und West in der Deutschlandfrage seit 1955 eingetreten.»[64] Wie aber sollte Bonn, das in dieser Sache selbst nicht handlungsfähig war, auf die mit Chruschtschows Ultimatum losgetretene Lawine reagieren? Eine Meinungsumfrage vom Frühjahr 1959 ergab, daß immerhin ein Drittel der Bundesbürger den Weg direkter Verhandlungen mit der DDR, die ja auch ein Element des Chruschtschow-Plans waren, für richtig hielten.[65] Das sagte freilich noch nichts über das Ziel solcher Gespräche aus.

Sicher ist, daß die Pläne zu einer Neutralisierung Deutschlands, wie sie 1959 von den Oppositionsparteien vorgestellt wurden, auf breite Ablehnung stießen und unter anderem deshalb sehr bald zu den Akten gelegt wurden. Das gilt für die «Grundrisse» eines Friedensvertrages, die am 27. Januar 1959 von der FDP vorgelegt wurden und die sich ausdrücklich auf Rapackis «Gedanken einer atomwaffenfreien Zone in Mitteleuropa» bezogen,[66] und das gilt zugleich für den «Deutschlandplan» der SPD vom 18. März. Auch dieser Plan zur Neutralisierung Deutschlands knüpfte an die Vorschläge George F. Kennans, Hugh Gaitskells und insbesondere Adam Rapackis an. Im Zentrum stand die Forderung nach einer atomwaffenfreien «Entspannungszone, die vorerst beide Teile Deutschlands, Polen, die Tschechoslowakei und Ungarn» umfassen sollte. Diese Staaten hatten aus dem Warschauer Pakt und der NATO auszutreten und ein «Europäisches Sicherheitssystem» zu begründen. Ähnlich den Vorschlägen Chruschtschows sollten Vertreter der Bundesrepublik und der DDR «beratend» an den Konferenzen über dieses Sicherheitssystem sowie über einen Friedensvertrag teilnehmen.[67]

Für eine rasche Distanzierung der SPD von ihrem «Deutschlandplan» sprach das geringe Maß an Zustimmung, das er in der Bevölkerung fand und das die Befürchtung aufkommen ließ, die Partei werde bei einer Fortsetzung dieses Kurses auch in Zukunft bei Wahlen kaum über 30% der Stimmen bekommen. Hinzu kam ein Wechsel an der Spitze der SPD: Der Godesberger Parteitag, auf dem vom 13. bis zum 15. November 1959 auch ihre grundlegende Wandlung von einer klassenkämpferisch auftretenden Arbeiterpartei hin zur «Volkspartei» eingeleitet wurde, nominierte den Regierenden Bürgermeister von Berlin, Willy Brandt, zu ihrem neuen Kanzlerkandidaten. Auf der politischen Szene der rheinischen Republik war Willy Brandt eine eher ungewöhnliche Erscheinung. 1913 in Lübeck geboren, gehörte er in ihrer Anfangsphase der jüngeren Politikergeneration an. Mit 36 Jahren saß er für die SPD im Ersten Deutschen Bundestag. Sein vergleichsweise unkonventioneller Lebensstil, vor allem aber seine politische Biographie ließen ihn später, in den sechziger Jahren, zu einem natürlichen Ansprechpartner der rebellischen Jugend in der Bundesrepublik werden: Unmittelbar nach der Machtübernahme durch die Nationalsozialisten war der junge Radikalsozialist Herbert Karl Ernst Frahm – so sein Geburtsname – in den Untergrund, später ins Exil gegangen, um von dort aus unter dem Decknamen «Willy Brandt» die deutsche Diktatur zu bekämpfen. In den sechziger und frühen siebziger Jahren wurde ihm das in den innenpolitischen Schlammschlachten gelegentlich als «Verrat» vorgehalten. Bei der erfolgreichen Umsetzung seiner Außenpolitik, vor allem bei der Aussöhnung mit den Staaten Osteuropas, kam ihm seine Vergangenheit sehr zugute. Sie stand für ein anderes Deutschland.

An der unmittelbaren Nahtstelle zwischen Ost und West gelegen, den klimatischen Wandlungen des Kalten Krieges wie keine zweite Stadt der Welt direkt ausgesetzt, war Berlin in den fünfziger Jahren der ideale Platz, um außenpolitische Erfahrungen zu sammeln. Außerdem prädestinierte das politische Amt geradezu zur Formulierung der deutschlandpolitischen Position der SPD. Der Regierende Bürgermeister von Berlin war ein erklärter Gegner des «Deutschlandplans» seiner Partei, hatte er doch Tag für Tag mit den Folgen der durch Chruschtschow ausgelösten neuen Krise zu tun und unter anderem deshalb eine dezidierte Einstellung gegenüber dem Kommunismus und den von ihm ausgehenden Gefahren.

Es war daher nur konsequent, daß sich die SPD außenpolitisch neu orientierte. Die Wendung wurde durch den Stellvertretenden Vorsitzenden der SPD, den Vater des «Deutschlandplanes», Herbert Wehner, eingeleitet, der sich zunächst heftig gegen die Neuorientierung seiner Partei gewandt hatte. In einer berühmt gewordenen Rede vor dem Deutschen Bundestag, deren Inhalt weder mit Erich Ollenhauer, dem Partei- und Fraktionsführer der SPD, noch mit Fritz Erler, dem zuständigen Experten der Partei, abgesprochen war, nahm er am 30. Juni 1960 seinen Plan zurück und bekannte sich im Namen der SPD zur Landesverteidigung im Rahmen der NATO und zur Westintegration der Bundesrepublik insgesamt. Damit gab die Opposition, anders als in der Fraktion abgesprochen, doch «wesentliche Gesichtspunkte sozialdemokratischer Politik» auf[68] und schwenkte auf den bis dahin bekämpften außenpolitischen Kurs der Regierung Adenauer ein.

Die wiederum begann infolge der Krise um Berlin über eben diesen Kurs nachzudenken. Nach außen hatte sie kaum eine andere Möglichkeit, als sich auf die Linie der Westmächte einzulassen und diese öffentlich zu unterstützen. Letztendlich blieb nur der hilflos wirkende Appell an deren Adresse, «an dem Vier-Mächte-Status von Berlin festzuhalten und notfalls einer Bedrohung Berlins und der Lebensinteressen der Stadt, von welcher Seite sie auch kommen möge, zu widerstehen».[69] Selbst handlungsfähig war die Bundesrepublik allenfalls in sehr beschränktem Maße. So wurde am 30. September 1960 auf einer Sondersitzung des Kabinetts die Kündigung des Interzonenabkommens vom 20. September 1951 beschlossen. Doch zeigte auch diese Maßnahme wiederum, wie eingeschränkt der effektive Handlungsspielraum der Bundesrepublik tatsächlich war, da sie nun einmal «nicht zu den Signatarstaaten der dem Vier-Mächte-Status Berlin zugrunde liegenden völkerrechtlichen Abmachungen» gehörte.[70] Diese Signatarstaaten aber einigten sich auf der Genfer Konferenz faktisch auf die Festschreibung des Status quo, und das bedeutete zugleich, jedenfalls in der Deutschen Frage, die endgültige Aufgabe jener «Politik der Stärke», mit der sich der Westen der kommunistischen Herausforderung hatte entgegenstellen wollen.

Diese Erkenntnis führte in Bonn zu Reaktionen: Neben dem Prozeß der Integration Westeuropas, dessen Bedeutung aus deutscher Sicht durch die Berlin-Krise gerade unterstrichen wurde, gewannen die Beziehungen zur Sowjetunion an Gewicht. In diesem Zusammenhang wurden im engsten Beraterkreis Adenauers, vor allem im Bundeskanzleramt, Pläne und Vorschläge entwickelt, mit deren Hilfe man Bewegung in die festgefahrene Situation zu bringen hoffte. Die Initiativen gingen in der Regel am zuständigen Außenministerium und am zuständigen Minister, Heinrich von Brentano, vorbei. Vergleichbare Situationen ergaben sich später erneut, bei den Missionen Egon Bahrs von 1969/70 und Horst Teltschiks in den Jahren 1989/90, die noch zu betrachten sein werden.

Im Grunde knüpften Adenauer und seine Berater an den Moskau-Besuch im September 1955 an. Der Kanzler hatte sich schon im Frühsommer 1956 gefragt, «ob etwa direkte Verhandlungen zwischen den Russen und uns ein Ergebnis bringen könnten.»[71] Im August des folgenden Jahres teilte er dann einigen Journalisten mit, Chruschtschow und er stünden in «ständiger Korrespondenz».[72] Tatsächlich war seit Februar 1957 ein phasenweise intensiver Briefwechsel zu verzeichnen. Darin ging es gewissermaßen um eine Verbreiterung der Vertrauensbasis. Immerhin hatten sich die Sowjets an ihre in Moskau mündlich gegebene Zusage gehalten, die Kriegsgefangenen ausreisen zu lassen. Dieselbe Lösung wurde nun für jene etwa 20 000 Zivilisten angestrebt, die am 22. Juni 1941, dem Tag des Überfalls auf die Sowjetunion, die deutsche Staatsangehörigkeit besessen hatten und in die Bundesrepublik ausreisen wollten. Seit 1957 wurde über ein entsprechendes Abkommen verhandelt, und am 25. April 1958 konnten dann, zusammen mit einem deutsch-sowjetischen Abkommen über allgemeine Fragen des Handels und der Seeschiffahrt, ein deutsch-sowjetischer Konsularvertrag und die Bestätigung einer Vereinbarung über Repatriierungsfragen unterzeichnet werden.

Anläßlich der Unterzeichnung hielt der nach Bonn gereiste Erste Stellvertretende Ministerpräsident der UdSSR, Anastas I. Mikojan, eine bemerkenswerte Tischrede. Sie ließ vor allem erkennen, wie sehr die Sowjets über einen möglichen Zugriff der Bundesrepublik auf Atomwaffen beunruhigt waren. Zugleich sprach der Gast allerdings die Möglichkeiten einer weiteren Intensivierung der deutsch-sowjetischen Kooperation an und nannte in diesem Zusammenhang den Kulturaustausch und die wissenschaftlich-technische Zusammenarbeit. Schließlich enthielt die Rede eine sehr interessante historische Reminiszenz: «Die Sowjetregierung war immer davon überzeugt, daß infolge historischer Gründe und der geographischen Situation unserer Länder ein natürlicher Grund vorhanden ist, für eine breite Zusammenarbeit und für freundschaftliche Beziehungen zwischen der Sowjetunion und Deutschland. Es könnte nicht schaden, sich daran zu erinnern, daß die Sowjetunion nach dem ersten Weltkrieg entschieden gegen den Versailler Friedensvertrag auftrat und daß sie Deutschland im Kampf um die Befreiung vom Joch dieses Vertrages unterstützte. In dieser Periode entwickelten sich zwischen unseren Ländern vielseitige Verbindungen. Bis zur Machtergreifung durch die Hitleristen verstanden wir uns einander nicht schlecht ... Unser Ziel besteht darin, unter alles einen Strich zu ziehen, was uns in der Vergangenheit getrennt hat, und gleichzeitig die Erfahrungen der friedlichen Zusammenarbeit zu bewahren und zu mehren, die in den Beziehungen zwischen unseren Ländern angesammelt wurden.»[73]

Demonstrativ mobilisierte der Mann aus Moskau den «Rapallo-Mythos», und das nicht zum ersten Mal. Adenauer hatte schon 1955 in der sowjetischen Verhandlungsführung im Kreml den Versuch erkannt, «uns zu locken und zu prüfen, ob wir nicht doch zu einer Rapallo-Politik geneigt wären».[74] Für die Bundesregierung stand außer Frage, daß man den Köder nicht annehmen durfte. Die Erinnerung an die Zwischenkriegszeit war gerade bei dieser Generation von Politikern noch lebendig, und schon deshalb kam eine Wiederaufnahme der Politik der «Ost–West–Balance», wie sie in der Stresemann-Zeit praktiziert worden war, nicht in Betracht. Dennoch mußte man etwas tun und «in stiller und zäher Arbeit auf diplomatischem Wege eine Verständigung mit dem Kreml über die deutsche Frage suchen».[75] Damit setzte Adenauer eine Tradition der deutschen Außenpolitik seit der Zwischenkriegszeit fort. Die deutsche Ostpolitik jener Jahre bis hin zu den geheimen Kontakten, welche die deutsche Opposition gegen Hitler zu Stalin herzustellen suchte, war ja immer auch das Resultat einer aus deutscher Sicht verfehlten Haltung des Westens gegenüber dem Bolschewismus bzw. Kommunismus und insofern eine Notlösung. Weil dem so war und weil es galt, bei den Westmächten erst gar nicht den Verdacht einer Bonner Schaukelpolitik aufkommen zu lassen, blieben viele der ostpolitischen Planungen und Kontakte vorerst geheim. Und wie schließlich hätte man der deutschen Öffentlichkeit erklären sollen, daß man einerseits bei den Westmächten eine harte Haltung gegenüber der Sowjetunion anmahnte und andererseits Pläne und Vorschläge entwarf, die den Forderungen Moskaus entgegenkamen?

Geplant und kontaktiert wurde jedenfalls schon seit 1955. In diesem Jahr trat Bundesfinanzminister Fritz Schäffer seine erste von zwei geheimen Reisen nach Ost-Berlin an, 1957 legte der Leiter des Presse- und Informationsamtes der Bundesregierung, Felix von Eckardt, Adenauer Pläne für ein weitgehend entmilitarisiertes Europa vor. Und schließlich führte die festgefahrene Situation in der Berlin-Krise dazu, daß es in den Jahren 1958–1962 zu einer ganzen Serie von Aktivitäten kam. So traf Adenauer am 7. und 19. März 1958, also noch vor dem Besuch Mikojans, zu Unterredungen mit dem sowjetischen Botschafter in Bonn, Andrej A. Smirnow, zusammen, um mit diesem über Themen wie die Wiedervereinigung, einen Friedensvertrag für Deutschland oder auch die geplante Gipfelkonferenz der Vier Mächte zu sprechen. Beschränkte sich der Kanzler am 7. März noch auf den mehr oder weniger hilflosen Appell «Lassen Sie die Bevölkerung der Sowjetzone frei über ihr eigenes Schicksal entscheiden!»,[76] so suchte er am 19. März mit einem überraschenden Vorschlag Bewegung in die «festgefahrene Art des Dialogs» zu bringen, indem er Smirnow fragte, ob die Sowjetregierung bereit sei, «der Sowjetzone den Status Österreichs zu geben ... Es müsse der Bevölkerung in der Sowjetzone die Möglichkeit gegeben werden, so zu leben, wie sie es wünsche. Die Österreicher hätten diese Möglichkeit ... Österreich hätte in seinem Friedensvertrag bestimmte Verpflichtungen über seine militärische Neutralität übernehmen müssen, dafür aber die Möglichkeit erhalten, seine Geschicke selbst zu gestalten.» Daß der sowjetische Botschafter nach Adenauers Erinnerung ob solcher Avancen «überrascht und verwirrt» schien, ist nachvollziehbar.[77]

Dem Kanzler ging es darum, den toten Punkt zu überwinden, um den Versuch, der stagnierenden Entwicklung wieder Leben einzuflößen. Darüber hinaus sollten die Vorstöße aber ganz offenkundig auch Schlimmeres verhindern, so etwa die Unterzeichnung eines Friedensvertrages und damit die Anerkennung der DDR und ihres bestehenden Regimes. Zugleich suchte Adenauer auch die geplante Gipfelkonferenz der Vier Mächte zu torpedieren, da man am Rhein davon ausgehen mußte, daß es zu einer Einigung in der Deutschen Frage, aber ohne aktive Mitwirkung der Deutschen selber kommen werde. Der Genfer Gipfel des Jahres 1955, mit dem die Demontage der westlichen Position und die Verdrängung der Deutschen Frage aus dem Rampenlicht der Weltpolitik begonnen hatte, war in Erinnerung. Schließlich spekulierte Adenauer auf eine Desintegration des östlichen Bündnisses, falls die DDR-Bevölkerung die Möglichkeit freier Entscheidung und damit in einer späteren Zukunft auch die Chance bekam, für den Westen zu optieren. Wohl aus eben diesem Grunde lehnte Smirnow den Adenauerschen Vorschlag rundweg ab.

Der Vorstoß vom März 1958 enthielt beträchtliche Risiken. Eine Realisierung des Planes hätte das Ende jeder Hoffnung auf eine Wiedervereinigung bedeutet. Der Kanzler wußte schon, warum er seinen sowjetischen Gesprächspartner bat, die Sache äußerst vertraulich zu behandeln, laufe er doch andernfalls Gefahr, von seinen Landsleuten «gesteinigt» zu werden. Immerhin machte Adenauer hier Vertretern eines Regimes Konzessionen, dessen offizielle Verlautbarungen in der Bundesrepublik beschlagnahmt und also den Bundesbürgern vorbehalten wurden. Die hatten freilich ihre eigene, erstaunlich einhellige Meinung zu diesem Thema: Wiedervereinigung ja, aber nicht um jeden Preis! Befragt, ob ihnen die Wiedervereinigung persönlich wichtig genug sei, um «einen Krieg zu riskieren», antworteten im Frühjahr 1959 95 % der Bundesbürger mit «Nein»; und immerhin mehr als 70 % von ihnen hielten die Wiedervereinigung nicht für «wichtig genug, um die Gebiete östlich der Oder-Neiße-Linie aufzugeben».[78]

Daß sich bezüglich des Ziels der Wiedervereinigung auch in der amtlichen Politik eine Gewichtsverlagerung abzeichnete, blieb aufmerksamen Zeitgenossen nicht verborgen. Jedenfalls machten sowohl Adenauer als auch Strauß in der Bundestagsdebatte vom 20. März 1958 entsprechende Andeutungen. Der Bundesverteidigungsminister ging sogar so weit zu fragen: «Ist es denn wirklich die Wiedervereinigung, die uns in erster Linie drängt, quält, bedrückt und treibt? Es ist doch weniger die Wiedervereinigung im Sinne der Wiederherstellung der staatlichen Einheit Deutschlands; es ist doch mehr das Herzensanliegen der Wiederherstellung demokratischer und menschenwürdiger Zustände in diesem Gebiet.»[79] Das deckte sich mit Adenauers Einschätzung, wonach mit der Wiedervereinigung «auf Jahre nicht zu rechnen sei» und es daher jetzt mehr denn je auf eine «Humanisierung der Verhältnisse in der Zone» ankomme.[80] Und so forderte der Kanzler im Mai 1960 einige geladene Journalisten auf: «Sprechen Sie bitte möglichst wenig von Wiedervereinigung, sondern sprechen Sie vom Recht der Selbstbestimmung.»[81]

Eine vergleichbare Ernüchterung verbreitete sich hinter den Kulissen in der Berlinfrage. Es waren vor allem jene Pläne, die 1959/60 im engsten

Beraterkreis Adenauers entwickelt und nach dem damaligen Staatssekretär im Bundeskanzleramt, Hans Globke, benannt wurden, welche erkennen ließen, daß man sich auch mit der Lage Berlins abzufinden begann. Bei den Westmächten wurde im Sinne der Pläne sondiert und die Sowjetunion wurde von den Grundzügen des Nachdenkens unterrichtet. Die deutsche Öffentlichkeit hingegen erfuhr davon näheres erst 1974. Immerhin widersprachen die Überlegungen zum Teil fundamental der offiziellen Bonner Politik dieser Tage. Bedenkt man, daß Willy Brandt noch 1963 klarstellte, daß die DDR «weder deutsch noch demokratisch noch Republik» sei, sondern ein «erbärmlicher Satellitenstaat»,[82] und daß der Regierende Bürgermeister von Berlin damit wohl die Meinung der Mehrheit seiner Landsleute wiedergab, dann war es in der Tat bedenklich, daß in den sogenannten Globke-Plänen die Rede von einer «Freien Stadt Berlin» war. Das erinnerte ebenso an die Forderung Chruschtschows wie die unter anderem vorgesehene vorübergehende gegenseitige Anerkennung der Bundesrepublik und der DDR als souveräne Staaten einschließlich der Aufnahme diplomatischer Beziehungen, sofern eine Volksabstimmung in einem der beiden deutschen Staaten nicht zugunsten einer Wiedervereinigung ausfallen sollte.[83] Diesen letzten Schritt einer völkerrechtlichen Anerkennung der DDR hat keine Bundesregierung getan.

Bei führenden Vertretern der deutschen Politik, auch bei denen, die sich nach 1949 als besonders entschiedene Verfechter der deutschen Wiedervereinigung profiliert hatten, begann sich also im Zuge der Berlin-Krise die Erkenntnis durchzusetzen, daß sie auf absehbare Zeit als unerreichbar gelten mußte. Warum aber konnte man sich nicht entschließen, die entsprechende Passage in der Präambel des Grundgesetzes zu streichen? Wie war es möglich, daß die Frage vertraglicher Beziehungen zur DDR und damit ihrer faktischen Anerkennung in den ausgehenden sechziger und beginnenden siebziger Jahren noch einmal zu einer außerordentlich heftigen Kontroverse im Innern führen konnte? In der Rückschau zeichnet sich das dahinterstehende kardinale Problem deutlicher ab, als es den Zeitgenossen bewußt sein konnte. Abgesehen von der rein pragmatischen, aber häufig überschätzten Erwägung, Rücksicht auf die Vertriebenen und ihre Interessen nehmen zu müssen, abgesehen auch von der in den sechziger Jahren noch aufrichtig empfundenen Empörung über das SED-Regime, mußten die Deutschen ja auch mit der gewaltigen historischen Dimension zu Rande kommen, die sich hinter diesem Problem verbarg.

Erstmals seit der Begründung des Deutschen Reiches im Jahre 1871, erstmals also seit fast einem Jahrhundert, waren die Deutschen dabei, sich mit dem Status quo abzufinden. Anders als in der Wilhelminischen Ära, der Zeit des Ersten Weltkrieges, der Weimarer Republik, des «Dritten Reiches» und des Zweiten Weltkrieges, anders aber auch als in der unmittelbaren Nachkriegszeit ging es nunmehr darum, die Situation des Landes zu akzeptieren, wie sie war. Das hatten die Deutschen verlernt, und man fragt sich, ob der Kalte Krieg nicht auch ein langer Lernprozeß war, der die Deutschen dazu bringen sollte, sich mit den Gegebenheiten ihrer Lage abzufinden. Jedenfalls ist kaum ein Zweifel möglich, daß die Vereinigung der Jahre 1990/91 ohne diesen Lernprozeß für die Nachbarn nicht vorstellbar und akzeptabel gewesen wäre. Seine Ursprünge also lagen in der Berlin-Krise. Daß 1959/60 im Umkreis des Kanzlers erstmals Pläne entwickelt wurden, die auf eine Hinnahme des Status quo hinausliefen, hatte pragmatische Gründe. Es ging vor allem darum, wieder Bewegung in die festgefahrene Deutschland- und Berlinfrage zu bringen und so zu verhindern, daß die Entwicklung über Deutschland hinwegging. Solche Überlegungen waren mithin auch Ausdruck der trügerischen Ruhe und der allgemeinen Stagnation in dieser Frage während des Jahres 1960.

Am 16./17. Mai hatte Chruschtschow das Gipfeltreffen mit de Gaulle, Macmillan und Eisenhower in Paris platzen lassen, indem er vom amerikanischen Präsidenten vor dem Zusammentritt der Konferenz eine offizielle Entschuldigung für die Aufklärungsflüge von «U-2»-Maschinen über sowjetischem Territorium forderte, von denen am 1. Mai eine vom Himmel geholt worden war. Das war aber ganz offensichtlich ein Vorwand, lag der Abschuß doch mehr als zwei Wochen zurück. Außerdem waren die Sowjets seit den Anfängen der Aufklärungs- bzw. Spionageflüge über diese informiert. Immerhin haben sie in den fünfziger und sechziger Jahren etliche westliche Spionageflugzeuge abgeschossen. Zwar wurden diese Erfolge gelegentlich, wie im Mai 1960 durch Chruschtschow, publik gemacht und propagandistisch ausgewertet. Doch waren beide Seiten peinlich darauf bedacht zu verhindern, daß derartige Vorgänge zum Auslöser eines militärischen Schlagabtausches würden.

Auch die Spionage- und Geheimdiensttätigkeit beider Seiten hatte sich den Spielregeln des Kalten Krieges anzupassen. Das gelang indessen nur eingeschränkt, weil die gezielte Täuschung, Desinformation oder Irreführung, die zum Wesen dieses Geschäfts gehörten, natürlich die Perzeption und die Meinungsbildung der jeweils anderen Seite beeinflussen sollten. Wie weit das gehen konnte, offenbarte die Spätphase des Kalten Krieges, als es dem KGB erfolgreich gelang, den desolaten Zustand der östlichen Supermacht in dichten Nebel zu hüllen. Die Kosten waren freilich enorm. Um dem Anschein eines ebenbürtigen militärischen Herausforderers gerecht werden zu können, mußte der Kreml praktisch alles in die Rüstung stecken und damit den Kollaps beschleunigen. Als dieser dann eintrat, waren Überraschung und Hilflosigkeit im Westen unübersehbar.

Jetzt wurde auch erkennbar, in welchem Umfang und mit welchen Mitteln die Dienste tätig gewesen waren. So publizierte der KGB alleine 1960, dem Jahr des «U-2»-Skandals, etwa 200 gezielte Desinformationen, darunter zehn unter dem Namen westlicher Regierungen, veröffentlichte im Ausland 126 Bücher und mehr als 3 000 Artikel, in welchen die «aggressive Politik der USA» entlarvt wurde, schaffte über 8 000 als «geheim» eingestufte Informationen wissenschaftlich-technischer Natur in die Sowjetunion, um nur einige Aktivitäten zu nennen. Höchst beeindruckend liest sich auch die Liste der Vorhaben, mit denen der KGB auf die «U-2»-Affäre zu reagieren gedachte. Darunter befanden sich zum Beispiel gezielte Maßnahmen, «um die CIA zu kompromittieren und die Gegensätze zwischen der CIA und anderen Abwehrdiensten durch die Veröffentlichung einiger Dokumente oder durch ihre Versendung an das FBI zu verschärfen».[84] Nur gelegentlich rückten die Aktivitäten der Geheimdienste in den Blickpunkt der Öffentlichkeit, so zum Beispiel anläßlich des Austausches von Spionen bzw. Agenten. Wie kaum ein zweites Thema hat die geheimnisumwitterte Spionage in allen Dimensionen und Facetten die Phantasie der Zeitgenossen beflügelt: Romane und Filme über jene Männer, die «aus der Kälte» kamen, waren Bestseller und Dauerbrenner.

Chruschtschow konnte sich also sicher sein, daß er mit seiner öffentlichen Annoncierung des «U-2»-Abschusses die Aufmerksamkeit der Weltöffentlichkeit auf seiner Seite hatte. Das war auch nötig, befand sich doch die von ihm inszenierte Krise um Berlin in einem Stadium allgemeiner Stagnation. Wenige Tage nach dem gescheiterten Gipfel erklärte Chruschtschow sogar, daß die Sowjetunion den Status von Berlin bis zu einer neuen Gipfelkonferenz für gut ein halbes Jahr unangetastet zu lassen gedenke. Offensichtlich wollte man zunächst einmal abwarten, wie die bevorstehenden Präsidentschaftswahlen in den USA ausgingen.

In Bonn sorgte das Scheitern des Gipfels für Erleichterung, waren die Auguren doch überzeugt gewesen, daß die Westmächte in Paris weitere Konzessionen in der Deutschland- und Berlinfrage machen würden. Zudem war man auch am Rhein gespannt, wie die Wahlen in den USA ausgehen würden. Bei aller Desillusionierung, ja Enttäuschung über die Neuorientierung der amerikanischen Europa-, Deutschland- und Berlin-Politik seit 1955 konnte es an der überragenden Bedeutung der westlichen Führungsmacht keinen Zweifel geben. In diesem Sinne stellte Adenauer im Juli 1960, erneut mit einem resignativen Unterton, fest: «Wir hängen doch alle von Amerika ab, wir alle – keiner von uns ist in der Lage, sich ohne Amerika überhaupt am Leben zu erhalten, ein Leben in Freiheit zu halten. Wir hängen alle von Amerika ab.»[85] Diese Einschätzung sollte sich in den kommenden Jahren nachdrücklich bestätigen: Die großen Krisen, auch jene auf dem alten Kontinent selbst, sollten den Europäern zeigen, daß die Regie inzwischen bei den USA und bei der Sowjetunion lag, wie sehr diese dabei von außereuropäischen Entwicklungen beeinflußt wurden und in welchem Maße Europa inzwischen marginalisiert worden war.

5. Konfrontation
Der Scheitelpunkt des Kalten Krieges
1961–1963

Krisen fordern Korrekturen – auch in der Politik. Das lassen die frühen sechziger Jahre erkennen. Die Berlin-Krise erreichte ihren Höhepunkt, und vor der Haustür der Vereinigten Staaten, auf Kuba, bahnte sich ein Konflikt an, der bis an die Schwelle eines Atomkrieges führte. Das war die eine Seite. Und das war die andere: Mit dem Atomteststoppabkommen zogen die Akteure nur ein knappes Jahr später erste Konsequenzen und stellten die Weichen in eine neue Richtung.

Das alles ging mit einem Regierungswechsel in den USA einher. Mit äußerst knapper Mehrheit gewählt, hatte am 20. Januar 1961 der neue Präsident sein Amt angetreten. Verglichen mit seinem Gegner im Wahlkampf, dem langjährigen Vizepräsidenten Eisenhowers, Richard M. Nixon, war John Fitzgerald Kennedy in Europa praktisch kein Begriff. Das lag auch an seinem Alter; der 43jährige Kennedy mußte sich zunächst einmal auf der nationalen Bühne vorstellen und behaupten. Das Amt des Vizepräsidenten übernahm Lyndon B. Johnson, seit 1949 Mitglied des amerikanischen Senats und seit 1953 Fraktionsführer der Demokraten. Zum Außenminister wurde Dean Rusk berufen, zum Verteidigungsminister Robert S. McNamara. Maßgeblich konzipiert wurde die amerikanische Außen- und Sicherheitspolitik dieser Jahre indessen von den Männern in der zweiten Reihe, so insbesondere von Walt W. Rostow, dem Leiter des Planungsstabes im «State Department», Paul H. Nitze, Abteilungsleiter für Angelegenheiten der Internationalen Sicherheit im Pentagon und seit 1963 Marineminister, sowie von McGeorge Bundy, dem Sonderberater des amerikanischen Präsidenten für Fragen der nationalen Sicherheit.

Mehr noch als ihre Vorgängerin war die Kennedy-Administration durch die Patt-Situation auf dem Gebiet der nuklearen Rüstung und ihre Folgen geprägt und von Anfang an auf einen Ausgleich mit der Sowjetunion bedacht. Das sollte vor allem durch die Abgrenzung der jeweiligen Macht- und Interessensphären innerhalb und außerhalb Europas geschehen. Zu diesem Zweck suchte Washington schon frühzeitig den Dialog mit Moskau – exklusiv und auf höchster Ebene. Das bedeutete, wie man in den Metropolen des alten Kontinents sehr bald spürte, eine graduelle Zurückstufung, mitunter gar eine Vernachlässigung der europäischen Verbündeten. Die Großmächte Frankreich und Großbritannien hatten zwar selbst in den Zeiten Trumans und Eisenhowers nie den Eindruck, sie seien wirklich gleichrangige Partner der amerikanischen Führungsmacht; denn auch sie waren wie Europa insgesamt vom nuklearen Schutz der Vereinigten Staaten abhängig. Gleichwohl konnte in den ausgehenden vierziger und fünfziger Jahren durchaus noch von Kooperation die Rede sein. Das änderte sich nun grundlegend.

Welche Folgen die unmittelbare amerikanisch-sowjetische Zusammenarbeit für London oder Paris bringen konnte, hatte schon die Suez-Krise des Jahres 1956 erahnen lassen. So wie es aussah, knüpfte die amerikanische Außen- und Sicherheitspolitik 1961 genau dort an. Tatsächlich wies Kennedy seinen Außenminister am 21. August 1961 darauf hin, daß nach seiner Auffassung Vierer-Gespräche kaum Aussicht auf Erfolg hätten. Im übrigen müßten die «drei Alliierten» der Amerikaner entweder den Weg bilateraler amerikanisch-sowjetischer Verhandlungen mitgehen, der «kein Veto einer anderen Macht» zuließ, oder aber «zurückbleiben».[1] Mithin kehrten die USA – gleichsam auf einer höheren Ebene – wieder zur «Ausgangsbasis von Jalta» zurück.[2] Und dort, auf der Krim, war Anfang des Jahres 1945 die Welt aufgeteilt worden. Die Franzosen waren schon damals nicht dabei gewesen; Churchill hatte zwar für Großbritannien mit am Verhandlungstisch gesessen und die Entscheidungen in einigen Punkten beeinflussen können, getroffen aber hatte er sie nicht.

Am 3. und 4. Juni 1961 begegneten sich Kennedy und Chruschtschow in Wien. Das Treffen ging auf einen ausdrücklichen Wunsch des amerikanischen Präsidenten zurück, der seinen Kontrahenten und künftigen Partner kennen und einschätzen lernen wollte. Dieses Motiv hat wohl auch Chruschtschow zu einer Zusage bewogen, zumal exklusive Gipfeltreffen vorzüglich geeignet waren, den sowjetischen Anspruch auf Gleichrangigkeit mit der westlichen Führungsmacht zu unterstreichen. In der Sache trat der Mann aus Moskau hart auf. Vor allem beharrte er auf den sowjetischen Forderungen in der Berlinfrage, die den Hauptgegenstand der Erörterungen bildete. Erneut übergab der Erste Sekretär des ZK der KPdSU ein Memorandum, erneut enthielt dieses einseitige sowjetische Forderungen, erneut wurden diese in ultimativer Form vorgetragen. Für den Fall der Nicht-Erfüllung drohte Chruschtschow abermals, mit der DDR einen Separatfriedensvertrag zu schließen und ihr die Kontrolle über die Verbindungswege zu einer «freien Stadt» West-Berlin zu übergeben, da eine solche Kontrolle «das unveräußerliche Recht eines jeden souveränen Staates» sei.[3]

Ganz offenkundig war der amerikanische Präsident in einer schwächeren Verhandlungsposition als sein Gegenüber. Nicht nur wurde er von Chruschtschow kompromißlos mit einer politischen Vorgabe konfrontiert und mußte reagieren. Vielmehr hatte Kennedy kurz vor dieser Begegnung und nur wenige Monate nach seinem Amtsantritt eine schwere politische Niederlage, einen Prestigeverlust in der spannungsgeladenen Atmosphäre der internationalen Politik hinnehmen müssen: Am 20. April 1961 war endgültig der Versuch einer Gruppe von Exil-Kubanern gescheitert, in der Schweinebucht der Insel an Land zu gehen. Das Fiasko hatte insofern mit den USA zu tun, als die CIA die Invasoren militärisch ausgebildet und auf das Unternehmen vorbereitet hatte.

Dahinter stand eine jahrzehntealte, komplexe Tradition amerikanisch-kubanischer Beziehungen, die ihren Ursprung im spanisch-amerikanischen Krieg des Jahres 1898 hatte. Dieser Krieg, ausgelöst durch die Vorgänge in der damaligen spanischen Kolonie Kuba, hatte die Vereinigten Staaten zum Erben des verbliebenen spanischen Kolonialreiches gemacht und sie auf diese Weise unter anderem in den Besitz Puerto Ricos, der Philippinen und Kubas gebracht. Zwar waren die amerikanischen Truppen 1902 von der karibischen Insel abgezogen worden, doch hatten sich die USA einerseits ein militärisches Interventionsrecht vorbehalten, von dem sie seit 1906 wiederholt Gebrauch machten, zum anderen hatte sich Washington zwei Stützpunkte gesichert, von denen es einen, Guantánamo, auch noch über das Ende des Kalten Krieges hinaus halten sollte.

Anlaß für das «Unternehmen Schweinebucht» waren die Entwicklungen auf der Insel seit 1953. Im Sommer dieses Jahres erhob sich eine Guerillatruppe unter Führung des Rechtsanwalts Fidel Castro Ruz gegen das Regime des Diktators Fulgencio Batista y Zaldivar. Batista war ursprünglich Oberbefehlshaber der Armee, gleichwohl aber schon seit 1934 der eigentliche Machthaber. 1940 wurde er für vier Jahre zum Präsidenten gewählt. Im März 1952 durch einen Staatsstreich erneut an die Macht gelangt, unterlag er schließlich, in den letzten Tagen des Jahres 1958, den Guerrilleros. Nach der Flucht Batistas übernahm Fidel Castro am 16. Februar 1959 das Amt des kubanischen Ministerpräsidenten. Zu seinen engsten Gefolgsleuten zählte der argentinische Arzt Ernesto «Che» Guevara Serna, der die revolutionäre Umgestaltung Iberoamerikas zu seinem Anliegen gemacht hatte. Nach einem ersten Einsatz für die Regierung Guzmán in Guatemala diente er Castros Kuba von 1959 bis 1965, zunächst als Nationalbankpräsident, später als Industrieminister, um dann, nach halbjährigem Einsatz an der Seite der Rebellen im vormals belgischen Kongo, in Bolivien eine Guerillaorganisation aufzubauen. Dort wurde er gefangengenommen, am 9. Oktober 1967 erschossen und, wie erst drei Jahrzehnte später bekannt wurde,[4] unter dem Rollfeld eines Flughafens vergraben. Auch in diesem Fall hatte das kompromißlose Vorgehen seiner Gegner einen beträchtlichen Anteil an dem Mythos, der sich um Che Guevara, weit über den amerikanischen Halbkontinent hinaus, in der Dritten Welt und bei der europäischen Linken gebildet hat.

Anfänglich waren die Beziehungen der Vereinigten Staaten zu den jungen Revolutionären nicht schlecht: Fidel Castro war damals noch kein Kommunist, und in einer Zeit, die unter dem Eindruck der durch Joseph McCarthy 1950–1954 veranlaßten Jagd auf tatsächliche oder vermeintliche amerikanische Kommunisten stand, war das ein wichtiges Kriterium. Washington erkannte die neue Regierung diplomatisch an, und Castro unternahm eine Reise durch die USA, die sich mitunter wie ein Triumphzug ausnahm und zeigte, daß der neue Mann auf Kuba in der amerikanischen Öffentlichkeit durchaus populär zu werden versprach. Das sollte sich ändern, als Castro seine Reformen in Angriff nahm. Beginnend mit einem ersten Agrarreformgesetz vom 4. Juni 1959 und der Beseitigung des privaten Großgrundbesitzes, steigerten sich die Maßnahmen bis zur Verstaatlichung von über 30 großen amerikanischen Unternehmen, darunter Zuckermühlen, Banken, Telefon- und Elektrizitätsgesellschaften. Washington reagierte am 6. Juli 1960 mit einer drastischen Reduktion der kubanischen Zuckerimporte um 700 000 Tonnen, gefolgt von einem partiellen Handelsembargo gegen die Insel und schließlich am 3. Januar 1961, also noch während der Präsidentschaft Eisenhowers, mit dem Abbruch der diplomatischen Beziehungen. Damit trieben die Vereinigten Staaten Kuba, ähnlich wie zuvor Ägypten und andere Länder der Dritten Welt, geradezu in die Arme Moskaus und damit des Kommunismus. Jedenfalls kam es schon im Februar 1960 zu einem ersten kubanisch-sowjetischen Handels- und Kapitalhilfeabkommen.

Mit dem Abbruch der diplomatischen Beziehungen zu Kuba wollten die USA nicht zuletzt den Weg für eine militärische Intervention auf der Insel freimachen. Zu diesem Zweck hatte die CIA mit der militärischen Ausbildung von Exil-Kubanern begonnen. Kennedy hatte zwar ursprünglich die Pläne gebilligt, aber schließlich verweigerten die USA den Invasoren die in Aussicht gestellte, aktive Unterstützung insbesondere durch die Luftwaffe. Der gerade gewählte Präsident wollte es nicht auf eine Konfrontation mit der Sowjetunion ankommen lassen, denn die hatte mit harten Reaktionen gedroht. Dieses Zurückweichen vor Chruschtschows Drohungen bedeutete eine nicht unerhebliche Einbuße an nationalem und internationalem Ansehen, dies um so mehr, als eine entschiedene Haltung gegenüber Kuba ganz auf der Linie der von Kennedy angekündigten neuen amerikanischen Außenpolitik gelegen hätte.

Hatte der Präsident nicht bereits in seiner ersten «State of the Union Message» vom 30. Januar 1961 vorausgesagt, der Kampf um die Freiheit werde sich künftig in Asien, Afrika und eben Lateinamerika entscheiden? War nicht der Feldzug gegen die neue kommunistische Usurpation eine konsequente Fortsetzung des Kampfes gegen die alte Kolonialherrschaft, dem der junge Senator Kennedy im Blick auf Algerien schon 1957 öffentlich seine Sympathie bekundet hatte? Sollten sich der amerikanischen Außenpolitik nicht auch in der Dritten Welt neue Horizonte eröffnen, jene «New frontiers», von denen in der Aufbruchstimmung dieser Jahre häufig die Rede war? Unverkennbar besaß diese Vision auch eine offensive Komponente. Zielstrebig verließ die neue Administration die selbstgewählte weltpolitische Defensive, in der das Gespann Eisenhower-Dulles allen rhetorischen Attacken zum Trotz acht Jahre lang verharrt hatte. Die neue Blickrichtung, die südliche Halbkugel, bot ein vielseitiges Betätigungsgebiet. Die Parole für das südliche Amerika lautete «Allianz für den

Fortschritt», und das «Friedenscorps» junger Amerikaner, mit dem die Vereinigten Staaten in Zukunft die Entwicklungsarbeit dort wie in den Ländern Afrikas und Asiens tatkräftig unterstützen wollten,[5] war nur ein Beispiel für den offensiven Charakter des neuen Denkens.

In letzter Konsequenz war Kennedys Vision gerade dort, wo sich der Präsident für das Engagement des jungen Amerika in den armen Regionen der Erde aussprach, eine Fortsetzung des «Roll-back»-Denkens seines Vorgängers – mit anderen Mitteln und in anderen Gegenden. Eigentlich setzte erst der Mann aus Massachusetts dieses Denken in die Tat um. Das gilt für die Kuba-Krise des Oktobers 1962, und es gilt für die Verwicklungen in Vietnam: Im November 1961 ordnete der Präsident eine Intensivierung zunächst der amerikanischen Beratertätigkeit in Südostasien an. Damit wurden die Weichen in einen Krieg gestellt, der zwölf Jahre später mit einer der bittersten politischen und militärischen Niederlagen der Vereinigten Staaten und zugleich mit einem Bankrott jener Version der «Roll-back»-Vision enden sollte, mit der John F. Kennedy das Präsidentenamt angetreten hatte.

In Europa, vor allem aber am Rhein, beobachtete man die neue Administration, ihre ersten Aktivitäten und Äußerungen mit «skeptischer Nervosität», wie sich der damalige deutsche Botschafter in Washington erinnerte.[6] Das ist durchaus begreiflich. Zwar wurde die Tatsache, daß mit Kennedy erstmals ein Katholik das Amt des amerikanischen Präsidenten einnahm, in Rhöndorf mit einiger Genugtuung vernommen, aber mehr als ein Trostpflaster war das nicht. Denn ähnlich wie in seiner ersten «State of the Union Message» sprach Kennedy auch auf seinen Pressekonferenzen von sich aus das Berlin-Problem zunächst nicht an. Das war kein Versehen: Erstens wandte sich Washington erklärtermaßen neuen Horizonten zu, zweitens trat die junge Garde unter anderem deshalb ohne ein ausformuliertes Konzept in der Deutschland- und Berlinfrage an, drittens wurde rasch erkennbar, daß die neue Administration entschlossen war, mit der Sowjetunion aus eben diesen beiden Gründen möglichst rasch zu einem Ausgleich in Europa zu kommen, und zwar auf der Basis des Status quo – und das bedeutete nichts anderes als den endgültigen Verzicht auf eine Überwindung der Teilung Deutschlands und Berlins. Was sich seit 1955 angebahnt und seit 1958 durchgesetzt hatte, wurde nunmehr auch ausgesprochen: Global gesehen und angesichts der drohenden nuklearen Katastrophe war die Deutsche Frage eine Nebensache.

Seit dem Amtsantritt Kennedys sprach man im offiziellen Washington auch nicht mehr von der «Wiedervereinigung» Deutschlands, sondern von der «Lösung der Deutschen Frage» oder auch vom «Selbstbestimmungsrecht des deutschen Volkes», und «Berlin» wurde in der offiziellen Sprachregelung durch «West-Berlin» ersetzt, jedenfalls was die amerikanischen Garantien anging. So fand sich im Schlußkommuniqué, das am 13. April 1961 nach zweitägigen Gesprächen Adenauers mit Kennedy in der amerikanischen Hauptstadt verbreitet wurde, lediglich das «Versprechen», «die Freiheit der Bevölkerung von West-Berlin zu erhalten».[7] In diesem Sinne bekundeten auch die Außenminister der 14 NATO-Staaten bei ihrer Frühjahrstagung Anfang Mai 1961 ihre Absicht, «die Freiheit West-Berlins und seiner Bevölkerung zu wahren»[8] – nicht weniger, aber auch nicht mehr. Den letzten Schritt auf dem Wege zur Festschreibung des Status quo tat Washington am 25. Juli 1961. In einer berühmt gewordenen Rundfunk- und Fernsehansprache wies der amerikanische Präsident auf die Entschlossenheit seines Landes hin, Frieden und Freiheit verteidigen zu wollen. Überdies kündigte er für diesen Zweck höhere Ausgaben und den Ausbau aller Waffengattungen an. Im Zentrum seiner weiteren Ausführungen stand West-Berlin. Allerdings, und das wurde häufig übersehen, stellte er die «Bedrohung der freien Menschen» in «West-Berlin» auf die gleiche Stufe mit derjenigen in Vietnam und Kuba. Für Kennedy war West-Berlin kein «isoliertes Problem»: «Wir sehen uns einer Bewährungsprobe in Berlin gegenüber. Aber auch in Südostasien, wo die Grenzen weniger bewacht sind und der Feind schwerer auszumachen ist und die Gefahren des Kommunismus denen, die so wenig ihr eigen nennen, oft weniger in die Augen fällt, müssen wir eine solche Herausforderung bestehen. Wir sehen uns in unserer eigenen Hemisphäre ... einer derartigen Herausforderung gegenüber.»[9] Erstmals sprach ein amerikanischer Präsident nach 1945 öffentlich von der «begründeten Besorgnis der Sowjetunion bezüglich ihrer Sicherheit in Mittel- und Osteuropa nach einer Reihe räuberischer Invasionen» und gab zugleich seiner Überzeugung Ausdruck, daß es möglich sei, durch entsprechende Vereinbarungen «dieser Besorgnis gerecht zu werden».[10] Das also war der äußere Rahmen, in den Kennedy das Berlin-Problem stellte. Ausdrücklich bestand er auf der amerikanischen «Anwesenheit» in «Westberlin», auf dem Recht «auf Zugang durch Ostdeutschland» sowie auf der Verpflichtung, «mehr als zwei Millionen Menschen die Selbstbestimmung ihrer Zukunft und die freie Wahl ihrer Lebensform zu gewährleisten – und diese Möglichkeit notfalls zu verteidigen».[11]

Mit diesen «Three essentials», den drei Bedingungen, hatte der Präsident die Minimalposition der amerikanischen Deutschland- und Berlin-Politik formuliert, und zweifellos war seine Rede gerade in dieser Hinsicht auch als Signal an die Adresse Moskaus zu verstehen. Die Botschaft war klar und eindeutig: Solange die drei wesentlichen Punkte – die Präsenz der Westmächte in West-Berlin, ihr freier Zugang dorthin und die Freiheit der West-Berliner – durch den Kreml respektiert würden, zeigte sich die westliche Vormacht an der Entwicklung im sowjetischen Machtbereich grundsätzlich desinteressiert. Das Signal wurde verstanden.

Hintergrund der Rede Kennedys war eine dramatische Zunahme der deutsch-deutschen Wanderungsbewegung von Ost nach West. Aber anders als knapp drei Jahrzehnte später, im November 1989, veranlaßte diese eindeutige «Abstimmung mit den Füßen» die Machthaber in Moskau und in Ost-Berlin nicht zu einer Öffnung der Schleusen, im Gegenteil: Die Grenze wurde undurchlässiger. Am 15. Juni 1961 war der Staatsratsvorsitzende der DDR, Walter Ulbricht, auf einer Pressekonferenz unter anderem auf die Fluchtbewegung angesprochen worden und hatte erklärt, daß derjenige, der vom Innenministerium eine Erlaubnis erhalte, die DDR verlassen könne: «Wer sie nicht erhält, der kann sie nicht verlassen.»[12] Und auf die naheliegende Frage eines westdeutschen Journalisten, ob am Brandenburger Tor eine Mauer errichtet werden solle, kam die zynische Antwort: «Ich verstehe Ihre Frage so, daß es in Westdeutschland Menschen gibt, die wünschen, daß wir die Bauarbeiter der Hauptstadt der DDR dazu mobilisieren, eine Mauer aufzurichten. Mir ist nicht bekannt, daß eine solche Absicht besteht. Die Bauarbeiter unserer Hauptstadt beschäftigen sich hauptsächlich mit Wohnungsbau, und ihre Arbeitskraft wird dafür voll eingesetzt. Niemand hat die Absicht, eine Mauer zu errichten.»[13]

Dabei hatte die DDR-Führung in den voraufgegangenen Jahren eine Serie von Niederlagen hinnehmen müssen: Für den Geschmack Pankows war der Westen 1959 in Genf selbst unter Druck in der entscheidenden Frage hart geblieben; der innen- und außenpolitische Kurswechsel der SPD in den Jahren 1959/60 bedeutete für die SED-Führung eine herbe Schlappe, denn sie mußte sich jetzt endgültig von dem Gedanken verabschieden, zumindest einen Teil der westdeutschen Sozialdemokratie für die eigenen Zwecke zu gewinnen und so die Partei zu spalten; und natürlich war der unablässige Exodus der Bevölkerung, der sich ja vor den Augen der Welt abspielte, keine Empfehlung für die ohnehin bescheidene internationale Reputation des Regimes. Je offensichtlicher das wurde, um so stärker wuchs der Druck Ost-Berlins auf Moskau, zu handeln.

Das unkontrollierte Anschwellen des Flüchtlingsstromes führte indessen auch den Westen, die Bundesrepublik ebenso wie ihre Verbündeten, in ein Dilemma. Einerseits bestätigte die Massenflucht die westliche Bewertung des SED-Regimes, und selbstverständlich wollte und durfte man dem Freiheitswillen der ostdeutschen Bevölkerung nicht öffentlich entgegentreten. Andererseits konnte Bonn auch nicht an einer «Entvölkerung» der mittel- bzw. ostdeutschen Gebiete gelegen sein, 1961 ebensowenig wie dann 1989. Überdies wuchs in den Vereinigten Staaten, durchaus aber auch in der Bundesrepublik, die Befürchtung, daß sich die Fluchtbewegung zu einer Protestbewegung und mithin zu einem zweiten 17. Juni 1953 ausweiten könne. Die Gefahr einer Destabilisierung des gesamten ost- und ostmitteleuropäischen Raumes war nicht auszuschließen. Nicht nur das Jahr 1953 war in Erinnerung, sondern auch das Jahr 1956. In jedem Falle hätte eine solche Entwicklung die amerikanische Politik eines Ausgleichs mit der Sowjetunion durch Sicherung des Status quo ernsthaft bedroht. Mit entwaffnender Offenheit brachte der amerikanische Präsident in einer Pressekonferenz am 10. August 1961 das Dilemma auf den Punkt: «Die

Regierung der USA versucht nicht, den Flüchtlingsstrom zu ermutigen oder ihn zu entmutigen».[14]

Die Entscheidung wurde ihr wenige Tage später abgenommen: In der Nacht vom 12. auf den 13. August 1961 begannen Angehörige der Nationalen Volksarmee der DDR, ermächtigt durch die Staaten des Warschauer Paktes und ermutigt durch die Haltung des Westens, mit der Schließung der Ost-West-Sektorengrenze in Berlin und wenige Tage später mit dem Bau einer Mauer quer durch die Stadt. In den folgenden Wochen, Monaten und Jahren wurde das Territorium der DDR durch Stacheldraht, Betonmauern, Minenfelder, Selbstschußanlagen und schließlich auch durch einen Schießbefehl gleichsam in ein «Konzentrationslager» verwandelt, wie der Regierende Bürgermeister von Berlin bereits in seiner Erklärung vom 13. August formulierte.[15] Und am Morgen dieses denkwürdigen Tages glaubte mancher Zweifler im Westen endgültig zu wissen, in welcher Tradition die ostdeutsche Diktatur stand, als er auf Schildern entlang der Sektorengrenze lesen konnte: «Wer uns angreift, wird vernichtet!»

In West-Berlin und der Bundesrepublik reagierte man mit Bestürzung, Ohnmacht und Zorn. Zwar forderte Willy Brandt die Schutzmächte auf, darauf zu «bestehen, daß die rechtswidrigen Maßnahmen rückgängig gemacht werden», zwar mahnte er sie eindringlich, «daß es mit Protesten allein nicht sein Bewenden haben sollte»,[16] aber schon nach wenigen Stunden wurde erkennbar, daß diese weder in der Lage noch willens waren, zu intervenieren. Mit Erleichterung nahm man in Washington zur Kenntnis, daß an den Maßnahmen keine sowjetischen Soldaten beteiligt waren und daß sich die UdSSR an die «Three essentials» hielt, daß sich also, wie der amerikanische Außenminister in seiner ersten öffentlichen Stellungnahme betonte, «die bisher getroffenen Maßnahmen gegen die Bewohner Ostberlins und Ostdeutschlands und nicht gegen die Position der Alliierten in Westberlin oder den Zugang nach Westberlin» richteten.[17] Die USA beließen es bei demonstrativen Gesten und schickten am 19. August Vizepräsident Johnson nach Berlin, begleitet von General Clay, dem Vater der Luftbrücke der Jahre 1948/49.

Hingegen entschied sich Adenauer gegen einen sofortigen Besuch der jetzt definitiv geteilten Stadt, setzte vielmehr den Wahlkampf fort. Erst am 22. August, also neun Tage nach dem Mauerbau und drei Tage nach den Amerikanern, traf der Kanzler in Berlin ein, um sich vor Ort über die Situation zu informieren. Dem lag gewiß auch eine Fehleinschätzung der allgemeinen Gefühlslage zugrunde, und neben der «Spiegel-Affäre» und seinem wenig glücklichen Taktieren bei der Suche nach einem Kandidaten für das Amt des Bundespräsidenten war sie ein Auslöser für sein politisches Ende im Jahre 1963. Andererseits wollte der Kanzler einer Eskalation der Krise mit womöglich verhängnisvollen Konsequenzen, etwa einer sowjetischen Intervention, vorbeugen. Darum ging es auch Willy Brandt, der sich durch sein Verhalten vor Ort in diesen schwierigen Tagen für größere

Aufgaben empfahl und sich im übrigen auch nicht scheute, Kennedy öffentlich zu belehren.

Freilich wußte auch der Regierende Bürgermeister, daß es die Amerikaner nicht auf eine Eskalation ankommen lassen konnten. Immerhin hatte Chruschtschow mehr als einmal damit gedroht, daß ein über die Berlinfrage ausbrechender Krieg nuklear geführt werden würde. Wie ernst diese Drohungen immer gewesen sein mögen, ignorieren konnte man sie nicht, und Berlin war gewiß einer der letzten Gründe, um die Vereinigten Staaten einem sowjetischen Nuklearschlag auszusetzen. Tatsächlich ist es in der Berlin-Krise nur einmal zu einer Demonstration militärischer Stärke gekommen: Am 27. und 28. Oktober 1961 standen sich am «Checkpoint Charlie» amerikanische und sowjetische Panzer gegenüber. Es fiel zwar kein Schuß, gleichwohl führte die Szene doch allen deutlich vor Augen, was auf dem Spiel stand, wie zerbrechlich der Friede war. Valentin Falin, der diese Eskalation als «unmittelbarer Beobachter» in der Nähe Chruschtschows erlebte, erinnerte sich, «daß uns schließlich nur noch Sekunden und Meter von einem Unglück trennten».[18]

Entschieden aber schien nun ein für allemal das Schicksal Berlins und mit ihm das Schicksal Deutschlands und des Kontinents. Mit dem Bau der Berliner Mauer wurde auf damals nicht absehbare Zeit der Status quo in Europa festgeschrieben. Gleichzeitig markierte er die Preisgabe der langjährigen Zielsetzung der beiden Blöcke bzw. ihrer Vormächte. Mit der Hinnahme des Mauerbaus trennte sich Washington von der ursprünglichen Absicht, für das Selbstbestimmungsrecht der Ostdeutschen oder gar für die Wiedervereinigung Deutschlands kämpfen zu wollen. Moskau seinerseits gab den Versuch auf, die Westmächte aus West-Berlin zu verdrängen und dieses in eine «Freie Stadt» umzuwandeln.

Nach vier Jahren wurde die mit Fanfarenstößen eröffnete Berlin-Krise durch den Kreml fast geräuschlos liquidiert, indem einige der durch Chruschtschow vorgetragenen Drohungen in die Tat umgesetzt wurden: Mit der Auflösung der sowjetischen Stadtkommandantur und der Übertragung ihrer Befugnisse an die entsprechende DDR-Behörde wurde am 22. August 1962 eine Entwicklung vorläufig beendet, die mit dem Auszug des sowjetischen Vertreters aus der Alliierten Kommandantur für Berlin im Juni 1948 begonnen hatte. Das bedeutete allerdings nicht die Aufgabe der sowjetischen Rechte und Verantwortlichkeiten für Berlin und für Deutschland als Ganzes. So fungierte der sowjetische Botschafter in Ost-Berlin weiterhin gleichzeitig als Hoher Kommissar für alle Deutschland als Ganzes betreffenden Fragen und traf sich in dieser Eigenschaft gelegentlich mit den Botschaftern der drei Westmächte, die in Bonn die entsprechenden Rechte wahrnahmen. Vor allem kam es nicht zu jenem separaten Friedensvertrag zwischen der Sowjetunion und der DDR, den Chruschtschow im März 1959 für den Fall der Nichterfüllung seiner Forderungen ins Gespräch gebracht und an dem Ulbricht und die SED-Führung besonderes Interesse hatten, weil sie sich davon Konsolidierung und Aufwertung erhofften. Doch das Drängen der deutschen Genossen traf in Moskau auf taube Ohren. Ein Friedensvertrag wurde nicht unterzeichnet, und die Westmächte machten, so oder so, keine Anstalten, Berlin zu räumen. Insofern endete die Berlin-Krise nicht nur für die Bundesrepublik, sondern auch für die DDR mit einer Niederlage.

Sieht man jedoch von den Betroffenen, von den Deutschen und insbesondere von den Berlinern ab, so waren offenkundig alle über die Lösung der Berlinfrage – trotz ihrer menschlich brutalen Begeleiterscheinungen – erleichtert, die einen mehr, die anderen weniger. Die Sowjets konnten zufrieden sein, weil der Westen ihnen endgültig ihren Einflußbereich zugestanden hatte, wenn Chruschtschow auch, gemessen an seinen ursprünglichen Forderungen, allenfalls einen Teilerfolg hatte verbuchen können. Für die Amerikaner hingegen bedeutete die Festschreibung des Status quo in der Berlin- und Deutschlandfrage eine deutliche Entlastung und zugleich eine günstige Voraussetzung für den angestrebten Ausgleich mit dem Kreml in vitalen weltpolitischen Fragen.

In welchem Maße der 13. August «für die westlichen Regierungen objektiv zu einem Datum der Erleichterung» wurde[19] und wie gelegen gerade Washington diese Lösung der Berlinfrage kam, konnte wenige Wochen später Kurt Birrenbach in Erfahrung bringen. Im Oktober 1961 brachte eine USA-Reise den CDU-Abgeordneten und Berater mehrerer Kanzler mit führenden Persönlichkeiten des politischen Lebens in den USA zusammen. Das Fazit seiner Gespräche war eindeutig: «In allen Besprechungen wurde deutlich, daß die deutsche Einheit kein Ziel ist, für welches die Vereinigten Staaten bereit wären, substantielle Opfer zu bringen, am allerwenigsten, dieses Ziel mit einleitenden militärischen Schritten zu verfolgen.»[20] Entscheidend aber war, daß man das auch in Moskau wußte. Im Brustton der Überzeugung hatte Chruschtschow schon am 5. August 1961 in einer geheimen Rede vor den Führern des Warschauer Paktes festgestellt: «Keiner will die Wiedervereinigung Deutschlands – weder Frankreich noch England, noch Italien, noch Amerika.»[21] Der 13. August 1961 barg also kein hohes Risiko.

Das dämmerte jetzt auch dem optimistischsten Beobachter in Bonn. Ernüchterung machte sich breit, Verbitterung lag in der Luft. Tatsächlich mündete die Berlin-Krise in eine Vertrauenskrise, die in den folgenden Monaten und Jahren ständig neue Nahrung erhalten sollte. Gegensätze oder doch Unstimmigkeiten zwischen Bonn und Washington zeigten sich auf praktisch allen Gebieten, in der Außen- und Sicherheitspolitik ebenso wie im Bereich der Wirtschafts- und Handelsbeziehungen. Geradezu symptomatisch war der «Hähnchenkrieg» des Jahres 1963, der sogar die bevorstehenden GATT-Verhandlungen zu gefährden drohte. Hohe EWG-Zölle auf Importe aus den USA hatten dazu geführt, daß die Produkte amerikanischer Geflügelzüchter vom lukrativen deutschen Markt weitgehend ausgeschlossen wurden. Zur gleichen Zeit wurden die Deutschen durch amerikanischen Druck gezwungen, ein Geschäft der Firma Mannesmann mit der Sowjetunion über die Lieferung großer Stahlröhren zum Bau einer Erdöl-Pipeline nach Österreich, das bereits abgeschlossen war, wieder rückgängig zu machen. Am 18. Dezember 1962 verhängte die Bundesregierung ein Exportverbot.

Im Grenzbereich zwischen wirtschaftlichen, politischen und militärischen Überlegungen waren die außerordentlich schwierigen Verhandlungen über ein deutsch-amerikanisches Ausgleichsabkommen angesiedelt. Das erste Abkommen dieser Art wurde am 24. Oktober 1960 auf zwei Jahre geschlossen, aber das Thema blieb ein Dauerbrenner und sollte erst zur Zeit der Regierung Schmidt endgültig beigelegt werden. Es ging dabei um den Kauf amerikanischer Waffen bzw. Waffensysteme, und zwar in einem Umfang, der dem der amerikanischen Aufwendungen für das in der Bundesrepublik stationierte Militär entsprach. Daraus ergab sich eine Vielzahl von Problemen, zum Beispiel die fast vollständige Abhängigkeit der Bundesrepublik von amerikanischen Waffensystemen. Die USA ihrerseits haben die Präsenz ihrer Truppen und den Hinweis auf deren jedenfalls partiellen Abzug nicht selten als politisches Druckmittel benutzt, um Bonn die Entscheidung bei der Beschaffung solcher Systeme zu «erleichtern».

Wie sehr das deutsch-amerikanische Verhältnis lädiert war, offenbarten die Ungereimtheiten bei der Abberufung des deutschen Botschafters in Washington, Wilhelm Grewe. Seit Ende September 1961 fanden auf verschiedenen Ebenen bilaterale sowjetisch-amerikanische Gespräche über die Berlinfrage statt, in denen auch für Außenstehende offenkundig wurde, daß die Amerikaner auf Kosten der deutschen Interessen konzessionsbereit waren. Bonn fühlte sich nur unzureichend über Inhalt und Stand der Gespräche informiert. Am 9. April 1962 wurden Grewe mehrere amerikanische an die Sowjetunion gerichtete Vorschläge übergeben, die unter anderem das Angebot einer internationalen Zugangsbehörde für Berlin enthielten und zu denen sich die Bundesregierung innerhalb von 48 Stunden äußern sollte. Durch eine undichte Stelle, die nie identifiziert werden konnte, gelangten diese Dokumente an die «New York Times». Am 21. April erreichte die Krise mit Presseberichten über schwere amerikanisch-deutsche Gegensätze in der Berlinfrage ihren Höhepunkt, und am 7. Mai kündigte Adenauer die unvermeidliche Abberufung Grewes an.

Die Zurückhaltung in der Berlinfrage, welche die Mißtöne im deutsch-amerikanischen Verhältnis erzeugt hatte, zeigte die Entschlossenheit Washingtons, Krisen dieser Art nicht eskalieren zu lassen. Das war deshalb so wichtig, weil sich die Vereinigten Staaten seit dem Amtsantritt Kennedys immer stärker auf die neuen Horizonte konzentrieren mußten, insbesondere auf den südostasiatischen und den mittelamerikanischen Raum. Und eben dort, auf Kuba, entstand im Herbst 1962 eine weitere, nun allerdings sehr schwere Krise, die auch den sprachlosen Beobachtern am Rhein noch einmal in Erinnerung rief, welchen untergeordneten Stellenwert die Deutsche Frage im globalen Maßstab inzwischen besaß. Bereits im Frühjahr 1962 begann der Kreml, Kuba massiv aufzurüsten, einstweilen unbemerkt. So wurden insgesamt 43 000 sowjetische Soldaten auf Kuba stationiert und überdies Jagdflugzeuge, Schnellboote, Luftabwehrraketen und Boden-Luft-Raketen auf die Insel gebracht. Erst seit Mitte September verdichteten sich Vermutungen zur Gewißheit, daß die Sowjets auch atomare Trägerwaffen nebst den entsprechenden Sprengköpfen in die Karibik schafften. Damit waren die Vereinigten Staaten und insbesondere einige ihrer Metropolen unmittelbar bedroht. Die umgehende, ultimative Reaktion der amerikanischen Administration erklärt sich aus diesem Umstand und aus der alarmierenden Erkenntnis, daß die Vereinigten Staaten erstmals in der Geschichte des 20. Jahrhunderts selbst Schauplatz einer großen militärischen Auseinandersetzung hätten werden können.

Welche Motive mochten Chruschtschow zu seiner folgenreichen Entscheidung bewogen haben? Sicher ging es ihm auch um das Schicksal Kubas, zumal ein Gelingen des Unternehmens das Ansehen Moskaus in Mittel- und Südamerika erhöht hätte. Wichtiger war aber wohl der Versuch, durch eine erfolgreiche Stationierung sowjetischer Systeme vor der amerikanischen Haustür das krasse Ungleichgewicht im nuklearen und hier insbesondere im strategischen Bereich zu kaschieren und auszugleichen. Im Oktober 1962 verfügten die USA über etwa vier Mal so viele Raketen und 17 Mal so viele Atomsprengköpfe wie die Sowjetunion. Außerdem waren die sowjetischen Streitkräfte weder mit seegestützten Interkontinentalraketen ausgerüstet, von denen die USA 112 des Typs «Polaris» besaßen, noch mit Langstreckenbombern, welche die USA massiv hätten bedrohen können. Die verfügten ihrerseits mittlerweile über eine beachtliche Flotte von allein fast 700 Flugzeugen des Typs «B 52».

Aber mit militärischen bzw. strategischen Erwägungen allein läßt sich die Aktion des Kreml nicht erklären. Vielmehr dürfte es den Sowjets auch um die Sicherung bzw. Wiederherstellung ihres Führungsanspruchs in der kommunistischen Welt gegangen sein. Insbesondere die Volksrepublik China wurde mehr und mehr zu einem ernstzunehmenden Konkurrenten der Führungsmacht. Dabei handelte es sich nicht in erster Linie, wie mancher westliche Beobachter damals anzunehmen geneigt war, um ideologische Gegensätze zwischen den chinesischen und den sowjetischen Kommunisten, sondern um einen Machtkampf nach traditionellem Muster. Dahinter stand der Anspruch Chinas, die Rolle einer vollgültigen, mit der Sowjetunion gleichberechtigten Groß-, ja Weltmacht zu spielen.

Es kann kaum einen Zweifel geben, daß die Desintegrationsbewegungen in der kommunistischen Welt, die in anderem Zusammenhang zu betrachten sein werden, Chruschtschow maßgeblich bestimmt haben, die

Sowjetunion durch einen Prestigeerfolg wieder als unangefochtene Führungsmacht des Ostblocks zu profilieren. Der karibische Coup schien für diesen Zweck schon deswegen geeignet, weil er vergleichsweise kurzfristig durchzuführen war. Der Kremlchef nahm offensichtlich auch an, daß die USA nach dem Schweinebucht-Desaster in der kubanischen Frage äußerst zurückhaltend operieren würden. Im übrigen dürfte das schrittweise Nachgeben der Amerikaner in der Berlin-Krise, durch das der Mauerbau erst möglich geworden war, Chruschtschow ermutigt haben, ähnliches in der Karibik zu versuchen und dabei zugleich wieder Boden gutzumachen. Denn der Ukrainer hatte ja in dem vierjährigen Tauziehen um Berlin insofern auch eine Niederlage einstecken müssen, als er sein ursprüngliches Ziel, den Abzug der Westmächte aus Berlin, eben nicht erreichte. Und schließlich hat dem zu diesem Zeitpunkt noch starken Mann im Kreml wohl ein Tauschgeschäft vorgeschwebt. Denn die auf Kuba stationierten Raketen waren auch so etwas wie eine Antwort auf jene «Jupiter»-Raketen, welche die Amerikaner in eben diesen Tagen und Wochen in der Türkei dislozierten und den türkischen Streitkräften übergaben. Sie stellten eine direkte Bedrohung der Industrie- und Siedlungsgebiete des südlichen Rußland dar und hatten mithin eine ähnliche Qualität wie die vor der amerikanischen Haustür stationierten sowjetischen Systeme.

Wie immer der erste Sowjet spekuliert haben mag, mit dem, was dann kam, hat er nicht gerechnet: Am 13. September warnte Kennedy erstmals öffentlich Chruschtschow und Fidel Castro vor der Stationierung offensiver Waffensysteme: «Wenn zu irgendeinem Zeitpunkt die kommunistische Aufrüstung in Kuba unsere Sicherheit, einschließlich unseres Stützpunktes in Guantanamo ... beeinträchtigen oder gefährden sollte», so stellte der Präsident auf einer Pressekonferenz klar, «dann werden die Vereinigten Staaten alles Notwendige tun, um ihre eigene Sicherheit und die ihrer Alliierten zu schützen».[22] Am 6. Oktober verlegten die Vereinigten Staaten Flugzeuge und Flugabwehrraketen nach Florida, und am 14. Oktober gelang es den Piloten zweier «U-2»-Aufklärungsflugzeuge, über Kuba Fotos zu schießen. Am folgenden Tag ergab die Auswertung der Bilder unabweisbar, daß die Sowjets auf der Karibikinsel Raketen stationierten, die das Territorium der Vereinigten Staaten erreichen konnten.

Am Morgen des 16. Oktober, kurz vor 9.00 Uhr, wurde der Präsident durch seinen Sicherheitsberater, McGeorge Bundy, ins Bild gesetzt. Nach fieberhaften Beratungen verfügte Kennedy am 20. Oktober die Vorbereitung für eine Quarantäne Kubas, und am 22. Oktober wandte er sich in einer Fernsehansprache an die Weltöffentlichkeit. Darin gab er die Seeblockade der Insel bekannt, forderte den bedingungslosen Abzug der sowjetischen Raketen, kündigte unter anderem eine verstärkte Luftüberwachung Kubas an und schloß seine Rede mit den Worten: «Wir werden weder voreilig noch unnötigerweise die Folgen eines weltweiten Atomkrieges riskieren, bei dem selbst die Früchte des Sieges nur Asche auf unseren Lippen wären – aber wir werden auch niemals und zu keiner Zeit vor diesem Risiko zurückschrecken, wenn wir uns ihm stellen müssen».[23] Am 24. Oktober trat die totale Blockade der Insel in Kraft, und zwar mit ausdrücklicher Billigung der OAS, aus der Kuba im Januar ausgeschlossen worden war. Drei Tage später, am 27. Oktober, wurde ein Flugzeug des Typs «U 2» bei einem Inspektionsflug über der Insel abgeschossen. Am selben Tag schließlich schlug Chruschtschow Kennedy einen Handel vor. Danach sollten die in der Türkei stationierten amerikanischen «Jupiter»-Raketen im Gegenzug gegen den Abbau der sowjetischen Systeme auf Kuba abgezogen werden.

Für diesen Vorstoß war es höchste Zeit, denn die Situation hatte sich dramatisch zugespitzt. Bereits am 22. Oktober waren, zum ersten und einzigen Mal in der Geschichte des Kalten Krieges, die strategischen Luftstreitkräfte der USA auf «Defense Condition 2» gesetzt worden.[24] Das war eine Stufe unterhalb der Eröffnung der Kampfhandlungen. Vergleichbar sah die Situation auf sowjetischer Seite aus. In seiner großen außenpolitischen Bilanz am Ende des Jahres 1962 teilte Chruschtschow den Mitgliedern des Obersten Sowjet mit, daß die Regierung in der Krise das Verteidigungsministerium angewiesen habe, «die gesamte Armee der Sowjetunion in den Zustand voller Kampfbereitschaft zu versetzen, insbesondere die sowjetischen Raketentruppen für den interkontinentalen und strategischen Einsatz, die Flak und die Raketenluftabwehr des Landes und die Jagdfliegerkräfte, die strategische Luftwaffe sowie die Marine ..., darunter auch die Atom-U-Boote».[25]

Der 28. Oktober 1962 sah dann eine deutliche Entschärfung der Krise, erklärte sich der Mann im Kreml doch bereit, die insgesamt 72 Abschußrampen auf Kuba abzubauen und in die Sowjetunion zurückzuschaffen. Dabei gab es keine öffentliche, förmliche Zusage des amerikanischen Präsidenten, seinerseits die «Jupiter»-Raketen aus der Türkei abzuziehen, wohl aber eine informelle. Es war jedenfalls kein Zufall, daß schon am 29. Oktober die Vorbereitungen für den Abzug der ohnehin veralteten Systeme begannen, der dann Ende April 1963 abgeschlossen wurde. Mithin war die Krise seit dem 28. Oktober deutlich entschärft. Aber sie war noch keineswegs beigelegt, denn Fidel Castro weigerte sich zunächst, die Bomber an die Sowjetunion zurückzugeben. Erst am 20. November beugte er sich dem Druck. Am Tag darauf beendeten die USA die militärische Seeblockade Kubas.

Warum gab Chruschtschow nach? Warum nahm er diesen Gesichtsverlust in Kauf? Heute wissen wir, daß die Kuba-Krise neben Fehlschlägen im Innern – etwa der Geldreform von 1961 oder der Mißernte des Jahres 1963 – ein wesentlicher Grund für seinen Sturz am 14. Oktober 1964 gewesen ist. Tatsächlich mußte der Abzug der Raketen wohl als die «am wenigsten unangenehme» Option gelten. Das hat McGeorge Bundy auch noch rückblickend behauptet. Bundy wußte, wovon er sprach, war er doch

Mitglied des Exekutivkomitees des Nationalen Sicherheitsrates, der seit dem 16. Oktober 1962 im Weißen Haus tagte, um über die amerikanische Erwiderung auf die sowjetische Provokation zu beraten.[26] Die Krise um Kuba, so Bundy weiter, sei – ähnlich wie die um Berlin – nur deshalb nicht bis zum nuklearen Schlagabtausch eskaliert, weil sich keine der beiden Supermächte in einer Situation «entscheidender nuklearer Unterlegenheit» befunden habe. Weder Washington noch Moskau konnten sicher sein, das sogenannte Zweitschlags-Potential des Gegners mit einem nuklearen Erstschlag vollständig auszuschalten.

Wie groß die Gefahr einer nuklearen Auseinandersetzung und damit eines dritten Weltkrieges in dieser Krise tatsächlich war, wird sich wohl nie endgültig beantworten lassen. Selbst die auf amerikanischer Seite an der Entscheidungsfindung Beteiligten sind sich auch über das Ende des Kalten Krieges hinaus in ihrer Einschätzung nicht einig gewesen. So hatte beispielsweise Dean Acheson, vormals Außenminister und einer der Berater Kennedys während der Krise, vorgeschlagen, die Basen auf Kuba zu bombardieren, weil er davon überzeugt war, daß die Sowjets nicht mit einem nuklearen Vergeltungsschlag antworten würden.[27] Dagegen hat Robert McNamara noch Anfang der neunziger Jahre versichert, man sei nur um Haaresbreite an der nuklearen Katastrophe vorbeigeschlittert, und das unter anderem damit begründet, daß die sowjetischen Kommandeure auf Kuba autorisiert gewesen seien, gegebenenfalls die bereits auf der Insel stationierten taktischen Nuklearwaffen einzusetzen.[28]

Fest steht, daß Chruschtschow nachgab. Damit stellt sich die interessante Frage, ob das Nachgeben in derartigen Situationen nicht ein Grundzug sowjetischer Außen- und Sicherheitspolitik seit 1945 gewesen ist. Von den offensiven, expansiven, ja aggressiven Aspekten und Elementen der sowjetischen Politik ist schon mehrfach die Rede gewesen. Dennoch hat Moskau in entscheidenden Situationen wiederholt unter schwerem Druck den Rückzug angetreten. Das galt bereits für den Abmarsch der sowjetischen Besatzungstruppen aus Nordnorwegen und von der Insel Bornholm im September 1945 und April 1946, wobei in Rechnung zu stellen ist, daß diese Gebiete auch aus sowjetischer Sicht eindeutig in der westlichen Einflußsphäre lagen. Es galt aber auch für den Abzug der sowjetischen Truppen aus dem Iran im Mai 1946 und für das Einlenken in den Krisen um Griechenland und die Türkei im Jahre 1947, die alle vor dem Hintergrund amerikanischer Warnungen erfolgten; und es galt schließlich, wie noch zu zeigen sein wird, für die Aufgabe der sowjetischen Stützpunkte in China im Jahre 1955. Hier war das Drängen des verbündeten Konkurrenten ausschlaggebend. Sieht man in diesem Verhalten des Kreml ein Kennzeichen sowjetischer Außen- und Sicherheitspolitik neben anderen, dann hätte es mit dem Nachgeben in der Kuba-Krise seinen vorläufigen Höhepunkt erreicht.

Die Doppelkrise um Berlin und Kuba ist heute als Scheitelpunkt des Kalten Krieges zu erkennen. Die Frage, ob man das friedliche Zusammenleben so strapazieren dürfe, daß ein Krieg die zwangsläufige Folge sein mußte, war spätestens in den dramatischen Tagen des Oktobers 1962 zugunsten einer friedlichen Koexistenz entschieden worden. Alle Akteure handelten in dem Bewußtsein, daß im nuklearen Zeitalter Krieg keine Option sein konnte. Zugleich leisteten die Krisen einer weltpolitischen Entspannung Vorschub, deren zarte Anfänge sich bis in die Mitte der fünfziger Jahre zurückverfolgen lassen. Ähnlich wie dann fast alle seine Nachfolger hatte sich Präsident Kennedy erstmals am 30. Januar 1961 für eine Überwindung des Kalten Krieges ausgesprochen;[29] ähnlich wie die meisten seiner Nachfolger, versuchte er diesem Ziel dadurch näherzukommen, daß er zunächst einmal die Rüstungsanstrengungen der USA deutlich erhöhte, um auf diese Weise die Sowjets unter Druck zu setzen und zu einem Entgegenkommen im Sinne der Detente zu bewegen. So stockten die USA beispielsweise in Reaktion auf den Mauerbau ihr nukleares Potential in Europa um 60% auf.[30]

Der Gedanke, man könne die Sowjets durch eine «Politik der Stärke» langfristig zum Nachgeben zwingen, war auch vielen Europäern vertraut, unter ihnen dem deutschen Bundeskanzler. Kurzfristig indessen mußte die amerikanische Außen- und Sicherheitspolitik der Jahre 1961/62 in Bonn alarmierend wirken. Denn der Preis, den Washington für eine fühlbare Entspannung zu zahlen bereit war, erschien gerade aus deutscher Sicht außerordentlich hoch. Er bestand in der Hinnahme der Teilung Deutschlands und Berlins. Deren Überwindung blieb aber auch nach 1961 das erklärte Ziel bundesdeutscher Außenpolitik. Weil dem so war und weil sich insgesamt das Verhältnis der Bundesrepublik zu den Vereinigten Staaten zu Beginn der sechziger Jahre weiter verschlechterte, mußte Bonn die Beziehungen zu seinen Partnern, Nachbarn, aber auch Gegnern in Europa entsprechend korrigieren. Das galt vor allem für das Verhältnis zu Frankreich und zur Sowjetunion.

Der eigentliche Auslöser für eine gewisse Neuorientierung der deutschen Außenpolitik war das Verhalten der USA gegenüber ihren europäischen Verbündeten in den Jahren 1961/62. Die Eskalationsstrategie in der Kuba-Krise war eine amerikanische Angelegenheit. Begleitende, geschweige denn vorherige Konsultationen der Partner gab es nicht. Diese wurden lediglich über bereits getroffene Entscheidungen und eingeleitete Maßnahmen informiert, so zum Beispiel die Botschafter der NATO-Staaten am 22. Oktober, also nahezu zeitgleich mit der Weltöffentlichkeit. Und natürlich blieb den europäischen Verbündeten keine andere Möglichkeit, als sich mehr oder weniger vorbehaltlos hinter die USA zu stellen. Das war deshalb nicht unproblematisch, weil sich eine militärische, auch eine nuklear geführte Auseinandersetzung mit höchster Wahrscheinlichkeit zuerst in Mitteleuropa abgespielt hätte. Jedenfalls war dieses Szenario Bestandteil amerikanischer Planspiele. Danach hätte ein atomarer Schlagabtausch, gewissermaßen auf der unteren Ebene, die erste Stufe markiert, auf der man hoffte, den Konflikt zu lokalisieren und damit zu verhindern, daß er sich zu einer interkontinentalen, also totalen Auseinandersetzung steigerte. Bis zum Ende des Kalten Krieges haben derartige Überlegungen und Ängste in der interalliierten Diskussion immer wieder Irritationen verursacht.

Gerade ihr Verhalten in der Kuba-Krise ließ ungeschminkt erkennen, wie die Kennedy-Administration über das Verhältnis zu ihren europäischen Verbündeten dachte. Zwar hatte der Präsident von Anfang seiner Amtszeit an immer wieder den Gedanken einer «Atlantischen Partnerschaft» propagiert, aber dabei in erster Linie die Wirtschaft im Auge gehabt. Eine politische oder gar strategische Gleichberechtigung hat ihm hingegen zu keiner Zeit vorgeschwebt, im Gegenteil: Die Informations- bzw. Nichtinformationspolitik gegenüber den Partnern in der Kuba-Krise bedeutete den Europäern unmißverständlich, wer die führende Macht des Bündnisses war und wer den Part des Juniorpartners zu übernehmen hatte. Für diese Rollenverteilung gab es eine Reihe guter Gründe, allen voran die gemeinsame Überzeugung, daß die Sicherheit Westeuropas ohne die Präsenz amerikanischer Truppen und ohne den nuklearen Schutzschild der USA kaum aufrechterhalten werden konnte.

Dieses Selbstbewußtsein der Amerikaner erklärt auch die Art und Weise, wie sie ihre Verbündeten im Verlauf des Jahres 1961 mit der erneuten Umstellung ihrer Nuklearstrategie bekannt machten und auf der Athener Ministerratssitzung am 5. Mai 1962 durch Verteidigungsminister McNamara ins Bild setzten. Die neue Doktrin, die von General Maxwell D. Taylor entwickelt worden war und im ehemaligen Außenminister Dean Acheson einen von Kennedy hochgeschätzten Fürsprecher hatte, stellte das strategische Konzept der NATO aus den Jahren 1956/57, also die Prinzipien des «Radford-Plans», auf den Kopf. McNamara sprach jetzt von einem «nuklearen Schild», der die Sowjets vom Gebrauch atomarer Waffen abhalten, und von einem «konventionellen Schwert», mit dem ein möglicher Krieg ausgetragen werden sollte. Somit «zwang er die Europäer, sich im Rahmen der atlantischen Verteidigung mit einer konventionellen Rolle zufrieden zu geben. Man kann darüber streiten, ob das unter strategischen Gesichtspunkten eine gute oder schlechte Doktrin war. In jedem Falle aber war es erbärmliche Allianzpolitik»,[31] auch wenn sich mit McNamara erstmals ein amerikanischer Verteidigungsminister überhaupt bereit fand, seine Kollegen umfassend in das strategische Denken der USA einzuweihen.

Die sogenannte McNamara-Doktrin ließ erkennen, daß man sich jenseits des Atlantiks der hohen Gefahren einer auf den Atomkrieg gegründeten Verteidigungspolitik bewußt war. Sie lief darauf hinaus, daß ein konventioneller Angriff in Europa nicht sofort mit einem atomaren Gegenschlag beantwortet werden sollte. Der atomare Schild wurde damit in erster Linie zum Instrument der Abschreckung. Für die Europäer kam das einer Aufkündigung des Konzepts der «Massive retaliation» gleich und besagte nichts anderes, als daß die Vereinigten Staaten ihr nukleares Arsenal unter Umständen nur als Antwort auf einen atomaren Erstschlag einsetzen würden. Das Konzept der «Massive retaliation» wurde mithin seit 1962 durch das der «Graduated, flexible response» ersetzt. Viele Europäer, unter ihnen de Gaulle und insbesondere Adenauer, waren über diese Ankündigung sehr beunruhigt.[32] Für sie ließ die neue Doktrin nur den Schluß zu, daß ein Krieg zunächst ausschließlich mit konventionellen Waffen, zudem vor allem von den europäischen Verbündeten und auf deren Territorium geführt werden sollte. Und nicht nur in Paris oder Bonn wurde die besorgte Frage gestellt, ob aus dem neuen, bislang allerdings nur in Umrissen erkennbaren strategischen Konzept der USA ein erster Hinweis auf ihren Rückzug aus Europa zu lesen sei. Wegen dieser Zweifel, Bedenken und Widerstände der Europäer und insbesondere wegen des französischen Vetos konnte die neue NATO-Doktrin erst 1967 offiziell etabliert werden.

Nicht nur notorische Skeptiker sahen in einer solchen Perspektive auch ein Angebot an die Sowjetunion. Es schien, als würden sie sehr bald in ihrer Vermutung bestätigt werden. Denn schon 1963, also unmittelbar nach den schweren Krisen um Berlin und Kuba, zeichnete sich ein Wandel im amerikanisch-sowjetischen Verhältnis ab. Am 20. Juni 1963 wurde zwischen Washington und Moskau eine direkte Fernschreiberverbindung eingerichtet. Das war der sogenannte Heiße Draht, über den sich das Weiße Haus und der Kreml in Krisensituationen rasch und unmittelbar in Verbindung setzen wollten, um eine bedrohliche Eskalation frühzeitig zu verhindern. Diese Form des Krisenmanagements war eine angemessene Konsequenz aus den Vorkommnissen der Jahre 1961/62, aber sie war exklusiv, d. h. die Verständigung erfolgte im Zweifelsfall über die Köpfe der Verbündeten beider Vormächte hinweg. Das galt auch für das Atomteststoppabkommen.

Die Zahl der Atomversuche hatte 1961/62 eine bedenkliche Rekordmarke erreicht. 1962 wurden insgesamt 143 Tests durchgeführt; es war also im Schnitt alle zweieinhalb Tage ein nuklearer Sprengsatz gezündet worden, und bereits am 30. Oktober 1961 hatten die Sowjets die größte, jemals getestete Bombe zur Detonation gebracht. Um 11.32 Uhr Moskauer Zeit war jene 50-Megatonnen-Bombe gezündet worden, deren Licht noch in 1 000 Kilometern Entfernung zu sehen war und deren Pilzwolke eine Höhe von 64 Kilometern erreicht hatte.[33] Kosten hatte man nicht gescheut, und die Opfer von Menschenleben bei der nuklearen Erprobung und während des «wirklichkeitsnahen» Experiments wurden als unvermeidlich hingenommen. Während der fünfziger Jahre galt das für alle testenden Staaten.

In den Vereinigten Staaten wurden die Explosionen nicht nur «live» übertragen, das «Bomb-watching» wurde zu einem regelrechten Volkssport.

Millionen Amerikaner verfolgten die Explosionen aus nächster Nähe, und es gab viel zu sehen: Zwischen 1951 und 1958 wurden allein auf dem Testgelände in Nevada 121 oberirdische Nuklearwaffenversuche durchgeführt. Bei mindestens 87 Versuchen kam es zu radioaktivem «Fallout» außerhalb des Versuchsgebiets. Davon wurde unter anderem ein Filmteam getroffen, das 1955 im Südwesten des benachbarten Staates Utah mit John Wayne drehte. Von den 150 Mitarbeitern, die man dann noch ausfindig machen konnte, litten 25 Jahre später 91 an Krebserkrankungen, dreimal mehr als für gewöhnlich in der amerikanischen Bevölkerung registriert wurden.[34] In Großbritannien wurden sogar Krebskranke und Schwangere mit radioaktiven Substanzen behandelt, um die Wirkungen nuklearer Verstrahlung zu erproben,[35] und in der Sowjetunion wurden ganze Armeen in Testsituationen geschickt: So hatten am 14. September 1954 etwa 45 000 Soldaten der Roten Armee den Einsatz einer Atombombe unter Kampfbedingungen, also aus nächster Nähe zu verfolgen. Die sowjetische Führung wußte, was sie tat. Die Teilnehmer an der Übung mußten sich schriftlich verpflichten, 25 Jahre lang Stillschweigen zu bewahren.[36] Das Atomteststoppabkommen hat dann zwar die Zahl der Versuche reduziert, nicht aber beendet. In der Zeit des Kalten Krieges sind, beginnend mit der ersten Zündung am 16. Juli 1945, insgesamt 1945 Detonationen gezählt worden – im Durchschnitt alle neun Tage eine.

Bereits am 29. Juli 1957 war die «International Atomic Energy Agency» (IAEA) in Wien gegründet worden. Diese internationale Atomenergiebehörde sollte für die Sicherheitskontrolle des Handels mit spaltbarem Material verantwortlich sein. Am 1. Dezember 1959 kam es zur Unterzeichnung des sogenannten Antarktisvertrages, der Atomversuche sowie die Errichtung von Raketen- und Militärstützpunkten in der Antarktis untersagte. Beim Atomteststoppabkommen gingen die Nuklearmächte vier Jahre darauf noch einen Schritt weiter. Damit reagierten sie nicht nur auf die Inflation der Nukleartests und auf die Krisen der Jahre 1961/62. Vielmehr wurden sich die Experten in den USA bewußt, daß der Optimismus der Abschreckungsphilosophie wenig begründet, daß es vielmehr äußerst zweifelhaft war, ob nach einem nuklearen Erstschlag des Gegners überhaupt noch ausreichende Kapazitäten für einen Gegenschlag zur Verfügung stehen würden.[37]

Das Atomteststoppabkommen war der bis dahin wichtigste Vertrag über die Kontrolle spaltbaren Materials. Es wurde am 5. August 1963 durch die Außenminister der Sowjetunion, der USA und Großbritanniens in Moskau unterzeichnet und verbot fortan Kernwaffenversuche in der Atmosphäre, im Weltraum und unter Wasser. Dem Moskauer Atomteststoppabkommen traten mehr als 100 Staaten bei, unter diesen allerdings nicht die beiden Atommächte China, das am 16. Oktober 1964 einen ersten Sprengsatz zündete, und Frankreich. De Gaulle war nach dem Nassauer Treffen Kennedys mit Macmillan, von dem noch zu sprechen sein wird, mehr denn je von der Notwendigkeit überzeugt, eine unabhängige französische Atomstreitmacht aufbauen zu müssen.

Zu den Unterzeichnern des Abkommens gehörte hingegen die Nicht-Nuklearmacht Bundesrepublik, die ihm am 19. August 1963 beitrat. Kaum ein zweiter Schritt in dieser Zeit hat das deutsch-amerikanische Verhältnis derart belastet wie der Beitritt zum Atomteststoppabkommen. Zwar konnte auch in Bonn niemand einen Zweifel haben, daß das Abkommen «in sich gut und zu begrüßen» war. Andererseits lieferte aber der Beitritt vielen Deutschen einen handfesten Beweis, daß sie die eigentlichen «Opfer der amerikanischen Entspannungspolitik» waren.[38] Empörend an dem Vorgang war aus Bonner Sicht, daß auch die DDR das Abkommen unterzeichnete. Das konnte eine bedenkliche Aufwertung des anderen deutschen Teilstaates und seines Regimes und damit eine implizite Gefährdung des bundesdeutschen Alleinvertretungsanspruchs nach sich ziehen. An diesem Sachverhalt vermochten auch die öffentlichen Erklärungen Kennedys oder seines Außenministers Rusk wenig zu ändern, die beide beteuerten, daß der Beitritt der DDR zum Teststoppabkommen keine internationale Anerkennung bedeute, da eine solche Anerkennung eine entsprechende Absicht voraussetze.

Vor allem aber war man am Rhein einmal mehr von den Methoden der amerikanischen Deutschlandpolitik irritiert, wie Heinrich Krone entrüstet in seinem Tagebuch vermerkte: «Die Bundesregierung ist nicht konsultiert worden, weder der Bundeskanzler noch der Außenminister. Bonn wurde vor eine vollendete Tatsache gestellt. Der Außenminister hat ... im Bonner Generalanzeiger ... die erste wichtige Orientierung erhalten.»[39] Das war eine Übertreibung. Immerhin hatte Washingtons Bonner Botschafter den Bundeskanzler im Auftrag des Präsidenten am 23. Juli über den bevorstehenden Abschluß des Abkommens informiert,[40] und am 10. August kam dann auch der amerikanische Außenminister persönlich zu «Konsultationen» nach Bonn, aber da war der Vertrag bereits seit fünf Tagen unterzeichnet, und insofern hatte die Bonner Erregung durchaus ihre Berechtigung.

Lediglich in einem Punkt konnte sich die Bundesrepublik, wie andere westliche Staaten auch, durchsetzen. Sie weigerte sich nämlich beharrlich, gleichzeitig mit dem Teststoppabkommen einen Gewaltverzichts- bzw. Nichtangriffsvertrag zu unterzeichnen. Die Sowjets hatten die Forderung nach Abschluß eines multilateralen Nichtangriffspaktes erstmals am 20. Juli 1955 auf dem Genfer Gipfel und noch einmal am 9. November auf der Nachfolgekonferenz der Außenminister in Genf vorgetragen. Am 24. Mai 1958 war ein erster ausformulierter Entwurf durch die Staaten des Warschauer Paktes vorgelegt worden, und am 20. Februar 1963 präsentierte die sowjetische Delegation auf der Genfer Achtzehnmächte-Abrüstungskonferenz einen Vorschlag, der mit dem Entwurf des Jahres 1958 in wesentlichen Punkten identisch war. Bei dieser Abrüstungskonferenz handelte es sich im übrigen um den dritten Versuch, nachdem der Unterausschuß der Abrüstungskommission der UN 1957 und die Zehnmächte-Abrüstungskonferenz 1960 ihre Arbeit jeweils vorzeitig eingestellt hatten. Am 29. August 1963 lehnte der NATO-Rat die Unterzeichnung eines multilateralen Gewaltverzichtsvertrages bzw. Nichtangriffspaktes nicht zuletzt deshalb endgültig ab, weil Bonn sein Veto einlegte. Gegen die Unterzeichnung eines solchen Vertrages sprachen aus westlicher Sicht mehrere Gründe. Wegen des Mißbrauchs, der mit ihnen vor Ausbruch des Zweiten Weltkrieges getrieben worden war, standen Nichtangriffsverträge ohnehin nicht hoch im Kurs. Sie waren eine Erfindung der Zwischenkriegszeit. Abgeschlossen hatten solche Verträge vor allem die Sowjetunion und das Deutsche Reich. Ihnen war gemeinsam, daß sie fast alle gebrochen worden waren, und zwar vorzugsweise von den Staaten, die sie vorgeschlagen hatten. Das galt gerade auch für den «Hitler-Stalin-Pakt». Im übrigen stellte de Gaulle am 29. Juli 1963 auf einer Pressekonferenz fest, daß Frankreich keinen Pakt brauche, um zu erklären, «daß es niemals als erster zum Angriff schreiten» werde.[41]

Vor allem aber hätte ein solcher Vertrag eine friedensvertragliche Regelung vorweggenommen und die Teilung Deutschlands und Berlins festgeschrieben, ohne die Lage des Landes und der Stadt substantiell zu verbessern. Es bestand sogar die Gefahr einer Legalisierung des Status quo in Europa insgesamt, also auch der sowjetischen Eroberungen und Besetzungen seit 1939 bzw. 1945. Der Status quo war zwar faktisch von den Westmächten längst anerkannt; aber in einer Situation, in der die Sowjets den östlichen Teil Deutschlands hermetisch abschotteten, schien es wenig ratsam, dieses Vorgehen noch zusätzlich durch einen Nichtangriffsvertrag abzusegnen.

Allerdings wies Bonn den Gedanken des Gewaltverzichts nicht rundweg zurück. Bereits anläßlich des Beitritts zur NATO und zur WEU hatte sich die Bundesrepublik unmißverständlich verpflichtet, eine Änderung ihrer bestehenden Grenzen «niemals mit gewaltsamen Mitteln herbeizuführen». In den fünfziger und frühen sechziger Jahren wurde sowohl im Auswärtigen Amt als auch im Bundeskanzleramt immer wieder überlegt, ob man nicht durch den Abschluß bilateraler Gewaltverzichtsverträge Bewegung in die festgefahrene außenpolitische Situation bringen könne. Das war leichter gesagt als getan. Es galt nicht nur Rücksicht auf die Vertriebenen zu nehmen, an denen im Sommer 1959 ein Entwurf des Auswärtigen Amtes gescheitert war, es mußte auch sichergestellt werden, «daß die SBZ nicht als legitimer deutscher Staat anerkannt» wurde.[42] Damit war klar, daß vertragliche Regelungen des Gewaltverzichts und des deutsch-deutschen Verhältnisses Hand in Hand gehen mußten. In einer Zeit, in der sich das SED-Regime gerade einzuigeln begann, war das schlechterdings nicht möglich.

In der Frage des Nichtangriffsvertrages hatte die Bundesrepublik also in den frühen sechziger Jahren ihre Position behaupten können, allerdings auch nur deshalb, weil sich ihr Interesse in diesem Punkt mit dem der meisten ihrer Partner deckte. Dagegen offenbarte die Unterzeichnung des Atomteststoppabkommens den geringen außenpolitischen Handlungsspielraum der Bundesregierung insbesondere gegenüber der westlichen Führungsmacht. Hier ergab sich für Bonn am Ende des Jahres 1963 ein trübes Bild: Nicht nur hatten die USA für alle, eben auch für die Sowjets, erkennbar, ihr Interesse an einer Lösung der Deutschen Frage im Sinne der rheinischen Republik verloren. Vielmehr wurde auch die neue Entspannungspolitik in der Berlin- und Deutschlandfrage über die Köpfe der Betroffenen hinweg betrieben. An diesem Eindruck vermochte auch der spektakuläre Besuch Kennedys in der Bundesrepublik nichts zu ändern. Zwar war die Visite vom 23. bis zum 26. Juni 1963 kurzfristig ein großer Erfolg, weil Kennedy sich geschickt in Szene zu setzen verstand. Sein publikumswirksamer Auftritt in der geteilten Stadt, bei dem er sich den Deutschen als «ein Berliner» empfahl, blieb lange Zeit in Erinnerung. Insgesamt aber konnte das gespannte Verhältnis kaum mehr überdeckt werden.

Das war der Hintergrund für eine gewisse Neuorientierung der deutschen Politik, deren Anfänge noch in die ausgehende Ära Adenauer fielen. Vor allem in der Ostpolitik war seit dem Spätsommer 1961 eine Vielfalt von Aktivitäten zu registrieren. Initiativen der unterschiedlichsten Art entwickelten sowohl das Auswärtige Amt als auch die oppositionelle SPD und nicht zuletzt der Kanzler selbst. Angesichts der Tradition der deutsch-sowjetischen Beziehungen, mit der sich der immer noch lebendige «Rapallo-Mythos» verband, war vor allem im Falle des Auswärtigen Amtes ein sensibles Taktieren geboten.

Dessen neue Ostpolitik ging auch auf personelle Veränderungen in der traditionsreichen Behörde zurück. Sie waren das Ergebnis der Bundestagswahl vom 17. September 1961. Im Schatten von Berlin-Krise und Mauerbau hatte diese Wahl für die CDU/CSU zum Verlust der absoluten Mehrheit geführt. Die FDP, die aus der Wahl gestärkt hervorgegangen war, machte eine erneute Koalition mit der immer noch stärksten Partei im Bundestag von Konzessionen unter anderem auch bei Personalfragen abhängig. Die wichtigste bestand in Adenauers Zusage, vor Ablauf der Legislaturperiode zurückzutreten und seinem Nachfolger rechtzeitig vor den nächsten Wahlen Platz zu machen. Bereits im Oktober 1961 stellte Außenminister Heinrich von Brentano nach öffentlichen Auseinandersetzungen um seine Person das Amt zur Verfügung. Seine Ostpolitik galt vielen als zu starr und unflexibel. Die Nachfolge trat der bisherige Innenminister Gerhard Schröder an. Gemeinsam mit Karl Carstens, der seit 1960 Staatssekretär des Auswärtigen Amtes war, entwickelte Schröder neue Initiativen in der Außen- und vor allem in der Ostpolitik, und zweifellos bildete diese «das Mittelstück im Übergang von der Ära Adenauer zur Großen Koalition».[43]

Einen ersten Höhepunkt erlebten die ostpolitischen Gehversuche des Auswärtigen Amtes 1963. Zwar wurden am 14. Januar die diplomatischen Beziehungen zu Kuba abgebrochen, als Castros Staat die DDR anerkannte, und damit noch einmal die extreme Reaktion im Rahmen der «Hallstein-Doktrin» angewandt. Aber danach begann Bonn sich aus der ostpolitischen Selbstlähmung zu lösen. Inzwischen dämmerte es den Weitsichtigen, daß sich das dahinterstehende Konzept überlebt hatte. Denn es war schlechterdings nicht mehr zu übersehen, daß eine mit Mauer und Stacheldraht verbarrikadierte Grenze die beiden deutschen Teilstaaten voneinander trennte. Die faktische, wenn auch nicht die völkerrechtliche Anerkennung der DDR mußte damit eine Frage der Zeit sein.

Am 7. März 1963 wurde zwischen der Bundesrepublik und Polen ein Abkommen über den Handels- und Seeschiffahrtsverkehr sowie über die Einrichtung einer Handelsvertretung in Warschau, die dann auch am 18. September eröffnet wurde, unterzeichnet. Am 17. Oktober konnte mit Rumänien ein Abkommen über den Austausch von Handelsvertretungen abgeschlossen werden, und am 9. November folgte die Unterzeichnung eines deutsch-ungarischen Abkommens über den Handels- und Zahlungsverkehr sowie über den Austausch von Handelsvertretungen. Damit waren zwar noch keine diplomatischen Beziehungen aufgenommen worden, aber das Auswärtige Amt hatte sich doch ein Herz gefaßt und mit der Demontage der hinderlichen «Hallstein-Doktrin» begonnen.

Neue ostpolitische Denkanstöße gab es in diesem Jahr 1963 auch bei den Sozialdemokraten. Berühmtheit erlangte eine Rede Egon Bahrs, der damals Leiter des Presse- und Informationsamtes des Landes Berlin und zugleich ein enger Vertrauter des Regierenden Bürgermeisters der Stadt war. Am 15. Juli 1963 führte Bahr in seiner zuvor inhaltlich, nicht aber im Wortlaut mit Willy Brandt abgestimmten Rede in Tutzing unter anderem aus: «Die Zone muß mit Zustimmung der Sowjets transformiert werden. Wenn wir soweit wären, hätten wir einen großen Schritt zur Wiedervereinigung getan ... Wir haben gesagt, daß die Mauer ein Zeichen der Schwäche ist. Man könnte auch sagen, sie war ein Zeichen der Angst und des Selbsterhaltungstriebes des kommunistischen Regimes. Die Frage ist, ob es nicht Möglichkeiten gibt, diese durchaus berechtigten Sorgen dem Regime graduell soweit zu nehmen, daß auch die Auflockerung der Grenzen und der Mauer praktikabel wird, weil das Risiko erträglich ist. Das ist eine Politik, die man auf die Formel bringen könnte: Wandel durch Annäherung.»[44] Zwar zeigte sich der Redner überzeugt, daß sich eine solche Politik «nahtlos in das westliche Konzept der Strategie des Friedens» einpasse, aber natürlich konnte man das auch anders sehen, und so wurde Bahrs «klare Orientierung am Westen mancherorts bezweifelt».[45]

Kaum eine zweite Formel bundesdeutscher Außenpolitik ist so heftig diskutiert, so vielseitig und flexibel interpretiert und nach 1989 so beliebig als Erklärungsmuster benutzt worden wie diejenige des «Wandels durch Annäherung». Fest steht, daß eine direkte Linie von dieser Idee hin zur Deutschland- und Ostpolitik zunächst der Großen, dann vor allem der sozialliberalen Koalition führte, und daß Egon Bahr maßgeblich an der Konzeption und Durchführung dieser «neuen Ostpolitik» beteiligt gewesen ist. Unmittelbar war die Bahr-Brandtsche rhetorische Initiative des Sommers 1963 auch eine Reaktion auf den Mauerbau, also auf die Zementierung der deutschen Teilung, und zugleich Ausdruck der Ernüchterung über die amerikanische Haltung.

Das gilt auch für die dritte ostpolitische Initiative dieser Jahre, die Arkandiplomatie Konrad Adenauers, die in der Rückschau mit dem Bahr-Brandtschen Vorschlag erheblich mehr gemeinsam hat als den Zeitpunkt. Beide Initiativen versuchten die Frage zu beantworten, was man unter den gegebenen Umständen für die Menschen in der DDR tun könne. Enttäuscht von den Amerikanern, wollte Adenauer während seiner letzten Lebensjahre vor allem das «Verhältnis zu Rußland in eine erträgliche Ordnung ... bringen».[46] Das war weniger ein Anflug von Resignation als vielmehr die Ankündigung konkreter Maßnahmen, und noch in den letzten Monaten seiner Kanzlerschaft ergriff der Mann aus Rhöndorf die Initiative. Dabei knüpfte er an die Vorstöße und Vorschläge der Jahre 1958-1960 an. Am 6. Juni 1962 bat der Kanzler den sowjetischen Botschafter Smirnow, «dem sowjetischen Regierungschef folgenden Gedanken mitzuteilen: Sollte man nicht einmal ernsthaft überlegen, zwischen den beiden Ländern – also der Sowjetunion und der Bundesrepublik Deutschland – für zehn Jahre eine Art Waffenstillstand, natürlich im übertragenen Sinne zu schließen. Dies würde bedeuten, die Dinge während dieser Zeitspanne so zu lassen, wie sie sich jetzt darböten. Allerdings müsse dafür gesorgt werden, daß die Menschen in der DDR freier leben könnten, als es jetzt der Fall sei.» Im übrigen sprach der Kanzler davon, auf einen Zustand «gegenseitiger Achtung» hinzuwirken, und auch davon, «daß die Sowjetunion und die Bundesrepublik Nachbarn seien und auch bleiben würden».[47] Schließlich vereinbarten Adenauer und Smirnow, der Presse nichts über den Inhalt des Gesprächs mitzuteilen. Tatsächlich wurde dieser «Burgfriedensplan» erst im Oktober 1963 publik.

Ganz neu war das, was Adenauer Smirnow vorschlug, freilich nicht. Bereits im November 1961 war der deutsche Botschafter in Moskau, Hans Kroll, bei Chruschtschow mit der Idee vorstellig geworden, den Status quo zeitweilig einzufrieren. Das hatte er formal auf eigene Initiative hin getan. Tatsächlich war Adenauer informiert, nicht jedoch das Auswärtige Amt. Dieses aber mochte es unter seinem neuen Chef, Gerhard Schröder, nicht mehr hinnehmen, daß aus den Gängen des Bundeskanzleramtes heraus immer wieder eine Art zweite Bonner Außen- und namentlich Ostpolitik betrieben wurde. Und so stimmte Adenauer schließlich im Juli 1962, wenige Wochen nachdem er Smirnow seinen eigenen Burgfriedensplan unterbreitet hatte, der Abberufung Krolls aus Moskau zu.

Bei seinem Vorstoß vom Juni 1962 hat den Kanzler dieselbe Überlegung geleitet, die schon 1958 für den Vorschlag einer «Österreich-Lösung» maßgeblich gewesen war. Auch jetzt ging es ihm in erster Linie um menschliche Erleichterungen und größere politische Freizügigkeit für die Bewohner der DDR; auch jetzt war er bereit, der Frage der Wiedervereinigung unter dieser Voraussetzung den zweiten Platz auf der Prioritätenliste zuzuweisen. Es hat dann zwar bis in das Frühjahr 1963 hinein immer wieder, auch von sowjetischer Seite, Versuche gegeben, den Faden aufzunehmen und auf die eine oder andere Weise, etwa durch einen vorübergehend ins Auge gefaßten Besuch Chruschtschows in Bonn, weiterzuspinnen, insgesamt mußte aber diese Sonderdiplomatie mit dem Sommer 1963 als gescheitert gelten.

Denn das Interesse des Kreml an wie immer gearteten Konzessionen in der Deutschen Frage ließ um so weiter nach, je mehr sich das Verhältnis zu den Vereinigten Staaten entspannte. Und gewiß hat diese Erkenntnis einiges dazu beigetragen, daß die deutsche Ostpolitik zunehmend realistischere bzw. pragmatischere Züge annahm. Die Aufnahme von Handelsbeziehungen zu einigen Staaten des Warschauer Paktes wies in diese neue Richtung. Hinzu gesellte sich die Erkenntnis, daß die geheimen Ostkontakte, die durch den «Fall Kroll» nach außen gedrungen waren, bei den Verbündeten der Bundesrepublik Irritation und Mißtrauen hervorriefen. Zwar war diesen eine aktivere Ostpolitik Bonns willkommen, soweit sie grundsätzlich den im Westen populären Entspannungskurs flankierte. Indessen galt in den westlichen Metropolen alles als suspekt, was nach einer eigenständigen Geheimdiplomatie Bonns aussah und sich der unmittelbaren Kontrolle entzog. Tatsächlich belastete die Arkandiplomatie nicht nur die Beziehungen zu den USA, vielmehr meldeten sich auch in Frankreich «kritische Stimmen zu Wort, wobei der Rapallo-Komplex wieder einmal herhalten mußte».[48]

Eine Verschlechterung der deutsch-französischen Beziehungen mußte aber um nahezu jeden Preis vermieden werden. Angesichts der atmosphärischen Störungen im Verhältnis zu London und Washington und in Anbetracht des sowjetischen Desinteresses an einem «Burgfrieden» zu deutschen Konditionen, mußte man den rheinischen Nachbarn sogar besonders pfleglich behandeln. Das war leichter gesagt als getan. Denn in Paris hatte zu diesem Zeitpunkt mit Charles de Gaulle ein Mann die Zügel der französischen Politik fest im Griff, der eine ebenso eigenwillige wie entschiedene Vorstellung von Frankreichs Rolle in Europa und der Welt besaß. Es war bezeichnend, daß die Rückkehr Charles de Gaulles auf die politische Bühne im Jahre 1958 durch Vorgänge bewirkt worden war, deren Ursprünge in der außereuropäischen Welt lagen.

Zu jener Zeit, als die Berlin-Krise sich verschärfte, wurde auch der französische Nachbar von einer schweren Krise erschüttert. Genaugenommen krankte die Vierte Republik an mehreren Krisen gleichzeitig, und zwar an einer Verfassungs- und Regierungskrise, an einer Finanz- und Wirtschaftskrise und insbesondere am Algerien-Konflikt. Länger noch als Indochina, nämlich seit den dreißiger Jahren des 19. Jahrhunderts, war Algerien unter französischer Kontrolle. Aber die Unabhängigkeitsbestrebungen, die sich im Gefolge des Zweiten Weltkriegs in vielen Kolonien zu entwickeln begannen, gingen auch an den nordafrikanischen Départements nicht spurlos vorüber. Dort weigerten sich die Algerien-Franzosen strikt, der einheimischen Bevölkerung Zugeständnisse zu machen. Gegen diese starre Haltung erhob sich seit Ende des Jahres 1954 eine Aufstandsbewegung, und alsbald herrschte in Algerien ein regelrechter Kriegszustand.

Wie zuvor in Vietnam gelang es auch in diesem Fall den französischen Truppen nicht, die «Nationale Befreiungsarmee» militärisch entscheidend zu schlagen. Dabei waren bereits 1956 mehr als 500 000 französische Soldaten direkt oder indirekt in Nordafrika gebunden, zehnmal mehr, als der NATO in Europa zur Verfügung standen. Der schließlich nach achtjährigem Kampf am 18. März 1962 im Abkommen von Evian unterzeichnete Waffenstillstand sah die Errichtung eines unabhängigen algerischen Staates vor. Die Interessen Frankreichs konnten nur insoweit gewahrt werden, als der neue Staat Garantien für die Algerien-Franzosen abgab und dem ehemaligen Mutterland für fünf Jahre sein Atomtestgelände in der Sahara und für 15 Jahre seinen Flottenstützpunkt Mers el-Kebir überließ.

Im Verlauf des Algerien-Kriegs, der mit einer allgemeinen Zuspitzung der Lage im Innern Frankreichs einherging, wurde immer deutlicher, daß die Krise nur von einer Persönlichkeit mit erheblicher, auch internationaler Reputation gemeistert werden konnte. Dafür kam nur einer in Frage: Charles de Gaulle, der im Januar 1946 von seinem Amt als Regierungschef zurückgetreten war, nachdem sich das französische Parlament seinem Wunsch versagt hatte, den Präsidenten mit starken Exekutivvollmachten auszustatten. Schon damals konnte der 1890 in Lille geborene de Gaulle auf eine farbige Biographie zurückblicken. Nach Einsätzen an der Seite des Generals Weygand in Polen und später gegen die Rote Armee in Wolhynien hatte er unter anderem an der Offiziersschule St.-Cyr Militärgeschichte gelehrt. In der Heimat wegen Fahnenflucht zum Tode verurteilt, weil er sich nach dem deutsch-französischen Waffenstillstand geweigert hatte, aus London zurückzukehren, war er seit 1940 der führende Kopf des «Freien Frankreich» in seinem Kampf gegen Hitler-Deutschland gewesen. Am 1. Juni 1958 wurde de Gaulle von der Nationalversammlung zum letzten Ministerpräsidenten der Vierten Französischen Republik gewählt, nachdem die Algerien-Armee am 13. Mai mit einem Putsch gedroht und die Unruhen auf das Mutterland übergegriffen hatten. Vier Jahre sollte es dauern, bis de Gaulle die wohl schwerste Krise Frankreichs während des Kalten Krieges gemeistert hatte. Nur knapp entging er dabei einem Attentat.

Der General wollte sein neues Amt nur unter der Voraussetzung annehmen, daß die Verfassung im Sinne seiner alten Forderung geändert werde. Das geschah am 5. Oktober 1958 nach einer Volksabstimmung. Damit erblickte zugleich die Fünfte Französische Republik das Licht der unruhigen Welt. Ähnlich dem Amt des amerikanischen Präsidenten war das des französischen jetzt mit beträchtlichen Vollmachten und – unter bestimmten Umständen – mit einer großen Unabhängigkeit gegenüber dem Parlament ausgestattet. Das sollte sich in der französischen Außenpolitik der kommenden Jahre und Jahrzehnte bemerkbar machen. Zum ersten Präsidenten der Fünften Republik wurde am 31. Dezember 1958 erwartungsgemäß Charles de Gaulle gewählt. Damit war er der Mann, an den Bonn auf dem ersten Höhepunkt der durch Chruschtschows Ultimatum ausgelösten Berlin-Krise die Frage zu richten hatte, ob und in welchem Maße man auf die französische Unterstützung zählen könne.

Am 25. März 1959 bezog de Gaulle in einer seiner berühmten Pressekonferenzen, in denen er für gewöhnlich gewichtige politische Entscheidungen mitzuteilen pflegte, Position in der Deutschlandfrage. Zwar bezeichnete er die Wiedervereinigung als «das normale Schicksal des deutschen Volkes», riet aber den beiden «Teile[n] Deutschlands», vorerst ihre «gegenseitigen Beziehungen und Verbindungen auf alle praktischen Gebiete aus[zu]dehnen», zum Beispiel auf das Transport-, Verkehrs- und Postwesen, aber auch auf die Wirtschaft, die Kunst oder auch die Wissenschaft. Entschieden zeigte sich de Gaulle in den Fragen der Nichtanerkennung der DDR einerseits und, wie schon 1944, der Anerkennung der Oder-Neiße-Linie andererseits.[49] Konzessionen in dieser Frage waren schon deshalb nicht vorstellbar, weil der General dem amputierten Deutschland in seinen weitausgreifenden politischen Planungen eine feste Rolle zugedacht hatte.

Sein höchster Ehrgeiz galt der Wiederherstellung Frankreichs als vollgültiger europäischer Großmacht. Das war gleichbedeutend mit dem Versuch, die anglo-amerikanische Dominanz in Europa zu beseitigen oder doch erheblich einzuschränken, sich aus der nuklearen Abhängigkeit von den Vereinigten Staaten zu lösen und den alten Kontinent wieder an die Weltspitze zu führen. Die Zauberformel, die der General erdachte, um das westliche Europa als dritte Kraft neben der Sowjetunion und den USA in der Weltpolitik zu etablieren, hieß «Europe des patries», das «Europa der Vaterländer». So jedenfalls wurde das Konzept von einem seiner engsten Gefolgsleute, Michel Debré, populär gemacht. Der General selbst sprach in der Regel eher vom «Europe des États» und bezeichnete die Wendung «Europa der Vaterländer» als eine Erfindung der Journalisten.[50] Daß Frankreich im Zentrum dieses Europas stehen, daß es seinen Dreh- und Angelpunkt bilden sollte, verstand sich für de Gaulle dabei von selbst.

Um dieses Ziel zu erreichen, mußten potentielle Konkurrenten um die führende Position in Westeuropa ausgeschaltet werden. Das galt sowohl für Großbritannien als auch für die Bundesrepublik. Im Falle Großbritanniens war das vergleichsweise einfach, weil sich die Insel zunächst abseits des europäischen Einigungsprozesses eingerichtet hatte und dann, seit 1963, von de Gaulle etwa durch sein Veto gegen einen EWG-Beitritt Londons ferngehalten werden konnte. Komplizierter war die Lage im Falle des rheinischen Nachbarn, dem der General die Rolle eines Juniorpartners zugedacht hatte. Um so mehr muß es überraschen, daß ausgerechnet er sich zum Fürsprecher des deutschen Anliegens machte. Aber die Unterstützung der Bonner Position in der Wiedervereinigungsfrage war deshalb unproblematisch, weil man seit der Berlin-Krise gerade davon ausgehen konnte, daß sie nicht Wirklichkeit werden würde, und wenn – wider Erwarten – doch, dann in den Grenzen der beiden Teilstaaten westlich von Oder und Neiße. Eine solche Entwicklung galt es zwar nicht mit allen Mitteln zu verhindern, aber eben auch nicht um jeden Preis zu fördern. Denn der General mußte schon deshalb ein Interesse an der Sanktionierung der deutschen Zweistaatlichkeit haben, weil eine Beendigung der Viermächte-Verantwortlichkeit für Deutschland als Ganzes Frankreich jener wichtigen Position beraubt hätte, «die es zumindest rechtlich in einem zentralen Bereich der Weltpolitik mit den Weltmächten auf eine Stufe stellte».[51] Diese zu festigen war aber gerade das erklärte Ziel Charles de Gaulles. Bis zum Ende seiner Amtszeit hat er es nicht aus dem Auge verloren, allerdings gelegentlich die Mittel bzw. die Strategie gewechselt.

Eigentlich war dieses «Europa der Vaterländer» unter französischer Führung und als zweites Gravitationszentrum in der westlichen Welt neben dem anglo-amerikanischen bereits ein Ausweg, eine Alternative zu de Gaulles früher Idee einer Führungs-Troika aus Washington, London und Paris. Gleichermaßen Voraussetzung und Ziel dieses Vorschlags war die volle Gleichberechtigung Frankreichs mit den USA und Großbritannien. In diesem Sinne hatte de Gaulle schon am 17. und 18. September 1958 dem amerikanischen Präsidenten Eisenhower und dem britischen Premierminister Macmillan in einem berühmt gewordenen Memorandum eine «umfassende Organisation» der drei westlichen Großmächte vorgeschlagen,[52] die als «Dreier-Direktorium» in die Geschichte eingegangen ist. Zwar sagte der General im Februar 1960 dem Journalisten C. L. Sulzberger, er selbst habe das Wort «directoire» nie benutzt, aber natürlich bleibe es eine Tatsache, daß es im Westen nur «drei richtige Mächte» gebe.[53]

In diesem Zusammenhang hatte Ministerpräsident Michel Debré im Sommer 1960 vor der französischen Kammer bemerkt, «Staaten ohne Atombomben seien Satellitenstaaten»,[54] und damit angedeutet, welche Intentionen Paris mit den Dreier-Vorschlägen unter anderem verfolgte: Es ging auch darum, andere Staaten, insbesondere die Bundesrepublik, von

Nuklearwaffen fernzuhalten, und natürlich wollte Frankreich seinerseits Mitglied dieses exklusiven Klubs werden. Aber erst am 13. Februar 1960, knapp drei Jahre nach der ersten britischen Wasserstoffbombe, war eine erste französische Atombombe gezündet worden. Der nächste, entscheidende Schritt auf dem Weg hin zu einer eigenen, unabhängigen französischen Atomstreitmacht, der «Force de frappe», wurde im Herbst getan. Am 24. Oktober 1960 nahm das französische Parlament die entsprechende Gesetzesvorlage an. Sie enthielt ein umfassendes Programm zum Bau von Bombern, U-Booten und ballistischen Raketen.

Allerdings stand dieses ambitiöse Unternehmen in unmittelbarer Konkurrenz zu amerikanischen Vorschlägen für den Aufbau einer vierten, einer NATO-Atomstreitmacht. Durch den Vorstoß Washingtons wurde die ohnehin schon heftige innerfranzösische Debatte über den Gesetzentwurf weiter angeheizt. Daß dieser schließlich in erster Lesung angenommen wurde, lag an den Rahmenbedingungen, unter denen die Regierung ihn einbrachte: Sie verkoppelte ihre Eingabe nämlich mit der Vertrauensfrage und damit – indirekt, aber eindeutig – mit dem politischen Schicksal des Präsidenten. In einer Situation, die völlig von den dramatischen Ereignissen des Algerien-Kriegs und der Frage seiner Beendigung beherrscht war, stand de Gaulle auch für die meisten Gegner seiner Nuklearpolitik nicht zur Disposition. Fortan hatte der General ein Pfund in der Hand, mit dem er wuchern konnte, jedenfalls für einige Jahre. Die jetzt im Aufbau befindliche «Force de frappe» war sowohl ein Argument für das zitierte «Dreier-Direktorium» als auch ein zusätzlicher Anreiz, mit dem die Nachbarn für das «Europa der Vaterländer» unter französischer Regie geködert werden konnten. Das galt auch für die Bundesrepublik, und so konnte es niemanden überraschen, daß der General neben Bonns Anerkennung der Oder-Neiße-Linie den deutschen Verzicht auf Atomwaffen zur Conditio sine qua non seiner Unterstützung in der Wiedervereinigungsfrage erhob.

Für eine solche nukleare Partizipation der Bundesrepublik gab es beim Amtsantritt des Generals durchaus Pläne, die erst Ende der achtziger Jahre bekannt geworden sind.[55] Um den nuklearen Abstand gegenüber der Sowjetunion, aber auch gegenüber den USA und gegenüber Großbritannien, nicht noch größer werden zu lassen, als er ohnehin schon war, und in der Absicht, sich dereinst aus der einseitigen, mithin bedingungslosen Abhängigkeit von den USA zu lösen, war es zu Sondierungen und Verhandlungen zwischen Bonn und Paris gekommen. Bereits am 20. November 1957 hatten sich der deutsche Verteidigungsminister Franz Josef Strauß und sein französischer Amtskollege Jacques Chaban-Delmas im Grundsatz darauf verständigt, in nicht allzu ferner Zukunft gemeinsam Nuklearwaffen einschließlich der entsprechenden Trägersysteme zu produzieren. Fünf Tage später war dann von diesen beiden sowie vom Verteidigungsminister Italiens, Paolo Emilio Taviani, dessen Beteiligung man von Anfang an vorgesehen hatte, «strikt geheim» die «dreiseitige» Kooperation in militärischen

Fragen, darunter auch in der nuklearen, vereinbart worden.[56] Am Ostermontag des folgenden Jahres, am 8. April 1958, trafen sich die drei erneut, diesmal in Rom, um die Konsultationen fortzusetzen und schließlich ein «Abkommen» über «die gemeinsame Entwicklung und Produktion von Atomsprengkörpern» zu paraphieren. Der Hinweis von Strauß, daß die Bundesrepublik diesbezüglich besonderen Beschränkungen unterworfen sei, wurde von Chaban-Delmas zutreffend mit der Feststellung quittiert, Bonn sei «völlig frei», «das im Ausland zu tun».[57] Tatsächlich wurden in dem Abkommen vor allem die Finanzierungsmodalitäten für die französische Gasdiffusionsanlage festgelegt, nicht aber die Zugriffsmöglichkeiten der drei Beteiligten auf das zu produzierende Uran.

Mit der Amtsübernahme de Gaulles wurde das Abkommen sofort sistiert, jedenfalls soweit die nukleare Kooperation betroffen war. Die gemeinsame Entwicklung einer Mittelstreckenrakete schloß der General hingegen nicht aus, im Gegenteil: Sie blieb für einige Jahre neben dem Erwerb amerikanischer Systeme eine weitere Option, um in den Besitz von Trägerwaffen zu gelangen. Erst dann setzte Paris konsequent auf die Eigenproduktion. Für seine entschiedene Opposition gegen eine nukleare Zusammenarbeit mit Bonn hatte de Gaulle mehrere Gründe: Vor allem war für ihn wie für viele Zeitgenossen, die das Zeitalter der Weltkriege durchlebt hatten, der Gedanke nicht akzeptabel, daß Deutschland über Atomwaffen verfüge. Außerdem galt de Gaulle die nukleare Waffe als «eigentlicher Souveränitätsausweis Frankreichs»,[58] und selbstverständlich wollte er den exklusiven Klub der Ausweisinhaber so klein wie möglich halten. Im übrigen konnte ein nationales französisches Atomprogramm, wie erwähnt, als zusätzliches Argument, als Köder für das avisierte «Europa der Vaterländer» unter französischer Regie und französischer Protektion dienen.

Schließlich war de Gaulle sehr an einer Kooperation mit Moskau gelegen. Um die russische Karte im französischen Sinne spielen zu können, bedurfte es gemeinsamer Interessen. Dafür eignete sich sowohl die Forderung, daß Deutschland keinen Zugang zu Nuklearwaffen haben dürfe, als eben auch die nach einer Anerkennung der Oder-Neiße-Grenze durch Bonn, die de Gaulle als erster westlicher Staatsmann schon bei seinem Moskauer Besuch im Dezember 1944 als endgültige polnische Westgrenze anerkannt hatte. Hinter diesem Bestreben nach einer engen französisch-sowjetischen Kooperation stand de Gaulles Vision eines von Paris und Moskau gemeinsam geführten Kontinents «vom Atlantik bis zum Ural».[59] Auf den ersten Blick schien sie seinem Konzept eines «Europas der Vaterländer» zu widersprechen, im Kern handelte es sich aber nur um eine Variante derselben Idee. In beiden Fällen ging es darum, ein von Frankreich geführtes Westeuropa als dritte Kraft in der Weltpolitik neben den USA und der Sowjetunion zu etablieren. Seiner Vorstellung eines von Frankreich und der Sowjetunion gemeinsam geführten Kontinents lag lediglich ein umfassenderer, wenn man so will: stärker historisch geprägter Europa-Begriff zugrunde als dem Konzept eines «Europas der Vaterländer». Um diese immer wieder auftauchende Vision de Gaulles verstehen zu können, muß man in Rechnung stellen, daß auch der General ein Mann des 19. Jahrhunderts war und daß er in den Kategorien des Zeitalters der Nationalstaaten dachte. Die Chancen einer engen französisch-russischen Kooperation, die sich im Anschluß an die französisch-russische Allianz der Jahre 1892/94 eröffnet hatten, waren ihm ebenso gegenwärtig wie die Gefahr einer Isolierung Frankreichs, die sich aus einer deutsch-russischen Annäherung ergeben konnte. In Paris war die mehr oder weniger enge deutsch-sowjetische Kooperation nicht vergessen, die mit dem Vertrag von Rapallo 1922 begonnen, im Berliner Neutralitätsabkommen von 1926 ihre Fortsetzung und schließlich im «Hitler-Stalin-Pakt» des Jahres 1939 ihre verhängnisvolle Vollendung gefunden hatte.

Natürlich gab sich der General, dieser historischen Erfahrung eingedenk, mit der Idee einer französisch-sowjetischen Zusammenarbeit, ja mit der Vision eines Europas vom Atlantik bis zum Ural keinerlei Illusionen über die Ziele des Kreml hin, im Gegenteil. In der Einschätzung der Sowjetunion war sich de Gaulle mit Konrad Adenauer, den er bereits am 14. und 15. September 1958 auf seinem Landsitz Colombey-les-deux-Églises erstmals empfing, durchaus einig. Beide hatten keinen Zweifel an der expansiv-aggressiven Natur des Bolschewismus. Offiziell hatten die Sowjets ja nie das Ziel der «Weltrevolution» aufgegeben, sondern vielmehr rhetorisch immer daran festgehalten. Übereinstimmend kamen der Kanzler und der Präsident zu dem Ergebnis, daß die Sowjetunion mit dieser Strategie Erfolg hatte, und zwar insbesondere in der außereuropäischen Welt.

Allenthalben machte sich die KPdSU zum Fürsprecher der Befreiungsbewegungen in den Ländern der Dritten Welt, und davon war ja nicht zuletzt Frankreich erheblich betroffen. Das gilt sowohl für den Verlust Vietnams im Jahr 1954 als auch für die schwere Niederlage in der Suez-Krise zwei Jahre später, für den Algerien-Krieg oder auch für die Entwicklungen im französischen Kongo, der am 15. August 1960 als Kongo-Brazzaville seine Unabhängigkeit erhielt. Vor diesem Hintergrund zeigte sich de Gaulle auf einer Pressekonferenz im März 1959 überzeugt, daß die Sowjets ihre Herrschaft nicht nur über «ganz Europa», sondern auch über «ganz Afrika» ausdehnen wollten,[60] und Adenauer hatte schon im Januar 1959 vorausgesehen: «Wenn Westeuropa unter sowjetrussischen Einfluß kommt, ist es auch um Afrika geschehen, weil dann das Mittelmeer kommunistisch beherrscht werden wird.»[61]

Nur aus dieser Perspektive interessierte der Schwarze Kontinent den deutschen Bundeskanzler. Da Deutschland seine afrikanischen Kolonien schon nach dem Ersten Weltkrieg hatte aufgeben müssen, war es jetzt auch nicht mit dem Prozeß der Dekolonisierung befaßt. Anders Frankreich,

Großbritannien oder auch Italien. Allein im Jahre 1960 erhielten fast 20 afrikanische Staaten ihre Unabhängigkeit, neben der erwähnten Republik Kongo: der unter französischer Treuhandschaft stehende Teil Kameruns, Togo, Madagaskar, Somalia, Dahomey, Niger, Obervolta, die Elfenbeinküste, der Tschad, die Zentralafrikanische Republik, Gabun, Mali, der Senegal, Nigeria und Mauretanien. Aus westdeutscher Sicht war allerdings beunruhigend, daß dieser Prozeß das Interesse der Weltöffentlichkeit auf sich und damit vom Krisenherd Mitteleuropa abzog, vor allem dann, wenn er, wie im noch zu erläuternden Fall des belgischen Kongo, blutig verlief. Eine vermeintliche oder tatsächliche Verstrickung der Sowjets in diese Vorgänge war daher gar nicht einmal ungünstig, weil sich daran die vom Kommunismus ganz allgemein ausgehende Bedrohung, auch Europas, demonstrieren ließ.

Allerdings war nicht zu übersehen, daß Adenauer und de Gaulle in ihren öffentlichen Äußerungen die Situation drastischer schilderten, als sie in Wirklichkeit war. Natürlich wußten sie, daß Rußland selbst im Zeitalter des Imperialismus nie den Schritt nach Afrika getan hatte, und daran sollte sich auch bis in die Endphase des Kalten Krieges hinein nichts ändern. Anders als die vormaligen europäischen Kolonialmächte, anders auch als die Vereinigten Staaten von Amerika, hatte weder das zaristische Rußland noch die Sowjetunion je direkt militärisch in Gebieten interveniert, die nicht unmittelbar an ihr eurasisches Imperium grenzten. Stärker als die USA hat die UdSSR ihre Interessen außerhalb ihrer Hemisphäre durch andere Staaten wahrnehmen, häufig auch stellvertretend ausfechten lassen. Den Anfang machten Moskaus Waffenlieferungen an Ägypten seit 1955.

Bei aller Skepsis gegenüber den Absichten des Kreml und bei aller Sorge über das Vordringen des Kommunismus in Afrika und anderen Teilen der Dritten Welt haben indessen de Gaulle und Adenauer mit bemerkenswerter Weitsicht schon früh auch die hier angelegte Tendenz zur imperialen Überbürdung wahrgenommen. Vor allem der Bundeskanzler war überzeugt, daß die Sowjetunion aus diesen wie anderen Gründen irgendwann zusammenbrechen würde. Instinktsicher erkannte er den Trend zur wirtschaftlichen Überstrapazierung und damit die abnehmende Konkurrenzfähigkeit. Man darf ja nicht vergessen, daß Chruschtschow erklärtermaßen das hochgesteckte Ziel verfolgte, den Westen wirtschaftlich wie technologisch einzuholen, ja zu überrunden, und daß er sich für einige Jahre durch spektakuläre Teilerfolge, wie den vorübergehenden Vorsprung auf dem Gebiet der Raumfahrttechnik, in dieser Illusion bestätigt fühlen durfte. Das sah Adenauer nüchterner. Überdies war er überzeugt, daß man ganze Völker nicht auf die Dauer unterdrücken könne, daß sich diese vielmehr über kurz oder lang erheben würden, um ihr Schicksal selbst in die Hand zu nehmen. Schließlich aber bemerkten de Gaulle und insbesondere Adenauer frühzeitig auch die chinesische Herausforderung Moskaus. Seit Mitte der fünfziger Jahre hatten sich die Spannungen zwischen den verbündeten Rivalen China und der Sowjetunion verschärft. Sie offenbarten sich jetzt auch im chinesisch-indischen Krieg vom 20. Oktober bis zum 21. November 1962, der von der westlichen Öffentlichkeit kaum beachtet wurde, weil diese von der Kuba-Krise vollständig in Bann gezogen war. Schon in der Anfangsphase des Kalten Krieges war das Verhältnis Neu-Delhis zu Peking keineswegs spannungsfrei gewesen. Zwar hatten die beiden bevölkerungsreichsten Staaten der Erde zunächst gemeinsam eine bedeutende Rolle bei der politischen Formierung der Dritten Welt gespielt, doch waren auf der Konferenz von Bandung im April 1955 auch erstmals offen Spannungen zutage getreten. In der Folge hatte sich dann der Himmel immer stärker verdunkelt: Zum einen stieß die Einverleibung Tibets, die China seit 1950/51 betrieb, in Indien auf Widerspruch. Zum anderen gab es Unklarheiten über die gemeinsame Grenze, die von der britischen Regierung nach Kriterien festgelegt worden war, die sich – wie in anderen Teilen der Welt auch – am wenigsten an den Interessen der Betroffenen orientierten. Dabei ging es um drei Abschnitte, von denen der eine, das westliche Plateau Aksai-Chin, eine wichtige Landverbindung nach Xingjiang darstellt. Auch dieser Konflikt konnte während des Kalten Krieges nicht gelöst werden. Erst am 7. September 1993 kam es zu einer vertraglichen Vereinbarung über die Respektierung der gegebenen Kontrollinie, und wie gut 30 Jahre zuvor der Krieg, vollzog sich auch jetzt die Fühlungnahme im Windschatten einer anderen Entwicklung, der spektakulären Aussöhnung zwischen Israelis und Palästinensern.

Der Vorstoß Chinas vom Oktober 1962, aus Sicht Pekings ein Präventivschlag, führte zu einem schnellen und durchgreifenden militärischen Erfolg über Indien. Das war auch für die Sowjetunion ein höchst unerfreuliches Ergebnis, weil sich Moskau mit dem Verkauf von Kampfflugzeugen des Typs «MIG 21» an der Aufrüstung Indiens beteiligen wollte, die lange eine britische Angelegenheit gewesen war. Außerdem galt Washington seit den fünfziger Jahren als Stütze Pakistans, des zweiten großen benachbarten Gegners Indiens neben China. Indien und Pakistan befanden sich seit der Unabhängigkeit beider Staaten in einem schwelenden Dauerkonflikt, der wiederholt kriegerisch eskalierte und eine wesentliche Ursache in der britischen Kolonialverwaltung hatte. So erwies sich die Teilung des indischen Subkontinents und vor allem die Gliederung in Ost- und Westpakistan als unhaltbar. Mit der von Indien militärisch unterstützten Ablösung des östlichen Teils «Bangladesh» vom Staatsverband wurde dieser Krisenherd 1971 beseitigt. Für einen anderen galt das nicht: Der Streit um das teilweise von Indien kontrollierte, überwiegend von Moslems bewohnte und daher von Pakistan beanspruchte Kaschmir-Gebiet sollte über das Ende des Kalten Krieges hinaus schon deshalb eine besondere Brisanz besitzen, weil beide Kontrahenten – Indien seit 1974, Pakistan vermutlich seit der zweiten Hälfte der achtziger Jahre – über Atomwaffen verfügten.

So wurde der indisch-pakistanische Gegensatz zu einem gefährlichen Brennpunkt ost-westlicher Rivalität. Nicht nur zwang er die beiden Supermächte immer wieder zu einem mehr oder weniger eindeutigen Engagement, vielmehr spielte auch China spätestens seit seinem militärischen Erfolg über Indien eine nicht zu ignorierende Rolle in der Region, und das sorgte vor allem im Kreml für einige Irritation. Der chinesisch-indische Krieg hatte den Rivalen im kommunistischen Lager aufgewertet, und das zu einem Zeitpunkt, in dem der Bruch Moskaus mit Peking zwar öffentlich, aber noch nicht offiziell vollzogen war. Damit hatte sich, wie Chruschtschow in seiner außenpolitischen Bilanz im Dezember 1962 feststellen mußte, erstmalig die Situation ergeben, «daß ein Grenzkonflikt zwischen einem sozialistischen Land und einem Land, das den Weg einer unabhängigen Entwicklung beschritten hat ..., zu ernsten militärischen Zusammenstößen geführt hat».[62] Selbst Chruschtschow konnte nicht ahnen, daß sich diese Situation wenige Jahre später auch im sowjetisch-chinesischen Verhältnis einstellen sollte.

Mithin hatte die Sowjetunion innerhalb weniger Wochen zwei schwere Niederlagen hinnehmen müssen, eine direkte in der Kuba-Krise und eine indirekte im chinesisch-indischen Krieg. Stellt man schließlich in Rechnung, daß der Kreml in der Berlin-Krise mit der Festschreibung des Status quo allenfalls einen Teilerfolg, nicht aber den Rückzug der Westmächte aus Berlin erreicht hatte, dann war auch die Krise um die alte Reichshauptstadt zumindest eine Teilniederlage. Konnte man da noch übersehen, daß sich die Sowjetunion in einer Schwächephase befand? Adenauer und de Gaulle jedenfalls hatten kaum einen Zweifel. So erklären sich ihre zitierten Prognosen, aber zum Beispiel auch die Bemerkungen des Generals über Chruschtschow vom Dezember 1961. Der Kremlherr, so legte de Gaulle Adenauer dar, «sei keine kriegerische Natur. Erstens sei er aus dem Alter heraus, in dem man Kriege machen wolle, zweitens sei er zu dick und drittens liege es überhaupt nicht in seiner Natur. Aber es gäbe jedoch, das müsse man bedenken, Umstände, unter denen der reine Wille nicht viel zähle, auch der Chruschtschows nicht. Deshalb müsse man äußerste Vorsicht walten lassen.»[63]

So offenkundig die beiden Herren in diesen Fragen übereinstimmten, so unverkennbar war bisweilen die Disharmonie, wenn es um die Zukunft Europas oder der NATO ging. Schon in den fünfziger Jahren hatte de Gaulle sich entschieden gegen alle europäischen Einigungsversuche wie «Montanunion», EVG oder EWG gewandt. Was ihn an diesen Zusammenschlüssen störte, war ihr Charakter als «extranationale Organe», die «keine Autorität» und folglich auch «keine politische Wirksamkeit» besäßen und besitzen könnten. Mit dieser Fanfare kündigte der General im September 1960 der Welt an, daß er sich auch in Zukunft supranationalen Elementen der entsprechenden Verträge entgegenstellen werde.[64]

Beide Themen, NATO und Europa, hatten auch auf der Tagesordnung der berühmten Begegnung Adenauers und de Gaulles in Rambouillet bei Paris am 29. und 30. Juli 1960 gestanden. Offenbar hat sich der Kanzler hier von seinem Gesprächspartner über den Tisch ziehen lassen. Da die Originalaufzeichnungen über die Gespräche des ersten Tages auf Anweisung Adenauers vernichtet worden sind, lassen diese sich nicht im Detail rekonstruieren. Fest scheint gleichwohl zu stehen, daß de Gaulle an beiden Tagen mit jeweils einem spektakulären Vorschlag aufwartete, nämlich mit dem Ansinnen einer deutsch-französischen Zweierunion und mit der Offerte eines westeuropäischen Staatenbundes, der vorerst aus den Mitgliedern der EWG, also ohne Großbritannien, gegründet werden sollte. So wie es aussieht, hat sich Adenauer recht spontan mit der zweiten Idee angefreundet und sich vermutlich davon auch eine Wiederbelebung des alten EVG-Gedankens erhofft.

Konkrete Ergebnisse hat diese Begegnung nicht gebracht. Es gab nicht einmal ein Schlußkommuniqué, sondern lediglich die vage Vereinbarung, eine neue Phase der Organisation Europas einzuläuten. Naturgemäß interpretierten das beide in ihrem Sinne. De Gaulle sah sich in seiner Vorstellung eines «Europas der Vaterländer» bestätigt, in dem Großbritannien keinen Platz hatte und das in absehbarer Zeit die Funktion einer dritten Kraft in der Weltpolitik und zugleich eines Gegengewichts gegen die westliche Vormacht USA übernehmen sollte. Adenauer wird bei aller Verstimmung über die Haltung Englands und der USA in der Berlin-Krise diese antibritische und antiamerikanische Stoßrichtung der Ideen de Gaulles nicht geheuer gewesen sein. Noch weniger behagte das, was man aus Rambouillet vernahm, der wachsenden Zahl seiner Kritiker, vor allem im Auswärtigen Amt.

Der General ließ sich freilich nicht beirren, schon gar nicht durch Bonner Mahner und Warner, und so nimmt es nicht wunder, daß die etwa ein Jahr nach dieser Begegnung eingeleiteten Verhandlungen über eine «Europäische Politische Union» (EPU), wie das Projekt dann genannt wurde, ohne ein greifbares Ergebnis blieben. Am 10. und 11. Februar hatten die Staats- und Regierungschefs der EWG-Staaten in Paris eine enge politische Zusammenarbeit vereinbart und am 18. Juli in Bonn eine Studienkommission zur Ausarbeitung eines «Europäischen Politischen Statuts» einberufen. Ihr präsidierte Christian Fouchet, der französische Botschafter in Dänemark. Verhandelt wurde fast ein Jahr, und zwar im Rahmen zahlreicher bilateraler Begegnungen, auf zwei Außenministerkonferenzen sowie in einer Serie von Sitzungen der «Fouchet-Kommission». Diese legte im Dezember 1961 und im Januar 1962 zwei Pläne vor, die sich nur im Grad ihrer jeweiligen Konzessionen gegenüber den französischen Vorstellungen voneinander unterschieden. Am 17. April 1962 brachen die Außenminister der EWG-Staaten die Verhandlungen ab, nachdem sich Belgien und die Niederlande dagegen gewehrt hatten, daß Großbritannien nicht an den Verhandlungen beteiligt werden sollte, obgleich das von den Staats- und Regierungschefs im Februar 1961 ursprünglich ins Auge gefaßt worden war.

Einer der tieferen Gründe für dieses erneute Scheitern einer europäischen Politischen Union lag jedoch im Gegensatz Frankreichs und der übrigen Fünf in der Frage der «Supranationalität» der Gemeinschaft. Charles de Gaulle hatte nach der Beobachtung Herbert Blankenhorns, zu dieser Zeit deutscher Botschafter in Paris, «nie die Welt darüber im Unklaren gelassen, daß er eine politische Organisation Europas nach dem Muster des Gemeinsamen Marktes nicht als zweckmäßig betrachte».[65] Seine Bereitschaft zu Konzessionen und zur Hinnahme weitergehender Beschränkungen der nationalen Souveränität Frankreichs ließ während der Verhandlungen in dem Maße weiter nach, in dem sich eine Lösung des Algerien-Konfliktes abzeichnete und dementsprechend die französische Handlungsfreiheit zunahm. Das zeigte sich bei der Frage einer Aufnahme Großbritanniens in die EWG, die de Gaulle strikt ablehnte, und es wurde auch in seinen Reaktionen auf Kennedys Vorstellungen eines «Grand Design» offenkundig. Die Vision des amerikanischen Präsidenten zielte auf eine atlantische Partnerschaft zwischen den USA und einem geeinten, selbstverständlich England einschließenden Europa. Und eben das mochte der General nicht hinnehmen. Wären die USA nicht zwangsläufig der dominierende «Partner» gewesen, und hätten sie nicht mit Großbritannien ein Trojanisches Pferd in die Festung Westeuropa geschoben? Da konnte man sich leicht ausrechnen, was für Frankreich übrig geblieben wäre.

Adenauer mochte sich den Argumenten des Generals nicht ganz verschließen, betrachtete er doch gerade zu dieser Zeit die Extratouren Macmillans mit wachsendem Mißtrauen. Im übrigen war ihm, ähnlich wie de Gaulle, das Sonderverhältnis Großbritanniens zu den USA zunehmend suspekt. Das sahen andere ähnlich, und keineswegs nur die sogenannten Gaullisten. Überhaupt fand die Intensivierung der deutsch-französischen Beziehungen in der Bonner Republik eine breite Zustimmung. Gewiß, eine nachhaltige Verstimmung der USA durfte man nicht riskieren. Aber waren Fortschritte in Europa ohne oder gar gegen Frankreich denkbar? Und war nicht der westliche Nachbar in der großen Krise am Ausgang der fünfziger und zu Beginn der sechziger Jahre eine, wenn nicht die einzige verläßliche Stütze gewesen? So nahm ein Plan Konturen an, der offensichtlich schon in Rambouillet im Gespräch gewesen war, dann aber zunächst zugunsten der europapolitischen Vorhaben zurückgestellt wurde.

Der Grundstein für den späteren deutsch-französischen Vertrag wurde während der Staatsbesuche Adenauers in Frankreich vom 2. bis 8. Juli und de Gaulles in der Bundesrepublik vom 4. bis 9. September 1962 gelegt. Beide waren vorzüglich in Szene gesetzt. Das gilt insbesondere für die

Visite des Bundeskanzlers. Nicht nur besuchten die beiden Staatsmänner die Krönungskathedrale der französischen Könige in Reims, sie nahmen auch gemeinsam eine Parade deutscher und französischer Truppen ab. Das war damals, 17 Jahre nach dem Ende des Zweiten Weltkriegs und ein Vierteljahrhundert vor Gründung der deutsch-französischen Brigade, alles andere als selbstverständlich. Der Gegenbesuch de Gaulles in der Bundesrepublik glich einem Triumphzug: «Der Präsident», so notierte der Journalist Paul Sethe, «gewann die Herzen der Nation, gegen deren Armeen er zweimal im Feld gestanden hatte.»[66]

Indessen ging es bei den Staatsbesuchen zunächst nur um Vereinbarungen bzw. um ein Abkommen auf Regierungsebene. Die Idee eines völkerrechtlichen Vertrages nahm nur zögernd Konturen an. Die Bedenken auf deutscher Seite, im Auswärtigen Amt ebenso wie im Kabinett, wogen schwer, steuerte de Gaulle doch unverkennbar auf einen exklusiven französisch-deutschen Zweibund als Kern eines Westeuropas der «Vaterländer» zu, der Großbritannien außen vorhalten und überdies noch eine wenig versteckte antiamerikanische Stoßrichtung besitzen sollte. Das teilte der General der Welt dann auch unverblümt auf seiner wohl berühmtesten Pressekonferenz mit, die er am 14. Januar 1963 in Paris abhielt. Nur «wenige diplomatische Bomben seit dem Krieg haben so viel Überraschung, Schock, Bestürzung und allgemeine Irritation hervorgerufen bzw. so viele Verwüstungen angerichtet»[67] wie diese. Mit ihr brach der Schwelbrand im französisch-englischen Verhältnis offen aus.

Die Wege der beiden traditionsreichen europäischen Großmächte hatten sich nach der Suez-Krise des Herbstes 1956 getrennt. Die kompromißlose amerikanische Intervention hatte in Paris den Entschluß reifen lassen, die nukleare Zukunft des Landes so autonom wie irgend möglich zu gestalten. Dagegen hatte London schon seit 1954 die atomare Kooperation mit Washington konsequent intensiviert. Anders als in Frankreich hatte die Suez-Krise in Großbritannien zu der Einsicht geführt, daß Alleingänge ohne oder gar gegen die westliche Führungsmacht keine Aussicht auf Erfolg haben würden. Das galt auch für die britische Atomstreitmacht. Ende 1958 entstammte ein «bedeutender Teil» ihres Arsenals an Wasserstoffbomben amerikanischer Produktion.[68]

Allerdings hatte 1958 nicht nur die anglo-amerikanische nukleare Kooperation ihren vorläufigen Höhepunkt erreicht, vielmehr hatte Großbritannien in eben diesem Jahr, also nur zwei Jahre nach dem Suez-Debakel, in Jordanien seine Parallelaktion zur amerikanischen Libanon-Intervention durchgeführt. Und auch durch diese Maßnahme waren die Franzosen vor den Kopf gestoßen worden, gingen sie doch davon aus, zuvor noch einmal von London und Washington konsultiert zu werden. Zwar galt eine französische Beteiligung an dem Nahost-Unternehmen wegen der gewaltigen Probleme, denen man sich in Algerien gegenübersah, als ausgeschlossen. Aber immerhin war Frankreich diejenige unter den drei Mächten, die in der Region traditionell «besonders» engagiert und interessiert war.[69] Keine Frage, für de Gaulle entwickelte sich England zusehends zur Speerspitze amerikanischer Vorherrschaftspolitik in Europa.

Wenn es noch eines Beweises für diese Sicht der Dinge bedurfte, dann wurde er am Ende des Jahres 1962 erbracht. Vom 18. bis zum 21. Dezember trafen sich der britische Premierminister Macmillan und der amerikanische Präsident Kennedy in Nassau auf den Bahamas. Das Abschlußkommuniqué fiel vor allem wegen seiner wenig präzisen Aussagen auf. Mancher Beobachter hatte den Eindruck, daß die beiden hier Nebelkerzen warfen, um den Mangel an Übereinstimmung zu verhüllen und dem unter erheblichem Erfolgsdruck stehenden britischen Premier etwas in die Hand zu geben. Jedenfalls einigte man sich im Prinzip unter anderem auf die Lieferung amerikanischer «Polaris»-Raketen für die britische U-Boot-Flotte, was der endgültigen Aufgabe des eigenen englischen Nuklearprogramms gleichkam, und zugleich auf den Aufbau einer gemeinsamen Atomstreitmacht der NATO, der auch die besagten britischen U-Boote angehören sollten. In welcher Form das geschehen und wie die britischen Nuklearwaffen der Streitmacht zugeordnet werden sollten, blieb offen. Für de Gaulle waren diese Vereinbarungen bedenklich genug, schrieben sie doch nach seinem Verständnis die amerikanische Hegemonie in Europa auch für die Zukunft fest.

Nicht minder schwerwiegend war indessen die Brüskierung durch den britischen Premierminister und den amerikanischen Präsidenten. Gewiß, de Gaulle war eingeladen worden, sich im Vorfeld des Gipfels von Nassau mit Kennedy zu treffen. Aber das rechtfertigte kaum die Art und Weise, wie der französische Staatsmann mit den Ergebnissen der amerikanisch-britischen Begegnung bekannt gemacht wurde. Denn anstatt ihn vorab vertraulich über diese zu informieren, wurde ihm sozusagen postalisch das zuvor veröffentlichte Kommuniqué zugestellt, verbunden mit dem Angebot, sich an den Vereinbarungen zu beteiligen. Zwar konnte man das auf den ersten Blick als Erfolg werten, weil mit dieser Offerte die Gleichrangigkeit der französischen Großmacht dokumentiert schien. Doch das war ein Irrtum, weil die Amerikaner inzwischen de Gaulles «Direktoriums»-Idee eine glatte Absage erteilt hatten. Außerdem ließ die Einladung nicht erkennen, ob Paris von Washington nur die Raketen bekommen sollte oder auch die Sprengköpfe und U-Boote. In jedem Falle war aber eine Integration der «Force de frappe» in die geplante multinationale Atomstreitmacht im Gespräch. Spätestens seit diesem Vorfall mußte das Verhältnis de Gaulles zu Großbritannien als mehr oder weniger irreparabel zerrüttet gelten.

Die Reaktionen des Generals waren vielfältig und eindeutig. Zu ihnen zählte jene schon erwähnte Pressekonferenz, die er am 14. Januar 1963 in Anwesenheit des gesamten Kabinetts vor 800 Journalisten zelebrierte. Im Zentrum seiner Ausführungen standen die Weigerung, Frankreich an der multilateralen Atomstreitmacht zu beteiligen, und die indirekte Ankündigung, ein Veto gegen einen EWG-Beitritt Großbritanniens einzulegen, über den seit fast zwei Jahren verhandelt worden war. Mit gewählten Worten wies er auf den Stand dieser Beitrittsverhandlungen, aber auch darauf hin, daß sich die britische Politik in eine andere als die europäische Richtung orientiert habe.[70] Der Alleingang der Briten und Amerikaner hatte ihn doch sehr verstimmt.

Eine Woche nach de Gaulles spektakulärem Auftritt wurde am 22. Januar 1963 in Paris der Vertrag über deutsch-französische Zusammenarbeit, der sogenannte Elysée-Vertrag, von de Gaulle und Adenauer unterzeichnet. Er sah regelmäßige Konsultationen auf den Ebenen der Staats- und Regierungschefs, der Außen- und Verteidigungsminister, aber auch der Minister für Jugend und Familie vor. Des weiteren wurde eine entsprechende Kooperation auf den Gebieten der Auswärtigen Politik, der Verteidigung sowie insbesondere auch der Erziehungs- und Jugendarbeit festgeschrieben. Aber weder die würdevolle Zeremonie der Vertragsunterzeichnung noch die von kaum jemandem bestrittene epochale Bedeutung dieses Abkommens konnten die Bedenken ganz beseitigen: Die warnenden Stimmen wurden noch lauter, als am 29. Januar die Verhandlungen über den britischen EWG-Beitritt offiziell abgebrochen wurden.

In Bonn ging die Sorge um, der Vertrag mit Paris könne in dem Sinne mißverstanden werden, er richte sich gegen Großbritannien, die USA, die europäische Integration und die NATO. Konnte man aber ausschließen, daß die Vereinbarungen in Zukunft von de Gaulle nicht genau so, also für seine Zwecke, instrumentalisiert wurden? Daß die Sowjetunion am 5. Februar gegen das Abkommen protestierte, beruhigte die Skeptiker kaum, gehörten solche Reaktionen doch inzwischen zur Normalität des Kalten Krieges. Bedenken und zum Teil heftige Widerstände gegen den deutsch-französischen Vertrag gab es in allen Parteien und Fraktionen und nach wie vor auch im Bundeskabinett. Dort wurden sie vor allem von den «Atlantikern», wie Außenminister Schröder und Wirtschaftsminister Erhard, artikuliert. Für einige Wochen galt die Ratifizierung als ungewiß, schien Adenauers politisches Vermächtnis gefährdet.

Daß der Bundestag am 16. Mai 1963 den deutsch-französischen Vertrag dann doch mit großer Mehrheit ratifizierte, war das Ergebnis eines heftigen Tauziehens. An dessen Ende einigte man sich auf Antrag des Ausschusses für Auswärtige Angelegenheiten darauf, der deutschen Fassung eine Präambel voranzustellen. Sie enthielt ein ausdrückliches und eindeutiges Bekenntnis zur «engen Partnerschaft zwischen Europa und den Vereinigten Staaten von Amerika», zur «gemeinsamen Verteidigung im Rahmen des nordatlantischen Bündnisses», zur «Schaffung der Europäischen Gemeinschaften ... unter Einbeziehung Großbritanniens und anderer zum Beitritt gewillter Staaten», aber auch zum «Allgemeinen Zoll- und Handelsabkommen».[71]

Dieses «General Agreement on Tariffs and Trade» (GATT) war eigentlich eine Notlösung. Auf der ersten Sitzung des Wirtschafts- und Sozialrates der Vereinten Nationen hatten die USA im Februar 1946 den Vorschlag gemacht, eine «International Trade Organization» zur Liberalisierung des Welthandels zu gründen. Deren 1947/48 in Havanna formulierte Charta trat freilich nie in Kraft. An ihrer Stelle wurde mit Wirkung zum 1. Januar 1948 vorläufig jenes GATT angewandt, das am 30. Oktober 1947 von 23 Staaten durch ein «Protocol of Provisional Application» unterzeichnet worden war und einige Bestimmungen der Havanna-Charta gleichsam vorweg in Kraft setzte. Das GATT wurde niemals förmlich ratifiziert, sondern erst 1995 mit der Ratifizierung der letzten, der sogenannten Uruguay-Runde von einem Provisorium in eine Organisation, die «World Trade Organization» (WTO), überführt. Ziele des GATT waren neben der Erhöhung des Lebensstandards, der Verwirklichung der Vollbeschäftigung sowie wachsendem Realeinkommen unter anderem die Steigerung von Produktion und Warenaustausch. Die Bundesrepublik hatte ihren Beitritt zum GATT am 21. April 1951 erklärt, und gerade ein in hohem Maße produktions- und exportorientiertes Land wie die Bonner Republik mußte ein besonderes Interesse am «Abbau der Handelsschranken» im Rahmen des GATT haben, wie es dann in der Präambel des Deutschen Bundestages zum Elysée-Vertrag vom 22. Januar 1963 hieß.

Sie stellte den deutsch-französischen Vertrag einerseits in den «Gesamtzusammenhang der Verpflichtungen der Bundesrepublik Deutschland gegenüber den westlichen Partnern»[72] und nahm ihm damit den Charakter der Exklusivität. Andererseits relativierte sie das Abkommen, wenn man die zentralen Aussagen der Präambel mit den ursprünglichen Intentionen Charles de Gaulles verglich. Aber auch mit den einschränkenden Feststellungen des deutschen Ratifikationsgesetzes blieb die Bedeutung des Vertrages gewahrt. Mit ihm gelang ein Durchbruch; er bildete fortan eine solide Basis für die Aussöhnung der beiden rheinischen Nachbarn und für eine noch wenige Jahre zuvor für unmöglich gehaltene Normalität ihrer Beziehungen.

Vor allem der Zwang zu regelmäßiger Konsultation sollte einiges dazu beitragen, daß es auch in Zeiten schwerer Belastungen des deutsch-französischen Verhältnisses keinen Rückfall gab. Schon deshalb wurde die Zusammenarbeit ständig ausgebaut, so am 22. Januar 1988 mit der Schaffung eines gemeinsamen «Verteidigungs- und Sicherheitsrates» oder dem Beschluß zur Aufstellung einer gemeinsamen deutsch-französischen Brigade, dem Nukleus des «Eurokorps», mit der im Frühjahr 1989 begonnen wurde. Letzteres ist im übrigen ein Beispiel dafür, daß sich die deutsch-französische Kooperation, anders als das 1963 erwartet oder gar von de Gaulle geplant war, über die Jahre sogar zum eigentlichen Kern der europäischen Integration entwickelte.

Das Jahr 1963 sollte enden, wie es begonnen hatte, als ein Jahr der Zäsuren in der Geschichte des Kalten Krieges. Vier Staatsmänner verließen die politische Bühne, die während ihrer unterschiedlich langen Amtszeiten sowohl der Politik ihrer Länder als auch den internationalen Beziehungen ihren Stempel aufgedrückt haben: Am 16. Juni gab der Gründer des Staates Israel, Ministerpräsident David Ben Gurion, zermürbt vom Streit mit seiner Partei, endgültig auf; am 18. Oktober trat der britische Premierminister Harold Macmillan im Gefolge eines Sex- und Spionageskandals um seinen Heeresminister Profumo vom Amt zurück; und am 22. November wurde der amerikanische Präsident John F. Kennedy ermordet. Schon am 11. Oktober hatte Konrad Adenauer dem Bundespräsidenten sein Rücktrittsgesuch überreicht. Als der erste Kanzler der Bundesrepublik vier Tage später vor dem Deutschen Bundestag seine Abschiedsansprache hielt, wußten auch diejenigen, die diesen Abgang gewollt und betrieben hatten, daß sich mit Adenauer eine Ausnahmeerscheinung aus der großen Politik verabschiedete.

Bis zuletzt hatte der Kanzler gehofft, die Beziehungen zu den Vereinigten Staaten wieder ins rechte Lot bringen zu können. Aber auch nach dem triumphalen Empfang Kennedys in Berlin blieb das Verhältnis unterkühlt. Am Rhein hatte man gegen den Entspannungskurs im amerikanisch-sowjetischen Verhältnis wenig einzuwenden, solange er nicht über die Köpfe der Deutschen hinweg oder gar gegen sie gesteuert wurde. Für eine solche unerfreuliche Wendung sprach aber einiges. Vielleicht noch mehr als die amerikanische Politik in der Berlin-Krise hatte die Art und Weise irritiert und empört, in der die Bundesregierung gezwungen worden war, dem Atomteststoppabkommen beizutreten, und manch einer fragte sich besorgt, ob die Bundesrepublik ein «zweites Jalta» oder gar ein neues «Versailles» zu gewärtigen habe.[73]

Damit nicht genug. Vor dem Hintergrund stärker werdender Divergenzen auch im deutsch-französischen Verhältnis, die eine Folge der Verstimmung de Gaulles über das Ratifikationsgesetz zum Elysée-Vertrag waren, tauchte schließlich ein weiteres Schreckgespenst am Horizont auf – die Möglichkeit einer französischen Entspannungspolitik gegenüber Moskau, ja sogar einer französisch-russischen Verständigung. Und so bekannte Konrad Adenauer, der beim Abschluß der russisch-französischen Allianz 18 Jahre alt gewesen war, am Ende des Jahres 1964, «daß ihn die Sorge bedrücke, daß de Gaulle eines Tages sich wieder mit Moskau einlassen könne. Das zu verhindern und auch den Deutschen diesen Weg zu versperren, sei das wichtigste Motiv für ihn gewesen, den deutsch-französischen Pakt abzuschließen. Darum müßten wir in engem Kontakt mit de Gaulle bleiben».[74] Die Beziehungen zu Amerika zu verbessern, ohne de Gaulle noch weiter zu entfremden, lautete mithin die Aufgabe für die Nachfolger. Das war ein schwieriges Vermächtnis, weil auch das Bündnis, dem Washington, Bonn und Paris angehörten, vom Krisenbazillus der Zeit befallen war.

6. Turbulenzen
Bündnisse in der Krise
1963–1966

Gefahren können verbinden. Das hattte sich während der weltpolitischen Eiszeit der fünfziger Jahre gezeigt. Durch sie waren die zentrifugalen Tendenzen innerhalb des Warschauer Paktes, vor allem aber innerhalb der NATO, einstweilen eingefroren worden. Mit den ersten Erfolgen der Entspannungspolitik lösten sich die erstarrten Kräfte aus der Vereisung. Die NATO, so bilanzierte ein amerikanischer Beobachter etwas kryptisch im Frühjahr 1965, wurde nicht in Frage gestellt, weil sie gescheitert war, sondern weil sie der sowjetischen Herausforderung erfolgreich die Stirn geboten hatte.[1] Beim Warschauer Pakt war das genau umgekehrt.

Konnten schon im Vorfeld der Krisen um Berlin und Kuba gewisse Erosionserscheinungen beobachtet werden, so waren die Absatzbewegungen Jugoslawiens, Albaniens und Rumäniens nach dem Scheitern des karibischen Coups vollends unaufhaltsam. Besonderes Interesse durfte der Fall Jugoslawien beanspruchen, denn Titos Aktivitäten nahmen für die Kremlherren zusehends die Züge einer unangenehmen Konkurrenz an. Der Kroate stellte seit den ausgehenden vierziger Jahren nicht nur den Monopolanspruch der KPdSU in Frage, er versuchte auch eine neue Linie für die internationale Politik seines Landes zu entwickeln, die bald auf eine wachsende Zahl von Staaten, vor allem der Dritten Welt, eine beträchtliche Attraktivität ausübte. Beginnend mit einer Reise unter anderem nach Indien, Burma und Ägypten um die Jahreswende 1954/55, drängte Tito unaufhaltsam an die Spitze der Bewegung blockfreier Staaten. Als dann wenige Jahre später, vom 1. bis zum 6. September 1961, in Belgrad die erste Gipfelkonferenz dieser Staaten mit Vertretern aus 20 Ländern abgehalten wurde, war klar, daß sich hier zwischen den Blöcken eine dritte Kraft in der Weltpolitik zu bilden begann. Sie wirkte auch auf jene Staaten und Regionen anziehend, die Moskau mit dem sozialistischen Modell sowjetischer Provenienz umwarb.

Unter Titos straffer Führung schien es dem Land zu gelingen, seinen eigenen Weg zum Sozialismus mit Elementen westlicher, kapitalistischer Wirtschaftspolitik zu verbinden. Die Aufnahme Jugoslawiens in das GATT 1966 ließ sich sogar als Anerkennung durch die westliche Welt werten. Die Annäherung der Sowjetunion an Jugoslawien, die 1961 zu beobachten war, und der Abschluß eines Handelsvertrages mit vierjähriger Laufzeit, schienen mithin eher ein Zeichen für die relative Schwäche der sowjetischen Position zu sein. Der Ausgleich zwischen Moskau und Belgrad, der schon im Frühjahr 1955 mit dem Besuch der Kremlführung in der serbischen Metropole eingeleitet, im Herbst des folgenden Jahres aber durch die Ereignisse in Ungarn abrupt unterbrochen worden war, ließ sich überdies als Reaktion auf die Absatzbewegung Albaniens verstehen.

Das Land der Skipetaren hatte versucht, aus der Not zunehmender Isolierung eine Tugend zu machen. Das war nicht einfach, galt es doch einerseits zu verhindern, daß Albanien erneut in jene Abhängigkeit vom großen Nachbarn Jugoslawien geriet, in der es von 1945 bis 1948 gelebt hatte. Andererseits aber wollte sich Tirana dem immer stärker werdenden Monopolanspruch Moskaus entziehen, der durch den Besuch Chruschtschows an der Adria vom 25. Mai bis zum 3. Juni 1959 noch einmal, allerdings erfolglos, unterstrichen werden sollte. Da eine sowjetische Intervention wie 1956 in Ungarn ausschied, wurde der Bruch mit Albanien auf dem 22. Parteikongreß der KPdSU im Oktober 1961 öffentlich bekannt gemacht. Schon im Januar 1961 hatte Moskau angekündigt, daß man alle Fachleute aus der albanischen Erdölindustrie abziehen werde. Im April folgte die Einstellung der Wirtschaftshilfe, und im Mai wurden sämtliche militärischen Verpflichtungen für Albanien aufgekündigt. Und als im August 1961 dem albanischen Delegierten die Teilnahme an einer Tagung des Warschauer Paktes in Moskau verweigert wurde, kam das der Aussperrung Tiranas gleich. Endgültig trat Albanien erst 1968 aus. Das Ergebnis dieses trotzigen Sonderweges war eine in der internationalen Politik bis zum Ende des Kalten Krieges einzigartige Situation: Das von der Außenwelt völlig abgeschottete adriatische Land war und blieb der alleinige Verbündete und insoweit der Außenposten der Volksrepublik China in Europa, und als solcher sollte Albanien dann auch als einziger Staat des alten Kontinents nicht an der «Konferenz über Sicherheit und Zusammenarbeit in Europa» (KSZE) teilnehmen.

Im Windschatten der Krise des Warschauer Paktes, die mit dem ungarischen Aufstand begonnen und in der Absatzbewegung Albaniens ihren vorläufigen Höhepunkt erreicht hatte, konnte sich auch Rumänien allmählich einen eigenen Weg zum Sozialismus bahnen. Bukarest weigerte sich, verstärkt seit 1960, seine Wirtschaftsplanungen vornehmlich an sowjetischen Vorgaben zu orientieren und als Rohstofflieferant für die Vormacht des östlichen Bündnisses zu fungieren. In den achtziger Jahren sollte Rumänien das einzige Mitgliedsland des RGW sein, dessen Exporte nicht zu mindestens 50 % vom Wirtschaftsraum der kommunistischen Welt aufgenommen wurden. In einer Erklärung vom 26. April 1964 ging das Zentralkomitee der rumänischen Kommunisten so weit, die prinzipielle Gleichberechtigung der kommunistischen Parteien – und damit ihre weitgehende Unabhängigkeit von Moskau – zu betonen. Später übernahm Gheorghe Gheorghiu-Dej öffentlich die Kritik Maos an den Annexionen der Kriegs- und Nachkriegszeit der Sowjetunion in Rumänien, Finnland, Deutschland und Polen. Nicolae Ceauşescu, der vom Neunten Parteikongreß der rumänischen Kommunisten im Juli 1965 zum neuen Generalsekretär gewählt wurde, setzte diesen Kurs fort. Unter seiner Führung erlangte die rumänische

Außenpolitik mehr Selbständigkeit als zuvor; seit den siebziger Jahren erlaubte sie Bukarest sogar bisweilen eine gewisse Vermittlertätigkeit zwischen
Ost und West. Dabei vermied das Land, sowohl unter Gheorghe Gheorghiu-Dej als auch unter Nicolae Ceaușescu, den Fehler Ungarns, aus dem
Warschauer Pakt auszutreten. An der Intervention in der Tschechoslowakei
nahm Rumänien 1968 aber ebensowenig teil wie Albanien.

Diese Intervention, von der noch zu berichten sein wird, war zugleich
die unmißverständliche Antwort des Kreml auf die zentrifugalen Tendenzen in seinem europäischen Machtbereich. Sie waren aus sowjetischer
Sicht deshalb besonders gefährlich, weil sich zu dieser Zeit auch die Beziehungen zum verbündeten Konkurrenten China einem ungeahnten und
höchst gefährlichen Eskalationspunkt näherten. Die Katastrophe, denn
eine solche war diese Wendung für Moskau zweifellos, hatte sich spätestens
seit 1954 angebahnt. Maos Volksrepublik hatte nicht nur an der Genfer
Konferenz über Korea und Indochina teilgenommen; ihr Ministerpräsident und Außenminister Tschou En-lai hatte sich dort mit seiner ge-
schmeidigen Verhandlungsführung als glänzender Diplomat und Vermittler
in schwierigen Situationen empfohlen. Überdies war am 12. Oktober zum
Abschluß des Besuches von Chruschtschow und Bulganin in Peking ein
Kommuniqué veröffentlicht worden, in dem die Rückgabe der sowjetischen Stützpunkte auf der Halbinsel Liaotung, also von Dairen und Port
Arthur (Lüshun), bekannt gemacht wurde. Das war sowohl unter militärstrategischen als auch unter historischen Gesichtspunkten eine bedeutende
Konzession. Die «Rückgabe» Port Arthurs an Rußland war immerhin eine
jener Forderungen gewesen, die Stalin in Jalta zur Bedingung für den
sowjetischen Kriegseintritt gegen Japan gemacht hatte. Es darf heute als
gesichert gelten, daß der Wunsch nach Abzug der sowjetischen Streitkräfte
von chinesischer Seite ausging und daß er Ausdruck des gewachsenen
Selbstbewußtseins und des Gleichberechtigungsanspruchs Mao Tse-tungs
gewesen ist.[2]

Da dieser Selbstbehauptungswille weder durch Zureden noch mit Gewalt zu korrumpieren oder zu brechen war, kündigte der Kreml am 20.
Juni 1959 den sowjetisch-chinesischen Atomhilfevertrag vom 15. Oktober
1957 auf und ging im folgenden Jahr sogar noch einen entscheidenden
Schritt weiter. Bis dahin war die Sowjetunion der Garant für Chinas
Aufstieg zur Industriemacht gewesen. Eine wichtige Rolle spielten Techniker und Berater, von denen bis 1960 etwa 10 000 ins Reich der Mitte
geschickt wurden, aber auch die Ausbildung chinesischer Wissenschaftler
und Studenten im Mutterland des Kommunismus. Es war mithin ein
schwerer Schlag, daß Moskau im Juli 1960 die Kooperationsabkommen
mit Peking kündigte und seine Experten abzog. Gleichzeitig stürzte der
sowjetische Export von Maschinen und Industrieanlagen, gerechnet in
1 000 Rubeln, vom Höchststand des Jahres 1959 (537,768) auf nicht einmal
ein Fünftel seines Volumens zwei Jahre darauf (97,281), um dann 1970, auf

dem Höhepunkt der Krise, seinen absoluten Tiefststand zu erreichen (13,581).[3] Wie schwer der sowjetische Rückzug China traf, zeigt eine bezeichnende Episode: Bevor im Zuge des allgemeinen Exodus auch die beiden sowjetischen Atomwaffenexperten das Land verließen, zerrissen sie alle Dokumente. Die Chinesen setzten sie in mühevoller Kleinarbeit wieder zusammen und erhielten so Aufschlüsse über den Bau der Bombe.[4]

Als Chruschtschow vom 30. September bis zum 4. Oktober 1959 anläßlich der Feiern zum zehnjährigen Bestehen der Volksrepublik China in Peking weilte, waren die Differenzen nur noch mit Mühe zu überspielen; auf der Weltkonferenz der kommunistischen Parteien, die im November 1960 abgehalten wurde, traten sie hinter verschlossenen Türen, seit 1963 schließlich offen zutage, und am 13. Juli 1964 kam die chinesische Kritik am außen- wie innenpolitischen Kurs der Sowjetunion in der Publikation eines Grundsatzartikels über «Chruschtschows gefälschten Kommunismus und die daraus zu ziehenden historischen Lehren für die Welt» öffentlich am schärfsten zum Ausdruck.[5] Im Frühjahr 1966 schließlich kündigte das Zentralkomitee der chinesischen Kommunisten die «Große Proletarische Kulturrevolution» an, die zu einer blutigen Säuberungsaktion in den eigenen Reihen werden sollte, und unterstrich auch damit seine Eigenständigkeit.

Nicht zuletzt aber vermochte sich China in einem enormen Kraftakt endgültig als Nuklearmacht zu etablieren und in dieser Hinsicht auf eine Stufe mit den beiden Supermächten zu stellen. Am 16. Oktober 1964 wurde die erste chinesische Atombombe und nicht einmal drei Jahre später, am 17. Juni 1967, die erste chinesische Wasserstoffbombe gezündet, und am 24. April 1970 startete die Volksrepublik sogar einen eigenen Weltraumsatelliten. Die politischen Druckwellen dieser Detonationen waren weltweit zu spüren. Immerhin konnte das Reich der Mitte diese spektakulären Erfolge verbuchen, obgleich die Sowjetunion ihre Atom- und Wirtschaftshilfe gekündigt hatte. Der Bruch Pekings mit Moskau und seine nuklearen Erfolge machten das fernöstliche Riesenreich zugleich zu einem interessanten Adressaten für Avancen des Westens.

Allerdings ließ sich in den ausgehenden sechziger Jahren kaum mehr von «dem Westen» im ursprünglichen Sinne des Wortes reden. Vielmehr hatte insbesondere die NATO einen tiefgreifenden Erosions- und Transformationsprozeß zu bewältigen. Die Gründe für diese Zerrüttungserscheinungen waren vielfältig. Abgesehen von dem zunehmenden amerikanischen Engagement in Vietnam, das übrigens für Washington Anlaß genug war, intensiv über eine Annäherung an China nachzudenken, mußte der französisch-amerikanische Gegensatz seit der Jahreswende 1962/63 als unüberbrückbar gelten. In einer Fülle von Publikationen ließen sich Kenner der Szene über die «atlantische Krise», die «heimgesuchte Partnerschaft»,[6] kurzum also über jene auseinanderdriftenden Kräfte aus, die auch in der

NATO mit der Beilegung der großen Krisen um Berlin und Kuba freigesetzt worden waren. Erwartungsgemäß fand man vor allem am Rhein
diese Tendenzen zunehmend «beängstigend».[7] Bonn war das erste Opfer
der westlichen Partnerschaftskrise, denn «amerikanischer Druck und französische Anmaßung» hatten die Bundesrepublik in eine «höchst unangenehme Situation» manövriert.[8] Daran sollte auch der Wechsel an der Spitze der Vereinigten Staaten wenig ändern.

In Washington hatte nach der Ermordung John F. Kennedys mit dem
neuen Präsidenten Lyndon B. Johnson ein Politiker das Ruder übernommen, der zwar auf dem Gebiet der Innenpolitik große Sachkenntnis besaß
– und dort im übrigen auch beachtliche Erfolge erzielen sollte –, der aber
außenpolitisch weder erfahren noch sonderlich interessiert war und folglich
bei seiner unerwarteten Amtsübernahme auch kein außenpolitisches Konzept zur Hand hatte, von einer Vision, die derjenigen Kennedys vergleichbar
gewesen wäre, ganz zu schweigen. Dieser Mangel stach auch deshalb ins
Auge, weil Johnson auf der anderen Seite des Atlantik in de Gaulle ein
Kontrahent im eigenen, westlichen Lager gegenüberstand, der nicht nur
eine dezidierte außenpolitische Konzeption, ja Vision besaß, sondern auch
fest entschlossen war, sie durchzusetzen. Dieser Umstand und die Tatsache,
daß sich die amerikanische Außenpolitik unter Johnson bald auf das außer
Kontrolle geratende Vietnam-Problem verengte, schufen für die übrigen
Partner des atlantischen Bündnisses von vornherein äußerst ungünstige
Rahmenbedingungen. In dieser recht unübersichtlichen Situation mußten
dann auch noch die britischen Konservativen am 15. Oktober 1964 eine
Wahlniederlage hinnehmen. Nach nur einem Jahr hatten der Nachfolger
Macmillans, Sir Alexander Douglas-Home, und sein Kabinett die Regie-
rungsgeschäfte erstmals wieder seit 13 Jahren an eine «Labour»-Regierung
zu übergeben. Das trug dazu bei, daß die Lage insbesondere für die Bonner
Republik noch komplizierter wurde, als sie es ohnehin schon war.

Denn ins rheinische Bundeskanzleramt war mit Ludwig Erhard ein
Mann als Nachfolger Konrad Adenauers eingezogen, der zwar in seiner
vierzehnjährigen Amtszeit als Bundeswirtschaftsminister bei den Deutschen als «Vater des Wirtschaftswunders» eine große Popularität erworben
hatte, aber auf dem Gebiet der Außen- und Sicherheitspolitik als eher
unbeschriebenes Blatt gelten mußte. Daß die Bundesrepublik ausgerechnet
in seiner Amtszeit erstmals von den Folgen einer weltweiten Rezession
erfaßt wurde, war seinem Ansehen nicht gerade zuträglich und schränkte
den außenpolitischen Handlungsspielraum seiner Regierung zusätzlich
ein. Allerdings kam Erhard zugute, daß mit Außenminister Schröder und
Staatssekretär Carstens die personelle Kontinuität in der deutschen Außen-
und insbesondere in der deutschen Ostpolitik gewahrt blieb. Und eben
dort, auf dem Gebiet der ostpolitischen Kontakte, hatte es ja noch in der
ausgehenden Ära Adenauer erkennbare Ansätze zu einer dringend notwendigen Neuorientierung gegeben.

Schon in seiner ersten Regierungserklärung gab der neue Bundeskanzler am 18. Oktober 1963 zu verstehen, daß seiner Regierung an der «weiteren Verbesserung des Verhältnisses zwischen der Bundesrepublik Deutschland und den osteuropäischen Staaten» gelegen und daß sie bereit sei, «mit jedem dieser Staaten Schritt für Schritt zu prüfen, wie man auf beiden Seiten Vorurteile abbauen und vorhandenen Sorgen und Befürchtungen den Boden entziehen» könne. Vor allem ließ Erhard die Bereitschaft Bonns durchblicken, im Rahmen des Möglichen «den Wirtschaftsaustausch mit diesen Ländern zu erweitern».[9] Das war schon deshalb ratsam, weil die Präambel des Elysée-Vertrages de Gaulle nachhaltig verstimmt und in seiner Haltung bestärkt hatte, neben solchen «sentimentale[n]»[10] Bindungen die Realpolitik nicht zu vernachlässigen. Das galt insbesondere für die Beziehungen zum Kreml.

Moskau und Paris entdeckten plötzlich wieder Gemeinsamkeiten. Zwischen de Gaulle und den Sowjets herrschte tiefempfundenes Einvernehmen darüber, daß die Oder-Neiße-Linie die endgültige Westgrenze Polens sei und die Bundesrepublik auf keinen Fall einen Zugriff auf Atomwaffen erhalten dürfe. Seinen vorläufigen Höhepunkt erreichte das französisch-sowjetische tête-a-tête in den Jahren 1965/66. Vom 25. bis zum 30. April 1965 besuchte der sowjetische Außenminister Gromyko Paris, und in der Zeit vom 20. Juni bis zum 1. Juli 1966 weilte de Gaulle zum ersten Mal wieder seit dem Dezember 1944 in der Sowjetunion. Daß der General zwei Tage vor dem 25. Jahrestag des deutschen Überfalls auf die Sowjetunion in Moskau eintraf, war ebensowenig ein Zufall wie die Wahl der Worte, mit denen der stets in historischen Kategorien denkende General den sowjetischen Fernsehzuschauern erklärte, daß die Visite, die er ihrem Land abstatte, «ein Besuch des ewigen Frankreichs im ewigen Rußland» sei.[11] Das Anliegen seiner Rußland-Politik hatte sich seit den ausgehenden fünfziger Jahren kaum verändert, allenfalls deren Methode. Noch immer ging es vor allem darum, Frankreich wieder in der ersten Reihe der Groß- bzw. Weltmächte zu plazieren und damit als gleichrangigen Partner der Vereinigten Staaten und Großbritanniens zu etablieren.

Es bedarf keiner Phantasie, um sich die Wirkung der französischen Rußland-Politik auf Bonn vorzustellen. Dort, und nicht nur beim greisen Altkanzler Adenauer, tauchte zwangsläufig das alte Gespenst einer engen französisch-russischen Kooperation auf, das immer auch Einkreisungsängste wachgerufen hatte. Das galt sowohl für die französisch-russische Allianz seit 1892/94 als auch für die französische Osteuropa-Politik der Zwischenkriegszeit. Zwar hatte diese zunächst mit dem Aufbau eines «Cordon sanitaire» aus den Staaten Ostmittel- und Südosteuropas einen Ersatz für den ausgefallenen Bündnispartner, ja sogar ein Gegengewicht zum bolschewistischen Rußland gesucht. Doch war die Sowjetunion in Reaktion auf die härtere Gangart der deutschen Außenpolitik seit Anfang der dreißiger Jahre wieder schrittweise in die alte Funktion des französischen Bündnispartners gerückt. Die Aussicht, daß nunmehr, 30 Jahre später, eine dritte Runde französisch-russischer Annäherung bevorstehen könne, war alles andere als erfreulich.

Die außenpolitischen Turbulenzen der Jahre 1963–1966 glichen einer Kettenreaktion. De Gaulles Wendung nach Moskau war aus seiner Sicht eine logische Antwort auf die anglo-amerikanische Europapolitik, aber auch auf die «Entwertung» des Elysée-Vertrages durch die deutsche Präambel. Und je unverhohlener der General mit Moskau kooperierte, desto enger rückte die Bundesrepublik an die Seite der Vormacht USA. De Gaulle zwang Bonn geradezu, sich für Paris oder Washington zu entscheiden, so zum Beispiel bei seinem Staatsbesuch in der Bundesrepublik am 3. und 4. Juli 1964 und erneut auf einer Pressekonferenz, die er knapp drei Wochen darauf, am 23. Juli, in Paris gab. Nicht nur die «Atlantiker» in Bonn um Erhard, Schröder oder auch den Verteidigungsminister Kai-Uwe von Hassel hatten im Grunde keine andere Möglichkeit, als das von de Gaulle geforderte exklusive französisch-deutsche Zweierverhältnis zurückzuweisen, denn eine bewußte Kehrtwendung gegen Amerika konnte sich Bonn nicht erlauben. Sie kam um so weniger in Betracht, da die Bundesrepublik in militärischer Hinsicht nach wie vor von den Vereinigten Staaten und insbesondere vom atomaren Schutzschild der USA abhängig war. Außerdem hatte Washington tatsächlich oder vermeintlich etwas sehr Begehrtes zu bieten, nämlich nukleare Mitsprache. Die Zauberformel hieß «Multilateral Nuclear Force» (MLF).

Seit 1957 war viel über eine multilaterale Atomstreitmacht geredet worden. Zunächst hatte der Oberbefehlshaber der NATO-Streitkräfte in Europa, General Lauris Norstad, die Initiative ergriffen, die freilich in Washington keineswegs unumstritten war. Im Dezember 1959 wurde der erste Entwurf einer multilateralen Atomstreitmacht aus der Taufe gehoben. Fortan durchlief die Idee zahlreiche Stadien der Planung, über die sie freilich nie hinauskommen sollte. Ähnlich wie 20 Jahre später, beim sogenannten NATO-Doppelbeschluß, war die Entscheidung zum Aufbau einer NATO-Atomstreitmacht in Europa eine Antwort auf die sowjetische Aufrüstung im Bereich nuklearer Mittelstreckenraketen; ähnlich wie 1979 war auch 1959 ursprünglich an eine Stationierung amerikanischer Systeme in Westeuropa gedacht. Dieser Plan wurde indessen – und auch das ist mit Blick auf die Situation Ende der siebziger Jahre bemerkenswert – sehr bald fallengelassen, weil man davon ausging, daß der umständliche und gefährliche Transport dieser Raketen auf den Straßen der Bundesrepublik und anderer europäischer Länder der antiamerikanischen Stimmung Vorschub geleistet hätte. Schließlich aber war die multilaterale Atomstreitmacht auch eine Antwort auf die deutsche Forderung nach atomaren Mittelstreckensystemen, die seit Bekanntwerden des «Radford-Plans» beharrlich erhoben wurde.

Aus den genannten Gründen rückte man seit 1960 von der Überlegung einer Stationierung amerikanischer Systeme in Westeuropa ab und verlegte sich auf das Projekt einer Unterseebootflotte unter dem Kommando des NATO-Oberbefehlshabers mit gemischten Besatzungen aus den einzelnen Mitgliedsländern. Nach dem Amtsantritt der Kennedy-Administration wurden jedoch auch diese Pläne erst einmal dilatorisch behandelt. Washington hatte schon deshalb keine Eile, weil die USA zu keinem Zeitpunkt bereit waren, ihren nuklearen Führungsanspruch innerhalb des westlichen Bündnisses mit anderen zu teilen oder gar aufzugeben. Vor allem aber wurde die allgemeine Aufmerksamkeit durch die großen Krisen um Berlin und Kuba auf brennendere Fragen als die Planung für eine allenfalls auf dem Papier stehende U-Boot-Flotte gelenkt.

Das änderte sich um die Jahreswende 1962/63. Die MLF-Geisterflotte, die jetzt in den Verteidigungsministerien erdacht wurde, hatte, bei Lichte besehen, vier Väter, und zwar erstens das britische Eingeständnis, in absehbarer Zeit weder finanziell noch technisch den Aufbau einer nationalen Atomstreitmacht ins Werk setzen zu können, zweitens die französische Opposition gegen die amerikanische NATO- und insbesondere Nuklearpolitik, drittens die Entschlossenheit der Amerikaner, ihre nukleare Vorherrschaft im Atlantischen Bündnis auch in Zukunft festzuschreiben und zugleich ihr «militärisches Protektorat über Europa»[12] bzw. ihre «Atomhegemonie akzeptabel zu machen»,[13] und viertens die Absicht, nicht nur der USA, die nukleare Teilhabe der Bundesrepublik mit einer Politik zu verbinden, die einen nationalen deutschen Zugriff auf Atomwaffen von vornherein ausschloß.

Im Zentrum dieser komplexen Entwicklung stand das Nassauer Treffen des britischen Premierministers Macmillan mit dem amerikanischen Präsidenten Kennedy vom Dezember 1962, bei dem unter anderem die Lieferung amerikanischer «Polaris»-Raketen für die britische U-Boot-Flotte und der Aufbau einer gemeinsamen Atomstreitmacht der NATO vereinbart wurden. Diese Beschlüsse lösten bei Charles de Gaulle heftige Reaktionen aus. Zu ihnen zählte, wie erwähnt, der Versuch, einen exklusiven französisch-deutschen Zweibund als Kernzelle Westeuropas aufzubauen, der allerdings bald als nicht realisierbar aufgegeben werden mußte, und die Idee eines französisch-sowjetischen Kondominiums über Europa, in dem auch eine Antwort auf die Bonner Ablehnung der französisch-deutschen Zweibundpläne zu lesen war. Die unmittelbarste Reaktion de Gaulles auf den Nassau-Affront bildete aber seine Pressekonferenz vom 14. Januar 1963, auf der er, wie gesehen, dem britischen Wunsch nach einem EWG-Beitritt und damit zugleich Kennedys Vision eines «Grand Design» eine Abfuhr erteilte. Denn diese Vorstellung lebte von der Einbeziehung der Insel in den europäischen Einigungsprozeß.

Für Washington avancierte die MLF damit gleichsam über Nacht zu einer unmittelbaren Antwort auf de Gaulles Rundumschlag. Fortan firmierte sie als Ersatz für das gescheiterte «Grand Design». Der amerikanische NATO-Botschafter, Thomas Finletter, wähnte sogar im September

1964, daß mit der Preisgabe der MLF das Ende der westlichen Verteidigung und zugleich der Bemühungen gekommen sein könne, «den Krieg zu verhindern».[14] So rückte die multilaterale Atomstreitmacht in den Mittelpunkt der amerikanischen Außen- und Sicherheitspolitik. Dementsprechend wurden die konkreten Planungen, jedenfalls auf dem Papier, energisch vorangetrieben. Seit dem Herbst 1962 begann das Projekt endgültig Gestalt anzunehmen. An die Stelle der ursprünglich vorgesehenen U-Boote rückte jetzt eine Flotte aus 25 Überwasserschiffen, die mit jeweils acht amerikanischen «Polaris»-Raketen bestückt und von gemischten Besatzungen der meisten NATO-Staaten, mit Ausnahme insbesondere Frankreichs, betrieben werden sollten.

De Gaulles Attacke hatte also die merkwürdige, von ihm gewiß nicht beabsichtigte Konsequenz, daß sich die MLF von einem in erster Linie militärischen in ein höchst politisches Unternehmen wandelte. Engagiert legten sich jetzt amerikanische Diplomaten und Politiker für ein Vorhaben ins Zeug, das sie bis dahin eher lustlos verfolgt hatten. Am 27. Oktober 1963 versprach Außenminister Rusk in Frankfurt seinen Zuhörern, daß die MLF die atlantische Partnerschaft stärken würde, «indem sie die Vereinigten Staaten und Europa durch ein unauflösbares nukleares Band verknüpfte. Die Raketen und Sprengköpfe wären gemeinsamer Besitz und stünden unter gemeinsamer Kontrolle; sie könnten nicht einseitig abgezogen werden.» Die MLF würde «ferner den europäischen Zusammenhalt stärken, indem sie den gegenwärtigen nichtnuklearen Mächten die Gelegenheit böte, sich an dem Besitz, dem Personal und der Kontrolle einer schlagkräftigen Atomstreitmacht auf derselben Grundlage wie andere Mitglieder dieser Streitmacht zu beteiligen.»[15]

Die neue Bundesregierung legte sich relativ rasch auf die MLF fest. Damit setzten sich vorderhand die «Atlantiker» gegen prominente «Gaullisten» wie den Bundestagspräsidenten Eugen Gerstenmaier, Altbundeskanzler Adenauer und Ex-Verteidigungsminister Strauß durch. Sie erfuhren dabei durchaus auch Unterstützung aus den Reihen der oppositionellen SPD und von großen Teilen der Presse, und dafür gab es gute Gründe. War die MLF aus amerikanischer Sicht auch ein Versuch, die Deutschen bei der Stange zu halten und durch ein attraktives Angebot zu verhindern, daß sie den Lockungen de Gaulles nachgaben, so sahen die deutschen Verfechter einer MLF in dem Projekt die Chance, die USA dauerhaft an Europa zu binden. Die amerikanische Präsenz in Europa blieb für Bonn eine Lebensversicherung. Deshalb mußte man das MLF-Angebot annehmen; weitere, gewichtige Argumente kamen hinzu.

Man darf dabei nicht vergessen, daß die MLF zu einer Zeit Gestalt annahm, als die Vereinigten Staaten und mit ihnen die NATO ihre Verteidigung auf das neue strategische Konzept der «Flexible response», der flexiblen Antwort auf eine Aggression des Warschauer Paktes umstellten. Das bedeutete eine Abkehr vom vergleichsweise irreversiblen Automatismus der «Massive retaliation» und stand ganz im Einklang mit den amerikanischen Entspannungsplänen der sechziger Jahre, die durch die Krisen um Berlin und Kuba stark an Attraktivität gewannen. In der Bundesrepublik rief diese neue amerikanische Politik, deren Folgen sich in der Berlin-Krise kraß offenbart hatten und mit dem Bau der Mauer buchstäblich zementiert worden waren, Irritation und Beunruhigung hervor. War «Flexible response» vielleicht nichts anderes als eine elegante Umschreibung für den stillschweigenden Rückzug der Amerikaner aus Europa? Und welche konkreten Folgen würde die Umsetzung dieser Strategie im militärischen Ernstfall für die Bundesrepublik zeitigen?

Wenn man davon ausgehen mußte, daß ein militärischer Konflikt in Europa mit größter Wahrscheinlichkeit auf dem Territorium der Bundesrepublik ausgetragen wurde und daß sich die Vereinigten Staaten bzw. die NATO gemäß der «Flexible response» unter Umständen im Rahmen abgestufter Gegenmaßnahmen auch den Einsatz taktischer Nuklearwaffen bzw. atomarer Mittelstreckenraketen vorbehielten, um den strategischen, interkontinentalen Schlagabtausch zu vermeiden, dann wurde die Mitsprache über den Einsatz des nuklearen Arsenals der NATO für Bonn zu einer lebenswichtigen Sache. Verteidigungsminister Strauß hatte deswegen drei Forderungen vorgebracht, die schon in den fünfziger Jahren von Frankreich für sein Territorium erhoben worden waren. Danach verlangte die Bundesregierung erstens über Art und Lagerung der amerikanischen Nuklearwaffen in Europa informiert zu werden, zweitens eine Garantie, daß diese Waffen nicht gegen den Willen der betroffenen Länder abgezogen werden würden, und drittens ein Mitspracherecht über den Einsatz von jenen Kernwaffen, die auf dem Territorium der Bundesrepublik gelagert waren.

Auf den Punkt gebracht hieß das, wie Strauß am 6. April 1962 vor dem Bundestag ausführte: «Information, Garantie und ein gewisses Mitbestimmungsrecht bei den Spielregeln».[16] Ende Juli 1962 schob der Verteidigungsminister in einem Schreiben an General Norstad noch eine vierte Forderung nach, die der Öffentlichkeit allerdings verschwiegen wurde. Danach hielt Strauß es für absolut notwendig, daß auch «die anderen» NATO-Streitkräfte zwischen der Ostsee und den Alpen über die sogenannten Atom-Minen zur effektiveren Bekämpfung der Panzerwaffe verfügten, über die damals hinter den Kulissen heftig diskutiert, deren Einsatz aber von führenden deutschen Militärs wegen ihrer Wirkung abgelehnt wurde.[17] Die maßgeblichen Kräfte in der Bundesrepublik, die Bundesregierung ebenso wie die SPD, hätten eine gemeinsame Planung der betroffenen NATO-Staaten vorgezogen, die aber unter den damals gegebenen Umständen, auf dem Höhepunkt der Berlin- und dann der Kuba-Krise, nicht zu haben war. In dieser Situation präsentierte sich die MLF aus deutscher Sicht in der Tat als attraktives Angebot.

Daß die multilaterale Atomstreitmacht schließlich scheiterte, lag vor allem am mangelnden Interesse bzw. am Widerstand der meisten europäischen NATO-Partner. Frankreich lehnte die MLF um so vehementer ab, je konkretere Formen sie anzunehmen schien. De Gaulle argwöhnte, daß das Unternehmen die amerikanische Hegemonie auch in Europa fortschreiben werde, und zeigte sich zudem entschlossen, die Bundesrepublik auch in Zukunft von nuklearen Waffen fernzuhalten. Eigene Wege ging auch Großbritannien. So schlug London vor, die MLF durch eine Erweiterung um landgestützte Raketen und Langstreckenbomber stärker den spezifischen englischen Bedürfnissen anzupassen. Andere NATO-Partner zogen sich von der gemeinsamen Atomstreitmacht zurück, so Kanada im Juli 1964 und die Türkei im Januar 1965, und natürlich konnte auch der Verzicht Belgiens auf die Teilnahme an der multinationalen Bemannung des NATO-Versuchsschiffes «Claude Ricketts» im März 1964 als Rückzug verstanden werden. Nicht zuletzt aber wurden die Vorbehalte auch in dem Land größer, für das die MLF ursprünglich und vor allem gedacht war. In der Bundesrepublik machte sich jetzt mancher Beobachter die Argumente des amerikanischen MLF-Kritikers Henry Kissinger zu eigen und stellte fest, daß die multilaterale Atomstreitmacht im Kern nichts anderes sei als die Sicherung der amerikanischen Vormachtstellung mit neuen Mitteln und überdies der Versuch, die Deutschen ruhigzustellen und bei der Stange zu halten. Für diese Vermutung sprach, daß Bonn auffallend geringen Anteil an den Planungen hatte. Schließlich erlahmte auch in Washington der MLF-Enthusiasmus. Dort wie in Moskau gewann mit der Zahl der Atommächte, denen sich 1964 als letzte China zugesellte, die Nichtverbreitung nuklearen Materials und insbesondere atomarer Waffen Priorität, und damit war ein Projekt wie die MLF schlechterdings nicht vereinbar.

Um das Gesicht zu wahren, wurde zwar noch eine Weile offiziell über die multilaterale Atomstreitmacht verhandelt, tatsächlich aber war der ganze Plan Ende 1965 erledigt. Indessen konnte der Wunsch nach einer nuklearen Teilhabe oder doch zumindest einem gewissen Mitspracherecht der Nicht-Nuklearmächte kaum mehr aus der Welt geschafft werden. Seit dem Herbst 1965 wurde darüber in mehreren Arbeitsgruppen der Atlantischen Allianz gesprochen. Am 14. Dezember 1966 setzte man zwei nukleare Planungsgremien ein, das «Nuclear Defense Affairs Committee» (NDAC) und die – wichtigere – «Nukleare Planungsgruppe» (NPG) der NATO. Letzterer gehörte als ständiges Mitglied neben den USA, Großbritannien und Italien auch die Bundesrepublik an; Frankreich blieb beiden Gremien fern und bekräftigte damit sowohl seinen Entschluß zum Aufbau einer nationalen Atomstreitmacht als auch seinen inzwischen erfolgten Ausstieg aus der militärisch integrierten Struktur der NATO. Die nukleare Planungsgruppe hatte die Aufgabe, Richtlinien und Kompetenzen des Bündnisses für den Einsatz von Atomwaffen zu erarbeiten, Mechanismen und Verfahren für die Konsultation der NATO-Partner auf diesem Gebiet zu entwickeln oder auch über die Modernisierung der entsprechenden Waffensysteme zu beraten.

Aber selbst diese nukleare Partizipation ihrer Partner sagte noch nichts darüber, wie sich die Vereinigten Staaten in einer extremen Krisensituation verhalten würden, wenn es darum ging, Entscheidungen in wenigen Minuten zu treffen. Die Kuba-Krise war noch in wenig angenehmer Erinnerung. Zudem konnte auch die Installierung nuklearer Planungsgremien innerhalb der NATO nicht darüber hinwegtäuschen, daß die USA eine Verständigung mit der Sowjetunion auf dem Gebiet der atomaren Rüstung favorisierten, wenn nötig auch auf Kosten von NATO-Interessen. Das mußte vor allem die sicherheitspolitisch nach wie vor besonders exponierte Bundesrepublik tangieren. In Ermangelung einer Alternative hielt Bonn trotz aller Verstimmung über die amerikanische Nuklearpolitik geradezu eisern an der Rolle des transatlantischen Musterknaben fest und ging auch dann noch auf die kompromißlos vorgetragenen amerikanischen Wünsche und Forderungen ein, wenn die politische Schmerzgrenze überschritten wurde. Aber die Führung der Vereinigten Staaten wurde in diesen Monaten von einem Problem beherrscht, das sich ganz und gar in den Vordergrund der weltpolitischen Entwicklung schob, insbesondere die amerikanischen Energien zusehends band und damit auch die Partner der USA in seinen Bannkreis zog: Vietnam war für Washington zum Testfall dafür geworden, wie die verbündeten Europäer ihre Dankbarkeit für die amerikanische Sicherheitsgarantie unter Beweis stellten.

Die Frage, wie es zu diesem Desaster der amerikanischen Außenpolitik kommen konnte, läßt sich selbst heute nur schwer beantworten. Die Anfänge gingen in die Zeit der Eisenhower-Administration zurück. Der Sieg des Vietminh über die Franzosen hatte die USA in ihrer Überzeugung bestätigt, daß der Kommunismus – gerade in der Dritten Welt – unaufhaltsam vordrang. Damit war der eigentliche Anlaß für die Formulierung der sogenannten Domino-Theorie gegeben. Danach galt es zu verhindern, daß – wie in einer Reihe von Domino-Steinen – durch den Fall eines Elementes die ganze Kette in Bewegung geriet und schließlich als System kollabierte. Solche Gefahr war in Vietnam im Verzug. Aus dem Kampf einzelner Guerillagruppen gegen das südvietnamesische Regime entwickelte sich seit 1960 ein offener Krieg zwischen Nord- und Südvietnam. Im Dezember dieses Jahres war die «Front National de Libération du Vietnam-Sud» (FNL) gegründet worden, für die sich rasch der Name der führenden kommunistischen Gruppierung einbürgerte: «Vietcong». Nicht von ungefähr stand bei der Namensgebung der «Nationalen Befreiungsfront» Vietnams die algerische «Nationale Befreiungsarmee» Pate. Der Sturz des Saigoner Regimes zählte zu den erklärten Zielen des Vietcong.

Am Potomac reifte angesichts dieser bedrohlichen Entwicklung der Entschluß, den Süden des auf der Genfer Indochina-Konferenz geteilten Landes als Bollwerk gegen den Kommunismus auszubauen, um im ostasiatisch-pazifischen Raum der befürchteten Kettenreaktion vorzubeugen.

Dieser Strategie wurden alle anderen Aspekte nachgeordnet, auch die Bedenken einiger Skeptiker, die zu Recht fragten, wie es denn mit dem amerikanischen Selbstverständnis vereinbar sei, daß man im Zuge dieser Stabilisierungspolitik auch die autoritären und feudalen Herrschaftsstrukturen Südvietnams festigen half. Nachdem die USA zunächst ohne große Skrupel mit dem korrupten Regime von Ngo Dinh Diem zusammengearbeitet hatten, unterstützten sie später eine Gruppe oppositioneller südvietnamesischer Generäle in ihrem Vorhaben, Diem zu stürzen. Nach dem Staatsstreich vom 1. November 1963 und der Ermordung Diems hatte Washington kaum mehr eine Wahl, als der neuen Offiziersjunta unter Nguyen Van Thieu unter die Arme zu greifen, zunächst durch die weitgehende Finanzierung des südvietnamesischen Staatshaushaltes, dann durch die Entsendung einer zunehmenden Zahl von «Beratern». Es dauerte nicht lange, bis militärische Operationen, wie Luftbombardements, und schließlich, seit dem März 1965, der Einsatz von amerikanischen Bodentruppen folgten.

Wegen dieses schrittweisen Hineingleitens in den Krieg ist der eigentliche Anfang des amerikanischen militärischen Engagements in Vietnam nicht eindeutig zu bestimmen. Fest steht, daß es schon in der Amtszeit Kennedys sprunghaft zunahm. Vor allem aber fiel damals die grundsätzliche Entscheidung, direkt in Vietnam zu intervenieren, und nicht indirekt über Laos oder Kambodscha. Solche Überlegungen waren angestellt worden, weil Hanoi seit 1959 dazu übergegangen war, seine neutralen Nachbarn als Aufmarschgebiete für den Guerillakrieg zu benutzen. Zu diesem Zweck hatte der Vietcong den südlichen Zipfel von Laos faktisch annektiert. 1962 entschied sich Kennedy, abgesehen von der vorübergehenden Stationierung eines Marineinfanteriekorps in Thailand, endgültig gegen eine Intervention in Laos: Angesichts der sich zuspitzenden Krisen um Berlin und Kuba war der Präsident nicht bereit, Krieg in einem Land zu riskieren, von dem die wenigsten Amerikaner je etwas gehört hatten und das überdies direkt an die Volksrepublik China grenzte.

Zu einer ähnlich eindeutigen Entscheidung für eine konsequente Kriegführung in Vietnam konnte man sich allerdings nicht durchringen. Amerika war nicht gewillt, «sich der unangenehmen Tatsache zu stellen, daß es letztlich nur die Wahl hatte zwischen einem umfassenden Engagement oder einem Rückzug» und «daß eine stufenweise Eskalation die gefährlichste Option von allen darstellte». Der Weg der USA «in den vietnamesischen Sumpf»[18] begann im Mai 1961 mit einer Mission von Vizepräsident Johnson nach Saigon, gefolgt von Visiten führender Militärs und Diplomaten und einer beschleunigten Aufstockung der Zahl von Militärberatern. Zwar kündigte der Präsident – es war nur wenige Wochen vor seiner Ermordung – am 2. Oktober 1963 öffentlich an, bis Jahresende 1 000 Ausbilder aus Vietnam abziehen zu wollen,[19] doch geschah das offenkundig auch in der Absicht, Druck auf das reformunwillige Regime

Diem auszuüben. Vor allem aber hatte sich zwischen 1961 und Ende 1963 die Zahl der amerikanischen «Berater» in Vietnam von fast 900 auf mehr als 16 000 erhöht. Damit waren die Vereinigten Staaten bereits erheblich in die Auseinandersetzungen verwickelt.

Als Lyndon B. Johnson am 22. November 1963 das Amt seines ermordeten Vorgängers übernahm, sah er sich angesichts der unabweisbaren Erfolge des Vietcong alsbald vor die Alternative gestellt, entweder Südvietnam seinem Schicksal zu überlassen und damit möglicherweise die befürchtete Domino-Reaktion auszulösen oder aber eine Machtübernahme durch den kommunistischen Norden mit einem unverhüllten militärischen Engagement der USA zu verhindern. Dafür bedurfte es erstens eines Anlasses und zweitens der Legitimation. Zum Anlaß wurden Meldungen von Angriffen nordvietnamesischer Torpedoboote auf den amerikanischen Zerstörer «Maddox» am 2. und 4. August 1964 im Golf von Tonkin, wo das Schiff auf einer Routinepatrouille unterwegs gewesen war. Den Attacken haftete von Anfang an etwas Mysteriöses an. Anders als der erste wurde der zweite Angriff auch nach dem Kalten Krieg von vietnamesischen Militärs entschieden bestritten.[20] Jedenfalls verschaffte der Vorfall Johnson den wirksamen Vorwand für die Legitimation weitreichender militärischer Maßnahmen. Am 7. August 1964 verabschiedeten sowohl der Senat als auch das Repräsentantenhaus, letzteres ohne Gegenstimme, die sogenannte Tonkin-Resolution. Darin ermächtigten sie den Präsidenten, «alle notwendigen Maßnahmen zu treffen, um jedweden bewaffneten Angriff gegen die Streitkräfte der USA zurückzuschlagen und weitere Aggressionen zu verhindern».[21] Das kam unter den gegebenen Umständen einer Kriegserklärung gleich, wenn diese auch durch die USA nie förmlich ausgesprochen worden ist. Erst 1971 wurde durch die Publikation der sogenannten Pentagon-Papiere bekannt, daß Johnson den Text der Resolution schon Wochen vor dem Zwischenfall im Golf von Tonkin hatte vorbereiten lassen.

Die politischen Entscheidungen waren eine Sache, die militärischen Konsequenzen eine andere. Das Debakel der französischen Indochina-Armee hätte eigentlich zu der Erkenntnis führen müssen, zu der damals bereits einige Vertreter der amerikanischen Generalität gelangten, daß Nordvietnam nur durch einen entschieden geführten Krieg mit vollem Einsatz von bis zu einer Million Soldaten militärisch hätte besiegt werden können. Davor aber scheute Johnson nicht zuletzt mit Blick auf die amerikanische Öffentlichkeit zurück. Statt dessen ließ er sich durch den Gang der Ereignisse auf dem nordvietnamesischen Kriegsschauplatz Schritt für Schritt und unter immer größeren Verlusten in einen letztendlich aussichtslosen Guerillakrieg hineinziehen. Am 8. März 1965 gingen die ersten amerikanischen Bodentruppen, 3 500 Marine-Infanteristen, in Da Nang an Land. 1966 standen fast 400 000 amerikanische Soldaten in Vietnam, Anfang 1969 waren es schließlich 543 000. Dabei war Vietnam keineswegs das einzige Land, welches die USA mit Hilfe eigener Truppen gegen eine vollständige Machtübernahme der Kommunisten zu wappnen suchten. Inwischen waren die Vereinigten Staaten durch Luftangriffe gegen die Stellungen der Kommunisten und durch den Einsatz von Bodentruppen auch in Laos engagiert. Allerdings nahmen diese Maßnahmen nie annähernd das Ausmaß der Operationen in Vietnam an.

Anfänglich war die Mehrzahl der Amerikaner davon überzeugt, daß ihr Land sich für eine gute Sache engagiere. Hatten nicht die Entwicklungen in Europa, wie zuletzt die Niederschlagung des Aufstandes in Ungarn oder die Krise um Berlin, hatten nicht auch die Entwicklung in Korea oder die Kuba-Krise gezeigt, daß der Kommunismus tatsächlich expansiv und gefährlich war? War es nicht plausibel, daß man einem von ihm bedrängten kleinen Land zu Hilfe kommen mußte, zumal dieses in einer für die globalen amerikanischen Interessen vermeintlich wichtigen Region um sein Überleben kämpfte?

Diese Fragen wurden in den frühen sechziger Jahren auch von den meisten Verbündeten der USA bejaht. Auf offene Ohren traf die amerikanische Argumentation in der Bundesrepublik, weil sich diese – und vor allem West-Berlin – in einer Situation befand, die derjenigen Südvietnams nicht unähnlich war. Insoweit bildeten die vietnamesische wie die Deutsche Frage Testfälle für die Entschlossenheit des Westens, sich aktiv für die Behauptung von Freiheit und Unabhängigkeit einzusetzen. Schon deshalb hatten die Bundesregierungen der sechziger und frühen siebziger Jahre eigentlich keine andere Wahl, als die Vietnam-Politik der Vereinigten Staaten öffentlich zu unterstützen, und das selbst noch zu einem Zeitpunkt, als der Krieg in der westlichen Welt, auch in der amerikanischen und der deutschen Öffentlichkeit, äußerst unpopulär geworden war.

Diese Rückendeckung für die amerikanische Außen-, Sicherheits- und vor allem auch Vietnam-Politik war um so wichtiger, als andere Partner im westlichen Bündnis sie nicht nur verweigerten, sondern die Politik der USA sogar scharf kritisierten. Insbesondere de Gaulle betrieb eine aus dieser Sicht höchst bedenkliche Asien-Politik. Nachdem Frankreich schon am 27. Januar 1964 die Volksrepublik China anerkannt hatte, ging der General anderthalb Jahre später soweit, nach Kambodscha zu reisen, am 1. September 1966 in der Hauptstadt Phnom Penh die amerikanische Politik und Kriegführung in Südostasien offen anzugreifen, den Rückzug der amerikanischen Truppen zu fordern und sich damit die Bedingungen Nordvietnams für einen Friedensschluß zu eigen zu machen.[22] Mehrere Motive haben den General zu dieser spektakulären Aktion bewogen. Vordergründig setzte er mit der Reise und seiner Rede die konsequente Politik einer Distanzierung von der NATO und insbesondere von den Vereinigten Staaten fort, die kurz zuvor mit dem Rückzug Frankreichs aus der militärisch integrierten Struktur der Atlantischen Allianz ihren vorläufigen Höhepunkt gefunden hatte. Aber damit allein läßt sich der sensationelle Auftritt nicht erklären.

Vielmehr spekulierte de Gaulle auch auf eine Stärkung der französischen Position in der Dritten Welt. Hier bot sich eine günstige Gelegenheit, das Odium des brutalen Kolonialherrn loszuwerden, das Paris – nicht unbegründet – seit den Krisen und Kriegen in Vietnam, Algerien, Ägypten oder auch im Kongo anhing, und statt dessen die USA, deren Kriegführung in Vietnam auch in der Dritten Welt zusehends unpopulär wurde, in die Rolle des eigentlichen Gegners der jungen Völker zu manövrieren. Schließlich sollten «alte Rechnungen mit den Amerikanern beglichen werden», wie Willy Brandt zutreffend festgestellt hat.[23] Denn selbstverständlich hatte de Gaulle, obgleich damals ohne politisches Amt, nicht vergessen, daß die Vereinigten Staaten zwar die französische Kriegführung in Vietnam im wesentlichen finanziert, aber Paris in der dramatischen Situation des Jahres 1954 die direkte militärische Entlastung versagt hatten.

Angesichts dieser Haltung Frankreichs und der Tatsache, daß ein anderer wichtiger Bündnispartner, nämlich Großbritannien, in der Zeit der «Labour»-Regierung unter Harold Wilson in den Jahren 1964 bis 1970 auf Distanz zur amerikanischen Politik und Kriegführung in Vietnam ging, wurde die Bonner Unterstützung für Washington immer wichtiger. Mit Ausnahme einer direkten Militärhilfe, wie sie die pazifischen Partner der USA – Australien, Südkorea und Neuseeland – in unterschiedlich starkem Maße leisteten, erhielt Washington von Bonn Unterstützung auf fast allen Gebieten, auch auf solchen, auf denen die Bundesrepublik bis an den Rand ihrer Leistungsfähigkeit gehen mußte – und gelegentlich darüber hinaus.

Das zeigte sich zunächst bei den leidigen Verhandlungen der sogenannten «Offset»-Abkommen über den Ausgleich für die Devisenverluste in der Zahlungsbilanz der USA, die durch die Stationierung amerikanischer Streitkräfte und ihrer Angehörigen in der Bundesrepublik entstanden. In den Kalenderjahren 1961 und 1962 beliefen sich die amerikanischen Aufwendungen für das Militär in Deutschland auf immerhin 1 375 000 000 US-Dollar.[24] Nicht vor dem 14. November 1964 konnte ein entsprechender Vertrag unterzeichnet werden, der das erste Ausgleichsabkommen vom 24. Oktober 1960 ersetzte. Für die Bundesrepublik warf der Vertrag langfristig mehr Probleme auf als er löste. So wurde nicht ausreichend in Rechnung gestellt, daß die Vereinbarungen die Bundeswehr von amerikanischer Ausrüstung «abhängig» machten,[25] da die deutschen Schulden in der Regel durch Waffenkäufe in den USA beglichen wurden. Zu allem Überfluß kam ausgerechnet das gewichtigste Projekt dieser Art nicht aus den Schlagzeilen: Im März 1959 hatte sich die Bundesregierung, ähnlich wie die Niederlande, Belgien und Italien – und im übrigen mit Zustimmung der Opposition im Bundestag –, zu einem kombinierten Entwicklungs- und Lizenzbauvertrag für das amerikanische Kampfflugzeug «F 104», den «Starfighter», entschieden. Zwei Jahre später stürzte die erste «F 104» der Luftwaffe ab, 1965 gingen insgesamt 27 Maschinen dieses Typs verloren, wobei 17 Piloten ums Leben kamen.[26]

Schließlich aber ging man bei den Ausgleichsverhandlungen davon aus, daß die Konjunktur weiter stabil bleiben werde. Das war ein Irrtum. 1966/67 wurde die Bundesrepublik von einer Rezession erfaßt. Dabei handelte es sich vor allem um ein psychologisches Phänomen. Von einem schweren Einbruch der Konjunktur konnte kaum die Rede sein. Doch steckten den Deutschen die Erfahrungen der Weltwirtschaftskrise des Jahres 1929 und der Nachkriegszeit noch tief in den Knochen. Nach langen Jahren des Wachstums erschien ihnen der Einbruch weit schwerer, als er tatsächlich war. Außerdem stellten sich die Verlangsamung der Konjunktur und das wachsende Haushaltsdefizit ausgerechnet in der Regierungszeit jenes Kanzlers ein, dessen Name für das deutsche «Wirtschaftswunder» bürgte.

Unter solchen Vorzeichen mußten sich die Amerika-Reisen führender deutscher Politiker im Jahre 1966 wie Canossagänge ausnehmen. Das gilt vor allem für den Besuch des Bundeskanzlers Erhard am 26. und 27. September. Auf der Tagesordnung der Gespräche mit Präsident Johnson und Verteidigungsminister McNamara standen neben der Frage der nuklearen Mitsprache der Bundesrepublik der Devisenausgleich und die deutschen Waffenkäufe in den USA. In keinem dieser Punkte konnte Einigkeit erzielt werden, da die Amerikaner, auch Johnson, hart blieben. Eigentlich hatte Johnson ein recht gutes Verhältnis zu Erhard; allerdings standen am 8. November Kongreßwahlen an, und die amerikanische Zahlungsbilanz war vor allem wegen des Krieges in Vietnam alles andere als ausgeglichen. Rücksichtnahme auf Freunde und Verbündete war da nicht möglich und auch nicht nötig, wenn es sich bei diesen um Partner handelte, die von den USA abhängig waren und das auch wußten.

Als der Kanzler nach Washington reiste, nahm er die nicht unbegründete Sorge mit, daß sich die Amerikaner wegen des Vietnam-Krieges und ihrer miserablen Zahlungsbilanz genötigt sehen könnten, ihre militärische Präsenz in Europa erheblich zu reduzieren. Für diese trübe Aussicht sprach einiges, und das stärkte nicht gerade die deutsche Verhandlungsposition. So wurden 1966 insgesamt 15 000 US-Soldaten aus Europa abgezogen, und erst wenige Wochen vor Erhards Reise, Ende August, hatte der Fraktionsführer der Demokraten im amerikanischen Senat eine noch drastischere Reduktion der amerikanischen Truppen in Europa gefordert, ohne, wie das sonst üblich war, im gleichen Atemzug einen Abbau der sowjetischen Überlegenheit als Vorbedingung für den Abzug zu nennen. Das war schon deshalb bedenklich, weil solche Gedankenspiele im Zusammenhang mit der neuen Doktrin der «Flexible response» gesehen werden mußten. Das ließ nur einen Schluß zu: Die Wahrscheinlichkeit, ja die Gefahr eines begrenzten militärischen Konfliktes in Europa ohne amerikanisches Eingreifen erhöhte sich proportional zum Abbau amerikanischer Streitkräfte.

So mußte der Kanzler also die Rückreise nach Bonn nicht nur ohne greifbares Ergebnis antreten, vielmehr hatten ihm seine Gesprächspartner unmißverständlich vor Augen geführt, wer am längeren Hebel und wer zwischen allen Stühlen saß. Denn angesichts der Forderungen und Eskapaden de Gaulles hatte Bonn kaum die Möglichkeit, auf die französische Karte zu setzen. Immerhin erklärte sich die Bundesrepublik am 1. Dezember 1964 nach einjährigem Zögern bereit, auf den französischen Wunsch nach einer Harmonisierung der Getreidepreise für den Gemeinsamen Markt einzugehen; damit machte sie den Weg für einen entsprechenden Beschluß der EWG am 15. Dezember frei. Das bedeutete eine nicht unbeträchtliche Konzession an de Gaulle und die französischen Landwirte, deren Stimmen der General bei der bevorstehenden Präsidentenwahl Ende 1965 brauchte. Doch trog die Hoffnung Erhards, den französischen Staatspräsidenten solchermaßen in anderen Fragen entgegenkommender zu stimmen. De Gaulle blieb bei seiner ablehnenden Haltung gegenüber einer neuen Verhandlungsrunde über eine «Europäische Politische Union», die der Bundeskanzler am 4. November 1964 angeregt hatte, um der seit der Diskussion über die «Fouchet-Pläne» stagnierenden Entwicklung wieder Leben einzuhauchen; er machte Fortschritte in dieser Frage nunmehr von einer Lösung der Finanzierungsfrage für den sogenannten Ausgleichsfonds abhängig.

In dieser Situation ergriff Walter Hallstein, ehemaliger Staatssekretär im Bonner Auswärtigen Amt und seit 1958 Präsident der Kommission der EWG, die Initiative, um eine umfassende Lösung des Finanzproblems herbeizuführen und auf diese Weise die Kommission gegenüber den einzelnen EWG-Mitgliedern und ihren immer wieder kollidierenden partikularen Interessen zu stärken. Der Vorschlag zielte in erster Linie auf ein eigenes Einkommen für die Kommission, und zwar durch eine direkte Überweisung der Stufenzölle der EWG-Staaten in die Brüsseler Kasse. Auf diese Weise hätte man den Agrarmarkt wie die Wirtschaftspolitik der Kommission insgesamt weitgehend aus eigenen Mitteln finanzieren können. Die Kontrolle sollte bei der Gemeinsamen Versammlung, dem Parlament der drei Gemeinschaften, liegen. Natürlich wäre die EWG-Kommission dadurch in eine supranationale Autorität mit erheblichen, keineswegs nur wirtschaftlichen Vollmachten umgewandelt worden. Vermutlich ging Hallstein, als er im März 1965 mit diesem Vorschlag an die Öffentlichkeit trat, davon aus, daß Bonns Zugeständnis in der Frage eines gemeinsamen Getreidemarktes de Gaulle friedlich gestimmt und für derartige Ideen empfänglich gemacht habe. Das sollte sich als gewaltiger Irrtum erweisen.

Nicht nur in Frankreich, sondern auch in der Bundesrepublik, und dort namentlich beim Außenminister, traf die Hallstein-Initiative auf nachhaltigen Widerstand. So wenig de Gaulle und seine Anhänger in der Bundesrepublik einerseits und die «Atlantiker» um Schröder andererseits auch sonst politisch gemeinsam haben mochten, so waren sie sich doch einig, daß in der wichtigen Zollfrage keine weiteren nationalen Befugnisse an die Kommission abgegeben werden durften. Allerdings hielt sich Schröder mit seiner Skepsis in der Öffentlichkeit schon deshalb zurück, weil er der ohnehin schwer angeschlagenen EWG nicht noch weiteren Schaden zufügen wollte. Anders de Gaulle, der seine europäischen Partner einmal mehr mit einer spektakulären Aktion vor den Kopf stieß: Am 6. Juli 1965 zog Frankreich seine Repräsentanten aus dem Ministerrat der EWG zurück und blockierte damit zugleich die Planungen für ihren weiteren Ausbau. Anlaß war eine Ministerratssitzung, welche am 28. Juni begonnen hatte und die bis dahin provisorische Agrarmarktfinanzierung durch eine endgültige ersetzen sollte, sich dann aber wegen des französischen Rückzugs ohne Ergebnis vertagen mußte. Das war de Gaulles Antwort an Walter Hallstein. Mit ihr nahm jenes kurze Kapitel französischer Außenpolitik seinen Anfang, das als die Politik des «leeren Stuhls» in die Geschichte eingegangen ist.

Welche Ziele mochte der General mit dieser Politik verfolgen? Sicher ging es ihm nicht um eine Zerstörung oder auch nur um eine nachhaltige Schwächung der europäischen Gemeinschaften. Wohl aber peilte er eine deutliche Aufwertung des französischen Gewichts an. Der Zeitpunkt war insofern günstig gewählt, als namentlich die Bundesrepublik nicht gerade in der besten Verfassung war. Nicht zufällig erreichte ja auch de Gaulles Rußland-Diplomatie in eben dieser Zeit ihren vorläufigen Höhepunkt. Das Pariser Selbstbewußtsein fand seinen Niederschlag in den drei Bedingungen, deren Erfüllung der General zur Voraussetzung für Frankreichs Rückkehr auf seinen europäischen Stuhl machte. Abgesehen von der Sicherung der Agrarmarktfinanzierung und dem Verzicht der Kommission auf alle weiteren Versuche, sich als unabhängige Finanzmacht zu etablieren, forderte er vor allem Einstimmigkeit bei den Beschlüssen des Ministerrats, also den Verzicht auf die Mehrheitsentscheidung, die gemäß EWG-Vertrag mit dem Übergang zur nächsten Stufe des Gemeinsamen Agrarmarktes zum 1. Januar 1966 in bestimmten Bereichen hätte eingeführt werden sollen. De Gaulle ging es also um nichts anderes als um die Beibehaltung des französischen Vetorechts. Vor allem Deutsche und Holländer wehrten sich eine Zeitlang hartnäckig gegen eine Änderung des Fahrplans.

Am Ende des Tauziehens stand ein Beschluß, von dem niemand so recht wußte, wie man ihn in die Tat umsetzen sollte. Im sogenannten Luxemburger Kompromiß, Ergebnis der Ministerratstagung vom 17. und 18. Januar 1966, verzichtete Frankreich auf das Vetorecht. Im Gegenzug sagten die Vertreter der Bundesrepublik, Italiens und der drei Benelux-Staaten zu, in Zukunft das Prinzip der Mehrheitsentscheidung vorsichtiger handhaben zu wollen, und erklärten sich bereit, von der Überstimmung eines Mitgliedes dann absehen zu wollen, wenn es um eine aus dessen Sicht vitale Frage ging. Mit der Einführung dieses Konsensprinzips, das dann gleichsam durch die Hintertür eben doch die Veto-Praxis institutionalisierte, nahm Frankreich am 28. Februar seinen Sitz wieder ein.

Radikaler operierte de Gaulle gegenüber der NATO. Nachdem Frankreich bereits 1959 damit begonnen hatte, sich aus der Allianz zu lösen, indem es zunächst seine Mittelmeerflotte, später seine Atlantikflotte dem NATO-Oberbefehl entzog und sich auch nur noch eingeschränkt an der gemeinsamen Luftverteidigung beteiligte, kündigte der General am 7. März 1966 den Rückzug Frankreichs aus der integrierten Kommandostruktur der Atlantischen Gemeinschaft an[27] und gab dafür drei Wochen später den 1. Juli als Stichtag bekannt. Danach hatte die NATO ihr Hauptquartier und ihre Stützpunkte in Frankreich zu räumen. Nach den Motiven mußte man nicht lange suchen. Für de Gaulle war die Blockbildung ein überholtes weltpolitisches Modell: Die Kuba-Krise hatte den Beweis geliefert, daß sich die Supermächte gegenseitig neutralisierten. Das sorgte für Spielraum. Abermals versuchte de Gaulle deshalb jetzt, Frankreichs Bedeutung für die internationale Politik mit einem Paukenschlag zu betonen und die Nation durch diesen letzten großen Schritt endlich zu jener ersehnten Gleichrangigkeit zu führen, die sich durch keine der bislang angewandten Maßnahmen hatte erzwingen lassen. Nicht länger wollte sich de Gaulle der amerikanischen Hegemonie beugen.

Hinter dieser übergeordneten Zielsetzung verbarg sich eine zweite, sehr pragmatische Überlegung. De Gaulle wollte sich nicht durch NATO-Gremien vor vollendete Tatsachen stellen lassen, sondern selbst darüber entscheiden, ob künftige militärische Operationen der Sowjets und ihrer Verbündeten als Angriff zu werten seien oder nicht. Schon gar nicht war der General gewillt, sein Land über den südostasiatischen Krieg in einen eventuellen europäischen Konflikt hineinziehen zu lassen: Konnte man ausschließen, daß es in Reaktion auf das Vorgehen der Amerikaner in Vietnam zu einer «begrenzten» sowjetischen Antwort in Europa kommen würde? Der General wußte, wovon er sprach. Immerhin hatte die ursprüngliche Fassung des NATO-Vertrages in Artikel 6 ausdrücklich einen Angriff «auf die algerischen Départements Frankreichs»[28] als Bündnis-, also Beistandsfall definiert. Mit dem Rückzug Frankreichs aus Algerien verlor die NATO im übrigen für Paris zusätzlich an unmittelbarer Bedeutung.

Schließlich lief Frankreich mit seiner Entscheidung, aus der militärischen Integration der NATO auszutreten, kein besonders hohes Risiko. Einmal blieb es ja in der politischen Organisation präsent, nahm also auch durch seinen Präsidenten an den Gipfeltreffen der Atlantischen Allianz teil. Da dort das Prinzip der Seniorität galt, kam nicht selten der französische Staatspräsident als erster zu Wort. Vor allem aber konnte man sich in Paris in der Gewißheit wiegen, daß Frankreich in seinem voll in die NATO integrierten östlichen Nachbarn gleichsam eine moderne Version des «Cordon sanitaire» besaß, der schon deswegen als ungewöhnlich stabil gelten durfte, weil auf bundesdeutschem Boden in erheblichem Umfang amerikanische Truppen stationiert waren und damit der gesamte Raum durch den nuklearen Schild der Vereinigten Staaten geschützt blieb.

Allerdings stellte sich nach dem Rückzug Frankreichs aus der militärisch integrierten Struktur der NATO die Frage, was mit dem in der Bundesrepublik stationierten Zweiten Armeekorps geschehen solle, das 1966 als einziges noch dem NATO-Oberbefehl unterstand. Die entsprechenden deutsch-französischen Verhandlungen, in denen auf beiden Seiten hoch gepokert wurde, konnten erst am 21. Dezember 1966 durch eine Regierungsvereinbarung über das Stationierungsrecht der französischen Einheiten abgeschlossen werden. Während der Gespräche hatte manchen Beobachter gelegentlich das Gefühl beschlichen, daß die Franzosen im Zuge ihrer weltpolitischen Großaktion in den Jahren 1965/66 auch den Versuch machten, sich gleichsam durch die Hintertür wieder als Besatzungsmacht in Deutschland zu etablieren. Wenn es für Bonn eine Lehre aus dieser Politik zu ziehen galt, dann war es die schmerzliche Erkenntnis, daß sie sich ausschließlich an einem Interesse orientierte: dem französischen. Eine wirkliche Alternative stand indessen nicht zur Verfügung. Das Blatt der deutsch-amerikanischen Kooperation war längst ausgereizt. Was also lag in dieser Situation näher, als nach neuen Wegen – oder richtiger Auswegen – zu suchen, um sich aus jener unkomfortablen Lage zu befreien, die das Sitzen zwischen allen Stühlen nun einmal bedeutet?

Diese neuen Wege wiesen nach Osten. Willy Brandt hat später betont, daß «das, was man Ostpolitik genannt hat, nicht erst 1966 erfunden» worden ist. Allerdings blieb die Bonner Politik zur Zeit der Regierung Erhard eine Politik der «kleinen Schritte»,[29] also mühsam. Brandt selbst hatte als Regierender Bürgermeister von Berlin einige jener «kleinen Schritte» getan, die allerdings den betroffenen Menschen große Erleichterungen brachten und deshalb auch von einigen Mitgliedern des Bundeskabinetts unterstützt wurden, so vom Minister für Gesamtdeutsche Fragen, Erich Mende, oder auch, mit einigen Vorbehalten, von Außenminister Schröder: Am 17. Dezember 1963 konnte das erste sogenannte Passierscheinabkommen unterzeichnet werden, das für die Zeit vom 19. Dezember 1963 bis zum 5. Januar 1964 Gültigkeit besaß. Anschließend konnten dann noch drei weitere Abkommen für insgesamt vier Termine, zwischen Oktober 1964 und Juni 1966, unter Dach und Fach gebracht werden. Danach wurde die Sache den Machthabern in Ost-Berlin zu brisant, und erst 1971/72 führte das Viermächte-Abkommen zu einer definitiven Regelung.

Natürlich waren diese deutsch-deutschen Absprachen höchst problematisch. Einerseits konnte niemand ernsthaft etwas gegen menschliche Erleichterungen einwenden. Andererseits wollte auch niemand, schon gar nicht Willy Brandt, einer Anerkennung des SED-Regimes Vorschub leisten. Denn nach wie vor galten Wiedervereinigungsgebot und Alleinvertretungsanspruch der Mehrzahl der Deutschen als verbindlich. Zwar war die «Hallstein-Doktrin» schon in der ausgehenden Ära Adenauer durch die Aufnahme handelspolitischer Beziehungen mit einigen Staaten des

Warschauer Paktes zaghaft unterlaufen worden, doch sie bildete immer noch die offiziell verbindliche Maxime bundesdeutscher Ostpolitik. An eine unabhängige Bonner Ostpolitik war ohnehin nicht zu denken.

Die von Außenminister Schröder vorangetriebene Handelspolitik gegenüber Polen, Rumänien, Ungarn und Bulgarien in den Jahren 1963/64 war deshalb erfolgreich, weil sie in das Konzept der Westmächte paßte. Sie harmonierte nicht nur mit deren entspannungspolitischen Bemühungen, sondern sie war darüber hinaus geeignet, Erosionstendenzen im Ostblock und damit einer wirksamen Isolierung der DDR Vorschub zu leisten: Immerhin war das Passierscheinangebot am 5. Dezember 1963 aus Ost-Berlin gekommen und mithin auch als Reaktion auf die zwischen März und November 1963 abgeschlossenen Handelsverträge Bonns mit Warschau, Bukarest und Budapest interpretierbar. Anders sah es freilich aus, wenn die Bundesrepublik ostpolitische Gehversuche unternahm, die auch nur potentiell mit westlichen Interessen kollidierten. Das hatte sich schon um die Jahreswende 1962/63 gezeigt, als Bonn auf Druck Washingtons das bereits erwähnte Röhrengeschäft mit Moskau platzen ließ, und es wurde erneut in den Jahren 1964 und 1966 offenbar, als die Vereinigten Staaten energisch gegen deutsche Versuche Einspruch erhoben, die Wirtschaftsbeziehungen mit China zu formalisieren und unter anderem in Maos Volksrepublik ein Stahlwerk zu bauen.[30]

Entsprechend aufgeregt waren die Reaktionen im Westen, als sich herumsprach, daß Chruschtschow die Bonner Republik zu besuchen gedachte. Die Visite war im Juli 1964 von Alexej Adschubej, dem Schwiegersohn des Kremlchefs und Chefredakteur der sowjetischen Regierungszeitung «Iswestja», vorbereitet und am 3. September offiziell angekündigt worden. Der Sturz Chruschtschows, auch eine Spätfolge der schweren Niederlagen auf dem internationalen Parkett während der Jahre 1961/62, ließ den Besuch dann allerdings obsolet werden. Seine Nachfolger, Aleksej N. Kossygin als Vorsitzender des Ministerrates und Leonid I. Breschnew als Erster Sekretär der KPdSU, hatten vorerst andere Sorgen als einen Besuch am Rhein. Dennoch illustriert die Episode das ganze Ausmaß der Bonner Handlungsunfähigkeit auf dem Feld der Ostpolitik. Obgleich es mit Chruschtschow in der Deutschland- und Berlinfrage nichts zu verhandeln gab, da die Bundesregierung gar nicht die zuständige Ansprechpartnerin des Kreml sein konnte, tauchte sogleich ein altes ostpolitisches Gespenst wieder auf. Jedenfalls fühlte sich Erhard bemüßigt, am 25. September 1964, gleichsam präventiv, darauf hinzuweisen, «daß jede Deutung falsch wäre, die etwa dahin ginge, als ob Deutschland einen Alleingang, eine zweiseitige Lösung mit Sowjetrußland überhaupt ins Auge fassen würde. Das ist nicht der Fall, und noch weniger, wenn das überhaupt zu sagen notwendig ist, gibt es einen Weg zurück nach Rapallo.»[31]

Die Hürden, die eine aktive deutsche Ostpolitik zu nehmen hatte, waren hoch, und sie waren zahlreich. Sie bestanden nicht nur aus den Rechten, Pflichten oder Ängsten der Westmächte, sondern auch aus selbstgesetzten Hindernissen, allen voran immer noch der «Hallstein-Doktrin». Diese hatte längst zu einer Selbstlähmung deutscher Außenpolitik geführt, wie Mitte der sechziger Jahre das Dilemma, ja Desaster der deutschen Nahost-Politik offenbarte. Im Zentrum des verwickelten Geschehens standen die deutsch-israelischen Beziehungen, die damals noch weit von einer Normalisierung entfernt waren. Ihre Grundlage bildeten zum einen das Luxemburger Wiedergutmachungsabkommen vom 10. September 1952 und zum anderen Waffengeschäfte bzw. einseitige Waffenlieferungen der Bundesrepublik an Israel, die 1957, nach einem geheimen Treffen zwischen Verteidigungsminister Strauß und dem Generalsekretär im israelischen Verteidigungsministerium, Shimon Peres, begonnen und seitdem ständig zugenommen hatten.[32] Im Juli 1962 enthielt die Wunschliste Tel Avivs unter anderem: sechs Schnellboote, drei U-Boote, 24 Hubschrauber, 54 Flakgeschütze, 12 Flugzeuge und 15 Panzer – letztere aus deutscher Produktion.[33] Mit diesen Lieferungen wurde gewissermaßen die Nicht-Aufnahme diplomatischer Beziehungen zu Israel kompensiert.

Bonn wollte diesen Schritt auch wenn irgend möglich vermeiden, um nicht das Verhältnis zu den arabischen Staaten zu belasten oder gar zu zerstören. Denn dieses war nicht nur traditionell vergleichsweise gut, vielmehr hatte die Bonner Position in der arabischen Welt indirekt von den Fehlschlägen der britischen, französischen sowie der amerikanischen Nahost-Politik in den Jahren 1956–58 profitiert. Als im Herbst 1962 bekannt wurde, daß deutsche Raketenexperten in der ägyptischen Rüstungsindustrie tätig waren, löste das keine wirkliche Überraschung aus. Wohl aber bewirkte die Nachricht einen Sturm der Entrüstung in Israel und einen erhöhten Druck Tel Avivs auf Bonn, zum Beispiel auch bei den geheimen Geschäften.

Diese Waffengeschäfte erreichten 1964/65 eine neue Qualität. Bei seinem Besuch in den USA vom 11. bis zum 13. Juni 1964 wurde Kanzler Erhard von Johnson zu weiteren Lieferungen unter anderem von Panzern an Israel gedrängt, die dann auch erfolgten. Die Vereinigten Staaten selbst wollten sich angesichts ihres wachsenden Engagements in Vietnam in der nahöstlichen Krisenregion bedeckt halten, und auch am Potomac wußte man selbstverständlich, daß solche Waffengeschäfte das Verhältnis zu den arabischen Staaten der Region belasten, ja beschädigen mußten. Nicht zum erstenmal wurde die Bundesrepublik von ihrem großen Verbündeten zu einem verstärkten Engagement in der Dritten Welt gedrängt, wenn sich Washington dort zurückhalten wollte. Noch nie aber hatte die Willfährigkeit der Deutschen für sie selbst derart unerfreuliche Konsequenzen gezeitigt wie in der aufziehenden nahöstlichen Affäre.

Auch jetzt hatte Bonn keine andere Wahl, als sich dem Druck zu beugen. Da die Gründung des Staates Israel eine unmittelbare Folge des deutschen Vernichtungskrieges gegen das europäische Judentum gewesen war, fühlte sich die Bundesregierung zudem moralisch verpflichtet, die Sicherheit des Landes durch Lieferung von Waffen, vor allem Panzern, zu unterstützen. Auf abenteuerlichen Umwegen und in Einzelteile zerlegt, wurden diese nach Israel verschifft. Die Spuren waren so gut verwischt, daß der Verteidigungsminister am 22. Februar 1965, einem Sonntag, vom Kanzler den Auftrag erhielt, «bis Mittwoch dieser Woche fest[zu]stellen, wo sich die 60 Panzer» eigentlich befanden, die «bereits nach Italien verladen» worden waren.[34] Anlaß für diese hektische Suchaktion waren Pressemeldungen, die das delikate Thema am 26. Oktober 1964 erstmals an die Öffentlichkeit gebracht und damit die Lawine losgetreten hatten. Die Enthüllung konnte eigentlich niemanden überraschen, weil das Waffengeschäft einschlägig bekannt war. Nicht nur wurde seit 1962 ein «parlamentarisches Sondergremium» aus Abgeordneten aller Bundestagsfraktionen regelmäßig unterrichtet; vielmehr wußten auch die arabischen Regierungen seit geraumer Zeit Bescheid. Die Waffenlieferungen bildeten mithin für Israel wie für seine arabischen Nachbarn ein ideales Druckmittel. Tel Aviv konnte beispielsweise sein Wissen nutzen, um die seit einiger Zeit angestrebte Aufnahme diplomatischer Beziehungen zu Bonn zu erwirken.

In dieser Situation wurde bekannt, daß der Vorsitzende des Staatsrates der DDR, Walter Ulbricht, nach Ägypten reisen werde. Obwohl der Staatsbesuch ursprünglich nichts mit dem bundesdeutsch-israelischen Waffengeschäft zu tun hatte, drohte Nasser nunmehr, im Falle weiterer Lieferungen Bonns an Tel Aviv die diplomatischen Beziehungen zur Bundesrepublik abzubrechen und solche zur DDR aufzunehmen. Andere Staaten der Region folgten Nassers Beispiel. Am 12. Februar 1965 gab Erhard vor der Auslandspresse in Bonn die Einstellung der Waffenlieferungen an Israel und am 17. Februar vor dem Deutschen Bundestag die Einstellung der Wirtschaftshilfe an Ägypten bekannt. Zur Ergreifung politischer Maßnahmen, die sich die Bundesregierung ausdrücklich «vorbehalten» hatte,[35] kam es aber nicht mehr, da Ägypten die DDR während des Ulbricht-Besuchs vom 24. Februar bis zum 2. März nicht formell anerkannte.

Nach einem turbulenten diplomatischen Intermezzo wurde am 12. Mai 1965 die Aufnahme voller diplomatischer Beziehungen zwischen Israel und der Bundesrepublik bekanntgegeben. Im Vorfeld hatten die USA ihre Bereitschaft signalisiert, 110 Panzer an Tel Aviv zu liefern. Das wiederum erleichterte Israel seine Zustimmung zu dem Bonner Vorschlag, den Rest der vereinbarten, aber eingestellten Waffenlieferungen finanziell kompensieren zu lassen. Zehn arabische Staaten – allerdings nicht Marokko, Tunesien und Libyen – brachen jetzt ihrerseits die Beziehungen zu Bonn ab. Kuwait machte seine Entscheidung wieder rückgängig. Andererseits wurde die DDR von keinem dieser Länder in vollem Umfang diplomatisch anerkannt, und alle waren mit Blick auf die Bonner Wirtschaftshilfe darauf bedacht, den Konflikt auf niedriger Ebene zu halten. Allerdings kam es erst 1967 bzw. 1969 mit der Wiederaufnahme der Beziehungen durch

Jordanien und die Republik Jemen zu einer erkennbaren Normalisierung im Verhältnis der arabischen Welt zur Bonner Republik.

Gewiß, dieses Debakel der Bonner Nahost-Politik war insoweit nicht hausgemacht, als es unmittelbar aus den Spannungen zwischen Israel und seinen arabischen Nachbarn resultierte. Dennoch ging es zu einem beträchtlichen Teil auch auf das Konto bundesdeutscher Außenpolitik. Erstmals nämlich kehrte sich die «Hallstein-Doktrin», die ja mit dem Abbruch der Wirtschaftshilfe für Ägypten noch einmal präventiv eingesetzt worden war, mit voller Wucht gegen Bonn selbst. Indem die Bundesrepublik vor Nassers Drohung kapitulierte und mit der Einstellung der Waffenlieferungen an Israel reagierte, ließ sie erkennen, daß sie für Erpressungen anfällig war. Damit erwies sich die «Hallstein-Doktrin» als das, was sie zu diesem Zeitpunkt längst war: ein Instrument der Reaktion, das eine aktive Ostpolitik, ja Außenpolitik insgesamt lähmte und blockierte.

Am 25. März 1966 ergriff die Bundesregierung eine Initiative, die auch die Zustimmung der SPD-Opposition fand. Das deutet darauf hin, daß sich am Rhein ein breiter Konsens zugunsten einer neuen Bewegung in der Ost- und Deutschlandpolitik auszubilden begann. Die Schwerpunkte der sogenannten Friedensnote, die Bonn an alle jene Staaten sandte, zu denen es diplomatische Beziehungen unterhielt, waren Rüstungskontrolle, territoriale Fragen und Gewaltverzicht. Zwar wurden nach wie vor die Überwindung der deutschen Teilung und die Wiedervereinigung als «größte nationale Aufgabe» definiert, doch versäumten die Verfasser nicht den ausdrücklichen Hinweis auf ihre Entschlossenheit, «diese Aufgabe nur mit friedlichen Mitteln zu lösen». Im Zentrum des Dokuments stand der Vorschlag, «auch mit den Regierungen der Sowjetunion, Polens, der Tschechoslowakei und jedes anderen osteuropäischen Staates, der dies wünscht, förmliche Erklärungen auszutauschen, in denen jede Seite gegenüber dem anderen Volk auf die Anwendung von Gewalt zur Regelung internationaler Streitfragen verzichtet».[36]

Einer der Hauptinitiatoren der Note war Außenminister Schröder, der erkannt hatte: Je mehr die Bereitschaft zur Entspannung bei den Westmächten an Boden gewann, um so geeigneter erschien ihnen der Gewaltverzicht als ein Mittel zur Erreichung dieses Ziels. Indem sich die Bundesrepublik auf diese Linie einließ, unterlief sie die Gefahr, sich von den Westmächten abzukoppeln, und sicherte sich zugleich eine Möglichkeit, ihre Interessen in die Entspannungspolitik einzubringen. Die «Friedensnote» fand dann auch bei den Staaten des Westens – mit der bezeichnenden Ausnahme Frankreichs –, aber auch bei den Blockfreien ein insgesamt positives Echo. Die Reaktionen aus den direkt angesprochenen Staaten des Warschauer Paktes waren hingegen betont reserviert, blieb doch die Bundesregierung bei ihren völkerrechtlichen Vorbehalten gegenüber der «Oder-Neiße-Linie», die auch de Gaulle nicht gerne zur Kenntnis nahm. Und im übrigen schloß das Angebot zu einem Gewaltverzicht ja die DDR nicht ein, sondern in Form des Wiedervereinigungsgebots gerade aus.

Allerdings war zu diesem Zeitpunkt den meisten Beobachtern, auch in der Bundesrepublik, längst klar, daß die Zeit der «aktiven Wiedervereinigungspolitik» vorüber war, wie Staatssekretär Carstens im Oktober 1966 feststellte,[37] und auch Franz Josef Strauß glaubte zu diesem Zeitpunkt nicht mehr an die «Wiederherstellung eines deutschen Nationalstaates, auch nicht innerhalb der Grenzen der vier Besatzungszonen».[38] Dies festzustellen war eine Sache, die entsprechenden Konsequenzen zu ziehen, eine andere. Am weitesten wagten sich mit neuen Lösungen die Evangelische Kirche Deutschlands, Teile der FDP und insbesondere die SPD vor, die immer vernehmlicher darauf hinwies, daß der von der Bundesregierung vorgeschlagene Gewaltverzicht nur dann sinnvoll sei, wenn man die DDR darin einbeziehe. Noch einen Schritt weiter ging der Regierende Bürgermeister von Berlin und Kanzlerkandidat der SPD, Willy Brandt, der am 1. Juni 1966 auf dem Dortmunder Parteitag seiner Partei die Formel vom «qualifizierten, geregelten und zeitlich begrenzten Nebeneinander der beiden Gebiete» Deutschlands prägte.[39] Ein ins Auge gefaßter Redneraustausch zwischen der SPD und der SED scheiterte jedoch schon im Vorfeld.

Indessen konnte man sich in Bonn immer weniger der Einsicht verschließen, daß die allgemeine Anerkennung und damit auch die Stärkung der internationalen Stellung der DDR zwar durch die Bundesrepublik noch für einige Zeit aufzuhalten, nicht aber dauerhaft zu verhindern war. Denn inzwischen machte das SED-Regime beachtliche Fortschritte auf dem Weg hin zu internationaler Reputation, und natürlich fand Ost-Berlin dabei die Unterstützung Moskaus. So unterzeichneten beide am 12. Juni 1964 auf der Basis «voller Gleichberechtigung» einen Freundschafts- und Beistandspakt, in dem die DDR ausdrücklich als «wichtiger Faktor zur Gewährleistung der Sicherheit in Europa» bezeichnet wurde.[40] Aber auch unabhängig von solcher Schützenhilfe durch die östliche Vormacht war das SED-Regime auf dem internationalen Parkett mittlerweile recht erfolgreich. So hatte man bis 1960 immerhin mit 28 nicht-kommunistischen Staaten Handelskontakte, -abkommen oder -vertretungen eingerichtet.

Eine beachtliche Reisetätigkeit dokumentierte das wachsende Gewicht: So begab sich 1959 Ministerpräsident Grotewohl auf eine offizielle Reise nach Ägypten, in den Irak und nach Indien, in deren Folge in Kairo ein Generalkonsulat eingerichtet wurde, und auch der stellvertretende Ministerpräsident Heinrich Rau besuchte in diesem Jahr Indien und Burma. Außerdem nahm 1959 eine DDR-Delegation mit Beobachterstatus an der Genfer Außenministerkonferenz teil. 1963 kam es zur Aufnahme diplomatischer Beziehungen zu Kuba, im folgenden Jahr reiste der stellvertretende Ministerpräsident Bruno Leuschner nach Indonesien, Kambodscha, Bur-

ma, Indien und Ceylon. Auch auf der Insel konnte ein Generalkonsulat
eingerichtet werden. Mit dieser Politik der Vereinbarung von konsularischen oder auch Handelsvertretungen suchte Ost-Berlin zugleich die
«Hallstein-Doktrin» zu unterlaufen, da Bonn bis dahin nur im Falle der
Aufnahme diplomatischer Beziehungen entschieden reagiert hatte. Ihren
vorläufigen Höhepunkt erreichte die Reisediplomatie der DDR-Führung
dann im Februar 1965 mit Ulbrichts Besuch in Ägypten.[41]

Allerdings mußte die DDR bei diesem Kraftakt auch empfindliche
Rückschläge hinnehmen, so zum Beispiel 1965 nach einer Regierungs-
umbildung auf Ceylon und dem Sturz Sukarnos in Indonesien oder vor
allem mit der Schließung der Handelsmission Ghanas in Ost-Berlin im
März 1966. Außerdem war die Aufwertung des ostdeutschen Teilstaates
durch einige Länder der Dritten Welt nicht umsonst zu haben. Namentlich
die Staaten des Nahen und Mittleren Ostens ließen sich die schrittweise
Anerkennung der DDR gleich doppelt bezahlen, und zwar einmal durch
öffentliche antiisraelische Stellungnahmen des SED-Regimes, mit denen
die Machthaber in Pankow großzügig umgingen, dann aber auch durch
beträchtliche Kapitalhilfen. Im Falle Syriens und Ägyptens hatte Ost-Berlin zweistellige Millionenbeträge zu entrichten, und zwar auf US-Dollar-
Basis.

Die Aktivitäten der Machthaber in Ost-Berlin ließen sich zwar kaum
mit den Erfolgen der Bonner Außenpolitik vergleichen, waren aber angesichts der systematischen Isolierung, in welche die DDR durch die «Hallstein-Doktrin» hatte manövriert werden sollen, durchaus beachtlich. Jetzt
zeigte sich auch, daß die Mauer, die Deutschland und Berlin seit 1961
teilte, mehrere Funktionen hatte. Nicht die geringste bestand darin, so
zynisch das auch für den, der hinter ihr lebte, klingen mochte, daß sie der
DDR und ihren Bürgern nach und nach gewissermaßen zwangsweise eine
eigene Identität verschaffte. Und diese Entwicklung ging mit der erkennbaren internationalen Aufwertung der DDR Hand in Hand.

Die Gelegenheit, dieser veränderten Realität Rechnung zu tragen und
damit zugleich das Fundament für eine neue Außenpolitik zu legen, ergab
sich Ende des Jahres 1966. Am 30. November trat nach einem rapiden
Autoritätsverfall Bundeskanzler Erhard zurück und machte damit den Weg
für die Große Koalition aus CDU und SPD frei. Erstmals trug die SPD
auf Bundesebene Regierungsverantwortung. Das sollte auch für die Bonner Außenpolitik Konsequenzen haben.

7. Gehversuche
Was ist Entspannung?
1966–1969

Zu einer wirksamen Entspannung gab es keine Alternative. In diesem Punkt waren sich die weltpolitischen Kontrahenten seit den großen Krisen der beginnenden sechziger Jahre einig. Seitdem wußte man auch ziemlich genau, über welche Fragen verhandelt werden mußte, sofern man das ehrgeizige Ziel erreichen wollte. Zu ihnen zählte auch die Deutsche Frage. Ohne eine Lösung dieses leidigen Problems, das den Kalten Krieg seit seinen Anfängen begleitete, waren Fortschritte auch in anderen Bereichen schwer vorstellbar. Da die Lösung nur in der förmlichen Anerkennung des Status quo bestehen konnte, war es an den Deutschen, den Weg freizumachen – zwar unter sanftem Druck der Verbündeten, aber doch aus eigenem Entschluß und also freiwillig.

Noch im Juli 1966 hatte die Regierung Erhard auf die «Bukarester Erklärung» des Warschauer Paktes mit vertrauter Unbeweglichkeit reagiert und die Nichtteilnahme der DDR zur Bedingung ihrer eigenen Beteiligung an einer europäischen Sicherheitskonferenz erhoben. Nur wenige Monate später waren am Rhein plötzlich neue Töne zu hören oder, genauer gesagt, alte nicht mehr zu vernehmen. Denn erstmals wurde in einer amtlichen Erklärung der Bundesregierung die DDR deshalb indirekt in das Angebot zu einem Gewaltverzicht einbezogen, weil sie nicht ausdrücklich ausgenommen wurde.

Das war ein wichtiger Schritt auf dem dornigen Weg der Bonner Entspannungspolitik, und er wurde mit der ersten Regierungserklärung getan, die Bundeskanzler Kurt Georg Kiesinger am 13. Dezember 1966 abgab. Mit ihr verließ die neue, die Große Koalition aus CDU/CSU und SPD auch in anderer Hinsicht gewohnte Bahnen. Vor allem fiel auf, daß sich das klare Bekenntnis zu den westlichen Bindungen der Republik und damit zu ihrem politischen Fundament erst im zweiten Teil der Erklärung fand. Wie seine Vorgänger betrachtete auch der dritte Kanzler der Bundesrepublik das Bündnis mit den Vereinigten Staaten sowie die Atlantische Allianz als «lebenswichtig». Die EWG und ihre Institutionen sollten «konsequent» ausgebaut werden und für eine Teilnahme Großbritanniens offenstehen. Eine besonders eingehende Würdigung fand die «entscheidende Rolle» des deutsch-französischen Verhältnisses. Indem Kiesinger dieses als «Kristallisationspunkt» einer Politik bezeichnete, «die sich die Einigung Europas zum Ziel gesetzt hat», gab er der Entschlossenheit seiner Regierung Ausdruck, das Verhältnis zu Frankreich zu korrigieren.

Ähnlich äußerte sich der Kanzler über das Verhältnis zu den arabischen Staaten. Hier hoffte man möglichst bald wieder zu jener «traditionellen guten Zusammenarbeit» zurückkehren zu können, die bis 1965 für die deutsch-arabischen Beziehungen kennzeichnend gewesen war.[1] Überhaupt war es bemerkenswert, daß die Länder der südlichen Halbkugel, daß Asien, Afrika und Lateinamerika ausdrücklich Erwähnung fanden. Dafür war der neue Außenminister verantwortlich, der schon damals der Dritten Welt eine besondere Bedeutung zumaß. Immerhin hatte allein Afrika Ende der sechziger Jahre «fast ein Drittel aller Stimmen in den Vereinten Nationen und allen weltweiten Organisationen», wie Willy Brandt vor den Missionschefs afrikanischer Länder südlich der Sahara im Mai 1968 bilanzierte.[2]

Besonders bemerkenswert an dieser ersten Regierungserklärung der Großen Koalition war jedoch die Reihenfolge der angesprochenen Punkte. Denn zum ersten Mal wurde die Ostpolitik vor der Westpolitik behandelt. Wohl auch ermutigt durch die große außenpolitische Rede des amerikanischen Präsidenten vom 7. Oktober 1966, in der Johnson die «Aussöhnung mit dem Osten» als Aufgabe des Westens bezeichnet und einen «Übergang von der engen Konzeption der Koexistenz zu der größeren Vision des friedlichen Engagements» gefordert hatte,[3] zeigte sich die Bundesregierung entschlossen, «mit allen Völkern Beziehungen zu unterhalten, die auf Verständigung, auf gegenseitiges Vertrauen und auf den Willen der Zusammenarbeit gegründet sind». Das sollte ausdrücklich auch für die Staaten Osteuropas gelten: «Es liegt uns darum daran, das Verhältnis zu unseren östlichen Nachbarn, die denselben Wunsch haben, auf allen Gebieten des wirtschaftlichen, kulturellen und politischen Lebens zu verbessern und, wo immer dies nach den Umständen möglich ist, auch diplomatische Beziehungen aufzunehmen.»[4] Damit war die Möglichkeit einer Aufgabe der «Hallstein-Doktrin» öffentlich ausgesprochen. Besondere Erwähnung fanden in diesem Zusammenhang Polen und die Tschechoslowakei.

Selbstverständlich schloß das Angebot zur Aufnahme diplomatischer Beziehungen die DDR nicht ein. Die Möglichkeit eines Beitritts beider Staaten zu einem Gewaltverzichtsabkommen war eine Sache, Alleinvertretungsanspruch und mit ihm das Prinzip der Nicht-Anerkennung des SED-Regimes waren eine andere. Sie blieben auch für die Große Koalition verbindlich. Allerdings trat in der Sprachregelung der kommenden Jahre der Anspruch auf Alleinvertretung des deutschen Volkes immer mehr hinter der Maxime der Nicht-Anerkennung zurück. Die konnte für geraume Zeit gegenüber dritten Staaten noch damit begründet werden, daß den Bewohnern der DDR nach wie vor das Grundrecht auf Selbstbestimmung vorenthalten wurde. Immerhin hatte die Vollversammlung der Vereinten Nationen am 19. Dezember 1966 jene Menschenrechtskonventionen angenommen, deren erste ausdrücklich das «Recht» aller Völker auf «Selbstbestimmung» festschrieb.[5]

Diese doppelte Strategie Bonns – Nicht-Anerkennung der DDR bei gleichzeitiger aktiver Ostpolitik – war für Ost-Berlin nicht ungefährlich.

Einmal ließen vor allem sozialdemokratische Politiker, gemäß der 1963 ausgegebenen Parole «Wandel durch Annäherung», wenig Zweifel, daß ihre wachsende Bereitschaft zur Hinnahme des Status quo gerade dem Ziel diente, diesen zu überwinden. In diesem Sinne führte Willy Brandt am 24. Januar 1967 vor dem Europarat aus, «daß auf die Dauer ein großes Volk in der Mitte Europas nicht geteilt bleiben kann, wenn wir Spannungen beseitigen, Krankheitsherde gesunden lassen und über ein friedliches Nebeneinander zu einem konstruktiven Miteinander der europäischen Völker kommen wollen». Daß ein solcher Weg zur «deutschen Einheit» das «Ergebnis einer sicher nicht ganz kurzfristigen und auch nicht widerspruchsfreien Entwicklung» sein würde, war dem Außenminister bewußt.[6]

Dann aber konnte die neue Bonner Doppelstrategie eine gefährliche Isolierung Pankows nach sich ziehen. Auch das offenbarte sich schon zu Beginn des Jahres 1967: Am 31. Januar wurde anläßlich eines Besuchs des rumänischen Außenministers Mănescu in Bonn die Aufnahme diplomatischer Beziehungen zwischen der Bundesrepublik und Rumänien vereinbart. Damit war ein erster Schritt auf dem Weg zur endgültigen Demontage der «Hallstein-Doktrin» getan, nicht weniger, aber eben auch nicht mehr. Noch war die Kuh nicht vom Eis. Das ließ die umständliche Argumentation erkennen, mit der man die Aktion zu begründen suchte und die als «Geburtsfehlertheorie» in die Geschichte eingegangen ist: Hatte denn Bukarest eine andere Wahl gehabt als die DDR anzuerkennen? War es die Schuld der Rumänen, daß ihr Land nach dem Krieg in den sowjetischen Machtbereich geraten war und sich den Vorgaben Moskaus zu beugen hatte? Die folgenreiche Annäherung an Bukarest durfte also nicht als Aufgabe des Alleinvertretungsanspruchs mißverstanden werden. Die weltweite Anerkennung der DDR wenn nicht zu verhindern, so doch jedenfalls hinauszuschieben, blieb ein wichtiges Anliegen der Bonner Außenpolitik.

Für Ost-Berlin war das Grund genug, zu handeln. Das SED-Regime setzte alles daran, zu verhindern, daß andere dem rumänischen Beispiel folgten. Auf einem Treffen der Außenminister des Warschauer Paktes, das vom 8. bis zum 10. Februar 1967 in der polnischen Hauptstadt stattfand, ging die DDR in die Offensive und drehte die «Hallstein-Doktrin» in der «Ulbricht-Doktrin» gegen ihre Urheber um. Danach sollten die Mitglieder des Warschauer Paktes ihre Beziehungen zur Bundesrepublik so lange nicht normalisieren dürfen, bis die DDR ihrerseits diesen Schritt getan hatte: Eine förmliche, wenn auch nicht zwingend völkerrechtliche Anerkennung der DDR «als existent» mußte mithin die Grundvoraussetzung einer jeden Bonner Ostpolitik sein, wie der Staatsratsvorsitzende am 13. Februar in Ost-Berlin klarstellte.[7] Zur Bekräftigung dieser neuen Linie schloß der ostdeutsche Teilstaat am 15. und 17. März 1967 mit Polen und der Tschechoslowakei zweiseitige Freundschafts- und Beistandsverträge, mit denen das «Eiserne Dreieck» installiert wurde, gefolgt von entsprechenden Vereinbarungen mit Ungarn und Bulgarien.

Ganz in diesem Sinne legten die Vertreter der kommunistischen Parteien von 24 Ländern auf einer Konferenz, die vom 24. bis zum 26. April 1967 ohne Delegationen Albaniens, Jugoslawiens und Rumäniens in Karlsbad abgehalten wurde, ein neues Programm vor. Es las sich wie ein Gegenentwurf zur Bonner «Friedensnote» und steckte in seinen Einzelforderungen den Rahmen für eine Normalisierung des deutsch-deutschen Verhältnisses ab. Dazu gehörten unter anderem die Anerkennung der «Unantastbarkeit der bestehenden Grenzen in Europa», insbesondere der «Grenze an Oder und Neiße», der Bonner «Verzicht auf die Alleinvertretungsanmaßung» sowie die «Anerkennung, daß das Münchener Diktat vom Augenblick seines Abschlusses an ungültig ist». Schließlich enthielt das Dokument die Aufforderung zur Normalisierung der Beziehungen zwischen «der besonderen politischen Einheit West-Berlin und der DDR» sowie zur Unterzeichnung von Verträgen über den Gewaltverzicht und über die «Nichtweiterverbreitung von Kernwaffen».[8] Alle diese Forderungen waren zugleich als Maßnahmen zur Einrichtung eines Systems kollektiver Sicherheit in Europa gedacht. Ergänzend unternahm Ost-Berlin eine Reihe von einseitigen Schritten, um die Stellung der DDR als einem souveränen und gleichberechtigten Staat zu untermauern und zugleich der Bonner Isolierungsstrategie gegenzusteuern. In diesem Zusammenhang ist vor allem die Einführung der DDR-Staatsbürgerschaft am 20. Februar 1967 zu nennen, die allerdings von keiner Bundesregierung anerkannt worden ist. Außerdem war der bis dahin für «gesamtdeutsche» Fragen zuständige Staatssekretär 1967 ausdrücklich nur noch mit «westdeutschen» Angelegenheiten befaßt, und ab Juli firmierte das «Ministerium für Innerdeutschen Handel» als Ministerium für «Außenwirtschaft».

Dieses Bemühen um ein eigenständiges Profil in der Weltpolitik erfuhr in den kommenden Jahren eindrucksvolle Unterstützung von außen, aus den Reihen der Dritten Welt. Spätestens 1969 stand fest, daß die Verhinderungstaktik der «Hallstein-Doktrin» zur stumpfen Waffe geworden war und immer mehr Staaten der südlichen Halbkugel diplomatische Beziehungen zur DDR aufnahmen. Im Falle des Iraks, des Sudans, Syriens, Ägyptens und Algeriens bildete dieser Schritt gewissermaßen die Fortsetzung einer Politik, die mit dem Abbruch der diplomatischen Beziehungen zur Bundesrepublik im Jahre 1965 begonnen hatte und während des «Sechstagekrieges» im Nahen Osten an Intensität gewann.

Dieser dritte Krieg zwischen Israel und seinen arabischen Nachbarn hatte sich seit 1963 angebahnt. Denn am Ende des Jahres war bekannt geworden, daß Tel Aviv damit begann, das Wasser aus dem Oberlauf des Jordan umzuleiten. Die arabischen Staaten hatten mehrfach erklärt, daß sie eine solche Maßnahme als Kriegsgrund betrachten würden. Von dieser

Maßnahme besonders betroffen war Syrien. Dort war am 8. März nach einem Staatsstreich die «Baath»-Partei an die Macht gekommen, in der sich dann, nach einem erneuten Putsch, am 23. Februar 1966 eine Gruppe von Offizieren, unter diesen auch der Luftwaffenkommandeur Hafis al-Assad, durchsetzte. Das Neo-«Baath»-Regime suchte alsbald die Nähe zur Sowjetunion, die Syrien auch bereits im April technische und finanzielle Hilfe beim Bau des Euphrat-Staudamms, dem Pendant des Assuan-Stauwerks des ägyptischen Rivalen, zusagte. Offenkundig wollte die neue Damaszener Führung ihre Legitimation auch dadurch unter Beweis stellen, daß sie Israel die Stirn bot. Am 7. April 1967 eskalierte das syrische Bombardement israelischer Siedlungen zu Artillerie-, Panzer- und Luftschlachten.

Inzwischen hatte Syrien auch die alten Bindungen zu Ägypten wiederentdeckt und am 4. November 1966 durch ein Verteidigungsabkommen neu gestaltet. Zielten Nassers erste Maßnahmen, wie ein zunächst noch beschränkter Truppenaufmarsch im Sinai, offenbar dahin, Israel von einem Schlag gegen Syrien abzuhalten, so ließen die nächsten Schritte einen militärischen Konflikt immer wahrscheinlicher werden. Am 16. Mai 1967 forderte Ägypten die UNO zum Abzug ihrer gut 3300 Soldaten auf, womit das 1956 eingeführte Prinzip der Friedenssicherung als gescheitert gelten mußte. Am 22. Mai gab Nasser die Sperrung des Golfes von Akaba für israelische Schiffe bekannt und griff damit zu einer Maßnahme, welche Israel seinerseits 1957 zum Kriegsgrund deklariert hatte.

In dem am 5. Juni von Tel Aviv begonnenen und bereits sechs Tage später beendeten Krieg bereitete Israel seinen arabischen Gegnern Ägypten, Syrien und Jordanien, das sich aus taktischen Gründen ins Lager seiner arabischen Nachbarn geschlagen hatte, nicht nur eine schwere militärische Niederlage. Vielmehr brachte der schnelle und überzeugende Sieg der israelischen Armee auch einen nachhaltigen Einbruch des Selbstwertgefühls der arabischen Staaten mit sich. So wurden deren Luftstreitkräfte bereits in den ersten Stunden, in der Regel am Boden, vernichtet. Auf arabischer Seite fielen mehr als dreißigmal so viele Soldaten wie auf israelischer, nämlich weit über 20000 Mann. Vor allem aber besetzte Israel den gesamten Sinai, die sogenannte Jordan-Westbank einschließlich Ost-Jerusalems, den Gaza-Streifen und die Golan-Höhen.

Damit gerieten zusätzlich mehr als eine Million Araber unter israelische Verwaltung. Im Gaza-Streifen und im Westjordanland handelte es sich zumeist um Palästinenser. Was das bedeutete, wurde erst in den folgenden Jahren in ganzem Ausmaß erkennbar: 1987 waren durch die Vereinten Nationen weit über zwei Millionen Flüchtlinge registriert, von denen mehr als 700 000 in 61 Lagern lebten. Beim Verhältnis von Flüchtlingen zur einheimischen Bevölkerung hielten Gaza und die Westbank die traurige Weltspitze.[9] Die Forderungen nach Anerkennung der Rechte des palästinensischen Volkes und nach Räumung der besetzten Gebiete durch Israel führten fast 30 Jahre lang zu schweren regionalen Konflikten, die mindestens einmal, während des «Jom-Kippur-Krieges» im Jahre 1973, bis an den Rand einer direkten Auseinandersetzung zwischen den Supermächten führten. Grundlage dieser Forderungen war die Resolution 242 des Sicherheitsrates der Vereinten Nationen vom 22. November 1967, die wegen ihrer vagen Formulierungen höchst unterschiedliche Interpretationen zuließ.

Die Haltung der Bundesrepublik in diesem Krieg war eindeutig und fand ihren Ausdruck in einer breiten Solidarisierungswelle mit Israel: Die Bundesregierung entschloß sich zur Lieferung von Gasmasken an Israel, der Deutsche Gewerkschaftsbund schenkte Israel drei Millionen Mark, bei der israelischen Botschaft in Bonn meldeten sich Hunderte von Freiwilligen, von denen die «meisten – wie der Schriftsteller Günter Grass – für die eingerückten Israelis arbeiten» wollten,[10] und die bundesdeutsche Presse war sich in seltener Einträchtigkeit von der «Bild-Zeitung» bis hin zum «Spiegel» einig: «Israel soll leben!»[11] Im krassen Gegensatz zu dieser Forderung wußte sich die DDR in ihren öffentlichen Stellungnahmen «fest an der Seite der arabischen Staaten und Völker bei der Abwehr der imperialistischen Provokation».[12] Daß die Gegner Israels, beginnend mit dem Irak am 30. April 1969, ihre Bereitschaft signalisierten, mit Ost-Berlin diplomatische Beziehungen aufzunehmen, erschien als durchaus konsequent. Da alle diese Länder aber, wie gesehen, bereits ihrerseits 1965 die Beziehungen zu Bonn abgebrochen hatten, sah sich die Bundesregierung nicht genötigt, zu handeln.

Anders lagen die Dinge im Falle Kambodschas, das am 8. Mai 1969 als erstes nichtkommunistisches Land die DDR diplomatisch anerkannte. Am 4. Juni reagierte Bonn nach heftigen Diskussionen im Kabinett mit der Abberufung des Botschafters in Phnom Penh. Allerdings brach man die Zelte nicht ganz ab, sondern blieb ohne Botschafter in Kambodscha präsent. Das ist als «kambodschieren» in die Geschichte eingegangen.[13] In diesem Falle zog Kambodscha die Konsequenz und schloß im Juni seine Vertretung am Rhein. Hier zeigte sich das Dilemma bundesdeutscher Außenpolitik besonders eindrucksvoll. Immerhin wurden die Beziehungen zu Kambodscha eingefroren und damit die «Hallstein-Doktrin» noch einmal in ihrer äußersten Form angewendet, als Bonn sie bereits unterlaufen hatte. Nicht nur war im Januar 1967 die Aufnahme diplomatischer Beziehungen zu Rumänien beschlossen und dann auch am 4. Juli desselben Jahres die deutsche Handelsvertretung in Bukarest in eine Botschaft umgewandelt worden, vielmehr hatte die Bundesrepublik am 31. Januar 1968 auch die diplomatischen Beziehungen zu Jugoslawien wieder aufgenommen.

Spätestens jetzt konnte man nicht mehr ignorieren, daß die Verhinderungstaktik nicht aufging – für Bonn nicht, und für Ost-Berlin auch nicht. Weder vermochte die «Hallstein-Doktrin» auf Dauer die Länder der Dritten Welt davon abzuhalten, die DDR anzuerkennen, noch konn-

te die «Ulbricht-Doktrin» die Staaten der kommunistischen Welt auf alle
Zeit daran hindern, diplomatische Beziehungen zur Bundesrepublik aufzunehmen. Was lag näher, als diesen für beide Seiten kostspieligen, politisch lähmenden und eben insgesamt erfolglosen Weg aufzugeben und
sich statt dessen aufeinander zuzubewegen? Angesichts der Hürden, die
man über fast zwei Jahrzehnte hinweg emsig errichtet hatte, war das
leichter gesagt als getan.

Die ersten Gehversuche waren 1967 gründlich gescheitert. Am 10. Mai
hatte Ost-Berlin auf Kiesingers Angebot vom Dezember 1966 zur Förderung der «menschlichen, wirtschaftlichen und geistigen Beziehungen»[14]
mit einem Schreiben des «Vorsitzenden des Ministerrates» der DDR an
den Bundeskanzler reagiert. Darin wiederholte Willy Stoph im Prinzip
die bekannten Forderungen, unterbreitete aber auch die Einladung zu
einem Außenministertreffen in Ost-Berlin oder Bonn.[15] Kiesingers Antwort vom 13. Juni war deshalb bemerkenswert, weil sie überhaupt formuliert, adressiert und abgeschickt wurde. Immerhin hatte die Bundesrepublik
damit Kontakt zu einem Staat, den es nach ihrem Rechtsverständnis gar
nicht gab. Der Bundeskanzler versuchte diese Klippe dadurch zu umschiffen, daß er in der Anschrift seines Briefes die «DDR» nicht erwähnte. Im
übrigen blieb Bonn bei seiner bekannten «Rechtsauffassung».[16] Auf dieser
Basis war an eine Annäherung der beiden Standpunkte nicht zu denken,
und so führte auch eine zweite Runde des Briefwechsels im September
zu keinen greifbaren Ergebnissen.

Kurzfristig kam es sogar zu einer spürbaren Verhärtung im innerdeutschen Verhältnis, da das SED-Regime den im Februar 1967 eingeschlagenen Kurs konsequent fortsetzte. Am 9. April 1968 trat die zweite Verfassung
in Kraft, in der sich die DDR zum «sozialistischen Staat deutscher Nation»
erklärte. Damit war zwar das Prinzip der deutschen Nation noch einmal
festgeschrieben, allerdings durch das «Volk der DDR», wodurch der Anspruch auf eine eigene Staatsbürgerschaft unterstrichen wurde. Am 11. Juni
1968 führte Ost-Berlin schließlich die Paß- und Visapflicht auf den Transitwegen von der Bundesrepublik nach West-Berlin ein. Am Rhein wußte
man sehr wohl, daß dieser Gang der Dinge nicht ausschließlich der DDR
anzulasten war. So antwortete das SED-Regime mit der Einführung der
Paß- und Visapflicht – aus seiner Sicht konsequent – auch auf die Notstandsgesetzgebung, die am 30. Mai den Bundestag passiert hatte, am
28. Juni in Kraft trat und den Verzicht auf die Vorbehaltsrechte aus Artikel
5.2 des Deutschland-Vertrages durch die drei Westmächte nach sich zog.
Für Bonn bedeutete das einen Zuwachs an Souveränität, für Ost-Berlin
eine Bestätigung der bundesdeutschen Eigen- und also der deutsch-deutschen Zweistaatlichkeit.

Mit dieser Auffassung lag Pankow im Trend der Zeit. Westlich der Elbe
tat man sich damit zwar erkennbar schwerer, aber man näherte sich ihm
doch vorsichtig an. Voraussetzung war die schmerzliche, aber unvermeid-

liche Bestandsaufnahme: «Deutschland, ein wiedervereinigtes Deutschland», so führte der Bundeskanzler in seiner Rede zum 17. Juni 1967 aus, «hat eine kritische Größenordnung. Es ist zu groß, um in der Balance der Kräfte keine Rolle zu spielen, und zu klein, um die Kräfte um sich herum selbst im Gleichgewicht zu halten. Es ist daher in der Tat nur schwer vorstellbar, daß sich ganz Deutschland bei einer Fortdauer der gegenwärtigen politischen Struktur in Europa der einen oder der anderen Seite ohne weiteres zugesellen könnte. Eben darum kann man das Zusammenwachsen der getrennten Teile Deutschlands nur eingebettet sehen in den Prozeß der Überwindung des Ost-West-Konflikts in Europa.»[17] Noch prägnanter äußerte sich ein Jahr später der Außenminister: «Unser oberstes Ziel muß ... die Sicherung des Friedens in Europa sein. Diesem Ziel sind alle anderen Probleme, einschließlich des Problems der deutschen Teilung, untergeordnet.»[18] Dachte man diesen Gedanken konsequent weiter, so konnte am Ende nur die Anerkennung des Status quo stehen.

Das galt auch für Berlin. Bei allen Maßnahmen, die sich auf eine Lokkerung der Bindungen West-Berlins zur Bundesrepublik bezogen, konnte die DDR auf die feste Unterstützung der Sowjetunion, aber in zunehmendem Maße auch auf die stillschweigende Billigung der Westmächte zählen. Nachdem im November 1963 der Ältestenrat des Deutschen Bundestages im wiederhergestellten Südflügel des Reichstagsgebäudes zu einer ersten Sitzung zusammengetreten war, hatte schon am 7. April 1965 die letzte Plenarsitzung des Parlaments in Berlin stattgefunden, und zwar nicht zuletzt auf Drängen der Westmächte. Die Bundesversammlung schließlich trat letztmalig im März 1969 in der alten Reichshauptstadt zusammen, anläßlich der Wahl des Bundespräsidenten, die auf Gustav Heinemann fiel und damit zugleich den Bonner «Machtwechsel» einleitete, wie das neue Staatsoberhaupt sich ausdrückte.

Die Wahl in Berlin war seit 1954 Tradition; selbst im Jahr der Berlin-Krise hatte man sie nicht aufgegeben. Damit wollte Bonn immer auch demonstrativ auf die enge Zugehörigkeit West-Berlins zur Bundesrepublik hinweisen, und eben deshalb stieß der Vorgang auf den Widerspruch der DDR und der Sowjetunion. 1969 gaben daher die Westmächte, die ganz auf Entspannungskurs waren, nur noch widerstrebend ihre Zustimmung zur Wahl des Bundespräsidenten in Berlin. Es sollte die letzte in der Zeit des Kalten Krieges sein. Sie vollzog sich unter massiven Störungen. So verhängte die DDR ein Durchreiseverbot für Angehörige der Bundesversammlung, der Warschauer Pakt kündigte Manöver im Berliner Raum an, und Ost-Berlin verfügte auf Verlangen Moskaus scharfe Transportkontrollen auf den Transitwegen, die sogar stundenweise ganz gesperrt wurden. Allerdings waren die Sowjetunion und damit die DDR darauf bedacht, eine darüber hinausgehende Eskalation der Situation zu vermeiden. Denn offenkundig hatte der Kreml seinerseits ein eminentes Interesse an einer Fortsetzung des Entspannungsprozesses.

Tatsächlich gab es im Frühjahr 1969 bereits einen deutsch-sowjetischen Entspannungsdialog. Längst hatte sich auch in Bonn die Erkenntnis durchgesetzt, daß der Weg der Entspannung unumkehrbar war und jedes Abseitsstehen die Gefahr der Isolierung heraufbeschwor. Beflügelt wurden die westdeutschen Bemühungen um einen Dialog mit dem Kreml durch die wachsende Sorge über die undurchsichtige französische Moskau-Politik, zugleich aber auch durch die insgesamt positive Aufnahme der Bonner Vorschläge. Schon am 7. Februar 1967 hatte die Bundesregierung dem sowjetischen Botschafter in Bonn, Semjon K. Zarapkin, den Entwurf einer entsprechenden Erklärung übergeben, welche unter anderem die Verpflichtung der Bundesrepublik vorsah, «bei der Verfolgung ihrer Ziele in der Deutschlandfrage auf Anwendung von Gewalt oder Drohung mit Gewalt zu verzichten».[19]

Während des ganzen Jahres 1967 waren Zarapkin und der zuständige Staatssekretär im Auswärtigen Amt, zunächst Klaus Schütz und später Georg Ferdinand Duckwitz, miteinander im Gespräch. Doch die Grundauffassungen in zentralen Fragen lagen noch weit auseinander. Duckwitz faßte diesen Gegensatz 1968 so zusammen: «Während nach unserer Auffassung der Gewaltverzicht gerade bedingungslos, ausschließlich mit der Bereitschaft, gemeinsam einen *modus vivendi* zu finden, Lösungen nicht präjudizieren soll, versucht die Sowjetunion, ihn als Mittel der Anerkennung der von ihr nach dem Kriege einseitig geschaffenen 'Realitäten' in Europa zu benutzen.»[20] Welche Welten vorerst zwischen den Positionen Moskaus und Bonns lagen, dokumentierte auch die sowjetische Forderung nach Beibehaltung der Artikel 53 und 107 der Charta der Vereinten Nationen. Diese schrieben ausdrücklich den Status des «Feindstaates» fest und meinten damit «jeden Staat, der während des Zweiten Weltkrieges der Feind irgendeines Unterzeichners der vorliegenden Urkunde gewesen war».[21] Das sollte sich während des gesamten Kalten Krieges nicht ändern. Begreiflicherweise fragte die Bundesregierung in Moskau an, was die sowjetische Seite mit dem Hinweis bezwecke, daß nach ihrer Auffassung diese Artikel «noch heute Zwangsmaßnahmen gegen einen ehemaligen Feindstaat zur Durchsetzung der gemeinsamen Kriegsziele sanktionieren».[22]

Am 11. Juli 1968 fand dieser Dialog über einen Gewaltverzicht vorerst ein abruptes Ende. Unerwartet und einseitig veröffentlichte Moskau einen Teil der Dokumente. Das kam einem Abbruch der Verhandlungen gleich, für die Vertraulichkeit vereinbart worden war, und veranlaßte Bonn zu einer entsprechenden Maßnahme. Mit der Bundesrepublik hatte die Aktion des Kreml freilich wenig zu tun, sehr viel aber mit den Vorgängen in der Tschechoslowakei. Für den Augenblick war der Sowjetunion die direkte Festigung ihres Machtbereichs wichtiger als dessen indirekte Bestätigung durch eine deutsche Gewaltverzichtserklärung.

Am 5. Januar 1968 war der slowakische Parteisekretär Alexander Dubček zum Ersten Sekretär der Kommunistischen Partei der ČSSR gewählt worden. Damit begann der «Prager Frühling», der Versuch, das kommunistische System der Tschechoslowakei durch eine umfassende Liberalisierung zu reformieren und damit gerade auf die künftigen Herausforderungen einzustellen. An einen Umsturz war also nicht gedacht, und schon gar nicht wollten Tschechen und Slowaken den Fehler der Ungarn von 1956 wiederholen und die Mitgliedschaft des Landes im Warschauer Pakt in Frage stellen. Moskau indessen mußte um so gereizter selbst auf diesen behutsamen Reformkurs reagieren, als der «Prager Frühling» auch die sowjetische Jugend nicht unbeeindruckt ließ, wie der Chef des KGB, Jurij W. Andropow, Ende 1968 dem ZK der KPdSU zu berichten wußte.[23] Vor allem aber waren die Vorgänge in der Tschechoslowakei aus der Sicht des Kreml ein weiterer Schritt auf dem gefährlichen Weg zu einer Auflösung des sozialistischen Lagers.

Diese Entwicklung hatte, wie gesehen, 1964 einen vorläufigen Höhepunkt erreicht. Der Bruch mit China mußte jetzt als unwiderruflich gelten, Albanien bewegte sich im Kielwasser von Maos Volksrepublik, und auch Rumänien machte sich die chinesische Kritik zueigen und begann eigene Wege zu gehen. Vor diesem Hintergrund waren weitere Erosionserscheinungen im unmittelbaren Machtbereich der Sowjetunion für die Kremlführung nicht mehr akzeptabel. Leonid I. Breschnew, der nach dem Sturz Chruschtschows im Oktober 1964 das Amt des Ersten bzw., wie es seit 1966 hieß, des Generalsekretärs der KPdSU angetreten hatte, entschloß sich deshalb zu einer restriktiveren Bündnispolitik. Nach seiner Interpretation war die Zugehörigkeit zum Warschauer Pakt gleichbedeutend mit einer Einschränkung der nationalen Souveränität seiner Mitglieder. Sollte das Abweichen eines Landes vom sozialistischen Weg eine Gefährdung der «gemeinsamen Lebensinteressen» bedeuten, mußte diese durch eine militärische Intervention beseitigt werden. So stand es im «Warschauer Brief» zu lesen, mit dem am 15. Juli 1968 der bevorstehende Einmarsch in die Tschechoslowakei indirekt angekündigt wurde.[24] Dafür kam damals im Westen der Begriff «Breschnew-Doktrin» auf.

Seit dem März 1968 hatte die Nervosität erkennbar zugenommen. In dieser Zeit kam es zu mehreren Gipfelkonferenzen der Partei- und Regierungsspitzen des östlichen Bündnisses, an denen aber in der Regel, wie zum Beispiel auf dem Moskauer Treffen der Parteiführungen vom 6. bis zum 8. Mai, weder Vertreter Rumäniens noch der Tschechoslowakei teilnahmen. Im Mai wurden auch erste Truppenbewegungen der in Südpolen stationierten Einheiten der Roten Armee in Richtung ČSSR beobachtet, und am 18. Juni begann dort die Kommandostabsübung «Sumava». Nach Beendigung der Operationen blieben die Manövertruppen im Lande stationiert. In der Nacht vom 20. auf den 21. August schließlich begannen Truppen der UdSSR, Polens, Ungarns, Bulgariens sowie nicht zuletzt der DDR mit der Besetzung der Tschechoslowakei. Die Hauptstadt wurde von Luftlandetruppen eingenommen. Wie in solchen Fällen schon seit der

Zwischenkriegszeit üblich, ging dem Eingreifen der Verbände ein «Hilferuf» von «Persönlichkeiten der Partei und des Staates» voraus. Und auch die weitere Abwicklung der Vorgänge folgte dem bekannten Muster: Am 26. August erklärte sich die Dubček-Regierung in Moskau zur Annahme von «Maßnahmen» bereit, mit denen die Reformen wieder rückgängig gemacht und gefordert wurde, daß die «sogenannte Frage der Lage der Tschechoslowakei» von der Tagesordnung des Sicherheitsrates der UNO abzusetzen sei.[25] Ein Stationierungsvertrag über die dauernde Anwesenheit der sowjetischen Truppen vom 16. Oktober 1968 und die Ablösung Dubčeks durch Gustáv Husák am 17. April 1969 machten dem «Prager Frühling» unwiderruflich ein Ende.

Bis 1991 blieben knapp 80 000 sowjetische Soldaten in der ČSSR stationiert, und offensichtlich haben genuin militärische Überlegungen bei der Invasion eine beträchtliche Rolle gespielt. Insbesondere für die nuklearen Planungen der UdSSR kam der Tschechoslowakei gerade deshalb eine besondere Bedeutung zu, weil die Rote Armee 1945 das Land verlassen hatte. Folglich waren dort auch keine atomaren Sprengköpfe gelagert. Im Falle einer eskalierenden, schließlich nuklear geführten Auseinandersetzung hätte die Region zu einem Schwachpunkt der sowjetischen Kriegführung werden können. Um dem entgegenzuwirken, hatte Moskau in den sechziger Jahren mit Prag mehrere Abkommen geschlossen, die in einem solchen Fall den raschen Einsatz entsprechender sowjetischer Streitkräfte ermöglicht hätten. Der «Prager Frühling» schien das Konzept grundlegend in Frage zu stellen. Auch in dieser Hinsicht brachten also Invasion und dauerhafte Stationierung von Einheiten der Roten Armee eine Lösung des Problems im Sinne Moskaus.

Besonders delikat bei der konsequenten Umsetzung der «Breschnew-Doktrin» war die Rolle der DDR. Das SED-Regime befürwortete schon im Mai 1968 einen raschen Beginn der Pakt-Manöver in der Tschechoslowakei und beteiligte sich dann auch mit Einheiten der Nationalen Volksarmee an der Niederschlagung der Reformer. Damit überschritten zum ersten Mal seit dem Zweiten Weltkrieg wieder deutsche Soldaten die Grenze eines souveränen Staates unter Anwendung von Gewalt. Daß es sich dabei ausgerechnet um die Tschechoslowakei handelte, die ziemlich genau drei Jahrzehnte zuvor, in den Jahren 1938/39, zu einem der ersten Opfer der Expansionspolitik des «Dritten Reiches» geworden war, gab dem ganzen Vorgang eine zusätzliche Brisanz. Auch im August 1968 wurden die politischen und militärischen Maßnahmen gegen die ČSSR im übrigen von einer propagandistischen Offensive begleitet, wie etwa der Erklärung des Schriftstellerverbandes der DDR, sich «mit allen Mitteln» für die «gesellschaftliche Ordnung des Sozialismus» einzusetzen.[26]

Ungewollt spielte auch Bonn im Vorfeld der Intervention eine Nebenrolle. Denn offenkundig sah Moskau in der Bereitschaft der Bundesrepu-

blik zu Gewaltverzicht und Verständigung eine Ursache für die Erosionserscheinungen innerhalb des Ostblocks. Deshalb machte man die Ostpolitik der Großen Koalition für den «Prager Frühling» mitverantwortlich.
Das war sicher einer der Gründe für den Abbruch des sowjetisch-bundes-
deutschen Dialogs über den Gewaltverzicht, obgleich die Bundesregierung
erkennbar jede Einmischung in die inneren Angelegenheiten der Tschechoslowakei zu vermeiden suchte. Auf der anderen Seite stellte die Intervention der Warschauer-Pakt-Staaten in der ČSSR unmißverständlich klar,
daß erstens eine Anerkennung des Status quo die Grundvoraussetzung
jedweden Fortschritts in der Bonner Ostpolitik und, zweitens, an eine
Unterstützung der Reformkräfte in der kommunistischen Welt auf absehbare Zeit nicht zu denken war.

Bonn hatte sich also auf den Boden der «Breschnew-Doktrin» zu
stellen. Gleichzeitig war es an Moskau, Bewegung in die festgefahrene
Situation zu bringen und etwa durch eine Nuance bei der Beschreibung
bzw. Interpretation des Status quo in Deutschland und Europa den Dialog wieder führbar zu machen. Das wurde jetzt möglich, weil die Sowjetunion nach der Niederschlagung des Prager Experiments den Entspannungskurs fortsetzen zu können glaubte, ohne eine ungewollte und
nicht mehr steuerbare Erosion des eigenen Blocks riskieren zu müssen.
Eine entsprechende Initiative in Europa hatte der Kreml allerdings auch
dringend nötig. Nicht nur galt es durch eine Intensivierung der Kontakte
zu den Westmächten den politischen Schaden, den der Einmarsch in die
Tschechoslowakei angerichtet hatte, zu begrenzen. Vielmehr war eine
Wiederaufnahme und Fortsetzung des Entspannungsprozesses in Europa
auch deshalb geboten, weil am 2. März 1969 die chinesisch-sowjetischen
Spannungen am gemeinsamen Grenzfluß Ussuri zu Kampfhandlungen
eskalierten.

Zwei Wochen später, am 17. März, kam das erwartete Signal in Form
des «Budapester Appells» der Warschauer-Pakt-Staaten, mit dem die Sowjetunion und ihre Verbündeten erneut ihren Vorschlag zur Einberufung
einer gesamteuropäischen Konferenz über Sicherheit und Zusammenarbeit unterbreiteten. Vor allem die Bundesregierung griff diesen Vorschlag
interessiert auf, entdeckte sie doch bei genauerer Lektüre einige neue
Aspekte. So hielt es Außenminister Brandt für «keinen Zufall», daß in der
Erklärung nur noch von der «Anerkennung der Existenz der DDR», nicht
aber mehr von ihrer völkerrechtlichen Anerkennung die Rede war.[27] Allerdings verliefen die seit dem Juli 1969 wiederaufgenommenen Gespräche
über einen Gewaltverzicht im Sande. Das lag an Moskau und Bonn gleichermaßen. Im Kreml setzte man offenbar schon auf eine von der SPD
geführte Bundesregierung, von der man sich gerade in diesen Fragen
größeres Entgegenkommen erhoffte. Dafür sprachen in der Tat die Diskussionen innerhalb der Bonner Großen Koalition. 1969 waren die SPD
und Willy Brandt im Prinzip zu einer faktischen Anerkennung der DDR

bereit, die CDU und Kanzler Kiesinger wollten eben diesen Schritt gerade nicht tun.

Aber wie weit die einzelnen Repräsentanten bundesdeutscher Politik auch immer zu gehen entschlossen waren, grundsätzlich konnte sich schon deshalb niemand dem Sog des Entspannungstrends entziehen, weil die Vereinigten Staaten ihn entschieden forcierten. Er wurde auch konsequent fortgesetzt, nachdem am 20. Januar 1969 die neue amerikanische Administration ihr Amt angetreten hatte. Auch sie sah sich mit jenem riesigen Problem konfrontiert, das die gesamte Amtszeit Lyndon B. Johnsons überschattet und den Präsidenten schließlich bewogen hatte, auf eine erneute Kandidatur für das höchste Amt zu verzichten: Vietnam.

Am 31. März 1968 hatte Johnson eingelenkt, indem er einseitig die Einstellung der Bombenabwürfe über dem Gebiet nördlich des 20. Breitengrades ankündigte und ein völliges Ende der Bombardements für den Fall in Aussicht stellte, daß substantielle Verhandlungen aufgenommen würden. Überdies erklärte er bei diesem Anlaß seinen Verzicht auf eine weitere Amtszeit. Damit reagierte der Präsident sowohl auf die immer vernehmlichere heimische Kritik als auch auf die «Tet-Offensive» des Vietcong, von der Amerikaner und Südvietnamesen am 31. Januar 1968 überrascht worden waren und in deren Verlauf der Gegner bis ins Zentrum Saigons vorstieß. Zwar endete die Offensive mit einer militärischen Niederlage des Vietcong, doch den psychologischen Sieg trug Hanoi davon. Washington brachte aus den genannten Gründen nicht mehr die politische Kraft auf, um den Druck auf die Hauptstreitmacht Nordvietnams zu erhöhen und Hanoi zu jenen Gesprächen zu bewegen, die Johnson erstmals am 29. September 1967 öffentlich angeboten hatte. So hatte selbst die militärisch fehlgeschlagene «Tet-Offensive» des Vietcong noch ihren Anteil am Scheitern Johnsons.

Seine Nachfolge trat der Republikaner Richard Nixon an, der seit seiner Vizepräsidentschaft in der Regierung Eisenhower auf eine lange, vor allem auch außenpolitische Erfahrung zurückblicken konnte. Mit Henry A. Kissinger, der zunächst das Amt des nationalen Sicherheitsberaters und dann, seit 1973, zusätzlich das des Außenministers innehatte, berief er einen Harvard-Professor an seine Seite, der als Historiker gelernt hatte, in den Kategorien klassischer Machtpolitik zu denken, in der Wahl seiner Mittel also einleuchtende Gründe hatte, hie und da auf die politischen und diplomatischen Methoden des 19. Jahrhunderts zurückzugreifen, zu denen der in Deutschland geborene Politiker ganz selbstverständlich auch die Geheimdiplomatie zählte.

Als die Regierung Nixon ins Amt kam, waren mehr als 31 000 amerikanische Soldaten in Südostasien gefallen, standen weit über eine halbe Million Soldaten der Vereinigten Staaten in Vietnam und beliefen sich die Kriegskosten auf etwa 30 Milliarden Dollar. Längst war der Krieg in der öffentlichen Meinung der USA in hohem Maße unpopulär. Da Nixon mit dem Wahlversprechen angetreten war, den Konflikt rasch zu beenden, sah er die vordringliche außenpolitische Aufgabe darin, einen «ehrenvollen Frieden» für Vietnam und den Rückzug der USA ohne schweren Gesichtsverlust zustande zu bringen. Überzeugt davon, daß sich die Verpflichtungen der USA an ihren Interessen orientieren müßten, und nicht umgekehrt, ergriff der Präsident im November 1969 seine erste große Verhandlungsinitiative für Vietnam. Daß ein «ehrenvoller Rückzug» aus Vietnam nicht gegen den sowjetischen bzw. chinesischen Widerstand zu haben war, wußte man in Washington, und so ging, wie noch zu zeigen sein wird, die Vietnam-Politik sowohl mit einer Annäherung Washingtons an Peking als auch mit einer Intensivierung des Entspannungskurses im amerikanisch-sowjetischen Verhältnis einher.

Für die Verbündeten der USA, und insbesondere für die von der westlichen Vormacht nach wie vor in hohem Maße abhängige Bundesrepublik, änderte sich vorerst scheinbar wenig. Mit dem Abtritt Erhards und Schröders von der politischen Bühne und der Übernahme der Regierungsgeschäfte durch Kiesinger und Brandt kam es rasch zu einer klimatischen Verbesserung des deutsch-amerikanischen Verhältnisses, und das, obgleich oder eben weil die Große Koalition gegenüber dem wichtigsten Verbündeten erkennbar selbstbewußter auftrat als die Regierung Erhard. Anders als diese scheute sie auch nicht vor einer öffentlichen Kritik des Partners zurück. Unmißverständlich diagnostizierte Kiesinger am 27. Februar 1967, daß es «so ... nicht weitergehen» könne: «Wir reden ja überhaupt nur noch über Streitfragen miteinander. Wir reden ja gar nicht mehr über gemeinsame Politik ... Natürlich wissen auch wir, daß die amerikanische Politik in Europa ausschließlich amerikanische Interessen vertritt. Es gibt manchmal Deutsche, die glauben, es gäbe da so eine Freundschaft oder Freundschaftsdienste. Das gibt dann hinterher immer sehr böse Enttäuschungen. In der Politik herrschen Interessen zwischen den Völkern. Die amerikanische Politik verfolgt hier also amerikanische Interessen. Aufgabe ist es, festzustellen, inwieweit die amerikanischen Interessen mit den unseren, den deutschen und den europäischen, übereinstimmen und inwieweit nicht oder nicht mehr.»[28]

Das waren neue Töne. Sie wurden auch in den USA aufmerksam registriert. Daß sie nicht zu einer nachhaltigen Verstimmung im Verhältnis zwischen den beiden Bündnispartnern führten, lag unter anderem daran, daß man in Washington durchaus die Berechtigung dieser Kritik verstand. Außerdem aber, und das vor allem zählte, war auch die Große Koalition bei aller Verärgerung weiterhin dort zur Zusammenarbeit bereit, wo diese von den USA als besonders wichtig empfunden wurde. Zur Zeit der Regierungen Johnson wie Nixon war das auf zwei Feldern der Fall, die sich zudem eng berührten, nämlich beim amerikanischen Engagement in Vietnam und bei der Entspannungspolitik.

Im Gegensatz zu den meisten europäischen Verbündeten verzichtete die Bundesregierung auf eine mehr oder weniger offen geübte Kritik an der amerikanischen Politik und Kriegführung in Vietnam – im Gegenteil: Indem sie die humanitäre Hilfe für die Opfer des Vietnam-Krieges fortsetzte und zum Beispiel das Hospitalschiff «Helgoland» vor die Küste des südostasiatischen Landes entsandte, gewährte sie auf ihre Weise den Vereinigten Staaten die dringend benötigte öffentliche Unterstützung. Ähnliches galt für den Bereich der Wirtschafts- und Währungspolitik. Gerade hier forderten die enormen Ausgaben für die Kriegführung in Vietnam ihren Tribut, nämlich ein beträchtliches Zahlungs- und Handelsbilanzdefizit und in dessen Gefolge einen zunehmenden Verfall des Dollar. Die Bundesrepublik half dem großen Partner in dieser Lage durch einen Verzicht auf den Umtausch amerikanischer Banknoten in Gold und, so lange das irgend ging, durch den Ankauf von Dollar. Dennoch mußte die deutsche Währung, wie noch zu zeigen sein wird, am 9. Mai 1971 zum zweiten Mal innerhalb von zwei Jahren aufgewertet werden.

Auch auf dem Feld der Entspannungspolitik stellte sich die Bundesrepublik, nolens volens, auf die amerikanische Linie ein. Diese wurde in der zweiten Hälfte der sechziger Jahre auf zwei Ebenen vorangetrieben: auf der NATO-Ebene und auf der Ebene bilateraler amerikanisch-sowjetischer Verhandlungen. Die Situation schien günstig, signalisierten doch die Sowjetunion und der Warschauer Pakt in den sechziger Jahren wiederholt die Bereitschaft zu einer umfassenden Detente, wobei allerdings lange Zeit die Auflösung der beiden Militärblöcke und ihre Überführung in ein gesamteuropäisches Sicherheitssystem die Vorschläge dominierten. Dennoch bildeten die verschiedenen Erklärungen, die nach Abschluß der Konferenzen der Warschauer-Pakt-Staaten bzw. der kommunistischen Parteien 1966 in Bukarest, 1967 in Karlsbad und schließlich 1969 in Budapest abgegeben wurden, einen willkommenen Anlaß für entsprechende Überlegungen, Pläne und Initiativen der NATO.

Im Dezember 1966 hatte der belgische Außenminister Pierre Harmel die Einrichtung einer Sonderarbeitsgruppe zur Ausarbeitung einer Studie über die künftigen Aufgaben der NATO vorgeschlagen. Das Ergebnis war der «Harmel-Bericht», der ein Jahr später, am 14. Dezember 1967, von den Außenministern der NATO verabschiedet wurde. Eigentlich enthielt das Papier in erster Linie Antworten auf die Frage, wie das Bündnis nach dem Austritt Frankreichs aus der integrierten Kommandostruktur seine militärischen Aufgaben erfüllen und wie die politische Geschlossenheit der Allianz gewährleistet werden könne. Tatsächlich ist der «Harmel-Bericht» dann aber zu einem Meilenstein auf dem Weg zu konkreten Abrüstungserfolgen und damit zu einer Entspannung im Ost-West-Konflikt geworden. Die wichtigste Passage des Dokuments lautete: «Die Atlantische Allianz hat zwei Hauptfunktionen. Die erste besteht darin, eine ausreichende militärische Stärke und politische Solidarität aufrechtzuerhalten, um ge-

genüber Aggression und anderen Formen von Druckanwendung ab-
schreckend zu wirken und das Gebiet der Mitgliedstaaten zu verteidigen,
falls es zu einer Aggression kommt ... Unter diesen Umständen werden
die Bündnispartner zur Sicherung des Gleichgewichts der Streitkräfte das
erforderliche militärische Potential aufrechterhalten und dadurch ein Klima der Stabilität, der Sicherheit und des Vertrauens schaffen. In diesem
Klima kann die Allianz ihre zweite Funktion erfüllen: die weitere Suche
nach Fortschritten in Richtung auf dauerhafte Beziehungen, mit deren
Hilfe die grundlegenden politischen Fragen gelöst werden können. Militärische Sicherheit und eine Politik der Entspannung stellen keinen Widerspruch, sondern eine gegenseitige Ergänzung dar.»[29]

Als eine Maßnahme wurde die Abrüstung in Form einer ausgewogenen
beiderseitigen Truppenreduzierung in Europa vorgeschlagen, die auch
schon Johnson in seiner zitierten Rede vom 7. Oktober 1966 angedeutet
hatte. Nicht einmal ein Jahr später, am 25. Juni 1968, ließ die NATO dann
diesem noch vergleichsweise allgemein gehaltenen Vorschlag eine konkrete
Abrüstungsinitiative folgen. Im Anhang zum Schlußkommuniqué der
NATO-Ministerratstagung in Reykjavik gab die Allianz eine Erklärung
über eine beiderseitige und ausgewogene Truppenverminderung ab. Sie
sollte «den jetzigen Grad der Sicherheit bei verminderten Kosten» aufrechterhalten, «jedoch nicht so geartet sein, daß sie eine nachteilige Veränderung der Lage in Europa» zur Folge haben könnte.[30] Zwar war das
in Reykjavik genannte «Ziel gegenseitiger ausgewogener Truppenverminderungen» durch die Intervention der Warschauer-Pakt-Staaten in der
Tschechoslowakei vorübergehend «ferner gerückt», wie der deutsche Außenminister wenige Wochen später festhielt, «von der Sache her aber noch
dringlicher geworden».[31] Das «Signal von Reykjavik» war die Initialzün-
dung für entsprechende Verhandlungen, die indessen erst fünf Jahre später
aufgenommen werden sollten.

Zu den Ländern, die ein besonderes Interesse an Verhandlungen über
eine Reduzierung der konventionellen Streitkräfte in Europa haben mußten, gehörte natürlich die Bundesrepublik, da sie «geographisch am stärksten betroffen» war[32] und im Falle einer militärischen Auseinandersetzung
zum ersten Opfer der haushohen Überlegenheit des Warschauer Paktes
geworden wäre. Außerdem bildete der Vorschlag einer beiderseitigen Truppenreduzierung eine geeignete Antwort auf die östlichen Initiativen für
eine europäische Sicherheitskonferenz. Schließlich waren solche Gespräche für Bonn auch mit Blick auf den amerikanischen Verbündeten sehr
nützlich. Sie konnten nämlich dazu beitragen, daß die USA, wie schon
lange geplant, ihre Truppen in Europa reduzierten, ohne daß damit das
konventionelle sowjetische Potential indirekt an Gewicht gewonnen hätte.
Vor allem aber sollten die Verhandlungen ja auf Bündnisebene geführt
werden. Darin wiederum lag auch eine gewisse Garantie gegenüber amerikanischen Alleingängen in der Entspannungspolitik, deren Folgen die

Bundesrepublik nach den großen Krisen der Jahre 1961/62 wiederholt zu spüren bekommen hatte, so insbesondere anläßlich ihres nicht eben freiwilligen Beitritts zum Atomteststoppabkommen.

Ohnehin wurde im nuklearen Bereich der bilaterale amerikanisch-sowjetische Dialog über die Köpfe der meisten betroffenen Europäer hinweg fortgesetzt. Das war ärgerlich, aber ändern konnte man das nicht. Im Zentrum der Verhandlungen stand die Frage der Nichtverbreitung von spaltbarem Material und insbesondere von Kernwaffen. Das Problem hatte in den sechziger Jahren zusätzlich an Aktualität gewonnen, weil die Volksrepublik China, wie erwähnt, 1964 ihre erste Atom- und 1967 ihre erste Wasserstoffbombe getestet und sich auch Frankreich längst im exklusiven Klub der nunmehr fünf Nuklearmächte fest etabliert hatte. Vor diesem Hintergrund erklärten sich die USA und die Sowjetunion bereit, «auf etwas zu verzichten, das sie sowieso nicht tun wollten: nämlich nukleare Waffen an andere Staaten weiterzugeben». Gleichzeitig erwarteten sie von den Nicht-Nuklearmächten Zugeständnisse. Diese sollten sich nämlich «ohne entsprechende Gegenleistungen einer Option begeben, deren Verwirklichung zwar kostspielig und politisch risikoreich war, ihnen aber Macht und Einfluß versprach».[33]

Damit war ein Bereich tangiert, der für viele mittlere Mächte beträchtliche Bedeutung besaß. In Bonn machte der begründete Verdacht die Runde, daß eines der Hauptanliegen der sowjetischen Politik darin bestand, die Bundesrepublik in den Sperrvertrag einzubeziehen und solchermaßen von der Verfügung über Nuklearwaffen oder auch nur von der Partizipation in atomaren Gemeinschaften fernzuhalten. Die Entscheidung auf westlicher Seite lag einzig und allein bei den Vereinigten Staaten, da nur sie über jene Waffen verfügten, die in die geplante multilaterale Atomstreitmacht der NATO eingebracht werden sollten. Sah der erste amerikanische Entwurf noch die Möglichkeit vor, solche Gemeinschaftslösungen nicht den Verbotsbestimmungen zu unterwerfen, so gab Washington bald dem sowjetischen Druck nach. Das war das endgültige Aus für die ohnehin in immer seichteren Gewässern dümpelnde MLF-Geisterflotte.

Nächst dem Dauerbrenner in den deutsch-amerikanischen Beziehungen, den Devisenausgleichszahlungen, war der Weg zum Nichtverbreitungsvertrag für das transatlantische Verhältnis besonders schwierig. Mancher Beobachter, nicht nur in der Bonner Republik, empfand das amerikanische Vorgehen als glatte Erpressung, denn die Bundesregierung hatte angesichts der bekannten Lage und der hohen Abhängigkeit von der westlichen Vormacht keine andere Wahl, als sich den amerikanischen Vorstellungen zu beugen. Die Frage, was wohl geschehen wäre, hätte man sich dem Wunsch Washingtons nach einem Beitritt zum Nichtverbreitungsvertrag verweigert, stellte sich zwar, führte aber am Ende zum gleichen Ergebnis. In Ermangelung einer realistischen Alternative versuchte Bonn daher, durch konkrete Vorschläge Einfluß auf die Verhandlungen zu nehmen. Diese fanden auf drei Ebenen statt, und zwar erstens auf der bilateralen sowjetisch-amerikanischer Gespräche, zweitens bündnisintern innerhalb der NATO und drittens auf der Ebene der Vereinten Nationen, und dort wiederum im Rahmen der Vollversammlung sowie des Genfer Achtzehnmächte-Abrüstungsausschusses.

Diesem unterbreitete die Bundesregierung am 7. April 1967 ihre Stellungnahme, mit der sie wohl auch für zahlreiche andere Staaten in vergleichbarer Lage sprach und die alle wichtigen Monita enthielt, wie insbesondere den Hinweis, daß durch den geplanten Vertrag «lediglich die Nicht-Kernwaffenmächte» zumindest wesentliche Selbstbeschränkungen und Verpflichtungen» übernehmen würden, so daß es sich im Grunde nur um eine «Teillösung des eigentlichen Problems» handele. Daher sollten sich die Kernwaffenmächte verpflichten, ihre Potentiale nicht «zu Zwecken politischer Drohung, politischen Drucks oder politischer Erpressung gegen Nichtkernwaffenmächte» zu gebrauchen. Im übrigen, so die Bundesregierung weiter, dürften sich jene Regelungen, die den militärischen und den zivilen Bereich nicht klar abgrenzten, nicht «hemmend auf die friedliche Verwertung der Kernenergie auswirken und den Fortschritt erschweren».[34]

Die drei Westmächte taten alles, um Bonn die Zustimmung zu erleichtern, ohne freilich an ihren eigenen Positionen prinzipielle Abstriche zu machen. So erklärten die Regierungen der Vereinigten Staaten, Großbritanniens und Frankreichs am 16. und 17. September 1968, daß die umstrittenen Artikel 53 und 107 der UN-Charta, die sogenannten Feindstaatenklauseln, keinem Staat das Recht gewährten, einseitig in der Bundesrepublik zu intervenieren. Daß sich auch die Franzosen, die ihrerseits den Nichtverbreitungsvertrag nicht unterzeichneten, zu einer solchen Erklärung bereitfanden, zeigt das große Interesse, das gerade sie aus den bekannten Gründen an einem deutschen Beitritt hatten. Die besagte Erklärung war als Gegenleistung für einen Verzicht der Bundesrepublik auf die nukleare Teilhabe und damit als zusätzliche Sicherheitsgarantie gedacht. Immerhin stellte der deutsche Beitritt zu diesem Abkommen aus Bonner Sicht auch den Verzicht auf eine Waffe dar, die dem westdeutschen Teilstaat im Falle einer Zuspitzung der Lage oder gar einer militärischen Auseinandersetzung das hätte gewähren können, was die Nuklearmächte ihrerseits bewog, sie zu behalten: Abschreckung und damit zusätzliche Sicherheit. Wesentlich leichter fiel der Verzicht auf biologische und chemische Waffen, zu dem sich die Bundesregierung vor dem Hintergrund eines Sachverständigenberichts der Vereinten Nationen am 12. September 1969 erneut bekannte und dessen «weltweiten» Verzicht sie in diesem Zusammenhang öffentlich forderte.[35]

Am 1. Juli 1968 wurde der «Treaty for the Non-Proliferation of Nuclear Weapons» (NPT), der Vertrag über die Nichtverbreitung von Kernwaffen, auch Atomsperrvertrag genannt, von den USA, der Sowjetunion und Großbritannien unterzeichnet. Er trat am 5. März 1970 durch die gleichzeitige Hinterlegung der amerikanischen und der sowjetischen Ratifikationsurkunde in Kraft und sollte nach 25 Jahren überprüft werden. Das Abkommen stellt eines der wichtigsten Dokumente des Kalten Krieges dar. In der Folgezeit traten ihm fast alle Staaten der Erde bei, unter ihnen allerdings vorerst nicht die Kernwaffenmächte Frankreich und China. Mit ihm verpflichteten sich die Nuklearmächte, Kernwaffen, sonstige Kernsprengkörper oder die Verfügungsgewalt über solche weder mittelbar noch unmittelbar weiterzugeben. Die «Internationale Atomenergie-Organisation» (IAEO) sollte darüber wachen, daß keine Nicht-Nuklearmacht Kernenergie von der friedlichen Nutzung abzweigte und für Kernwaffen verwandte. Schließlich war der Vertrag gemäß Artikel IV «nicht so auszulegen, als werde dadurch das unveräußerliche Recht aller Vertragsparteien beeinträchtigt, ... die Erforschung, Erzeugung und Verwendung der Kernenergie für friedliche Zwecke zu entwickeln».[36]

Die Bundesrepublik trat dem Atomsperrvertrag erst am 28. November 1969 bei. Die Große Koalition sah sich dazu nicht mehr in der Lage. Die Diskussion über den Nichtverbreitungsvertrag stellte sie vor «eine Art psychologischer Zerreißprobe».[37] Zahlreiche Vertreter der CDU/CSU sahen die deutschen Interessen trotz des Artikels IV nicht ausreichend gewahrt. Außerdem tat sich bei CDU und CSU noch einmal der alte, inzwischen weitgehend überwunden geglaubte Gegensatz zwischen «Atlantikern» und «Gaullisten» auf. Denn der Verzicht auf Kernwaffen schloß grundsätzlich auch eine deutsch-französische Kooperation auf diesem Sektor aus, auf den in Bonn immer noch einige setzten, obgleich sie wissen mußten, daß ein solches Vorhaben mit de Gaulle nicht realisierbar war.

Der General blieb für die Bundesrepublik ein schwieriger Partner, keineswegs nur in der Frage eines deutschen Zugangs zu Atomwaffen. Vielmehr scheiterte am 19. Dezember 1967 auch der zweite Versuch Großbritanniens zu einem raschen EWG-Beitritt, den London am 11. Mai beantragt hatte. Vergleichbares gilt für die Aufnahmeanträge Irlands, Dänemarks und Norwegens, die bis zum 21. Juli eingereicht, aber erst lange nach dem Rücktritt de Gaulles entschieden wurden. Für seinen Widerstand war nach wie vor das alte Motiv ausschlaggebend, Europa nicht dem Führungsanspruch Großbritanniens und damit indirekt der Vereinigten Staaten auszuliefern. Eben den aber witterte er wie viele seiner Landsleute hinter dem britischen Begehren. Die Führung in Europa, das stand für de Gaulle noch immer außer Frage, hatte bei Frankreich zu liegen, wenn man in Paris auch am Ende des Jahres 1967 erkennen mußte, daß de Gaulles Kalkül bislang nicht aufgegangen war.

Dennoch oder vielleicht deshalb machte Europa in der Endphase der Ära de Gaulle durchaus Fortschritte. Dazu trugen auch äußere Einflüsse einiges bei, so zum Beispiel der Abschluß der sechsten, der sogenannten Kennedy-Runde des GATT am 30. Juni 1967. Nach immerhin dreijährigen Verhandlungen wurde der weltweite Zollabschlag um ein Drittel für Industriegüter und um ein Viertel für Agrarprodukte beschlossen. Das bedeutete nichts weniger als die Bereitschaft der mehr als 50 Teilnehmerstaaten, 60 000 Zollpositionen mit einem Handelsvolumen von 40 Milliarden US-Dollar zu senken, und war auch für die EWG ein bedeutender Durchbruch. Bereits zum 1. Juli des folgenden Jahres nahm sie zwei Fünftel der im Rahmen des GATT beschlossenen Zollsenkungen vor. Nicht nur deswegen bildete der 1. Juli 1968 nach Einschätzung ihrer Kommission ein «historisches Datum».[38] Vielmehr wurde an diesem Tag, anderthalb Jahre früher als in den Römischen Verträgen vorgesehen, die Zollunion der Gemeinschaft für gewerbliche wie für Agrarprodukte vollendet, und schließlich trat ihr gemeinsamer Zolltarif gegenüber Drittländern in Kraft.

Inwischen hatte man auch die erste große Strukturreform hinter sich gebracht. Am 1. Juli 1967 war die «Europäische Gemeinschaft» (EG), wie sie sich fortan nannte, faktisch in Kraft gesetzt worden. Wenige Tage später nahmen der Gemeinsame Rat und die Gemeinsame Kommission ihre Arbeit auf. Basis war der am 8. April 1965 in Brüssel unterzeichnete «Vertrag zur Einsetzung eines Gemeinsamen Rates und einer Gemeinsamen Kommission der Europäischen Gemeinschaften». Allerdings übten diese die Befugnisse der drei Räte und der beiden Kommissionen sowie der Hohen Behörde von EGKS, EWG und EURATOM auch weiterhin «unter den gleichen Bedingungen» aus, «die in drei europäischen Verträgen festgelegt sind». So jedenfalls stand es in einer Mitteilung der EG vom Tage der Vertragsunterzeichnung zu lesen. Der Fusionsvertrag sollte also durch Umgruppierung und Reorganisation ein «logisch-rationelles Element» in die Tätigkeit der Gemeinschaft bringen.[39] Das bedeutete freilich noch nicht die Fusion der Verträge von EGKS, EWG und EURATOM. Diese wurde erst nach dem Ende des Kalten Krieges, auf der Regierungskonferenz des Jahres 1996, angepackt. Erster Präsident der gemeinsamen EG-Kommission war der Belgier Jean Rey, nicht, wie ursprünglich erwartet, Walter Hallstein, der seine Bewerbung auf französischen Druck hin zurückziehen mußte. De Gaulle hatte ihm seine Initiativen im Jahre 1965 nie verziehen.

Die geschilderten und weitere Erfolge der EG, wie zum Beispiel die Verabschiedung einer allgemeinen Arbeitserlaubnis, waren gewiß beeindruckend. Aber es gab auch Schattenseiten. So hatten die gemeinsame Preispolitik bei Agrarprodukten und die Anreize zur Intensivierung der Landwirtschaft unter anderem eine gigantische Überproduktion zur Folge, die der Gemeinschaft mehrere schwere Krisen bescherte und sie wiederholt an den Rand des Ruins brachte. Erst 1988 gab es, wie noch zu zeigen ist, mit der Agrarreform eine gewisse Wende. Allerdings stapelten sich 1992, zum 25jährigen Jubiläum des Agrarmarktes, in den Lagern der Gemeinschaft immer noch etwa sechs Millionen Tonnen Getreide, 900 000 Tonnen Rindfleisch, 260 000 Tonnen Butter und 280 000 Tonnen Magermilchpulver.[40] Es machte die Sache nicht besser, daß es sich um gemeinsame, gewissermaßen integriert produzierte Berge, wie den sprichwörtlichen «Butterberg», handelte.

Außerdem war nicht zu übersehen, daß die Gemeinschaft bei allen Fortschritten im Bereich der Wirtschaft und des Handels politisch stagnierte. So kam es weder zu der von Bonn gewünschten Erweiterung der Gemeinschaft noch gar zu Ergebnissen bei der Installierung einer Politischen Union. Schließlich mußte man feststellen, daß sich der Gegensatz zwischen Frankreich und Großbritannien nicht nur nicht überwinden ließ, sondern weiter verschärfte. Das war zumal bei der WEU der Fall, die in diesen Jahren so etwas wie die «institutionelle Brücke zwischen den Sechs und Großbritannien» bildete.[41] Selbst sie war seit 1967 vom Krisenbazillus infiziert.

Diese Entwicklung erreichte Anfang des Jahres 1969, dem Jahr der britischen WEU-Präsidentschaft, einen neuen Tiefpunkt. De Gaulle war pikiert, daß London eine Sitzung der Außenminister der WEU als Forum gewählt hatte, um einen weiteren Antrag auf einen Beitritt zur EG zu stellen. Der mißtrauische General wurde vom Argwohn umgetrieben, daß die Briten die WEU zum Ausgangspunkt für eine politische Einigung Europas unter ihrer Führung machen wollten, und griff daher, wie schon einmal 1965/66 im Falle der EWG, auf das Mittel des «leeren Stuhls» zurück. Die Situation entspannte sich erst mit dem Rücktritt de Gaulles am 28. April 1969. Der Abgang des großen Staatsmannes von der weltpolitischen Bühne hatte indessen unmittelbar wenig mit der internationalen Politik zu tun. Vielmehr zog der General damit die Konsequenz aus seinem Scheitern in der schweren inneren Krise, die Frankreich in den Jahren 1968/69 erschütterte und ihn veranlaßt hatte, mit einem Volksentscheid die Vertrauensfrage zu stellen. Mit de Gaulle trat ein Staatsmann aus dem Rampenlicht des Weltgeschehens zurück, der zu diesem Zeitpunkt wie kein zweiter das wechselvolle Schicksal des europäischen Kontinents während des 20. Jahrhunderts in seiner Person vereinte – Krieg und Frieden, Feindschaft und Versöhnung, Aufstieg und Niedergang, Schwäche und Größe.

Kurz vor seinem Rücktritt hatte de Gaulle noch damit begonnen, die französische Außenpolitik vorsichtig auf einen neuen Kurs zu bringen, und eine gewisse Annäherung an Großbritannien und damit auch die USA gesucht. Dieser Kurs wurde von seinem Nachfolger, Georges Pompidou, einem tief in der gaullistischen Tradition verwurzelten Politiker, weiterverfolgt. Die Neuorientierung der französischen Außenpolitik hatte ihren Grund in der wachsenden wirtschaftlichen Stärke und in den Alleingängen der Bundesrepublik, mit denen Bonn auf die Situation der Weltwirtschaft seit Ende des Jahres 1968 reagierte.

Einem enormen Handelsüberschuß und dem weiter steigenden deutschen Exportvolumen korrespondierte ein gewaltiger Zustrom an Spekulationsgeldern insbesondere aus Frankreich, der auch durch die dortige innere Krise mitbedingt war. In dieser Situation wurde die Forderung nach einer Aufwertung der D-Mark laut, um den Verfall der französischen, aber auch anderer Währungen zu stoppen: Immerhin mußte der Franc am 10. August 1969 um mehr als 11 % abgewertet werden. Einmal erhoben, lösten diese Forderung und mit ihr die Aussicht auf eine Aufwertung der D-Mark weitere Spekulationskäufe der deutschen Währung aus, so daß am 24. September, nicht zum ersten Mal, die deutschen Devisenbörsen vorübergehend geschlossen wurden. Dadurch wiederum erhöhte sich der Aufwertungsdruck noch weiter.

Die Verantwortlichen am Rhein weigerten sich indessen hartnäckig, diesen Schritt zu tun. Selbst auf einem Treffen der zehn führenden westlichen Industriestaaten in Bonn vom 20. bis zum 22. November 1968 war es nicht gelungen, die deutsche Politik zu einer Änderung dieser Haltung zu bewegen. Die Bundesregierung beschloß lediglich die Einführung einer Genehmigungspflicht für Auslandseinlagen und Auslandskredite und machte gewisse Zugeständnisse zur Erleichterung von Importen und zur Einschränkung der eigenen Exporte, ohne diese freilich, etwa durch eine Aufwertung der D-Mark, nachhaltig zu gefährden: Am 29. November 1968 wurden bis zum 31. März 1970 eine Einfuhrvergütung von 4 % und eine ebenso hohe Sonderumsatzsteuer auf den deutschen Export eingeführt. Erst im folgenden Jahr änderte Bonn seine Politik, und darin war in erster Linie ein Entgegenkommen gegenüber den USA zu sehen.

Das also war der Hintergrund für die vorsichtige Wiederannäherung Frankreichs und Großbritanniens. Immerhin hatte sich die Bundesrepublik zum ersten Mal selbstbewußt über die Forderungen und Wünsche ihrer westlichen Partner hinweggesetzt. Diese Demonstration wirtschaftlicher – und natürlich auch politischer – Stärke rief bei den Nachbarn auch deshalb ungute Erinnerungen wach, weil zur gleichen Zeit der deutsche Osthandel florierte. Im April 1969 trafen sich der sowjetische Außenhandelsminister Patolischew und Bundeswirtschaftsminister Schiller in Hannover, und im Mai begannen Gespräche über die Lieferung deutscher Großröhren an die Sowjetunion im Austausch gegen sowjetische Energielieferungen an die Bundesrepublik. Dabei ging es anfänglich noch um Öl, sehr bald aber um Erdgas, und am 28. November 1969 wurde ein Abkommen paraphiert, das die ersten sowjetischen Gaslieferungen für 1973 vorsah. Im übrigen war mit Patolischew erstmals ein sowjetischer Außenhandelsminister zur wichtigsten deutschen Industriemesse nach Hannover gekommen.

Wie immer die westlichen Nachbarn diese Bonner Aktivitäten auch
betrachten mochten, der Gedanke war nicht von der Hand zu weisen, daß
die Bundesrepublik auf diesen Wegen eine Antwort auf die drängende
Frage der ausgehenden sechziger Jahre gab, was denn Entspannung eigentlich sei. Daß die Wirtschaft dabei eine wichtige Rolle spielen konnte, stand
außer Frage; daß sich die Entspannung nicht auf dieses Gebiet beschränken
durfte, allerdings auch. Um auf den sensiblen Gebieten, um bei den Fragen
der Sicherheit in Europa, der Hinnahme des Status quo oder vor allem
auch der Anerkennung des zweiten deutschen Staates vorankommen zu
können, bedurfte es einer grundlegenden politischen Entscheidung.

8. Gipfelstürmer
Die Wege der Detente
1969–1973

Endlich war es soweit. Mit entspannter Miene setzte Leonid Breschnew, Generalsekretär der KPdSU, in Moskau seine Unterschrift unter eine Serie bilateraler Abkommen mit den Vereinigten Staaten von Amerika. Am selben Tag, am 26. Mai 1972, unterzeichnete Staatssekretär Michael Kohl für die Deutsche Demokratische Republik in Ost-Berlin einen Vertrag mit der Bundesrepublik Deutschland. Es war kein Zufall, daß sich diese beiden symbolträchtigen Szenen, zwischen denen ein enger sachlicher Zusammenhang bestand, in den Hauptstädten der Sowjetunion bzw. der DDR abspielten: Zu den in Moskau unterzeichneten Dokumenten zählte eine Grundsatzerklärung, die gleich mehrfach die «Gleichberechtigung» der beiden Vertragsparteien festschrieb. Und in Ost-Berlin geschah – genaugenommen – nichts anderes. Indem die Vertreter der beiden deutschen Teilstaaten ihre Unterschriften unter den ersten von ihnen frei ausgehandelten Vertrag, einen Verkehrsvertrag, setzten, wurde die Gleichrangigkeit der Vertragsparteien nicht minder eindeutig dokumentiert. Damit hatten die Sowjetunion und die DDR nach einem Vierteljahrhundert ein herausragendes Ziel ihrer außenpolitischen Bemühungen erreicht.

Selbstredend handelte es sich bei der Bereitschaft ihrer Vertragspartner, diesen Schritt zu tun und damit der kommunistischen Welt insgesamt zu einer Statusaufwertung zu verhelfen, um keinen selbstlosen Akt. Denn die beiden Abkommen waren lediglich Teile eines Vertragsbündels «von geradezu theologischer Komplexität»,[1] und die Verhandlungsführer in Washington und Bonn hatten sorgfältig darüber gewacht, daß ihren Anliegen in den politischen und militärischen Fragen angemessen Rechnung getragen wurde. Insofern ging Anfang der siebziger Jahre für beide Seiten die Rechnung nüchtern kalkulierter Interessenpolitik auf.

Nicht von ungefähr fiel diese neue Runde in der internationalen Politik mit Regierungswechseln in mehreren Ländern der westlichen Welt zusammen. Nicht nur hatte, wie schon berichtet, in den Vereinigten Staaten Richard M. Nixon die Nachfolge Lyndon B. Johnsons angetreten und in Frankreich Charles de Gaulle die Konsequenzen aus dem gescheiterten Referendum gezogen und das Amt des Staatspräsidenten an Georges Pompidou übergeben. Vielmehr war es auch im rheinischen Bonn zu einem Regierungswechsel gekommen: Am 21. Oktober 1969 hatte der Deutsche Bundestag mit Willy Brandt erstmals einen Sozialdemokraten zum Bundeskanzler gewählt, damit zugleich eine Koalition aus SPD und FDP bestätigt und die CDU, die aus den Bundestagswahlen vom 28. September als stärkste Partei hervorgegangen war, nach 20 Jahren an der Regierung auf die Oppositionsbänke verwiesen.

Die Wechsel in Frankreich und Deutschland hatten auch mit einer Bewegung zu tun, die in diesen und anderen Ländern der westlichen Welt auf eine Überwindung der politischen, wirtschaftlichen und sozialen, aber auch der kulturellen und moralischen Werte und Strukturen der Nachkriegsgesellschaft abzielte, nicht nur von ihren in der Regel jugendlichen Protagonisten als «revolutionär» eingestuft wurde und sich auf dem Gebiet der Außen- und Sicherheitspolitik vor allem in der Gegnerschaft gegen die amerikanische Kriegführung in Vietnam einig wußte. In der Bundesrepublik erreichte der allgemeine Unmut der «68er» ausgerechnet zu der Zeit seinen Höhepunkt, als mit Willy Brandt ein Mann das Ruder der deutschen Politik übernahm, dessen Biographie und politische Ziele ihn nicht gerade als typischen Repräsentanten jener Verhältnisse auswiesen, gegen die sich der Protest richtete.

So unerwartet der «Machtwechsel» am Rhein angesichts der Ergebnisse der Bundestagswahlen und der Mehrheitsverhältnisse im Bonner Parlament auch sein mochte, so wenig überraschte er diejenigen, welche die Diskussionen der vergangenen Jahre verfolgt hatten. Denn gerade in jenen Fragen, wie dem Beitritt zum Nichtverbreitungsvertrag, in denen sich die Partner der Großen Koalition auseinandergelebt hatten, war eine schrittweise Annäherung zwischen SPD und FDP zu beobachten gewesen. Seit 1967 hatte es zum Beispiel durch den Leiter der Pressestelle der FDP, Wolfgang Schollwer, Vorstöße in der Ost- und Deutschlandpolitik gegeben, die letztlich auf eine Anerkennung sowohl der «Oder-Neiße-Linie» als polnischer Westgrenze als auch der DDR als eigenständigem Staat hinausliefen. Diese Doppelforderung war zwar damals innerhalb der liberalen Partei noch nicht mehrheitsfähig, auch nicht nachdem Walter Scheel im Januar 1968 Erich Mende als Vorsitzenden der FDP abgelöst hatte. Doch kam jetzt erkennbar Bewegung in die Diskussion, zumal die Ost- und Deutschlandpolitik eines der wenigen Felder war, auf dem sich die FDP als kleine Oppositionspartei profilieren konnte. Die auf dem 20. Bundesparteitag im Juni 1969 in Nürnberg verabschiedete Wahlplattform sah einen Staatsvertrag zwischen Bonn und Ost-Berlin und damit den Abschied von Alleinvertretungsanspruch, «Hallstein-Doktrin» und anderen Reliquien deutscher Außenpolitik vor. Ähnliches forderten seit geraumer Zeit große Teile der Presse und natürlich die SPD, allen voran ihr Parteivorsitzender und Kanzlerkandidat Willy Brandt.

Es ging letzten Endes um die Frage, ob man sich der Macht des Faktischen endlich beugen, also zur Kenntnis nehmen wollte, was nun einmal existierte: ein zweiter deutscher Teilstaat. Hier herrschte unübersehbar Handlungsbedarf; das zeigte der beträchtliche Anerkennungsdruck, der vor allem von einigen jungen Staaten der Dritten Welt ausging. Und wie lange wollte man noch ignorieren, daß die Bundesrepublik inzwischen eine Fülle direkter und indirekter Kontakte zum SED-Regime pflegte? Nicht nur hatten beide Staaten an denselben Konferenzen, so der Genfer Außenministerkonferenz des Jahres 1959, teilgenommen und dieselben Verträge, wie das Atomteststoppabkommen des Jahres 1963, unterzeichnet. Vielmehr hatte es auch eine Reihe direkter und indirekter politischer Kontakte gegeben, so zum Beispiel die Passierscheinabkommen der Jahre 1963–1966 und die diversen Kontakte etwa zwischen der SPD und der SED über einen geplanten, wenn auch nicht realisierten Redneraustausch oder auch zwischen den Regierungschefs über einen Gewaltverzicht und andere Fragen mehr, der zwar ebenfalls gescheitert war, aber immerhin 1967 in Form eines Briefwechsels zwischen führenden Repräsentanten Bonns und Ost-Berlins bestanden hatte. Und schließlich gab es seit Jahren eine Fülle wirtschaftlicher und finanzieller Beziehungen. Daß der eine deutsche Staat dem anderen dessen politische Häftlinge abkaufte, verstärkte eher die Tendenz, den Realitäten nun auch ihre Anerkennung folgen zu lassen.

Aus alledem zog Bundeskanzler Brandt die Konsequenz, als er am 28. Oktober 1969 in seiner ersten Regierungserklärung mit Nachdruck darauf hinwies, daß die neue Bundesregierung die Politik ihrer Vorgängerinnen fortsetzen werde, zugleich aber, vorsichtig und in einem Nebensatz versteckt, neues ankündigte, indem er die faktische Existenz der DDR anerkannte: «Eine völkerrechtliche Anerkennung der DDR durch die Bundesregierung kann nicht in Betracht kommen. Auch wenn zwei Staaten in Deutschland existieren, sind sie doch füreinander nicht Ausland; ihre Beziehungen zueinander können nur von besonderer Art sein.» Konsequenterweise vermied Brandt dann auch die bis dahin in Regierungserklärungen dieser Art gebräuchlichen Redewendungen vom «getrennten», «gespaltenen» oder «geteilten» Deutschland ebenso wie die an dieser Stelle übliche Forderung nach «Wiedervereinigung». In den Debatten, die sich an den Vortrag des Regierungsprogramms anschlossen, stellte der Kanzler lediglich fest, daß eine Wiedervereinigung nur in einer «europäische[n] Friedensordnung» denkbar sei, und benannte damit zugleich das wohl wichtigste Fernziel seiner Außenpolitik. 20 Jahre nach Gründung der beiden deutschen Staaten konnte es für Brandt eigentlich nur noch darum gehen, «ein weiteres Auseinanderleben der deutschen Nation [zu] verhindern», also zu versuchen, «über ein geregeltes Nebeneinander zu einem Miteinander zu kommen».[2]

Die neue Bundesregierung und die sie tragende sozialliberale Koalition wußten, daß dieses Ziel nicht im Alleingang zu erreichen war. Folglich fand sich auch in Brandts erster Regierungserklärung ein eindeutiges Bekenntnis zu den Partnern der westlichen Gemeinschaften, allen voran zu den Vereinigten Staaten von Amerika. Diese waren nach wie vor der wichtigste Garant für die Sicherheit des westdeutschen Teilstaates – während des Drahtseilaktes der Bonner Ost- und Deutschlandpolitik sogar mehr denn je. Und schließlich war ohne die Vereinigten Staaten jene «gleichzeitige und ausgewogene Rüstungsbeschränkung und Truppenreduzierung in Ost und West» nicht zu haben, die ein zentraler Bestandteil der von Brandt anvisierten europäischen Friedensordnung sein sollte.[3]

Diese Vision einer europäischen Friedensordnung erwuchs aus der Einsicht, «daß mit einer isolierten Lösung unserer nationalen Frage nicht gerechnet werden konnte».[4] Schon daraus ergab sich die weitere Öffnung nach Osten, die den «Frieden im vollen Sinne dieses Wortes auch mit den Völkern der Sowjetunion und allen Völkern des europäischen Ostens» zum Ziel haben mußte.[5] Das waren unüberhörbare Signale an die Adresse Moskaus. Sie schlossen die Bereitschaft der Bundesregierung ein, die Sowjetunion in realistischer Einschätzung der gegebenen Lage als ersten und wichtigsten Gesprächspartner für die Bonner Ost- und Deutschlandpolitik insgesamt anzuerkennen, vom Status quo in Europa auszugehen und damit die Ergebnisse des Zweiten Weltkrieges als unveränderbar hinzunehmen.

Unverzüglich machte man sich ans Werk. Nur zwei Tage nach der besagten Regierungserklärung gab der neue Außenminister Walter Scheel dem sowjetischen Botschafter in Bonn die Bereitschaft der Bundesregierung zu erkennen, die Gespräche über einen förmlichen Gewaltverzicht weiterzuführen, die gut ein Jahr zuvor, im Gefolge des Einmarsches von Truppen des Warschauer Paktes in die Tschechoslowakei, eingestellt worden waren. Eigentlich begann die «neue Ostpolitik» also als weitere, als vierte Runde jenes Gewaltverzichtsdialogs, der mit der «Friedensnote» der Regierung Erhard am 25. März 1966 begonnen und seine Fortsetzung in zwei Initiativen während der Zeit der Großen Koalition gefunden hatte. Auf diese Weise gab die Bonner Regierung zu erkennen, daß auch sie die sowjetische Intervention in Prag als «geschichtlichen Verkehrsunfall»[6] betrachtete, der einer Wiederaufnahme der Entspannungspolitik nicht im Wege stehen sollte.

Schon der monatelang heftig umstrittene Beitritt der Bundesrepublik zum Nichtverbreitungsvertrag, der am 28. November 1969 erfolgte, war in diesem Sinne zu verstehen. Wie wenig freilich auch die neue Regierung die ausgetretenen Pfade der Bonner Deutschlandpolitik verlassen konnte, zeigte ihre Note an alle Staaten, mit denen Bonn diplomatische Beziehungen unterhielt. Darin wurde ausdrücklich festgestellt, daß mit der Vertragsunterzeichnung «keine völkerrechtliche Anerkennung der DDR verbunden» sei und daß daher für die Bundesrepublik auch «im Rahmen dieses Vertrags keine völkerrechtlichen Beziehungen zur DDR» entstünden.[7] Dennoch sahen sich Willy Brandt und seine Regierung bereits anläßlich der Unterzeichnung des Nichtverbreitungsvertrages erstmals mit dem Vorwurf konfrontiert, überstürzt zu agieren. Das Tempo, das sie in der Ost- und Deutschlandpolitik vorlegten, war ursprünglich gar nicht vorgesehen. Aber der eingeschlagene Kurs entwickelte schon bald eine beträchtliche Eigendynamik, und mit ihr geriet die Bundesregierung zusehends unter Erfolgsdruck. Mit dem voreilig wirkenden Beitritt zum Nichtverbreitungsvertrag, der ohne Gegenleistung erfolgt war, hatte sie in den Augen ihrer Kritiker ein Aktivum aus der Hand gegeben. Immerhin war es die sowjetische Seite gewesen, die seit Jahren darauf gedrängt hatte, daß die Bundesrepublik keinen Zugriff auf Nuklearwaffen erhalten solle. Die Moskauer Verhandlungen über einen Gewaltverzicht, die im Dezember 1969 zunächst in Form mehrerer Unterredungen zwischen Botschafter Allardt und Außenminister Gromyko geführt wurden, liefen sich schnell fest, weil die Sowjets kompromißlos auf ihren Maximalforderungen bestanden. Zu diesen zählten neben der Anerkennung des grundsätzlichen Prinzips der Unveränderlichkeit der Grenzen die völkerrechtliche Anerkennung der DDR, die Lösung West-Berlins vom Bund, die Erklärung der Ungültigkeit des Münchener Abkommens von Anfang an, aber zum Beispiel auch der Anspruch der Sowjetunion auf Beibehaltung des Interventionsrechts gemäß den Feindstaatenklauseln der Artikel 53 und 107 der UN-Charta. Mit einigen dieser Forderungen fiel die Kremlführung noch hinter jenes Angebot zurück, das der Warschauer Pakt mit dem «Budapester Appell» vom 17. März 1969 unterbreitet hatte. Darin war ausdrücklich von der «Unantastbarkeit der in Europa bestehenden Grenzen» sowie von der «Anerkennung der Existenz» der DDR die Rede gewesen, nicht aber von ihrer völkerrechtlichen Anerkennung.[8]

Gromyko wußte genau, warum er in seinen Gesprächen mit Botschafter Allardt, der auch in sowjetischen Augen «sein Handwerk» verstand,[9] wieder auf den ursprünglichen Katalog mit sowjetischen Maximalforderungen zurückgriff. Dem Außenminister – mit dem diplomatischen Parkett seit der Potsdamer Konferenz wohl vertraut – mußte klar sein, daß die Bundesregierung das nicht akzeptieren konnte. Da es auch in diesem Falle die Sowjetunion war, die schon seit Jahren eine vertragliche Vereinbarung über die territorialen Gegebenheiten in Europa suchte, konnte sich Gromyko ziemlich sicher sein, daß die harte Haltung nicht zu einem Abbruch des Kontaktes, sondern vielmehr zu einer Beschleunigung der Verhandlungen führen werde. Offenkundig hatte der Bonner Beitritt zum Nichtverbreitungsvertrag die sowjetische Führung in ihrer Einschätzung bestärkt, daß es der neuen Bundesregierung um rasche, vorweisbare Erfolge in ihrer Ost- und Deutschlandpolitik zu tun war.

Dafür sprach auch die Tatsache, daß bereits parallel zu den offiziellen Unterredungen, die der deutsche Botschafter in Moskau führte, eine Art Geheimkontakt zwischen dem Bundeskanzleramt und dem Kreml hergestellt worden war. Dieser lag ganz im Trend der Zeit, die eine bemerkenswerte Renaissance der Geheimdiplomatie sah, und ließ zudem erkennen, daß Willy Brandt – ähnlich wie Adenauer bei seinen ostpolitischen Vorstößen – entschlossen war, die Verhandlungsführung unter der direkten Kontrolle des Kanzleramtes zu halten. Nach Einschätzung Walter Scheels vom April 1970 bestand das Kanzleramt «von A bis Z ... aus Leuten des Auswärtigen Amts: Kanzler, Staatssekretär, alle Mitarbeiter, persönliche Referenten – rasserein Auswärtiges Amt».[10] Unübersehbar wurde die Direktion des Kanzlers in dieser Angelegenheit, als am 27. Januar 1970 bekannt gegeben wurde, daß ein Sonderbeauftragter Brandts seine Reise in die sowjetische Hauptstadt antreten werde. Rückblickend hat Allardt behauptet, das Auswärtige Amt und die deutsche Botschaft in Moskau hätten erst an diesem Tag, und zwar «aus dem Radio», erfahren, daß die Verhandlungsführung nicht mehr bei ihnen lag.[11]

Der Mann, den Bundeskanzler Brandt in die schwierigen Verhandlungen mit den sowjetischen Routiniers schickte, hatte zwar als Leiter des Planungsstabes des Auswärtigen Amtes in den Jahren 1967–1969 einige Erfahrungen sammeln können, war aber kein Berufsdiplomat: Egon Bahr war von 1950 bis 1960 zunächst Kommentator eines Berliner Rundfunksenders gewesen und dann, von 1960 bis 1966, Leiter des Presse- und Informationsamtes des Landes Berlin. In dieser Zeit war er zu einem engen Vertrauten des Regierenden Bürgermeisters Willy Brandt geworden. Der nahm ihn dann auch mit nach Bonn, zunächst eben als Ministerialdirektor und Leiter des Planungsstabes ins Auswärtige Amt und später als Staatssekretär ins Bundeskanzleramt. Seit seiner Tutzinger Rede, in der er 1963 das Konzept «Wandel durch Annäherung» vorgestellt hatte, galt Bahr als Vordenker sozialdemokratischer Ost- und Deutschlandpolitik. Seit Jahren hatte er sich für diese Fragen interessiert, und kaum jemand stellte sein Engagement und seine in der Politik nicht gerade häufig anzutreffende Fähigkeit zu konzeptionellem Denken in Abrede. Der Theorie sollte nun die Praxis folgen. Allerdings konnte man mit dem Bundestagsabgeordneten Werner Marx fragen, ob «derjenige, der eine so weitragende und verschlungene Politik erfunden und erdacht hat, über diese Politik selbst verhandel[n]» solle.[12]

Seit dem 30. Januar 1970 also sondierte Bahr in Moskau über einen deutsch-sowjetischen Gewaltverzicht und damit zusammenhängende Fragen. Die Entsendung eines Staatssekretärs nach Moskau und das Anheben der Verhandlungsebene sollte dem Kreml die Entschlossenheit der Bundesregierung demonstrieren, ernsthaft und zügig zu verhandeln. Die Unterredungen, in denen auch Bahr zunächst deshalb mit den sowjetischen Maximalforderungen konfrontiert wurde, weil sein Stellvertreter, Botschafter Allardt, anwesend war, gliederten sich in drei Abschnitte und wurden am 22. Mai beendet. Der wichtigste «Gesprächspartner» Bahrs war der sowjetische Außenminister Gromyko. Nach der offiziellen Sprachregelung führte Bahr in Moskau nämlich gar keine Verhandlungen. Immerhin sprachen Bahr und Gromyko keineswegs nur über Fragen unmittelbar bilateralen Interesses, sondern auch über die DDR, die Tschechoslowakei und nicht zuletzt über Polen. Auch um von vornherein dem Eindruck entgegenzutreten, daß sich Bonn damit auf den Boden der «Breschnew-Doktrin» stellte, wurden parallel zu Bahrs Moskauer Gesprächen entsprechende Kontakte zu den Regierungen der DDR und Polens geknüpft. Erste Erfolge konnten indessen nicht im Rahmen der politischen Gespräche, sondern bei Verhandlungen über wirtschaftliche Fragen verbucht werden. Am 1. Februar 1970 wurde in drei Abkommen das «Erdgas-Röhren-Geschäft» unter Dach und Fach gebracht. Danach sollten bundesdeutsche Firmen Großröhren zum Bau einer Erdgasleitung von Sibirien nach Mittel- und Westeuropa liefern. Im Gegenzug erklärte sich Moskau bereit, über einen Zeitraum von 20 Jahren Erdgas an die Bundesrepublik zu liefern. 17 deutsche Banken fanden sich zu einem Kredit bereit, der zur Hälfte durch eine staatliche Bürgschaft gedeckt wurde. Die Bonner Kritiker sahen in dem Geschäft – wie schon im Beitritt zum Nichtverbreitungsvertrag – ein Beispiel für die hektische Verhandlungsführung und für den Erfolgsdruck, unter den sich die Bundesregierung ohne Not gesetzt hatte. Die Gegner dieser Politik mobilisierten insbesondere das Argument einer möglichen Erpreßbarkeit: Geriet die Bundesrepublik mit dem Geschäft nicht langfristig in eine einseitige Abhängigkeit von sowjetischen Energielieferungen?

Eine neue Dimension bekam der Vorwurf übereilter Verhandlungsführung, als im Sommer 1970 die Ergebnisse der Sondierungen Bahrs mit Gromyko bekannt wurden. Nachdem die Bundesregierung ihrerseits wiederholt öffentlich angedeutet hatte, worüber zwischen dem deutschen Emissär und dem sowjetischen Außenminister gesprochen worden war, wurden am 12. Juni und am 1. Juli die Ergebnisse durch eine gezielte Indiskretion in deutschen Zeitungen und Zeitschriften publik gemacht. Bahr und Gromyko hatten diese Ergebnisse in zehn Punkten zusammengefaßt, und der Staatssekretär hatte sie schriftlich fixiert. Dieses «Bahr-Papier» gliederte sich in zwei Teile, ein Arbeitspapier für die eigentlichen Vertragsverhandlungen sowie einen Entwurf diverser Absichtserklärungen. Gedacht war das Ganze als Grundlage für die weiteren Verhandlungen Bonns sowohl mit Moskau als eben auch mit Warschau, Prag und Ost-Berlin. Mit der Veröffentlichung erhielt das Zehn-Punkte-Papier indessen eine definitive Qualität. Änderungen waren jetzt kaum mehr vorstellbar. Nachdem die Ergebnisse der Gespräche einmal auf dem Tisch lagen, hatten sie für Moskau den Charakter von Verhandlungserfolgen. Jede Änderung zugunsten der Bonner Position hätte aus sowjetischer Sicht als Gesichtsverlust der östlichen Vormacht gewertet werden müssen. In der Tat hat das «Bahr-Papier» im Vergleich mit den auf ihm basierenden vier Verträgen keine grundlegenden Änderungen mehr erfahren. Wenn man davon ausgeht, daß dieser Umstand die ohnehin schon günstige Verhandlungsposition der Sowjets weiter verbesserte, scheint sich die Frage, wer aus der Veröffentlichung des Dokuments verhandlungstaktisch und damit politisch den größten Nutzen ziehen konnte, von selbst zu beantworten.[13] Wo die undichte Stelle tatsächlich gelegen hat, wird sich womöglich nie endgültig klären lassen. Natürlich überrascht es nicht, daß die Sowjets behaupteten, sie sei auf deutscher Seite in der «Beamtenschaft» namentlich des Auswärtigen Amtes zu suchen.[14]

Auf den ersten Blick nehmen sich die zehn Punkte nahezu unscheinbar aus. In ihrer Zeit besaßen sie freilich allesamt erhebliche Sprengkraft. Wenn sich zum Beispiel beide Seiten darauf verständigten, «ihre Streitfragen ausschließlich mit friedlichen Mitteln» zu lösen und die Verpflichtung zu übernehmen, «sich in Fragen, die die europäische Sicherheit berühren, sowie in ihren bilateralen Beziehungen gemäß Artikel 2 der Satzung der Vereinten Nationen der Drohung mit Gewalt oder der Anwendung von Gewalt zu enthalten»,[15] so war damit die für die Bundesrepublik traditionell wichtige Frage gerade nicht beantwortet, ob die Sowjetunion ihren Anspruch auf das Interventionsrecht gemäß den Artikeln 53 und 107 der UN-Charta aufgab. Ausdrücklich geschah das jedenfalls nicht, und daß der Kreml mit dem Abschluß der Ostverträge seine Haltung «änderte»,[16] blieb die deutsche Interpretation.

Eindeutiger und aus der Sicht vieler zeitgenössischer Beobachter, vor allem in Warschau, bedenklicher waren die territorialen Bestimmungen. Immerhin «sprachen» Bahr und Gromyko in Moskau ausdrücklich auch über die Grenzen Polens, und dort hatte man begreiflicherweise keine guten Erinnerungen an jene Verhandlungen, die Sowjets und Deutsche schon einmal, im August und September 1939, über diese Grenzen geführt hatten. Im «Bahr-Papier» bewegten sich die Feststellungen und Absichtserklärungen vom Allgemeinen zum Besonderen. Konkret betrachteten die Gesprächspartner «heute und künftig die Grenzen aller Staaten in Europa als unverletzlich, wie sie am Tage der Unterzeichnung dieses Abkommens verlaufen, einschließlich der Oder-Neiße-Linie, die die Westgrenze der Volksrepublik Polen bildet, und der Grenze zwischen der BRD und der DDR». Schließlich herrschte zwischen beiden Seiten Einvernehmen darüber, «daß das von ihnen zu schließende Abkommen ... und entsprechende Abkommen (Verträge) der Bundesrepublik Deutschland mit anderen sozialistischen Ländern, insbesondere ... mit der Deutschen Demokratischen Republik ..., der Volksrepublik Polen und der Tschechoslowakischen Sozialistischen Republik ..., ein einheitliches Ganzes bilden».[17] Hier war das größte Entgegenkommen der deutschen Seite zu sehen. Nicht nur erkannte Bahr in Moskau den Status quo in Europa und damit die Ergebnisse des Zweiten Weltkrieges an. Vielmehr stellte er sich indirekt auch auf den Boden der «Breschnew-Doktrin», indem er für die Bundesrepublik akzeptierte, daß ein zwischen ihr und Moskau zu schließender Vertrag und entsprechende Abkommen mit Polen, der ČSSR sowie der DDR «ein einheitliches Ganzes bilden» sollten.

Von besonderer Qualität waren die von Bahr und Gromyko inaugurierten Bestimmungen in Bezug auf das deutsch-deutsche Verhältnis: Immerhin erklärte sich die Bundesregierung durch ihren Staatssekretär bereit, «ihre Beziehungen zur Deutschen Demokratischen Republik auf der Grundlage der vollen Gleichberechtigung, der Nichtdiskriminierung, der Achtung der Unabhängigkeit und der Selbständigkeit jedes der beiden

Staaten in Angelegenheiten, die ihre innere Kompetenz in ihren entsprechenden Grenzen betreffen, gestalten» zu wollen.[18] Das bedeutete zwar nicht die Anerkennung der DDR-Staatsbürgerschaft, auch nicht die völkerrechtliche Anerkennung des anderen deutschen Teilstaates, wohl aber seine faktische Anerkennung knapp unterhalb dieser Grenze und damit zugleich die überfällige Aufgabe von «Hallstein-Doktrin» und Alleinvertretungsanspruch.

Insgesamt bewirkte das Angebot der Aufnahme politischer Beziehungen auf der Basis voller Gleichberechtigung eine deutliche Aufwertung der DDR. Das wurde durch die im «Bahr-Papier» bekundete Bereitschaft unterstrichen, den Beitritt beider deutscher Teilstaaten zu den Vereinten Nationen und ihren Sonderorganisationen zu fördern. Immerhin war die Bundesrepublik im Unterschied zur DDR bereits Mitglied zahlreicher Unterorganisationen und hatte auch einen Beobachter bei der UNO akkreditiert. Indem Bahr nun auch ausdrücklich dem Plan einer «Konferenz über Fragen der Festigung der Sicherheit und Zusammenarbeit in Europa» zustimmte, kam er auch hier einem alten sowjetischen Wunsch entgegen. Dieses Zugeständnis dürfte ihm schon deshalb leicht gefallen sein, weil der Grundgedanke durchaus mit der Bonner Vorstellung von einer europäischen Friedensordnung harmonierte. Sie konnte ja entscheidend zu einer Lösung der Deutschen Frage im deutschen Sinne beitragen. Deshalb war für Brandt die Anerkennung der bestehenden Grenzen im Rahmen einer solchen Friedensordnung die unabdingbare Voraussetzung für deren friedliche Überwindung.

Das war in den frühen siebziger Jahren eine Utopie, aber es gab keine Alternative. Angesichts der bestehenden Machtverhältnisse in Europa und in der Welt sowie des allgemeinen Wunsches zu einer weltweiten Entspannung, mußte sich auch Bonn endgültig auf den harten Boden der europäischen und damit auch der deutsch-deutschen Realitäten stellen. Das implizierte die Anerkennung der «Breschnew-Doktrin», war aber schwerlich zu ändern. Man mag darüber streiten, ob es taktisch klug war, die sowjetische Hegemonie in Ostmittel- und Südosteuropa durch die Anerkennung der bestehenden Grenzen – einschließlich der polnischen – in Moskau förmlich zu bestätigen, ehe man mit den betroffenen Staaten gesprochen hatte und in dieser Frage zu Resultaten gekommen war. Ein anderes Ergebnis war insgesamt freilich nicht vorstellbar, weil die Sowjets am längeren Hebel saßen.

Eben deshalb ist es bemerkenswert, wie hartnäckig die Sowjetunion – als eine der beiden Führungsmächte der Welt, als Hegemonialmacht im östlichen Teil des Kontinents und als atomare Supermacht – darauf bestand, daß der nur eingeschränkt handlungsfähige sowie politisch, wirtschaftlich und natürlich auch militärisch fest in die europäischen und atlantischen Gemeinschaften integrierte bundesdeutsche Rumpfstaat die gegebenen Verhältnisse anerkannte. Warum dieses Insistieren? Daß von der Bonner

Republik die Gefahr einer Revision der gegebenen Machtverhältnisse ausgehen könnte, war in höchstem Maße unwahrscheinlich, schon weil Bonns Verbündete das nie und nimmer zugelassen hätten. Für das zähe Bemühen des Kreml um eine Anerkennung des Status quo durch Bonn gab es andere Gründe. Zum einen spielte wohl schon damals das Gefühl innerer Schwäche eine nicht unerhebliche Rolle. Auch die anstehende förmliche Gleichberechtigungsbekundung durch die Vereinigten Staaten konnte nicht darüber hinwegtäuschen, daß die ambitiösen, namentlich wirtschaftspolitischen Ziele der Chruschtschow-Zeit nicht nur nicht erreicht worden waren, sondern zu einem für die sowjetische Volkswirtschaft ruinösen Wettlauf geführt hatten. Diese Ahnung dämmerte überdies vor dem Hintergrund der dramatischen sowjetisch-chinesischen Spannungen und der Annäherung des verbündeten Konkurrenten China an die Vereinigten Staaten, die damit unübersehbar zusammenhing.

Dann aber handelte es sich bei dem Staat, von dem die Anerkennung der bestehenden Verhältnisse hartnäckig verlangt wurde, um einen Teil jenes Deutschlands, vor dem man in Moskau ganz offenkundig einen tiefen Respekt besaß. Immerhin hatten in der ersten Hälfte des 20. Jahrhunderts deutsche Truppen zweimal Rußland bzw. die Sowjetunion überrannt. Zwar hatte das Reich in keinem Fall den Sieg über seinen großen östlichen Nachbarn davontragen können, wohl aber hatte der erste Krieg zur Auflösung des westlichen Rußland geführt und der zweite die deutschen Truppen vor Moskau gesehen und fast 30 Millionen Opfer gefordert. Dabei waren gerade einmal zwei Jahrzehnte verstrichen, seitdem Deutschland 1919 durch den Versailler Friedensvertrag nicht nur territorial und wirtschaftlich erheblich geschwächt, sondern als Militärmacht praktisch ausgeschaltet worden war. Daß jetzt der Teilnachfolger des vollständig geschlagenen Deutschen Reiches nach der zweiten Niederlage erneut eine atemberaubende, vor allem wirtschaftliche Karriere machte, nötigte der sowjetischen Siegermacht Respekt ab, war aber auch Anlaß zur Besorgnis.

So wichtig diese Beweggründe für die hartnäckige sowjetische Verhandlungsführung gewesen sein mögen, so wenig konnten sie natürlich als Argument für die deutsche Gesprächsführung in Moskau ins Feld geführt werden. Deren Ergebnisse waren heftig umstritten. Die Reaktionen reichten anfänglich von durchweg strikter Ablehnung in den Reihen der CDU/CSU-Opposition, über sachliche Bedenken in den Reihen des Auswärtigen Amtes, Erstaunen bei dem über das «Papier» vorab informierten NATO-Rat und gewissen Vorbehalten im Bundeskabinett bis hin zu deutlicher Empörung in Warschau. Wegen dieser Reserven konnte der Bundesaußenminister erst am 26. Juli mit dem Auftrag nach Moskau reisen, förmliche Verhandlungen über einen deutsch-sowjetischen Vertrag aufzunehmen und dabei vorzeigbare Nachbesserungen durchzusetzen. Von bescheidenen Ausnahmen abgesehen, ist das in den Verhandlungen, die Scheel bis zum 7. August mit seinem sowjetischen Amtskollegen geführt hat, nicht gelungen. Der Außenminister brachte es lediglich fertig, wie ihm auch Botschafter Allardt später attestiert hat, «die Ratifizierung des Vertrages in Zusammenhang mit einer noch auszuhandelnden Berlin-Regelung zu bringen», die in den schriftlich fixierten Absprachen zwischen Bahr und Gromyko keine Rolle gespielt hatte.[19]

Dagegen blieb es Scheel versagt, die Wiederherstellung der nationalen Einheit als politisches Ziel der Bundesrepublik nachträglich im Vertrag selbst festzuschreiben. Das geschah nur indirekt. Einmal nahm die Präambel ausdrücklich Bezug auf das deutsch-sowjetische Abkommen vom 13. September 1955. Darin waren beide Seiten davon ausgegangen, daß die Herstellung und Entwicklung normaler Beziehungen zwischen ihnen «zur Lösung der ungeklärten Fragen, die das ganze Deutschland betreffen, beitragen und damit auch zur Lösung des nationalen Hauptproblems des gesamten deutschen Volkes – der Wiederherstellung der Einheit eines deutschen demokratischen Staates – verhelfen werden».[20] Im August 1970 fand sich die Feststellung, daß der von Bahr bzw. Scheel ausgehandelte Vertrag nicht im Widerspruch zu dem «politischen Ziel» der Bundesrepublik stehe, «auf einen Zustand des Friedens in Europa hinzuwirken, in dem das deutsche Volk in freier Selbstbestimmung seine Einheit wiedererlangt»,[21] lediglich in einem Brief, dessen Inhalt zwischen beiden Seiten ausgehandelt worden war und der am Tag der Unterzeichnung des Vertrages vom deutschen Außenminister übergeben wurde. Ob die sowjetische Seite mit der widerspruchslosen Entgegennahme dieses sogenannten «Briefes zur deutschen Einheit» dessen Inhalt akzeptiert oder auch nur zur Kenntnis genommen hat, blieb umstritten. Die damalige Opposition im Deutschen Bundestag, die es im übrigen abgelehnt hatte, der Einladung Scheels zur Teilnahme an der Moskau-Reise zu folgen, hatte ihre Zweifel.

Das deutsch-sowjetische Vertragswerk hatte nach deutscher Lesart mehrere Bestandteile, neben dem eigentlichen Abkommen das besagte Schreiben Scheels an seinen sowjetischen Amtskollegen sowie eine Note der Bundesregierung an die Westmächte. Das verwies auf die Anormalität der deutschen Situation und zugleich auf eine bemerkenswerte Tradition, hatten doch alle bedeutenden deutsch-russischen und deutsch-sowjetischen Verträge seit der Gründung des Deutschen Reiches im Jahre 1871 «geheime» oder gar «ganz geheime» Zusätze, erläuternde Briefwechsel oder ähnliche Beiwerke. Das galt für das «ganz geheime Zusatzprotokoll» zum Rückversicherungsvertrag des Jahres 1887 ebenso wie für den vertraulichen Notenwechsel zwischen den Außenministern Rathenau und Tschitscherin zum Vertrag von Rapallo aus dem Jahre 1922, für den Notenwechsel zwischen dem sowjetischen Botschafter in Berlin und dem Reichsaußenminister Stresemann zum vier Jahre später geschlossenen sogenannten Berliner Vertrag, für die geheimen Zusätze zu den am 23. August und am 28. September im Auftrag Hitlers und Stalins unterzeichneten Abkommen oder eben auch für die 1955 und 1970 zwischen Bonn und Moskau getroffenen Vereinbarungen, denen jeweils ein Brief zur Frage der deutschen Einheit beigegeben war. Dem letztgenanntem Vertrag wurde aus bundesdeutscher Sicht auch jene Note der Bundesregierung an die drei Westmächte vom 7. August 1970 zugerechnet, in der sie noch vor Unterzeichnung des Moskauer Vertrages ausdrücklich betonte, daß dieser die «Rechte und Verantwortlichkeiten» der USA, Frankreichs und Großbritanniens «nicht berühr[e]».[22]

Der Vertrag selbst wurde am 12. August 1970 von Willy Brandt und Walter Scheel sowie von Aleksej Kossygin und Andrej Gromyko in Moskau unterzeichnet. Der Text des Abkommens von unbegrenzter Dauer folgte im wesentlichen den Ergebnissen der Gespräche Bahrs, erkannte also expressis verbis die Westgrenzen Polens und der DDR als unverletzlich an. Im übrigen war die Grenzgarantie in Artikel 3 dem Gewaltverzicht des Artikels 2 untergeordnet, und darin unterschied sich der in Moskau unterzeichnete Text von jenem Dokument, unter das Brandt und Scheel am 7. Dezember 1970 in Warschau ihre Unterschriften setzten.

Ihren Ursprung hatten die Kontakte, die schließlich zum deutsch-polnischen Vertrag führten, in einem Vorstoß Wladyslaw Gomulkas vom 17. Mai 1969. Damals hatte der Erste Sekretär des ZK der «Polnischen Vereinigten Arbeiterpartei» der Bundesrepublik einen zweiseitigen Grenz- und Normalisierungsvertrag vorgeschlagen. Das war schon von Außenminister Brandt aufmerksam zur Kenntnis genommen worden. Seit dem 5. Februar 1970 verhandelten dann Vertreter beider Seiten in Warschau über einen solchen Normalisierungs-, Grenz- und Gewaltverzichtsvertrag, wobei auch in diesem Falle nicht klar war, in welchem Verhältnis Grenzfeststellung und Gewaltverzicht zueinander standen. Verhandlungsführer waren der stellvertretende polnische Außenminister Jozef Winiewicz und Staatssekretär Georg Ferdinand Duckwitz. Dieser galt, ähnlich wie Egon Bahr, als enger Vertrauter Willy Brandts und überdies als akzeptabler Verhandlungspartner für die polnische Seite. Duckwitz hatte sich während des Krieges als Gegner des nationalsozialistischen Regimes ausgezeichnet und war im Jahre 1943 – als Schiffahrtssachverständiger an der deutschen Gesandtschaft in Kopenhagen – maßgeblich daran beteiligt gewesen, die dänischen Juden vor der Deportation zu retten.

Die Biographie des deutschen Verhandlungsführers spielte eine besondere Rolle, weil die deutsch-polnischen «Gespräche», wie die offizielle Sprachregelung auch in diesem Falle lautete, unter einem sehr ungünstigen Vorzeichen standen. Warschau war empört, daß die Oder-Neiße-Linie bereits Gegenstand der Verhandlungen Egon Bahrs in Moskau gewesen war und daß man in diesem Zusammenhang sogar beschlossen hatte, in den auszuhandelnden Warschauer Vertrag dieselben Formulierungen wie im «Bahr-Papier» und damit im Moskauer Vertrag aufzunehmen. Auch wenn es in diesem Falle gerade um die Bestätigung der polnischen Grenzen ging, war doch nicht vergessen, daß der polnische Staat 30 Jahre zuvor nach einer geheimen Absprache Hitlers mit Stalin liquidiert worden war und daß dieser Krieg das Land sechs Millionen Opfer gekostet hatte. Die grauenvollen Ereignisse dieser Jahre, wie die Niederwalzung des Warschauer Ghettos oder die Niederschlagung des Aufstandes der polnischen Heimatarmee 1943/44, waren noch in bitterer Erinnerung. Und schließlich hatten sich die sechs deutschen Vernichtungslager, in denen die Mehrzahl der insgesamt sechs Millionen europäischen Juden ermordet worden war, auf polnischem Boden befunden. Angesichts dieser Belastungen des polnisch-deutschen Verhältnisses hatte der auszuhandelnde Vertrag eine fast noch größere Bedeutung als der im Januar 1963 mit Frankreich geschlossene Freundschaftsvertrag.

Die in Warschau geführten Gespräche zwischen Duckwitz und Winiewicz nahmen insgesamt fünf Verhandlungsrunden in Anspruch und wurden am 25. Juli abgeschlossen; eine sechste fand vom 5. bis zum 7. Oktober in Bonn statt. Vom 2. bis zum 14. November hielt sich Außenminister Scheel in der polnischen Hauptstadt auf, um den Vertrag endgültig «auszuhandeln». Am 7. Dezember 1970 konnte er dann durch Józef Cyrankiewicz und Stefan Jedrychowski auf polnischer und von Bundeskanzler Brandt und Außenminister Scheel auf deutscher Seite unterzeichnet werden. Wenige Stunden später erwies die deutsche Delegation den Opfern des Warschauer Ghettos ihre Reverenz. Willy Brandt kniete spontan vor dem Mahnmal nieder. Mehr als alle Verträge wurde dieser Akt als Symbol für die Bereitschaft der Deutschen verstanden, der schuldbeladenen Vergangenheit ins Auge zu sehen und ihre Folgen zu akzeptieren. Daß ausgerechnet Willy Brandt, der in der Zeit des «Dritten Reiches» selbst Opfer, nicht Täter gewesen war, für dieses Land und seine Geschichte einstand, gab dem «Kniefall von Warschau» sein besonderes Gewicht.

Auch das deutsch-polnische Vertragswerk bestand aus mehreren Teilen, und zwar neben dem eigentlichen Abkommen aus einem Notenwechsel der Bundesregierung mit den Westmächten, einer polnischen «Information» zur Frage der Aussiedler sowie mehreren unveröffentlichten Erläuterungen und Abmachungen. Bereits der Titel des Vertrages machte deutlich, auf «wie dünnem Eis» man sich bewegte,[23] und daß es im Verhältnis der Bundesrepublik zu Polen allererst um die Herstellung der «Grundlagen der Normalisierung» gehen mußte. Was das hieß, zeigte die Feststellung der Präambel, daß Polen das «erste Opfer» des Zweiten Weltkrieges gewesen sei. Anders als im Moskauer, anders auch als dann im Prager Vertrag, war der Gewaltverzicht des Artikels II der Grenzfeststellung des Artikels I untergeordnet. Dieser bestätigte ausdrücklich die Grenzlinie der Potsdamer Konferenz und bekräftigte «die Unverletzlichkeit ihrer bestehenden Grenzen jetzt und in der Zukunft».[24] Damit war die «Oder-Neiße-Linie» auch durch die Bonner Republik als polnische Westgrenze anerkannt. Die

DDR hatte diesen Schritt bereits im sogenannten Görlitzer Vertrag des Jahres 1950 getan bzw. tun müssen. Auch für die Bundesregierung gab es keine Alternative: «Mit dem wachsenden zeitlichen Abstand vom Kriegsende», so schrieb Willy Brandt später, «reduzierte sich die Chance (auf die auch ich gehofft hatte), die Oder-Neiße-Grenze werde sich wenigstens hier und dort modifizieren lassen ... In der ganzen Welt war keine Regierung bereit, sich in dieser Frage für Deutschlands Ansprüche zu engagieren ... Wir mußten ... klipp und klar sagen: Dieses Ergebnis des Zweiten Weltkrieges haben wir zu akzeptieren, wenn wir es ernst meinen mit dem Bemühen um eine europäische Friedensordnung und – als einem ihrer Kernstücke – mit der deutsch-polnischen Aussöhnung.»[25]

Dieser Befund war in der Bundesrepublik nicht einmal heftig umstritten, auch nicht in den Reihen der Opposition und der Vertriebenen. Eine Aussöhnung mit Polen, die ohne die Grenzfeststellung nicht zu haben war, galt allgemein als notwendig und wünschenswert. Die gleichwohl – zum Teil scharfen – Einwände und Vorwürfe richteten sich einmal mehr gegen die als überstürzt betrachtete Verhandlungsführung. Tatsächlich war es der Bundesregierung nicht gelungen, Gegenleistungen für die Anerkennung der polnischen Westgrenze im Vertrag festzuschreiben. Das galt vor allem für die Fragen der Familienzusammenführung, der Übersiedlung deutschstämmiger Polen, aber auch für Familienbesuche. Anders als nach dem Ende des Kalten Krieges, als es auch in dieser Frage zu einer Neuorientierung der politischen wie der öffentlichen Haltung kommen sollte, war die Umsiedlung Deutschstämmiger aus den Staaten Osteuropas in die Bundesrepublik damals ein wichtiges außenpolitisches Ziel. Die Umsiedlungen zählten zu jenen «menschlichen Erleichterungen», mit denen alle Bundesregierungen seit Adenauer ihre jeweilige Ostpolitik zu begründen, zu legitimieren, gegebenenfalls auch zu relativieren oder zu entschuldigen suchten.

Im Dezember 1970 fand sich die polnische Regierung lediglich zu einer sogenannten «Information» bereit. Sie wiederholte darin ihren Standpunkt, daß Personen, die «auf Grund ihrer unbestreitbaren deutschen Volkszugehörigkeit» in einen der beiden deutschen Staaten auszureisen wünschten, «dies unter Beachtung der in Polen geltenden Gesetze und Rechtsvorschriften tun» könnten,[26] und machte mithin die Ausreise erstens von ihrem Rechtsverständnis und zweitens von ihrer Definition deutscher «Volkszugehörigkeit» abhängig. Die jeweils zugrundegelegten Zahlen klafften weit auseinander: Während die polnische Seite von «einigen Zehntausenden» ausging, kam das Rote Kreuz auf etwa 300000 Personen. Bereits 1972 meinte die Warschauer Regierung, mit mehr als 40000 Übersiedlungen ihre Zusage erfüllt zu haben.

Endgültig konnte die Sache erst im August 1975 geklärt werden, anläßlich der Begegnung Helmut Schmidts und Edward Giereks am Rande des abschließenden Gipfeltreffens der «Konferenz über Sicherheit und Zusammenarbeit in Europa». Am 2. August 1975 wurde eine «gemeinsame Erklärung» unterzeichnet, der am 9. Oktober ein zweites deutsch-polnisches Abkommen folgte. Wie der Vertrag des Jahres 1970, umfaßte auch dieses ein Paket von Vereinbarungen und Noten. Im Kern ging es um ein Geschäft – gut 120 000 Ausreisen Deutscher in die Bundesrepublik innerhalb von vier Jahren gegen eine pauschale Abgeltung der polnischen Rentenansprüche in Höhe von rund 1,3 Milliarden D-Mark sowie einen Finanzkredit in etwa derselben Höhe zu ungewöhnlich günstigen Konditionen.

Wenig Erfolg war den Bonner Unterhändlern 1970 auch bei der angestrebten sofortigen Aufnahme diplomatischer Beziehungen beschieden, die erst 1972 erfolgte. Die Feststellungen schließlich, daß die Bundesregierung «nur im Namen der Bundesrepublik Deutschland handeln» könne und der Vertrag überdies nicht die «Rechte und Verantwortlichkeiten der vier Mächte berühre»,[27] wurden lediglich in einem Notenwechsel zwischen der Bonner Regierung und den drei Westmächten vom 19. November 1970 festgehalten. Zwar ließ man die Note auch dem polnischen Außenministerium zukommen, aber sie besaß natürlich für Warschau keinerlei Verbindlichkeit oder Rechtskraft.

Mit dieser Note an seine westlichen Verbündeten wollte Bonn dem Eindruck begegnen, daß hier Ostpolitik ohne oder gar gegen die USA, Frankreich und Großbritannien betrieben werde. Auf deren Unterstützung war auch die Regierung Brandt angewiesen, schon weil die Westmächte parallel zu den Bonner Gesprächen in Warschau und Moskau mit der Sowjetunion Verhandlungen über eine Regelung des Berlin-Problems führten. Vom 4. bis zum 11. April 1970 hielt sich der Kanzler in den USA auf, um sich beim abschließenden, offiziellen Teil seines Besuchs der amerikanischen Unterstützung zu versichern. Daß ihm diese von Nixon zugesagt wurde, ist wenig überraschend. Dem Präsidenten mußte jede Verstärkung des allgemeinen Entspannungsprozesses gelegen kommen, weil eines der Hauptziele seiner Außenpolitik, der «ehrenvolle» Rückzug aus Vietnam, nicht gegen Moskau zu haben war.

Auf zum Teil «erhebliche Vorbehalte» traf Brandt hingegen im «State Department» und im Verteidigungsministerium, aber auch bei einigen Experten und Veteranen der amerikanischen Deutschlandpolitik, so zum Beispiel bei Lucius D. Clay, John McCloy oder Dean Acheson.[28] Franz Josef Strauß glaubte damals in den Metropolen des Westens «das Gespenst von Rapallo» auftauchen zu sehen. Bei aller Zufriedenheit über die deutsche Variante der Entspannungspolitik sei dort eben auch die Furcht umgegangen, «daß die Bundesrepublik Deutschland sich allmählich, wenn schon nicht in Richtung Warschauer Pakt, so doch zumindest in Richtung Neutralität bewegen könnte».[29] Befürchtungen dieser Art hegte anfänglich auch der Botschafter der Vereinigten Staaten in Bonn, Kenneth Rush. Am

8. April 1970 vertrat er vor einem Ausschuß des Repräsentantenhauses die Ansicht, daß sich die Deutschen in Zukunft stärker nach Osten orientieren dürften, falls bzw. je mehr sich die Vereinigten Staaten aus Europa zurückzögen. Für den Botschafter lag es daher im «eigenen nationalen Interesse» der Amerikaner, ihre Streitkräfte in Europa und namentlich in Deutschland nicht weiter zu reduzieren.

Die zugrundeliegende Analyse der machtpolitischen Konstellation ist aufschlußreich, insbesondere wegen der von Kenneth Rush vertretenen «zentralen These: Gegenwärtig ist Deutschland, selbst in seiner verstümmelten Gestalt, das Zünglein an der Waage des europäischen Machtgleichgewichts. Solange sich Deutschland unserer Seite zuneigt, wird sich auch das übrige Westeuropa dieser Seite zuneigen. Neigt es sich der anderen zu, kann sich das Gleichgewicht des industriellen und menschlichen Potentials Europas zugunsten der UdSSR verändern ... Eine tiefgreifende Verlagerung des Kräftegleichgewichts in Europa wäre die Folge. Ich möchte betonen, daß diese Schlußfolgerung keineswegs auf Mißtrauen gegenüber führenden deutschen Politikern basiert. Dafür kennen wir sie zu gut ... Das Endergebnis dieses schrittweise ablaufenden, undramatischen Prozesses der Verlagerung des Gleichgewichts durch eine langsame Veränderung der deutschen Position könnte sehr wohl die Ausweitung des sowjetischen Einflusses in Europa und der sowjetischen Kontrolle über dieses Gebiet sein.»[30]

Gewiß, die Ausführungen des in Bonn akkreditierten amerikanischen Diplomaten waren auch taktisch motiviert, denn Rush wollte einem Abbau amerikanischer Streitkräfte in Europa entgegenwirken. Dennoch lassen sie sich nicht auf dieses Kalkül reduzieren, zumal der Redner es mit Zuhörern zu tun hatte, denen die Motive vertraut und eine solche Argumentation grundsätzlich plausibel war. Insofern ist diese Analyse auch ein beeindruckender Beleg dafür, welche Rolle die Deutsche Frage in dieser Phase des Kalten Krieges aufs neue spielte und wie nachhaltig sie nach wie vor ins Zentrum der internationalen Politik rücken konnte.

Vor allem Henry Kissinger hat bis in die neunziger Jahre hinein keinen Hehl daraus gemacht, was ihn an der «neuen» Ost- und Deutschlandpolitik irritierte: «Ich hatte den Eindruck, daß die neue Ostpolitik Brandts, die viele als eine fortschrittliche Politik der Suche nach Entspannung ansahen, in den Händen bedenkenloser Leute zu einer neuen Form des klassischen deutschen Nationalismus werden konnte. Von Bismarck bis Rapallo war es das Wesen der nationalistischen Außenpolitik Deutschlands gewesen, zwischen Ost und West zu manövrieren ... Mit der Wahl Brandts wurde das Grundproblem der deutschen Außenpolitik wieder sehr deutlich.»[31] Offensichtlich wurde nicht nur der Sicherheitsberater des Präsidenten von der Sorge umgetrieben, daß es sich bei der Ostpolitik der neuen Bundesregierung gerade um eine Art modernisierter und besonders effektiver Variante der alten Wiedervereinigungspolitik handeln könne. Wollte man das zu

Ende denken, hätte die angepeilte und in gewisser Weise im Zentrum der gesamten Politik stehende deutsch-deutsche Annäherung als Basis für ein «nationalistische[s] und neutralistische[s] Programm» in einer ferneren Zukunft dienen können.[32] Allerdings hat Kissinger dann recht bald Brandts historisches Verdienst darin gesehen, «daß er die Deutschland aufgezwungenen Belastungen und Ängste auf sich genommen» und trotz aller Hindernisse den eingeschlagenen Entspannungskurs konsequent verfolgt hat.[33]

Im Weißen Haus wußte man zu würdigen, daß die Bundesregierung alles tat, um dem größeren Partner das bleibende Interesse an einer guten Kooperation schmackhaft zu machen. Der rasche Beitritt der Bundesrepublik zum Nichtverbreitungsvertrag am 28. November 1969 war ja nicht nur als Signal an die Adresse Moskaus, sondern auch an diejenige Washingtons zu verstehen. Am Rhein kannte man die hohe Bedeutung, welche die USA im Zuge der globalen Entspannung diesem Vertrag beimaßen. Selbst Bonns Europa-Politik konnte als Reverenz an die Adresse der amerikanischen Administration interpretiert werden. Sorgfältig war die Regierung Brandt darauf bedacht, die Intensivierung der europäischen Integration nicht auf Kosten des deutsch-amerikanischen Verhältnisses voranzutreiben. Das war auch in den ausgehenden sechziger und beginnenden siebziger Jahren nicht ganz einfach, blieb doch der französisch-amerikanische Gegensatz eine Konstante westlicher Politik, wenn auch weniger offenkundig und vor allem in der Form weniger ruppig als in der Ära de Gaulles. Immerhin kam es auf dem EG-Gipfel am 19. und 20. Oktober 1972 zu einer «offene[n]» Auseinandersetzung zwischen Brandt und Pompidou.[34] Schließlich setzte sich Brandt gegen den anfänglichen Widerstand des französischen Staatspräsidenten mit seiner Auffassung durch, daß im Schlußkommuniqué der Begegnung der «konstruktive Dialog» mit den USA ausdrücklich erwähnt werden müsse.

In diesem Falle wurzelten die transatlantischen Irritationen im Zahlungs- und Handelsbilanzdefizit der USA, für das man vor allem die hohen Kosten des Vietnam-Krieges verantwortlich zu machen hatte. Der Verfall des Dollar führte zu einer Flucht in fremde Währungen, insbesondere in die D-Mark, und diese wiederum am 9. Mai zum Beschluß der Bundesregierung, den Wechselkurs freizugeben. Der Effekt war eine Aufwertung der deutschen Währung um 8 %. Das war schon die zweite Aufwertung der D-Mark innerhalb von 24 Monaten. Um die Spekulation abzuwehren, war der Wechselkurs am 29./30. September 1969 vorübergehend freigegeben worden. Am 24. Oktober kam es zur ersten von zwei Aufwertungen innerhalb kürzester Zeit.

Einen vorläufigen Höhepunkt erreichte die Krise der Weltwirtschaft und damit auch des europäisch-amerikanischen Verhältnisses am 15. August 1971, als die amerikanische Regierung einseitig zwei weitreichende Maßnahmen bekanntgab: Einmal führten die Vereinigten Staaten eine Importsteuer von 10 % ein und erteilten damit dem traditionell von Washington vertretenen Prinzip des Freihandels eine barsche Abfuhr. Dann aber wurde die Umtauschverpflichtung von Dollar in Gold außer Kraft gesetzt. Zu diesem Zeitpunkt waren die etwa 50 Milliarden Dollar-Reserven des Auslands nur noch zu etwa 20% durch amerikanische Goldreserven gedeckt. Konsequenterweise hatten die Vereinigten Staaten schon am 17. März 1968 die fünfundzwanzigprozentige Golddeckungspflicht für Banknoten aufgehoben. Dadurch wurden die gesamten Goldvorräte für internationale Währungsoperationen frei.

Die Maßnahme der amerikanischen Regierung vom August 1971, die als «Nixon-Schock» in die Geschichte eingegangen ist, bedeutete das endgültige Aus für das Währungssystem von Bretton Woods. Dort, im amerikanischen Bundesstaat New Hampshire, hatten vom 1. bis zum 22. Juli 1944 Vertreter von insgesamt 44 Nationen mehrere Beschlüsse gefaßt. Zu diesen zählten die Einrichtung einer «Internationalen Bank für Wiederaufbau und Entwicklung», der «Weltbank», und eines «Internationalen Währungsfonds» (IWF). Die Mitgliedschaft im IWF galt als Voraussetzung für die Mitwirkung in der «Weltbank». Das Ziel des IWF war ein ausgeglichenes Wachstum des Welthandels. Der IWF förderte die währungspolitische Zusammenarbeit, um Ungleichgewichte in der Zahlungsbilanz zu überwinden und die Einzelwährungen zu stabilisieren, so die wirtschaftliche Kooperation zu verbessern und ein hohes Beschäftigungsniveau zu gewährleisten. Die Sowjetunion war zwar an den Verhandlungen in Bretton Woods beteiligt, wurde jedoch nicht Mitglied des IWF, weil Artikel VIII. 5 vorsah, daß die Mitglieder dem Fonds Informationen über ihre wirtschaftliche Situation zur Verfügung stellten. Das galt auch für sämtliche Staaten des Ostblocks, von denen einige zunächst dem IWF beigetreten waren, diesen dann aber wieder verlassen mußten. Die Bundesrepublik war seit dem 14. August 1952 Mitglied des «Internationalen Währungsfonds».

Darüber hinaus legten die in Bretton Woods versammelten Teilnehmerstaaten den Wert ihrer nationalen Währungen in den Reservemedien Gold bzw. US-Dollar fest und verständigten sich auf feste, gegenüber dem Gold oder dem US-Dollar fixierte Wechselkurse. Als der IWF am 1. März 1947 seine Tätigkeit aufnahm, verpflichteten sich seine Mitglieder, die Schwankungsbreite ihrer Währungen bei Kassageschäften bei +/– 1% von der Parität zu halten. Die Grundlagen dieser Vereinbarungen wurden durch Nixons Ankündigung vom 15. August 1971, mit der die Verpflichtung der USA zur Einlösung der offiziellen Dollar-Guthaben in Gold formell aufgehoben wurde, endgültig außer Kraft gesetzt.

Das Ende von Bretton Woods lag seit geraumer Zeit in der Luft, hatten doch die westlichen Industriestaaten die Wechselkurse immer wieder temporär angepaßt. So hatte die Bundesrepublik zum Beispiel 1961 die D-Mark um 4,76% gegenüber dem Dollar aufgewertet, um dem drohenden Inflationsimport entgegenzutreten, und 1967 war das britische Pfund im Gefolge einer allgemeinen Fluchtbewegung um 14,3% abgewertet worden. Der Übergang von dieser Politik hin zur Aufkündigung des Währungssystems von 1944 kam also insofern nicht überraschend, als es hierfür zuvor schon einige Anzeichen gegeben hatte. Was in den europäischen Metropolen einmal mehr Verärgerung auslöste, war der imperiale Stil der amerikanischen Außen-, Sicherheits- und eben auch Wirtschaftspolitik. Immerhin betraf die einseitige Ankündigung dieser Maßnahmen direkt auch die Partner der USA, ohne daß diese zuvor konsultiert oder auch nur informiert worden wären.

Es ist dann noch einmal auf der Washingtoner Währungskonferenz am 17. und 18. Dezember 1971 durch Vertreter der zehn wichtigsten Industriestaaten versucht worden, Bretton Woods mit einem Kompromiß, dem «Smithsonian Agreement», in modifizierter Form über die Runden zu bringen. Die Währungsparitäten wurden neu festgesetzt und die Bandbreite von 1 % auf 2,25 % erweitert. Aber eigentlich war niemand wirklich überrascht, als auch dieser Versuch im März 1973 scheiterte und damit das System fester Wechselkurse, insbesondere auch zwischen den USA und der EG, endgültig aufgegeben wurde. Weil das absehbar war, hatten sich die Europäer schon im März 1972 zu einer verstärkten Koordinierung ihrer eigenen Währungspolitik entschlossen und einen europäischen Wechselkursverbund, die «Schlange im Tunnel», gegründet. Dieser lag die Idee zugrunde, das Verhältnis der Währungen der europäischen Mitgliedsstaaten untereinander so festzulegen, daß ein Spielraum von lediglich 1,125 % nach oben und unten bestand. Auch dieser Verbund geriet sehr schnell in eine Krise, die über den währungspolitischen Aspekt hinaus auch die politischen Beziehungen der Europäer untereinander beeinträchtigen sollte. Das war ärgerlich, weil der Integrationsprozeß in diesen Jahren insgesamt gute Fortschritte machte.

So nahm im Juni 1970 erstmals wieder seit dem Februar 1969 der französische Vertreter seinen Stuhl im Ministerrat der WEU ein, und auch sonst gab Frankreich nach dem Rücktritt de Gaulles seine europäische Blockadepolitik auf: Am 2. Dezember 1969 stimmten die Staats- und Regierungschefs der EG, unter ihnen Pompidou, in Den Haag der «Eröffnung von Verhandlungen zwischen der Gemeinschaft und den beitrittswilligen Staaten» zu, und am 22. Januar 1972 konnten die entsprechenden Abkommen mit Dänemark, Irland, Norwegen und Großbritannien unterzeichnet werden. Ein knappes Jahr später, am 1. Januar 1973, war es soweit: Ohne Norwegen, dessen Beitritt zur EG an einer Volksbefragung gescheitert war, hatte die Europäische Gemeinschaft nunmehr neun Mitglieder. Der Weg Englands in die Gemeinschaft war windungsreich und steinig gewesen, und die Mitgliedschaft blieb auch weiterhin nirgends so umstritten wie auf den britischen Inseln. Immerhin wurde die EG-Zugehörigkeit Großbritanniens am 5. Juni 1975 erst einmal durch ein Referendum bestätigt.

Bewegung kam auch wieder in den Versuch, eine europäische Wirtschafts- und Währungsunion zu schaffen. Am 8. Oktober 1970 veröffentlichte die EG-Kommission einen Bericht über deren stufenweise Verwirklichung, und am 8. und 9. Februar 1971 einigte sich der Ministerrat auf einen entsprechenden Plan, wonach die Union innerhalb von zehn Jahren realisiert werden sollte. In diesem Sinne legten die Staats- und Regierungschefs bei ihrem Treffen am 19. und 20. Oktober des folgenden Jahres in der «Erklärung von Paris» das Jahresende 1980 als Stichdatum fest. Damit war, so der Kanzler nach seiner Rückkehr aus Paris vor der Bundespressekonferenz, die *Europäische Union* ... von einem langfristigen zu einem mittelfristigen Vorhaben geworden».[35] In dieser Prognose schwang unüberhörbar eine gute Portion Zweckoptimismus mit, der für den Prozeß der europäischen Integration insgesamt charakteristisch war. Ein Unternehmen wie der Zusammenschluß von historisch, politisch, wirtschaftlich, kulturell oder auch sprachlich so unterschiedlichen Nationen wie den europäischen blieb ein Akt des politischen Willens.

Das zeigte auch die Begründung der «Europäischen Politischen Zusammenarbeit» (EPZ). Am 27. Oktober 1970 verständigten sich die Außenminister der Europäischen Gemeinschaft grundsätzlich auf eine Koordinierung der nationalen diplomatischen Aktivitäten in allen Fragen, welche die Gemeinschaft als Ganze unmittelbar betrafen. Dieses Vorhaben war in der Geschichte der Diplomatie ohne Vorbild. In absehbarer Zukunft, so das Ziel, wollten die sechs bzw. neun Staaten Europas dort, wo es nötig und möglich war, «mit *einer* Stimme sprechen».[36] Natürlich fragte sich mancher Beobachter, warum die Europäer ausgerechnet auf dem Feld der Außenpolitik, die ja in besonderem Maße eine Domäne nationalstaatlicher Selbstdarstellung war, erfolgreich sein sollten.

Tatsächlich sah sich die EPZ von Anfang an größten Schwierigkeiten gegenüber. Frankreich war sorgsam darauf bedacht, die EPZ nicht zu einem verlängerten Arm der EG werden zu lassen, und in Bonn ging die Sorge um, daß die EPZ eines Tages instrumentalisiert und gegen eine außereuropäische Institution oder Macht gekehrt werden könne. De Gaulles diverse Versuche, ein «Europa der Vaterländer» im französischen Sinne zu installieren, waren in lebhafter Erinnerung. Der Bundesregierung konnte daran nicht gelegen sein. Auch deshalb setzte Brandt gegen den anfänglichen und hartnäckigen Widerstand Pompidous auf dem EG-Gipfel des Oktobers 1972 das zitierte Bekenntnis zum «konstruktiven Dialog» mit Washington durch. Selbst in Zeiten verbreiteter Entspannungseuphorie war an eine Aufkündigung amerikanischer Sicherheitsgarantien nicht zu denken, und die Vereinigten Staaten ihrerseits zählten in einer für sie schwierigen weltpolitischen Situation ganz selbstverständlich auf die Rückendeckung ihrer europäischen Verbündeten.

Das alles bestimmende Thema der amerikanischen Außen- und Innenpolitik jener Jahre war Vietnam. Entsprechend der erklärten Absicht der Nixon-Administration, einen «ehrenvollen» Abzug der USA von den südostasiatischen Schlachtfeldern zu erreichen – was immer damit auch gemeint sein mochte –, verkündete der neue Verteidigungsminister Melvin Laird im März 1969 die «Vietnamisierung» des Krieges. Danach sollte das Land parallel zum amerikanischen Rückzug aus Südvietnam in die Lage versetzt werden, sich aus eigener Kraft politisch, wirtschaftlich, insbesondere aber natürlich militärisch gegen Nordvietnam und den Vietcong zu behaupten und seine Unabhängigkeit zu wahren. Eilig wurde der Abmarsch der amerikanischen Verbände ins Werk gesetzt. Am Ende des Jahres 1970 befanden sich noch 280 000 US-Soldaten in Südostasien. Damit hatte sich die Präsenz der amerikanischen Streitkräfte seit der Amtsübernahme Nixons fast halbiert. Das hieß zugleich: auch die Zahl der Kriegsopfer in der US-Armee verminderte sich erheblich. Waren allein im Jahre 1968 16 000 amerikanische Soldaten in Vietnam gefallen, so betrug die Zahl der Opfer im Jahre 1972 noch 600. Gleichwohl erreichte die heimische Protestwelle, beginnend mit dem November 1969, in dieser Zeit ihren Höhepunkt. Am 15. November demonstrierten in Washington 250 000 Menschen gegen das amerikanische Engagement, ein in der amerikanischen Geschichte in diesen Dimensionen unerhörtes Ereignis. Einen Tag später wurden die Massaker von My Lai bekannt, bei denen 1968 etwa 300 vietnamesische Zivilisten durch amerikanische Soldaten getötet worden waren.

Spätestens jetzt dämmerte es vielen, daß in Vietnam nicht nur ein militärisch kaum zu gewinnender Krieg geführt wurde, sondern auch ein brutaler Guerillakampf, der gerade unter der Zivilbevölkerung große Opfer forderte. Von einer weiteren, noch gewaltigeren Protestwelle wurden die Vereinigten Staaten erfaßt, als Nixon am 30. April 1970 den vorübergehenden Einmarsch amerikanischer und südvietnamesischer Verbände in Kambodscha bekanntgab. Ziel der völkerrechtlich fragwürdigen Operation war die Zerstörung militärischer Basen des Vietcong bzw. Nordvietnams. In diesem Zusammenhang ist auch die Verschärfung der militärischen Maßnahmen gegen Nordvietnam selbst zu sehen, zu denen neben Seeblockaden und der Verminung der Küstengewässer vor allem schwere Bombereinsätze gegen militärische und zivile Ziele gehörten. Die westliche Vormacht scheute selbst vor dem Einsatz von Napalm oder auch von Chemikalien nicht zurück, mit denen weite Landstriche Vietnams zum Zwecke der Kriegführung entlaubt und verwüstet wurden. Besondere Empörung riefen die Bombardements Hanois und anderer Städte hervor, mit denen die USA am 18. Dezember 1972 wieder begannen. Es waren die schwersten Angriffe seit Kriegsbeginn.

Mit diesen Operationen, die ihrerseits wiederum den nationalen und internationalen Druck auf die amerikanische Administration erhöhten, sollten nicht nur die nordvietnamesischen Einheiten zum Rückzug aus Südvietnam gezwungen und damit eine wichtige Voraussetzung für die «Vietnamisierung» des Krieges geschaffen werden. Vielmehr verfolgte die

Regierung Nixon damit auch das politische Ziel, Hanoi zur Aufgabe seiner Hinhaltetaktik bei den Verhandlungen über einen Waffenstillstand zu zwingen. Seit Anfang des Jahres 1969 wurde in Paris auf zwei Ebenen sondiert: Öffentlich sprachen Vertreter der Vereinigten Staaten, Südvietnams, Nordvietnams sowie des Vietcong im Hotel «Majestic» über die Beendigung des Krieges – ohne jeden greifbaren Erfolg. Daneben wurden geheime bilaterale amerikanisch-nordvietnamesische Verhandlungen geführt, die Nixon erst am 25. Januar 1972 öffentlich bekannt machte. Insgesamt haben auf dieser Ebene zwischen dem 20. Februar 1970 und dem 8. Januar 1973 drei Verhandlungsrunden stattgefunden. Die Gespräche wurden auf vietnamesischer Seite von Le Duc Tho und auf amerikanischer Seite von Henry Kissinger geführt.

Der Sicherheitsberater Nixons, der wie sein vietnamesischer Verhandlungspartner für das Ergebnis mit dem Friedensnobelpreis ausgezeichnet wurde, hat wie kaum ein zweiter der amerikanischen Außen- und Sicherheitspolitik jener Jahre seinen Stempel aufgedrückt. Zwar wurden die Vorgaben von Richard Nixon gemacht und die entsprechenden Entscheidungen von ihm getroffen, die Verhandlungen sind indessen weitgehend von Kissinger geführt worden. Das gilt sowohl für die zähen Gespräche über eine Lösung des Vietnam-Konflikts als auch für die Anbahnung der Beziehungen zur Volksrepublik China oder die Sondierungen mit der Sowjetunion. Kissinger kam dabei zugute, daß vieles geheim abgewickelt wurde. Nach eigenem Bekunden mußte er dabei zu «Methoden greifen, die in keinem Lehrbuch zu finden» waren.[37] Das bezog sich nicht nur auf die Geheimdiplomatie selbst, sondern auch auf die Umgehung der bürokratischen Strukturen etwa des «State Departments».

Bei den Verhandlungen über einen Waffenstillstand in Vietnam konnte im Oktober 1972 der Durchbruch erzielt werden. Am 27. Januar des folgenden Jahres wurde das Abkommen unterzeichnet, und am 29. März 1973 verließen die letzten amerikanischen Soldaten die Schlachtfelder Südostasiens. Als Erfolg konnte man den amerikanischen Rückzug werten, wenn man ihn an der Vorgabe maß, mit der Nixon die politische Arena als Präsident betreten hatte. Maß man ihn hingegen an jenem Anspruch, mit dem die Vereinigten Staaten in den beginnenden sechziger Jahren in Südostasien angetreten waren, dann bedeutete der Rückzug des März 1973 eine geradezu traumatisch wirkende Niederlage für die Vormacht der westlichen Welt.

Henry Kissinger hat dafür an erster Stelle die öffentliche bzw. veröffentlichte Meinung seines Landes verantwortlich gemacht. Daß diese nicht unbedingt die Auffassung der Mehrheit der amerikanischen Bevölkerung wiedergab, zeigte der beachtliche Wahlerfolg, mit dem Richard Nixon am 7. November 1972 im Amt bestätigt wurde. Für eine wachsende Zahl von Beobachtern stellte sich in diesen Jahren die Frage, wer eigentlich in den westlichen Demokratien letztendlich für politische Entscheidungen zu-

ständig war: die Wähler, die Gewählten oder die Medien? Die politischen
Akteure kamen jedenfalls zu der bitteren Erkenntnis, daß seit dieser Phase
des Kalten Krieges politische Entscheidungen nicht mehr gegen die veröffentlichte Meinung zu treffen waren.

So gesehen ging der Krieg in Vietnam für die Vereinigten Staaten auch
an den heimischen Bildschirmen verloren, aber selbstverständlich nicht
nur dort. Ausschlaggebend war die Unfähigkeit, den Krieg militärisch zu
entscheiden. Das wäre nach der übereinstimmenden Auffassung praktisch
aller Experten nur möglich gewesen, wenn man die Truppenstärke noch
einmal verdoppelt, den Krieg direkt nach Nordvietnam getragen und die
Schwächen des Gegners, zum Beispiel während der «Tet-Offensive», entschlossen ausgenutzt hätte. Indem Washington, auch wegen des zunehmenden Drucks der Öffentlichkeit, diesen Schritt nicht tat, verschaffte es dem
Gegner und seiner Art der Kriegführung einen entscheidenden Vorteil. In
dieser Einschätzung waren sich bezeichnenderweise die nordvietnamesischen Strategen, wie General Bui Tin,[38] und die amerikanischen Befürworter eines konsequenteren Vorgehens einig: «Die Guerillaarmee gewinnt, solange sie eine Niederlage vermeiden kann; eine konventionelle
Armee hingegen wird verlieren, wenn sie keinen entscheidenden Sieg
erringt.»[39]

Kissinger hat den Erfolg bei den Pariser Waffenstillstandsverhandlungen
dann auch damit erklärt, daß die Vereinigten Staaten parallel zu den Gesprächen konsequent auf das Mittel des militärischen Drucks setzten. «Hanoi verhandelte nur, wenn es in ernste Bedrängnis geriet, besonders dann,
wenn die USA die Bombardierungen wiederaufnahmen, und vor allem
nach der Verminung der nordvietnamesischen Häfen.» Ohne die Unterbrechung der nordvietnamesischen Nachschubwege schließlich, insbesondere in Kambodscha, «hätte keine Rückzugsstrategie für die US-Truppen
funktioniert».[40] In diesem Sinn hat Richard Nixon 1988 das Hinauszögern
der Bombardierung und Verminung der nordvietnamesischen Küstengewässer öffentlich als den «größten Fehler seiner Präsidentschaft» bezeichnet.[41] Einen erheblichen Schritt weiter als der Präsident, der sein Land aus
dem Dschungelkrieg führte, ging der Verteidigungsminister seiner Vorgänger Kennedy und Johnson. Nach dem Ende des Kalten Krieges hat Robert
McNamara die Entscheidung zum militärischen Engagement der USA in
Südostasien den eigentlichen Fehler genannt und den Rückzug bis Anfang
1965 für «möglich und notwendig» gehalten.[42]

Tatsächlich haben die Dauer des Krieges, die Zahl seiner Opfer, unter
diesen 58 000 Amerikaner, sein Ausgang und die Art der Kriegführung die
amerikanische Außen- und Sicherheitspolitik für zwei Jahrzehnte beeinflußt und belastet. Viele Beobachter haben erst mit dem Ende des Kalten
Krieges, insbesondere im Golfkrieg des Jahres 1991, den langen Abschied
der USA vom Trauma Vietnam gesehen. Diese Selbstblockade war deshalb
so problematisch, weil es hier um die Führungsmacht der westlichen Welt

ging. Insofern hatte die amerikanische Niederlage gravierendere Folgen und Auswirkungen als das Desaster der französischen Indochina-Armee knapp 20 Jahre zuvor. Nur der sowjetische Rückzug aus Afghanistan in den Jahren 1988/89 ist mit dem amerikanischen aus Vietnam zu vergleichen. Allerdings korrespondierte die politisch-militärische Niederlage der Sowjetunion in Afghanistan einem allgemeinen, insbesondere auch wirtschaftlichen Zerfallsprozeß im Innern der Weltmacht. Die Vereinigten Staaten hingegen waren bei ihrem Rückzug aus Vietnam immer noch die führende Wirtschaftsnation der Erde, und gewiß lag hier ein wichtiger Grund, warum die Niederlage der USA in Vietnam nicht zu einer dauerhaften Erschütterung ihrer Stellung als Vormacht der westlichen Welt geführt hat.

Es trug nicht gerade zur Stärkung des ohnehin schwer angeschlagenen Ansehens der Vereinigten Staaten bei, daß sich Nordvietnam und der Vietcong nicht an die Vereinbarungen des Waffenstillstandes hielten. Am 29. April 1975 wurden die letzten Amerikaner aus Saigon evakuiert, einen Tag später, am 30. April, nahmen die kommunistischen Verbände die Hauptstadt Südvietnams, die fortan «Ho-Chi-Minh-Stadt» hieß. Als die letzten Hubschrauber vor laufenden Kameras das amerikanische Botschaftsgelände verließen, war das Scheitern der amerikanischen Südostasien-Politik besiegelt. Die mitunter dramatischen Folgen zeigten sich aber erst in den kommenden Jahren. Einmal verließen mehr als anderthalb Millionen Vietnamesen ihr Land, und insbesondere die «Bootsflüchtlinge» haben der Weltöffentlichkeit über viele Jahre in Erinnerung gerufen, daß Konflikte wie der Vietnam-Krieg eben nicht mit der Feuereinstellung enden. Dann aber gewann das kommunistische Vietnam mit der Einverleibung des Südens schon deshalb beträchtlich an Gewicht, weil es die vormaligen amerikanischen Militärbasen übernahm. Damit wiederum war der nächste Konflikt in der Region um einiges wahrscheinlicher geworden. Denn durch die deutliche Stärkung Vietnams fühlte sich ausgerechnet jene Macht herausgefordert, die ursprünglich eine der wichtigsten Stützen Nordvietnams und des Vietcong gewesen war, die Volksrepublik China.

China hatte, ähnlich wie die Sowjetunion, schon während des amerikanischen Rückzugs aus Südostasien eine bedeutende Rolle gespielt. Gegen den Widerstand der beiden Hauptstützen Nordvietnams wäre er so kaum zu bewerkstelligen gewesen. Kissinger hat es der sowjetischen Führung noch Jahre später hoch angerechnet, daß sie nicht versuchte, die «innenpolitischen Zwänge» auszunutzen, in welche die Vereinigten Staaten durch den Vietnam-Krieg geraten waren.[43] Das hieß indessen nicht, daß die Nixon-Administration die sowjetische Politik dieser Monate und Jahre ohne Skepsis verfolgt hätte. Dem amerikanischen Geheimdienst lagen Informationen vor, wonach die Sowjetunion an der Grenze zu China bis zu 40 Divisionen zusammengezogen hatte. War ein Jahr nach der sowjetischen Intervention in der Tschechoslowakei mit einer erneuten Anwendung der

«Breschnew-Doktrin» zu rechnen, in diesem Falle gegenüber dem abtrün-
nigen asiatischen Nachbarn? Die vornehme Zurückhaltung, die Moskau wie Peking beim Abmarsch
Washingtons aus Vietnam an den Tag legten, hatte also einen handfesten
Grund: Die Sowjetunion und die Volksrepublik China neutralisierten sich
gegenseitig. 1969 erreichten die Spannungen zwischen den einst verbündeten Konkurrenten entlang der 6 500 Kilometer langen gemeinsamen
Grenze ihren vorläufigen Höhepunkt, und am 2. und 15. März eskalierten
sie in bewaffneten Zwischenfällen am Grenzfluß Ussuri. Am 13. August
kam es dann in Xingjiang zu Kämpfen, in deren Folge Moskau soweit
ging, Peking indirekt mit einem Nuklearschlag zu drohen. Daraus ergab
sich für die Vereinigten Staaten eine ungewöhnlich günstige Konstellation,
die nicht nur für die Liquidation der südostasiatischen Verbindlichkeiten,
sondern weit darüber hinaus für eine Neugestaltung der amerikanischen
Asien-Politik genutzt werden konnte.

Seit dem chinesischen Bürgerkrieg und dem Korea-Krieg waren die
vormals guten amerikanisch-chinesischen Beziehungen gründlich zerrüttet. Daß am Ende der sechziger Jahre überhaupt Bewegung in das chinesisch-amerikanische Verhältnis kommen konnte, hatte mit der Lage am
Ussuri, aber auch damit zu tun, daß Peking seit der Beendigung der
«Großen Proletarischen Kulturrevolution» im April 1969 die selbstgewählte internationale Isolierung aufzugeben begann. Die vorsichtige Wiederannäherung an Washington begann am 20. Januar 1970 bei einem geheimen Treffen amerikanischer und chinesischer Diplomaten in Warschau, wo
es noch sowohl eine amerikanische als auch eine chinesische diplomatische Vertretung gab. Angesichts der Vorbelastungen fuhren sich diese Gespräche rasch fest, und so verlegte man sich vorläufig auf einige öffentliche,
wenn auch verschlüsselte Signale sowie auf symbolische Akte. Zu diesen
zählte die gemeinsame Teilnahme einer chinesischen und einer amerikanischen Tischtennismannschaft an einem Turnier in Japan, mit dem die
«Ping-Pong-Diplomatie» zwischen Washington und Peking ihren Anfang
nahm.

Vom 9. bis zum 11. Juli 1971 weilte dann Henry Kissinger zu Geheim-
verhandlungen mit Ministerpräsident Tschou En-lai und anderen Vertretern
der chinesischen Führung in Peking. Um die Spur zu verwischen, war er
auf dem Umweg über Pakistan in die chinesische Hauptstadt gereist. Dort
wurden die weiteren Schritte vereinbart, zu denen unter anderem die
Aufnahme der Volksrepublik China in die Vereinten Nationen am 25. Oktober 1971 und schließlich ein offizieller Besuch Nixons im Reich der
Mitte gehörten. Die greifbaren Ergebnisse dieser symbolträchtigen Visite
des amerikanischen Präsidenten vom 21. bis zum 28. Februar 1972 waren
eher mager. So kam es vorerst nur zur Aufnahme diplomatischer Beziehungen, allerdings noch nicht auf Botschafterebene, sowie zu einem am
27. Februar in Shanghai gemeinsam verabschiedeten Kommuniqué. Darin

bekundeten beide Seiten ihren Willen zu einer weiteren Normalisierung der Beziehungen und bekannten sich zum Prinzip der friedlichen Koexistenz.[44] Ein Jahr später, im Februar 1973, wurde bei internationalen Streitigkeiten für bestimmte Fälle auch ein koordiniertes Vorgehen vereinbart.[45]

Dieser spektakuläre Besuch des amerikanischen Präsidenten in China zeitigte einige über das Ereignis hinausweisende Konsequenzen mit zum Teil beträchtlicher Langzeitwirkung, zu denen etwa auch die Eröffnung der ersten «Coca-Cola»-Fabrik am 15. Januar 1981 zählte. Vor allem hatte Nixon mit seinem Besuch die Tür nach China aufgestoßen. Danach gaben sich westliche Besucher deren Klinke förmlich in die Hand. Und natürlich hatte die amerikanisch-chinesische Annäherung unmittelbare Rückwirkungen auf die politischen Konstellationen in der gesamten Region. Immerhin verbreiteten selbst Nord- und Südkorea am 4. Juli 1972 ein gemeinsames Kommuniqué. Dieses ging zwar nicht über die Erklärung allgemeiner Absichten und Prinzipien hinaus und bewirkte auch keinen Durchbruch in ihren Beziehungen, dennoch war es eine Sensation.

Aber die Neuorientierung der amerikanischen Außenpolitik forderte auch ihre Opfer. Zu diesen zählte an erster Stelle Taiwan. In gewisser Weise galt für die amerikanische Politik gegenüber der Volksrepublik China dasselbe, was für die Bonner Politik gegenüber Moskau festgestellt worden ist: Hatte sich diese, beginnend mit dem «Bahr-Papier», auf den Boden der «Breschnew-Doktrin» gestellt, so akzeptierte nunmehr Washington das Prinzip der entsprechenden «Mao-Doktrin», wonach die Volksrepublik, und nur sie, China repräsentiere. Dabei ging es um die Frage, wer das «Eine China» nach außen vertreten dürfe, nicht aber um die beiden gemeinsame Auffassung, wonach es nur ein China gebe, an der sowohl Peking als auch Taipeh bis zum Ende des Kalten Krieges festgehalten haben. Erst danach verzichtete der Präsident Lee Teng-hui auf den Alleinvertretungsanspruch der Kuomintang für ganz China. Konsequenterweise wurden gleichzeitig auf Taiwan, begleitet von heftigen Drohungen der Volksrepublik, Stimmen laut, die öffentlich die Unabhängigkeit der Insel und damit das Ende der «Ein-China»-Theorie forderten.

Genaugenommen gab Washington mit der Entscheidung vom Februar 1972 seinen langjährigen Schützling und Verbündeten politisch endgültig preis. Die Anfänge dieser Absatzbewegung lagen, wie in anderem Zusammenhang gesehen, in den fünfziger Jahren. Schon auf die schweren Krisen um die Inseln Quemoy und Matsu 1954 und 1958 hatten die USA im wesentlichen mit demonstrativen Gesten reagiert. Im Juli 1965 waren dann die direkten amerikanischen Wirtschaftshilfen und im November 1969 die Patrouillenfahrten der Siebten US-Flotte in der Straße von Taiwan eingestellt worden. Den einstweiligen Abschluß dieser Entwicklung bildete der Auszug der taiwanesischen Vertreter aus den Vereinten Nationen, der an dem Tag erfolgte, an dem die Delegation der Volksrepublik China offiziell dort ihren Einzug hielt. Danach mußte Taiwan eine Reihe weiterer Demütigungen hinnehmen: Während des Staatsbesuchs des japanischen Ministerpräsidenten Kakuei Tanaka in der Volksrepublik China wurde am 29. September 1972 die Aufnahme diplomatischer Beziehungen vereinbart, gefolgt von der Schließung der nationalchinesischen Botschaft sowie zweier Konsulate in Japan und ihre Übergabe an «das chinesische Volk» und der Unterzeichnung eines Vertrages über Frieden und Freundschaft am 12. August 1978.

Daß die Insel diesen tiefen historischen Einschnitt überstand, hatte mit ihrer erheblichen wirtschaftlichen Potenz zu tun. Zwar geriet Taiwan in den folgenden beiden Jahrzehnten mehr und mehr in die politische Isolierung, deren vorläufigen Höhepunkt die Aufnahme diplomatischer Beziehungen zwischen Südkorea und der Volksrepublik China im August 1992 bildete. Dennoch blieb Taipeh für ausländische Investoren eine erste Adresse, und die beträchtlichen Waffenkäufe, namentlich in den Vereinigten Staaten und in Frankreich, trugen das ihre zum politischen Überleben der Insel in der zweiten Hälfte des Kalten Krieges bei. Es spricht für sich, daß Taiwan am Ende der achtziger Jahre nach Japan die zweitgrößten Devisenreserven der Welt besaß und der sechstgrößte Handelspartner der USA war.

In gewisser Weise ist das politische Schicksal der Insel am Ussuri entschieden worden. Denn ohne den sowjetisch-chinesischen Gegensatz hätte sich zu diesem Zeitpunkt das Fenster für eine chinesisch-amerikanische Annäherung kaum geöffnet. Vergleichbares galt für Moskau und Washington. Die Verhandlungen zwischen den beiden «Supermächten» hatten zwei Schwerpunkte: die Lösung des Berlin-Problems und die Begrenzung strategischer Nuklearwaffen. Beide Seiten profitierten von einer momentanen Schwächesituation der anderen, ohne sie auszunutzen. Die amerikanische Verwundbarkeit in Vietnam wog die sowjetische Anfälligkeit an der Grenze zu China auf.

Sowohl Washington als auch Moskau gingen mit Prioritäten in den komplexen Verhandlungsmarathon. Seitens der USA lag das Hauptinteresse bei den Gesprächen über eine Begrenzung strategischer Waffen. Dafür sprach auch der innere Druck. Die amerikanische Öffentlichkeit hatte das Thema Abrüstung bzw. Rüstungskontrolle entdeckt; gleichzeitig strich der Kongreß die Gelder für die amerikanischen ABM-Systeme drastisch zusammen. Dieses «Anti-Ballistic-Missile»-Projekt stand Ende der sechziger Jahre lediglich auf dem Papier, und dort sollte es bis zum Ende des Kalten Krieges auch im wesentlichen bleiben, obgleich es die nationale wie die internationale strategische und politische Diskussion der siebziger und achtziger Jahre nachhaltig beeinflußt hat.

Bei den ABM-Systemen handelte es sich um Flugkörper, mit denen auf dem Weg befindliche Interkontinentalraketen abgefangen und zerstört werden sollten. Das hätte unter anderem zu einer Ausschaltung der Zweit-

schlagfähigkeit des Gegners führen und damit die gesamte Abschreckungslogik des Kalten Krieges außer Kraft setzen können. Ursprünglich waren
diese Systeme zum Schutz der USA und ihrer Bevölkerung gedacht, da
man davon ausging, daß ein atomarer Schlag zwischen 30 und 100 Millionen Opfer fordern werde. Die frühe Alternative zu ABM, nämlich der
forcierte Ausbau von Schutzräumen, war von Verteidigungsminister
McNamara mit dem Argument verworfen worden, daß mit der Verringerung der Opfer auch die Schwelle für das Führen eines Atomkriegs ge-
senkt werde. Allerdings genehmigte dann der Kongreß von den ursprünglich durch die Nixon-Administration beantragten zwölf ABM-Systemen
nur zwei, womit das Projekt schon im Planungsstadium auf eine experi-
mentelle Dimension reduziert wurde.

Aber es gab noch einen zweiten, gewissermaßen genuin außenpolitischen Grund für das amerikanische Interesse an einer Vereinbarung mit
der Sowjetunion. Neben einer Verständigung über die ABM-Systeme ging
es Washington um eine Begrenzung auf dem Gebiet der weitreichenden
Nuklearwaffen, der «Intercontinental Ballistic Missiles» (ICBM), und zwar
sowohl der land- als auch der seegestützten. Es handelte sich dabei um
Flugkörper, die eine Reichweite von mindestens 5 500 Kilometern besaßen, also die kürzeste Entfernung zwischen der nordöstlichen Grenze
des kontinentalen Gebietes der USA und der nordwestlichen Grenze des
kontinentalen Gebietes der Sowjetunion überbrücken konnten. Auf diesem Gebiet der ICBM-Systeme waren die Gewichte gegen Ende der
sechziger Jahre unterschiedlich verteilt. Wegen ihrer höheren Nutzlast und
angesichts der zunehmenden Zielgenauigkeit der sowjetischen landgestützten Systeme ging man davon aus, daß sich hier in absehbarer Zeit
eine sowjetische Überlegenheit abzeichnen werde. Beim Amtsantritt der
Nixon-Administration waren allerdings die USA noch insgesamt führend,
jedenfalls qualitativ und auf dem Gebiet der seegestützten Systeme auch
quantitativ. Daher konnte man den Sowjets in entsprechenden Verhandlungen etwas bieten, nämlich die «Gleichheit» bzw. «Gleichrangigkeit».
Folglich lag die Priorität bei den anvisierten amerikanisch-sowjetischen
Verhandlungen aus der Sicht Washingtons auf diesem Gebiet.

Selbstverständlich wurde das Angebot mit Forderungen und Erwartungen verknüpft. Im Gegenzug zum Zugeständnis strategischer Parität ver-
langten die USA von der UdSSR außenpolitische Zurückhaltung, vor
allem in der Dritten Welt, also in Vietnam oder im Nahen Osten, aber
auch in Berlin. Im Kern war also auch die amerikanische Entspannungspolitik der ausgehenden sechziger und beginnenden siebziger Jahre nichts
anderes als eine Variante jener Eindämmungspolitik, die Washington seit
1947 gegenüber der Sowjetunion verfolgt hatte. Indem die Vereinigten
Staaten sowohl den Status quo in Europa als auch die von den Sowjets
angestrebte Parität im nuklearen Bereich grundsätzlich akzeptierten, gingen sie davon aus, daß sich der Kreml mit diesem Einfluß begnügen und

nicht versuchen werde, ihn etwa in der Dritten Welt auszudehnen. Diese «Linkage»-Politik der Regierung Nixon ging bis 1973/74 auf, weil die Sowjets ihrerseits ein Interesse an der Lösung jener Probleme hatten, die sich aus der Vermehrung und Modernisierung der strategischen Systeme ergaben.

Bereits 1967 hatten die Vereinigten Staaten die erste Initiative für Gespräche über die Begrenzung strategischer Waffen, «Strategic Arms Limitation Talks» (SALT), ergriffen und damit eine Tradition fortgesetzt, deren Ursprung in den großen internationalen Krisen der Jahre 1961/62 lag. Nachdem 1963 das Atomteststoppabkommen und fünf Jahre später der Nichtverbreitungsvertrag unter Dach und Fach gebracht worden waren, konnte nach komplizierten Verhandlungen am 26. Mai 1972 das erste SALT-Abkommen unterzeichnet werden. Es bestand aus zwei Teilen: Der ABM-Vertrag legte die Zahl der Abschußvorrichtungen, jeweils 100, und der Stellungen für dieselben, jeweils zwei, davon eine zum Schutz der Hauptstädte, fest. Außerdem verpflichteten sich beide Seiten, keine neuen mobilen ABM-Systeme zu entwickeln.

Anders als der unbefristete ABM-Vertrag, der über das Ende des Kalten Krieges hinaus in Kraft geblieben ist, war der zweite Teil von SALT I auf fünf Jahre ausgelegt. Das Interimsabkommen über strategische Offensivwaffen fror die Zahl der land- und seegestützten ICBM-Systeme auf einem noch zu erreichenden Niveau ein. Ausdrücklich keiner Beschränkung unterlag deren Modernisierung. Damit war insbesondere die Möglichkeit offengehalten, die Raketen mit Mehrfachsprengköpfen zu versehen, welche die USA bereits besaßen und an deren Entwicklung die Sowjets zum Zeitpunkt des Vertragsabschlusses intensiv arbeiteten. Für die kommenden fünf Jahre wurde also die Aufrechterhaltung der qualitativen Überlegenheit des strategischen Arsenals der USA gegen die höhere Nutzlast der sowjetischen ICBM-Systeme als aufgewogen festgeschrieben. Genau betrachtet, war SALT I eine Verständigung über die «kontrollierte Aufrüstung», mit dem Ziel, die Zweitschlags- und damit Abschreckungsfähigkeit zu erhalten oder – im Falle der Sowjetunion – in vollem Umfang herzustellen. Ein erster Vertrag über die «kontrollierte Abrüstung» auf diesem Gebiet konnte erst nach dem Ende des Kalten Krieges, im Juli 1991, unterzeichnet werden. Auch ihm lag noch der für den Kalten Krieg verbindliche Entschluß zugrunde, das Prinzip der «Mutual Assured Destruction» (MAD) jedenfalls für die Übergangszeit festzuschreiben.

Das erste SALT-Abkommen wurde von Breschnew und Nixon in der sowjetischen Hauptstadt unterzeichnet. Das war ein Akt von hoher symbolischer Bedeutung. Immerhin handelte es sich bei dieser Visite um den ersten offiziellen Besuch eines amerikanischen Präsidenten in der Sowjetunion, seit es diese gab. Der Aufenthalt Franklin D. Roosevelts auf der Krim im Februar 1945 fand unter den äußeren Umständen des Weltkrieges statt und hatte folglich einen anderen Stellenwert. Mit dem Besuch Nixons wurde zugleich in aller Form die Gleichrangigkeit der Sowjetunion als zweite Super- bzw. Weltmacht neben den Vereinigten Staaten demonstriert und in den «Grundsätzen für die Beziehungen» auch wiederholt als «Gleichberechtigung» schriftlich fixiert.[46] Mit dieser Geste würdigten die USA zugleich das sowjetische Entgegenkommen bei den SALT-Verhandlungen, die für die westliche Vormacht ursprünglich die Priorität bei den Gesprächen besaßen.

Allerdings war den Kremlherren auch klar, daß sie «keine Krise in ihren Beziehungen zu den Vereinigten Staaten riskieren konnten, wenn sie den Abschluß der Berlin-Verhandlungen erreichen oder die Deutschland-Verträge ratifizieren wollten».[47] Die Wurzeln der späteren Viermächte-Verhandlungen über Berlin lagen, wie gesehen, in der Krise um die alte Reichshauptstadt anläßlich der Wahl Gustav Heinemanns zum Bundespräsidenten am 5. März 1969. Spätestens hier war allen Beteiligten einmal mehr die Unhaltbarkeit der Situation vor Augen getreten – den Deutschen, den Westmächten und auch den Sowjets. Bereits anläßlich seines Berlin-Besuchs am 27. Februar 1969 hatte Nixon vor dem Hintergrund der sich zuspitzenden Lage zur Beendigung der Spannungen aufgerufen. Im April schlug Brandt dann seinen drei westlichen Ministerkollegen einen Meinungsaustausch mit der Sowjetunion vor, und im Juli gab Außenminister Gromyko vor dem Obersten Sowjet die Bereitschaft seines Landes zu erkennen, über das Berlin-Problem zu sprechen. Ursprünglich hatte der Kreml allerdings lediglich Gespräche über «West-Berlin» im Sinn.

Am 6. und 7. August 1969 signalisierten die Westmächte in gleichlautenden Noten ihr Interesse an Gesprächen über eine Verbesserung der Beziehungen zwischen den beiden Teilen Deutschlands sowie der Lage innerhalb Berlins und auf den Zufahrtswegen. Das war ein recht bescheidener Vorschlag, aber der Westen war in der schlechteren Ausgangssituation, geographisch wie politisch: Erstens lag Berlin mitten in der sowjetischen Einflußsphäre, zweitens waren die Vereinigten Staaten vorrangig damit beschäftigt, den Rückzug aus Vietnam zu bewerkstelligen, und drittens wollte Washington zur gleichen Zeit die SALT-Verhandlungen in Gang bringen.

Am 26. März 1970 trafen sich erstmals die drei in Bonn akkreditierten Vertreter der Westmächte mit dem in Ost-Berlin akkreditierten Botschafter der Sowjetunion in West-Berlin. Diese Konstellation sprach für sich. Vertreter der beiden deutschen Teilstaaten waren selbstverständlich nicht beteiligt. Indessen hatte die Bundesregierung durchaus Möglichkeiten, Einfluß auf die westliche Position zu nehmen. Das wichtigste Forum war die parallel zu den Verhandlungen tagende sogenannte Bonner «Vierer-Gruppe» aus Vertretern der Bundesrepublik und der drei Westmächte. Darüber hinaus hielt Bonn auch unmittelbar Verbindung zu den Sowjets. In Moskau wurde ja zur gleichen Zeit über den deutsch-sowjetischen Vertrag verhandelt.

Schließlich gab es, wie in dieser Zeit allgemein üblich, auch im Umkreis der Viermächte-Verhandlungen über Berlin eine Vielzahl von Geheimkontakten, sogenannte «Back channels». Eine nicht unerhebliche Rolle spielte dabei wieder Egon Bahr, der sowohl in Kontakt mit dem sowjetischen Botschafter in Bonn, Valentin Falin, als auch mit dessen amerikanischem Kollegen, Kenneth Rush, stand. Zwischen diesen dreien ist es zu einer Reihe informeller und geheimer Begegnungen gekommen. Auch hier hatte, keineswegs nur nach eigener Erinnerung, Henry Kissinger seine Finger im Spiel. Bei diesen informellen Kontakten wurde der Durchbruch erzielt, da sie nicht dem öffentlichen Erwartungs- und Rechtfertigungsdruck der eigentlichen Verhandlungen ausgesetzt waren. Die Probleme, mit denen man zu kämpfen hatte, waren allerdings auf beiden Ebenen die gleichen. Dies zeigte sich schon bei der Sprachregelung. Die Sowjets wollten lediglich über den Status von West-Berlin sprechen, die Westmächte hingegen hatten stets Berlin als Ganzes im Auge. So kam es schließlich zu jener berühmten Kompromißlösung, wonach im Teil I des Abkommens nur von dem «betreffenden Gebiet» die Rede ist.

Am 3. September 1971 wurde das Abkommen im «früher vom Alliierten Kontrollrat benutzten Gebäude» in Berlin unterzeichnet. Es blieb bis zum Inkrafttreten des «Zwei-plus-Vier»-Vertrages die Grundlage der Berlin-Politik. Das Abkommen enthielt keine Lösung der Berlinfrage, konnte aber fortan als Instrument für deren Management dienen. Bezeichnenderweise gab es keine authentische deutsche Fassung. Hier spielte die Sorge der Franzosen eine Rolle, daß diese in einer ferneren Zukunft die Möglichkeit für ein nicht kontrollierbares deutsch-deutsches Arrangement bieten könne. Gerade in Paris wurde das Bahr-Brandtsche Konzept wörtlich genommen, wonach die deutsche Ostpolitik langfristig weniger auf die Erhaltung des Status quo als vielmehr gerade auf dessen Überwindung zielte. Also wurde, «wie so oft in der Diplomatie», die Kontroverse «durch eine im Grunde völlig absurde Formel beigelegt. Nur die französischen, russischen und englischen Texte wurden als ‹offiziell› anerkannt.»[48] Schon aus dieser Regelung – oder Nicht-Regelung – ergab sich eine Fülle von Folgeproblemen, da Bonn und Ost-Berlin, ihrer jeweiligen Interpretation des Vertragstextes entsprechend, Schlüsselbegriffe anders übersetzten. Das berühmteste Beispiel ist der Begriff «ties», der in der Sprachregelung der DDR für die «Verbindungen» zwischen dem Bundesgebiet und West-Berlin stand, nach Auffassung der Bundesregierung hingegen die «Bindungen» der alten Reichshauptstadt an die Bundesrepublik bestätigte.

Das «Quadripartite-Agreement», das in Bonn als «Viermächte-Abkommen» firmierte, weil es in der DDR, korrekterweise, als «Vierseitiges Abkommen» bezeichnet wurde, bestand aus einer Präambel und drei sogenannten operativen Teilen, und zwar I. allgemeinen Bestimmungen, II. Bestimmungen, welche die Westsektoren Berlins betrafen, und III. Schlußbestimmungen. Angehängt waren dem Dokument vier Anlagen, bei denen es sich um erläuternde Mitteilungen der Regierungen der drei Westmächte an die Regierung der UdSSR und umgekehrt handelte, zwei Vereinbarte Verhandlungsprotokolle sowie einige Schreiben, von denen insbesondere ein Brief der Botschafter der drei Westmächte an den Bundeskanzler mit Klarstellungen und Interpretationen zum Viermächte-Abkommen von Bedeutung war. Schon dieser Papierdschungel läßt den Kompromißcharakter der Absprachen erahnen. In der Tat eröffneten die einzelnen Formulierungen einigen Spielraum für unterschiedliche Interpretationen. So wichtig die im ersten Teil des Abkommens getroffene Vereinbarung war, die bestehende Lage «nicht einseitig» verändern zu wollen, so wenig Einigkeit herrschte in der Frage, ob es sich bei dem «betreffenden Gebiet»[49] um alle oder nur um die drei westlichen Sektoren Berlins handelte.

Das Abkommen war ein Geschäft auf Gegenseitigkeit. Auf der einen Seite erklärte die Regierung der UdSSR ausdrücklich, daß der Transitverkehr zwischen West-Berlin und dem Bundesgebiet in Zukunft «ohne Behinderungen» sein und «in der einfachsten und schnellsten Weise» vor sich gehen werde.[50] Das war auch deshalb ein wichtiges Zugeständnis, weil die Sowjetunion damit wieder selbst den Zugang von und nach Berlin garantierte, also erneut in jene Verantwortung trat, die sie am Ende der Berlin-Krise an die DDR delegiert hatte. Im Gegenzug bestätigten die Westmächte der Sowjetunion, daß die West-Sektoren Berlins «wie bisher kein Bestandteil (konstitutiver Teil) der Bundesrepublik Deutschland» sein und «auch weiterhin nicht von ihr regiert werden» würden.[51] Um kein Mißverständnis aufkommen zu lassen, präzisierten sie ihre Interpretation dahingehend, «daß darunter Akte in Ausübung unmittelbarer Staatsgewalt über die Westsektoren Berlins verstanden» würden. Folglich durften «der Bundespräsident, der Bundeskanzler, das Bundeskabinett, die Bundesminister und die Bundesministerien sowie die Zweigstellen dieser Ministerien, der Bundesrat und der Bundestag sowie alle Bundesgerichte» in Berlin keine Amtsakte ausführen.[52] Damit war eine Rückkehr zur Praxis der fünfziger Jahre ausgeschlossen, waren Amtsakte, wie zuletzt im März 1969 die Wahl des Bundespräsidenten, nicht mehr möglich. Angesichts der Turbulenzen und der Krisen, die solche Veranstaltungen in den vergangenen Jahren provoziert hatten, waren die Westmächte nicht minder als die Sowjets an dieser Regelung interessiert.

Das für die Bundesrepublik wichtigste Zugeständnis fand sich in Anlage III: «Die Kommunikationen zwischen den Westsektoren Berlins und Gebieten, die an diese Sektoren grenzen, sowie denjenigen Gebieten der Deutschen Demokratischen Republik, die nicht an diese Sektoren grenzen, werden verbessert werden.»[53] Außerdem erklärte sich die Sowjetunion damit einverstanden, daß Bonn «die konsularische Betreuung für Personen mit ständigem Wohnsitz in den Westsektoren Berlins ausüben kann».[54] Insgesamt waren die Vorteile für die Bewohner beider deutscher Teilstaaten sowie Berlins beträchtlich: «erstmals seit dem Ende der Passierschein-Regelungen (1966) durften Westberliner wieder nach Ostberlin, erstmals seit 1952 in die übrige DDR fahren – ohne Einschränkung auf Feiertage und Verwandtenbesuche. Erstmals seit 19 Jahren konnten Ost- und West-Berliner wieder miteinander telefonieren»,[55] und erstmals durfte die Bundesrepublik rechtlich das tun, was sie ohnehin schon seit 1954 praktizierte, nämlich West-Berliner im Ausland konsularisch betreuen. Im Gegenzug wurde Moskau die «Errichtung eines Generalkonsulats» sowie eine «Erweiterung der sowjetischen kommerziellen Aktivitäten» in den Westsektoren Berlins zugestanden.[56] Schließlich fühlte sich die Sowjetunion und mit ihr die DDR in der Auffassung bestätigt, daß Ost-Berlin die «Hauptstadt der DDR» sei und bleiben werde, und auch deshalb war es konsequent, daß die DDR im Viermächte-Abkommen erstmals von den Westmächten «namentlich mit der von ihr beanspruchten Staatsbezeichnung genannt» wurde.[57]

Zwar war das Viermächte-Abkommen eine Vereinbarung der alliierten Sieger des Zweiten Weltkrieges ohne deutsche Beteiligung. Sein Inkrafttreten hing allerdings unter anderem davon ab, daß die «zuständigen deutschen Behörden» einige konkret bezeichnete Fragen untereinander regelten. Im übrigen gab es inzwischen einen «Sachzusammenhang» zwischen dem Viermächte-Abkommen und den Verträgen Bonns mit Moskau und Warschau. Ursprünglich hatte die Bundesregierung die Ratifizierung dieser beiden Verträge nämlich indirekt vom Zustandekommen des Berlin-Abkommens abhängig gemacht. Dieses Junktim wurde im Laufe der Verhandlungen von Moskau umgedreht. Nunmehr koppelte der Kreml seinerseits die Unterzeichnung des Schlußprotokolls zum Viermächte-Abkommen, mit dem dieses in Kraft treten sollte, an die vorherige Ratifizierung der Ostverträge durch den Deutschen Bundestag. Dahinter stand die Sorge, daß der Moskauer und der Warschauer Vertrag wegen der sich ändernden Mehrheitsverhältnisse im deutschen Parlament an der Opposition scheitern könnten. Mit der Umkehrung des Junktims wurde die Opposition unter Druck gesetzt, hatte doch inzwischen auch die CDU/CSU-Fraktion Geschmack an den Berlin-Vereinbarungen gefunden.

Unter solchen Auspizien begannen am 23. Februar 1972 die Debatten des Deutschen Bundestages über die Ratifizierung der Ostverträge, und wieder einmal richtete sich der Blick der Weltöffentlichkeit interessiert auf Bonn. Eine Schlüsselrolle im anstehenden Ratifizierungsprozeß kam dem Oppositionsführer Rainer Barzel zu. Der wollte verhindern, daß die CDU/CSU für das Scheitern der Verträge verantwortlich gemacht werden konnte, weil er die nächsten Wahlen im Visier hatte und wußte, daß die Ostpolitik der sozialliberalen Regierung in der Öffentlichkeit zusehends an Popularität gewann. Allerdings traf Barzel mit seinem vermittelnden Kurs innerhalb seiner Fraktion auf mächtige Gegner, zu denen neben den

Vertretern der Vertriebenen unter anderem Franz Josef Strauß, Walter Hallstein, Gerhard Schröder und Kurt Birrenbach zählten.

Es gehört zu den historischen Verdiensten Barzels, daß es ihm gelang, die überwältigende Mehrzahl der Fraktionsmitglieder von seiner Linie zu überzeugen. Voraussetzung für den Stimmungswechsel innerhalb der CDU/CSU-Fraktion war ein Entschließungsantrag zum deutsch-sowjetischen Vertrag, der auf gemeinsame Bemühungen Barzels und Brandts zurückging und als Antrag aller im Bundestag vertretenen Parteien eingebracht wurde. In seinen zehn Punkten, in denen mancher eine Art Gegenentwurf zum «Bahr-Papier» gelesen hat, waren die Grundüberzeugungen bundesdeutscher Außenpolitik festgehalten. Insbesondere stellte das Dokument fest, daß die Bundesrepublik nach wie vor «eine friedliche Wiederherstellung der nationalen Einheit im europäischen Rahmen» anstrebe.[58] Später hat Barzel darauf bestanden, daß diese Entschließung «durch förmliche Übergabe, Entgegennahme und Bekanntgabe vor der Ratifikation des Vertrages im Obersten Sowjet ein völkerrechtlich wirksames Dokument der Bundesrepublik Deutschland» geworden sei.[59] Ob diese Interpretation zutraf oder ob nicht vielmehr für dieses Dokument das gleiche galt wie für den erwähnten «Brief zur deutschen Einheit», sei dahingestellt.

Im übrigen erinnerte der Entschließungsantrag der Bundestagsfraktionen vom 10. Mai 1972 in Form und Inhalt an jene Präambel, mit welcher der Auswärtige Ausschuß des Deutschen Bundestages fast auf den Tag genau neun Jahre zuvor, am 8. Mai 1963, das Ratifizierungsgesetz zum deutsch-französischen Vertrag versehen hatte. Auch jetzt legten die Parlamentarier großen Wert auf die Feststellung, daß der deutsch-sowjetische Vertrag nichts an der festen Verankerung der Bundesrepublik im Atlantischen Bündnis ändere und daß Bonn weiterhin die Politik der europäischen Einigung fortsetzen wolle, mit dem «Ziel, die Gemeinschaft stufenweise zu einer Politischen Union fortzuentwickeln».[60] Damit stand der Ratifizierung nichts mehr im Wege. Als am 17. Mai 1972 die entscheidende Abstimmung stattfand, votierten 17 Abgeordnete gegen den Warschauer und zehn gegen den Moskauer Vertrag. Die große Mehrheit der CDU/CSU-Fraktion enthielt sich der Stimme und ließ die Verträge damit passieren. Damit begann das «Godesberg» der CDU/CSU.[61]

Die Ratifizierung der Ostverträge machte den weiteren Weg frei. Am 3. Juni 1972 traten sowohl der Moskauer und der Warschauer Vertrag als auch das Viermächte-Abkommen sowie die entsprechenden deutsch-deutschen Ausfüllungsvereinbarungen in Kraft. Letztere waren ein erstes Ergebnis der Kontakte, Gespräche, Verhandlungen und schließlich Vereinbarungen zwischen Bonn und Ost-Berlin, die einen unverzichtbaren Bestandteil der «neuen» Ostpolitik der Jahre 1969 bis 1972 bildeten, und zwar aus sowjetischer und bundesdeutscher Sicht gleichermaßen. In diesem Sinne hatten Brandt und Breschnew anläßlich ihres Treffens auf der Krim vom 16. bis zum 18. September 1971 festgehalten: «Die allgemeine Normalisierung der Beziehungen zwischen der Bundesrepublik Deutschland und der Deutschen Demokratischen Republik auf der Grundlage der vollen Gleichberechtigung, der Nichtdiskriminierung, der Achtung der Unabhängigkeit und der Selbständigkeit der beiden Staaten in Angelegenheiten, die ihre innere Kompetenz in ihren entsprechenden Grenzen betreffen, erscheint heute möglich und wird eine große Bedeutung haben.»[62]

Spätestens im Verlaufe des Ratifizierungsverfahrens über die Ostverträge zeichnete sich indessen ab, daß dieses Ziel mit dem 1969 gewählten Bundestag nicht zu erreichen war. So hatte sich im Parlament durch «Überläufer» aus den Reihen der Regierungsfraktionen in das Lager der Opposition eine Patt-Situation ergeben. Zwar war am 27. April ein von der Opposition beantragtes Konstruktives Mißtrauensvotum gegen den Bundeskanzler gescheitert, allerdings nur mit der denkbar knappen Mehrheit von zwei Stimmen, und nur einen Tag später wurde der Kanzlerhaushalt bei Stimmengleichheit abgelehnt. Vor diesem Hintergrund entschloß sich Willy Brandt, seinerseits die Vertrauensfrage zu stellen und damit den Weg für Neuwahlen freizumachen. Am 22. September 1972 verneinte die Mehrzahl der Bundestagsabgeordneten die Vertrauensfrage des Kanzlers. Die Mitglieder des Bundeskabinetts waren der Abstimmung ferngeblieben. Bei den daraufhin anberaumten Wahlen vom 19. November 1972 wurde die SPD erstmals, wenn auch mit nicht einmal 1 % Mehrheit der Stimmen, zur stärksten Partei gewählt. Immerhin, die Regierung Brandt konnte das Wahlergebnis mit Recht als Bestätigung ihrer Ost- und Deutschlandpolitik interpretieren, hatte diese doch im Zentrum des Wahlkampfes gestanden: Im unmittelbaren Vorfeld des Wahltages, am 8. November, war der sogenannte «Grundlagenvertrag» paraphiert worden, die vorläufige Krönung einer ganzen Reihe deutsch-deutscher Vereinbarungen.

Das Interesse an einer deutsch-deutschen Verständigung war groß, auch bei den beiden Vormächten. Zwar haben die Vereinigten Staaten das Gebot der «Wiedervereinigung» bis zum Schluß rhetorisch mitgetragen, doch hatte es sich schon seit Mitte der fünfziger Jahre und in globaler Perspektive als rechtes Hindernis für eine zügige, umfassende Detente erwiesen. Daß sich die Bundesrepublik im Zuge der «neuen» Ostpolitik jetzt auch förmlich von dem Gedanken verabschiedete, eine solche «Wiedervereinigung» könne in absehbarer Zeit zu haben sein, kam der Nixon-Administration höchst gelegen, weil damit jene allgemeine Entspannung im amerikanisch-sowjetischen Verhältnis flankiert wurde, die man brauchte, um in den anstehenden Fragen, insbesondere Vietnam und SALT, voranzukommen. Für die Sowjetunion wiederum war die deutsch-deutsche Verständigung integraler Bestandteil der jüngsten Runde ihrer Status-quo-Politik, deren Bedeutung angesichts der Spannungen im chinesisch-sowjetischen Verhältnis beträchtlich wuchs. Im Kern lief sie auf eine weitere

Anerkennung der durch den Zweiten Weltkrieg geschaffenen Tatsachen einschließlich der sowjetischen Hegemonialsphäre in Europa hinaus. Der Kreml wußte das Entgegenkommen Bonns zu honorieren. Im unmittelbaren Vorfeld der Bundestagswahlen vom November 1972 ließ er ohne Gegenleistung 3 000 Deutschstämmige ausreisen.

Als Willy Brandt in seiner Regierungserklärung vom 28. Oktober 1969 zu erkennen gab, daß seine Regierung bereit sei, auch die DDR in einen umfassenden Gewaltverzicht miteinzubeziehen, ging es ihm zunächst um eine «Normalisierung» im Verhältnis zweier Staaten zueinander, die im Verständnis des Bundeskanzlers nach wie vor ein und derselben Nation angehörten. Daß eben dieser Sachverhalt von den Machthabern in Ost-Berlin ganz anders gesehen wurde, zeigte sich schon nach wenigen Wochen. Die Kontakte zwischen führenden Repräsentanten der beiden deutschen Teilstaaten ließen sich entsprechend mühsam an. Nach einem ergebnislosen Briefwechsel zwischen dem Ministerpräsidenten der DDR und dem Bundeskanzler hatte Willy Brandt am 19. März 1970 Erfurt einen Besuch abgestattet, der wenig später, am 21. Mai, von Willy Stoph in Kassel erwidert worden war. Auch diese Visiten waren ohne vorzeigbare Ergebnisse geblieben, da Stoph auf der völkerrechtlichen Anerkennung der DDR beharrte. Für das SED-Regime war indessen schon das Erfurter Treffen zumindest ein «Teilerfolg», wie es in einer Einschätzung der Außenpolitischen Kommission der Partei vom 2. April hieß: «Zum ersten Mal nach 20 Jahren Bonner Politik im Zeichen der Alleinvertretungsanmaßung war ein westdeutscher Bundeskanzler gezwungen, sich mit dem Vorsitzenden des Ministerrates der DDR auf gleichberechtigter Ebene zu treffen».[63]

Nach einer halbjährigen «Denkpause» wurden am 27. November 1970 konkrete Verhandlungen aufgenommen, die abermals offiziell als «Gespräche» firmierten. Sie wurden seitens der DDR durch den Staatssekretär beim Ministerrat, Michael Kohl, und seitens der Bundesrepublik durch den Staatssekretär im Bundeskanzleramt, Egon Bahr, abwechselnd in Ost-Berlin und Bonn geführt. Um die Atmosphäre nicht von vornherein zu belasten, hatte die DDR darauf verzichtet, einen Ressortvertreter ihres Außenministeriums in die Verhandlungen zu schicken, und die Bundesrepublik hatte ihrerseits davon abgesehen, die Gespräche von einem Vertreter des «Ministeriums für innerdeutsche Beziehungen» führen zu lassen, wie das vormalige «Bundesministerium für Gesamtdeutsche Fragen» seit Oktober 1969 hieß. Förderlich wirkte sich auch der Wechsel an der Spitze des SED-Regimes aus, nachdem Walter Ulbricht am 3. Mai 1971 auf sowjetischen Druck als Parteichef zurückgetreten war und mit Erich Honecker einem Genossen Platz gemacht hatte, der als Vertreter der jüngeren Generation und eines flexibleren Kurses galt. Am Machtwechsel in Pankow waren die Bonner Gipfelstürmer insofern nicht ganz unbeteiligt, als sie im Kreml keinen Zweifel hinterließen, daß für sie Moskau und nicht

Ost-Berlin der vorrangige Gesprächspartner und also Breschnews Verhandlungskalender der maßgebliche sei, und nicht der Walter Ulbrichts. Die Gespräche zwischen Bahr und Kohl wurden von diversen Verhandlungen auf anderen Ebenen flankiert. Dabei ging es in der Regel um Fragen, die mit der Erfüllung des Viermächte-Abkommens zu tun hatten; involviert waren hier zum Beispiel Vertreter der beiden Postministerien. Insgesamt haben die Sondierungen drei Ergebnisse gezeigt, und zwar erstens vier Ausfüllungsvereinbarungen zum Viermächte-Abkommen, zweitens einen Verkehrsvertrag und drittens den sogenannten «Grundlagenvertrag». Gemeinsam war allen Vereinbarungen und Verträgen, daß sie auf die Anormalität der deutschen und damit in gewisser Weise der europäischen Situation verwiesen. Im Unterschied zu den vier Ausfüllungsvereinbarungen zum Viermächte-Abkommen, die zwischen dem 30. September und dem 20. Dezember 1971 geschlossen worden sind – ein Postprotokoll, ein Transitabkommen, eine Besuchs- sowie eine Gebietsaustauschvereinbarung –, handelte es sich beim Verkehrsvertrag um den ersten zwischen Bonn und Ost-Berlin souverän ausgehandelten Staatsvertrag. Von Bahr und Kohl seit Januar 1972 sondiert, konnte er am 12. Mai paraphiert, 14 Tage später unterzeichnet und am 17. Oktober 1972 in Kraft gesetzt werden. Im Bundestag war er mit überwältigender Stimmenmehrheit angenommen worden. Auch die CDU/CSU-Fraktion hatte mit wenigen Ausnahmen zugestimmt, da die Bundestagswahlen vor der Tür standen.

Dabei war es auch in diesem Falle nicht gelungen, das für die Bundesrepublik wichtige Zugeständnis im Vertrag selbst zu fixieren. Daß es zu «Reiseerleichterungen im Verkehr zwischen den beiden Staaten über das bisher übliche Maß kommen» werde,[64] stand in einem Brief Michael Kohls an Egon Bahr vom 26. Mai 1972. Immerhin stieg die Zahl der Reisen in die DDR und nach Ost-Berlin bis 1979 um 265% auf über 22 Millionen an. Im Gegenzug fand sich die Bundesregierung bereit, der DDR-Führung in den für sie wichtigen Fragen entgegenzukommen. Das geschah im sogenannten Grundlagenvertrag. Inzwischen ging es also nicht mehr um die Frage, ob ein solcher Vertrag geschlossen werden würde, sondern nur noch um den Zeitpunkt und um die Konditionen.

So erklärt sich die «Scheel-Doktrin» vom 28. Oktober 1969. In einem Runderlaß an alle diplomatischen Vertretungen hatte der Außenminister die Parole ausgegeben, die bevorstehende Anerkennungswelle der DDR solange aufzuhalten, bis die Bundesrepublik ihrerseits den entsprechenden Schritt getan und ihre Beziehungen zum zweiten deutschen Teilstaat vertraglich geregelt hatte. Tatsächlich haben in den Jahren 1970/71 lediglich zehn Staaten der Dritten Welt, darunter sieben schwarzafrikanische, diplomatische Beziehungen zur DDR aufgenommen. Interessant war der Fall Somalia, denn Mogadischu wurde durch diesen Akt «der erste Platz außerhalb der kommunistisch regierten Länder mit zwei deutschen Botschaftern».[65] Ein Land, die Zentralafrikanische Republik, brach sogar im August 1971 die diplomatischen Beziehungen zu Ost-Berlin wieder ab, und Indien, um das sich die Führung der DDR fast zwei Jahrzehnte bemüht hatte, tat den ersehnten Schritt erst nach Paraphierung des Grundlagenvertrages. Einige Staaten, wie etwa Schweden und die Schweiz, leiteten parallel zu den deutsch-deutschen Verhandlungen über einen Grundlagenvertrag diplomatische Beziehungen zur DDR ein. Gleichzeitig wurde mit der Vorbereitung ihrer Aufnahme in internationale Organisationen, wie zum Beispiel in die UNESCO, begonnen. Insoweit ist in dieser Parallelität der Ereignisse zum einen gewiß der «Schlußerfolg» der «Scheel-Doktrin» zu sehen,[66] andererseits offenbart sie aber auch den erheblichen Zeitdruck, unter dem die Bundesregierung jetzt stand.

Am 15. Juni 1972 begannen die «Gespräche» zwischen Bahr und Kohl über einen Grundlagenvertrag, die seit dem 16. August offiziell als «Verhandlungen» geführt wurden. Am 8. November, elf Tage vor der Bundestagswahl, deren Ergebnis damit jedenfalls indirekt auch ein Votum der Wähler über die Vereinbarungen wiederspiegelte, wurde der Vertrag paraphiert und veröffentlicht; am 21. Dezember wurde er in Ost-Berlin unterzeichnet, allerdings nicht, wie die eigentlichen Ostverträge, durch Brandt und Scheel, sondern durch Bahr. Auch parallel zu diesen Verhandlungen gab es eine Fülle direkter und indirekter, formeller und informeller Kontakte, insbesondere zwischen der Bundesrepublik und den drei Westmächten im Rahmen der «Vierer-Gruppe» in Bonn, und selbstverständlich waren die Abmachungen nicht nur in dem eigentlichen «Vertrag über die Grundlagen der Beziehungen zwischen der Bundesrepublik Deutschland und der Deutschen Demokratischen Republik» festgehalten, sondern auch in einem Konvolut von Protokollen, Zusatzprotokollen, Protokollvermerken, Protokollerklärungen, Briefen, Briefwechseln und Erläuterungen.

Im Kern hielt der Vertrag fest, was bereits im «Bahr-Papier» und im Moskauer Vertrag nachzulesen war. Indem er expressis verbis «auf der Grundlage der Gleichberechtigung» geschlossen war,[67] brachte er der DDR nach mehr als zwei Jahrzehnten die faktische Anerkennung Bonns, die förmliche Gleichberechtigung und damit den internationalen Durchbruch. Noch im Dezember 1972, dem Monat der Unterzeichnung, kam es zur Herstellung diplomatischer Beziehungen zu 21 Staaten, darunter Schweden, der Schweiz und Österreich. Allein 1973 nahmen insgesamt 47 Staaten diplomatische Beziehungen zur DDR auf, unter diesen Großbritannien und Frankreich, und natürlich bildete die Aufnahme diplomatischer Beziehungen zwischen Ost-Berlin und Washington im September 1974 einen vorläufigen Höhepunkt dieses Siegeslaufs. Bis 1978 hatten 123 Staaten die DDR völkerrechtlich anerkannt, 1980 wurde sie sogar für zwei Jahre nichtständiges Mitglied des Sicherheitsrates der Vereinten Nationen, in die beide deutsche Staaten am 18. September 1973 aufgenommen worden waren.

Es lag in der Logik der Entwicklung, daß sich die Machthaber der DDR durch die breite völkerrechtliche Anerkennung, vor allem aber durch die ersehnte Gleichberechtigung mit dem westlichen Nachbarn und die damit verbundene Statusaufwertung des Systems in ihrer Auffassung bestätigt sahen, wonach ihr politischer Kurs gerade nicht korrekturbedürftig sei. Die Folge der allgemeinen «Annäherung» war daher keine «Öffnung» der DDR nach außen, sondern das gerade Gegenteil. Selbstredend war das nicht die Absicht der Bonner Politik, aber es war ihr Ergebnis. Wie konnte es dahin kommen? Nach dem Ende des Kalten Krieges hat ein englischer Beobachter festgestellt, daß die SED-Führung «während der gesamten Geschichte der deutsch-deutschen Beziehungen ... Bezahlung in zwei Währungen gefordert» habe, nämlich «in D-Mark und in Anerkennung».[68] Um derart fordernd auftreten zu können, mußte sie etwas zu bieten haben, das Bonn sowohl Geld als eben auch, nach fast einem Vierteljahrhundert, ein beträchtliches politisches Zugeständnis wert war. In der Tat bestand ein herausragendes Ziel der Ost- und Deutschlandpolitik aller Bundesregierungen seit den Tagen Konrad Adenauers darin, «menschliche Erleichterungen» für die Bewohner der DDR zu erwirken. Damit konnte die Bundesrepublik unter Druck gesetzt werden.

Das galt vor allem für Personen, denen aus sehr unterschiedlichen Gründen, darunter politischen, von den Machthabern der DDR zugesetzt wurde und für die es nur eine Hoffnung gab: die Übersiedlung in die Bundesrepublik. Die aber war nicht umsonst zu haben. Vielmehr ließ sich das Regime die Entlassung in den Westen üppig honorieren. Im Laufe der Jahre und Jahrzehnte hatte sich auf diesem Gebiet ein Geschäft von beträchtlichem Umfang entwickelt. Die Namen der Personen, die einen Ausreiseantrag gestellt hatten, wurden in verschiedenen Listen, nach drei Stufen gestaffelt, zusammengestellt und der Bundesregierung übergeben. Nach Erstattung der geforderten Beträge war dann in der Regel der Weg für die Übersiedlung frei. Bis zum Zusammenbruch der DDR haben etwa 250 000 ihrer Bürger eine Ausreisegenehmigung erhalten. Je härter das Schicksal der Betroffenen, um so teurer ließ sich Pankow die Genehmigung bezahlen. Das gilt insbesondere für politische Häftlinge. Mit deren Freikauf war bereits 1963 begonnen worden, und er sollte bis zum Bankrott des SED-Regimes fortgesetzt werden. Anfänglich wurde der Kaufpreis noch in Devisen erstattet, später erfolgte die Ablösung in Warenlieferungen. Abgewickelt wurde das Geschäft im Auftrag der Bundesregierung durch das Diakonische Werk der Evangelischen Kirche. Zwischen 1963 und 1989 sind auf diesem Wege 31 775 Häftlinge freigekauft worden. Der Preis betrug insgesamt 3 399 337 134,64 D-Mark.[69]

Indem die sozialliberale Koalition den Status quo in Deutschland anerkannte, trug sie indirekt dazu bei, das Selbstbewußtsein der Machthaber in Ost-Berlin so zu festigen, daß diese mit dem Schicksal vieler Menschen noch ungenierter umgingen als zuvor. Das war die bittere Kehrseite der

Deutschlandpolitik seit den siebziger Jahren. Daß es aus diesem Dilemma keinen Ausweg gab, sollte sich nach der noch zu betrachtenden «Wende» des Jahres 1982 zeigen, die gerade in der Deutschlandpolitik keinen Kurswechsel brachte, weil es ohne die Preisgabe des Ziels «menschlicher Erleichterung» keinen geben konnte. Vom Ende des SED-Regimes aus betrachtet, überrascht es nicht, daß seine Anhänger, wie der letzte sowjetische Botschafter in Ost-Berlin, der alternativlosen Bonner Deutschlandpolitik gleichwohl beachtliche Erfolge attestierten. Wenn man nämlich die Forderung nach «menschlichen Erleichterungen» als Bedingung betrachtete, welche selbst an die Kreditvergabe geknüpft wurde, dann konnte man dahinter durchaus «eine durchdachte, zielgerichtete Politik» sehen, «die schließlich Früchte trug».[70]

Schon weil Willy Brandt sich ursprünglich hartnäckig geweigert hatte, den Gedanken an das Fortbestehen der deutschen Nation aufzugeben und das Unrechtsregime förmlich anzuerkennen, konnte sich Pankow 1972 indessen nicht mit der Forderung durchsetzen, daß die Bundesrepublik den DDR-Staat und mit ihm seine 1967 eingeführte Staatsbürgerschaft anerkennen müsse. Daran hat sich bis zum Zusammenbruch der DDR nichts geändert. So wurden in Ost-Berlin und Bonn keine Botschaften eingerichtet, sondern «Ständige Vertretungen».[71] Im Laufe der Jahre reduzierte sich dieser Statusunterschied allerdings auf einen symbolischen Sachverhalt, denn die Beziehungen wurden in der Praxis nach den Regeln des Völkerrechts abgewickelt. Und auch die Hoffnung auf die geschichtsmächtige Wirkung der Präambel des Grundlagenvertrages, wonach die beiden deutschen Teilstaaten zu «grundsätzlichen Fragen, darunter zur nationalen Frage», unterschiedlicher Auffassung seien,[72] erwies sich als trügerisch. Die Interpretation von Antonius Eitel – Angehöriger des Auswärtigen Amtes und persönlicher Referent Egon Bahrs in den Jahren 1970- 1973 –, daß damit «die nationale Frage und das gemeinsame Deutschtum sozusagen im letzten Augenblick in einem Vertrag festgeschrieben» worden seien,[73] wurde jedenfalls in Ost-Berlin nicht geteilt. Am 27. September 1974 beschloß die 13. Tagung der Volkskammer das «Gesetz zur Ergänzung und Änderung der Verfassung der DDR», das am 7. Oktober in Kraft trat und endgültig den Zusatz «Deutsche Nation» aus ihrem Text tilgte.

Der Grundlagenvertrag ist wie kaum ein zweites Abkommen, das die Regierung Brandt abgeschlossen hat, auf heftigen Widerspruch im Innern gestoßen. Die Kritiker waren der Ansicht, daß er mit dem Wiedervereinigungsgebot des Grundgesetzes nicht vereinbar sei. Das von Bayern mit einer Normenkontrollklage angerufene Bundesverfassungsgericht gelangte in seinem Urteil vom 31. Juli 1973 zu einer bemerkenswerten Interpretation der historisch-politischen Wirklichkeit. Danach war die Bundesrepublik Deutschland nicht «Rechtsnachfolger» des Deutschen Reiches, sondern sie war «als Staat identisch mit dem Staat ‹Deutsches Reich›, – in bezug auf seine räumliche Ausdehnung allerdings ‹teilidentisch›». Folglich «gehört[e]» die DDR «zu Deutschland» und konnte «im Verhältnis zur Bundesrepublik Deutschland» nicht als Ausland angesehen werden. Bei ihrer Grenze zur Bundesrepublik handelte es sich nach Auffassung des Gerichts um eine «staatsrechtliche Grenze ... ähnlich denen, die zwischen den Ländern der Bundesrepublik Deutschland verlaufen».[74]

Noch bedeutsamer als der Spruch der Karlsruher Richter war allerdings die Frage, was der Grundlagenvertrag und die übrigen deutsch-deutschen Vereinbarungen den Betroffenen brachten. Eine eindeutige Antwort kann es nicht geben. Das Urteil hängt von den Kriterien ab, die man zugrundelegt. Mißt man die Deutschlandpolitik der sozialliberalen Koalition an ihren kurzfristigen Vorgaben, wie Reiseerleichterungen, größeren Betätigungsmöglichkeiten für Journalisten und anderem mehr, dann war sie gewiß erfolgreich. Mißt man sie an ihrem langfristigen Ziel, das politische System der DDR durch diese Annäherung zu transformieren, dann ist sie gescheitert. Mißt man die Deutschlandpolitik aber schließlich am Ergebnis der «friedlichen Revolution» des Jahres 1989, die ohne sie wohl anders verlaufen wäre, dann fand sie dort eine späte – und von den meisten Akteuren nicht mehr erwartete – Bestätigung.

Die eigentlich dramatische Konsequenz der Ost- und Deutschlandpolitik jener Jahre offenbarte sich aber erst nach dem Ende des Kalten Krieges. Der Politikwissenschaftler Waldemar Besson hat schon vor Unterzeichnung der Verträge scharfsinnig darauf hingewiesen, daß sich die Bundesrepublik im Zuge der mühsamen Anerkennung des Status quo in Europa und damit auch in Deutschland «in einem jahrelangen Prozeß selbst anzuerkennen gelernt» habe.[75] Für Besson fand damit auch die «hegemoniale Unruhe» der Deutschen ein Ende, mit der sie seit Beginn der Wilhelminischen Ära «gegen den weltpolitischen Status quo» gestanden hätten.[76]

In der Tat, der Wunsch nach Gleichberechtigung war ja nur die Kehrseite des Bestrebens, die gegebenen Verhältnisse zugunsten Deutschlands zu ändern. Das galt schon für das Ansinnen des Deutschen Reiches in den Jahrzehnten vor Ausbruch des Ersten Weltkrieges, von der Großmacht zur Weltmacht aufzusteigen und damit auch in dieser Hinsicht mit den Nachbarn gleichzuziehen. So sehr diese Ambition dazu beigetragen hat, das europäische Staaten- und Gleichgewichtssystem der Zeit aufzulösen und schließlich zu sprengen, so wenig gab es für die meisten Deutschen eine Alternative zu dieser Politik, hätte doch aus ihrer Sicht ein Abseitsstehen im Zeitalter des Imperialismus zu einem Gewichtsverlust ihres Landes auf dem europäischen Kontinent und damit zu seiner erhöhten Verwundbarkeit beigetragen. Das gleiche Grundmotiv lag dem Revisionismus der Zwischenkriegszeit zugrunde. Danach konnte nur eine Veränderung der durch den Versailler Vertrag festgeschriebenen wirtschaftlichen, militärischen und territorialen Gegebenheiten das Sicherheitsdilemma, das der Erste Weltkrieg gerade einmal mehr offenbart hatte, auf ein erträgliches

Maß reduzieren. Dieses weit verbreitete Empfinden war eine entscheidende Voraussetzung für Hitlers Erfolg.

Auch nach 1945 konnten oder wollten sich die Deutschen für lange
Zeit nicht mit dem Status quo abfinden. Bezüglich der Gebiete östlich
von Oder und Neiße konnte man sich darauf berufen, daß die alliierten
Sieger des Zweiten Weltkrieges ihrerseits eine definitive Lösung bis zu
einem Friedensvertrag vertagt hatten; und die Wiedervereinigung der beiden Teilstaaten zu betreiben, waren alle Deutschen schon durch die Präambel des Grundgesetzes angehalten. Man wird davon ausgehen müssen,
daß bis weit in die sechziger Jahre hinein wohl die überwältigende Mehrzahl eine solche Wiedervereinigung auch wollte. Dafür sprachen persönliche und lebensgeschichtliche Gründe, wie zum Beispiel die zahllosen
familiären oder freundschaftlichen Verbindungen; dafür sprach aber auch
ein historisch-politisches Argument, das traditionell in Deutschland eine
Rolle gespielt und auch noch im Zentrum der europapolitischen Vorstellungen der deutschen Opposition gegen Hitler gestanden hatte. Danach
war der Kontinent ohne ein «gesundes und starkes Herz» auf Dauer nicht
überlebensfähig.[77]

Daß die Wiedervereinigung ein «Lebensinteresse Europas und damit der
Welt» war,[78] stand für Konrad Adenauer ebenso fest wie für Willy Brandt,
der noch 1968 schrieb: «Mag Deutschland auch aus der eigentlichen Welt-
machtpolitik ausgeschieden sein, seine geographische Lage im Herzen Europas gibt ihm weiterhin eine Schlüsselfunktion für die künftige Gestal-
tung dieses Kontinents».[79] Das erklärt, warum Adenauer, Brandt und andere mehr in den fünfziger und sechziger Jahren darauf bedacht waren,
daß den Deutschen infolge der Teilung ihres Landes nicht das Verständnis
und das Gefühl für die Nation verlorengingen. «Ohne ein gesundes nationales Gefühl», so sagte Adenauer 1960, «kann auf die Dauer kein Staat
bestehen bleiben.»[80] Und selbstverständlich wußte auch Willy Brandt, «daß
die Schuld von zwölf Unheilsjahren nicht ... durch eine Art Austrittsbe-
wegung aus der Nation würde getilgt werden können».[81] Das war indessen
leichter gesagt als getan, hatte doch der Nationalstaat in Deutschland nur
eine äußerst kurze, nicht einmal fünfundsiebzigjährige Tradition.

Damit wird klar, welche Konsequenzen die Ost- und Deutschlandpolitik der Jahre 1970 bis 1972, zu der es keine Alternative gab, haben mußte.
Indem sich die Westdeutschen als «Ersatznation»[82] einzurichten und mit
dem Status quo abzufinden begannen, Bonn also in den Worten Bessons
sich «selbst anzuerkennen gelernt hatte», machte sich die rheinische Republik ohne große Schmerzen daran, vom Gedanken des Nationalstaates
Abschied zu nehmen. So unumgänglich diese Entwicklung aus historischen wie politischen Gründen auch gewesen ist, so willkommen sie den
Nachbarn Deutschlands war, so problematisch erwies sie sich nach dem
Ende des Kalten Krieges und der Vereinigung der beiden deutschen Teilstaaten. Als das nunmehr wider Erwarten doch noch vereinigte Deutsch-

land aufgefordert wurde, als ein Nationalstaat unter anderen zu handeln, mußte es fast zwangsläufig überfordert sein.

Jetzt zeigte sich, daß den Deutschen in den Jahrzehnten der Teilung genau das abhanden gekommen war, was Willy Brandt in seiner grundlegenden Bundestagsrede vom 14. Januar 1970 als Voraussetzungen für den Fortbestand der Nation auch unter solchen äußeren Umständen bezeichnet hatte, nämlich erstens «das fortdauernde Zusammengehörigkeitsgefühl der Menschen eines Volkes» und zweitens «der politische Wille».[83] Aber natürlich wußte gerade ein Mann wie Willy Brandt sehr wohl, «daß es auf dieser Welt außerhalb unseres Volkes nicht allzu viele Menschen gibt, die sich angesichts der Eventualität begeistern, daß die 60 und die 17 Millionen, daß das eine und das andere Wirtschaftspotential, von den Armeen nicht zu sprechen, zusammenkommen». Daraus zog er den bekannten Schluß, daß die Einheit der Deutschen von vielen Faktoren abhänge, «nicht allein, von dem, was in der Verfassung steht, sondern von dem, was wir tun»,[84] und das bedeutete vor allem die Mitarbeit am Aufbau einer europäischen Friedensordnung, deren Kern die allgemeine Anerkennung der bestehenden Grenzen in Europa war.

Auf diesem Weg waren bis 1972 beachtliche Fortschritte gemacht worden. Was fehlte, war langfristig die Überführung der einzelnen Bestandteile in eine übergreifende europäische Ordnung und kurzfristig die noch ausstehende Verständigung mit der Tschechoslowakei. Die Verhandlungen über einen entsprechenden Vertrag zogen sich auch deshalb in die Länge, weil die Außen- und namentlich die Ostpolitik der Regierung Brandt an Schwung verlor. Ganz offensichtlich hatte sie in den Jahren 1971/72, im Erfolg bei den Bundestagswahlen und schließlich in der Unterzeichnung des Grundlagenvertrages, ihren Höhepunkt erreicht, den die Verleihung des Friedensnobelpreises an Willy Brandt eindrucksvoll unterstrich. Fortan wurde die Regierung Brandt an diesen Erfolgen und an diesem Tempo gemessen. Der politische Alltag unterschied sich jetzt auffallend von der Dynamik der Anfangsphase. Das sahen auch partei- und fraktionsinterne Kritiker des Bundeskanzlers so, namentlich der Fraktionsvorsitzende Herbert Wehner, der im Sommer 1973 eine nicht unproblematische Ost- und Deutschlandpolitik auf eigene Faust begann. Ausgerechnet in der sowjetischen Hauptstadt ließ sich Wehner im September 1973 zu abfälligen Worten über Willy Brandt hinreißen, die dieser noch in der Rückschau als «unflätige Bemerkungen» bezeichnet hat[85] und die der «Spiegel» am 8. Oktober unter dem Titel «Was der Regierung fehlt, ist ein Kopf» in Form einer Titelgeschichte seinen Lesern brühwarm servierte.[86]

Daß in der Bonner Ostpolitik eine langsamere Gangart eingeschlagen werden mußte, war richtig. Das hatte sich bereits anläßlich jenes Besuchs gezeigt, den Leonid Breschnew als erster Generalsekretär der KPdSU überhaupt vom 18. bis zum 22. Mai 1973 der Bundesrepublik abstattete.

Auch anderthalb Jahre nach der Krim-Begegnung war die Atmosphäre zwar insgesamt gut, doch zeigte die Visite zugleich die Grenzen der Zusammenarbeit. Wohl kam es unter anderem zur Unterzeichnung eines Abkommens über die Entwicklung der wirtschaftlichen, industriellen und technischen Zusammenarbeit und zu Gesprächen mit Vertretern der deutschen Industrie über einige Großprojekte, doch mußte Breschnew letztlich ohne konkrete Zusagen in den Kreml zurückkehren. Erst knapp ein Jahr später, im März 1974, unterzeichnete ein deutsches Firmenkonsortium in Moskau einen Vertrag über die Errichtung eines Stahlwerkkomplexes bei Kursk, und ein halbes Jahr darauf, Ende Oktober 1974, kam es zu einem weiteren deutsch-sowjetischen «Erdgas-Röhren-Geschäft». Allerdings blieb der Anteil der deutschen Ausfuhren in die Sowjetunion gering. Er pendelte sich im Laufe der Jahre bei etwa 2% ein und blieb damit noch unter dem Anteil der nach Österreich gehenden Exporte.

Der sowjetischen Enttäuschung über die Entwicklung im Bereich der Wirtschaft korrespondierte die Ernüchterung Bonns über die Haltung Moskaus in der Berlinfrage. An ihr scheiterte letztlich ein bereits «unterschriftsreifer» Vertrag über die wissenschaftlich-technische Zusammenarbeit, der auch während der Kanzlerschaft Helmut Schmidts nicht unterzeichnet werden konnte.[87] Erst 1986 machte die Sowjetunion den Weg für ein entsprechendes Abkommen frei. Einig war man sich im Mai 1973 vor allem in dem gemeinsamen Bemühen, die Gespräche über eine gegenseitige Verminderung der konventionellen Streitkräfte und über eine europäische Sicherheitskonferenz voranzutreiben. Daher konnte der Bundeskanzler nach Abschluß des Breschnew-Besuchs vor dem Bundestag mit einer gewissen Genugtuung feststellen: «Die Bundesrepublik Deutschland ist ein respektierter Partner dieser Entwicklungen, die ein amerikanischer Kommentator, ‹world diplomacy in action› – internationale Diplomatie in Aktion – genannt hat.»[88]

Weniger Aktion als Stagnation bestimmten hingegen die Verhandlungen mit der Tschechoslowakei über jenen Vertrag, der den Schlußstein dieser Runde der Bonner Ostpolitik bilden sollte. Die Sondierungen hatten bereits am 13. Oktober 1970 begonnen, zogen sich aber, unterbrochen auch hier von einer «Denkpause», gut zweieinhalb Jahre ohne Ergebnis hin. Erst am 7. Mai 1973 konnte mit den offiziellen Verhandlungen der Außenminister begonnen werden, die schließlich am 20. Juni zur Paraphierung und am 11. Dezember 1973 zur Unterzeichnung des Vertrages durch Brandt und Scheel führten, der mit dem Austausch der Ratifizierungsurkunden am 19. Juli 1974 in Kraft trat. Die Dauer der Sondierungen und Verhandlungen überrascht, wenn man bedenkt, daß die Ausgangslage für die Bundesregierung vergleichsweise günstig war: Ihrem Verhandlungspartner hing nach wie vor die Niederschlagung des «Prager Frühlings» an, während sie selbst mit jedem ost- und deutschlandpolitischen Schritt an internationaler Reputation gewann. Dieser Vertrauensvorschuß war gerade in den Verhandlungen mit Prag besonders wichtig, ging es hier doch um eine Frage von grundsätzlicher und symbolischer Dimension gleichermaßen.

Zur Debatte standen das sogenannte Münchener Abkommen und der Zeitpunkt seiner Ungültigkeit. Das Abkommen war am 29. September 1938 zwischen Deutschland, Italien, Großbritannien und Frankreich geschlossen worden. Es regelte unter anderem die Modalitäten der Abtretung der sudetendeutschen Gebiete der Tschechoslowakei an das Deutsche Reich und war das vorläufige Ergebnis einer Krise, die im Frühjahr 1938 begonnen hatte. Am 24. April meldete der Führer der Sudetendeutschen Partei, Konrad Henlein, gedrängt und unterstützt durch Hitler, gegenüber der Prager Regierung weitgehende Forderungen an, die auf die Autonomie der in der Tschechoslowakei lebenden Deutschen hinausliefen und deshalb in dieser Form von ihr nicht akzeptiert werden konnten. Daß die in der Tschechoslowakei lebenden Deutschen, immerhin fast 30% der Gesamtbevölkerung, gegenüber Tschechen und Slowaken benachteiligt waren, stand zwar außer Frage, aber Henleins Ansprüche waren gezielt überzogen, um einen Konflikt zu provozieren. Um eine Eskalation der Krise und einen Kriegseintritt ihrer Länder zu vermeiden, entschlossen sich Großbritannien und mit ihm Frankreich zu einer folgenreichen diplomatischen Intervention in Prag. Am 21. September 1938 nahm die nunmehr vollständig isolierte Regierung der Tschechoslowakei die britisch-französischen «Vorschläge» an und stimmte damit noch vor der Münchener Konferenz ihrerseits der Abtretung der sudetendeutschen Gebiete zu.

Das also war der historische Hintergrund, vor dem die Bundesrepublik und die Tschechoslowakei in den frühen siebziger Jahren die Frage zu klären suchten, ob das Münchener Abkommen «von Anfang an» ungültig sei, wie Prag und seine Verbündeten behaupteten. Die Bundesregierung sah das anders: Erstens führte nach ihrer Auffassung kein Weg an der Erkenntnis vorbei, daß das Abkommen ein Gemeinschaftswerk von vier europäischen Großmächten und das Deutsche Reich lediglich eine Vertragspartei unter diesen gewesen war. Zwar hatten Großbritannien am 5. August 1942, das Frankreich de Gaulles am 29. September 1942 sowie Italien – nach dem Sturz Mussolinis – durch die Regierung Badoglio am 26. September 1944 jeweils das Münchener Abkommen für ungültig bzw. für «null und nichtig» erklärt, aber eben nicht ausdrücklich von Anfang an. Das hatte lediglich die DDR im Rahmen des Freundschafts- und Beistandsvertrages mit der ČSSR am 17. März 1967 getan. Allerdings dürfte hier der entsprechende sowjetische Wunsch den Ausschlag gegeben haben.

Zweitens wurde seitens der Bundesregierung argumentiert, daß ja die Tschechoslowakei ihrerseits am 21. September 1938 im vorhinein der Abtretung der sudetendeutschen Gebiete zugestimmt habe. Das Argument, daß diese Abtretung unter Androhung von Gewalt erfolgt sei, wurde von Bonn, drittens, damit relativiert, daß nach internationaler Rechtsauffassung der Zwischenkriegszeit Druck als Mittel der Politik noch nicht ausdrücklich ausgeschlossen war. Viertens und vor allem aber hatte man in Bonn erhebliche Bedenken hinsichtlich der Rechtsfolgen einer Ungültigkeitserklärung im Prager Sinne. Hätte man nämlich der Forderung zugestimmt, wonach das Münchener Abkommen «von Anfang an» ungültig gewesen sei, wären damit im nachhinein die Vertreibung der Sudetendeutschen aus ihrer angestammten Heimat mit allen ihren Begleiterscheinungen und Folgen legitimiert worden.

Der Vertrag, dem mehrere Briefe bzw. Briefwechsel beigegeben waren, hatte folglich in hohem Maße Kompromißcharakter. Zwar stellte er fest, daß das Münchener Abkommen der Tschechoslowakischen Republik «unter Androhung von Gewalt aufgezwungen» worden sei, allerdings, wie es ausdrücklich hieß, «durch das nationalsozialistische Regime», nicht also durch das Deutsche Reich. Beide betrachteten es «im Hinblick auf ihre gegenseitigen Beziehungen nach Maßgabe dieses Vertrages als nichtig».[89] Im übrigen rangierte im Prager ähnlich wie im Moskauer und anders als im Warschauer Vertrag der Gewaltverzicht vor der Feststellung der Unverletzlichkeit der Grenzen.

Das Abkommen war einerseits der vorläufige Schlußstein der «neuen» Ostpolitik, lag aber andererseits bereits im Schatten erster Schwierigkeiten, die sich trotz oder wegen ihrer Ergebnisse einstellten. Im Falle der Sowjetunion hatte sich das bereits anläßlich des Breschnew-Besuchs gezeigt, und auch im Verhältnis zu Polen und zur DDR liefen die Dinge keineswegs so reibungslos, wie man das nach Abschluß der Verträge gehofft hatte. Warschau spielte jetzt nicht nur, wie gesehen, den Trumpf der deutschstämmigen Übersiedler, sondern bereitete der Bundesregierung in der zweiten Hälfte des Jahres 1973 auch erhebliche Schwierigkeiten in der Berlinfrage, indem es die konsularischen Befugnisse der Bundesregierung für die West-Berliner anzweifelte, und auch die DDR setzte den Hebel in der alten Reichshauptstadt an: So kam es im Juli 1974 zu Behinderungen auf den Transitwegen nach Berlin, mit denen das SED-Regime gegen die Errichtung des Umweltbundesamtes in der Stadt protestierte. Natürlich wußte man in Moskau, Prag, Warschau und Ost-Berlin sehr genau, unter welchem Erfolgsdruck die Bundesregierung stand und daß mit solchen Methoden weitere Konzessionen zu haben waren.

Diese Obstruktionspolitik der östlichen Nachbarn trug einiges dazu bei, daß die Außenpolitik der Regierung Brandt-Scheel seit 1973 an Glanz verlor. Anderes kam hinzu, so zum Beispiel die parlamentarische Verzögerungstaktik der Opposition, die sowohl den Grundlagenvertrag als auch den Vertrag mit Prag ablehnte, aber auch die innerparteilichen Widerstände gegen Willy Brandt, und hier insbesondere die Manöver Herbert Wehners, denen Brandt kurz nach seinem Rücktritt eine «zentrale Bedeutung» beigemessen hat.[90] Brandt bezog sich dabei vor allem auf das Treffen Wehners mit Honecker im Mai 1973 und auf dessen Moskau-Reise im September des gleichen Jahres.

Angesichts solcher Irritationen nahm man kaum mehr zur Kenntnis, daß die Normalisierung des Verhältnisses zwischen der Bundesrepublik und einigen neutralen bzw. kommunistischen Staaten durchaus beachtliche Fortschritte machte. So wurden zum Beispiel zwischen dem Oktober 1972 und dem Januar 1974, beginnend mit der Volksrepublik China und vorläufig endend mit der Mongolischen Volksrepublik, zu einer Reihe von Staaten diplomatische Beziehungen aufgenommen. Das war keineswegs selbstverständlich und im Falle Chinas auch nicht ganz unproblematisch. Hatten bis an die Schwelle der siebziger Jahre die Vereinigten Staaten streng darüber gewacht, daß keiner ihrer Verbündeten seine Beziehungen zum Reich der Mitte intensivierte, so war es zu Beginn der siebziger Jahre die Sowjetunion, die vor dem Hintergrund des schweren Gegensatzes zu Maos Volksrepublik und der amerikanisch-chinesischen Annäherung Bonn ausdrücklich ersuchte, nicht die «chinesische Karte» zu spielen und Moskau vor Aufnahme der diplomatischen Beziehungen zu informieren. Das geschah dann auch.[91]

Schließlich wurden im Laufe des Jahres 1973 diplomatische Beziehungen zu Finnland, Bulgarien und Ungarn aufgenommen. Auch dieser Schritt war bemerkenswert. Ohne die deutsch-sowjetische Annäherung seit 1970 wäre er schwerlich vorstellbar gewesen. Vor allem aber lag diese Intensivierung der innereuropäischen Beziehungen bereits im Schatten einer Entwicklung, die 1975 mit dem Abschluß der «Konferenz über Sicherheit und Zusammenarbeit in Europa» (KSZE) ihren vorläufigen Höhepunkt erreichen sollte. Diese erste gesamteuropäische Konferenz der Geschichte wiederum war ihrerseits Ausdruck und Ergebnis europäischer Identitätssuche in dieser Phase des Kalten Krieges. Daß sie unter der Patronage der eurasischen Weltmacht Sowjetunion und der außereuropäischen Supermacht USA stattfand, sprach für sich.

9. Schulterschluß
Die Formierung Europas
1973–1975

Einigkeit macht stark. Zu diesem Schluß kamen nach 1945 auch die Europäer. Zwei verheerende Weltkriege hatten der Frage, wie ein geeintes Europa aussehen und auf welchen Wegen man dieses Ziel erreichen könne, neues Gewicht verliehen. An Initiativen fehlte es nicht. Zu der seit 1950 verfolgten und schrittweise realisierten Idee einer Integration des westlichen Europa unter französisch-deutscher Regie gesellte sich wenig später die sowjetische eines gesamteuropäischen Verbundes. Hatte die westliche Variante vor allem eine wirtschaftliche und politische Zielsetzung, so lagen der sowjetischen in erster Linie sicherheitspolitische Überlegungen zugrunde. In den fünfziger und frühen sechziger Jahren schlossen sich die beiden Modelle gegenseitig aus, ja sie wurden in gewisser Weise sogar als Gegenentwürfe betrachtet.

Dann begann sich das zu ändern. Der sowjetische Vorschlag eines kollektiven Sicherheitsvertrages wurde im westlichen Europa nicht nur salonfähig, vielmehr galt er dort seit den ausgehenden sechziger Jahren als nahezu ideale Ergänzung der zahlreichen Entspannungsbemühungen. Diese hatten zwar insgesamt dem alten Kontinent eine erfreuliche Klimaverbesserung beschert, doch die militärische Gesamtlage stellte sich nicht weniger brisant dar als zuvor. Durch die grundsätzliche Einigung Moskaus und Washingtons in der Frage der strategischen Nuklearwaffen und die in diesem Zusammenhang festgeschriebenen, im wesentlichen gleichen Obergrenzen erlangten konventionelle Waffensysteme in Europa wieder größere Bedeutung. Die drückende sowjetische Überlegenheit auf diesem Gebiet war unübersehbar. Daher machte die amerikanisch-sowjetische Verständigung über die Frage einer Begrenzung der strategischen nuklearen Systeme Westeuropa von der Truppenpräsenz der Vereinigten Staaten besonders abhängig. Der alte Kontinent konnte eben auch in dieser Hochzeit der Entspannungspolitik nicht ohne amerikanische Sicherheitsgarantien leben. Dieses ungeschriebene Gesetz behielt weiterhin seine Gültigkeit. Entspannung hieß nicht, wie man anfänglich glauben mochte, das Ende des Kalten Krieges. Sie war nur eine neue Etappe, eine Durchgangsstation in seinem Verlauf.

Das alles galt vor allem für die Bundesrepublik, die als unmittelbarer Nachbar der Warschauer Pakt-Staaten der erste Schauplatz eines konventionell geführten Krieges gewesen wäre. Alarmiert reagierte Bonn daher auf jene prominenten Stimmen in den USA, die für einen einseitigen amerikanischen Truppenabbau auf dem alten Kontinent plädierten. Im März 1973 gewann der Führer der demokratischen Mehrheit im Senat seine Fraktion für die Forderung einer Halbierung der Landstreitkräfte in

Europa. Wenn dieser Vorschlag umgesetzt würde, so mußte damit das am Rhein intensiv ventilierte Projekt einer beiderseitigen, ausgewogenen Reduzierung der konventionellen Potentiale in Europa unterlaufen werden. Dem war zu begegnen; gefordert war wieder einmal die deutsche Konzessionsbereitschaft, vor allem bei den Devisenausgleichszahlungen. Dort war aber inzwischen die Schmerzgrenze erreicht – sowohl finanziell als auch psychologisch. Immerhin sahen die sogenannten «Offset»-Abkommen für die Jahre 1971–1975 Zahlungen in Höhe von insgesamt rund 12,5 Milliarden D-Mark vor, die unter anderem in den Kauf von «Phantom»-Jagdflugzeugen eingingen. War die Zahlung von Beiträgen in derart schwindelerregender Höhe in Zeiten weltwirtschaftlicher Krise schon ein Problem, so fiel das um so schwerer ins Gewicht, weil nur die Bundesrepublik diese Zahlungen zu leisten hatte, obgleich die Stationierung amerikanischer Truppen in anderen europäischen Ländern die Zahlungsbilanz Washingtons nicht weniger belastete. Erst im Juli 1976 gelang die endgültige Lösung eines für die deutsch-amerikanischen Beziehungen seit mehr als zwei Jahrzehnten höchst widrigen Problems. In einem Briefwechsel zwischen dem Bundeskanzler und dem amerikanischen Präsidenten wurde ein Kompromiß vereinbart, der die Stationierung einer zusätzlichen amerikanischen Brigade in Deutschland vorsah. Dafür zahlte Bonn einen einmaligen Unterstützungsbeitrag in Höhe von 171,2 Millionen D-Mark. Die Stationierung der Brigade bot also nach der Erinnerung Helmut Schmidts «den Anlaß für eine einmalige Abschlußzahlung, deren geringes Ausmaß finanzwirtschaftlich nicht ins Gewicht fiel und die den Amerikanern erlaubte, das Gesicht zu wahren».[1]

Die Devisenausgleichszahlungen waren indessen nicht die einzige Quelle deutsch-amerikanischer Irritationen. Auch die weltwirtschaftliche Entwicklung trug einiges dazu bei, daß sich die Bundesrepublik einmal mehr in der unangenehmen Lage fand, als Partner und Verbündeter der Vereinigten Staaten und als Mitglied des Interessenverbundes EG handeln zu müssen. Das war wahrlich keine beneidenswerte Situation, wie im Februar und März 1973 deutlich wurde. Eine erneute Spekulationswelle führte zu einem starken Dollarzufluß nach Europa und in seinem Gefolge zum endgültigen Zusammenbruch des «Smithsonian Agreement» vom Dezember 1971, das ohnehin nur eine Art Übergangsregelung nach der Demontage des Währungssystems von Bretton Woods gebildet hatte.

Es war nicht zuletzt der geschickten Krisendiplomatie des Bundesfinanzministers Helmut Schmidt zu danken, daß der wieder aufbrechende amerikanisch-französische Gegensatz in dieser Frage keine über den Anlaß hinausreichenden Folgen zeigte. Die Lösung bestand in einem partiellen «Block-Floating», d. h. in der Freigabe der europäischen Wechselkurse gegenüber dem Dollar unter Beibehaltung im wesentlichen fester Paritäten zwischen den europäischen Währungen. Das war die erwähnte «Schlange im Tunnel». Partiell war dieses «Block-Floating» deshalb, weil sich Großbritannien, Italien, Irland und Frankreich nicht oder nur zeitweilig an der «Währungsschlange» beteiligten. Unter diesem Namen ist das nicht sehr langlebige Unternehmen in die Geschichte eingegangen. Bereits nach einem dreiviertel Jahr begann der Währungsblock zu bröckeln: Am 19. Januar 1974 zog sich Frankreich erstmals aus der «Währungsschlange» zurück.

In Washington wurden die europäischen Währungskunststücke mit höchst gemischten Gefühlen beobachtet. Gewiß, bei nüchterner Betrachtung führte kein Weg an der Erkenntnis vorbei, daß die USA mit der Demontage von Bretton Woods ihre «währungspolitische Führung» preisgegeben hatten.[2] Aber natürlich war das nicht in der Absicht geschehen, auf diese Weise zur Fortsetzung und Intensivierung der europäischen Integration beizutragen. So sehr diese in den fünfziger Jahren am Potomac begrüßt und gefördert worden war, so wenig paßten europäische Alleingänge in eine Zeit, die ohnehin einmal mehr von Schwächeanfällen des westlichen Bündnisses geprägt war.

Die Krise des Jahres 1973 hatte langfristige Ursachen und zwei konkrete Anlässe. Zu den erstgenannten gehörte, neben der Verschiebung des transatlantischen wirtschaftlichen Gleichgewichts zugunsten Europas, daß die verbindende Klammer einer gemeinsam empfundenen Bedrohung einzurosten begann. Das ging mit dem Tauwetter der Entspannungspolitik einher. Hinzu kam die unaufhaltsame Überlagerung des Ost-West-Gegensatzes durch den Nord-Süd-Konflikt, der in anderem Zusammenhang zu betrachten ist. Ausgelöst wurde die Krise indessen durch den Konflikt im Nahen Osten und die «Osterbotschaft» des amerikanischen Außenministers. Am Ostermontag 1973 unternahm Henry Kissinger im Namen seines Präsidenten einen Vorstoß, der auf eine Klarstellung der Machtverhältnisse innerhalb der westlichen Welt oder genauer: auf eine eindeutige Festschreibung der amerikanischen Führungsrolle abzielte. Offenbar gewann man in Washington nach Beendigung des Vietnam-Krieges und auf der Basis der neugestalteten Beziehungen zu China wie zur Sowjetunion das alte Selbstbewußtsein zurück. Äußerer Anlaß für die «Osterbotschaft» war das «Europa-Jahr», zu dem Nixon das Jahr 1973 erklärt hatte, ohne den europäischen Regierungen gegenüber vorher auch nur ein Wort verloren zu haben.

Im Kern enthielt Kissingers Botschaft vom 23. April den Vorschlag zur Abfassung einer neuen «Atlantik-Charta» auf höchster Ebene. Damit spielten die Amerikaner auf jenes berühmte Dokument an, das Franklin D. Roosevelt und Winston Churchill am 14. August 1941 im Alleingang verabschiedet und der Welt als Grundlage für eine künftige Friedensordnung präsentiert hatten. Die Bezugnahme auf die «Atlantik-Charta» war Augenwischerei. Denn anders als dieses Dokument, das zugleich die Geburtsurkunde der späteren Vereinten Nationen darstellte, ging die Botschaft des amerikanischen Außenministers gerade nicht von der prinzipiellen

Gleichheit aller Partner aus. Im Gegenteil, Nixon und Kissinger hoben die regionalen Interessen der Europäer ausdrücklich von den globalen der Amerikaner ab.[3] Im Grunde war der Vorstoß also nichts anderes als eine Aufforderung an Europa, das sich eben neu zu formieren begann, seine Rolle als Regionalmacht zu verstehen und sich in das amerikanische Weltmachtkonzept einzufügen.

Eigentlich handelte es sich bei diesem Vorschlag um eine neue Version der alten Idee einer transatlantischen Partnerschaft unter amerikanischer Regie. Auch die Methoden waren nicht neu. Wie bei früheren Runden versuchte man, gezielt einen der europäischen Partner zu ködern. In diesem Falle dachte man am Potomac vor allem an Frankreich. Aber die Zeiten de Gaulles waren vorbei, und die Integration Europas hatte inzwischen Fortschritte gemacht, die man in Washington schlicht unterschätzte. Mittelfristig hatte der Versuch, einen Keil zwischen die Europäer zu treiben, sogar den gegenteiligen Effekt. In der Konsequenz trugen die «Washingtoner Zumutungen» nach Auffassung Willy Brandts zur fortschreitenden «Europäisierung Europas» bei, wenn auch Bonn und Paris in ihren ersten Reaktionen «nicht selten» voneinander abwichen.[4]

In der Konfrontation mit der amerikanischen Initiative bestand die 1970 ins Leben gerufene, bis dahin wenig auffällige «Europäische Politische Zusammenarbeit» ihre erste Bewährungsprobe. Am 23. Juli 1973 regten die Außenminister der EG in ihrem zweiten Bericht an die Staats- und Regierungschefs, dem sogenannten Kopenhagener Bericht, eine Intensivierung der Zusammenarbeit an, indem sie künftig viermal jährlich zusammenzutreten gedachten. Vor allem aber machte bereits dieses Papier deutlich, daß die Europäer entschlossen waren, einen «eigenständigen Beitrag zum internationalen Gleichgewicht zu leisten» und der Stimme Europas «in der Weltpolitik Gehör zu verschaffen»: «Es ist für Europa notwendig, seinen Platz in der Weltpolitik als eigenständiges Ganzes einzunehmen».[5]

Dieser Gedanke fand auch Eingang in den Entwurf der EG für eine Grundsatzerklärung über die amerikanisch-europäischen Beziehungen vom 20. September desselben Jahres. Er war federführend von der britischen, der französischen und der deutschen Regierung vorbereitet worden und bildete gewissermaßen das Gegenstück zu Kissingers «Osterbotschaft». Namentlich Punkt 7 des Entwurfs mußte in Washington provozierend wirken, enthielt er doch die Aufforderung, die weltpolitische Eigenständigkeit des alten Kontinents zur Kenntnis zu nehmen: «Indem die Vereinigten Staaten anerkennen, daß die Schaffung der [Europäischen] Gemeinschaft ein Ereignis von großer internationaler Bedeutung ist und die Stabilität Europas erhöht hat, begrüßen sie die Absicht der Neun, sicherzustellen, daß die Gemeinschaft ihre Position als selbständiger Faktor in der Weltpolitik festigt.»[6] Das klang selbstbewußt, wohl auch in amerikanischen Ohren.

Nur wenige Tage später, am 29. September, lag der amerikanische Gegenentwurf auf dem Tisch. Er verriet, daß die ursprüngliche Absicht Kissingers, so sie denn eindeutig formuliert war, für den Augenblick nicht durchgehalten werden konnte. Indessen hinterließ auch dieses Dokument keinen Zweifel am amerikanischen Führungsanspruch. Der wiederholte Hinweis, daß die NATO auch künftig die «unverzichtbare Basis» der europäisch-amerikanischen Zusammenarbeit bilde, war eindeutig und unabweisbar.[7] Das Ausreizen der NATO-Karte mußte und sollte die noch wenig zuvor umworbenen Franzosen erzürnen. Die leitende Absicht indessen war die gleiche wie zu Ostern: Auch jetzt wollte Washington einen Keil zwischen Bonn und Paris treiben, in der Absicht, auf diese Weise dem, der es noch nicht wahrhaben wollte, deutlich zu machen, wer der Führende war und wer der Abhängige. In Bonn wurde das Signal verstanden. Wieder einmal stand man am Rhein vor der Erkenntnis, im Zweifelsfall zwischen den Stühlen der beiden wichtigsten Verbündeten zu sitzen. Nur wenig später, im Zuge der Nahost-Krise des Herbstes 1973, nahm dieses Dilemma neue, höchst unerfreuliche Dimensionen an.

Ohnehin bildete der Nahe Osten gerade für die Bundesrepublik ein besonders schwieriges Terrain. Die guten Beziehungen zu den arabischen Staaten hatten zwar nach der Einrichtung von Botschaften in Bonn und Tel Aviv einige Blessuren erlitten, aber keinen irreparablen Schaden genommen. Anfang der siebziger Jahre bewegten sich die deutsch-arabischen Beziehungen insgesamt wieder in den bewährten Bahnen, und das war angesichts der steigenden Bedeutung der Region als Öllieferant nicht zu unterschätzen. Das deutsch-israelische Verhältnis war natürlich von besonderer Art. Drei Jahrzehnte nach Beendigung des Zweiten Weltkrieges konnte in jenem Staat, dessen Gründung das Ergebnis deutscher Politik und Kriegführung gewesen war, nicht vergessen sein, was Deutsche Juden angetan hatten. Erst im Juni 1973 stattete mit Willy Brandt ein deutscher Bundeskanzler Israel einen offiziellen Besuch ab – ein wichtiger Schritt auf dem schwierigen Weg der deutsch-jüdischen Aussöhnung. Erfolglos waren hingegen Brandts Vorschläge für eine Vermittlung im Nahost-Konflikt; sie liefen auf eine koordinierte Aktion der beiden Supermächte hinaus. Seine Initiativen stießen bei den verbündeten Amerikanern auf Ablehnung, auch mit ihnen war eine weitere Zuspitzung der Krise nicht zu verhindern.

Diese Krise eskalierte am 6. Oktober 1973: Am jüdischen Feiertag «Jom Kippur» griffen ägyptische und syrische Verbände Israel am Suezkanal und auf den Golanhöhen an. Das war der Beginn des nach 1948, 1956 und 1967 vierten Nahost-Krieges und zugleich der Höhepunkt eines sich seit 1970 ständig verschärfenden Konflikts. Damals hatte Ägypten mit zahlreichen militärischen Provokationen eine Art Zermürbungskrieg gegen Israel begonnen, das seinerseits mit gezielten Luftschlägen reagierte. Daraufhin errichtete Moskau in Ägypten ein umfassendes Luftabwehrsystem, das auch von sowjetischen Soldaten und Technikern betrieben wurde. Zur gleichen Zeit intensivierten die Palästinenser ihren «Kampf» gegen Israel. Dabei tat sich insbesondere die 1967 von Georges Habasch gegründete marxistisch-leninistische «Volksfront für die Befreiung Palästinas» (PFLP) durch blutige Terroranschläge hervor. Den vorläufigen Höhepunkt bildete im September 1972 der Anschlag auf die israelische Olympia-Mannschaft in München. Zwei Jahre zuvor, am 6. und 9. September 1970, hatte die PFLP mehrere Verkehrsmaschinen amerikanischer und europäischer Fluggesellschaften nach Jordanien und Ägypten entführt und in die Luft gesprengt.

In Jordanien hatte die 1964 gegründete, von Jasir Arafat geführte «Palästinensische Befreiungsorganisation» (PLO) inzwischen eine Art «Staat im Staate» etabliert. Obgleich die PLO am 12. September in Reaktion auf die Entführungen die PFLP aus ihren Reihen verstoßen hatte, ging schließlich der jordanische König Hussein in der zweiten Septemberhälfte militärisch gegen die Palästinenser und die zu ihrer Unterstützung herbeigeeilten syrischen Truppen vor. Im Gefolge des «Schwarzen September» wichen die palästinensischen Organisationen in den Libanon aus, was wiederum zur Folge hatte, daß Israel seine Anti-Terror-Operationen nunmehr auf das Land der Zeder konzentrierte und Ende Februar 1972 in den südlichen Libanon eindrang. Das Grenzgebiet blieb fortan indirekt unter israelischer Kontrolle.

Es konnte nicht ausbleiben, daß Israel mit seinem kompromißlosen Vorgehen in den frühen siebziger Jahren keineswegs nur auf Verständnis stieß. Für seine Kritiker paßten solche Maßnahmen schlicht nicht in die politische Landschaft und selbst bei seinen engsten Verbündeten, den Vereinigten Staaten, provozierten sie zunehmenden Widerspruch. Denn die Regierung Nixon-Kissinger setzte auf eine friedliche Beilegung eines Konfliktes, der nicht nur erhebliche Ressourcen und Energien band, sondern stets auch Gefahr lief, zu einem offenen, über die Region hinausgreifenden Krieg zu eskalieren. Das besondere Augenmerk Washingtons galt zunehmend Ägypten. Im September 1970 war der Held der arabischen Welt, Gamal Abd el-Nasser, unerwartet gestorben. Sein Nachfolger, der langjährige Vizepräsident Anwar as-Sadat, suchte zunächst seine Stellung sowohl im Lande selbst wie in der arabischen Welt insgesamt zu festigen: Im Mai 1971 entledigte er sich in einer «Korrektur-Revolution» seiner innenpolitischen Gegner. Für den 11. September 1971 setzte der Präsident eine Volksabstimmung über die neue Verfassung an, die unter anderem zu einer Namensänderung führte: die «Vereinigte Arabische Republik», die nach dem Austritt Syriens im Jahre 1961 ohnehin nur noch auf dem Papier stand, firmierte hinfort als «Arabische Republik Ägypten».

Von dieser konsolidierten Machtbasis aus begann Kairo mit einer in der westlichen Welt aufmerksam registrierten außenpolitischen Kurskorrektur:

Hatte Sadat noch am 27. Mai 1971, also in der besagten Konsolidierungs-phase, einen Freundschaftsvertrag mit der Sowjetunion geschlossen und damit zunächst den Kurs Nassers fortgesetzt, so änderte sich das am 18. Juli des folgenden Jahres dramatisch. Für die meisten Beobachter überraschend gab der ägyptische Präsident die Ausweisung der inzwischen 17 000 so-wjetischen Militärberater und Techniker bekannt. Parallel dazu betrieb er, vorerst noch geheim, Kontakte zu Washington. Keine Frage, Ägypten be-fand sich im Prozeß einer allgemeinen Neuorientierung, keine Frage aber auch: Vorerst konnte und durfte diese Neuorientierung aus innenpoliti-schen Erwägungen und innerarabischen Rücksichten nicht heißen, daß man den antiisraelischen Kurs einstellte. Die Folge wäre zwangsläufig eine vollständige Isolation Ägyptens in der arabischen Welt gewesen, und die konnte allenfalls nach einem großen außenpolitischen Erfolg riskiert wer-den.

Das also war die Lage, als ägyptische und syrische Truppen am 6. Ok-tober 1973, dem Tag des jüdischen Versöhnungsfestes, unerwartet und mit voller Wucht den Krieg gegen Israel eröffneten. Der durchschlagende Er-folg des «Sechstagekrieges» sowie die Besetzung der strategisch wichtigen, ausgedehnten Terriorien hatten Tel Aviv zu der Annahme verleitet, prak-tisch nicht angreifbar, auf keinen Fall aber schlagbar zu sein. So wurden selbst die unverhohlenen Warnungen Sadats überhört, der immerhin im April 1973 öffentlich erklärt hatte, daß jetzt die «Zeit für einen Schock» gekommen sei.[8] Dem Überraschungseffekt – Ergebnis der israelischen Selbsttäuschung – war es in erster Linie zu verdanken, daß ägyptische Einheiten über den Suezkanal setzen und tief in den seit 1967 von Israel besetzten Sinai vorstoßen konnten. Erst zwei Tage später, am 8. Oktober, gelang es israelischen Verbänden, sowohl auf dem Sinai als auch auf dem Golan zu Gegenangriffen überzugehen.

Die Haltung der Weltöffentlichkeit während des «Jom-Kippur-Kriegs» war geteilt. Einerseits kam es, wie es kommen mußte: Die USA gewährten Israel erhebliche materielle Unterstützung, und die Sowjetunion richtete eine Luftbrücke nach Syrien und für den vormaligen Verbündeten Ägyp-ten ein. Zwar war das sowjetische Engagement in seinem Umfang nicht mit der amerikanischen Hilfe für Israel vergleichbar, doch ließen die Maß-nahmen Moskaus, wie etwa die Entsendung eines Flottenverbandes in die Region, eine der schwersten Konflikte zwischen den Supermächten wäh-rend des Kalten Krieges vorübergehend sehr wahrscheinlich werden. An-dererseits übte Washington in diesem Krieg erstmals erkennbaren Druck auf Israel aus.

Diese Intervention der Vereinigten Staaten, nicht die Anordnung des UN-Sicherheitsrates zur Feuereinstellung, die am 22. Oktober ergangen war, oder gar die Drohungen der Sowjetunion, führten am 27. Oktober, drei Wochen nach Kriegsbeginn, zur endgültigen Einstellung der Kämpfe. Das durfte als beachtlicher Erfolg der westlichen Vormacht gelten. Immerhin war Tel Aviv im Verlauf der Krise sogar zweimal so weit gegangen, seine Atomwaffen scharf zu machen, um Washington zu einer Intensivierung der Waffenlieferungen zu bewegen. Doch die israelische Regierung wußte sehr wohl, in welchem Maße das Schicksal des Landes auch in Zukunft von den USA abhängen würde. Auf deren Vermittlung ging schließlich auch ein erstes israelisch-ägyptisches Abkommen über eine Truppenentflechtung zurück, das am 18. Januar 1974 unterzeichnet wurde und dem einige Monate später, am 31. Mai, eine entsprechende Abmachung zwischen Israel und Syrien folgte.

Das war eine bemerkenswert folgenreiche und angesichts der Vorgeschichte auch rasante Entwicklung: Heute wissen wir, daß dieses israelisch-ägyptische Abkommen über eine Truppenentflechtung den ersten Schritt auf dem Weg zum Frieden zwischen beiden Staaten markierte, der nur fünf Jahre später, am 26. März 1979, unterzeichnet werden konnte. Davon wird noch zu sprechen sein. Für die Vermittlung des Truppenabkommens und weiterer Vereinbarungen bereiste Henry Kissinger von Oktober 1973 bis zum August 1975 elf Mal den Nahen Osten. Bei seinen Gesprächen und Verhandlungen erwies es sich als außerordentlich wichtig, daß die amerikanische Regierung das Anliegen der kriegführenden arabischen Staaten ernst nahm und darauf drang, eine Demütigung zu vermeiden. Deshalb war Israel gezwungen worden, der Waffenruhe zuzustimmen und nicht auf Kairo vorzurücken. Immerhin hatten die israelischen Einheiten während ihrer Gegenoffensive bei Suez die Dritte Armee der Ägypter bereits eingekesselt.

So aber konnten die militärischen Anfangserfolge der syrischen und der ägyptischen Armeen in Erinnerung bleiben. Das galt insbesondere für die Überquerung des Suezkanals, durch die in den Augen der arabischen Welt die verheerende militärische Niederlage von 1967 kompensiert worden war. Mit diesem Erfolg im Rücken gelang es Sadat, in Ägypten der Erkenntnis zum Durchbruch zu verhelfen, daß trotz der Anfangserfolge der Konflikt mit Israel auf militärischem Wege nicht wirklich beizulegen war. Und auch für die Art und Weise der Konfliktlösung hielt die Nahost-Krise des Herbstes 1973 eine Lehre bereit: Die ersten, bescheidenen Erfolge gingen eindeutig auf das Konto der amerikanischen Diplomatie und nicht etwa eines multilateralen Konfliktmanagements. Die Genfer Nahost-Friedenskonferenz, auf welche die Sowjets gesetzt hatten, war im Dezember 1973 gescheitert. In dem Maße, in dem sich die jahrzehntelangen Gegner in der Region weiter aufeinander zubewegten, mußte der Kreml, der seine Position im Nahen Osten gerade dem Dauerkonflikt zu verdanken hatte, ins Abseits geraten. In dem sich seit 1973/74 anbahnenden Friedensprozeß spielte die Sowjetunion praktisch keine Rolle.

Erhebliche Auswirkungen hatte der arabisch-israelische Oktoberkrieg des Jahres 1973 aber auch auf Europa. Vor allem die Bundesrepublik wurde durch den «Jom-Kippur-Krieg» in Bedrängnis gebracht. Das fing schon mit der Unsicherheit an, wie man sich gegenüber den kriegführenden Parteien verhalten sollte. Es hatte handfeste Gründe, daß anders als während des «Sechstagekrieges» keine große Sympathie für Israel zu verzeichnen war. Noch während der Kampfhandlungen bekam nämlich die Bonner Republik sowohl deren wirtschaftliche als auch ihre politischen Folgen zu spüren. Und die einen wie die anderen bestätigten einmal mehr die Abhängigkeit Bonns von der weltpolitischen Großwetterlage. Die Blitze des nahöstlichen Gewitters schlugen in Europa ein und führten zu einer erneuten Belastung des deutsch-amerikanischen Verhältnisses, die durchaus «ernstere Folgen hätte haben können».[9]

Die Quelle der Irritationen lag eindeutig in Washington. Wie selbstverständlich benutzten die Vereinigten Staaten ihre Militärdepots und ihre Basen in der Bundesrepublik, zum Beispiel Bremerhaven, als Drehscheibe für den Nachschub zur Unterstützung der israelischen Kriegführung. Natürlich konnte das der Öffentlichkeit nur kurze Zeit verborgen bleiben. Nach Bekanntwerden der Vorgänge sah sich die Bundesregierung zu einem förmlichen Protest in Washington gezwungen. Vor allem aber setzten die Vereinigten Staaten am 24. bzw. 25. Oktober 1973 ihre Streitkräfte weltweit in Alarmbereitschaft, ohne die Verbündeten vorher zu konsultieren oder auch nur zu informieren. Das erinnerte manchen Europäer an die Zustände zu Beginn der sechziger Jahre, insbesondere während der Kuba-Krise. Wer geglaubt hatte, eine derart unmißverständliche Demonstration amerikanischer Vormachtpolitik gehöre der Vergangenheit an, sah sich eines besseren belehrt. Die Antwort Washingtons auf die deutschen Bedenken und Vorbehalte war unmißverständlich: Aus Sicht der Vereinigten Staaten «verfüge die Bundesrepublik nur über beschränkte Souveränität». Washington behalte «sich das Recht vor, Maßnahmen zu ergreifen, die im Interesse der internationalen Sicherheit als angemessen und notwendig erschienen».[10]

So wie sich die bündnisinterne Krise im Herbst 1973 zuspitzte, hätte sie für die Bundesrepublik zu einem bösen Erwachen führen können. Daß dann alles ganz anders kam, daß sich die Bundesregierung nicht, wie zehn Jahre zuvor, unkomfortabel zwischen allen Stühlen plaziert wiederfand, lag an der Reaktion der Europäer, die in ihrer Geschlossenheit und Entschiedenheit einige Beobachter überraschte, einige irritierte und andere in ihrer Auffassung bestätigte, wonach Europa offenbar doch in der Lage war, unter Druck ein eigenständiges politisches Profil, eben eine europäische Identität, zu entwickeln. Unüberhörbar schwang hier eine gehörige Portion Zweckoptimismus mit. Indem sie demonstrativ von einer gemeinsamen «Identität» sprachen, machten sich die Europäer gegenseitig Mut. Solchermaßen gestärkt, glaubten sie das amerikanische Vorgehen auf ganzer Linie zurückweisen zu können. Das gilt sowohl für die Methode des Alleingangs und der Nicht-Unterrichtung als auch für die Argumentation Washingtons, daß die einseitig getroffenen Maßnahmen einer sowjetischen Intervention im Nahen Osten vorbeugen sollten. Das glaubte wirklich keiner mehr, obgleich es in dieser Krise tatsächlich zu einer gefährlichen Eskalation zwischen den Supermächten gekommen war.

So trugen also Krieg und Krise im Nahen Osten dazu bei, daß die politische Zusammenarbeit der Europäer, die bis dahin im wesentlichen nur auf dem Papier gestanden hatte, Konturen annahm. Neben der amerikanischen Haltung im jüngsten Nahost-Konflikt spielte freilich der zunehmende wirtschaftliche Druck eine erhebliche Rolle, der durch die erste sogenannte Ölkrise ausgelöst wurde. Tempo, Ausmaß und Folgen dieser Krise trafen die westliche Welt unvorbereitet. Dabei hatte König Feisal von Saudi-Arabien schon vor Ausbruch des Krieges erklärt, daß er das Öl als Waffe gegen die westliche Welt einsetzen werde, sofern diese nicht dafür Sorge trage, daß Israel die Resolution 242 des UN-Sicherheitsrates vom November 1967 im arabischen Sinne erfülle. Das war in dieser Zeit ein starkes Druckmittel, hing doch die Energieversorgung Westeuropas in hohem Maße von dieser Region ab. Sowjetisches Erdgas oder auch Erdöl spielte noch keine nennenswerte Rolle, und auch das Nordseeöl sprudelte noch nicht in ausreichender Menge, obgleich man inzwischen von den großen Vorkommen Englands und Norwegens wußte.

Am 7. Oktober 1973, dem Tag nach der Eröffnung der Kampfhandlungen durch Ägypten und Syrien, begann der Irak mit der Nationalisierung der verbliebenen Anteile ausländischer Öl-Gesellschaften. Am 16. Oktober beschlossen die Vertreter der arabischen Förderländer eine drastische Erhöhung der Preise für Rohöl. Am folgenden Tag erklärten die in der «Organisation der Arabischen Erdölexportierenden Länder» (OAPEC) zusammengeschlossenen Staaten, «unverzüglich in jedem arabischen erdölproduzierenden Land mit einer *Produktionsverminderung* um nicht weniger als 5% der Förderung für den Monat September» 1973 beginnen zu wollen. Die «gleiche Maßnahme» sollte jeden Monat erfolgen und die Ölförderung so lange «um den gleichen Prozentsatz der Vormonatsproduktion gekürzt» werden, «bis die israelischen Truppen alle im Junikrieg von 1967 besetzten Gebiete geräumt haben und die legitimen Rechte des palästinensischen Volkes hergestellt sind».[11]

Binnen kurzem begannen die Maßnahmen zu greifen. Am 19. Oktober trat ein Lieferboykott gegen die USA und gegen die Niederlande in Kraft, der mit der israelfreundlichen Haltung der beiden Länder begründet wurde. Die Konsequenzen ließen nicht lange auf sich warten. Im Januar 1974 unterzeichnete Präsident Nixon ein Gesetz, das alle Bundesstaaten im Land der scheinbar unbegrenzten automobilen Möglichkeiten verpflichtete, eine Geschwindigkeitsbegrenzung von 55 Meilen pro Stunde einzuführen. Die Regelung sollte mehr als 20 Jahre in Kraft bleiben. Bereits sechs Wochen zuvor, am 19. November 1973, waren in der Bundesrepublik entsprechende Maßnahmen ergriffen worden. Sie hatten zur Folge, daß man an den folgenden vier Sonntagen Bilder sehen konnte, die sich im Land des Wirtschaftswunders wohl niemand hatte vorstellen können: Anstelle einer Jahr für Jahr wachsenden Auto-Karawane waren jetzt auf deutschen Straßen und Autobahnen Fußgänger, Fahrradfahrer und Reiter zu besichtigen. Flankiert wurde dieses viermalige Sonntags-«Fahrverbot» von einer für sechs Monate eingerichteten Geschwindigkeitsbegrenzung auf Landstraßen und Autobahnen. All das wirkte insofern etwas kurios, als die OAPEC-Staaten einen Tag zuvor, am 18. November, beschlossen hatten, das Embargo gegen die EG-Staaten aufzuheben. Allerdings blieben die Niederlande von dieser Maßnahme ausgeschlossen. Da die Bundesrepublik aber ihr Öl über die holländischen Häfen bezog, war auch sie vom Totalembargo gegen das Nachbarland unmittelbar betroffen.

Warum aber hatten die arabischen erdölfördernden Staaten ihr Embargo gegen die EG aufgehoben? Die Antwort findet sich in einer Erklärung der EG-Außenminister zur Lage im Nahen Osten vom 6. November 1973. Deren Grundtenor war erkennbar proarabisch, folglich antiisraelisch und also auch antiamerikanisch. Damit hatte sich innerhalb der Europäischen Gemeinschaft die extreme französische Linie weitgehend durchgesetzt, und die war für viele zeitgenössische Beobachter nur schwer nachvollziehbar. Immerhin war Frankreich nach den USA der größte Waffenlieferant Israels, das seinerseits in Frankreich eine ständige Einkaufsmission für Rüstungsmaterial unterhielt. Aber vielleicht war eben diese allgemein bekannte Tatsache gerade der Grund für die proarabische Linie der französischen Regierung. In der Erklärung der EG-Außenminister war jedenfalls unter Berufung auf die UN-Resolution 242 von der «Notwendigkeit» die Rede, «daß Israel die territoriale Besetzung beendet, die es seit dem Konflikt von 1967 aufrechterhalten hat». Außerdem erkannten die Außenminister ausdrücklich an, «daß bei der Schaffung eines gerechten und dauerhaften Friedens die legitimen Rechte der Palästinenser berücksichtigt werden müssen».[12]

Bei der Abfassung dieses Dokuments haben sich die Europäer von mehreren Motiven leiten lassen. Opportunismus und Kurzsichtigkeit spielten ebenso eine Rolle wie handfester Pragmatismus, und natürlich hat die geschilderte Empörung über die Vereinigten Staaten das ihre zur Nahost-Erklärung der EG beigetragen. Immerhin hielt sich Außenminister Kissinger zu eben dieser Zeit auf einer seiner Friedensvermittlungsreisen im Nahen Osten auf. Daß die arabischen Staaten über den politischen Kurswechsel der Europäer erfreut waren, überrascht nicht. Radio Kairo wußte schon am 7. November seinen Hörern zu berichten, «daß Europa jetzt fest und dauerhaft auf der Seite der Araber» stehe.[13]

Die in Kissingers «Osterbotschaft» vorgetragene Aufforderung an die Adresse der Europäer, ihre «regionalen» Interessen den «globalen» der amerikanischen Weltmacht unterzuordnen, und ihre kompromißlose Umsetzung im Zuge der Nahost-Krise zeitigten ein unerwartetes und jedenfalls in Washington auch ungewolltes Ergebnis: Sie halfen dem zuvor eher stagnierenden Integrationsprozeß in Europa auf die Sprünge. Die sich verflüchtigende europäische Identität gewann unter dem Eindruck der weltpolitischen Entwicklungen erneut erkennbare Konturen. Entsprechend selbstbewußt trafen sich die Staats- und Regierungschefs sowie die Außenminister der EG-Mitgliedsstaaten am 14. und 15. Dezember 1973 in Kopenhagen. Beschlossen wurde unter anderem die Fortsetzung der Nahost-Politik im Sinne der Erklärung vom 6. November, wobei jetzt allerdings auf Drängen Willy Brandts auch ausdrücklich der israelische Anspruch auf Sicherheit Erwähnung fand. Vor allem aber verabschiedeten die Außenminister auf französische Initiative ein «Dokument über die europäische Identität», das eine Zwischenbilanz der jüngsten Entwicklungen zog. Hier wurde die «Entschlossenheit der Neun» bekundet, «als ein eigenständiges, unverwechselbares Ganzes aufzutreten» und die Zusammenarbeit mit den Vereinigten Staaten «auf der Grundlage der Gleichberechtigung» weiterzuentwickeln: «Die in der Welt eingetretenen Veränderungen und die wachsende Zusammenballung von Macht und Verantwortung in den Händen ganz weniger Großmächte verlangen, daß Europa sich zusammenschließt und mehr und mehr mit einer einzigen Stimme spricht, wenn es sich Gehör verschaffen und die ihm zukommende weltpolitische Rolle spielen will.»[14]

Das klang selbstbewußt, überzeugend und so, als sei man sich rundum einig. Der Eindruck täuschte. Auch das «Dokument über die europäische Identität» machte wieder einmal deutlich, daß die USA bei allen Differenzen und bei allen Bemühungen der Europäer um weltpolitische Eigenständigkeit gebraucht wurden. Und so hielt das Papier fast lapidar die Erkenntnis der NATO-Mitglieder «unter ihnen» fest, «daß es gegenwärtig keine Alternative zu der Sicherheit gibt, die die Kernwaffen der Vereinigten Staaten und die Präsenz der nordamerikanischen Streitkräfte in Europa gewährleisten».[15] Das war unmißverständlich und rückte die Dinge wieder zurecht. Gegen die USA ging nun einmal nichts. Was also tun?

Die Antwort brachten die folgenden Monate, und was sich da im europäisch-amerikanischen Verhältnis abspielte, ist nicht ohne Grund als «Wintertheater» in die Geschichte eingegangen. Dahinter steckte der mißglückte Versuch der europäischen Akteure, namentlich des Hauptdarstellers Frankreich, sich den amerikanischen Regieanweisungen zu widersetzen. Washington war es darum zu tun, die Europäer auf eine gemeinsame Linie in der Öl- und Energiekrise des Winters 1973/74 zu verpflichten und damit zugleich ein Hindernis amerikanischer Nahost-Politik aus dem Weg zu räumen. Das gelang teilweise auf der sogenannten Washingtoner Energiekonferenz, an der vom 11. bis zum 13. Februar 1974 neben dem Gastgeber und den EG-Staaten Japan, Kanada und

Norwegen teilnahmen. Im Ergebnis einigte man sich auf gemeinsame Konsultationen mit den Erzeugerländern und setzte zu diesem Zweck einen Koordinierungsausschuß ein. In diesen Entscheidungen waren sich die USA und die Bundesrepublik, deren Finanzminister die Konferenz mit angeregt hatte, weitgehend einig. Anders die Franzosen, die sich nicht nur in Washington mit den Gastgebern anlegten, sondern dann auch versuchten, einen euro-arabischen Dialog in Gang zu bringen. Das mußte schiefgehen, und es war der amerikanische Präsident Nixon, der in Beantwortung einer Frage am 15. März 1974 in Chicago auch sagte, warum das so war: «Nun können *die Europäer nicht* beides haben. Sie können nicht *an der Sicherheitsfront die Beteiligung* der Kooperation *der USA* haben und an der wirtschaftlichen und *politischen Front eine Konfrontation* oder gar Feindschaft».[16]

So kam es denn, wie es kommen mußte: Auf Einladung der Bundesrepublik, die zu diesem Zeitpunkt die EG-Präsidentschaft sowie den EPZ-Vorsitz innehatte, trafen sich die Außenminister der EG am 20. und 21. April 1974 auf Schloß Gymnich, um auf einer informellen Sitzung das «Wintertheater» zu beenden. Das Ergebnis, das am 10./11. Juni auch durch die EPZ offiziell bestätigt wurde, mußte ein Kompromiß sein. Keine Rede mehr von Europa als «eigenständigem Faktor der Weltpolitik» wie noch im September und Dezember 1973. Statt dessen ordneten sich die Europäer weitgehend den amerikanischen Vorstellungen unter, indem sie, wie es im Bericht der deutschen Präsidentschaft vom 9. August 1974 hieß, ein «gentleman's agreement in der Konsultationsfrage» beschlossen. Damit glaubte man von vornherein Befürchtungen entkräften zu können, welche «die Partner Europas in aller Welt möglicherweise mit dem Entstehen eines neuen außenpolitischen Faktors im Netz internationaler Beziehungen» verbanden.[17] Erst nach dieser Klarstellung an die Adresse der USA wagten sich die Europäer mit neuen weltpolitischen Initiativen hervor, so zum Beispiel mit dem Beschluß der EPZ vom 10./11. Juni zu einem «euro-arabischen Dialog», einem Lieblingskind der Franzosen.[18]

Fazit: der Wille zur Ausbildung einer europäischen Identität war eine Sache, die äußeren Umstände eine andere. Die «Tatsache», wie es im Bericht der deutschen Präsidentschaft weiter hieß, «daß über Monate hinweg das weitere Fortbestehen der Gemeinschaft überhaupt auf dem Spiel stand»,[19] zeigte, wie widrig diese Umstände sein konnten. Das galt sowohl für die allgemeine wirtschaftliche Situation, die in diesem Falle durch die Ölkrise geprägt wurde, als eben auch für das europäisch-amerikanische Verhältnis. So identitätsstiftend die Rivalität zu den Vereinigten Staaten im Verlaufe des Jahres 1973 gewesen sein mochte, so sehr hatte sie den gegenteiligen Effekt, wenn die Frage der Sicherheit in und für Europa zur Debatte stand.

Am 3. Juli 1973 hatte jene «Konferenz über Sicherheit und Zusammenarbeit in Europa» (KSZE) begonnen, die von vielen Westeuropäern ursprünglich mit einiger Skepsis betrachtet worden war, weil die Initiative bei den Sowjets lag, die sich, wie gesehen, bereits in den dreißiger Jahren als Protagonisten der Idee kollektiver Sicherheit profiliert hatten. 1954 war dann Molotow auf der Berliner Außenministerkonferenz mit dem Vorschlag eines «Gesamteuropäischen Vertrages über die kollektive Sicherheit in Europa» hervorgetreten, der allein im gleichen Jahr noch dreimal wiederholt wurde und fortan zum ständigen Repertoire der sowjetischen Diplomatie zählte.

In den sechziger Jahren hatte diese Initiative keinerlei Chancen auf Erfolg, und dafür gab es im wesentlichen drei Gründe. Da war einmal das tiefe Mißtrauen des Westens in die eigentlichen Absichten der sowjetischen Führung. War die anvisierte europäische Friedensordnung ein Mittel zur Etablierung sowjetischer Hegemonie auf dem Kontinent? Angesichts der Aktionen und Ambitionen des Kreml in den fünfziger und sechziger Jahren fiel westlichen Politikern die Antwort auf diese Frage nicht sonderlich schwer. Zudem sah der sowjetische Vorschlag ausdrücklich nicht die Teilnahme der USA vor. Für die Westeuropäer war aber gerade die unverzichtbar. Die amerikanische Partizipation blieb eine Grundvoraussetzung für ihre Zustimmung zu einer europäischen Sicherheitskonferenz. So gesehen irritierte es in den Metropolen des westlichen Europa doch sehr, daß sich führende Repräsentanten der amerikanischen Politik wie Henry Kissinger Anfang der siebziger Jahre, also zu einem Zeitpunkt, als das Projekt konkrete Gestalt anzunehmen begann, gegenüber der Idee einer europäischen Sicherheitskonferenz äußerst reserviert verhielten. Unverkennbar zog der Sicherheitsberater und spätere Außenminister den bilateralen Kontakt mit den Sowjets vor, der sich für die amerikanische Vormacht in den Verhandlungen über Berlin und über eine Begrenzung der strategischen Nuklearwaffen als begehbarer Weg erwiesen hatte.

Schließlich aber war die Initiative Moskaus für den Westen anfänglich schon deshalb nicht akzeptabel, weil sie sich auf den Status quo bezog und folglich auf eine Festschreibung unter anderem der deutschen Teilung hinauslief. Hier gab es nur zwei Möglichkeiten. Entweder der Kreml ließ von seinem Ansinnen ab, und das war höchst unwahrscheinlich, oder aber der Westen bewegte sich in diesem Punkt auf die Sowjets zu. Eben das war der Fall. Die geschilderte Distanzierung der Westmächte von einer aktiven Politik in der Frage der deutschen Wiedervereinigung, die sich in der zweiten Hälfte der fünfziger Jahre immer deutlicher abzeichnete, vor allem aber die faktische Anerkennung der Existenz «zwei[er] Staaten in Deutschland», die Willy Brandt in seiner ersten Regierungserklärung am 28. Oktober 1969 zu erkennen gegeben hatte,[20] machten den Weg frei.

Doch auch die Sowjetunion bewegte sich. Am 14. Dezember 1964 hatte der polnische Außenminister Rapacki vor der UN-Vollversammlung die Einberufung einer Konferenz aller Staaten angeregt, um das «gesamte Problem der Sicherheit in Europa» zu erörtern.[21] Diese gewiß nicht ohne vorherige Konsultation der sowjetischen Führung präsentierte Idee wurde vom 23. Parteitag der KPdSU im März und April 1966 offiziell übernommen. Noch im gleichen Jahr, am 6. Juli 1966, kam es, wie in anderem Zusammenhang gesehen, zur «Bukarester Erklärung» des Warschauer Paktes, der am 26. April 1967 die «Karlsbader Erklärung» der kommunistischen Parteien und am 17. März 1969 der «Budapester Appell» des Warschauer Paktes folgten. Bei allen Nuancierungen, auch Unterschieden im einzelnen, offenbarten sie doch durchgängig einige Ziele sowjetischer Außenpolitik. Dazu zählte neben der Festschreibung des Status quo das Bestreben, den Zugang der Bundeswehr zu Atomwaffen zu verhindern und, wenn möglich, die USA von Europa politisch wie militärisch abzukoppeln.

In dem Maße, in dem beide Seiten aufeinander zugingen, rückte seit 1970 die Frage nach Verhandlungen über «Mutual Balanced Force Reduction» (MBFR), nach beiderseitiger ausgewogener Truppenreduzierung in Europa, in den Vordergrund. Der MBFR-Vorschlag war das Ergebnis der NATO-internen Verhandlungen im Anschluß an das «Signal von Reykjavik» vom Juni 1968. Die Bundesregierung war eine, zeitweilig sogar die treibende Kraft sowohl beim Zustandekommen der MBFR-Verhandlungen zwischen NATO und Warschauer Pakt als auch bei der schließlich gefundenen Lösung paralleler Verhandlungen von KSZE und MBFR. Der gelegentlich von Bonn unterbreitete Maximalvorschlag, MBFR zu einem Thema der KSZE selbst zu machen, erwies sich als nicht realisierbar. Die Gründe für das eminente Bonner Interesse an MBFR lagen auf der Hand: Es war eben zunächst und vor allem die Bundesrepublik, die sich durch die drückende Überlegenheit des Warschauer Paktes im konventionellen Bereich bedroht fühlen mußte. Einseitige Truppenverminderungen, wie sie die von Mike Mansfield geführte demokratische Fraktion im amerikanischen Senat vorschlug, waren für die Bundesregierung «nicht wünschenswert».[22] Die Partner Bonns, unter ihnen die USA, fanden sich schließlich auf dieser Linie ein. Für die NATO besaßen mithin die MBFR-Verhandlungen eindeutig Priorität vor der KSZE; beim Warschauer Pakt war das genau umgekehrt.

Im Verlauf des Jahres 1972 näherte man sich erkennbar an. Eine bedeutende Rolle spielte dabei die finnische Diplomatie. Dem Land kam jetzt seine keineswegs einfache Stellung zwischen den Blöcken und seine bedingte Abhängigkeit von der Sowjetunion zugute, in der sich Helsinki seit dem Freundschafts- und Beistandspakt des Jahres 1948 befand. Dank der nordischen Vorarbeit konnten schließlich beim Moskau-Besuch Henry Kissingers im September 1972 parallele Zeitpläne festgelegt werden: Am

31. Januar 1973 fiel der Startschuß für die MBFR-Explorationen in Wien. Bereits am 22. November 1972 hatten die multilateralen KSZE-Vorbereitungen in Helsinki begonnen, die am 8. Juni 1973 erfolgreich abgeschlossen werden konnten. Ein aufmerksamer Beobachter der Entwicklung hat in der Rückschau zutreffend festgestellt: «Der Osten wollte die Konferenz, der Westen stellte Bedingungen. Der Osten mußte die Bedingungen akzeptieren, aber nachdem er sie akzeptiert hatte, mußte der Westen zu einer Konferenz gehen, die er ursprünglich gar nicht wollte. Am Ende waren beide nicht mehr ganz Herren ihrer Entschlüsse, beide übersahen nicht mehr völlig, worauf sie sich einließen.»[23]

Die Hauptkonferenz der MBFR-Verhandlungen wurde am 30. Oktober 1973 eröffnet. Für die NATO nahmen sieben Mitglieder teil, und zwar Belgien, Kanada, Luxemburg, die Niederlande, Großbritannien, die USA und die Bundesrepublik, für den Warschauer Pakt vier, nämlich Polen, die DDR, die ČSSR sowie die Sowjetunion. Bis Anfang Februar 1989 fanden etwa 500 Plenarsitzungen statt, ohne daß es zu konkreten Ergebnissen gekommen wäre. Das Hauptproblem lag in der Bestimmung der tatsächlichen Truppenstärken. Moskau weigerte sich hartnäckig, den westlichen Zahlen und damit einer asymmetrischen Verringerung der Streitkräfte des Warschauer Paktes zuzustimmen und die Bezeichnung «MBFR», d. h. genauer gesagt die Feststellung «Balanced», zu akzeptieren. Offiziell liefen die Gespräche unter der Bezeichnung «Mutual Reductions of Forces and Armaments and Associated Measures in Central Europe» (MURFAAMCE). Erst als die Verhandlungen am 9. März 1989 auf eine andere Ebene verlagert wurden, führten sie zum Erfolg. Aber da hatten sich bereits die Rahmenbedingungen grundlegend verändert.

Anders und insgesamt erfolgreicher verlief die KSZE. Die Konferenz tagte in drei Phasen. Vom 3. bis zum 7. Juli 1973 trafen sich die Außenminister aller 33 europäischen Staaten außer Albanien, das nach wie vor einen eng auf die Volksrepublik China fixierten Kurs verfolgte, sowie der USA und Kanadas in Helsinki; vom 18. September 1973 bis zum 21. Juli 1975 wurde dann der Text des KSZE-Dokuments auf Expertenebene in Genf erarbeitet; und vom 30. Juli bis zum 1. August fand, wiederum in Helsinki, das abschließende Treffen der Staats- und Regierungs- bzw. Parteichefs statt, die dann auch die Schlußakte von Helsinki unterzeichneten und damit in Kraft setzten. Diese war nämlich ein Regierungsabkommen, kein völkerrechtlicher Vertrag. In sechs Sprachen, darunter der deutschen, abgefaßt, hat die Akte mehrere Schwerpunkte.[24] Das sind die sogenannten «Körbe», in denen ursprünglich durch die Schweizer Delegation alle eingehenden Vorschläge sortiert waren. Die Bezeichnung ist bis heute gebräuchlich, obgleich sie sich in der Schlußakte nicht findet.

Korb 1 enthielt zum einen die «Erklärung über die Prinzipien, die die Beziehungen der Teilnehmer leiten», also den sogenannten Prinzipienkatalog, und zum anderen ein Dokument über «vertrauensbildende Maßnahmen und bestimmte Aspekte der Sicherheit und Abrüstung», zu denen zum Beispiel die Ankündigung von Manövern zählte. Hier lag für lange Zeit die einzige sachliche Verbindung zum MBFR-Komplex. Korb 2 regelte die «Zusammenarbeit in den Bereichen der Wirtschaft, der Wissenschaft und der Technik sowie der Umwelt». Gewissermaßen zwischen den Körben 2 und 3 waren die «Fragen der Sicherheit und Zusammenarbeit im Mittelmeerraum» angesiedelt. Damit sollte auch deutlich gemacht werden, daß Sicherheit und Zusammenarbeit nicht auf den europäischen Kontinent begrenzt werden konnten, sondern daß langfristig auch die angrenzenden Räume mit einbezogen werden mußten. In Korb 3 waren die für den Westen, insbesondere für die Bundesrepublik, wichtigen Grundsätze der Zusammenarbeit in «humanitären und anderen Bereichen» formuliert. Korb 4 schließlich regelte die «Folgen der Konferenz».

Die Sowjetunion, die eigentliche Initiatorin der Konferenz, konnte mit diesem Ergebnis einen wichtigen Teilerfolg verbuchen. Immerhin verpflichteten sich alle Teilnehmer ausdrücklich zur «Enthaltung von der Androhung oder Anwendung von Gewalt», zur «Unverletzlichkeit» der Grenzen, zur Beachtung der territorialen Integrität der Staaten sowie zum Prinzip der Nichteinmischung in die inneren Angelegenheiten der anderen. Insofern legitimierte die KSZE-Schlußakte die Sowjetunion de facto in ihrer «Vormachtstellung in Osteuropa», wie Helmut Schmidt, der sie seinerzeit für die Bundesrepublik unterzeichnete, im Rückblick festgestellt hat.[25]

Indessen ist nicht zu übersehen, daß einige klassische Forderungen des Kreml nicht durchgesetzt werden konnten und die Warschauer-Pakt-Staaten zugleich andere, westliche Vorstellungen akzeptieren mußten. So wurde zwar in Helsinki die «Unverletzlichkeit» der Grenzen festgeschrieben, aber eben nicht ihre «Unveränderbarkeit». Damit war immerhin, so unrealistisch es auch 1975 klingen mochte, die Möglichkeit einer gewaltfreien, einvernehmlichen Änderung der bestehenden Grenzen in Europa nicht ausgeschlossen. Auch gelang es der Sowjetunion nicht, ihre alte Forderung nach Installierung eines europäischen Sicherheits-«Systems» durchzusetzen. Für die NATO-Staaten, allen voran für die Bundesrepublik, bedeutete dieses Ergebnis, daß ihre Sicherheit nach wie vor durch das Nordatlantische Bündnis gewährleistet wurde. Schließlich mußten die Staaten des Warschauer Paktes 1975 in der Frage der Menschenrechte und der Grundfreiheiten die weitergehenden Vorstellungen des Westens akzeptieren, die in erheblichem Maße von den blockfreien und neutralen Staaten unterstützt wurden. Das gilt insbesondere für die im Prinzip VII von Korb 1 festgelegte «Achtung der Menschenrechte und Grundfreiheiten, einschließlich der Gedanken-, Gewissens-, Religions- oder Überzeugungsfreiheit» sowie für die Bestimmungen von Korb 3. Dort wurde unter anderem die Frage der «menschlichen Kontakte» oder auch die «Verbesserung der Verbreitung von, des Zugangs zu und des Austausches von Informationen» geregelt.

Man muß davon ausgehen, daß der Sowjetunion und ihren Verbündeten die Tragweite dieser und anderer Bestimmungen und damit ihrer längerfristigen Folgen kaum bewußt gewesen ist. Schon bald zeigte sich, daß die Schlußakte von Helsinki, die auch in den Staaten des damaligen Ostblocks einschließlich der DDR veröffentlicht wurde, für die Menschen und Völker Osteuropas ein wichtiges Instrument bei der Behauptung ihrer Rechte und Freiheiten gewesen ist. Überschätzen sollte man sie freilich nicht. Der Umbruch der Jahre 1989/90 hatte andere Ursachen. Immerhin boten die Formulierungen der Körbe 1 und 3 dem Westen eine Art legales Mittel, um sich in der Frage der Menschenrechte in die inneren Angelegenheiten der Staaten Osteuropas «einzumischen», ohne das zitierte Prinzip zu verletzen. Das gilt auch für das Selbstbestimmungsrecht der Völker, das traditionell gerade für die Bundesrepublik von besonderer Bedeutung war und als Prinzip VIII in der Schlußakte ausdrücklich festgeschrieben wurde. Darauf haben sich Bonner Politiker bis zum Ende des Kalten Krieges immer wieder berufen. Nach bundesdeutschem Rechtsverständnis war die Deutsche Frage durch die KSZE nicht im Sinne der Teilung Deutschlands beantwortet worden. Überhaupt war die KSZE keine Konferenz über Deutschland. Die Schlußakte bedeutete auch keinen Ersatz- oder Quasi-Friedensvertrag wie zum Beispiel das «Potsdamer Abkommen»: Die Rechte und Verantwortlichkeiten der Vier Mächte für Berlin und für Deutschland als Ganzes blieben unberührt.

Der in den sechziger Jahren mühsam in Gang gebrachte Entspannungsprozeß in Europa hatte mit der Schlußakte von Helsinki fraglos einen vorläufigen Höhepunkt erreicht. Durch diesen Prozeß mitbedingt, war Europa für kurze Zeit wieder von der Peripherie ins Zentrum des Weltgeschehens gerückt. Allerdings eben nicht aus eigener Kraft. Gewiß, die KSZE war per definitionem eine Konferenz über europäische Angelegenheiten. Aber konnte man übersehen, daß die Regie bei zwei außereuropäischen Akteuren lag, nämlich bei den Vereinigten Staaten und der Sowjetunion, die ja immer auch als eurasische Macht handelte? Definierten sich die Interessen Europas also nicht zwangsläufig über außer- bzw. nichteuropäische Fragen?

«Europa» im Zeitalter des Kalten Krieges, das war in erster Linie ein Produkt der Weltpolitik. Vielleicht noch deutlicher als die KSZE zeigte das der Fall der Europäischen Gemeinschaft. Die phasenweise Intensivierung der Kooperation, zum Beispiel im Rahmen der EPZ, oder auch das vorübergehend zu Höchstform auflaufende Selbstbewußtsein der Europäer waren unmittelbare Reaktionen auf die weltpolitischen Oszillationen. In welchem Maße das der Fall war, sollte sich wenige Jahre später, am Ausgang der siebziger Jahre, mit Macht zeigen: Selbst jene Entscheidungen, die ihren Ursprung in Europa hatten und sich auf den alten Kontinent bezogen, fielen nicht dort. So wurden beispielsweise die neuen nuklearen Mittelstreckenraketen zwar in Europa stationiert, produziert aber wurden sie in der Sowjetunion und in den USA, und es waren die beiden Vormächte, die schließlich exklusiv über deren Zukunft entschieden. Damit nicht genug, zwangen zu eben dieser Zeit auch die Entwicklungen in der außereuropäischen Welt – in Angola, Äthiopien, Somalia, Vietnam, Persien oder Afghanistan – der Weltpolitik das Gesetz des Handelns auf. Europa war wieder einmal vom Prozeß der Marginalisierung bedroht. Nicht die Vorgänge in der alten Welt bestimmten das Geschehen, sondern die Entwicklungen in jenen Teilen der Erde, die einst von Europa aus regiert, aber jetzt weitgehend aus seinem Blickfeld verschwunden waren: der Dritten Welt.

10. Irritationen
Die Dritte Welt als drängende Kraft
1975–1979

Nichts ist von Dauer, schon gar nicht die Zwangsherrschaft. Diese Erfahrung machten im 20. Jahrhundert auch die Kolonialmächte. Zwar war mit der französischen Festsetzung in Tunesien und der britischen in Ägypten 1881/82 der europäische Imperialismus gleichsam in eine neue, seine letzte Runde eingetreten; zwar hatten sich um die Jahrhundertwende mit Japan und den Vereinigten Staaten noch zusätzlich zwei außereuropäische Mächte an den Beutezügen beteiligt, doch wurde schon wenige Jahre später, mit dem Ersten Weltkrieg, der Scheitelpunkt dieser Entwicklung erreicht. Einerseits kamen den Verlierern dieses Krieges, allen voran dem Deutschen Reich, auch ihre kolonialen Besitzungen abhanden. Andererseits erreichten traditionelle Imperien, wie das britische, ihre größte Ausdehnung. Aber das war nur vordergründig ein Erfolg. Tatsächlich stieß auch das englische Weltreich an seine Grenzen: Durch Überdehnung drohte es, unbeherrschbar zu werden. Der Zweite Weltkrieg brachte die entscheidende Zäsur, nicht nur für die britische Politik. An seinem Ende war klar, daß kein Weg mehr zurück in die alten Verhältnisse der Kolonialherrschaft führen würde, auch wenn sich diese Erkenntnis in vielen Fällen erst Jahrzehnte später durchsetzte. Im Falle Portugals waren es 30 Jahre, in Rußland dauerte es fast ein halbes Jahrhundert.

In der Regel aber ging der Zweite Weltkrieg fast nahtlos in einen Prozeß über, der sich aus der Sicht der Kolonialherren als «Dekolonisierung», aus der Sicht der Kolonisierten als «Befreiung» darstellte. Der Fall Asien zeigt indessen, daß hier nicht von einer eindimensionalen Entwicklung die Rede sein kann. Die Proklamation der Unabhängigkeit, wie im Falle der «Demokratischen Republik Vietnam» durch Ho Chi Minh am 2. September 1945, war eine Sache, die Ambitionen der alten, durch die Japaner vertriebenen Usurpatoren waren eine andere. Von Frankreich ist schon die Rede gewesen.

Als eine der ersten Kolonialmächte mußte Den Haag seine überseeischen Besitzungen fast vollständig räumen, wenn auch im Zuge einer jahrelangen militärischen und politischen Auseinandersetzung: Nach der Ausrufung der Unabhängigkeit durch Ahmad Sukarno am 17. August 1945 und einem verlustreichen Befreiungskampf erhielt Indonesien, die größte muslimische Nation der Erde, zwar im November 1949 seine Unabhängigkeit, aber vorläufig nur im Rahmen einer Union mit den Niederlanden. Am 10. August 1954 mußte auch diese Verbindung als gescheitert aufgegeben werden.

Eigene Wege ging – auch hier – Großbritannien. Als am 15. August 1947 der «Union Jack» in Indien und wenig später in Burma und auf

Ceylon eingeholt wurde, bedeutete das einerseits einen weiteren, entscheidenden Schritt auf einem langen Weg, der bereits vor dem Ersten Weltkrieg eingeschlagen worden war und der das Kolonialreich in eine Vereinigung selbständiger Mitglieder, das «Commonwealth of Nations», überführte. Andererseits zeigte das Beispiel des Malaiischen Bundes, der erst im August 1957 in die Unabhängigkeit entlassen werden sollte, wie steinig dieser Weg der traditionsreichen Kolonialmacht war; 1956 hatte man ja sogar in einer anderen Weltgegend, in Ägypten, eine Rückkehr zur Kanonenbootdiplomatie des 19. Jahrhunderts beobachten können.

Daß dieses britisch-französische Suez-Abenteuer, wie in anderem Zusammenhang gesehen, an der nachdrücklichen Intervention der Vereinigten Staaten gescheitert war, hieß freilich nicht, daß die USA ihrerseits gegen solche Aktivitäten gefeit gewesen wären. Wohl wurden die Philippinen im Juli 1946 in die Unabhängigkeit entlassen, doch behielt sich Washington ein großzügiges Stationierungsrecht für seine Streitkräfte und andere Privilegien vor. So blieben die Vereinigten Staaten nicht nur über das formelle Ende ihrer Kolonialherrschaft hinaus in der Region präsent; sie konnten ihre Position in den kommenden Jahren sogar weiter ausbauen, weil sie im Zuge der Erkaltung des internationalen Klimas auch dort die Rolle einer Garantiemacht gegen den Kommunismus übernahmen. Daß dieses wachsende Engagement, das im Krieg gegen Nordvietnam seinen Scheitelpunkt finden sollte, von vielen als Form der Rekolonisierung betrachtet werden würde, war damals allerdings nicht absehbar.

Frühe Signale einer Zeitenwende gab es auch auf dem Schwarzen Kontinent, doch bestanden sie dort vor allem in vorerst unerfüllten Forderungen. Als Kwame Nkrumah, einer der Vorkämpfer der Bewegung, im April 1958 zu einer Konferenz unabhängiger afrikanischer Staaten einlud, kamen – neben dem Gastgeber Ghana und ohne das nicht geladene Südafrika – gerade einmal sieben Länder: Ägypten, Äthiopien, Liberia, Libyen, Marokko, der Sudan und Tunesien. Die erste panafrikanische Konferenz im eigentlichen Sinne des Wortes wurde im Dezember 1958 in Accra abgehalten. An ihr nahmen auch Vertreter jener Territorien teil, die noch unter fremder Herrschaft standen, wie zum Beispiel eine Delegation der algerischen Exilregierung. Mit dem großen Schub des Jahres 1960, der fast 20 Staaten die Unabhängigkeit brachte, und der Gründung der Organisation für Afrikanische Einheit, der «Organization of African Unity» (OAU), wurde nach zahlreichen Rückschlägen am 25. Mai 1963 ein mächtiger Schritt nach vorne getan. In ihrer Charta verpflichteten sich die in Addis Abeba versammelten Staats- und Regierungschefs aus nahezu 30 Staaten Afrikas und Madagaskars, «die Einheit und Solidarität der afrikanischen Staaten zu fördern», den «Lebensstandard der afrikanischen Völker zu heben» und in Afrika «jede Form des Kolonialismus auszumerzen».[1]

Das ist indessen dort wie in anderen Gegenden der Welt zumeist nur unter Mühen und nach großen Konflikten gelungen, weil viele Staaten mit der Unabhängigkeit in eine Situation gerieten, die sich in einem wesentlichen Punkt kaum von der vorherigen unterschied, denn an die Stelle der scheidenden Kolonialherren traten nicht selten andere Mächte. Die neuen Herren kamen in der Regel nicht aus der Fremde, sondern aus der unmittelbaren Nachbarschaft. So wurde Bangladesh nach dem Abzug der Briten, also seit 1947 und bis zu seiner Unabhängigkeit im Dezember 1971, von Pakistan aus regiert, übernahm Marokko im November 1975 von Spanien die Herrschaft über die Westsahara und kam Ost-Timor im Juli 1976 vom Regen in die Traufe, nämlich – aus portugiesischer Kolonialherrschaft entlassen – unter indonesische «Verwaltung». Sie brachte der Insel zwar einen gewissen Aufschwung in den Bereichen des Bildungswesens, der Infrastruktur und des Lebensstandards, bescherte ihr aber zugleich einen Guerillakrieg, dessen Ende auch nach Überwindung des Ost-West-Konfliktes nicht in Sicht war.

Für die betroffenen Völker zog also mit der Dekolonisierung bzw. Befreiung nicht unbedingt eine bessere Zeit herauf. Vor allem die Art und Weise, in der viele Staaten nach ihrer Unabhängigkeit regiert bzw. verwaltet wurden, unterschied sich in der Regel nur wenig von der Kolonialherrschaft der Weißen, wie drei auf ihre Weise charakteristische Beispiele zeigen. Die panikartige Räumung des belgischen Kongo durch die langjährigen Kolonialherren stürzte das unvorbereitete Land, das am 30. Juni 1960 seine Unabhängigkeit erhielt, in ein Chaos blutiger Stammes- und Separationskämpfe. Sie forderten zahllose Opfer, darunter den ersten freigewählten Präsidenten, Patrice Lumumba, der von seinen Rivalen ermordet wurde, und wohl auch den Generalsekretär der Vereinten Nationen, Dag Hammarskjöld, der im September 1961 bei einem nie geklärten Flugzeugabsturz ums Leben kam. Der Schwede hatte versucht, durch den Einsatz von UN-Truppen unter anderem die Abtrennung des reichen Katanga-Gebietes zu verhindern. Später intervenierten weiße Söldner und reguläre belgische Fallschirmeinheiten, ohne die Lage wirklich unter Kontrolle bringen zu können. Erst Joseph Désiré Mobutu, der sich 1965 mit westlicher Hilfe an die Macht putschte, seit dem 25. November 1965 als Präsident fungierte und sich später Mobutu Sese-Seko nannte, gelang die Wiederherstellung eines mehr oder weniger zentral verwalteten Kongo-Staates. Fortan und bis weit über das Ende des Kalten Krieges hinaus behandelte der Diktator das Land, dem er 1971 den Namen «Zaire» gab, wie sein Latifundium. Unter rücksichtsloser Ausbeutung seiner Landsleute und der üppigen Ressourcen des Landes, also mit Methoden, die denen der alten Kolonialherren in nichts nachstanden, avancierte Mobutu so zu einem der reichsten Männer der Erde.

Ein in jeder Hinsicht einzigartiges Schicksal durchlitt die Volksrepublik China, nachdem das Land die fremde Besatzung, zuletzt vor allem die der japanischen Militärmacht, abgeschüttelt hatte. Die Diktatur Mao Tsetungs, der das Land bis zu seinem Tode 1976 als Vorsitzender des ZK der

Partei wie der erste Kaiser des chinesischen Imperiums regierte, hat ein Millionenheer von Toten hinterlassen. Allein die Folgen des «Großen Sprungs nach vorn», der am 29. April 1958 mit der Errichtung der ersten «Volkskommune» offiziell begann und in die drei «bitteren Jahre», das heißt die Hungersnot der Jahre 1960–1963 führte, haben womöglich bis zu 40 Millionen Tote gefordert und in einigen Regionen Chinas die Rückkehr zum Kannibalismus gesehen. Lag die Lebenserwartung der Chinesen 1957 bei 17,6 Jahren, so betrug sie 1963 nur noch 9,7 Jahre.[2] An dieser erschütternden Bilanz vermochte auch der Anspruch revolutionärer Legitimation, mit dem das maoistische China sein Regiment von nackter Gewaltherrschaft abzugrenzen suchte, nichts zu ändern.

Offensichtlich war für die Despoten der jungen, unabhängigen Länder kein Mittel tabu, wenn es darum ging, ihre Völker, oder doch jedenfalls Teile derselben, davon abzuhalten, ihren Weg in die Zukunft selbst zu bestimmen. Der irakische Diktator Saddam Husain setzte in der zweiten Hälfte der achtziger Jahre sogar wiederholt Giftgas – namentlich gegen die kurdische Bevölkerung seines Landes – ein und griff damit zu einer Vernichtungswaffe, die selbst während des Zweiten Weltkrieges tabuisiert war. Potentaten wie Saddam Husain, Mao Tse-tung, Mobutu und andere hatten häufig deshalb ein vergleichsweise leichtes Spiel, weil sie die Strukturen und Gebräuche der Gesellschaft, in der sie Karriere machten, kannten, nutzten und eben deshalb oft ruinierten oder pervertierten.

Brachen also nach der Dekolonisierung bzw. Befreiung nicht selten alte Stammesrivalitäten und andere Gegensätze wieder auf, so wurden sie jetzt, nach dem Abzug der weißen Kolonialherren, allerdings mit deren technischen Errungenschaften, also mit den modernen Massenvernichtungs- bzw. Massenverstümmelungswaffen, wie Panzern, Schnellfeuergewehren, Personenminen und anderen Geräten des Grauens mehr, ausgetragen. Und davon gab es reichlich. Immerhin gingen 1975 gut 60 % der Waffenlieferungen der USA, des größten Waffenexporteurs des Kalten Krieges, in Länder der Dritten Welt, im Falle Frankreichs und Italiens waren es gut 76 %, und Großbritannien und die Niederlande fanden sogar für mehr als 80 % ihrer Waffenexporte Abnehmer in der Dritten Welt.[3] Überdies entwickelte sich auch zwischen den Staaten der südlichen Halbkugel ein florierender Waffenhandel. So exportierte zum Beispiel Angola in den siebziger und achtziger Jahren gebrauchte Waffen nach Guinea-Bissau und in den Kongo.[4]

Kein Land der Dritten Welt war zu arm, um nicht als Käufer moderner oder veralteter Waffen hofiert zu werden, keines reich genug, um irgendwann einen natürlichen «Sättigungsgrad» erreicht zu haben. Die Liste der Waffensysteme, die beispielsweise der Irak in den siebziger und achtziger Jahren bezog, liest sich ebenso eindrucksvoll wie die der Lieferländer: Argentinien, Brasilien, China, die Tschechoslowakei, Ägypten, Frankreich, die DDR, die Bundesrepublik, Ungarn, Italien, Jordanien, Kuwait, Libyen, Polen, Spanien, der Sudan, die Schweiz, Großbritannien, die USA, die Sowjetunion und Jugoslawien.[5] Kein Wunder, daß Bagdad am Ende des Kalten Krieges nicht nur die drittgrößte Armee der Welt besaß, sondern auch die Fähigkeit zur chemischen und biologischen sowie die Ambition zur nuklearen Kriegführung.

Diese massive Aufrüstung der Dritten Welt mußte Langzeitwirkungen haben. Bis zum Ende des Kalten Krieges war allein in Kambodscha schätzungsweise eine Million Minen gelegt worden, darunter vor allem die besonders heimtückische «T 69» chinesischer Herkunft: eine grüne Plastikscheibe, die knapp unter der Wasseroberfläche, etwa der Reisfelder, schwimmt. Kein zweites Land der Erde hatte am Ende des Kalten Krieges soviele Bein- und Armamputierte wie Kambodscha: Einer von 234 Bürgern war verstümmelt. Ähnlich stellte sich die Situation in Angola, Mozambique oder Afghanistan dar. Dort und in etwa 60 weiteren Staaten der Erde dürften bis zum Ende des Kalten Krieges etwa 100 Millionen Anti-Personen-Minen verlegt worden sein, die jährlich bis zu 10000 Opfer gefordert haben. Da die Entschärfung dieser wie anderer Waffen ungleich kostenaufwendiger war als ihre Produktion, Anschaffung und Lozierung, wurden ganze Landstriche der Dritten Welt im wahrsten Sinne des Wortes zu tickenden Zeitbomben.

Ob und in welchem Maße die Verfügung über moderne Waffensysteme die Bereitschaft zur Kriegführung verstärkt, erleichtert oder gar erst geweckt hat, ist über den Einzelfall hinaus nur schwer zu sagen. Mit Sicherheit jedenfalls hat sie die Disposition zur Gewalt nicht vermindert. Auch deshalb war der Übergang in eine neue Phase der Weltgeschichte für fast alle ehemaligen Kolonien grausam und verlustreich. Aufs ganze gesehen gab es kaum einen Staat auf der südlichen Halbkugel, der während des Kalten Krieges und damit im Zeitalter der Dekolonisation nicht mindestens einmal in kriegerische Auseinandersetzungen verwickelt war: Unabhängigkeits- oder Befreiungskrieg, Bürgerkriege oder zwischenstaatliche Kriege – oft ging der eine in den anderen über. So führten Nordvietnam bzw. der Vietcong vier Jahrzehnte lang Krieg: gegen Frankreich und gegen die USA, gegen das Kambodscha der Roten Khmer und gegen China – und nicht zuletzt gegen die eigenen Leute im Süden des lange geteilten Landes. Während des amerikanischen Vietnam-Krieges wurden mehr Bomben abgeworfen als während des gesamten Zweiten Weltkrieges, und an seinem Ende sind allein im Norden mehr als drei Millionen Opfer gezählt worden, die weitaus meisten von ihnen Zivilisten. Sicher war Vietnam ein Extremfall. Doch zeigt er gerade deshalb und in allen seinen brutalen Facetten, was Krieg im Zeitalter der Dekolonisierung für die Dritte Welt bedeuten konnte.

Nur graduell anders lagen die Dinge in den zahlreichen Bürgerkriegen. Gewiß, auch die nördliche Halbkugel hat vergleichbare Auseinandersetzungen erlebt, etwa in Nordirland oder im Baskenland. Keine von diesen aber hat auch nur annähernd so viele Menschenleben gefordert wie viele der Bürgerkriege in Afrika oder Asien. Der Bürgerkrieg im mittelafrikanischen Tschad, der seit der Unabhängigkeit des Landes im August 1960 mit unterschiedlicher Intensität und gelegentlicher Intervention von außen geführt wurde, war auch am Ende des Kalten Krieges noch nicht beigelegt. Die Bürgerkriege, von denen Kambodscha fast 20 oder Mozambique etwa 15 Jahre lang heimgesucht worden sind, kosteten schätzungsweise jeweils einer Million Menschen das Leben. Davon wird noch zu berichten sein.

Schließlich hat die südliche Halbkugel während des Kalten Krieges auch zahlreiche zwischenstaatliche Kriege gesehen, so zum Beispiel die beiden Kriege des Irak gegen seine Nachbarn Iran und Kuwait, die drei Kriege zwischen Indien und Pakistan, die vier Kriege Israels mit seinen arabischen Nachbarn oder auch den «Fußballkrieg» des Jahres 1969 zwischen El Salvador und Honduras und den «Weihnachtskrieg», den Burkina Faso, das vormalige Obervolta, und Mali 1985 gegeneinander geführt haben und in dem es bezeichnenderweise auch um Rohstoffe ging.

Überhaupt wurden die knappen Ressourcen in den siebziger und achtziger Jahren zusehends zum Anlaß für Krisen, Konflikte und Kriege. Das galt für Bodenschätze wie Öl und Gas, es galt aber auch für Nahrungsmittel wie Fischvorkommen oder vor allem für Wasser. Sie traten seit den siebziger Jahren mehr und mehr an die Stelle «klassischer» Kriegsgründe, wie etwa den Gebietsanspruch. Territoriale Begierden spielten indessen für die Konflikte auf der südlichen Halbkugel auch weiterhin und schon deshalb eine besondere Rolle, weil sich die meisten Staaten mit dem Gewinn ihrer Selbständigkeit in Grenzen wiederfanden, die nicht von ihnen, sondern von den Kolonialherren gezogen worden waren, und in der Regel nach Kriterien, die sich an deren machtpolitischen Interessen orientierten und nur dann auf die ethnischen Gegebenheiten Rücksicht nahmen, wenn das der Behauptung dieser Interessen dienlich war.

So verschiedenartig die Anlässe, die Verlaufsformen oder die Ergebnisse der Grausamkeiten, Katastrophen und Kriege auch gewesen sein mögen, eines hatten sie gemeinsam: den Schauplatz, die südliche Halbkugel, jenen Teil der Welt, den man die «Dritte» nannte. Und so wie der Kalte Krieg zugleich das Zeitalter der Dekolonisierung gewesen ist, so war die Dritte Welt in ihrer spezifischen Ausprägung sein Produkt. Im Sprachgebrauch des Kalten Krieges war damit zweierlei gemeint: einmal die Gruppe der nicht Blockgebundenen, also der nicht dem westlichen oder dem östlichen Lager angehörenden Staaten. Dann aber umfaßte die Dritte Welt die ständig zunehmende Zahl der armen und unterentwickelten Staaten der Erde, die zudem weder – wie die Volkswirtschaften der Ersten Welt – eine frei konvertierbare, noch – wie die der Zweiten Welt – eine innerhalb des Blocks tauschbare Währung besaßen, sondern lediglich eine «weiche».

So sahen es nicht nur die Vertreter der Industriestaaten, sondern auch die Betroffenen selbst, und in dieser Situation gründete der Wunsch nach interkontinentaler Kooperation. Auf Anregung der Ministerpräsidenten Indiens und Indonesiens, Jawaharlal Nehru und Ali Sastroamidjojo, trafen sich schon im April 1955 in Bandung Vertreter von 23 asiatischen und sechs afrikanischen Staaten zu einer entsprechenden Konferenz. Mit der Volksrepublik China und Indien in ihren Reihen repräsentierten sie schon damals mehr als die Hälfte der Erdbevölkerung. Im folgenden Jahrzehnt erweiterte sich der Kreis nicht nur um die ständig wachsende Zahl unabhängiger Staaten Afrikas und Asiens, sondern auch um zahlreiche Länder Iberoamerikas. Nicht zufällig wurde die erste sogenannte Solidaritätskonferenz der Völker Afrikas, Asiens und Lateinamerikas vom 3. bis zum 15. Januar 1966 in Havanna abgehalten.

Zu diesem Zeitpunkt bildeten die jungen Staaten der Dritten Welt bereits die Mehrzahl innerhalb der Staatengemeinschaft. Ein zuverlässiger Indikator waren die sich entsprechend ändernden Mehrheitsverhältnisse in den Vereinten Nationen. Dieser Trend hin zu einer unaufhaltsamen Ausdehnung der Dritten Welt, eine Folge der Unabhängigkeitsbewegung der fünziger und sechziger Jahre, wandelte sich in der Endphase des Kalten Krieges. Dank ihres natürlichen Reichtums oder ihrer energisch vorangetriebenen Modernisierung konnte eine Reihe von Staaten des Nahen Ostens sowie Ost- und Südostasiens den Status des Entwicklungslandes hinter sich lassen. Mit dem Ende des Ost-West-Gegensatzes kehrte sich dieser Trend erneut um. Das hatte nicht zuletzt damit zu tun, daß durch die Auflösung der Sowjetunion große Gebiete ihres einstigen Imperiums in eine wirtschaftliche, soziale und politische Situation katapultiert wurden, die sich von den Verhältnissen der Dritten Welt auf den ersten Blick kaum unterschied, und auch das war kein Zufall: Die Auflösung der Sowjetunion war ja auch die Liquidation eines riesigen Kolonialreiches.

Auch deshalb wurden nach dem Ende des Kalten Krieges Entwicklungen klarer erkennbar, die schon lange zuvor begonnen hatten und sich unaufhaltsam in den Vordergrund drängten. Das galt vor allem für die unkontrollierte Bevölkerungsexplosion. 1989 wurden im Schnitt drei Menschen pro Sekunde, 11 000 jede Stunde und mehr als 264 000 täglich geboren,[6] das heißt: An einem Tag erblickte die Bevölkerung von Städten wie Le Havre, Plymouth, Aden, Haifa, Sacramento oder Bonn das Licht der Welt; Jahr für Jahr wurde die Gesamtbevölkerung Spaniens und Frankreichs, in nicht einmal vier Jahren die Bevölkerung der EG am Ende des Kalten Krieges geboren.

Begleitet wurde diese Bevölkerungsexplosion durch Umweltkatastrophen gewaltigen Ausmaßes, von denen insbesondere die zunehmende Verwüstung der Erde und die Wasserknappheit lange Zeit unterschätzt worden sind. Für diese wiederum zeichnete eine Fülle sich unheilvoll ergänzender Ursachen verantwortlich – neben dem Mangel an Wasser vor allem seine Vergeudung, etwa durch defekte Leitungen oder durch Flächenbewässerung mit einem Effizienzgrad von gerade einmal 40%. 1955 gab es sieben Länder mit Wassermangel, 1990 waren es bereits 20. Fast alle diese Länder lagen auf der südlichen Halbkugel. Das galt auch für jene Staaten, die zu mehr als der Hälfte ihres sich erneuernden Wassers auf Zuflüsse aus anderen Ländern angewiesen waren, so zum Beispiel Syrien zu 79 %, Kambodscha zu 82 % und Ägypten sogar zu 97 %.[7] Der Wassermangel ging einher mit anderen, nicht minder brisanten Problemen wie Hunger, mangelnder Hygiene oder auch unzureichender Bildung: Während 1982/83 in Schweden fast 180 000 Schulabgänger studierten, waren es in Angola, das eine vergleichbare Bevölkerungszahl hatte, lediglich 4 700.[8] Besonders dramatisch las sich Anfang der neunziger Jahre die Bilanz für große Teile Afrikas sowie für das bevölkerungsreiche Südasien. Von einer Milliarde Menschen in Indien, Pakistan, Bangladesh, Nepal und Sri Lanka konnten fast 400 Millionen nicht lesen und schreiben, 280 Millionen hatten keinen Zugang zu sauberem Trinkwasser, 850 Millionen waren ohne Kanalisation und 300 Millionen lebten in absoluter Armut.[9]

Als Folge dieser Entwicklungen befanden sich bereits Anfang der siebziger Jahre fast 2,5 Millionen Menschen auf der Flucht, und das trotz aller künstlichen Hürden, die der Kalte Krieg errichtet hatte. Das heißt aber auch: die Probleme waren erkennbar, wurden jedoch so lange ignoriert, bis mit seinem Ende die Barrieren gefallen waren und angesichts des auf ein Zehnfaches angewachsenen Flüchtlingsstroms weder die Ursachen der Entwicklung noch ihre Konsequenzen länger übersehen werden konnten.[10] Man muß sich nur einmal die Zahlen eines einzigen, vom Elend heimgesuchten Landes vor Augen halten: Dem fünfzehnjährigen Bürger- und Buschkrieg, den Mozambique nach der Unabhängigkeit von Portugal durchlitt, fielen schätzungsweise bis zu einer Million Menschen zum Opfer, etwa sechs Millionen wurden vertrieben. Das war mehr als ein Drittel der Bevölkerung.

Nur wenige waren in den sechziger und siebziger Jahren bereit, der komplexen Problematik einen auch nur annähernd angemessenen Stellenwert einzuräumen. Zu ihnen zählte Willy Brandt, der schon in den ausgehenden sechziger Jahren auf diese «höchst gefährliche Zeitbombe» hingewiesen hatte[11] und sich seit Dezember 1977 als Vorsitzender der «Unabhängigen Kommission für internationale Entwicklungsfragen», der sogenannten Nord-Süd-Kommission, aktiv um die Entwicklung von Lösungsstrategien bemühte. Deren Bericht, der 1980 vorgelegt wurde, war eine schonungslose Bestandsaufnahme der Krise der südlichen Halbkugel und ihrer Ursachen: «Alles trifft hier zusammen – Unterernährung, Analphabetismus, Krankheit, hohe Geburtenzahlen, Unterbeschäftigung und geringes Einkommen –, alles wirkt zusammen, um mögliche Auswege zu versperren.» Das Leben der «Armen und Unwissenden» sei «derart beschränkt, daß sie, um mit den Worten des Präsidenten der Weltbank zu

sprechen, ‹unterhalb jeder sinnvollen Definition des Begriffs Menschen-
würde› bleiben ... Die Internationale Arbeitsorganisation schätzte die Zahl
der absolut Armen Anfang der siebziger Jahre auf 700 Millionen. Heutige
Schätzungen der Weltbank sprechen von 800 Millionen. Das bedeutet, daß
fast 40 % der Menschen im Süden nur eben überleben ...»[12]
    Um so mehr fiel auf, daß sich die Dritte Welt seit den sechziger Jahren
in einen arm gebliebenen bzw. verarmenden und einen reich gewordenen
Teil zu spalten begann. Zu letzterem zählten die ölfördernden Länder
sowie jene Staaten der Dritten Welt, insbesondere Südostasiens, die ihre
Chance entschlossen für einen beeindruckenden Modernisierungsschub
nutzten. Ob ihnen das in dieser Zeit und mit diesem Tempo ohne die
spezifische Konstellation des Ost-West-Gegensatzes und ihre sich daraus
herleitende geographisch-politische Schlüsselstellung gelungen wäre, muß
eine offene Frage bleiben. Fest steht, daß die Länder dieser Region, ähnlich
wie das südliche Afrika, die Gelegenheit beim Schopf packten. Fest steht
auch, daß sich die beiden skizzierten Tendenzen, Verarmung und wachsender Wohlstand, gegenseitig bedingten. Sie ließen sich besonders kraß an
der Entwicklung der Ölpreise ablesen, die seit den beginnenden siebziger
Jahren zu einer Art Seismograph der weltpolitischen, und keineswegs nur
der weltwirtschaftlichen Entwicklung wurden.

Der Ölpreisschock zeitigte für die Entwicklung der Dritten Welt gravie-
rende Konsequenzen: Einmal hatte er maßgeblichen Anteil an jenem «Erdbeben der Weltwirtschaft»,[13] das die Industriestaaten, vor allem auch die
europäischen, in der zweiten Hälfte der siebziger Jahre erschütterte und
dazu beitrug, daß es zu einer spürbaren Kürzung der ohnehin nicht gerade
üppig fließenden Mittel für die sogenannte Entwicklungshilfe kam. Dann
aber brachte der steile Anstieg der Ölpreise einer kleinen Gruppe von
Staaten einen immensen Reichtum, der sich keineswegs nur positiv aus-
wirkte, sondern für deren innere Struktur zum Teil erhebliche Probleme
aufwarf. Schließlich trug die Erhöhung der Preise für das bis dahin vergleichsweise billige, deshalb von immer mehr Staaten als Energiequelle
genutzte Öl dazu bei, daß die meisten Länder der Dritten Welt noch ärmer
wurden, als sie das ohnehin schon waren. Denn anders als die Industriestaaten hatten sie keine Möglichkeit, durch Exporte in die neureichen
Ölförderländer oder als Anlagemärkte für die sogenannten Petrodollars
ihrerseits von dieser Entwicklung zu profitieren.
    Ein überdurchschnittlich reiches, zahlungskräftiges Industrieland wie die
Bundesrepublik mußte 1976 160 % mehr für seine Ölimporte ausgeben
als noch drei Jahre zuvor, obgleich diese im selben Zeitraum um 10 %
zurückgegangen waren. In Zahlen bedeutete das einen Anstieg der Ausgaben für das schwarze Gold in Höhe von neun Milliarden D-Mark im
Jahre 1973 auf fast 24 Milliarden D-Mark drei Jahre später. Immerhin
zogen die Industriestaaten Konsequenzen und bemühten sich um eine

Reduktion des Ölverbrauchs und damit der entsprechenden Importe. Der vorläufige Höchststand des Weltverbrauchs wurde 1979 erreicht. Danach sank er in absoluten Zahlen, beschlossen doch die Ölminister der OPEC-Länder Ende März 1979 auf einer Konferenz in Genf eine drastische Erhöhung der Preise, die ihrerseits weltweit Panikkäufe nach sich zog: Im Januar 1981 war der Ölpreis etwa zweieinhalb Mal so hoch wie im Dezember 1978; in den Jahren 1979 und 1980 verteuerte sich die Einfuhr von Rohöl und Mineralölerzeugnissen, gerechnet in D-Mark, jährlich um fast 50%.[14] Erst 1995 begann sich der Weltverbrauch wieder dem Höchstniveau zu nähern. Der Grund für diese erneute Trendwende nach dem Kalten Krieg lag jedoch nicht in einem Wiederanstieg des Ölverbrauchs auf der nördlichen Halbkugel, sondern bezeichnenderweise in der dynamischen Entwicklung einiger Regionen der Dritten Welt, vor allem Südostasiens. Deren Sprung über die Hürde des Entwicklungslandes hin zum Industriestaat forderte seinen Tribut, und der bestand nicht nur in einem höheren Ressourcen- und Energieverbrauch, sondern vor allem auch in einem immer größeren Anteil an der globalen Schadstoffemission und am sogenannten Treibhauseffekt – mit allen Folgen, vor allem für die Dritte Welt.

Eine unmittelbare Auswirkung des Ölpreisschocks war die Verschärfung der internationalen Schuldenkrise, von der in den frühen achtziger Jahren nicht nur die Entwicklungsländer, sondern auch die Industriestaaten in Mitleidenschaft gezogen wurden. Damals sah sich eine Reihe von Ländern auf der südlichen Halbkugel nicht mehr in der Lage, die aufgenommenen Kredite zu tilgen oder auch nur die fälligen Zinsen zu zahlen. Zu diesen Ländern gehörten zahlreiche Staaten Mittel- und Südamerikas, an der Spitze Brasilien und Mexiko, aber auch viele afrikanische Staaten. Doch selbst die – verstärkt seit 1982 – ergriffenen Maßnahmen, von Umschuldungen bis hin zum partiellen Schuldenerlaß, konnten den Sturzflug der Staatsfinanzen in vielen Ländern der Dritten Welt nicht aufhalten: So wuchsen die Auslandsschulden der Entwicklungsländer von 658 Milliarden US-Dollar im Jahre 1980 auf astronomische 1518 Milliarden US-Dollar im Jahre 1990. 1994 überstieg das Gesamtvolumen der innerhalb von zwölf Jahren weltweit aufgelaufenen Zinszahlungen deutlich den Schuldenstand von 1982.[15] Damit war zugleich die in den siebziger Jahren eingeschlagene Strategie der Industriestaaten gescheitert, die Wirtschaft der Entwicklungsländer durch fremdes Kapital anzukurbeln.

Dort, in der Dritten Welt, war zwar angesichts der wachsenden Probleme grundsätzlich jede Hilfe willkommen. Dennoch realisierte man sehr schnell, daß Schuldenmachen nicht der geeignete, schon gar nicht der einzige Weg zum Ziel sein konnte. Solche und andere Überlegungen bildeten den Hintergrund für eine Reihe zwischenstaatlicher Zusammenschlüsse. So kam es allein im Jahre 1975 unter anderem zur Unterzeichnung des Abkommens von Bangkok, in dem sich Bangladesh, Indien,

Südkorea, die Philippinen, Laos, Sri Lanka und Thailand bei bestimmten
Produkten Zollpräferenzen einräumten, zur Gründung des «Lateinameri-
kanischen Wirtschaftssystems», des «Sistema Económico Latinoamericano»
(SELA), durch 25 Staaten und zur Gründung der «Wirtschaftsgemeinschaft
Westafrikanischer Staaten», der «Economic Community of West African
States» (ECOWAS), durch 15 Länder. Diese Zusammenschlüsse verfolgten
in der Hauptsache die Ziele einer Handelsliberalisierung sowie der Anhe-
bung des Lebensstandards. Die ECOWACS sollte sich bis zum Ende des
Kalten Krieges zum wichtigsten Wirtschaftsverbund Afrikas entwickeln
und damit die Ausnahme von der Regel sein: Nach Angaben des Deutschen Entwicklungshilfeministeriums waren zwischen 1960 und 1995 über
200 Versuche interafrikanischer Kooperation gescheitert.[16]

Von besonderer Bedeutung für die Dritte Welt war daher jenes erste
Abkommen zwischen 46 Staaten des afrikanischen, karibischen und pazifischen Raums, den sogenannten AKP-Staaten, einerseits und den zu diesem Zeitpunkt zehn Mitgliedsstaaten der EG andererseits, das am 28. Februar 1975 in Lomé, der Hauptstadt Togos, unterzeichnet wurde. Es garantierte den AKP-Staaten den zollfreien Zugang praktisch sämtlicher
Exporte, ausgenommen einige Agrarprodukte, in den EG-Raum. Anfänglich betrug der Anteil der AKP-Staaten am Gesamtimport der EG immerhin rund 7%, ging dann aber bis zum Ende der achtziger Jahre auf etwa
4,5% zurück. Für einige Zeit galt das Lomé-Abkommen, das erste von
insgesamt vier, die während des Kalten Krieges geschlossen worden sind,
als geradezu vorbildlicher Beitrag zum «Nord-Süd-Dialog».

Die Motive der Europäer für den Abschluß der Vereinbarungen waren
indessen keineswegs nur uneigennützig. Bereits die Römischen Verträge
von 1957 hatten eine Assoziierung der überseeischen Länder und Gebiete
mit der EWG vorgesehen. Nach der Unabhängigkeit der meisten vormaligen Kolonien in Afrika wurden diese Vereinbarungen in den beiden
sogenannten Jaunde-Abkommen der Jahre 1963 und 1969 modifiziert und
den neuen Gegebenheiten angepaßt. Diese ergaben sich insbesondere auch
aus dem britischen EG-Beitritt, da die Assoziationsabkommen jetzt auf die
Entwicklungsländer des «Commonwealth» im AKP-Raum ausgedehnt
werden mußten. Im übrigen hatte die erste Ölkrise des Jahres 1973 den
Europäern drastisch vor Augen geführt, daß die Dritte Welt mit ihren
Rohstoffvorkommen ein Pfund in der Hand hielt, mit dem sie wuchern
konnte. Tatsächlich traten ihre Vertreter in den Verhandlungen des ersten
Lomé-Abkommens nicht ohne Selbstbewußtsein auf. Das änderte sich im
Laufe der Zeit. Einmal beheimatete der AKP-Raum viele der ärmsten
Staaten der Erde, und dann war nicht zu übersehen, daß die jungen Staaten
der Dritten Welt keine Alternative hatten, als sich den bestehenden Struk-
turen der Weltwirtschaft anzupassen, und die waren nun einmal nicht von
ihnen, sondern von den westlichen Industrienationen gemacht worden.
Diese Erkenntnis gab den Anstoß für eine ganze Serie von Konferenzen,

auf denen sich in der zweiten Hälfte der siebziger Jahre Industrie- und Entwicklungsländer gemeinsam um eine Lösung der immer krasser werdenden Probleme der Dritten Welt bemühten. Da war vor allem die IV. «United Nations Conference on Trade and Development» (UNCTAD), die im Mai 1976 in Nairobi zusammentrat. Die Konferenz für Welthandel und Entwicklung war am 30. Dezember 1964 als ständiges Organ der UNO eingerichtet worden. Ihr gehörten alle Mitgliedsländer der Vereinten Nationen, ihrer Sonderorganisationen sowie bezeichnenderweise auch die Internationale Atomenergiebehörde an. Zweck der UNCTAD war unter anderem die Förderung des Handels zwischen den Entwicklungsländern sowie zwischen Ländern unterschiedlicher Wirtschaftsordnung oder auch die Koordinierung und Harmonisierung staatlicher Handels- und Entwicklungspolitik. Insgesamt bildete die UNCTAD das wichtigste Forum der Entwicklungsländer für die Formulierung ihrer gemeinsamen Interessen. So konnten sie zum Beispiel auf der II. UNCTAD-Konferenz 1968 in Neu-Delhi unter der einleuchtenden Parole «Handel statt Hilfe» Handelspräferenzen durchsetzen.

UNCTAD IV stand 1976 eindeutig im Schatten der internationalen Entwicklung der Rohstoffpreise. Verhandelt wurde die Errichtung einer «Neuen Weltwirtschaftsordnung». Das bescheidene Ergebnis beschränkte sich indessen auf eine «prinzipielle» Übereinkunft, einen gemeinsamen Fonds für Rohstoffe einzurichten, und ähnliche Vereinbarungen mehr. Eine neue Weltwirtschaftsordnung brachte das Treffen nicht zustande. Das gilt auch für die «Konferenz über Internationale Wirtschaftliche Zusammenarbeit» (KIWZ), die vom Dezember 1975 bis zum Juni 1977 in Paris tagte. Die Zahl der Teilnehmer war wesentlich geringer als bei UNCTAD. Die Ostblockstaaten waren nicht vertreten, die EG nahm als Gemeinschaft teil, und die Dritte Welt wurde durch 19 Entwicklungsländer repräsentiert. Auch dieser «Nord-Süd-Dialog» blieb ohne konkretes Ergebnis, unter anderem deshalb, weil die erdölfördernden Staaten nicht bereit waren, der Einrichtung eines ständigen Konsultationsgremiums von erdölproduzierenden und -verbrauchenden Staaten zuzustimmen. Hinzu kam, daß auch in Paris die Vorbereitung oder Etablierung einer neuen Weltwirtschaftsordnung «nicht erreicht» werden konnte, wie die an der KIWZ teilnehmenden Entwicklungsländer im Schlußbericht der Konferenz ausdrücklich festgehalten wissen wollten.[17] Eine wirklich neue «Weltwirtschaftsordnung», die den Bedürfnissen der Entwicklungsländer gerecht geworden wäre, hätte radikale Eingriffe in das bestehende Weltwirtschaftssystem und damit eine ernsthafte Beschneidung der ökonomischen Vorherrschaft der Industrieländer vorausgesetzt. Zu solchen Zugeständnissen fanden sich erwartungsgemäß die führenden Industrienationen, wie die USA und insbesondere auch die Bundesrepublik, nicht bereit.

Bonn setzte statt dessen auf die gezielte Unterstützung solcher Länder, die von der wirtschaftlichen bzw. von der Rohstoffpreisentwicklung besonders betroffen waren. Diese Politik firmierte unter dem Stichwort «länderbezogene Hilfeprogramme». In diesem Sinne hieß es bereits in einer Mitteilung des Bundesministers für Wirtschaftliche Zusammenarbeit über die «entwicklungspolitische Konzeption für die Zweite Entwicklungsdekade» vom Februar 1972: «Die entwicklungspolitischen Entscheidungen sollen künftig stärker als bisher auf der Grundlage länderbezogener Hilfeprogramme getroffen werden, in denen der Differenziertheit der Entwicklungsländer besser Rechnung getragen, Prioritäten für Projekte festgelegt, die Vielzahl isolierter Einzelprojekte zu einem konsistenten Programm zusammengefaßt und die Anstrengungen von Industrie- und Entwicklungsländern besser koordiniert werden können. Aus diesem Grunde werden im Gesamtrahmen der deutschen Entwicklungspolitik die länderbezogenen Hilfeprogramme verstärkt.»[18]

Nun sind Ideen und Programme eine Sache, ihre Realisierung eine andere. Der «Gesamtrahmen der deutschen Entwicklungspolitik» kostete Geld, ganz gleich wie man ihn organisierte bzw. umorganisierte. Und Geld wurde als Folge der weltwirtschaftlichen Entwicklung, also für die Betroffenen genau zum falschen Zeitpunkt, knapp. Im Sommer 1974 beschloß die Bundesregierung für die kommenden vier Jahre eine Kürzung der Entwicklungshilfe um zwei Milliarden D-Mark. Daß daraufhin Erhard Eppler im Juli 1974 vom Amt des Bundesministers für Wirtschaftliche Zusammenarbeit, das er seit 1968 innehatte, zurücktrat und es an Egon Bahr übergab, war noch die geringste Konsequenz dieser Entscheidung.

Die Entwicklungshilfe der Bundesrepublik, die sich in absoluten Zahlen beachtlich ausnahm, war, gemessen an den international verbindlichen Standards, ohnehin nicht gerade großzügig. Das von UNCTAD II 1968 festgelegte Ziel, wonach 0,7% des Bruttosozialproduktes aus öffentlichen Mitteln in die Entwicklungshilfe fließen sollten, wurde annähernd nur von den Niederlanden und einigen skandinavischen Staaten erreicht. Die USA ließen sich 1980 die Entwicklungshilfe 0,27% ihres Bruttosozialprodukts kosten, die Sowjetunion gar nur 0,12%, womit allerdings die Investitionen des Kreml in vergleichbaren Gebieten des eigenen Imperiums nicht erfaßt sind. Die Bundesrepublik kam in der Zeit des Kalten Krieges nie über knausrige 0,5% hinaus. 1975 hatte sich Bonn gerade einmal zu 0,4% durchgerungen, die aber im Gefolge der wirtschaftlichen Entwicklung noch einmal reduziert wurden.

Die krisenhafte Entwicklung der Weltwirtschaft brachte für die Bundesrepublik Vor- und Nachteile. Die Nachteile offenbarten sich in einigen harten Fakten. So ging 1975 das Bruttosozialprodukt real um 1,6% zurück. Im selben Jahr, und das war gewiß für ein exportorientiertes Land ein alarmierendes Signal, sank zum ersten Mal das Exportvolumen der Bundesrepublik, und erstmals seit den fünfziger Jahren wurde mehr als eine Million Arbeitslose registriert.[19] Andererseits bescherten aber die währungspolitischen Turbulenzen, d. h. insbesondere die Schwäche des Dollars

und die Stärke der Mark, der Bonner Republik recht unerwartet eine
führende Rolle im internationalen Währungsgeschehen, und hier fühlten
sich deutsche Politiker, insbesondere der neue Bundeskanzler Helmut
Schmidt, durchaus kompetent.

Der Wechsel im Amt des Bundeskanzlers hatte indessen nichts oder doch
so gut wie nichts mit der weltwirtschaftlichen bzw. währungspolitischen
Entwicklung zu tun. Der Regierungswechsel vom Mai 1974 war vielmehr
ein teils lange geplanter, teils unerwarteter und sensationeller Vorgang: Am
15. Mai wurde der bisherige Außenminister Walter Scheel zum Bundespräsidenten gewählt. Das entsprach der Planung. Bereits am 6. Mai war
Willy Brandt vom Amt des Bundeskanzlers zurückgetreten. Das war eine
Sensation. Den Anlaß für diesen spektakulären Entschluß bildete eine
Spionage-Affäre, der Fall Guillaume, aber sie war nicht der eigentliche,
jedenfalls nicht der einzige Grund. Vielmehr spielten für diese Entscheidung auch Ermüdungserscheinungen der Regierung, nicht zuletzt des
Bundeskanzlers selbst, eine gewisse Rolle, die sich nach dem außerordentlich erfolgreichen außenpolitischen Marathon der Jahre 1966/69–1972
und nach den Bundestagswahlen vom November 1972 eingestellt hatten.
Einen nicht unerheblichen Anteil an diesem Rücktritt hatten aber offenbar auch Intrigen in den eigenen Reihen. Zumindest im Rückblick war
sich Willy Brandt ziemlich sicher, daß der damalige SPD-Fraktionsvorsit-
zende, Herbert Wehner, seine Finger im Spiel hatte. Aber wie dem auch
gewesen sein mag, mit Willy Brandt trat ein im Ausland hoch geachteter,
außenpolitisch ungewöhnlich erfolgreicher Mann vorerst von der politischen Bühne ab. Die Jahre 1989/90, die Deutschland völlig unerwartet die
Einheit brachten, haben gezeigt, wie tragfähig das politische Fundament
war, das Willy Brandt in den Jahren 1969–1973 gelegt hat.

Möglich ist, daß Brandts Nachfolger, Helmut Schmidt, unter normalen
Bedingungen kaum die Chance gehabt hätte, Bundeskanzler zu werden.
Als der Hamburger das Amt antrat, hatte er gleichwohl bereits eine beachtliche politische Karriere hinter sich. Schmidt war unter anderem von
1967 bis 1969 Fraktionsvorsitzender der SPD im Bundestag gewesen, danach bis 1972 Bundesverteidigungsminister und schließlich, nach einem
Intermezzo als Superminister für Wirtschaft und Finanzen, von 1972 bis
1974 Bundesfinanzminister. Diese Erfahrungen, und insbesondere der
Sachverstand auf dem Gebiet der Wirtschaft und Finanzen, kamen ihm
jetzt zugute. Anders als sein Vorgänger, war Schmidt kein Mann der Visio-
nen und der neuen Anstöße, sondern eher, wie Arnulf Baring beobachtet
hat, «ein brillanter Administrator, ein Mann der Akten, ein effizienter,
exzellenter Verwaltungschef».[20]

Diese Eigenschaften teilte er mit dem neuen Außenminister. Hans-
Dietrich Genscher hatte bis dahin in der sozialliberalen Koalition das Amt
des Bundesinnenministers innegehabt. Der gebürtige Sachse war vor allem

ein Mann der Partei, ehrgeizig, ein Taktiker, zugleich der «archetypische» Vertreter des rheinischen Establishments jener Jahre.[21] Vor allem war dieser Meister des «Sowohl-als-auch»[22] der ideale Repräsentant Bonner Außenpolitik in einer Zeit, die sich für die Bundesrepublik insgesamt als Ruhelage darstellte. Als Genscher ins Amt kam, waren die wichtigsten Weichenstellungen bereits erfolgt und die entsprechenden Entscheidungen gefallen, war also, wie sein Vorgänger ihm sagte, das «[w]as dort zu erledigen war, … erledigt»:[23] Die Verträge mit Moskau, Warschau, Prag und Ost-Berlin befanden sich unter Dach und Fach, und die KSZE, mit der sich der Name Genschers aufs engste verband, war auf dem Weg zu ihrem ersten Erfolg. Daß sie zu einer festen, berechenbaren Größe internationaler Politik während des Kalten Krieges wurde und für seine Liquidation eine nicht unwichtige Rolle spielte, ist zweifellos zu einem nicht unerheblichen Teil Genschers bleibendes Verdienst. Als er das Amt nach fast ununterbrochener achtzehnjähriger Tätigkeit aufgab, stand die Bundesrepublik allerdings vor neuen, gewaltigen außenpolitischen Entscheidungen, insbesondere vor Antworten auf die Frage nach ihrer Rolle im Ausgang des Kalten Krieges. Diese waren nicht die Sache Genschers.

Im übrigen kam es 1974 nicht nur in der Bundesrepublik zu einem Regierungswechsel. Wie schon einmal 1963, als Adenauer, Kennedy und Macmillan von der politischen Bühne abtreten mußten, und 1969, als Kiesinger, Johnson und de Gaulle aus dem Rampenlicht der großen Politik traten, sah auch das Jahr, in dem Willy Brandt aus dem Amt des Bundeskanzlers schied, Wechsel an der politischen Spitze in Frankreich und den Vereinigten Staaten. Der französische Staatspräsident Georges Pompidou verstarb nach schwerer Krankheit, und der amerikanische Präsident Nixon, der erst zwei Jahre zuvor mit großer Mehrheit im Amt bestätigt worden war, mußte dieses am 9. August 1974 endgültig aufgeben.

Anlaß für diesen spektakulären Rücktritt, mit dem Nixon einem «Impeachment», der drohenden Amtsenthebung, zuvorkam, war die «Watergate-Affäre» im Vorfeld der Präsidentenwahl, vor allem aber Nixons zweifelhaftes Taktieren beim Bekanntwerden des Skandals, der am 17. Juni 1972 mit einem Einbruch in das Hauptquartier der Demokratischen Partei im Washingtoner «Watergate»-Gebäudekomplex begonnen hatte. Die «Operation» war vom Weißen Haus aus gesteuert worden, dem Präsidenten selbst aber im einzelnen nicht bekannt. Gleichwohl inszenierte er eine großangelegte Vertuschungskampagne und weigerte sich hartnäckig, die Tonbänder herauszugeben, auf denen die konspirativen Unterredungen mit seinen engsten Mitarbeitern festgehalten worden waren. Als sich schließlich auch der Oberste Gerichtshof der Vereinigten Staaten einstimmig gegen Richard Nixon aussprach, blieb diesem keine Wahl. Mit ihm verließ einer der außenpolitisch erfolgreichsten Präsidenten der USA das Weiße Haus. Sein Name steht für den schwierigen Rückzug aus Vietnam, die neuen Weichenstellungen im Nahen Osten und die Neugestaltung der

Beziehungen Amerikas sowohl zu China als auch zur Sowjetunion. Damit wurde das Fundament der amerikanischen Außen- und Sicherheitspolitik für die Endphase des Kalten Krieges gelegt.

In die Tat umgesetzt worden war vieles von dem, was sich mit dem Namen Nixon verbindet, durch dessen Sicherheitsberater und späteren Außenminister Henry Kissinger. Er blieb über den Rücktritt Nixons hinaus im Amt und stellte seine Dienste auch dem Nachfolger zur Verfügung. Das war deswegen nicht ganz unwichtig, weil Gerald Ford, ähnlich wie Johnson nach der Ermordung Kennedys, unerwartet und in gewisser Weise unvorbereitet das schwierige Präsidentenamt übernehmen mußte. Daß Kissinger die außenpolitische Kontinuität symbolisierte, erschwerte es dem eher blassen Ford, in der internationalen Arena ein eigenes Profil zu gewinnen. Die größte Leistung dieses Übergangspräsidenten dürfte darin zu sehen sein, daß es ihm gelungen ist, die schwer angeschlagene Glaubwürdigkeit der amerikanischen Politik einigermaßen zu erneuern und das Land im Innern zu konsolidieren. Aber natürlich war das vor dem Hintergrund von «Watergate» nicht genug, um Wahlen zu gewinnen.

Das gelang vielmehr dem Demokraten Jimmy Carter. Der Mann aus Georgia war von 1971 bis 1975 Gouverneur seines Heimatstaates gewesen und brachte praktisch keinerlei außenpolitische Erfahrungen mit ins Weiße Haus. In dieser Hinsicht unterschied er sich von seinem Außenminister Cyrus Roberts Vance, der immerhin 1962/63 Heeresminister und danach bis 1967 stellvertretender Verteidigungsminister gewesen war, und dem Sicherheitsberater Zbigniew Brzezinski. Der gebürtige Pole galt als Experte für Osteuropa und hatte unter anderem von 1966 bis 1968 als Mitglied des Politischen Planungsstabes des «State Department» administrative Erfahrungen sammeln können. Daß die Außen- und Sicherheitspolitik der Regierung Carter alles andere bot als ein einheitliches Bild, sich vielmehr durch höchst unterschiedliche, oft geradezu zentrifugale Tendenzen auszeichnete, hatte auch mit den unterschiedlichen Vorstellungen von Vance und Brzezinski zu tun. Insgesamt war die Außenpolitik der Regierung Carter von Fehlschlägen und Niederlagen gekennzeichnet. Das galt auch für Carters erklärtes Ziel, den Menschenrechten in der Welt zum Durchbruch zu verhelfen.

Angesichts dieser wenig glücklichen Bilanz eines als schwach geltenden Präsidenten traten die beiden großen außenpolitischen Erfolge seiner Amtszeit in den Hintergrund: die noch zu erläuternde Vermittlung des israelisch-ägyptischen Friedens und die Unterzeichnung der Panama-Verträge, in denen der Abschluß des amerikanischen Dekolonisierungsprozesses gesehen werden kann. Im November 1903 hatte Panama, seit wenigen Tagen von Kolumbien unabhängig, das für den Kanalbau vorgesehene Gebiet an die USA abgetreten. Dafür hatte Washington zehn Millionen US-Dollar gezahlt und überdies vertraglich eine jährliche Pachtsumme zugesagt, die 1936 erhöht worden war. In den Verträgen vom 7. September

1977 wurde die Übergabe des 1914 eröffneten Kanals sowie der Kanalzone an Panama zum 1. Januar 2000 vereinbart. Bedeutung und Tragweite der Abkommen lassen sich daran ablesen, daß seit 1965 über sie verhandelt wurde und ihre Unterzeichnung im Beisein von 18 weiteren amerikanischen Staats- und Regierungschefs erfolgte. Neben dem Grund- und einem Neutralitätsvertrag wurde, einige Wochen später, am 14. Oktober 1977, ein drittes Dokument, eine Interpretationserklärung, unterzeichnet. Darin legten die USA und Panama die einschlägigen Bestimmungen des Neutralitätsvertrages dahin aus, «daß jedes der beiden Länder im Einklang mit seinen Verfassungsvorschriften den Kanal gegen jede Bedrohung seines Neutralitätsstatus verteidigen» werde und folglich das Recht habe, «gegen jeden Angriff und jede Angriffsdrohung» gegen den Kanal einzuschreiten.[24]

Das war ein beachtlicher Erfolg der Carter-Administration. Vergleichbares läßt sich für ihre Europa-Politik nicht sagen. Die Beziehungen der Vereinigten Staaten zum alten Kontinent verschlechterten sich rapide. Das galt vor allem für die Bundesrepublik. Schon vor seinem Amtsantritt hatte Carter seinen künftigen deutschen Partnern signalisiert, daß er die bereits vereinbarte Lieferung deutscher Kernkraftwerke an Brasilien zu unterbinden gedenke, was dann freilich nicht gelang. Am Ende seiner Amtszeit mußten die ohnehin unterkühlten Beziehungen des amerikanischen Präsidenten zum deutschen Bundeskanzler als regelrecht zerrüttet gelten. Das wird noch in der Erinnerung Helmut Schmidts überaus deutlich: «Das Ende der Ära Nixon-Ford-Kissinger war zugleich, das kann man heute klar erkennen, das Ende jener erfolgreichen Phase der Gesamtstrategie des Westens, wie sie zehn Jahre zuvor, im Dezember 1967, von Pierre Harmel in dessen Bericht über die ‹Zukünftigen Aufgaben der Allianz› formuliert worden war ... Carters Vorstellung von der Überlegenheit seiner moralischen Position und seine Überschätzung der Gestaltbarkeit der internationalen Politik, kombiniert mit der Neigung Brzezinskis, sich als Vertreter der Weltmacht ohne viel Aufhebens über die Interessen der deutschen Verbündeten hinwegsetzen zu können: etwas Vergleichbares hatte es im Verhältnis zwischen Washington und Bonn seit Johnsons Umgang mit Erhard nicht mehr gegeben.»[25]

Aber wie so häufig in der Politik der westlichen Verbündeten nach dem Zweiten Weltkrieg hatte auch diese letzte Verschlechterung im deutsch-amerikanischen Verhältnis nicht nur negative Folgen, sondern auch eine positive Kehrseite. Denn einmal mehr trug die amerikanisch-europäische Rivalität einiges zur weiteren Festigung der binneneuropäischen Identität und ihres Kerns, der deutsch-französischen Beziehungen, bei. Hier spielte allerdings auch der Führungswechsel an der Spitze der französischen Republik eine Rolle. Mit Valéry Giscard d'Estaing, einem Vertreter des wohlhabenden französischen Großbürgertums, trat ein Mann das Amt des Staatspräsidenten an, der in den Jahren 1962–1966 und 1969–1974 Minister für Wirtschaft und Finanzen gewesen war und als erfahrener Experte auf diesen Gebieten gelten konnte. Angesichts des Zustandes der Weltwirtschaft war das natürlich eine ideale Voraussetzung für eine erfolgreiche Amtsführung, und es überrascht nicht, daß sich Giscard d'Estaing und Schmidt vorzüglich verstanden. Der Bundeskanzler setzte von Anfang an auf eine enge Zusammenarbeit mit dem neuen Staatspräsidenten. Ein historischer Zufall wollte es zudem, daß sich die Amtszeit des ersteren fast mit derjenigen des letzteren deckte.

Ähnlich wie in der ausgehenden Adenauer-Ära bildete auch jetzt die deutsch-französische Kooperation einen gewissen Ersatz für den partiellen Ausfall des amerikanischen Partners. Gemeinsam gaben Schmidt und Giscard maßgebliche Anstöße für neue Formen des internationalen wirtschaftlichen Krisenmanagements. In diesem Zusammenhang verdient der erste sogenannte Weltwirtschaftsgipfel besondere Beachtung, der vom 15. bis zum 17. November 1975 auf Schloß Rambouillet abgehalten wurde. Teilnehmer waren neben dem Gastgeber Frankreich und dem Mitinitiator Bundesrepublik die USA, Großbritannien, Italien und Japan. Der Achtungserfolg dieser Begegnung trug dazu bei, daß sich die Weltwirtschaftsgipfel als jährliche Treffen einbürgerten. Seit 1976 nahm auch Kanada daran teil. Selbstverständlich, wenn auch nicht expressis verbis, hatten diese Konferenzen in der Zeit des Kalten Krieges neben der genuin wirtschaftlichen immer auch eine politische Dimension. Bis zu seinem Ende blieben sie eine westliche Veranstaltung. Danach wurde Rußland dem Kreis assoziiert, zunächst für drei Jahre als Gast, seit dem 20. Gipfel, der vom 8. bis zum 10. Juli 1994 in Neapel abgehalten wurde, als gleichberechtigter Partner, allerdings vorerst nur bei den politischen, nicht bei den wirtschaftlichen Gesprächen.

Die Gipfelbilanz für die siebziger Jahre war ambivalent. Wohl bewährte sich der informelle und direkte Gedankenaustausch, doch taten sich einzelne Staaten immer wieder schwer bei der Umsetzung ihrer gegebenen Versprechen, etwa bezüglich bestimmter Wachstumsraten. Schließlich schlugen auf dem Londoner Gipfel des Jahres 1977 endgültig die wechselseitigen Animositäten zwischen Carter und Schmidt durch und trübten die Bilanz des Gipfelunternehmens beträchtlich. Der erste Gipfel von Rambouillet 1975, an dem für die Vereinigten Staaten noch ihr Präsident Ford teilnahm, brachte hingegen eine Reihe von Beschlüssen. So wollte man gemeinsame Anstrengungen unternehmen, um die «Abhängigkeit von importierter Energie zu ... verringern». Die Devise des Tages aber hieß: «größtmögliche Handelsliberalisierung».[26]

Insbesondere in diesem Punkt deckten sich die Beschlüsse des ersten Weltwirtschaftsgipfels mit dem entsprechenden Vorhaben der EG. Auch in der Gemeinschaft gab es selbstverständlich den Versuch, vor dem Hintergrund der Weltwirtschaftskrise die Integration auf diesen zentralen Gebieten voranzutreiben; auch hier wurde nach neuen Formen des Krisenmanagements gesucht. Dabei war allen Beteiligten klar, daß Fortschritte auf dem Wirtschaftssektor ohne weitgehende politische Einigkeit und Kooperation nicht zu haben waren. Das Kommuniqué, das zum Abschluß der Treffen der Staats- und Regierungschefs der EG am 10. Dezember 1974 in Paris veröffentlicht wurde, bekundete daher auch abermals «ihren Willen, in allen Bereichen der internationalen Politik, die die Interessen der Europäischen Gemeinschaft berühren, zunehmend gemeinsame Positionen festzulegen und eine abgestimmte Diplomatie zu betreiben.»[27]

Das Feld, auf dem sich dieser Wille sehr bald bewähren mußte, war das der Währungspolitik. Die Folgen der Demontage von Bretton Woods waren noch längst nicht überwunden: Die Installierung der «Währungsschlange» im März 1972 hatte keine dauerhafte Konsolidierung gebracht, weil wichtige Partner ausscherten, so Großbritannien im Juni 1972, Italien im Februar 1973 und Frankreich vom Januar 1974 bis zum Juli 1975 und erneut seit März 1976. Eine Neuregelung war das Gebot der Stunde, und wieder einmal kam der letzte Anstoß von außen, aus den USA. Im Frühjahr 1977 geriet der US-Dollar auf eine neue Talfahrt, welche die amerikanische Währung schließlich im März 1978 unter die magische Zwei-Mark-Grenze drückte. Folgeerscheinungen, nämlich die Aufwertung der D-Mark, verbunden mit Rückschlägen für die deutsche Exportwirtschaft und begleitet von einer offenen Auseinandersetzung Schmidts mit Carter, schufen vor allem in Bonn Handlungsbedarf.

Das Forum, auf dem Schmidt in enger Kooperation mit Giscard d'Estaing die Pläne unterbreitete und schließlich durchsetzte, waren die drei Tagungen des Europäischen Rates im Verlauf des Jahres 1978. Am 5. Dezember 1978 verabschiedeten die Staats- und Regierungschefs das «Europäische Währungssystem» (EWS), das am 13. März des darauffolgenden Jahres in Kraft trat und im Prinzip eine Weiterentwicklung der «Währungsschlange» darstellte. Vereinbart wurden feste Wechselkurse mit einer Schwankungsbreite von 2,25 % nach oben und unten, also einer Bandbreite von 4,5 %, sowie die Einführung einer europäischen Währungseinheit, des «European Currency Unit» (ECU). Dabei handelte es sich vorerst um eine Recheneinheit, um einen «Cocktail», in den die Währungen der Teilnehmer «mit verschiedenem Gewicht eingemischt» wurden, wie Schmidt vor dem Bundestag erläuterte.[28] Gleichzeitig wurde ein System installiert, das rechtzeitige Korrekturen der Währungskurse zuließ. So kam es zum Beispiel bis 1987 zu etwa einem Dutzend Wechselkursanpassungen. Danach wurden für fünf Jahre, bis zum September 1992, keine Anpassungen vorgenommen. Das deutete einerseits auf eine gewisse Festigung des Systems hin und war wohl auch ein Ergebnis der sogenannten «kleinen» EWS-Reform vom September 1987, die es den Zentralbanken ermöglichte, früher in die Kursentwicklung einzugreifen. Andererseits wurden dadurch einige Währungen künstlich aufgewertet und Spannungen erzeugt, die das System fast auseinanderbrechen ließen. Erst am 1. August 1993 wurde die Bandbreite der Wechselkurse auf 15% erhöht und damit das EWS zugleich für viele Beobachter weitgehend außer Kraft gesetzt.

Die Geschichte des EWS war also durchaus symptomatisch für die erheblichen Schwierigkeiten, denen sich der Integrationsprozeß im westlichen Europa gegenübersah. So war der zweite Schritt, die Etablierung einer europäischen Währungsbehörde, ursprünglich bereits für das Jahr 1981 vorgesehen, doch sind konkretere Schritte in diese Richtung erst im Vertrag von Maastricht, also nach dem Kalten Krieg, getan worden. Schließlich umfaßte der Verbund nie alle Mitglieder der Gemeinschaft. Italien trat dem EWS erst nach längerem Zögern und dann zu Sonderkonditionen bei, wurde der Lira doch eine Schwankungsbreite von 6% eingeräumt. Großbritannien war zwar Mitglied der EWS, entzog sich aber weitgehend dem Interventionsmechanismus, im übrigen mit einem Argument, mit dem London ursprünglich der EWG ferngeblieben war und mit dem es die Gemeinschaft auch nach seinem EG-Beitritt immer wieder konfrontiert hatte, nämlich mit den Besonderheiten des britischen Überseehandels und des «Commonwealth». 1992 traten Italien und Großbritannien nach heftigen Wechselkursturbulenzen aus dem Wechselkursmechanismus aus. Spanien und Griechenland schlossen sich mit ihrem jeweiligen EG-Beitritt dem EWS zunächst nicht an.

Überhaupt warf diese sogenannte Süderweiterung der EG zusätzliche, erhebliche Probleme auf. Der griechische Beitritt erfolgte 1981, Portugal und Spanien wurden 1986, nach achtjährigen Verhandlungen, aufgenommen. Für den relativ späten EG-Beitritt dieser drei Staaten waren nicht in erster Linie wirtschaftliche, sondern politische Gründe ausschlaggebend. In allen drei Fällen machte erst der Übergang von der Militärdiktatur zu demokratischen Verhältnissen den Weg frei. Portugal wird in anderem Zusammenhang zu betrachten sein. Im Falle Spaniens ging es immerhin um die Abwicklung einer fast vierzigjährigen Diktatur, die im Zuge des spanischen Bürgerkrieges der Jahre 1936–1939 durch Francisco Franco y Bahamonde errichtet worden war. Was immer über Franco gesagt werden muß, zwei Verdienste wird man ihm nicht absprechen können. Einmal war es ihm gelungen, Spanien weitgehend aus dem Zweiten Weltkrieg herauszuhalten, und das war alles andere als eine Selbstverständlichkeit. Dann aber hat er selbst noch den Weg hin zu jener konstitutionellen Monarchie in Spanien geebnet, die tatsächlich zwei Tage nach seinem Tode am 22. November 1975 erfolgreich etabliert werden konnte, als Juan Carlos I. von Bourbon vereidigt wurde und den spanischen Thron bestieg. Am 18. November 1976 kam es durch das «Gesetz zur politischen Reform» zur Wiedereinführung des Zweikammersystems, am 15. Juni 1977 konnten die Spanier erstmals seit 41 Jahren ihr Parlament wieder frei wählen, und am 29. Dezember des folgenden Jahres trat die neue Verfassung in Kraft.

In Griechenland verlief die Entwicklung insoweit umgekehrt, als hier die totalitäre Epoche zur Beseitigung der 1832 eingerichteten Monarchie führte. In der Nacht vom 13. auf den 14. Dezember 1967 ging König Konstantin II. ins Exil, nachdem er sich nicht gegen jene Gruppe von Obristen um Georgios Papadopoulos hatte behaupten können, die mit einem Staatsstreich am 21. April an die Macht gekommen war. Dort vermochten sie sich allerdings nur sieben Jahre zu halten. Den Anlaß für den Zusammenbruch des Militärregimes und die Wiederberufung von Konstantinos Karamanlis zum Ministerpräsidenten am 24. bzw. 25. Juli 1974 bildete ein Konflikt, der seine Wurzeln im 19. Jahrhundert hatte: Zypern. Bis 1878 unter türkischer, danach unter britischer Kontrolle, hatte die Insel erst 1960 ihre Unabhängigkeit erlangt. An der Spitze des Staates stand Erzbischof Makarios III. Dem Staatspräsidenten gelang es freilich nicht, das brisanteste Problem der Insel in den Griff zu bekommen. Vielmehr führte die gemischte griechische und türkische Bevölkerungsstruktur Zyperns nicht selten bis an den Rand eines militärischen Konfliktes. So reagierte zum Beispiel Ankara im August 1964 auf die Vertreibung von Zyprioten türkischer Abstammung aus dem mehrheitlich von Griechen bewohnten Nordteil der Insel mit Luftangriffen auf Ortschaften griechischstämmiger Zyprioten. An dieser Entwicklung vermochte die UNO, die seit März 1964 Friedenstruppen auf der Insel stationiert hatte, ebensowenig zu ändern wie die NATO, der ja sowohl Griechenland als auch die Türkei angehörten.

Am 15. Juli 1974 inszenierte die unter erheblichem inneren Druck stehende Athener Militärjunta einen Putsch gegen Makarios, der sich zuvor geweigert hatte, einem Anschluß Zyperns an Griechenland zuzustimmen und damit eine Forderung zu erfüllen, die seit der Proklamation der griechischen Unabhängigkeit im Jahre 1822 immer wieder erhoben worden war. Das griechische Vorgehen bildete nun für die Türkei einen willkommenen Vorwand, um am 20. Juli Truppen auf Zypern zu landen und die strittige Frage im Sinne Ankaras zu lösen. Bereits zwei Tage später kam es auf internationalen Druck hin zu einem Waffenstillstand, der allerdings das Problem nicht aus der Welt schaffen konnte. Der Zypern-Konflikt verwies vielmehr über das Ende des Kalten Krieges hinaus auf den häufig unterschätzten Umstand, daß sich zwei NATO-Partner in einem Verhältnis zueinander befanden, das nicht selten dem Kriegszustand glich. Immerhin bildete die türkische Invasion Zyperns den letzten Anstoß für den Sturz der Athener Militärjunta und damit für die Rückkehr Griechenlands zur Demokratie. Am 11. Juni 1975 trat die neue Verfassung in Kraft, dergemäß Griechenland – nach einer Volksabstimmung – eine Republik blieb. Bereits am 28. November des vorausgegangenen Jahres war Griechenland wieder als Vollmitglied in den Europarat aufgenommen worden. Und für diesen Schritt galt ebenso wie für die spätere Aufnahme Griechenlands, aber auch Portugals und Spaniens in die EG, daß sie einen Beitrag zur inneren Stabilität dieser Länder und damit zur Konsolidierung des demokratischen Europa leisten sollten.

Der Festigung des demokratischen Prinzips dienten auch die ersten Wahlen zum Europäischen Parlament. Sie bedeuteten zugleich eine erhebliche Aufwertung einer Institution, die schon seit dem September 1952 als beratende «Gemeinsame Versammlung» der EGKS existierte, aber ein Schattendasein führte. Daran hatte auch die förmliche Annahme des Titels «Europäisches Parlament» durch die Versammlung selbst 1962 wenig ändern können. Auf ihrem Pariser Gipfel hatten die Staats- und Regierungschefs am 10. Dezember 1974 festgestellt, daß das im Vertrag festgelegte Ziel «allgemeiner Wahlen zum Europäischen Parlament so bald wie möglich verwirklicht werden sollte».[29] Als Datum wurde das Jahr 1978 angestrebt. Ein entsprechender Ministerratsbeschluß vom 20. September 1976 machte endgültig den Weg für die ersten direkten und allgemeinen Wahlen zum Europäischen Parlament frei. Sie wurden vom 7. bis zum 10. Juni 1979 abgehalten und brachten eine knappe Mehrheit für die sozialistischen und sozialdemokratischen Parteien.

Der mehrtägige Wahltermin erklärte sich aus den unterschiedlichen Wahltagen in den einzelnen Mitgliedsländern. Auch waren die Teilnehmerstaaten im Vorfeld der Wahl nicht in der Lage, sich auf ein einheitliches System zu verständigen. Angesichts der sehr unterschiedlichen Wahlbeteiligung, die zum Beispiel in Großbritannien mit gut 32 % extrem niedrig, in der Bundesrepublik mit knapp 66 % vergleichsweise hoch war, vor allem aber wegen der unterschiedlichen Wahlverfahren fragte sich manch einer, wie repräsentativ die Versammlung sein konnte. Zudem stellten die Bundesrepublik, Frankreich, Italien und Großbritannien trotz der unterschiedlichen Bevölkerungszahl jeweils 81 der insgesamt 410 Abgeordneten. Tatsächlich regten sich in einigen Ländern, so zum Beispiel in Frankreich, erhebliche Widerstände gegen die Übertragung «echter» parlamentarischer Befugnisse auf die in Straßburg tagende europäische Volksvertretung. Vorerst waren die Kompetenzen dieses ersten direkt gewählten Parlaments äußerst eingeschränkt. Immerhin hatten die Parlamentarier die Möglichkeit, den EG-Etat global abzulehnen. Außerdem konnten sie sich vor dem Rat zu Vorschlägen der Kommission äußern und so gelegentlich Änderungsvorschläge einbringen.

Insgesamt blieb der Ministerrat das für die politischen Entscheidungen maßgebliche Organ. Seit der Legislaturperiode des ersten Parlaments gab es bei den Regierungen Europas wenig Neigung, an diesen Kompetenzen etwas zu ändern. Vielmehr ging ganz allgemein die Sorge um, das Parlament könne die Arbeit des Ministerrates blockieren oder doch verlangsamen und damit den mühsamen Entscheidungsprozeß noch weniger effizient gestalten, als er vielen ohnehin zu sein schien. Außerdem herrschte die Auffassung vor, daß die Außenpolitik, EPZ hin oder her, eine Domäne der nationalen Regierungen bleiben müsse. Das galt für alle Staaten der EG, jedenfalls für die größeren und nicht zuletzt für die Bundesrepublik.

Bonn wollte auch unter der neuen Regierung Schmidt/Genscher seine Deutschland- und Ostpolitik fortsetzen, und die war nun einmal nicht als gesamteuropäisches Unternehmen zu betreiben. Genau genommen entwickelte sie Mitte der siebziger Jahre sogar eine noch größere Eigenständigkeit als zuvor. Manchen Zeitgenossen drängte sich gar der Eindruck auf, daß die Bonner Ost- und Deutschlandpolitik zusehends um ihrer selbst willen betrieben wurde. Der Alleingang mußte bei Nachbarn und Verbündeten irritieren, weil er mit beträchtlichen Zugeständnissen an die Machthaber in Warschau, Moskau oder Ost-Berlin verbunden war. Diese nämlich ließen sich die von Bonn sehnlich erwünschte Kooperationsbereitschaft teuer bezahlen.

Es sei für den Augenblick dahingestellt, welche Folgen diese Politik gezeitigt hat. Man wird sich aber hüten müssen, sie vom Ende her zu betrachten und zu beurteilen. Was 1989 passierte, war 15 Jahre zuvor schlechterdings nicht zu erahnen: der Zusammenbruch der Sowjetunion und ihres Imperiums nicht, der Ruin der kommunistischen Systeme nicht, und der Mauerfall und damit die sich eröffnende Möglichkeit einer (Wieder-)Vereinigung der beiden deutschen Teilstaaten schon gar nicht. Fest steht allerdings auch, daß die Ost- und Deutschlandpolitik der Bundesregierung in der zweiten Hälfte der siebziger Jahre, wenn auch vielleicht ungewollt, zur Stabilisierung der Systeme in Ost- und Mitteleuropa beigetragen hat. Das gilt in besonderem Maße für das SED-Regime. Selbst Rudolf Augstein, eine der gewichtigsten publizistischen Stützen sozialliberaler Politik, wurde nach dem Kalten Krieg nachdenklich: «Wir haben das alle falsch eingeschätzt. Wir haben diesen Staat, die DDR, am Leben gehalten ... Wir haben dem gesamten Ostblock ... eine Lebenszeit zugetraut, die über die unsrige weit hinausgehen würde.»[30]

Die Entwicklung der deutsch-deutschen Beziehungen glich nach wie vor einer Springprozession: zwei Schritte vor, ein Schritt zurück. Gemeinsam war Bonn und Ost-Berlin das Bestreben, nicht Opfer der «großen Politik» zu werden, also ihre eigenständige Normalisierungspolitik nicht in den Sog der allgemeinen Klimaverschlechterung seit den ausgehenden siebziger Jahren hineinziehen zu lassen. Die Voraussetzungen für Geschäfte blieben gut, weil jeder vom anderen etwas wollte, was dieser ohne große Verrenkungen auch bieten konnte. Dabei handelte es sich um altbekannte Interessen, um Zielsetzungen, welche die Deutschlandpolitik beider Seiten seit ihren Anfängen bestimmt hatten: Bonn ging es um menschliche Erleichterungen für die Bewohner der DDR, dieser ging es um Devisen und um die Anerkennung auf möglichst vielen Ebenen. Dahinter verbarg sich das unschwer zu erkennende Fernziel Pankows, durch die Kooperation die Abgrenzung zu fördern und in der Zusammenarbeit ein klares Profil als eigenständiger, souveräner, gleichrangiger Akteur auf der internationalen Bühne zu gewinnen. Dieses Fernziel mußte mit den großen Perspektiven der Bonner Deutschlandpolitik, also mit dem Prinzip des

«Wandels durch Annäherung», zwangsläufig kollidieren. Aber die DDR saß am längeren Hebel. Daran ließ sie zu keinem Zeitpunkt einen Zweifel. Bei dieser Ausgangslage war nicht mit spektakulären Ergebnissen zu rechnen. Die Beziehungen beschränkten sich auf die mühsame Fortschreibung dessen, was die Ergänzungsvereinbarungen zum Viermächte-Abkommen und der Grundlagenvertrag gebracht hatten. «Folgeverhandlungen» nannte man das damals. Zunächst einmal mußten allerdings die Beziehungen zueinander formalisiert werden. Das geschah am 14. März 1974 mit der Unterzeichnung des Protokolls über die Einrichtung Ständiger Vertretungen in Bonn bzw. Ost-Berlin.[31] Bei diesen lag auch in der Regel die Federführung der Verhandlungen. Die Themen reichten vom Post- und Fernmeldewesen, über Wirtschaft und Handel sowie Problemen des Transitverkehrs bis hin zu Grenz- bzw. Gebietsaustauschfragen.

Fortschritte wurden vor allem dort erzielt, wo die DDR auf sie angewiesen war, also bei Wirtschafts-, Handels- und Kreditfragen. Die Grundlage bildete die am 6. Dezember 1968, in der Zeit der Großen Koalition, geschlossene Vereinbarung über den innerdeutschen Handel, zu deren zentralen Bestandteilen der «Swing», ein zinsloser Überziehungskredit, gehörte. Er wurde ursprünglich jeweils im Januar «dynamisiert». Der Vorteil für die DDR lag auf der Hand: Der «Swing» brachte ihr erhebliche Einsparungen an Zinsen, also an Devisen. Die erste Vereinbarung bezog sich auf die Jahre 1969–1975. Seit 1974 war für das Auslaufen das Jahresende 1981 vorgesehen, und am 17. Dezember 1981 wurde die Vereinbarung um ein halbes Jahr, bis zum 30. Juni 1982, verlängert. Am 18. Juni 1982 und am 5. Juli 1985 wurden weitere Abkommen mit jeweils modifizierten Bedingungen unterzeichnet. Wie wichtig die Abkommen für die DDR waren, zeigte deren auffälliges Entgegenkommen während der Verlängerungsverhandlungen des Jahres 1974: So senkte Ost-Berlin wieder den Mindestumtausch für DDR-Reisende und insbesondere für Rentner. Am 9. Dezember wurde sogar offiziell der Beschluß bekanntgegeben, den Mindestumtausch für Rentner ganz aufzuheben und Reisen von Bundesbürgern in die DDR allgemein zu erleichtern. So war nunmehr die Benutzung des eigenen Pkws gestattet.

Wesentlich zäher ging es bei den für die Bundesrepublik wichtigen Verhandlungen über einen Gebietsaustausch und über die Festlegung des Verlaufs der gemeinsamen «Grenze» zu. Die erheblichen Probleme, die sich bei den Verhandlungen über die Grenzfeststellung im Elb-Abschnitt zwischen Schnakenburg und Lauenburg ergaben, offenbarte schon die Sprachregelung: Für die DDR ging es um eine «Grenzfestlegung», für die Bundesrepublik um eine «Grenzfeststellung». Immerhin konnte am 29. November 1978, nach beinahe sechsjährigen Verhandlungen, ein Protokoll unterzeichnet werden, in dem die Ergebnisse gebilligt wurden. Eine sogenannte Grenzdokumentation legte unter anderem die deutsch-deutsche Grenze auf der gesamten Länge von 1 296,7 Kilometern fest.

Schon die umständliche Formulierung des Titels spricht für sich. Das Dokument hieß «Protokoll zwischen der Regierung der Bundesrepublik Deutschland und der Regierung der Deutschen Demokratischen Republik über Überprüfung, Erneuerung und Ergänzung der Markierung der zwischen der Bundesrepublik Deutschland und der Deutschen Demokratischen Republik bestehenden Grenze, die Grenzdokumentation und die Regelung sonstiger mit dem Grenzverlauf im Zusammenhang stehender Probleme (mit Protokollvermerk und Anhängen)». Es enthielt unter anderem genaue Beschreibungen und Zeichnungen eines eckigen «Grenzpfahls», eines «Grenzpfahls (rund)», einer «Grenzboje», einer «Leuchttonne mit Flüssigkeitsdruckfaß» und anderem mehr.[32] Gleichzeitig wurden etwa 20 weitere Teilvereinbarungen, Protokollvermerke etc. geschlossen, unter anderem über die Trinkwasserversorgung in grenznahen Gemeinden.

Nicht weniger schwierig gestalteten sich die Verhandlungen über Verkehrsfragen. Zwei Abkommen vom 16. November 1978 und vom 30. April 1980 legten unter anderem den Bau einer neuen Autobahn von Berlin nach Hamburg, die Verbreiterung eines Abschnitts des Mittellandkanals und die Errichtung des zweigleisigen Eisenbahnverkehrs zwischen Berlin und Helmstedt fest. Die Frage, wer den Hauptteil der finanziellen Lasten trug, erübrigt sich. Die Gesamtsumme aller Verpflichtungen, welche die Bundesrepublik bis 1984 für den Ausbau der Transitstrecken übernahm, belief sich auf 2,2 Milliarden D-Mark, von denen mehr als die Hälfte für den Ausbau der schließlich am 20. November 1982 eröffneten Autobahn Hamburg-Berlin aufgewandt werden mußten. Keine Frage: Zahlungen dieser Art waren für den SED-Staat von vitaler Bedeutung. Seine Repräsentanten zögerten daher nicht, sich alles und jedes in Devisen entgelten zu lassen. Für sie war der Bau der Autobahn aus Bundesmitteln eine Sache, deren Benutzung eine andere. So zahlte die Bundesrepublik jährlich, nach dem Stand von 1985, eine Transitpauschale von 525 Millionen D-Mark, eine Straßenbenutzungspauschale von 50 Millionen D-Mark oder zum Beispiel auch eine Postpauschale, letztere eine Art Gegenleistung für das im März 1976 zwischen Bonn und Ost-Berlin geschlossene Abkommen über das Post- und Fernmeldewesen.[33]

Für Bonn waren diese Geschäftsbeziehungen also ausgesprochen kostspielig und im Grunde eine politische Erpressung, aber letztlich nicht zu ändern, solange man erstens West-Berlin nicht aufgeben, zweitens menschliche Erleichterungen für die Bewohner der DDR erwirken und drittens am Prinzip des «Wandels durch Annäherung» festhalten wollte, auch wenn diese Form der Annäherung ganz offensichtlich weniger einen Wandel als vielmehr eine Stabilisierung der Verhältnisse zur Folge hatte. So kam es, daß der im übrigen in jeder Hinsicht stärkere Teil Deutschlands sich den Launen des in jeder Hinsicht – außer eben dieser einen – schwächeren Teils zu fügen hatte. Und so erklärt sich auch der Dauerbrenner in den deutsch-deutschen Beziehungen, das Thema «Gipfeltreffen».

Diese Spitzentreffen, die 1970 mit dem wichtigen, Hoffnungen wekkenden Besuch Willy Brandts in Erfurt begannen und mit der Visite Erich Honeckers in Bonn und anderen Orten der Bundesrepublik 1987 ihren Abschluß fanden, vollzogen sich nach einer ungeschriebenen Regel: Sie wurden zusehends peinlicher – jedenfalls für die Bonner Republik. Das Argument, durch solche Begegnungen könne Einfluß auf das Regime genommen und damit der andere deutsche Teilstaat im Interesse seiner Bürger verändert werden, vermochte von Mal zu Mal weniger zu überzeugen. Das gilt auch für die drei Begegnungen Helmut Schmidts mit Erich Honecker von denen zwei, nämlich die Begegnungen im Rahmen des KSZE-Gipfels sowie am Rande der Beisetzungsfeierlichkeiten für Tito am 8. Mai 1980, eher zufällig zustandekamen und das dritte, der sogenannte Gipfel in der Uckermark im Dezember 1981, als höchst problematisch zu gelten hatte. Davon wird noch die Rede sein.

Den Beteiligten war klar, daß eine wie immer geartete Fortsetzung des deutsch-deutschen Dialogs ohne die Zustimmung bzw. den ausdrücklichen Wunsch Moskaus keine Chance hatte. Schon deshalb bildeten die Beziehungen zur Sowjetunion auch weiterhin den Dreh- und Angelpunkt der Bonner Ost- und Deutschlandpolitik. Im Zentrum standen die Themen Handel und Wirtschaft. So wurden bereits beim ersten Moskau-Besuch des Bundeskanzlers vom 28. bis zum 31. Oktober 1974 mehrere Abkommen und Verträge unterzeichnet, unter anderem, wie Helmut Schmidt dem Deutschen Bundestag nach seiner Rückkehr erläuterte, das «Dritte *Erdgas/Röhren-Abkommen* über die Lieferung von etwa 60 Milliarden Kubikmeter sowjetischen Erdgases in die Bundesrepublik im Zeitraum zwischen 1978 und dem Jahre 2000», und zwar im Austausch gegen Großröhren und Ausrüstung für die sowjetische Erdgasindustrie aus deutscher Produktion. Hinzu kamen ein «Vertrag über die Lieferung von 9000 *Schwerlastkraftwagen* von Klöckner-Humboldt-Deutz» in die Sowjetunion sowie ein «Abkommen über die weitere Entwicklung der wirtschaftlichen Zusammenarbeit», in das Berlin «voll einbezogen» war.[34]

Diese Einbeziehung West-Berlins in die einschlägigen Verträge Bonns mit seinen östlichen Nachbarn war einerseits, jedenfalls seit dem Prager Vertrag von 1973, fast eine Selbstverständlichkeit, andererseits aber auch wieder nicht: So gelang es der Regierung Schmidt ebensowenig wie ihrer Vorgängerin, ein Abkommen über die wissenschaftlich-technische Zusammenarbeit zu unterzeichnen, weil eben keine Einigung über die Einbeziehung Berlins gefunden werden konnte. Immerhin wurden die Schikanen im Berlin-Verkehr, mit denen die DDR auf die Diskussionen um die Einrichtung des Umweltbundesamtes reagierte, im August 1974 eingestellt, und das wohl auch auf Druck des Kreml.

Für die UdSSR entwickelte sich die Bundesrepublik zum wichtigsten westlichen Handelspartner. So wurde beim Besuch Breschnews in Bonn vom 4. bis zum 7. Mai 1978, der ersten Visite eines sowjetischen Staatsoberhaupts in der Bundesrepublik, unter anderem ein Wirtschafts- und Industrieabkommen unterzeichnet, das immerhin eine Laufzeit von 25 Jahren hatte. Dennoch dürfen die Relationen nicht aus dem Blick geraten: Der Anteil des sowjetischen Warenaustausches mit der Bundesrepublik belief sich 1978 auf 4,7 % des gesamten sowjetischen Außenhandels, gefolgt von demjenigen mit Finnland, der 3,1 % ausmachte.[35]

Freilich hatte diese vergleichsweise gut funktionierende wirtschaftliche Kooperation immer auch politische Bedeutung. Sie bildete den soliden Grundstock in einer Zeit, als die Früchte der Entspannung zu faulen begannen und sich in den ausgehenden siebziger Jahren ein erneuter Klimasturz in Europa anbahnte. In dieser Situation schien die gute Atmosphäre im Bereich der Wirtschaftsbeziehungen beider Staaten sogar eine Möglichkeit zu bieten, in strittigen politischen bzw. sicherheitspolitischen Fragen Verständigungsbereitschaft zu signalisieren. So ließ sich Breschnew auf ausdrücklichen Wunsch Schmidts darauf ein, in einer gemeinsamen Erklärung vom 6. Mai 1978 nicht auf einer Formulierung zu bestehen, die von einer annäherungsweisen Gleichheit der Rüstung in Europa ausging.[36] Vielmehr hieß es dort, «daß annähernde Gleichheit und Parität zur Gewährleistung der Verteidigung ausreichen».[37]

Anlaß für diese Formulierungskünste waren die stagnierenden MBFR-Verhandlungen bzw. ihre eigentliche Ursache, die umfassende Aufrüstung der Sowjetunion sowohl im nuklearen als auch im konventionellen Bereich, und dort wiederum sowohl bei den Land- als auch bei den Seestreitkräften. Diese Hochrüstung gewann in den siebziger Jahren noch zusätzlich an Dynamik und wirft die Frage nach ihren Gründen und nach dem Zeitpunkt auf. Im Rückblick wird klarer, als es den meisten zeitgenössischen Beobachtern sein konnte, daß es sich bei den sowjetischen Rüstungsmaßnahmen der siebziger Jahre um die Ergebnisse bzw. Spätfolgen einer grundlegenden Entscheidung handelte.

Militärstrategien lassen sich nicht über Nacht umstellen, und die Entwicklung neuer Waffentypen oder Waffensysteme, die häufig mit solchen Planungen Hand in Hand geht, braucht ihre Zeit. Das gilt auch für das in der zweiten Hälfte der siebziger Jahre erkennbar werdende sowjetische «Streben nach konventioneller Kriegführungsfähigkeit für Europa»,[38] dessen Ursprünge in den späten sechziger Jahren lagen. Seine Umsetzung erfolgte in den späten siebziger und frühen achtziger Jahren während der Amtszeit des sowjetischen Generalstabschefs Nikolaj Ogarkow, weshalb die besagte Entwicklung im Westen auch als «Ogarkow-Revolution» bezeichnet worden ist. Ogarkow wurde im übrigen 1984 aus dem Amt entfernt, weil er öffentlich Kritik an der zu geringen Erhöhung der Verteidigungsausgaben geübt hatte. Seine Absetzung ist zugleich, ähnlich wie diejenige eines seiner Vorgänger, Marschall Schukows im Jahre 1957, ein Beispiel dafür, daß in der Sowjetunion bis in die Endzeit des Kalten Krieges hinein das Militär der politischen Führung weitgehend untergeordnet war und blieb. Auch das hat sich mit dem Zusammenbruch der östlichen Vormacht geändert. Der Konflikt Moskaus mit der 14. russischen Armee in Moldawien bzw. in «Transnistrien» hatte 1992 erstmals deutlich werden lassen, daß nunmehr Teile der russischen Armee ihre «eigene Außenpolitik» trieben.[39]

Wie sich Ogarkow die Kriegführung der Zukunft vorstellte, legte er 1979 in einem Beitrag für die «Sowjetische Militärenzyklopädie» dar: «Die sowjetische Militärstrategie geht davon aus, daß ein Weltkrieg begonnen und für eine gewisse Zeitspanne ausschließlich mit konventionellen Waffen geführt werden kann. Aber die Ausdehnung militärischer Aktionen könnte zu dessen Eskalation zu einem allgemeinen Nuklearkrieg führen, der dann vornehmlich mit strategischen Nuklearwaffen geführt werden würde.»[40] Die komplexen Schlußfolgerungen aus solchen Überlegungen bestanden in einer Intensivierung der sowjetischen Rüstung sowohl für die konventionellen Streitkräfte als auch für das nukleare strategische Potential. Im ersten Fall lag das Schwergewicht auf einer Erhöhung der Kapazitäten und einer Steigerung der Effizienz. Im zweiten ging es vordringlich um eine Modernisierung der Systeme. Die Umstellung der Strategie auf eine verstärkte konventionelle Kriegführungsfähigkeit in Europa im Sinne Ogarkows erklärt auch, warum sich Moskau bei den MBFR-Verhandlungen in keiner Weise konzessionsbereit zeigte, bei den SALT-Verhandlungen hingegen auf Fortschritte bedacht war. Daß Ende der siebziger und Anfang der achtziger Jahre die sowjetischen nuklearen Mittelstreckenraketen die Aufmerksamkeit des Westens auf sich zogen, hatte mit dieser Umstellung der sowjetischen Militärdoktrin nicht nur wenig zu tun, sondern stand ihr in gewisser Weise sogar im Wege. Denn Entwicklung, Produktion und Stationierung der «SS 20» waren Spätfolgen der Verabsolutierung der Nuklearwaffen in der Chruschtschow-Ära.

Aus westlicher Sicht war es von zweitrangiger Bedeutung, wie sich die sowjetischen Rüstungsmaßnahmen seit Mitte der siebziger Jahre erklärten. Für die europäische Sicherheit war die Kombination aus konventioneller und – im Mittelstreckenbereich – nuklearer Hochrüstung bedrohlich. Washington registrierte mit nervöser Aufmerksamkeit, daß die Konventionalisierung der sowjetischen Militärstrategie von einer nachhaltigen Aufrüstung der zweiten Weltmacht zur See begleitet wurde. Das war neu. Auch hier lagen die Anfänge in den fünfziger und sechziger Jahren, als die amerikanische Marine 1958 im Libanon ungehindert zum Einsatz kam und 1962 während der Kuba-Krise ihre erdrückende Überlegenheit demonstrierte. Unter dem Eindruck dieser Erfahrungen führte die Sowjetunion das nächst dem amerikanischen Flottenausbau im Zweiten Weltkrieg eindrucksvollste «Flottenbauprogramm der Geschichte» durch.[41] Auch die Umsetzung dieses Vorhabens wurde erst Jahre später erkennbar. 1968 begann Moskau mit der permanenten Dislozierung sowjetischer

Kriegsschiffe in den Indischen Ozean, zwei Jahre später mit dem Bau des ersten Flugzeugträgers der «Kiew»-Klasse. 1973 kam es im Zuge der Nahostkrise zur schwersten Konfrontation zur See im gesamten Zeitraum zwischen dem Ende der Kuba-Krise und dem Ende des Kalten Krieges, und im April 1975 nahmen am sowjetischen Marine-Manöver «Okean 75» immerhin 220 Schiffe aller fünf Flotten teil.

So ergab sich Mitte der siebziger Jahre aus westlicher Sicht eine recht eindeutige Bilanz: Die Sowjetunion trat nunmehr auch in unmittelbare Konkurrenz zur amerikanischen Seemacht. Im einzelnen haben den Kreml mehrere Motive bewogen, diesen aussichtslosen Wettkampf aufzunehmen – neben militärstrategischen offenkundig auch politische. Die Präsenz der sowjetischen Marine in Regionen, in denen zuvor kaum ein sowjetisches Kriegsschiff gesichtet werden konnte, etwa im Indischen Ozean, war eine Demonstration der Gleichrangigkeit und zugleich ein Signal an die Adresse der jungen Staaten der Dritten Welt. Indem sich die Sowjetunion auch hier als vollwertige Supermacht präsentierte, gewann sie tatsächlich oder vermeintlich an Profil. Das konnte, so das Kalkül, nur die Attraktivität des «alternativen Modells» für die Dritte Welt steigern.

Ein auch nur annähernder Gleichstand der sowjetischen mit der amerikanischen Seerüstung war schon im Hinblick auf den gewaltigen Nachholbedarf nie und nimmer zu erreichen. Noch Mitte der siebziger Jahre führte ein einziger amerikanischer Flugzeugträger mehr Munition mit sich als die gesamte sowjetische Überseeflotte.[42] Indem sich die Sowjetunion auch in dieser Waffengattung auf einen Wettlauf einließ, tat sie zugleich einen weiteren Schritt auf dem Weg hin zur allgemeinen Überforderung ihrer Kräfte und Ressourcen. Es ist auch heute noch schwer zu sagen, ob und in welchem Maße die maritime Hochrüstung der Sowjetunion in den USA als ernstzunehmende Gefährdung amerikanischer Interessen betrachtet werden mußte. Natürlich wußten die Strategen im Pentagon genau, daß der Stapellauf des ersten sowjetischen Flugzeugträgers mit vergleichsweise geringer Schlagkraft im Jahre 1973 angesichts der 14 amerikanischen Trägergruppen noch keine Verschiebung der maritimen Kräfteverhältnisse bedeutete. Für die Reaktionen Washingtons war die Beobachtung wichtiger, daß der Aufbau der sowjetischen Seemacht und die Herausforderung der Vereinigten Staaten auf diesem Gebiet mit anderen Maßnahmen einhergingen bzw. zusammenfielen.

Nicht nur wurde eine neue Runde sowjetischer Hochrüstung im nuklearen Bereich registriert, und zwar sowohl bei den Mittelstreckenraketen als auch bei den strategischen Systemen, vielmehr zeigte Moskau in der zweiten Hälfte der siebziger Jahre auch wieder in der Dritten Welt Flagge. Aus amerikanischer Sicht war das ein klarer Bruch der «Linkage»-Idee, die – wenn auch nirgends schriftlich fixiert – dem amerikanisch-sowjetischen Verhältnis seit 1972 zugrunde lag. Sie war Anfang der siebziger Jahre entwickelt worden und bildete die Antwort Washingtons auf sowjetische Aktivitäten in der Dritten Welt. Allein im Jahre 1970 waren unter anderem die regelmäßige Benutzung eines kubanischen Flottenstützpunktes durch sowjetische U-Boote, die Stationierung sowjetischer Boden-Luft-Raketen am Suez-Kanal und der syrische Einmarsch nach Jordanien zu beobachten gewesen, mit dem die Palästinenser gegen König Hussein unterstützt werden sollten und der schwerlich ohne die Rückendeckung des Kreml stattgefunden hätte. Diese sowjetischen Umtriebe waren deshalb so bedenklich, weil sie in eine Zeit fielen, in der die Regierung Nixon den Rückzug der USA aus Vietnam einzuleiten versuchte. Und der war eben gegen die Sowjetunion nicht zu haben, von einem zusätzlichen amerikanischen Engagement in anderen Teilen der Welt gar nicht zu reden.

Also verfiel die Nixon-Kissinger-Administration auf die Idee, den Sowjets für ihre Zurückhaltung in der Dritten Welt das zu bieten, was diese seit den Anfängen des Kalten Krieges um fast jeden Preis anstrebten: die Gleichrangigkeit als zweite Weltmacht neben den USA. Die am 26. Mai 1972 in Moskau unterzeichneten Vereinbarungen, darunter das erste SALT-Abkommen, schrieben sie fest. Überdies brachte die amerikanische Selbstbeschränkung insbesondere bei den ABM-Systemen und den Mehrfachsprengköpfen – und damit die allgemeine Verlangsamung des nuklearen Rüstungswettlaufs – eine nicht unerhebliche Entlastung für die sowjetische Wirtschaft. Das war dem Kreml offensichtlich soviel wert, daß er sich tatsächlich einige Jahre in der Dritten Welt zurückhielt.

Diese Abstinenz brachte indessen für Moskau nicht unerhebliche Probleme mit sich. In dem Maße nämlich, in dem die Sowjetunion aus übergeordneten weltpolitischen Motiven ihr Engagement in der Dritten Welt zumindest nicht weiter verstärkte, nutzte ein Rivale die sich so eröffnende «Marktlücke». Schon 1955, in Bandung, hatte sich China wirkungsvoll in Szene zu setzen gewußt. Mit der Afrika-Reise des gewieften Taktikers Tschou En-lai begann Maos Volksrepublik um die Jahreswende 1963/64 auf dem Schwarzen Kontinent aktiv zu werden. Allerdings waren diese Aktivitäten ursprünglich nicht nur die Umsetzung eines Programms, sondern auch Ausdruck «einer Verlegenheit»: Das Verhältnis zur Sowjetunion verschlechterte sich, wie gesehen, zusehends, und eine Besserung der Beziehungen zu den Vereinigten Staaten war – schon wegen deren rasch wachsendem Engagement in Südostasien – nicht in Sicht. Die Dritte Welt bot also dem Land der Mitte vorerst den einzigen «Spielraum» für weltpolitische Betätigung.[43]

Durch Angebote, die teilweise konkurrenzlos waren, offerierte sich China als die wahre Alternative zu überkommenen Strukturen, denen nach Pekinger Lesart ohne Umstände auch die sowjetischen zugerechnet wurden. In der Tat, war nicht China das erfolgreiche Beispiel für ein Land, das sich aus eigener Kraft von kolonialer Vorherrschaft und ideologischer Überfremdung befreit und einen der Dritten Welt angemessenen Weg in die Zukunft eingeschlagen hatte? Die chinesische Variante der Entwicklungshilfe, etwa der am 5. September 1967 vertraglich vereinbarte und 1975 beendete Bau der über 1 800 Kilometer langen Eisenbahn von Dar es-Salam nach Sambia, wurde nicht nur in der Dritten Welt mit großer Aufmerksamkeit zur Kenntnis genommen. Es konnte Chinas Stellung nur stärken, daß sich die Volksrepublik, wenn nötig, selbst der Dritten Welt zurechnete. Am 10. April 1974 erläuterte Deng Xiaoping vor der UNO die chinesische Version der «Dreiwelten-Theorie». Danach formten die beiden Vormächte USA und UdSSR die Erste, die hochentwickelten Staaten in West und Ost die Zweite und die unterentwickelten Länder die Dritte Welt.[44]

Keine Frage, China hatte sich von den schweren Folgen der «Kulturrevolution» erholt. Nicht nur zeigte Peking auf dem internationalen Parkett wieder Flagge, es erhob auch den Anspruch, eine Führungsmacht zu sein. Das war ein kluger Schachzug. Sollten sich doch die beiden Supermächte gegenseitig herausfordern und auf diese Weise neutralisieren! Peking war entschlossen, den dadurch entstandenen Freiraum zu nutzen, und sich als Primus inter pares mit Hilfe der Dritten Welt eine Position zu verschaffen, die der Volksrepublik in Zukunft gleichsam von selbst die Rolle eines Hauptakteurs der Weltpolitik zuspielen würde. Gewiß, Geduld war gefordert, aber an der mangelte es nicht.

An der Moskwa wurden diese Versuche des einstigen Verbündeten und ideologischen Rivalen, in der Dritten Welt eine eigene Klientel um sich zu scharen, mit größtem Mißtrauen zur Kenntnis genommen. Die ersten Erfolge der chinesischen Politik in Afrika waren alarmierend, mochten sie noch so bescheiden sein. Und man geht gewiß nicht fehl, in der sowjetischen Politik gegenüber der Dritten Welt seit Mitte der siebziger Jahre auch eine Reaktion auf den Vorstoß des chinesischen Konkurrenten zu sehen. Jedenfalls entfaltete Moskau in fast allen Weltgegenden neue Aktivitäten. Das gilt für Angola und Äthiopien ebenso wie für Kuba, Vietnam oder Afghanistan.

Das sowjetische Engagement blieb nicht ohne Folgen: Langfristig hat es mit zu jener Überforderung der Kräfte und Ressourcen beigetragen, die einen mächtigen Anstoß für den Kollaps der Sowjetunion und ihres Imperiums bilden sollte. Kurzfristig führte es zur Preisgabe der amerikanischen «Linkage»-Politik und damit in eine erneute Konfrontation der beiden Supermächte. Die Dritte Welt ist in der zweiten Hälfte der siebziger Jahre auch in dieser Hinsicht und jedenfalls insoweit ein Brennpunkt des Geschehens geworden, als sie die beiden Vormächte der Welt wiederholt zu Interventionen veranlaßte.

Dabei wurden unterschiedliche Wege eingeschlagen. Gemeinsam war ihnen lediglich, daß sie allesamt zur allgemeinen Abkühlung des internationalen Klimas beitrugen. Das galt selbst für die Fortschritte im nahöstlichen

Friedensprozeß, weil diese weitgehend auf einen amerikanischen Alleingang zurückzuführen waren. Am 17. September 1978 schlossen Israel und Ägypten in Camp David, dem Landsitz des amerikanischen Präsidenten, ein Abkommen zur Anbahnung des Friedens. Sie setzten damit eine Politik fort, die mit den beiden Truppenentflechtungsabkommen der Jahre 1974 und 1975 – schon damals unter amerikanischer Vermittlung – begonnen hatte. Am Ende dieses zurückgewonnenen Dialogs stand die Unterzeichnung des israelisch-ägyptischen Friedensvertrages am 26. März 1979, der unter anderem die Basis für die Räumung des 1967 besetzten Sinai durch die israelischen Truppen bildete. Damit konnte die amerikanische Nahost-Politik nach ihrer Neuorientierung einen ersten großen Erfolg verbuchen.

Kurzfristig verstärkte das Abkommen von Camp David allerdings die allgemeinen Irritationen. Es führte zu einer weitgehenden Isolierung Ägyptens im arabischen Lager und gehörte zu den Motiven, die hinter der Ermordung des ägytischen Präsidenten Sadat standen, mit dessen Name der Aussöhnungsprozeß untrennbar verbunden bleibt. Zudem beschleunigte die israelisch-ägyptische Annäherung den Entfremdungsprozeß zwischen den beiden Supermächten. Der Friedensprozeß war nicht nur ohne sowjetische Beteiligung, sondern unter geradezu demonstrativer Umgehung des Kreml in Gang gebracht und zu ersten Erfolgen geführt worden. Das war aus sowjetischer Sicht ein Affront und trug auf seine Weise dazu bei, daß die Entwicklungen in der Dritten Welt zum eigentlichen Anlaß für einen Rückfall in die weltpolitische Eiszeit wurden. Allerdings hatte die amerikanische Nahost-Politik mit dem Friedensvertrag ein positives Ergebnis vorzuweisen. Das Vorgehen der Sowjetunion, deren Verfassung seit 1977 sogar ausdrücklich die Unterstützung des «Kampf[es] der Völker um nationale Freiheit und sozialen Fortschritt» vorsah,[45] besaß hingegen eine andere Qualität, jedenfalls aus westlicher Sicht, und keineswegs nur aus amerikanischer.

Am Anfang der sowjetischen Politik auf der südlichen Halbkugel stand das Engagement in Angola. Das Schicksal dieses südwestafrikanischen Landes war nicht untypisch. Seitdem portugiesische Seefahrer Anfang der achtziger Jahre des 15. Jahrhunderts dort ihren Fuß an Land gesetzt hatten, blieb Angola bis Mitte der siebziger Jahre von Lissabon abhängig. Ähnliches gilt für Mozambique oder auch für den östlichen Teil des im Indischen Ozean gelegenen Timor. Die portugiesische Kolonialherrschaft erwies sich damit als eine der zählebigsten überhaupt. Ihr Ende wurde erst mit einem grundlegenden Wandel der politischen Verhältnisse im Mutterland selbst eingeläutet: Am 25. April 1974 beseitigte ein Militärputsch das in den dreißiger Jahren durch Oliveira Salazar errichtete, zuletzt durch Marcello Caetano verwaltete diktatorische Regime. Damit war zugleich der Weg frei für die Liquidierung des portugiesischen Kolonialreiches.

Das portugiesische Imperium hatte schon in den frühen sechziger Jahren einige Erschütterungen gesehen: Im Dezember 1961 hatten indische Truppen Goa, Daman und Diu, das sogenannte Portugiesisch-Indien, besetzt. Gleichzeitig erlebten die portugiesischen Besitzungen in Afrika die ersten großen Aufstände, die schließlich bürgerkriegsähnliche Formen annehmen sollten. Am 15. Januar 1975 wurde unter diese Entwicklung ein Schlußstrich gezogen, jedenfalls aus der Sicht Lissabons. Im Vertrag von Alvor legten Portugal sowie die drei angolanischen Unabhängigkeitsbewegungen den 11. November dieses Jahres als den Tag fest, an dem das Land die vollständige Unabhängigkeit erhalten sollte.

Damit waren aber für Angola die Probleme noch nicht aus der Welt, im Gegenteil. Wie so häufig in vergleichbaren Situationen kam es zu erbitterten Auseinandersetzungen zwischen jenen Bewegungen, die zuvor für die Unabhängigkeit ihres Landes von fremder Herrschaft gekämpft hatten und zu diesem Zweck erfolgreich ein Bündnis eingegangen waren. Mit der Unabhängigkeit war das Ziel erreicht, zerbrach das Zweckbündnis, und es begann ein Bürgerkrieg, der erst mit dem Kalten Krieg zu Ende ging, und auch dann nur vorübergehend: Am 31. Mai 1991 wurde im portugiesischen Bicesse eine Vereinbarung zwischen den beiden wichtigsten Bürgerkriegsparteien unterzeichnet, also zwischen der «União Nacional para Independência Total de Angola» (UNITA) und der «Movimento Popular de Libertação de Angola» (MPLA), die 1961 als erste den bewaffneten Kampf gegen die portugiesische Kolonialherrschaft aufgenommen hatte. Das Abkommen markierte zugleich das Ende des marxistisch-leninistischen Kurses der MPLA. Nicht zufällig fielen die Bicesse-Vereinbarungen mit der Abkehr Mozambiques vom Marxismus-Leninismus sowie dem Ende des Mengistu-Regimes in Äthiopien zusammen. Die Gleichzeitigkeit dieses Umbruchs in Teilen Afrikas mit demjenigen des Mutterlands des Kommunismus war alles andere als ein Zufall. Das Abkommen von Bicesse zog geradezu symbolisch den Schlußstrich unter die sowjetischen Ambitionen in Afrika, ja unter das «afrokommunistische Experiment» überhaupt.[46]

Seinen Anfang hatte dieses Experiment Mitte der siebziger Jahre genommen, als Moskau mit der Unterstützung der MPLA begann. Dabei handelte es sich in der Hauptsache um indirekte Hilfe, zum Beispiel beim Transport kubanischer Soldaten, von denen zuletzt, auf dem Höhepunkt des kommunistischen Engagements, etwa 50000 in dem schwarzafrikanischen Land stationiert waren. So gesehen führte die Sowjetunion in Angola einen Stellvertreterkrieg im doppelten Sinne: Nicht nur wurde der Kampf der ideologischen Systeme in einem anderen Land ausgetragen, sondern auch durch Truppen eines dritten.

Aus amerikanischer Sicht waren die angolanischen Wirren schon wegen des indirekten Engagements des Kreml bedenklich. Wohl gibt es gute Gründe für die Annahme, daß die Intervention Kubas ursprünglich nicht von der Sowjetunion initiiert worden war, sondern vielmehr auf einen eigenständigen Entschluß Fidel Castros zurückging, der Moskau in nicht geringe Verlegenheit brachte.[47] Doch ein Einsatz kubanischer Einheiten in größerem Umfang war nur bei logistischer Unterstützung durch die Sowjetunion möglich, die damit einen Fuß in die afrikanische Tür bekam. Überdies mußte die kubanisch-sowjetische Hilfe für die MPLA unmittelbare Rückwirkungen auf die westlichen Interessen im südlichen Afrika haben. Schon wegen ihrer strategisch wichtigen Lage an der Südspitze des Kontinents, aber auch wegen ihrer enormen Rohstoffvorkommen durfte die Südafrikanische Republik nicht in Gefahr gebracht werden. Dafür zahlte der Westen den hohen Preis, das Apartheidregime zu tolerieren. Die westliche Politik war auch deshalb problematisch, weil das Regime in Johannesburg für die Besetzung Südwestafrikas stand, das erst am 21. März 1990 als Namibia seine vollständige Unabhängigkeit erlangen sollte. Die dort, in der vormaligen deutschen Kolonie, gegen die südafrikanische Herrschaft kämpfende «Südwestafrikanische Befreiungsfront», die «South West Africa People's Organization» (SWAPO), wurde aber ihrerseits von der MPLA und damit mittelbar auch von der Sowjetunion unterstützt.

Vergleichbares galt für den nordöstlichen Nachbarn Südafrikas: Nachdem Mozambique am 25. Juni 1975 Portugal seine Unabhängigkeit abgerungen hatte, steuerte die regierende mozambiquanische Befreiungsfront FRELIMO einen konsequent marxistisch-leninistischen Kurs, der das Land in Abhängigkeit von der Sowjetunion hielt. Und schließlich schien auch die Entwicklung beim nördlichen Nachbarn Südafrikas, Rhodesien, zeitweilig den hier allerdings direkt konkurrierenden Führungsmächten der kommunistischen Welt, der Sowjetunion und China, in die Hände zu spielen. Das änderte sich erst mit der schrittweisen Lösung des Rhodesien-Konfliktes in der zweiten Hälfte der siebziger Jahre und der endgültigen Unabhängigkeit des Landes als «Zimbabwe» im April 1980. Insgesamt war also aus westlicher Sicht Anlaß zu ernsthafter Besorgnis, daß das Engagement Moskaus im südlichen Afrika die ganze Region unter kommunistische Vorherrschaft bringen konnte.

Kurzfristig bedeutsamer als die Vorgänge in Angola waren für die wieder zunehmenden Spannungen im Ost-West-Verhältnis indessen diejenigen auf der anderen Seite des Kontinents, in Äthiopien. Der amerikanische Sicherheitsberater Brzezinski hat im Rückblick resümiert, daß die Entspannungspolitik der frühen siebziger Jahre im «Sand des Ogaden» begraben worden sei.[48] Der Ogaden, der zu diesem Zeitpunkt zu Äthiopien gehörte, bildete einen traditionellen Streitpunkt zwischen diesem und seinem östlichen Nachbarn am strategisch wichtigen Horn von Afrika, Somalia. Zuletzt war es 1964 darüber zu Auseinandersetzungen gekommen. Ein neuer Streit um den Ogaden entbrannte 1974, als Äthiopien von einer schweren inneren Krise heimgesucht wurde. Vier Jahre später entfachte die von Somalia aus operierende «Western Somalia Liberation Front» (WSLF) im Ogaden eine Rebellion – ihrerseits auch eine Folgeerscheinung des inneräthiopischen Machtkampfes.

Begonnen hatte alles mit der äthiopischen «Revolution» von 1974, in deren Verlauf Kaiser Haile Selassie I. am 12. September gestürzt worden war. Das wiederum bedeutete zugleich mehr als das Aus für eine Dynastie. Der Sturz Haile Selassies markierte das Ende eines stolzen afrikanischen Sonderwegs. Abgesehen von der kurzen Phase der italienischen Okkupation in den Jahren 1935/36–1941, hatte sich das Land selbst im Zeitalter des Imperialismus der vollständigen Besetzung erwehren und damit seine relative Unabhängigkeit bewahren können. Für diesen Behauptungswillen standen symbolisch die großen Herrscher Äthiopiens, Haile Selassie I., der 1930 den Thron bestiegen hatte, sowie sein Onkel, der legendäre Menelik II., dem es 1896 gelungen war, die italienischen Truppen in der Schlacht bei Adua zu besiegen und den italienischen Einfluß auf Eritrea begrenzt zu halten.

Die vorläufig letzte Runde im Ringen um das Horn von Afrika spielte sich 1977/78 auf zwei Ebenen ab, als somalisch-äthiopische Auseinandersetzung und als Konflikt zwischen den beiden Supermächten. Im Februar 1977 war der inneräthiopische Machtkampf durch eine kommunistisch orientierte Militärregierung unter Haile Mengistu vorerst beendet worden. Die Sowjets sahen in der Machtübernahme durch Mengistu ihre Chance, die in Angola eingeschlagene Politik fortzusetzen und ihren Einfluß auf dem Schwarzen Kontinent, und keineswegs nur am Horn von Afrika, auszudehnen und zu festigen. Nachdem Mengistus Bitte um Unterstützung zunächst von den Vereinigten Staaten, dann von China abgelehnt worden war, wandte er sich an Breschnew, der ihn in die Arme nahm und ihm versicherte: «Oberst, von meinem Land können Sie bis auf die Atombombe alles haben.» Bald befehligte Mengistu nach eigener Einschätzung «eine der stärksten Armeen Afrikas».[49] Diese Hochrüstung wurde von einer entschiedenen Parteinahme für Äthiopien im Kampf gegen die im Ogaden operierende WSLF flankiert, der wiederum – diesmal etwa 10000 – kubanische Soldaten sowie 1500 sowjetische Berater militärischen Nachdruck verliehen. Im Zuge der sowjetischen Intervention, die einen maßgeblichen Anteil an der schweren Niederlage Somalias im Ogaden-Krieg der Jahre 1977/78 hatte, kam es auch zu einem vielsagenden Rollentausch zwischen den Supermächten. Als Reaktion auf das Engagement Moskaus stellten die Vereinigten Staaten ihre Wirtschaftshilfe für Äthiopien ein und ersetzten gleichzeitig jene sowjetischen Militärberater, die Somalia seinerseits wegen der sowjetischen Unterstützung Äthiopiens in die Wüste geschickt hatte. Schon bald übernahm Washington auch die wichtige, vormals sowjetische Marinebasis im somalischen Berbera.

Auch am Horn von Afrika überdauerten die neuen politisch-militärischen Konstellationen bis in die Endphase des Kalten Krieges, und ihre Auflösung fiel mit seinem Ende zusammen. Im Januar 1991 wurde der somalische Präsident Mohammed Siad Barre gestürzt. Er war seit einem unblutigen Putsch der Armee am 21. Oktober 1969 im Amt und hatte sich nach den umwälzenden Ereignissen des Jahres 1977 als zuverlässige Stütze westlicher Interessenpolitik am Horn von Afrika profiliert. Mit Siad Barres Sturz zerfiel auch die gesamtstaatliche Ordnung des ruinierten Landes. Diese Rückkehr zur Stammes-, Sippen- oder Clanherrschaft war nicht untypisch für die Entwicklung großer Teile der Dritten Welt am Ende des Kalten Krieges. Im Mai desselben Jahres mußte sein Gegenspieler Mengistu, dessen Regime gleichfalls vollkommen abgewirtschaftet hatte, die Flucht ergreifen. Bis zum Schluß hatten beide, Siad Barre wie Mengistu, ihr politisches Überleben in hohem Maße der Tatsache zu verdanken, daß sie sich den Supermächten als dienstbare Schützlinge empfahlen und zugleich angesichts der großen strategischen Bedeutung der Region ihre eigene Unentbehrlichkeit in der globalen weltpolitischen Auseinandersetzung seit der zweiten Hälfte der siebziger Jahre geschickt in Szene zu setzen wußten.

Aus amerikanischer Sicht verletzte das sowjetische Engagement in Äthiopien, ähnlich wie das in Angola, in eklatanter Weise die Bedingungen, unter denen die Vereinigten Staaten der Sowjetunion in der ersten Hälfte der siebziger Jahre die von Moskau heftig begehrte weltpolitische Gleichrangigkeit konzediert hatten. Washington reagierte vergleichsweise scharf, indem es seine Flotte im Indischen Ozean verstärkte und bei der Aufrüstung wichtiger Länder dieser Region keine Zurückhaltung mehr an den Tag legte. Diesen Maßnahmen korrespondierte ein Umschwung der öffentlichen Meinung in den Vereinigten Staaten, die sich jetzt für eine Unterstützung solcher Staaten Afrikas aussprach, die offenbar einer sowjetisch-kubanischen Bedrohung ausgesetzt waren. Vor allem aber signalisierte eine Mehrheit der befragten Amerikaner ihr Einverständnis mit einer Wiederherstellung der «Linkage»-Politik.

Der Stimmungswandel beschleunigte sich, als der amerikanische Geheimdienst im Juni 1979 auf Kuba eine Einheit sowjetischer Ausbilder, die «Kubanische Brigade», entdeckte. Nach einer ersten amerikanischen Einschätzung, die freilich schon wenige Monate später relativiert werden mußte, handelte es sich dabei um eine Kampfeinheit. Das erinnerte manchen an das Jahr 1962. Auch in diesem Falle reagierte Washington rasch und entschlossen. Das Resultat war die Einrichtung einer karibischen Eingreiftruppe, der «Joint Task Force», die in Florida stationiert wurde und den Nukleus einer schnellen Eingreiftruppe bildete. Sie sollte in der Endphase des Kalten Krieges für die militärischen Planungen der Vereinigten Staaten eine zunehmende Bedeutung gewinnen und zum Vorbild für jenen Typ der «Rapid Deployment Forces» werden, der seither von vielen Staaten wie auch von der NATO als eine Art Non plus ultra für die Bewältigung der neuen militärischen Aufgaben und Herausforderungen angesehen wurde.

Natürlich stellte man sich im Weißen Haus die Frage nach den sowjetischen Motiven. Verfolgte Moskau tatsächlich einen Kurs weltpolitischer Expansion, der sich mittelbar und unmittelbar gegen die Vereinigten Staaten richtete und folglich auf deren Kosten ging? Das behauptete jedenfalls Sicherheitsberater Brzezinski, der Verfechter eines dezidiert antisowjetischen Kurses in der amerikanischen Außen- und Sicherheitspolitik. Zwar wurden Affären wie die um die «Kubanische Brigade» zur Stützung dieser Interpretation gelegentlich hochgespielt und dramatisiert. Das war aber nur möglich, weil der Kreml in den ausgehenden siebziger Jahren einiges tat, um diese Lageeinschätzung zu stärken. Tatsächlich erfuhren die Mahner und Warner in der westlichen Welt sehr bald eine eindrucksvolle Bestätigung.

Seit dem 24. Dezember 1979 marschierten Verbände der Roten Armee nach Afghanistan ein, drei Tage später wurde die Regierung in Kabul gestürzt und der Einmarsch offiziell bekanntgegeben. Der Westen stand vor einem Rätsel. Daß es dem Kreml nicht, wie von ihm vorgegeben, in erster Linie um die Wiederherstellung der Ordnung in diesem von einem Bürgerkrieg erschütterten Staat des Mittleren Ostens ging, schien klar. Dafür hätte es keiner Invasion bedurft. Wo aber lagen dann die wirklichen Gründe für die Intervention? War sie vielleicht nur der jüngste Ausdruck des alten russischen bzw. sowjetischen Drangs zum warmen Meer? Ging es um eine Demonstration weltpolitischer Stärke, und zwar sowohl gegenüber der westlichen Vormacht als auch gegenüber China, dem neuen Konkurrenten in der Dritten Welt? War hinter dem Einmarsch die Absicht zu sehen, ein Übergreifen der fundamentalistischen islamischen Bewegung im Iran auf die mittelasiatischen Republiken der Sowjetunion im Keim zu ersticken? Hatte sich etwa ein Teil des Militärs verselbständigt und die auch außerhalb der Sowjetunion erkennbare Schwächephase der politischen Führung des Landes für seine Zwecke genutzt? Oder spielte die brisante Kombination aller Faktoren eine entscheidende Rolle?

Letzte Klarheit über die Motive für den sowjetischen Einmarsch nach Afghanistan war bis zum Ende des Kalten Krieges nicht zu gewinnen. Später wurde deutlich, daß sich die sowjetische Führung noch im Frühjahr 1979 gegen eine solche Intervention ausgesprochen hatte und daß sie sich schließlich dennoch dafür entschied, weil sie vor dem Hintergrund der iranischen Wirren im «militanten Islam» eine zunehmende «regionale Herausforderung» sah.[50] Diese Einschätzung wurde von der amerikanischen Führung geteilt. Dort stand allerdings auch fest, daß die sowjetische Intervention nicht nur die «Linkage»-Politik gravierend verletzte und der Entspannungspolitik der siebziger Jahre den Todesstoß versetzte, sondern daß sie darüber hinaus in einer Region in Szene gesetzt wurde, der die westliche Vormacht seit dem Zweiten Weltkrieg eine besondere Bedeutung zumaß.

Diese Region zwischen dem Suezkanal und dem Arabischen Meer war seit der Revolution im Iran in Bewegung geraten. Als nämlich am 16. Januar 1979 der Schah von Persien, Resa Pahlewi, sein Land verließ, räumte er einer religiös-politischen Entwicklung das Feld, die weit über das Land und die Epoche hinaus ihre Wirkung entfalten sollte. Der flüchtende Schah ließ nicht nur seine Paläste und Besitztümer, sondern auch seine Truppen zurück, die sich in einem zusehends aussichtsloseren Kampf gegen die fundamentalistische «Iranisch-Islamische Nationalbewegung» befanden. Deren religiöses Oberhaupt und zugleich führender politischer Kopf war der Ayatollah Khomeini, der die im Januar 1978 einsetzenden blutigen Unruhen zunächst vom irakischen, dann vom französischen Exil aus steuerte. Nach seiner Rückkehr in den Iran am 1. Februar und einer Volksabstimmung, proklamierte der Ayatollah bereits am 1. April 1979 die «Islamische Republik Iran». Das war mehr als ein lokales Ereignis, denn die erfolgreiche «Revolution» im Iran gab weltweit den Startschuß für eine Renaissance der fundamentalistischen Strömungen.

Dieser Fundamentalismus, unter dem freilich eine Vielzahl von Einzelbewegungen oft sehr oberflächlich subsumiert werden, gewann bis in die Endphase des Kalten Krieges hinein an Dynamik und formierte sich nach dessen Ende zu einer politischen Kraft, die von manchem Beobachter als eine der globalen Herausforderungen des 21. Jahrhunderts betrachtet wurde, so wenig homogen sie sich auch im Ausgang der Epoche darstellte. Die Herausforderung des islamischen Fundamentalismus galt auch deshalb als besonders gefährlich, weil sie deutliche Berührungspunkte mit einer anderen Bedrohung aufzuweisen schien, mit der sich die Menschen seit den siebziger Jahren in zunehmendem Maße konfrontiert sahen: dem internationalen Terrorismus. Gewiß, auch in diesem Falle war nicht von einer einheitlichen, zentral gesteuerten Bewegung zu sprechen. Dennoch glaubte man sicher davon ausgehen zu können, daß die Spur einiger spektakulärer und furchtbarer Terroranschläge direkt in bestimmte Staaten der arabisch-muslimischen Welt führte, so etwa als am 21. Dezember 1988 eine amerikanische «Boeing 747» über dem schottischen Lockerbie explodierte und 270 Menschen in den Tod riß. Bereits am 15. April 1986 hatten US-Bomber libysche Städte angegriffen und damit auf ein Attentat in einer Berliner Diskothek reagiert, bei dem zahlreiche Besucher, unter ihnen auch Amerikaner, getötet und verwundet worden waren. Neben Libyen, und hier namentlich seinem «Führer der Revolution» Moamar al-Gaddhafi, galten vor allem Syrien und der Iran als Helfer bzw. Auftraggeber der Terroristen.

Vorderhand war diese Tragweite der iranischen «Revolution» allerdings noch nicht erkennbar. Außerdem forderten andere Konsequenzen des Umsturzes die ganze Aufmerksamkeit. Mit der Flucht des Schah verlor der Westen einen seiner zuverlässigsten politischen Partner und nicht zuletzt potentesten Öllieferanten. Washington hatte diese Loyalität stets zu honorieren gewußt, bevorzugt durch Waffenlieferungen: In den ausgehenden siebziger Jahren war Persien der größte Waffenimporteur der Dritten Welt, bezeichnenderweise gefolgt von Saudi-Arabien, Jordanien, Syrien und dem Irak. Selbstverständlich war die amerikanische Hochrüstung der iranischen Armee zu einer der modernsten des gesamten Nahen und Mittleren Ostens alles andere als uneigennützig gewesen. Was die Stunde in Teheran geschlagen hatte, erfuhr die Welt spätestens am 4. November 1979: An diesem Tag stürmte ein «Revolutionskomitee» die amerikanische Botschaft in der iranischen Hauptstadt und nahm fast 70 Geiseln, darunter mehr als 50 Botschaftsangehörige. Damit nicht genug: die Geiselnahme sollte zum dramatischen Symbol für den allgemeinen Schwächezustand der Weltmacht USA werden. Ein halbherziger Befreiungsversuch scheiterte am 24./25. April 1980 kläglich im Wüstensand. Seine dilettantische Vorbereitung und Durchführung machten weithin sichtbar, wie angeschlagen das Selbstbewußtsein der Vereinigten Staaten war, wie tief das Vietnam-Trauma nachwirkte.

Frei kamen die Geiseln erst nach dem Regierungswechsel in Washington, am Tag der Amtseinführung Ronald Reagans, dem 20. Januar 1981. Im Gegenzug hoben die USA einige der strikten Sanktionen gegen den Iran auf. Eine erneute Verschärfung erfuhr das seit 1979 nie mehr entspannte amerikanisch-iranische Verhältnis im Oktober 1987, als Washington iranische Angriffe auf Öltransporter im Golf mit einem Einfuhrverbot für persische Waren beantwortete. Erst im November 1990 gestattete die US-Regierung wieder von Fall zu Fall den Import iranischen Öls.[51] Hintergrund dieser Entscheidung war die sich erneut zuspitzende Lage am Persischen Golf, und zwar der irakische Überfall auf Kuwait am 2. August 1990, von dem noch zu sprechen sein wird. Damit rückte das Zweistromland in die Rolle des gefährlichsten Gegners in der Region, nachdem es zuvor gut zehn Jahre lang als Bollwerk gegen den Iran aufgerüstet und unterstützt worden war. Denn der irakische Überfall auf seinen persischen Nachbarn am 22. September 1980 und der sich daran anschließende jahrelange Zermürbungskrieg, der Erste Golfkrieg, waren sowohl in der westlichen als auch in der arabischen Welt insoweit wohlwollend hingenommen worden, als die allseits als Herausforderung empfundene iranisch-fundamentalistische Gefahr dadurch vorerst absorbiert zu werden schien.

Aus westlicher Sicht entwickelte sich also der Mittlere Osten in den Jahren 1979/80 zu einem Pulverfaß. Daß die Sowjetunion direkt in die Vorgänge involviert war und ihre Intervention in Afghanistan die durch die iranischen Wirren schwer angeschlagene amerikanische Position weiter schwächen konnte, stand außer Frage; daß Moskau in Afghanistan ein Desaster erleben und dieses wiederum in nicht unerheblichem Maße zum Untergang der Sowjetunion beitragen würde, war Ende der siebziger und Anfang der achtziger Jahre hingegen noch nicht absehbar.

Am 4. Januar 1980 verhängten die USA ein Weizenembargo gegen die Sowjetunion und griffen damit auf ein traditionelles Sanktionsmittel zurück. Flankiert wurde diese Maßnahme von einer Exportbeschränkung hochtechnologischer Produkte, der Abberufung des amerikanischen Botschafters aus Moskau und dem Boykott der Olympischen Spiele in der sowjetischen Hauptstadt, dem sich unter sanftem Druck der Vereinigten Staaten auch die meisten ihrer Verbündeten anschlossen. Schließlich reagierte das Weiße Haus mit einer Serie militärischer bzw. strategischer Maßnahmen auf das sowjetische Vorgehen. So wurden jetzt für die Marine, und zwar unter anderem in Oman, Somalia, Kenia und Ägypten, neue Stützpunkte eingerichtet.

Vor allem aber forderte der amerikanische Präsident Carter den Senat auf, das zweite SALT-Abkommen nicht zu ratifizieren. Dieses war am 18. Juni 1979 von ihm selbst sowie vom Generalsekretär der KPdSU, Leonid Breschnew, in Wien unterzeichnet worden. Es sollte das im Rahmen von SALT I geschlossene Interimsabkommen ersetzen und bestand aus mehreren Teilen. Wichtig war vor allem eine Vereinbarung über die Begrenzung der strategischen Kernwaffen auf eine Höchstgrenze von 2 400 Systemen bzw., nach dem 1. Januar 1981, von 2 250 Systemen, von denen 1 320 mit MIRV-Sprengköpfen ausgerüstet sein bzw. sogenannte Marschflugkörper tragen durften. Bei diesen «Cruise Missiles» handelte es sich um unbemannte Flugkörper, welche die gegnerische Radarabwehr unterfliegen, also weitgehend neutralisieren konnten. Diese neue Generation luft-, see- und landgestützter Marschflugkörper war seit Mitte der siebziger Jahre entwickelt worden.

Sie verstärkte auch die Zweifel, daß die SALT-Vereinbarungen zu einer Eindämmung des Wettrüstens führen würden. Vielmehr wurde die quantitative Begrenzung nun durch qualitative Weiterentwicklung umgangen. Gleichwohl trug SALT zu einem Einfrieren der Arsenale und vor allem auch zu einer gewissen Vertrauensbildung bei. Immerhin gaben beide Seiten am Tage der Unterzeichnung von SALT II auch verbindliche Zahlen über ihre strategischen Waffensysteme bekannt. Es ist bemerkenswert, daß sich sowohl Moskau als auch Washington an den SALT-II–Vertrag gehalten haben, obgleich er nicht ratifiziert wurde und also nie in Kraft getreten ist. Das läßt erkennen, wie sehr sich die nukleare Frage inzwischen verselbständigt hatte und zur alles entscheidenden des Kalten Krieges geworden war; das erklärt aber auch, warum die Akteure glaubten, einige hoch brisante Entwicklungen, wie das vernehmliche Ticken der Zeitbombe in der Dritten Welt, ignorieren und andere Wagnisse riskieren zu können, so auch eine dramatische Verschlechterung der amerikanisch-sowjetischen Beziehungen.

Denn von einer solchen Verschlechterung mußte man Anfang des Jahres 1980 durchaus sprechen. Das zeigte die Rede des amerikanischen Präsidenten vom 23. Januar 1980, die als «Carter-Doktrin» in die Geschichte eingegangen ist. Darin bezeichnete er die sowjetische Invasion Afghanistans als die möglicherweise «ernsteste Bedrohung seit dem Zweiten Weltkrieg» und erklärte öffentlich: «Ein Versuch irgendeiner auswärtigen Macht, die Kontrolle über die Region des Persischen Golfes zu erlangen, wird als ein Angriff auf die lebenswichtigen Interessen der Vereinigten Staaten betrachtet werden. Und solch ein Angriff wird unter Einsatz aller notwendigen Mittel, einschließlich militärischer Macht, zurückgewiesen werden».[52] Die Rede und die sie begleitenden politischen und militärischen Maßnahmen markierten zugleich den Abschied der Vereinigten Staaten von der Entspannungspolitik, der bereits in der ausgehenden Amtszeit des Präsidenten Carter eingeläutet wurde. Sein Nachfolger Ronald Reagan hat dann in vieler Hinsicht den Kurs Carters radikalisiert und dessen Politik damit allerdings auch eine neue Qualität verliehen. Dazu in anderem Zusammenhang mehr.

Für den sich anbahnenden Klimasturz in der Weltpolitik gab es eine Reihe von Gründen. Da waren die weltpolitischen Vorstöße der Sowjetunion insbesondere in Afrika, in Afghanistan, in gewisser Weise auch auf Kuba. Und da war die Skepsis einer wachsenden Zahl amerikanischer Politiker gegenüber der Entspannungspolitik insgesamt, eine Skepsis, die keineswegs nur eine Reaktion auf das sowjetische Vorgehen darstellte, sondern grundsätzlicher Natur war. Im übrigen trug die amerikanische Politik in der Dritten Welt das ihre zur Verschärfung der Spannungen bei. So auch in Südostasien.

Schon damals konnte kein Zweifel bestehen, daß die amerikanische Kriegführung in Vietnam und den angrenzenden Staaten erheblichen Anteil an der Erschütterung ihrer inneren Verhältnisse gehabt hatte. Das galt nicht zuletzt für Kambodscha, das schon frühzeitig – mal stärker, mal weniger stark, mal direkt, mal indirekt – in den Vietnam-Konflikt hineingezogen worden war. Im Zuge dieser Entwicklung hatte sich in der zweiten Hälfte der sechziger Jahre eine maoistische Untergrundbewegung, die «Roten Khmer», formiert. Nach dem Sturz des Königs Norodom Sihanouk im März 1970 überzogen diese «Khmer rouge» ihr Land mit einem Terrorregime, an dessen Spitze seit April 1976 Ministerpräsident Pol Pot stand. Pol Pots Name ist untrennbar verbunden mit der systematischen Liquidierung eines großen Teils der kambodschanischen Bevölkerung, die ihren furchtbarsten Ausdruck in den «Schädelbergen» gefunden hat. Damit übertraf das Pol-Pot-Regime noch bei weitem die Grausamkeiten, die Sihanouk zu verantworten hatte, der 1955 zeitweilig zugunsten seines Vaters zurückgetreten war und danach zunächst das Amt des Ministerpräsidenten, seit 1960 das des Staatsoberhauptes innehatte. Schon in seiner Amtszeit waren politische Gegner in Käfigen ausgestellt, aber auch enthauptet und dabei gefilmt worden.[53]

Die Nachrichten über den Terror Pol Pots boten einen willkommenen Vorwand für den Einmarsch des Nachbarn Vietnam in Kambodscha: Seit dem 25. Dezember 1978 wurde diese Intervention endgültig als Angriffskrieg der vietnamesischen Armee geführt, an dem sich schließlich bis zu 250 000 Mann beteiligten. Dabei war das vietnamesische Anliegen wohl zu allerletzt ein humanitäres. Daß auf diese Weise immerhin die Massaker beendet wurden, stand indessen außer Frage und hätte eigentlich auch in Washington so gesehen werden müssen, zumal das amerikanische Repräsentantenhaus im April ebendieses Jahres die Vorgänge in Kambodscha scharf verurteilt hatte. Das Gegenteil war der Fall. Der Einmarsch Vietnams nach Kambodscha und der Sturz des dortigen Regimes im Januar 1979 stießen auf den heftigen Protest der Vereinigten Staaten, und dafür gab es aus deren Sicht einige Gründe: Mit Vietnam intervenierte nicht nur der vormalige Kriegsgegner der USA im benachbarten Kambodscha, sondern auch ein besonders enger Verbündeter der Sowjetunion in der Dritten Welt. Moskau hatte sogar die ehemaligen Basen der USA in Vietnam übernommen und zuletzt, im November 1978, einen Freundschaftsvertrag mit diesem strategisch wohl wichtigsten Land Südostasiens geschlossen.

Die USA reagierten auf ihre Weise, indem sie am 1. Januar 1979 volle diplomatische Beziehungen zur Volksrepublik China aufnahmen und im gleichen Atemzug diejenigen zu Taiwan abbrachen. Bis zum Ende des Kalten Krieges sollte kein taiwanesischer Präsident mehr ein Einreisevisum in die USA erhalten. Seit dem 28. Januar hielt sich dann der stellvertretende chinesische Ministerpräsident Deng Xiaoping zu einem Staatsbesuch in Washington auf. Diese neue chinesisch-amerikanische Annäherung ist ohne die Vorgänge in Südostasien und ohne die demonstrative Unterstützung Vietnams durch die Sowjetunion nicht ausreichend zu erklären. Fest steht, daß die Volksrepublik China am 14. Februar 1979 militärisch in Vietnam eingriff, und es war höchst auffällig, daß die Vereinigten Staaten, anders als im Falle der vietnamesischen Intervention in Kambodscha, den chinesischen Angriff nicht öffentlich verurteilten, sondern vielmehr betonten, daß der Vorgang nicht ihr «besonderes nationales Interesse» betreffe.[54] Dabei stand hinter dem chinesisch-vietnamesischen Krieg, den Peking am 16. März nicht ohne Gesichtsverlust einstellen mußte, mehr als eine lokale Auseinandersetzung. Da sich die sowjetisch-chinesische Rivalität seit Mitte der siebziger Jahre zunehmend auch in die Dritte Welt verlagert hatte, waren die sowjetischen Erfolge, etwa in Afrika, für Peking eine ernstzunehmende Herausforderung. Ähnliches galt für die Erfolge des Verbündeten Moskaus in Südostasien. Das Vorgehen Vietnams in Kambodscha war darüber hinaus geeignet, dem Konkurrenten Chinas in der Region ein Gewicht zu verschaffen, das langfristig die politischen, aber auch die wirtschaftlichen Interessen des Reichs der Mitte im Südchinesischen Meer gefährden konnte.

Die chinesisch-vietnamesischen Zusammenstöße zur See in den Jahren 1974 und dann noch einmal 1988 verwiesen auf die Ansprüche beider Seiten, die in dem Maße vernehmlicher und demonstrativer artikuliert wurden, in dem die Erwartungen auf erhebliche Öl- und Gasvorkommen stiegen. Diese Entwicklung, die zugleich einen der größten potentiellen Konfliktherde der Zeit nach dem Kalten Krieg ins Rampenlicht rückte, mußte alle Staaten der Region tangieren. Während Malaysia und Indonesien die chinesischen Ambitionen mit wachsendem Argwohn verfolgten, fühlte der westliche Nachbar Kambodschas, Thailand, sein Sicherheitsinteresse durch den vietnamesischen Einmarsch und den damit einhergehenden Machtzuwachs Hanois empfindlich berührt. Dieses Gefühl teilte Bangkok mit Peking, und so überraschte es eigentlich nicht, als die beiden Staaten 1979 eine Art «Achse» bildeten. Das wiederum führte dazu, daß die kambodschanischen Roten Khmer indirekt durch Thailand, immerhin ein ASEAN-Staat, unterstützt wurden, «daß die schwer geschlagene Guerilla Pol Pots Zuflucht in Thailand fand und mit internationaler Nahrungshilfe in den Flüchtlingslagern aufgepäppelt und mit Waffen aus China wieder aufgerüstet wurde».[55]

Wie kaum ein zweites Beispiel macht daher der Fall Vietnam deutlich, in welchem Maße sich in der zweiten Hälfte der siebziger Jahre das Verhältnis der Groß- und Weltmächte zueinander über die Vorgänge in der Dritten Welt definierte und wie sehr diese Vorgänge dazu beitrugen, daß sich das internationale Klima erneut beträchtlich verschlechterte. Man darf ja nicht übersehen, daß Entwicklungen wie diejenigen am Horn von Afrika, im Iran, in Afghanistan oder in Vietnam von zum Teil erheblichen militärischen Maßnahmen der beiden Supermächte begleitet wurden, wie ihrem Flottenaufmarsch im Indischen Ozean. Vor diesem Hintergrund wurden in den ausgehenden siebziger Jahren Stimmen laut, die vor einer Situation warnten, die derjenigen vor Ausbruch des Ersten Weltkrieges ähnelte.[56] Staatsmänner wie Helmut Schmidt oder Henry Kissinger zogen direkte Parallelen zur Julikrise, und der «Spiegel» widmete im März 1980 eine Titelgeschichte der Frage «Wie im August 1914?» und diagnostizierte eine allgemeine «Angst vor dem großen Krieg».[57]

Es sei dahingestellt, ob dieser Vergleich angemessen war oder nicht. Zumindest in einer Hinsicht, die damals allerdings kaum in den Horizont zeitgenössischer Analytiker rückte, traf er zu: In beiden Fällen, dem Jahrzehnt vor Ausbruch des Ersten Weltkrieges wie den ausgehenden siebziger Jahren, hatte die außereuropäische bzw. die Dritte Welt einen erheblichen Anteil an der Verschlechterung der Atmosphäre zwischen den Groß- bzw. Supermächten. Wie 60 Jahre zuvor gelang es diesen in vielen Fällen nicht mehr, die Vorgänge an der Peripherie in ihrem Sinne zu lenken und damit zu kontrollieren. Die Dritte Welt löste sich auch in dieser Hinsicht aus den alten Abhängigkeiten. Jetzt trugen ihre Konflikte, ihre Krisen, ihre Kriege und ihre ungelösten Probleme ganz beträchtlich dazu bei, daß es in der ersten Hälfte der achtziger Jahre zu einem Klimasturz und damit zu einem Rückfall in die politische Eiszeit kam.

11. Klimasturz
Das Ende der Entspannung?
1979–1984

Entspannung braucht Zeit. Das zeigen die siebziger Jahre. Am Ende dieses ereignisreichen Jahrzehnts verdunkelte sich der Horizont, die Spannungen zwischen den Weltmächten nahmen zu. Es erschien paradox, daß selbst der Versuch, im Bereich der strategischen Nuklearrüstung zu einer Begrenzung, später sogar zu einer kontrollierten Abrüstung zu kommen, zu Irritationen Anlaß gab. Aber eben hier lag das Problem. Die SALT-Verträge, also auch SALT II, brachten der Sowjetunion die prinzipielle Parität auf diesem Gebiet. Das bedeutete für die Vereinigten Staaten eine relative Zunahme ihrer eigenen Verwundbarkeit.

Damit stellte sich für die Europäer die Frage, ob die USA angesichts dieser neuen Situation noch bereit wären, ihr strategisches Arsenal im Falle eines regionalen europäischen Konfliktes zur Verteidigung ihrer westeuropäischen Verbündeten einzusetzen. Ein Ersteinsatz von Nuklearwaffen mußte nach der Abschreckungslogik des Kalten Krieges einen Zweitschlag zur Folge haben. Würde Washington einen solchen Gegenschlag riskieren, wenn keine vitalen amerikanischen Interessen auf dem Spiel standen, und war Westeuropa in letzter Konsequenz zu diesen «Interessen» zu zählen? Und was würde geschehen, wenn die Kremlherrn davon ausgingen, daß man diese Frage am Potomac verneinte? War dann nicht, vielleicht nach einem Führungswechsel in Moskau, die Rückkehr zu einem expansiven außenpolitischen Kurs denkbar oder sogar naheliegend? Gab es nicht, als der Scheitelpunkt der Entspannungspolitik seit Mitte der siebziger Jahre überschritten war, schon eindeutige Anzeichen für eine solche Entwicklung?

Die Parität im strategischen Bereich, die durch die SALT-Vereinbarungen festgeschrieben wurde, hatte zu einer Aufwertung aller übrigen Waffensysteme in Europa geführt. Soviel stand fest. Das galt sowohl für den konventionellen als auch für den sogenannten eurostrategischen Bereich, also die Mittelstreckenraketen aller Reichweiten. Und auf beiden Gebieten besaß die Sowjetunion nach westlicher Auffassung bereits eine eindeutige Überlegenheit oder war im Begriff, diese zu erreichen. Was also konnte man tun? Die Frage stellte sich besonders drängend in Bonn, hatte sich doch an der Lage der Bundesrepublik seit ihrer Gründung und den Anfängen des Kalten Krieges kein Deut geändert. Sie war ein Frontstaat; zunächst und vor allem auf ihrem Territorium wäre ein konventionell geführter Krieg ausgetragen worden. Schon deshalb war kein zweites Land des westlichen Bündnisses in solchem Maße von den strategischen und namentlich den nuklearen Planungen der amerikanischen Vormacht abhängig.

Aus dieser Konstellation ergab sich für den Bundeskanzler eine klare Strategie. Helmut Schmidt wußte, daß es zu einer grundsätzlichen Befürwortung des SALT-Prozesses keine Alternative gab. Weil dem so war, blieb den Westeuropäern und insbesondere den Deutschen nichts anderes übrig, als ihre prinzipielle Unterstützung mit der Forderung zu verbinden, «die eurostrategischen Nuklearwaffen und ebenso die konventionellen Streitkräfte in Europa in die von beiden Supermächten angestrebte Rüstungsbegrenzung von SALT II einzubeziehen».[1]

Das warf erhebliche Probleme auf. Mehr und mehr stellte sich nämlich heraus, daß die westliche Antwort auf die sowjetische Überlegenheit im konventionellen und eurostrategischen Bereich angesichts der starren Haltung des Kreml in einer gezielten Nachrüstung bestehen mußte. Wie aber wollte man den Menschen in Westeuropa erklären, daß es nach dem so hoch gelobten KSZE-Gipfel und angesichts einer allgemeinen Entspannungseuphorie notwendig sein sollte, erneut an der Rüstungsspirale zu drehen? Die ganze Situation wurde noch komplizierter dadurch, daß selbst die Fachleute mit der Bezeichnung der einzelnen Systeme, um die es da ging, nicht immer zurecht kamen. Unter den Experten der nuklearstrategischen Geheimwissenschaft herrschte beträchtliche Verwirrung. Mit zeitlichem Abstand lasen sich selbst für einen Kenner der Materie «die Erörterungen darüber, wie amerikanische Marschflugkörper mit sowjetischen Langstreckenbombern, Abschußvorrichtungen mit Gefechtsköpfen zu verrechnen seien, gleichsam wie mittelalterliche Traktate, von Schreibern in einem weltabgeschiedenen Kloster verfaßt».[2] Klar war immerhin, daß es sich bei den strategischen Systemen, bei den «Intercontinental Ballistic Missiles» (ICBM), um Flugkörper handelte, die eine Distanz von mindestens 5 500 Kilometern überbrücken konnten. Nur die Vereinigten Staaten und die Sowjetunion besaßen die entsprechenden Arsenale, und um diese ging es bei den SALT-Verhandlungen.

Die darunter angesiedelten Systeme mit einer Reichweite von weniger als 5 500 Kilometern wurden seit den ausgehenden siebziger und den beginnenden achtziger Jahren in zwei bzw. drei Kategorien unterteilt. Da waren einmal die sogenannten taktischen Nuklearwaffen, die «Kurzstreckenraketen», die «Gefechtsfeldwaffen» bzw. «Battlefield Weapons». Diese hatten eine Reichweite von bis zu 500 Kilometern. Zwischen ihnen und den strategischen Waffen rangierten die Mittelstreckensysteme, die «Intermediate-Range Nuclear Forces» (INF), die vor allem dadurch gekennzeichnet waren, daß sie nicht den amerikanischen Kontinent erreichen konnten. Sie wurden in Mittelstreckenraketen kürzerer und längerer Reichweite, in «Shorter-Range-Intermediate-Range Nuclear Forces» (SRINF) und in «Longer-Range-Intermediate-Range Nuclear Forces» (LRINF) unterteilt. Allerdings waren die amerikanischen und die sowjetischen Systeme, von denen gleich noch die Rede sein wird, nicht ohne weiteres gegeneinander aufzurechnen: So besaß die sowjetische «SS 20» eine Reichweite von mehr

als 5 000 Kilometern, während die zur Stationierung in Westeuropa vorgesehene amerikanische «Pershing-II» gerade einmal 1 800 Kilometer
überbrücken konnte und, anders als ihr sowjetisches Gegenstück, lediglich
mit einem Sprengkopf ausgerüstet war. Das schuf zusätzliche Schwierigkeiten bei der Beurteilung der gegenseitigen Kräfteverhältnisse.

Die nuklearen Mittelstreckensysteme rückten jetzt in dem Maße ins
Zentrum der westeuropäischen Besorgnisse, in dem sich die USA und die
Sowjetunion im Zuge der SALT-Verhandlungen auf der darüberliegenden
strategischen Ebene verständigten. Der deutsche Bundeskanzler war einer
der ersten, der öffentlich die Konsequenzen zog. Insbesondere seine Rede
am 28. Oktober 1977 am «International Institute for Strategic Studies» in
London rief allgemein ein großes Echo hervor, auch in den Vereinigten
Staaten. Später wurde sie als «die eigentliche Geburtsstunde des sogenannten Doppelbeschlusses» bezeichnet,[3] da Schmidt als erster Staatsmann in
dieser Form auf das Ungleichgewicht in nuklearen Bereichen aufmerksam
machte.

Mit guten Argumenten wies der Bundeskanzler darauf hin, daß die
Neutralisierung der strategischen Nuklearpotentiale, auf welche die SALT-
Vereinbarungen hinausliefen, in Europa die Bedeutung der «Disparitäten
militärischer Kräfte auf nukleartaktischem und konventionellem Gebiet»
wachsen lasse: «Eine auf die Weltmächte USA und Sowjetunion begrenzte
strategische Rüstungsbeschränkung muß das Sicherheitsbedürfnis der
westeuropäischen Bündnispartner gegenüber der in Europa militärisch
überlegenen Sowjetunion beeinträchtigen, wenn es nicht gelingt, die in
Europa bestehenden Disparitäten parallel zu den SALT-Verhandlungen
abzubauen ... Wir Europäer haben zu Beginn der SALT-Gespräche die
enge Verbindung zwischen der Parität auf dem strategisch-nuklearen Gebiet einerseits und dem taktisch-nuklearen und konventionellen Sektor
andererseits nicht klar genug gesehen oder nicht klar genug artikuliert. Es
gilt jetzt, die Verzahnung von SALT und MBFR klar zu erkennen und
daraus die notwendigen praktischen Schlüsse zu ziehen.»[4]

Welche «notwendigen praktischen Schlüsse» aber waren denkbar? Die
Antworten ergaben sich aus Schmidts Schilderung. Zum einen waren
erkennbare Fortschritte bei den Verhandlungen über eine ausgewogene
beiderseitige Truppenreduzierung in Europa, also bei den MBFR-Gesprä-
chen, vorstellbar. Die kamen jedoch bekanntlich nicht zustande. Zum
anderen mußte man seitens der Westeuropäer darauf dringen, daß die
eurostrategischen, also die Mittelstreckenraketen, die Schmidt in seiner
Rede als «taktisch-nukleare» bzw. «nukleartaktische» Systeme bezeichnet
hatte, direkt in die SALT-Vereinbarungen einbezogen und zum Gegenstand eines dritten SALT-Abkommens gemacht wurden. Auch das gelang
nicht. Die nuklearen Mittelstreckenwaffen wurden nicht in die SALT-Verhandlungen einbezogen. Der amerikanische Präsident Carter erwähnte sie
in den Gesprächen, die er mit dem sowjetischen Generalsekretär Bresch-

new anläßlich der Unterzeichnung von SALT II in Wien am 18. Juni 1979 führte, lediglich einmal am Rande, «während einer gemeinsamen Fahrstuhlfahrt».[5]

Aus westeuropäischer Sicht bestand mithin dringender Handlungsbedarf. Die gegenseitige Neutralisierung der Vereinigten Staaten und der Sowjetunion als Folge der SALT-Vereinbarungen, die vollständige Stagnation der MBFR-Gespräche und die Tatsache, daß die Mittelstreckenraketen zumindest vorläufig nicht zum Gegenstand der SALT-Gespräche gemacht wurden – all dies ließ nur den Schluß zu, daß die Europäer selbst aktiv werden mußten. Das galt um so mehr, als sich in den siebziger Jahren eine krasse sowjetische Überlegenheit auf dem Gebiet der Mittelstreckenwaffen abzuzeichnen begann. Nicht nur begann Moskau mit der Stationierung eines neuen Bombers, der im Westen unter der Bezeichnung «Backfire» firmierte, vielmehr wurde seit geraumer Zeit auch die Dislozierung von Mittelstreckenraketen eines neuen Typs registriert. Es handelte sich dabei um die neuentwickelte «SS 20». Sie wurde im Westen aus drei Gründen als besonders gefährlich eingeschätzt: In der zweiten Hälfte der siebziger Jahre wurden bis zu acht pro Monat stationiert; die Raketen konnten von beweglichen Rampen aus abgefeuert werden; überdies trug jede Raktete drei unabhängig voneinander steuerbare Sprengköpfe. Die Waffen gehörten also zur Gattung der MIRV-Systeme. 1983 hatten die Sowjets 243 Startgeräte stationiert,[6] bis 1987 erhöhte sich die Zahl der Abschußrampen für die «SS 20» auf über 400. Dem hatte die NATO nichts vergleichbares entgegenzusetzen. Hinzu kam die Stationierung von Mittelstreckenraketen kürzerer Reichweite im Vorfeld der Sowjetunion, nämlich auf den Territorien der DDR und der Tschechoslowakei.

So wie die Dinge lagen, bekam die Sowjetunion mit dieser Machtverschiebung zu ihren Gunsten im Bereich der Mittelstreckenraketen über kurz oder lang ein potentielles «Erpressungsinstrument» in die Hand.[7] Es kann bis heute nicht mit Gewißheit gesagt werden, ob die sowjetische Führung dieses Ziel im Auge hatte. Möglicherweise lagen der «SS-20»-Stationierung ganz andere Motive zugrunde. Man muß auch hier in Rechnung stellen, daß der Stationierung solcher Systeme eine lange Planungs- und Entwicklungszeit vorausgeht; die Anfänge der «SS 20» lagen wohl noch in der Chruschtschow-Ära mit ihrer Verabsolutierung der Nuklearwaffen. Aber natürlich hätte die Entwicklung und Produktion der Waffen nicht zwingend ihre Stationierung zur Folge haben müssen. Michail Gorbatschow, mit dessen Name sich auch die Verschrottung der «SS 20» verbindet, hat diese Stationierung rückblickend als «unverzeihliches Abenteuer» bezeichnet, «begangen unter dem Druck des militärisch-industriellen Komplexes», das dem weltpolitischen Gegner geradezu in die Hände gespielt habe.[8] Damit hatte er zweifellos recht, wenn ihm, wie den meisten Zeitgenossen, auch die tieferen Motive westlicher Nachrüstung verborgen geblieben sein dürften. Die westeuropäischen Strategen beunruhigte nämlich vor allem die Konventionalisierung der sowjetischen Strategie und die Überlegenheit der Roten Armee in diesem Bereich, die sich aus der nuklearstrategischen Neutralisierung ergab[9] und ein Resultat des SALT-Prozesses war. Insofern gaben die «SS 20» den Westeuropäern auch ein geeignetes Argument an die Hand, um gegenüber Moskau auf die neue Lage im konventionellen Bereich glaubhaft reagieren und die eurostrategische «Nach»-Rüstung im Innern legitimieren zu können.

Allerdings konnten sie selbst der sowjetischen Vorrüstung kaum etwas entgegensetzen. Das nukleare Potential der Briten und Franzosen war vergleichsweise bescheiden und zumal aus Bonner Sicht ohnehin nicht unproblematisch: Die französischen Kurzstreckenraketen, und zwar sowohl die des älteren Typs «Pluto» als auch die in der Entwicklung befindlichen neueren vom Typ «Hades», waren wegen ihrer Reichweite weniger für einen potentiellen Angreifer gefährlich als vielmehr für die Bundesrepublik, über deren Territorium sie kaum oder gar nicht hinausgelangen konnten. Schon aus diesem Grunde, aber auch weil die Bundesrepublik ihrerseits 1954/55, im Zuge ihres Beitritts zur WEU, auf die Produktion von Nuklearwaffen verzichtet hatte, war Bonn in dieser Frage mehr noch als Frankreich oder Großbritannien von den USA abhängig, und das war in der gegebenen Situation höchst unerfreulich, denn die Diskussion über die sogenannten Neutronenwaffen hatte soeben offenbart, wie belastend dieses Abhängigkeitsverhältnis für die deutsche Außen- und Sicherheits-, aber auch die Innenpolitik sein konnte.

Bei diesen Neutronenwaffen, den «Enhanced Radiation Weapons» (ERW), handelte es sich um Systeme mit erhöhter Strahlenwirksamkeit. Sie sollten vor allem die Überlegenheit der Panzerwaffe des Warschauer Paktes neutralisieren. Die Panzerbesatzungen wurden getötet, das Gerät selbst blieb unzerstört. Kritiker dieses Waffensystems, wie Egon Bahr, bezeichneten zu Recht die Neutronenbombe als ein «Symbol der Perversion des Denkens».[10] Diese Kritik nicht nur aus den eigenen Reihen machte es der Bundesregierung schwer, der Aufforderung Carters an die Verbündeten der USA nachzukommen und einen Beschluß über die Lagerung und, im Ernstfall, den Einsatz der Waffe in ihren Ländern durchzusetzen.

Eben das taten Schmidt und Genscher mit beträchtlichem persönlichem Engagement. Zur Begründung führte der Bundeskanzler am 13. April 1978 vor dem Deutschen Bundestag aus: «Es ist seit anderthalb Jahrzehnten übereinstimmende Auffassung aller Bündnispartner, daß taktische Nuklearwaffen und ihre Modernisierung ein unverzichtbares Mittel sind, um das ansonsten zahlenmäßig überlegene militärische Potential des uns gegenüberstehenden Warschauer Pakts auszugleichen. Die Diskussionen um die sogenannten *Neutronenwaffen* gehören in diesen Zusammenhang.»[11] Damit lehnte sich der Bundeskanzler weit aus dem Fenster. Allerdings mußte er bei eben dieser Gelegenheit auch bekanntgeben, daß sich die Regierung Carter inzwischen entschlossen hatte, die Entscheidung über die Produktion zu verschieben. Und auch dieser Entschluß, an dem selbst ein Blitzbesuch des deutschen Außenministers in Washington Anfang April nichts mehr zu ändern vermocht hatte, war ohne vorherige Konsultation der wichtigsten Verbündeten getroffen worden. Seitdem war das Verhältnis Schmidt-Carter endgültig lädiert.

Das war nicht einmal die schlimmste Folge, die der Alleingang Carters für die Bundesregierung zeitigte. Vielmehr war die deutsche Öffentlichkeit nunmehr in der Frage der nuklearen Nachrüstung hoch emotionalisiert. Eine nüchterne Diskussion dieses in mehrfacher Hinsicht schwierigen Problems schien immer weniger möglich, und eine Antwort auf die sowjetische Vorrüstung im Mittelstreckenbereich stand nach wie vor aus. Um diese zu formulieren und möglichst überzeugend um- bzw. durchsetzen zu können, trafen sich am 5. und 6. Januar 1979 die Staats- und Regierungschefs der Vereinigten Staaten, Großbritanniens, Frankreichs und der Bundesrepublik auf der französischen Karibikinsel Guadeloupe. Die Idee zu diesem Treffen ging nicht zufällig auf den deutschen Teilnehmer zurück, denn die Bundesrepublik war als das wichtigste Stationierungsland der neuen Waffen von der Entscheidung besonders betroffen, ganz gleich wie sie ausfiel.

Das war auch der Grund, warum sich Schmidt weigerte, vorab und einseitig seine Zustimmung zu einer Stationierung amerikanischer Mittelstreckenraketen zu geben. Andere Erwägungen kamen hinzu. Neben den erwähnten Erfahrungen, welche die europäischen NATO-Partner soeben mit der amerikanischen Politik in der Frage der «Neutronenwaffen» gemacht hatten, mußte Bonn vor allem die ablehnende Haltung großer Teile der deutschen Öffentlichkeit in Rechnung stellen. Schließlich aber, auch das war ein Grund für Schmidts Weigerung, konnte und wollte gerade die Bundesregierung die Sowjetunion nicht unnötig brüskieren. Dafür stand aus ihrer Sicht zuviel auf dem Spiel. Immerhin ging es bei den anstehenden Entscheidungen auch um die Frage, ob man die Ergebnisse der Entspannungspolitik übereilt preisgeben wollte. Jedenfalls hielten das die Kritiker des sich abzeichnenden neuen außen- und sicherheitspolitischen Kurses der Regierung vor. In deren Reihen hingegen begann sich die Auffassung durchzusetzen, daß nur eine entschiedene Haltung in der Nachrüstungsfrage die Sowjets zum Einlenken und damit erneut auf den Weg der Entspannung zurückführen könne.

Das Treffen von Guadeloupe blieb ohne konkretes Ergebnis. Man einigte sich lediglich darauf, NATO-intern eine gemeinsame Verhandlungsposition gegenüber Moskau zu erarbeiten. Schon das reichte aus, um die Sowjets in Bewegung zu setzen. Am 6. Oktober 1979 hielt Breschnew in Ost-Berlin eine bemerkenswerte Rede. Daß er die «Hauptstadt» der DDR als Bühne für seinen Auftritt wählte, geschah mit Bedacht. Neben vielen anderen Gründen dürfte wohl auch die Tatsache eine Rolle gespielt haben, daß die Teilnahme Helmut Schmidts am exklusiven Treffen von Guadeloupe unterstrichen hatte, welche Stellung der Bundesrepublik inzwischen in der westlichen Welt zukam. Es konnte nicht im Sinne Moskaus sein, wenn die DDR jenen Status weitgehender Gleichrangigkeit wieder einbüßte, den sie sich im Verein mit der Sowjetunion nach zwei Jahrzehnten im Zuge der Entspannungspolitik mühsam erkämpft hatte.

Die Rede Breschnews folgte dem bekannten Muster. Ausgehend von der Feststellung, daß die Stationierung neuer weitreichender Nuklearwaffen in Westeuropa − also nicht etwa die bereits auf Hochtouren laufende Dislozierung der eigenen «SS 20» − das «in Europa entstandene Kräftegleichgewicht» zerstören werde, drohte Breschnew für den Fall einer Stationierung amerikanischer Mittelstreckenraketen in der Bundesrepublik zusätzliche Rüstungsmaßnahmen der Sowjetunion sowie expressis verbis einen «Gegenschlag» gegen die Bundesrepublik an. Gleichzeitig offerierte er eine Reihe von Angeboten und Vorschlägen. Zu diesen zählte, allerdings ohne konkretere Angaben, eine mögliche Reduzierung der im westlichen Teil der Sowjetunion stationierten Kernwaffen, sofern die NATO auf eine Nachrüstung verzichte. Des weiteren gab der Generalsekretär die Bereitschaft des Kreml zu erkennen, im Rahmen der anvisierten SALT-III-Gespräche auch über die Mittelstreckenraketen zu reden, und schließlich kündigte er einseitig und ohne Vorbedingung den Abzug von 20 000 sowjetischen Soldaten sowie 1 000 Panzern aus der DDR an.[12]

Was der erste Sowjet zu verkünden hatte, war nicht unbedingt überraschend. Das taktische Einlenken unter Druck war ja ebenso ein Grundzug sowjetischer Außenpolitik seit dem Zweiten Weltkrieg wie die Politik der kontrollierten Drohung. Daß der Kreml auf diese Instrumente zurückgriff, bevor der formelle Beschluß zur sogenannten Nachrüstung im Westen überhaupt gefaßt worden war, deutete darauf hin, daß Moskau mit einer solchen Stationierung tatsächlich nicht unerheblich unter Druck gesetzt werden konnte. Insofern sind die Verfechter der «Nachrüstung» im Mittelstreckenbereich durch Breschnews Rede geradezu in ihrer Absicht bestärkt worden. Die Rede lag ganz auf der Linie sowjetischer Störmanöver seit den «Stalin-Noten» des Jahres 1952, und so ist auch für sie festzuhalten, was bereits mit Blick auf die voraufgegangenen Initiativen konstatiert worden ist: Eben weil eine Stationierung amerikanischer Systeme in Westeuropa, wie immer sie sich auch begründete, aus sowjetischer Sicht als offensiver Akt verstanden werden mußte, sahen sich die Sowjets einmal mehr in eine defensive Position gedrängt − auch wenn dies aus westlicher Sicht kaum nachvollziehbar war.

Es kann keinen Zweifel daran geben, daß zwischen der erneuten Runde im Rüstungswettlauf, die in den ausgehenden siebziger Jahren begann, und dem Zusammenbruch der Sowjetunion ein enger Zusammenhang bestand. Aber das wissen wir heute. Für westliche Beobachter war das damals freilich kaum abzusehen. Politiker wie Helmut Schmidt, Valéry Giscard d'Estaing oder James Callaghan, der britische Premierminister aus den

Reihen der «Labour Party», waren sich sicher, daß man es mit einer einseitigen sowjetischen Rüstungsvorgabe zu tun hatte, die überdies im Kontext einer weltpolitischen Kampagne Moskaus zu sehen war, und darauf mußte man reagieren. Zwar sagte der Bundeskanzler eine «ernsthafte» Prüfung der sowjetischen Vorschläge zu, schon um dem innenpolitischen Druck zu begegnen und den Nachrüstungsgegnern den Wind aus den Segeln zu nehmen. Gleichwohl war die Bundesregierung entscheidend an der Formulierung und Umsetzung des sogenannten NATO-Doppelbeschlusses beteiligt.

Dieser wurde am 12. Dezember 1979 verabschiedet. Er war ein förmlicher Beschluß der Außen- und Verteidigungsminister jener Staaten, die an der integrierten Verteidigungsstruktur der NATO beteiligt waren. Frankreich, Island und Griechenland, das die NATO wegen des Zypern-Konfliktes am 14. August 1974 verlassen hatte und ihr bis zum 20. Oktober 1980 nicht angehören sollte, trugen den Beschluß also nicht mit. Dieser NATO-«Doppelbeschluß» war eigentlich «politischer, nicht strategischer Natur».[13] Denn unbeschadet seiner militärisch-strategischen Konsequenzen, ging es doch in erster Linie darum, zu vermeiden, daß sich die Vereinigten Staaten in Folge der SALT-Vereinbarungen von ihren westeuropäischen Partnern abkoppelten. Indem die amerikanische Vormacht sich bereit erklärte, unter bestimmten Umständen neue nukleare Mittelstreckenraketen in Westeuropa zu stationieren, dokumentierte sie, daß sie sich nicht aus der Verantwortung stehlen wollte. Erst die Stationierung dieser Systeme garantierte weiterhin das Prinzip der «Flexible response», das auf westlicher Seite seit Anfang der sechziger Jahre für die Abschreckungslogik des Kalten Krieges stand.

Gemäß ihrem Kommuniqué vom 12. Dezember 1979 beschlossen die Außen- und Verteidigungsminister der NATO, die Mittelstreckensysteme des Bündnisses «durch die Dislozierung von amerikanischen bodengestützten Systemen in Europa zu modernisieren. Diese Systeme umfassen 108 Abschußvorrichtungen für Pershing II, welche die derzeitigen amerikanischen Pershing Ia ersetzen werden, und 464 bodengestützte Marschflugkörper», sogenannte «Ground-Launched Cruise Missiles» (GLCM). Der Beschluß zielte damit auf die Wiederherstellung einer glaubwürdigen Abschreckung durch die Modernisierung bestehender Systeme. Es ging also nicht darum, den sowjetischen Vorsprung einzuholen oder sich gar selbst einen solchen zu verschaffen. Deshalb betonten die Minister auch, daß sie im Zuge der Modernisierung der taktischen Nuklearwaffen «so bald wie möglich» 1 000 amerikanische Nukleargefechtsköpfe aus Europa abziehen wollten. Noch wichtiger aber war jener Vorschlag, der den zweiten Teil des «Doppelbeschlusses» bildete: das Angebot an die Adresse Moskaus, «so bald wie möglich Verhandlungen ... aufzunehmen». Über die weitreichenden taktischen Nuklearwaffen sollte im Rahmen von SALT III verhandelt werden. Nach Auffassung der NATO-Minister sollten die Begrenzungen «in einer Form vereinbart werden, die de jure Gleichheit sowohl für die Obergrenzen als auch für die daraus resultierenden Rechte festlegt».[14]

Kaum eine zweite außen- und sicherheitspolitische Entscheidung nach 1945 hat im westlichen Europa, und namentlich in der Bundesrepublik, einen solchen Sturm der Entrüstung entfacht wie dieser NATO-«Doppelbeschluß». Nach den Diskussionen um die Neutronenwaffe war so etwas zu erwarten, und so erklärt sich auch die Formulierung des Kommuniqués, wonach die Raketen «in ausgewählten Ländern stationiert» werden sollten. Damit waren zunächst, neben der Bundesrepublik, Großbritannien und Italien sowie, vorbehaltlich einer entsprechenden Prüfung, Belgien und die Niederlande gemeint. Der Bundeskanzler hatte auf diese Formulierung gedrängt, um den innenpolitischen Sprengstoff etwas zu entschärfen. Dennoch übertraf die Welle des Protestes in den folgenden Wochen, Monaten und Jahren die schlimmsten Befürchtungen der Bundesregierung. Mit zunehmender Verbitterung mußte Schmidt feststellen, daß die «ökologisch-anarchisch-pazifistische» Grundhaltung, wie er sie noch im Rückblick nannte,[15] auch zusehends in der eigenen Partei an Boden gewann. Dabei konnte man damals allenfalls ahnen, was nach dem Kalten Krieg und der Öffnung der Archive zur Gewißheit wurde, daß sich nämlich die östlichen Geheimdienste dieses Protestpotential für ihre eigenen Zwecke zunutze machten. So gehörte der Ost-Berliner «Staatssicherheitsdienst» zu den eifrigsten Promotern des sogenannten Krefelder Appells vom 16. November 1980, den Hunderttausende mit dem Ziel unterschrieben, die Bundesregierung zu einer Rücknahme des Beschlusses zu bewegen.[16]

Offensichtlich konnten oder wollten viele nicht wahrhaben, daß der Beschluß ein «doppelter» war. Da mit einer Stationierung der neuen amerikanischen Systeme nicht vor 1983 zu rechnen war, galt den Verhandlungen ohnehin die Priorität. Die Sowjetunion sollte mit der Drohung einer westlichen Nachrüstung im Bereich der Mittelstreckenraketen dazu gebracht werden, im Rahmen von SALT III über eine Begrenzung ihrer entsprechenden Waffen bzw. über deren Abbau bis zu jenem Punkt zu verhandeln, an dem diese kein potentielles Erpressungsinstrumentarium mehr darstellen konnten. Mit dem sowjetischen Einmarsch nach Afghanistan am 24. Dezember 1979 kam es dann jedoch zu einer dramatischen Verschlechterung der politischen Großwetterlage, welche die Aussichten für erfolgreiche Verhandlungen praktisch auf den Nullpunkt sinken ließ. SALT II wurde, wie in anderem Zusammenhang gesehen, vom amerikanischen Senat nicht mehr ratifiziert. Damit fehlte die Voraussetzung für die Verhandlungen über ein drittes SALT-Abkommen, in dem die eurostrategischen bzw. Mittelstreckenraketen Berücksichtigung finden sollten. Überdies reagierten die Vereinigten Staaten auf die Doppelkrise im Iran und in Afghanistan mit zum Teil drastischen Sanktionen, insbesondere gegenüber der Sowjetunion, und natürlich gingen sie davon aus, daß sich ihre Verbündeten an diesen und anderen Maßnahmen beteiligten. Dazu gehörte auch eine härtere Gangart in der Nachrüstungsfrage, und damit war wieder einmal Bonn gefordert.

Die Bundesregierung suchte dem seit der Jahreswende 1979/80 wachsenden internationalen wie nationalen Druck auszuweichen, indem sie eine Art Arbeitsteilung im westlichen Bündnis propagierte. Ihre Aufgabe sah sie vor allem darin, die Öffentlichkeit des eigenen Landes bei der Stange zu halten und in der Frage des «Doppelbeschlusses» nicht einzuknicken. Zum anderen erklärte sie sich zur Unterstützung jener Staaten bereit, welche durch die Iran-Afghanistan-Krise direkt oder indirekt betroffen waren. Konkret bedeutete das eine Verstärkung der Rüstungshilfe für den NATO-Partner Türkei, die auch deshalb besonders wichtig war, weil die recht starke Griechenland-Lobby im amerikanischen Kongreß nach der Invasion Zyperns ein vorübergehendes Waffenembargo gegen die Türkei durchgesetzt hatte. Obgleich diese Unterstützung im Innern alles andere als unumstritten war, tat sich die Bundesregierung damit vergleichsweise leicht, weil sie traditionell ein erhebliches Interesse an einer Stabilisierung der sogenannten Südostflanke der NATO hatte. Größere Bedeutung noch kam der deutschen Hilfe für Pakistan zu, da das Land als Nachbar Afghanistans nicht nur einen enormen Flüchtlingsstrom zu bewältigen hatte, sondern auch als Ausgangsbasis für die «Mudschahedin», die afghanischen Freiheitskämpfer gegen die sowjetischen Besatzer, diente. Die Hilfsmaßnahmen der Bundesrepublik bestanden vor allem in einer Aufstockung der Entwicklungshilfe für Pakistan, in der Unterstützung der Flüchtlingshilfe und anderen Maßnahmen mehr.

Das alles war aus der Sicht Washingtons wichtig, aber keineswegs ausreichend. Für den amerikanischen Geschmack schien die Bundesrepublik in diesen frühen achtziger Jahren die westliche Linie, besser gesagt: die amerikanischen Vorgaben, gleich mehrfach zu verlassen. Wie sonst sollte man die sich formierende Protestbewegung deuten? Unter den 250 000 Teilnehmern an der Bonner Großdemonstration vom 10. Oktober 1981 befanden sich immerhin auch zahlreiche prominente Persönlichkeiten wie der vormalige Minister Erhard Eppler. Und gehörte der nicht derselben Partei an wie der amtierende Kanzler Schmidt? Mußte man nicht, wenn man auf diese und andere Veranstaltungen sah, den Eindruck gewinnen, als seien amerikanische Truppen nach Afghanistan einmarschiert und als hätten die Vereinigten Staaten mit der Hochrüstung im Bereich der eurostrategischen Waffen begonnen? Mit scharfen Worten suchte der Bundeskanzler am 14. Januar 1982 vor dem Parlament richtigzustellen, daß man nicht so tun solle, «als ob vorhandene sowjetische SS-20-Raketen, die auf Ziele auch in Deutschland gerichtet sind, weniger gefährlich seien als amerikanische Raketen, die es hier noch gar nicht gibt».[17]

Zusätzlich genährt wurde das amerikanische Mißtrauen gegenüber Deutschland und den Deutschen durch die wenig enthusiastische Beteiligung der Bundesrepublik an den Boykott- und Sanktionsmaßnahmen gegenüber den Staaten des Ostblocks. In der Tat machte die Bundesregierung keinen Hehl aus ihrem Wunsch, Rückschläge in der Ost- bzw. Entspannungspolitik zu vermeiden. Das galt insbesondere für die deutsch-deutschen Beziehungen, und aus der Perspektive der westlichen Nachbarn mochte es merkwürdig anmuten, daß die Bundesregierung ausgerechnet in dieser Zeit eines allgemeinen Klimasturzes entschlossen auf eine Spitzenbegegnung Helmut Schmidts mit Erich Honecker zusteuerte.

In Ost-Berlin wurden die Bonner Nöte aufmerksam registriert. Die DDR verfolgte in den Jahren 1979/80 eine Doppelstrategie: Gezielt wurde die Bundesregierung bzw. die bundesdeutsche Öffentlichkeit mit einer ganzen Serie alter, für Bonn nicht erfüllbarer Forderungen, aber auch mit Drohungen konfrontiert. Flankiert wurde diese Offensive von Kooperationsangeboten und Ermahnungen, das deutsch-deutsche Gespräch fortzusetzen. Am 1. November 1979 warnte Erich Honecker in Sofia vor negativen Konsequenzen für den Fall, daß sich die NATO tatsächlich zu einer Nachrüstung im eurostrategischen Bereich entschließen sollte. Und am 13. Oktober 1980 wiederholte er in Gera jene Maximalforderungen, die, wie er genau wußte, für Bonn unannehmbar waren; zu diesen zählten die Anerkennung der DDR-Staatsbürgerschaft, die Umwandlung der Ständigen Vertretungen in Botschaften, die Auflösung der Zentralen Erfassungsstelle der Landesjustizverwaltungen in Salzgitter, die alle in der DDR begangenen und bekanntgewordenen Straftaten registrierte, oder auch die Regelung des Grenzverlaufs auf der Elbe «entsprechend dem internationalen Recht».[18] Am gleichen Tag trat eine Anordnung des DDR-Finanzministeriums vom 9. Oktober in Kraft, wodurch der Mindestumtausch für Reisen in die DDR und nach Ost-Berlin auf 25 D-Mark angehoben wurde. Das hatte zur Folge, daß zu Weihnachten 1980 etwa 50 % weniger Westdeutsche Ost-Berlin und die DDR besuchten als ein Jahr zuvor.

Die Gründe für diese Politik der Nadelstiche und des massiven Drucks waren leicht auszumachen: Pankow brauchte dringend Devisen, um das insgesamt schon marode eigene Wirtschaftssystem vor dem Kollaps zu retten, auch wenn man das im Westen noch nicht wahrhaben konnte oder wollte. Immerhin erreichte die Verschuldung der DDR in konvertierbarer Währung gegen Ende des Jahres 1980 die magische Grenze von zehn Milliarden US-Dollar. Lediglich auf einem Gebiet, das allerdings mit der Wirtschaft recht wenig zu tun hatte, machte die DDR vielbeachtete Fortschritte: Bei den Olympischen Winterspielen von Lake Placid holten ihre Sportler erstmals mehr Medaillen als die der Sowjetunion, darunter neun goldene. Die Sportler der Bundesrepublik hingegen mußten ohne eine einzige Goldmedaille nach Hause reisen. Mag sein, daß sich der Westen auch durch die sportlichen Erfolge ein Stück weit über den desolaten Zustand des Staates hinwegtäuschen ließ.

In Ost-Berlin wußte man jedenfalls sehr wohl, daß man die Bundesrepublik brauchte. Drohungen und Forderungen wurden deshalb stets von Angeboten zur Fortsetzung der Kooperation und von Appellen an gemeinsame Interessen begleitet. Schon am 30. April 1980 konnten mehrere Abkommen über den innerdeutschen Verkehr unterzeichnet werden. Am 21. Mai 1980, also knapp zwei Wochen nach seiner Begegnung mit Helmut Schmidt anläßlich der Beisetzungsfeierlichkeiten für Tito, hatte Erich Honecker öffentlich von der «Verantwortung der beiden deutschen Staaten für den Frieden gerade in einer Zeit» gesprochen, «in der die internationale Lage komplizierter geworden ist».[19] Damit setzte der starke Mann der SED eine politische Linie fort, die er, unbeschadet aller Drohgebärden, auch nach Verkündung des NATO-«Doppelbeschlusses» nicht aus dem Auge verloren hatte.

Natürlich kam es den Machthabern in Ost-Berlin sehr entgegen, daß die Regierung Schmidt ihrerseits dringend Erfolge benötigte. Da dem DDR-Regime eine sozialdemokratisch geführte Regierung damals sympathischer war als eine CDU-Regierung, scheute es sich auch nicht, wenn nötig die bedrängten Sozialdemokraten zu unterstützen, so beispielsweise im Vorfeld der Wahlen zum Berliner Abgeordnetenhaus vom 10. Mai 1981.[20] Was auf Länderebene hilfreich war, konnte auf Bundesebene nicht schaden. Dem in der Nachrüstungsfrage stark bedrängten Bundeskanzler war sehr daran gelegen, sich als durchsetzungsfähiger Entspannungs- und Deutschlandpolitiker zu profilieren. Ende 1981 war es dann so weit: Vom 11. bis zum 13. Dezember trafen sich Schmidt und Honecker auf dem Boden der DDR zu einem deutsch-deutschen Gipfel am Werbellinsee. Diese Begegnung war schon deshalb nicht unproblematisch, weil sie vor dem Hintergrund der sich zuspitzenden Entwicklung in Polen stattfand.

Es kann keinen Zweifel geben, daß die Ereignisse in Polen für das weitere Schicksal vieler Staaten Ostmittel-, Ost- und Südosteuropas von größter Bedeutung gewesen sind. Die Ursprünge der polnischen Entwicklung waren vielschichtig, ein Bündel von Faktoren kam zusammen. Eine wichtige Rolle spielte die katholische Kirche, insbesondere nachdem der polnische Kardinal Karol Wojtyla im Oktober 1978 zum Papst gewählt worden war. Was immer man von seinem Pontifikat – vor allem in der späteren Phase – denken mag, er symbolisierte damals in hohem Maße jenes «andere Polen», «mit dem sich die entschiedene Mehrheit der Nation identifizierte».[21]

Eine nicht zu unterschätzende Rolle für die innere Entwicklung Polens in den achtziger Jahren spielte die wirtschaftliche Lage. Seit 1970 wurde das Land deshalb immer wieder von regelrechten Streik- und Protestwellen überrollt, die sich vor allem gegen Preiserhöhungen für Grundnahrungsmittel, zusehends aber auch gegen die politischen Zustände in Polen richteten und den Sturz zweier Parteichefs nach sich zogen. Im Dezember 1970 ließ Wladyslaw Gomulka, der 1956 der sowjetischen Führung erfolgreich die Stirn geboten hatte, seinerseits Armee und Miliz gegen die Streikenden in Marsch setzen. Der «Danziger Dezember» forderte Dutzende von Toten und Hunderte von Verletzten und brachte das politische Ende Gomulkas.

Sein Nachfolger im Amt des Ersten Sekretärs der «Polnischen Vereinigten Arbeiterpartei», Edward Gierek, reagierte zwar auf die Streiks des Juni 1976 mit der Rücknahme der neuerlichen Preiserhöhungen, konnte aber weder mit dieser Maßnahme noch mit Druck, wie der massenhaften Inhaftierung streikender Arbeiter, verhindern, daß sich in Polen eine Bürgerrechtsbewegung zu formieren begann. Abermals bildeten im Sommer 1980 Preiserhöhungen den Anlaß für eine Streikwelle mit erheblichen politischen Folgen. Am 31. August 1980 schlossen Vertreter der Regierung und der Streikenden auf der Danziger Werft eine Art Stillhalteabkommen, wenige Tage später, am 5. September, wurde Gierek abgesetzt, und am 17. September kam es zur Gründung der «Solidarność». Das war die erste unabhängige Gewerkschaft in einem Staat des Ostblocks. Diese sich überstürzende Entwicklung kam einer Revolution gleich, und das wußte man auch in den kommunistischen Parteizentralen Warschaus und Moskaus.

Dennoch war die Reaktion der polnischen Obrigkeit für viele Beobachter überraschend. Am 13. Dezember 1981 verhängte General Wojciech Jaruzelski, seit 1968 Verteidigungsminister und seit dem Februar 1981 Premierminister Polens, das Kriegsrecht über das Land. Tausende von «Solidarność»-Anhängern wurden interniert, und bei der Erstürmung der Grube «Wujek» gab es Tote. Jaruzelskis Vorgehen war so heftig umstritten wie kaum ein anderes während des Kalten Krieges. Die Verhängung des Kriegsrechtes versetzte der Reformbewegung einen schweren Schlag. Das galt nicht nur für Polen, sondern für den Ostblock insgesamt. Ob der General, der noch bis 1989 das Amt des Ersten Sekretärs der «Polnischen Vereinigten Arbeiterpartei» und bis 1990 das des Staatspräsidenten innehaben sollte, mit dieser Maßnahme einer Intervention der Warschauer Pakt-Staaten zuvorgekommen ist, ließ sich auch nach dem Umbruch der ausgehenden achtziger Jahre nicht mit Bestimmtheit sagen. Sicher ist, daß ein Jahr zuvor, im Dezember 1980, die Motoren der Panzer bereits warmgelaufen waren.

Aus der Rückschau des Jahres 1992 hat Jaruzelski seine Politik mit dem gewichtigen Argument verteidigt, daß Polen «an einer Nahtstelle des damals noch in zwei Hälften geteilten Europa» lag, «über das wieder der Kalte Krieg hereingebrochen war. Polen durfte einfach nicht die Fronten wechseln, genau dahin aber trieb die Entwicklung. Das konnten die Sowjetunion und der Warschauer Pakt nicht tolerieren.»[22] Neben Jaruzelskis Manövern dürften zwei weitere Faktoren eine Rolle bei der Entscheidung Moskaus gespielt haben, nicht militärisch in Polen zu intervenieren: nämlich zum einen die festgefahrene Situation in Afghanistan, die einen nicht unerheblichen Teil der Roten Armee absorbierte; hinzu kamen die schwer überschaubaren Risiken einer militärischen Aktion in Polen. Die Ereignisse des Jahres 1956 waren nicht vergessen, und im Kreml herrschte Ungewißheit, wie die Polen auf eine Intervention reagieren würden. Ein europäisches Afghanistan aber war das letzte, was die Machthaber an der Moskwa zu diesem Zeitpunkt brauchen konnten.

Gleichwohl gab es Vorbereitungen für eine Intervention des Warschauer Paktes in Polen, an denen im übrigen die DDR maßgeblich beteiligt war. Ähnlich wie im Falle der Intervention in der Tschechoslowakei 13 Jahre zuvor, drängte Ost-Berlin geradezu auf eine solche Maßnahme. Bereits am 6. Dezember 1980 erging der Befehl Nr. 118/80 des Ministers für Nationale Verteidigung der DDR zur «Vorbereitung und Durchführung einer gemeinsamen Ausbildungsmaßnahme der Vereinten Streitkräfte der Teilnehmerstaaten des Warschauer Vertrages auf dem Territorium der Volksrepublik Polen». Das erinnerte sehr an die Ereignisse im Vorfeld der Niederschlagung des «Prager Frühlings». Vier Tage später unterschrieb Honekker in seiner Eigenschaft als Vorsitzender des Nationalen Verteidigungsrates den entsprechenden Befehl Nr. 15/80. Auf der Basis dieser Befehle, die bis zum April 1982 in Kraft blieben, sollte unter anderem die Neunte Panzerdivision der NVA über die Oder-Neiße-Grenze nach Polen vorstoßen.[23]

Es ist ungeklärt, ob die Bundesregierung über diese Interventionsabsichten unterrichtet war – etwa durch den damaligen brandenburgischen Konsistorialpräsidenten Manfred Stolpe bei seinem Bonn-Besuch im Juli 1981. Es sei auch dahingestellt, ob Honecker Jaruzelski korrekt informierte, als er diesem am 16. Dezember telefonisch über den Besuch des Bundeskanzlers berichtete: «Schmidt hat ... erklärt, es wird höchste Zeit, daß man begonnen hat, in Polen Ordnung zu machen. Ich möchte Dir das vertraulich mitteilen, weil in dieser Art Schmidt natürlich nicht auftreten will ...»[24] Fest steht jedenfalls, daß Schmidt einmal, am 22. August 1980, wegen der Streiks in Polen einen Besuch bei Honecker abgesagt hatte, daß er aber ein gutes Jahr später, am 13. Dezember 1981, seinen Besuch trotz der Vorgänge in Polen nicht abbrach.

Dafür mag der Bundeskanzler gute Gründe gehabt haben, etwa den, daß seine Rückkehr nach Bonn ohnehin nichts an dem polnischen Drama hätte ändern können. Aber solche Argumente vermochten nicht überall zu überzeugen, auch nicht die westlichen Nachbarn und Verbündeten der Bundesrepublik, die das deutsch-deutsche tête-à-tête ohnehin mit einem gewissen Argwohn verfolgten. Immerhin drang einiges nach draußen, wenn auch die erstaunlichen Bemerkungen Schmidts erst zwei Jahre später durch Klaus Bölling bekannt wurden, der in seiner Eigenschaft als Leiter der Ständigen Vertretung der Bundesrepublik in Ost-Berlin an den Unterredungen teilnahm. Danach befand der Bundeskanzler gegenüber seinem aufmerksam lauschenden Gesprächspartner: «Wir müssen von uns aus aktiv zur Entschärfung der Lage beitragen. Wir spielen unsere Rolle, unsere Bedeutung immer herunter ... In Wirklichkeit aber haben wir beide, beide

deutsche Staaten, großes Gewicht. Ich meine, ... wir haben einen Anspruch darauf, dieses Gewicht in die Waagschale zu werfen.»[25]
Diese Auslassungen verdienen in mehrfacher Hinsicht Aufmerksamkeit.
Daß sie ganz selbstverständlich vom Faktum der deutschen Teilung ausgingen, nahm nicht wunder, hatte Schmidt doch immer wieder öffentlich,
so etwa am 17. Mai 1979 vor dem Deutschen Bundestag, darauf hingewiesen, daß er eine Wiedervereinigung der beiden Teilstaaten für höchst
unwahrscheinlich halte, und das auch begründet: «Allein die Vorstellung,
daß eines Tages ein Staat von 75 Millionen Deutschen in der Mitte Europas entstehen könnte, bereitet vielen der Nachbarn und Partner Sorgen,
auch wenn die nicht so laut ausgesprochen werden ... In unserer geopo-
litischen Lage, angesichts unserer jüngeren Geschichte können wir Deutschen uns nicht eine politische Schizophrenie leisten, etwa auf der einen
Seite eine realistische Friedenspolitik voranzubringen und auf der anderen
gleichzeitig eine illusionistische Wiedervereinigungsdebatte zu führen.»[26]

In eigentümlichem Kontrast zu diesem Realismus stand ein erkenn-
barer Hang zur Überschätzung des eigenen Handlungsspielraums. Es traf
zwar zu, wie Peter Bender beobachtet hat, daß «das Gewicht der Deutschen in dem Maße zu[nahm], wie sich der Gegensatz zwischen den
Siegermächten verschärfte».[27] Das galt in den fünfziger Jahren, und es
galt auch während des Klimasturzes in den beginnenden Achtzigern.
Doch stellt sich die Frage, wie groß das «Gewicht» der beiden deutschen
Staaten tatsächlich war, wenn sie konzertiert operierten. Zweifellos hätte
ein solches Vorgehen, sozusagen ein Wuchern mit dem Doppelgewicht
beider Staaten, unverzüglich Gegenreaktionen in West und Ost ausgelöst.
So wird man den Eindruck nicht los, als habe sich Schmidt hier durch
seinen Gesprächspartner bzw. von der Situation selbst etwas davontragen
lassen.

Im Westen rief die Begegnung Überraschung hervor. Die Sowjets marschierten in Afghanistan ein, stationierten eine hochmoderne Mittelstrek-
kenrakete nach der anderen in Europa, und der Kanzler der Bundesrepublik Deutschland, die von dieser Hochrüstung an erster Stelle betroffen
war, reiste zum engsten Verbündeten der Sowjets und übte sich mit seinem
Gesprächspartner in demonstrativer Harmonie! Auf besonderes Unverständnis traf das deutsch-deutsche Rendezvous, das sich ja vor dem Hintergrund von Massenprotesten der deutschen «Friedensbewegung» abspielte, in den Vereinigten Staaten. Dort wurde zum einen deren deutlicher
antiamerikanischer Unterton nicht überhört, und zum anderen wurde
jetzt in den USA gegenüber den alten und neuen weltpolitischen Rivalen
eine erkennbar härtere Gangart eingeschlagen.

Am 20. Januar 1981 trat der Republikaner Ronald Reagan sein Amt als
neuer Präsident der Vereinigten Staaten an. In Europa war der Mann bis
zum Wahlkampf praktisch unbekannt und allenfalls einigen Cineasten als

Schauspieler in eher zweitklassigen Streifen der fünfziger und sechziger Jahre ein Begriff. In den USA hatte er sich von 1967 bis 1975 als Gouverneur von Kalifornien einen Namen gemacht, und von dort eilte ihm auch seine zweifelhafte Reputation als Kalter Krieger und Ultrakonservativer voraus. Daß Ronald Reagan einer der populärsten amerikanischen Präsidenten des 20. Jahrhunderts werden und seine bleibenden Erfolge vorwiegend auf dem Gebiet der Außen- und Sicherheitspolitik erringen sollte, hätte im Januar 1981 kaum jemand zu prognostizieren gewagt. Während Reagan auf diesen Feldern ein unbeschriebenes Blatt war, hatte sein erster Außenminister Alexander Haig sowohl militärisch als auch politisch eine Fülle an Erfahrungen sammeln können, so zuletzt von 1974 bis 1979 als NATO-Oberbefehlshaber und Oberbefehlshaber der US-Truppen in Europa. Lange sollte sich Haig dennoch nicht im Amt halten; im administrationsinternen Kampf um Positionen und Konzeptionen gab er schon am 25. Juni 1982 auf. Sein Nachfolger wurde, nach einem kurzen Interregnum, George Shultz, der bereits unter Nixon 1972–1974, also in der Zeit des Ablebens von Bretton Woods, als Finanzminister gearbeitet hatte und der amerikanischen Außenpolitik der achtziger Jahre durch seine gleichermaßen ruhige wie – hinter den Kulissen – bestimmte Art seinen Stempel aufdrücken sollte.

Den Gegnern der Nachrüstung in Europa, vor allem den deutschen unter ihnen, war der neue Präsident von Anfang an ein Dorn im Auge. Das lag vor allem an seinem dezidiert antisowjetischen Kurs, mit dem Reagan für viele Beobachter das Rad der Geschichte zurückzudrehen schien. Für seine Kritiker war der 40. Präsident der Vereinigten Staaten die Inkarnation des Kalten Kriegers, dessen höchster Ehrgeiz offenbar darin bestand, die Entspannungspolitik endgültig aus den Angeln zu heben. Dabei wurde übersehen, daß Reagan zunächst ziemlich nahtlos an die Vorgaben der Carter-Administration anknüpfte. Es war niemand anders als sein demokratischer Vorgänger gewesen, der vor dem Hintergrund der Entwicklung in Äthiopien, Afghanistan und Kambodscha die Kehrtwende der amerikanischen Außenpolitik eingeleitet hatte.

Schon während der Amtszeit Carters war das «Linkage»-Konzept der Nixon-Kissinger-Administration gescheitert. Offensichtlich war Moskau nicht bereit, eine prinzipielle militärisch-politische Gleichrangigkeit zu amerikanischen Bedingungen zu akzeptieren, und das hieß vor allem, in der Dritten Welt machtpolitische Enthaltsamkeit zu üben. Carter hatte daraus Konsequenzen gezogen und auf dem Gebiet der Rüstungspolitik neue Akzente gesetzt. Sowohl der Entschluß zum Bau des «B-2»-Bombers als auch die Entscheidungen zur Dislozierung neuer amerikanischer Mittelstreckenraketen in Europa und zum Aufbau einer schnellen Eingreiftruppe gingen auf sein Konto. Insofern setzte Reagan, wenn auch in sehr viel größerem Stil, nur das fort, «was sein Vorgänger in den letzten achtzehn Monaten seiner Administration schon begonnen hatte: die Rückkehr zur Aufrüstung als dem entscheidenden Instrument, um die Machtprobe mit der Sowjetunion zu bestehen».[28]

Allerdings radikalisierte Reagan die Ansätze Carters. Seine Rüstungsprogramme zielten eindeutig auf die Wiederherstellung der militärischen Überlegenheit der USA und waren damit eine Aufkündigung der militärisch-politischen Parität, wie sie beispielsweise durch die SALT-Verträge festgeschrieben worden war. Dabei verfolgte der Präsident vorrangig zwei Ziele, und zwar erstens den sowjetischen Rückzug aus der Dritten Welt oder doch jedenfalls eine Aufgabe des nicht nur aus amerikanischer Sicht expansiven Kurses. Zweitens wollte er Moskau durch die forcierten Rüstungsbestrebungen gerade zur Abrüstung zwingen – freilich zu amerikanischen Konditionen. Daß diese Abrüstung zu den langfristigen Zielsetzungen Ronald Reagans gehörte, war in der Anfangszeit schon deshalb nicht leicht zu erkennen, weil der Präsident auch rhetorisch in die Offensive ging. Den Höhepunkt seiner antisowjetischen Attacken bildete jene berühmt-berüchtigte Rede, in welcher er im März 1983 in Orlando, Florida, die Sowjetunion als das «Reich des Bösen» brandmarkte. Den Worten ließ Reagan wenig später Taten folgen, als er öffentlich das spektakuläre SDI-Programm bekanntgab.

Am 23. März kündigte der amerikanische Präsident großangelegte Forschungs- und Entwicklungsarbeiten auf dem Gebiet der Raketenabwehr an. Das war die heftig umstrittene «Strategic Defense Initiative» (SDI), durch die der Traum der Militärstrategen Wirklichkeit werden sollte, eines Tages feindliche Nuklearraketen schon während des Anfluges ausschalten zu können. Kritikern in der westlichen Welt war ebenso wie den Sowjets klar, daß von der Ankündigung des Programms bis zu seiner Realisierung, sofern sie überhaupt jemals zustande kommen sollte, noch viel Wasser den Potomac hinabfließen würde. Dennoch herrschte ein gärender Rest von Unsicherheit. Immerhin wurde Anfang des Jahres 1984 eine Serie von Versuchen über dem Pazifik unternommen. Dabei ging es auch um die grundsätzliche Frage, ob es gelingen könne, das Territorium der USA gegen einen nuklearen Schlag zu schützen. In diesem Sinne beschlossen im Sommer 1995, also Jahre nach Beendigung des Kalten Krieges, beide Häuser des amerikanischen Kongresses den beschleunigten Aufbau von Raketenabwehrsystemen, da sich zu diesem Zeitpunkt etwa 20 Staaten um die Beschaffung entsprechender Trägerraketen bemühten.[29] Anderthalb Jahrzehnte zuvor, in der ersten Hälfte der achtziger Jahre, richtete sich SDI natürlich in erster Linie gegen einen möglichen sowjetischen Angriff.

So rückten sehr schnell jene Probleme in den Vordergrund der Debatte, die sich insbesondere für die Sowjetunion einstellen mußten, wenn SDI jemals Wirklichkeit werden sollte: Dann nämlich war die sowjetische Zweitschlagsfähigkeit akut bedroht und damit die gesamte Abschreckungslogik des Kalten Krieges gefährdet. Moskau wies deshalb – keineswegs mit schwachen Argumenten – darauf hin, daß SDI eine Verletzung des ABM-Vertrages aus dem Jahre 1972 bedeute. Wie gesehen, war ABM ein Bestandteil der SALT-I-Vereinbarungen, allerdings, anders als der eigentliche SALT-Vertrag, mit unbegrenzter Laufzeit. Schließlich mußte SDI auch, einmal in die Tat umgesetzt, die im Zuge der Nachrüstung für Westeuropa geplanten amerikanischen Mittelstreckenraketen aus sowjetischer Sicht zu Offensivwaffen werden lassen, da es eine strategische Antwort der Sowjetunion von vornherein unmöglich machte. Ein erfolgreiches SDI-Programm hätte damit die nukleare strategische Balance zwischen den Supermächten zugunsten der USA außer Kraft gesetzt.

Angesichts dieser Perspektiven stellte sich manchem Beobachter, und keineswegs nur im Osten, die Frage, ob die neue amerikanische Administration überhaupt an einer Abrüstung interessiert sei. Vorderhand waren jedenfalls erhebliche Rüstungsmaßnahmen der USA im konventionellen Bereich zu verzeichnen, insbesondere auch bei den Seestreitkräften. Hier nahm Reagan die sowjetische Herausforderung der siebziger Jahre offensiv an. Dabei hatte zum Beispiel die erneute Indienstnahme und vollständige Modernisierung von vier Schlachtschiffen aus dem Zweiten Weltkrieg nicht nur militärische, sondern natürlich auch symbolische Bedeutung. Gleichzeitig hielt sich Washington mit der Formulierung einer Position für den Verhandlungsteil des NATO-«Doppelbeschlusses» auffallend zurück.

Schließlich aber trat der Präsident hierzu mit Vorschlägen an die Öffentlichkeit, die so radikal klangen, daß sie auf viele Zeitgenossen, und ohnehin auf die sowjetischen Adressaten, vollkommen unrealistisch wirken mußten. Kritiker der amerikanischen Politik vermuteten, daß Reagan mit diesen Vorschlägen auch der «Friedensbewegung» in Europa den Wind aus den Segeln nehmen wollte. Insofern bediente er sich jetzt der gleichen rhetorischen Waffe, die zuvor die Sowjets mit beachtlichem Erfolg in Anschlag gebracht hatten, allerdings mit dem entgegengesetzten Ziel, die Gegner des «Doppelbeschlusses» sozusagen argumentativ aufzurüsten. Eben dieses Mittel einer Manipulation der westlichen Mediengesellschaft testete jetzt auch Reagan. Seine Kritiker waren sich jedenfalls ziemlich sicher, daß der Präsident seine Vorschläge in der Gewißheit formulierte, «daß sie von der Sowjetunion abgelehnt werden würden».[30]

Um welche Vorschläge handelte es sich? Am 18. November 1981 gab Reagan in einer Rede vor dem «National Press Club» bekannt, daß er dem sowjetischen Generalsekretär Breschnew einen Brief geschrieben und darin vorgeschlagen habe, Ende des Monats in Genf Verhandlungen über die Nuklearwaffen aufzunehmen. Im einzelnen ging es um zwei Vorschläge, darunter eine substantielle Verringerung der strategischen Waffen, also nicht mehr nur eine Begrenzung. Diese Gespräche sollten als «Strategic Arms Reduction Talks» (START) geführt werden. Gleichzeitig schlug Reagan eine «Null-Lösung» im Bereich der nuklearen Mittelstreckenraketen in Europa vor. Konkret bot der Präsident den völligen Verzicht auf die Stationierung von «Pershing II» und «Cruise Missiles» an, sofern die

Sowjetunion ihrerseits sowohl die Raketen vom Typ «SS 20» als auch die älteren Modelle vom Typ «SS 4» und «SS 5» verschrotte.[31]

Tatsächlich wurden am 29. Juni 1982 die START-Verhandlungen in Genf aufgenommen, wo Sowjets und Amerikaner bereits seit dem 30. November 1981 über die «Intermediate-Range Nuclear Forces» (INF), also über die Mittelstreckenwaffen, verhandelten. Diese Gespräche wurden auf amerikanischer Seite von Paul H. Nitze und auf sowjetischer von Julij A. Kwizinskij geführt. Wie nicht anders zu erwarten, fuhren sich die offiziellen Verhandlungen schnell fest. Nitze schlug deshalb im «Alleingang» eine vertrauliche Unterredung mit Kwizinskij vor, die dann auch während eines «Waldspazierganges» am 16. Juli 1982 zustande kam.[32] Diese Unterredung brachte insofern einen Durchbruch, als sich die beiden Unterhändler auf eine Untergrenze von jeweils 75 Systemen einigten. Das hätte bedeutet, daß die USA nur einen Teil der ursprünglich vorgesehenen Waffen hätten stationieren und die Sowjetunion ihrerseits einen Teil der bereits stationierten wieder hätte abbauen müssen. Nitze schlug diesen Modus auch vor, weil er wußte, daß eine «Null»-Lösung von Moskau nicht oder jedenfalls noch nicht akzeptiert werden konnte. Aus unterschiedlichen Gründen lehnten dann aber sowohl der Kreml als auch das Weiße Haus den Kompromiß ab. Die Bundesregierung, die immerhin besonders betroffen war, wurde bezeichnenderweise nicht einmal konsultiert, sondern lediglich über das Ergebnis informiert.

Nach dem Scheitern dieses Kompromisses begann die NATO am 14. Oktober 1983 mit der Stationierung amerikanischer Marschflugkörper in Großbritannien. Eine Woche später, am 22. November, beschloß der Deutsche Bundestag nach einer heftigen Debatte, am NATO-«Doppelbeschluß» festzuhalten. Den Befürwortern war manche Unterstützung aus dem benachbarten Ausland zuteil geworden, auch von unerwarteter Seite. So hatte der französische Staatspräsident François Mitterrand in einer Rede vor dem Deutschen Bundestag am 20. Januar 1983 klargestellt: «Wer immer auf ‹Abkoppelung› des europäischen Kontinents vom amerikanischen setzt, stellt unserer Meinung nach das Gleichgewicht der Kräfte und damit die Erhaltung des Friedens in Frage.»[33] Die Entscheidung vom 22. November fiel gleichwohl gegen die Stimmen der SPD und der Grünen, die mit den Wahlen am 6. März 1983 erstmals in den Bundestag gekommen waren. Wenige Tage zuvor hatte sich die SPD mit überwältigender Mehrheit gegen den Beschluß, die Nachrüstung und damit auch gegen den Kurs von Helmut Schmidt ausgesprochen.

Der aber war zu diesem Zeitpunkt schon seit einem Jahr nicht mehr Kanzler der Bundesrepublik Deutschland. Am 1. Oktober 1982 hatte ihm der Bundestag mit den Stimmen von CDU/CSU und FDP das Mißtrauen ausgesprochen und Helmut Kohl, den Fraktionsvorsitzenden der CDU/CSU, zum neuen Bundeskanzler gewählt. Für Helmut Kohl, Jahrgang 1930, galt ähnliches wie für Ronald Reagan: Der Pfälzer hatte sich zwar

seit 1959 als Mitglied des Landtages und dann von 1969 bis 1976 als
Ministerpräsident von Rheinland-Pfalz als Landespolitiker einen Namen
gemacht, mit der Außenpolitik war er aber allenfalls am Rande in Berührung gekommen, und zwar seit 1973 als Bundesvorsitzender der CDU, seit
1976 als Mitglied des Deutschen Bundestages und zugleich als Vorsitzender
der CDU/CSU-Fraktion. Kaum ein Zeitgenosse hätte wohl 1982 die
Prognose wagen mögen, daß der neue Bundeskanzler als einer der erfolgreichsten und international angesehensten Außenpolitiker der Bundesrepublik in die Geschichte eingehen würde. Henry Kissinger, selbst ein
Dinosaurier des Kalten Krieges, hielt Kohl am Ende seiner dritten Amtszeit gar für eine der «schöpferischsten Figuren» der Epoche: «Er hat
Deutschlands atlantische und europäische Orientierung garantiert und war
ein Schutzschild gegen die nationalistischen oder romantischen Versuchun-
gen, unter denen sein Volk während vieler Perioden seiner neueren Geschichte gelitten hat».[34]

Die Außen- und Sicherheitspolitik war einer der wichtigsten Gründe
für den Bruch der sozialliberalen Koalition gewesen. Den unmittelbaren
Anlaß bildeten hingegen wachsende Meinungsverschiedenheiten der Regierung Schmidt/Genscher über die Wirtschafts-, Finanz- und Sozialpo-
litik. In der Spätphase der sozialliberalen Koalition betrieb der FDP-Vor-
sitzende und Außenminister Genscher seit dem Sommer 1981 hinter den
Kulissen den Koalitionswechsel. Ihren Höhepunkt erreichte die schwelen-
de Krise am 17. September 1982, als der Bundeskanzler vor dem Bundestag
den Rücktritt der vier FDP-Minister bekanntgab und damit die sozialliberale Koalition aufkündigte. Schmidt bildete dann noch für kurze Zeit
ein SPD-Minderheitskabinett und fungierte in diesem auch einige Tage
lang als Außenminister.

Wie gesagt, rasch zunehmende Unstimmigkeiten in innenpolitischen
Fragen waren der Anlaß, nicht aber der eigentliche Grund für den Bruch
der Koalition. Dieser lag, jedenfalls nach Genschers Erinnerung, in erster
Linie in der Haltung der SPD zum NATO-«Doppelbeschluß» und damit
zur Stationierung amerikanischer Mittelstreckenwaffen auf dem Boden
der Bundesrepublik.[35] Im April 1982 war es Helmut Schmidt auf einem
Bundesparteitag der SPD nur deshalb gelungen, eine Ablehnung der
NATO-Beschlüsse zu verhindern, weil er sich bereiterklärt hatte, die Entscheidung der Bundesregierung auf einem Sonderparteitag zur Abstimmung zu stellen. Am 19. November 1983, mehr als ein Jahr nach seinem
Sturz, stimmten dann mehr als 400 Delegierte des Kölner Sonderpartei-
tages gegen die Umsetzung des NATO-«Doppelbeschlusses». Nur 14 votierten dafür, unter diesen Helmut Schmidt.

Sein Nachfolger hatte es in dieser Frage keineswegs leichter. Die Proteste ließen nicht etwa nach, sondern nahmen eher noch zu. Im Herbst
1983 schloß die «Friedensbewegung» in ihre Aktionen zum Beispiel eine
dreitägige Blockade der amerikanischen Militärdepots in Mutlangen ein,

an der sich auch zahlreiche Prominente beteiligten, unter ihnen der Literaturnobelpreisträger Heinrich Böll. Kohl hat noch zehn Jahre später diese Situation als «eine der schwersten» seines politischen Lebens bezeichnet.[36] Tatsächlich schien die weitere Entwicklung den Gegnern der Nachrüstungspolitik recht zu geben; Moskau tat alles, um diesem Eindruck Vorschub zu leisten: Am 23. November 1983, nur einen Tag nachdem der Bundestag der Stationierung neuer amerikanischer Mittelstreckenraketen in der Bundesrepublik zugestimmt hatte, unterbrach die Sowjetunion die Genfer INF-Verhandlungen. Wenige Monate später, im Frühjahr 1984, begann der Kreml mit den angekündigten Gegenmaßnahmen, unter anderem mit der Verlegung von Mittelstreckenraketen kürzerer Reichweite, insbesondere des Typs «SS 12/22», nach Mitteleuropa.

Keine Frage, die Entspannungspolitik der siebziger Jahre hatte einen schweren Rückschlag erfahren. Zehn Jahre nach dem KSZE-Gipfel von Helsinki stand die Welt vor einer neuen politischen Eiszeit. Zwar hatte diese Entwicklung in der außereuropäischen Welt, in Afrika und im Mittleren Osten, ihren Ausgang genommen, die Folgen aber betrafen nicht zuletzt den alten Kontinent. Das hätte eigentlich für eine stärkere Konzentration der Europäer auf die Probleme der Dritten Welt sprechen müssen. Tatsächlich war davon aber nur wenig zu spüren. Fortschritte konnten bei den Lomé-Abkommen vermeldet werden, sofern man sie an der rasch wachsenden Zahl der Teilnehmerstaaten maß. Beim letzten von insgesamt vier Abkommen, das am 15. Dezember 1989 abgeschlossen wurde, waren es immerhin 69. Allerdings ließ sich nicht übersehen, daß die einzelnen Mitglieder der EG mit der Politik der Gemeinschaft nicht immer auch dieselben Ziele verfolgten. Offenbar betrachteten etwa die beiden vormaligen Kolonialmächte Frankreich und Großbritannien die Politik der EG gegenüber der Dritten Welt als willkommene Möglichkeit, um auf diese Weise auch ihre traditionellen, partikularen Interessen weiter verfolgen zu können.

Dabei kehrten die Europäer, allen voran die Deutschen, immer wieder heraus, daß es sich bei ihrer Unterstützung der armen und ärmsten Staaten der Welt keineswegs um ein selbstloses Unternehmen handele. Selbstverständlich mußte ein exportorientiertes Land wie die Bundesrepublik ein genuines Interesse daran haben, daß die Zahl der Krisenherde in der Welt nicht weiter zunahm. Bonn stellte daher, wie es in den «Leitgedanken» deutscher Außenpolitik an der Schwelle der achtziger Jahre hieß, «die Unterstützung der Selbständigkeit und Unabhängigkeit der Staaten der Dritten Welt gegen eine Politik der Einfluß- und Vorherrschaftszonen, die die Dritte Welt zum Ausgangspunkt weltweiter Spannungen macht».[37] An dieser Strategie hat sich bis zum Ende des Kalten Krieges begreiflicherweise kaum etwas geändert. In diesem Sinne definierte der Bundesminister für wirtschaftliche Zusammenarbeit, Hans Klein, am 25. Juni 1987 die «entwicklungspolitische Aufgabe Nummer eins»: «Zügiger Abbau der offiziellen und der verdeckten Einfuhrbeschränkungen seitens der Industrieländer. Mit einer einzigen, ebenso einfachen wie einleuchtenden Feststellung ist belegbar, daß dies keineswegs nur altruistisch gemeint ist: Wer nichts verkaufen kann, kann auch nichts kaufen … Es liegt deshalb in unserem ureigensten Interesse als exportabhängigem Industriestaat, möglichst alle Länder zu wirtschaftlich ebenbürtigen Partnern entwickeln zu helfen.»[38] Und tatsächlich bedurfte die Zahl, die der Minister in diesem Zusammenhang beispielhaft nannte, keiner weiteren Erläuterung: Danach war der Außenhandel der Bundesrepublik Deutschland mit 15 Millionen Niederländern größer als der mit 3,5 Milliarden Menschen in den Entwicklungsländern.

Im übrigen offenbarte die Politik der EG gegenüber der Dritten Welt in den achtziger Jahren einmal mehr einen Grundzug der Geschichte der europäischen Integration. Einig waren die Europäer immer dann, wenn die Gemeinschaft einem spürbaren Außendruck ausgesetzt war. Und ein solcher zeichnete sich zu Beginn der achtziger Jahre erneut ab. In diesem Falle hatte er seine Wurzeln im Nahen Osten. Die geschilderten Entwicklungen des Jahres 1979, insbesondere der Sturz des Schah und der Ausfall des iranischen Öls, führten die Welt in eine neue, die zweite Ölkrise und zwangen das vom Ölimport abhängige Europa zur Reaktion. Am 13. Juni 1980 gab der Europäische Rat anläßlich seiner Tagung in Venedig eine Erklärung über den Nahen Osten ab. Wie schon die Verlautbarung der Gemeinschaft während der ersten Ölkrise, zeichnete sich auch dieses Dokument durch die beflissene Berücksichtigung der arabischen bzw. palästinensischen Interessen aus. Ausdrücklich wurde auf die «Anerkennung der legitimen Rechte des palästinensischen Volkes» verwiesen und auch darauf, daß die PLO an den Verhandlungen über eine Friedensregelung «beteiligt werden muß». Außerdem erinnerten die Neun an die Notwendigkeit, «daß Israel, wie es dies hinsichtlich eines Teils von Sinai schon getan hat, die territoriale Besetzung beendet, die es seit dem Konflikt von 1967 aufrechterhält».[39] Ähnlich eindeutig war auch die Erklärung der nach dem EG-Beitritt Griechenlands mittlerweile zehn Außenminister der EG am 15. Dezember 1981, welche die Ausdehnung der israelischen Hoheitsgewalt und Verwaltung auf das besetzte syrische Gebiet auf den Golanhöhen verurteilte: «Dieses Vorgehen, das einer Annexion gleichkommt, verstößt gegen das Völkerrecht und ist deshalb in unseren Augen ungültig.»[40] Mit dieser und ähnlichen Erklärungen lagen die Europäer ganz im Trend einer Zeit, die der Politik Israels immer weniger günstig gesonnen war.

Insgeheim brachte mancher Verständnis für die israelischen Aktionen auf, sowenig sie auch mit dem Völkerrecht vereinbar gewesen sein mögen. Aber die geostrategische Lage des Landes, der Terrorismus der Palästinenser und die Ermordung des ägyptischen Staatspräsidenten Anwar as-Sadat am

6. Oktober 1981 veranlaßten Israel zu Schritten, die aus der Sicht Tel Avivs präventiven, aus der Sicht seiner Nachbarn und eines immer größer werdenden Teils der Völkergemeinschaft jedoch aggressiven Charakter hatten. Das gilt für die erwähnte Siedlungspolitik auf dem Golan, es gilt aber auch für die höchst kontroverse Nuklearpolitik Israels. So baute das Land, zunächst mit französischer Starthilfe, später in Kooperation mit Südafrika, eine eigene Atomindustrie und ein umfangreiches Atomwaffenpotential auf. Auch zögerte die israelische Regierung nicht, dieses offiziell nie bestätigte Arsenal als verdecktes Abschreckungsinstrument gegenüber seinen Nachbarn oder auch als Druckmittel gegenüber seinen Verbündeten einzusetzen, wie etwa während des Oktoberkrieges 1973. Schließlich kannte Israel aber keine Skrupel, wenn es darum ging, seinen arabischen Nachbarn eigene Atomwaffen aus der Hand zu schlagen: Am 7. Juni 1981 machte die israelische Luftwaffe den im Bau befindlichen irakischen Atomreaktor «Osirak» dem Erdboden gleich.

Nicht minder problematisch war die israelische Invasion des Libanon. Am 6. Juni 1982 marschierten israelische Verbände in das Nachbarland ein, eine Woche später, am 14. Juni, standen sie vor Beirut. Die Begründung für diesen Vorstoß war dieselbe wie gut vier Jahre zuvor, als die israelische Armee schon einmal den südlichen Libanon besetzt hatte: Es ging darum, die Palästinenser aus dem Nachbarland zu verjagen. Nach dem «Schwarzen September» 1970, als sie aus Jordanien vertrieben worden war, hatte die PLO den Libanon als Basis für ihre Operationen und Terroranschläge gegen Israel ausgebaut. Aber Israels Nöte waren eine Sache, die Realitäten der Weltpolitik eine andere, und es war ratsam, sich ihnen unterzuordnen. Nicht Israel, sondern seine arabischen Nachbarn verfügten über das lebenswichtige Öl, ohne das der Motor der westlichen Industriegesellschaften ins Stottern kam. Und natürlich ließen die arabischen OPEC-Staaten keinen Zweifel daran, wie sie auf eine Unterstützung Israels reagieren würden. Außerdem wurde bald deutlich, daß es Teilen der israelischen Führung um Verteidigungsminister Ariel Sharon nicht nur um eine Lektion für die PLO ging: Während der Schlacht mit den Streitkräften Syriens im Nordosten des Libanon wurden unter anderem die syrischen Rakten der Typen «SAM 6» und «SAM 9» sowie ein nicht unbeträchtlicher Teil seiner Luftwaffe ausgeschaltet. Und die «Schlacht um Beirut», die vom 14. Juni bis zum 21. August tobte und zu den ersten Antikriegsdemonstrationen in der Geschichte Israels führte, forderte nahezu 30 000 Tote und Verwundete, in der Mehrzahl Frauen und Kinder.

Unter dem Druck dieser Ereignisse fanden sich die Europäer rasch auf einer gemeinsamen Linie zusammen. Einige Mitgliedsländer der EG beteiligten sich auch an der multinationalen Friedensstreitmacht, der «Multi-National Force» (MNF). Freilich gelang auch ihr nicht die Befriedung der Lage im Land der Zeder, doch war die MNF Ende August 1982 daran beteiligt, die PLO und ihren inzwischen intern heftig angefeindeten Vorsitzenden Jasir Arafat aus Beirut zu evakuieren, um es letzterem zu ermöglichen, sich zunächst nach Griechenland einzuschiffen und dann sein Hauptquartier in Tunesien aufzuschlagen. Allerdings mußten Arafat und seine Anhänger am 20. Dezember 1983 unter Druck von Rebellen aus den eigenen Reihen endgültig auch ihre letzte libanesische Bastion Tripolis räumen. Die PLO, nun über die arabische Welt versprengt, sollte sich von diesem Rückschlag lange Zeit nicht erholen. Als schließlich die MNF im März 1984 aus dem Libanon abgezogen wurde, hatten sowohl die Amerikaner als auch die Franzosen, die neben den Italienern das größte Kontingent stellten, durch moslemische Selbstmordkommandos erhebliche Verluste hinnehmen müssen. Bei den Bombenanschlägen vom 23. Oktober 1983 kamen fast 300 Angehörige der MNF ums Leben. Erst ein gutes Jahr später, am 6. Juni 1985, wurde der israelische Truppenabzug aus dem Libanon abgeschlossen. Allerdings behielt Tel Aviv bis über das Ende des Kalten Krieges hinaus eine zehn Kilometer breite «Sicherheitszone» im Süden des Landes unter indirekter Kontrolle.

Die Wahl des Zeitpunktes für den israelischen Einmarsch in den Libanon war kein Zufall. Er erfolgte im Windschatten eines Krieges, der für einige Wochen die Aufmerksamkeit der internationalen Öffentlichkeit auf eine ganz andere Weltgegend lenkte. Anlaß für den sogenannten Falkland-Krieg war eine jahrhundertealte Auseinandersetzung um die Inselgruppe Malvinas. So nämlich hießen die etwa 500 Kilometer östlich Argentiniens gelegenen Gebiete im Südatlantik, seitdem sie seit 1767 bzw. 1770 vorübergehend einmal in spanischem Besitz gewesen waren. Die Briten beanspruchten endgültig seit 1833 die Kontrolle über die Inseln, was freilich nichts daran änderte, daß Argentinien, seit 1816 von Spanien unabhängig, das Besitzrecht der Briten bestritt und seinerseits Anspruch auf die Inselgruppe erhob. Das besondere Interesse Großbritanniens wie Argentiniens an den Falklandinseln erklärte sich nicht zuletzt aus deren geographischer Nähe zum Südpol. Dieser zog anfänglich vor allem Wal- und Robbenfänger sowie Pioniere der naturwissenschaftlichen Forschung an. Im Laufe der Jahrzehnte rückte dann aber die Aussicht auf neue Nahrungsquellen, wie insbesondere den proteinreichen Krill, oder auch auf mineralische Bodenschätze, wie Öl, Gas, Kohle, Erz oder Uran, in den Vordergrund. Großbritannien wie Argentinien beanspruchten seit 1908 bzw. 1942 einzelne Sektoren der Antarktis. Daran hatte auch der am 1. Dezember 1959 in Washington von zwölf Staaten unterzeichnete Antarktis-Vertrag nichts geändert.

Kaum jemand hätte es für möglich gehalten, daß sich aus dem traditionellen Konflikt um die Falklandinseln im ausgehenden 20. Jahrhundert noch einmal ein Krieg entwickeln könnte. Die Ursachen für diesen Waffengang lagen in der argentinischen Innenpolitik. Seit dem März 1976, als die argentinische Armee gegen María Estela Perón, die Witwe des populären Präsidenten Juan Domingo Perón, geputscht hatte, befand sich das

Land in einer Situation, die für den gesamten iberoamerikanischen Kontinent während des Kalten Krieges charakteristisch gewesen ist: Immer wieder waren es die Armeen, die versuchten, die Geschicke einzelner Länder Mittel- und Südamerikas in die Hand zu nehmen und die zum Teil gewaltigen wirtschaftlichen und sozialen Probleme zu lösen.

Hin- und hergerissen zwischen den Extremen rechter Militärherrschaft und linker Guerilla, durchlebte der Halbkontinent in der zweiten Jahrhunderthälfte eine Phase grundlegender Transformation hin zu einer insgesamt besseren Zukunft. Als im Dezember 1994, zum ersten Mal seit 27 Jahren, die Staats- und Regierungschefs aus 34 Staaten – ohne das nicht geladene Kuba Fidel Castros – zu einer gesamtamerikanischen Runde zusammentrafen, konnten alle, mehr oder weniger berechtigt, von sich behaupten, demokratisch legitimiert zu sein. Überdies repräsentierten manche von ihnen Staaten, die den Status des Entwicklungslandes, zumindest in einigen Bereichen, hinter sich gelassen und sich in die Riege der Industrienationen eingereiht hatten. So galt Brasilien am Ende des Kalten Krieges als einer der größten Waffenproduzenten der westlichen Welt. Führend war das Land bei der Produktion von Radpanzern und, in einem bestimmten Segment, auch von Flugzeugen für den militärischen und zivilen Bereich.

Gewiß, in vielen Ländern Iberoamerikas war auch nach dem Ende des Kalten Krieges die Demokratie noch eine zarte Pflanze ohne kräftiges Wurzelwerk, und die soziale Kluft zwischen arm und reich zog sich wie eine tiefe Narbe durch das Gesicht des Teilkontinents. Aber gemessen an den Zuständen der sechziger, siebziger und frühen achtziger Jahre war das Ergebnis des Transformationsprozesses doch beeindruckend. Vielen waren noch die Ereignisse in Chile oder Argentinien in lebhafter Erinnerung. Der blutige Putsch gegen den 1970 zum chilenischen Präsidenten gewählten Kandidaten der linken «Unidad Popular», Salvador Allende Gossens, mit dem die Armee im September 1973 zugleich die Sozialisierungs- und Verstaatlichungspolitik abrupt beendete, war in der westlichen Welt mit Empörung aufgenommen worden. Die Politik der chilenischen Generäle, die nicht unbeträchtliche direkte und indirekte Unterstützung aus den USA erfuhren, und ihr brutales Vorgehen gegen tatsächliche oder vermeintliche Gegner schienen die Skepsis gegenüber den Verhältnissen in Lateinamerika ebenso zu bestätigen wie das Vorgehen ihrer argentinischen Kollegen zweieinhalb Jahre später.

Für die argentinischen Militärs galt ähnliches wie für die meisten Junten des Kontinents: Ihr Rückhalt in der Bevölkerung war höchst begrenzt, ihr Umgang mit Gegnern skrupellos. Das ganze Ausmaß von Folter, Verfolgung und Liquidierung politischer Gegner wurde erst nach dem Kalten Krieg bekannt. Dennoch sahen schon viele zeitgenössische Beobachter im Griff der Militärregierung unter General Leopoldo Galtieri nach den Falklandinseln auch den Versuch, durch einen spektakulären außenpolitischen Prestigeerfolg ihre dramatisch sinkende Popularität aufzumöbeln. Zu diesem Zweck wurde der Druck auf Großbritannien erhöht. Man darf davon ausgehen, daß die britische Regierung bereit gewesen wäre, über eine friedliche Regelung mit sich reden zu lassen. Das aber reichte den Machthabern in Buenos Aires nicht, und so trieben sie die Eskalation des Konflikts bis zur militärischen Inbesitznahme der Falklandinseln am 2. April 1982 voran. Solchermaßen vor vollendete Tatsachen gestellt, glaubte die britische Regierung nun ihrerseits entsprechend reagieren zu müssen. Insbesondere die am 4. Mai 1979 ins Amt gekommene Premierministerin Margaret Thatcher hatte einen Ruf als «Eiserne Lady» zu verlieren. Zum 5. April beschloß die Regierung die Entsendung von Marinekampftruppen, welche die Inseln zurückerobern sollten.

Der «Falkland-Krieg», der wie ein Kolonialkrieg des 19. Jahrhunderts aussah, hatte in mehrfacher Hinsicht anachronistische Züge. Immerhin wurde eine britische Armada auf eine 8000 Meilen weite Reise geschickt, um am anderen Ende der Welt erneut die britische Flagge auf einer Inselgruppe zu hissen, die von 1800 Menschen und 400000 Schafen bewohnt war. Aber natürlich ging es auch ums Prinzip. In einer Zeit, in der sich gerade in der Dritten Welt die Krisen, Kriege und Konflikte mehrten, wollte London einen Präzedenzfall vermeiden. Das vor allem bewog die britische Regierung zu ihrer Entscheidung, und auch deshalb fand sich die Europäische Gemeinschaft zu einigen konkreten Solidarisierungsmaßnahmen mit Großbritannien, wie etwa der Verhängung von Wirtschaftssanktionen gegen Argentinien, bereit.

Der Krieg ging schließlich in der Nacht vom 14. auf den 15. Juni 1982 mit der Kapitulation der argentinischen Streitkräfte zu Ende. Er forderte auf britischer Seite mehr als 250 Tote und nicht unbeträchtlichen materiellen Schaden, vor allem an den Schiffen. Daß dieser vor allem auf das Konto französischer Waffen, wie zum Beispiel der von Argentinien eingesetzten «Exocet»-Rakete ging, verwies auf die fragwürdigen Segnungen des internationalen Waffenhandels. Für die argentinische Militärjunta läutete die Niederlage den Anfang vom Ende ein. Am 10. Dezember 1983 übernahm erneut eine zivile Regierung die Amtsgeschäfte in Buenos Aires, und damit kam es auch zu einer allmählichen Besserung der Beziehungen zu Großbritannien. Allerdings wurden nicht vor Februar 1990 wieder volle diplomatische Beziehungen zwischen den vormaligen Kriegsgegnern aufgenommen, und erst im September 1995 konnte ein Vertrag über die gemeinsame Ausbeutung des Seegebietes um «die Inseln» unterzeichnet werden, der jedoch schon durch die zitierte Bezeichnung die delikate Frage der Besitzansprüche umging.

Leichten Herzens gaben die Europäer ihren Segen zum britischen Falkland-Abenteuer nicht. Denn der Alleingang eines Mitglieds war nicht gerade dazu angetan, die ohnehin sehr mühsamen Versuche zur Koordination bzw. Intensivierung einer gemeinsamen europäischen Außen- oder gar Sicherheitspolitik zu fördern. Dieses Ziel verfolgte traditionell die bundesdeutsche Politik, und hier vor allem Außenminister Hans-Dietrich Genscher. Auch nach dem Regierungswechsel vom Oktober 1982 änderte sich nichts. Bereits im Mai 1980 hatte Genscher zu energischen Anstrengungen aufgerufen, um eine Desintegration Europas zu einer reinen «Zollgemeinschaft» zu verhindern,[41] und ein gutes halbes Jahr später, am 6. Januar 1981, mahnte er an, daß Europa einen sichtbaren Schritt in Richtung auf eine «Europäische Union» brauche.[42] Die Reaktionen der Partner auf diese Appelle waren verhalten. Lediglich der italienische Außenminister Emilio Colombo beurteilte die Lage ähnlich.

Das Ergebnis war ein deutsch-italienischer Vorschlag für die Europäische Union, der am 4. November 1981 veröffentlicht wurde. Der deutsche Außenminister stellte ihn zwei Wochen später, am 19. November, dem Europäischen Parlament vor. Dabei wurde deutlich, daß auch diese Initiative auf die Koordination nationaler Alleingänge abzielte: «Die Handlungsfähigkeit Europas auch nach außen macht es notwendig, die Außenpolitik der Europäischen Politischen Zusammenarbeit und die Außenwirtschaftspolitik der Europäischen Gemeinschaft zu einer kohärenten und umfassenden europäischen Politik zu integrieren.»[43] Zunächst allerdings wurde wieder verhandelt, diesmal zweieinhalb Jahre. Am Ende stand die Unterzeichnung einer «Feierlichen Deklaration zur Europäischen Union» durch die Staats- und Regierungschefs der EG anläßlich der Tagung des Europäischen Rates in Stuttgart vom 17. bis zum 19. Juni 1983. Der Titel des Dokuments ließ erahnen, daß es sich bei aller Feierlichkeit nur um eine Erklärung handelte, und die war weit von dem entfernt, was die Bundesrepublik und Italien mit der «Genscher-Colombo-Initiative» eigentlich angestrebt hatten. Schnell zeigte sich, daß insbesondere Großbritannien und Frankreich nicht bereit waren, weitere nationale Rechte und Kompetenzen an eine supranationale Institution zu delegieren. Bundeskanzler Kohl brachte die Sache auf den Punkt, als er am 30. Juni 1983 vor dem Europäischen Parlament resümierte, man müsse sich damit abfinden, «daß wir alle zusammen nur soviel erreichen können, wie jeder für sich zu akzeptieren bereit ist».[44]

Günstiger sah es mit den deutsch-französischen Beziehungen aus. Insgesamt setzte sich die gute Zusammenarbeit der Ära Schmidt/Giscard in der Ära Mitterrand/Kohl fort. Das war keineswegs selbstverständlich, denn auf den ersten Blick brachten der deutsche Christdemokrat und der französische Sozialist wenig Gemeinsames mit in ein Jahrzehnt, das sie schließlich maßgeblich mitgestalten sollten. Am 10. Mai 1981 war François Mitterrand im zweiten Durchgang zum vierten Präsidenten der Fünften Republik gewählt worden. Erst in der Endphase seiner zweiten Amtszeit wurde die französische Öffentlichkeit näher mit der schillernden Biographie eines Mannes bekannt, der in seinem Auftreten und seinem Amtsstil zu diesem Zeitpunkt eher einem absoluten Monarchen als dem Präsidenten eines demokratisch verfaßten Staates glich und in dieser Hinsicht an seinen berühmten Vorgänger Charles de Gaulle erinnerte. Der 1916 geborene Mitterrand hatte sich nach bewegten frühen Jahren, in denen er mit allen großen Strömungen des politischen Lebens in Frankreich in Berührung gekommen war, für den Sozialismus als politische Heimat entschieden. Als erster Sekretär des «Parti Socialiste» und Vizepräsident der sozialistischen Internationale war er auch mit den Stimmen der Kommunisten zum Staatspräsidenten gewählt worden. Das Programm, mit dem er antrat, sah unter anderem Enteignungen und Vergesellschaftungen vor, und es liegt auf der Hand, daß seine politischen Partner in Deutschland damit ihre Schwierigkeiten hatten. Das galt schon für Helmut Schmidt, und es galt erst recht für Helmut Kohl.

Es sprach für die deutsch-französische Freundschaft, daß sich aus diesen Gegensätzen kein Konflikt entwickelte, daß vielmehr die französisch-deutsche Zusammenarbeit auch in der Ära Mitterrand fast reibungslos fortgesetzt, ja intensiviert werden konnte. Mit Bedacht reiste der Bundeskanzler bereits wenige Stunden nach seiner Ernennung zu einem ersten Gespräch in den Elysée. Daß sich aus der politisch gebotenen Zusammenarbeit im Laufe der Jahre ein freundschaftliches Verhältnis entwickeln würde, war damals nicht absehbar. Natürlich half es, daß Mitterrand sein Verstaatlichungsprogramm alsbald zu den Akten legen mußte. Auch zu Beginn seiner Amtszeit stand die wirtschaftliche Kooperation mit Deutschland im Vordergrund, denn wieder einmal wurde Europa von außen unter Druck gesetzt, diesmal durch die amerikanische Wirtschaftspolitik. Auch jetzt erwies sich dieser Außendruck als ein stimulierendes Element der europäischen Integration.

Ronald Reagans Hochzins- und «Deficit-spending»-Politik, die als «Reaganomics» firmierte, mußte unmittelbare Auswirkungen auch auf Europa haben. Hinzu kam im Juni 1982 die Einführung einer Importausgleichsabgabe für europäischen Stahl. Die anschließenden Verhandlungen zwischen der EG-Kommission und dem amerikanischen Handelsministerium führten schließlich am 21. Oktober zur Beilegung des Streits. Das alles war unerfreulich, aber nicht so problematisch und für das amerikanisch-europäische Verhältnis langfristig derart schädlich wie der Druck, den Washington auf seine europäischen Verbündeten in der Absicht ausübte, diese zu einer Beteiligung an Wirtschaftssanktionen gegenüber der Sowjetunion zu bewegen. Wie gesehen, hatten die USA als Reaktion auf die sowjetische Intervention in Afghanistan erhebliche Boykottmaßnahmen beschlossen, die nach Verhängung des Kriegsrechtes in Polen noch einmal verschärft worden waren. Reagan versuchte nun, die Europäer zu ähnlichen Schritten zu überreden oder auch zu zwingen.

Direkt betroffen von dieser Politik war die Bundesrepublik. Daß sie sich dem Boykott der Olympischen Spiele in Moskau unter einigem

Murren anschloß, war eine Sache. Daß sie aber von einem geplanten neuen «Erdgas-Röhren-Geschäft» Abstand nehmen sollte, eine andere. Dabei handelte es sich, wie schon bei ähnlichen Vereinbarungen in den voraufgegangenen Jahren, um ein Unternehmen, das zwar unter deutscher Führung stand, an dem sich aber auch zahlreiche westeuropäische Firmen beteiligten. Deshalb schwenkten insbesondere der französische Präsident Mitterrand, aber auch die britische Premierministerin Thatcher auf eine Art europäische Einheitsfront ein, um dem amerikanischen Ansinnen wirkungsvoller entgegentreten zu können. Zwar ließ die Wirtschaftspolitik Thatchers durchaus manche Ähnlichkeiten mit derjenigen Reagans erkennen, hier aber ging es um eine grundsätzliche Frage. Die Argumente, mit denen der Präsident die Europäer und vor allem die Deutschen zur Aufgabe ihrer Ostgeschäfte zu bewegen suchte, stammten nach dem Geschmack vieler Europäer aus einer vergangenen Epoche des Kalten Krieges.

Gewiß, Reagans Vorhaltungen, wonach sich Westeuropa in eine immer stärkere Abhängigkeit von russischen Erdgaslieferungen begeben und damit einer potentiellen Erpreßbarkeit ausliefern könne, oder sein Argument, daß durch solche Geschäfte die Deviseneinnahmen der Sowjetunion erhöht und mit diesen wiederum die Stärkung des militärischen Potentials gefördert werde, mochten – isoliert betrachtet – nicht falsch sein. Aber in den Metropolen Westeuropas konnte man sich nicht des Eindrucks erwehren, daß der Präsident die Europäer auf einen Kreuzzug gegen die Sowjetunion verpflichten wollte. Als besonders problematisch erwies sich Reagans Kurs auch deshalb, weil er sich nicht nur auf das Gebiet der Wirtschaftspolitik erstreckte, sondern auch auf andere Bereiche wie den KSZE-Prozeß, der für die Europäer stets eine größere Bedeutung besaß als für die Amerikaner.

Ohnehin stand es mit der KSZE nicht zum besten. Das I. Folgetreffen, das vom 4. Oktober 1977 bis zum 9. März 1978 in Belgrad stattgefunden hatte, war ohne konkretes Ergebnis geblieben. Immerhin war anerkannt worden, «daß der Meinungsaustausch in sich selbst einen wertvollen Beitrag zur Erreichung der von der Konferenz über Sicherheit und Zusammenarbeit gesetzten Ziele darstellt».[45] Tatsächlich bot die KSZE immerhin die Möglichkeit, auch in schwierigen internationalen Situationen im Gespräch zu bleiben. Das gilt nicht zuletzt für den deutsch-deutschen Meinungsaustausch, und so war die Bundesregierung bemüht gewesen, das Belgrader Treffen nicht zu einem Forum zu machen, auf dem Menschenrechtsverletzungen angeprangert wurden, wie es Jimmy Carter wohl gerne gesehen hätte.

Doch auch der KSZE-Prozeß blieb vom Klimasturz in der Weltpolitik nicht unberührt. Dem II. Folgetreffen, das vom 11. November 1980 bis zum 12. März 1982 und vom 9. November 1982 bis zum 9. September 1983 in Madrid abgehalten wurde, drohte gar nach der Verhängung des

Kriegsrechtes in Polen der Abbruch. Wieder waren es vor allem die USA, und jetzt ihr neuer Präsident Reagan, die auf drastische Maßnahmen auch im Rahmen des KSZE-Prozesses drängten. Wieder waren es die Europäer, die gerade wegen der allgemeinen Klimaverschlechterung nicht auch noch dieses Gesprächsforum gefährden wollten. Immerhin konnte dann die Madrider Konferenz in ihrem abschließenden Dokument noch einige vorzeigbare Ergebnisse präsentieren. Dazu zählten unter anderem neue Verpflichtungen bezüglich der Familienzusammenführung, der Erleichterung der Arbeitsbedingungen von Journalisten sowie des ungehinderten Zugangs zu ausländischen Missionen.

Während des II. Folgetreffens in Madrid kam es zum geschilderten Bonner Regierungwechsel. Dieser hatte jedoch, anders als von vielen Beobachtern erwartet, keine Änderung des außenpolitischen Kurses zur Folge – weder in der KSZE-, noch in der Ost-, noch in der Deutschlandpolitik, ganz im Gegenteil. Zwar betonte die Regierung Kohl vernehmlicher als die Regierung Schmidt die Unvereinbarkeit der politischen, wirtschaftlichen und sozialen Systeme. Auch wurde in der Öffentlichkeit immer wieder eine Änderung unhaltbarer Zustände angemahnt, wie der Ausweisung prominenter Regimegegner, der Verletzung der Menschenrechte, des Schießbefehls an der deutsch-deutschen Grenze und vor allem der automatischen Selbstschußanlagen. Daß Pankow Ende September 1983 mit deren Abbau begann, wurde allgemein als Erfolg der Deutschlandpolitik der Regierung Kohl gewertet. Der neue Kanzler versah die jährlichen Berichte zur «Lage der Nation» auch wieder demonstrativ mit dem Zusatz «im geteilten Deutschland», der 1969 stillschweigend gestrichen worden war. Im Kern setzte aber die neue Bundesregierung die pragmatische Kooperation mit dem Honecker-Regime ungebrochen fort. Das war schon deshalb so, weil der kleinere Koalitionspartner in der Regierungsverantwortung blieb. Vor allem aber gab es dazu auch gar keine Alternative.

Wie sein Vorgänger, hat auch Kohl mit Honecker wiederholt persönlich gesprochen, sowohl telefonisch als auch vis-à-vis anläßlich mehrerer Begegnungen 1984/85, am Rande der Trauerfeierlichkeiten für die beiden Nachfolger Breschnews, und natürlich beim Besuch des Vorsitzenden des Staatsrates der DDR in der Bundesrepublik im September 1987, von dem noch zu berichten sein wird. Bereits in seinem ersten Telefonat mit Honecker stellte Kohl am 24. Januar 1983 fest, «daß wir beide in besonderem Maße auch Verantwortung für die Sicherung des Friedens in Europa tragen. Und es ist unser Wunsch, auch unter diesen Zielsetzungen die Möglichkeiten aus dem Grundlagenvertrag weiterzuentwickeln und zu nutzen, um positive Impulse für die Zusammenarbeit zu ermöglichen.»[46] Daran hat sich bis zur Revolution des Jahres 1989 nichts geändert. Im März 1985 wies der Bundeskanzler seinen Gesprächspartner darauf hin, daß er «eine Reihe von Schritten getan» habe, «an die seine Vorgänger nicht zu denken gewagt, geschweige denn unternommen hätten ... Er habe E. Honecker als einen Partner kennengelernt, auf den Verlaß sei.»[47] Wie Schmidt war auch Kohl der Auffassung, daß die beiden deutschen Teilstaaten auf «Feldern, wo man etwas machen könne», wie dem der Abrüstung im nuklearen Bereich, «Bewegung hineinbringen» und ihren «Teil an Einfluß geltend» machen sollten.[48]

Allerdings wußte der Bundeskanzler sehr wohl und sagte das auch Honecker bei dessen Besuch in der Bundesrepublik, daß die beiden deutschen Staaten zwar «ihren Beitrag zum Frieden leisten», sich dabei aber «natürlich ... nicht übernehmen [könnten]. Sie seien nicht das Maß aller Dinge.» Im übrigen hätten neben der Abrüstung «Fragen wie Wirtschaft, Kultur, Menschenrechte besonderes Gewicht».[49] Vor allem ließ Kohl keinen Zweifel an der wichtigsten Zielsetzung der Bonner Deutschlandpolitik, und auch in diesem Punkt sprang die Kontinuität seit den Tagen Konrad Adenauers förmlich ins Auge: «Es geht uns immer und vor allem um die Menschen. Deshalb haben Menschenrechte und humanitäre Fragen in unseren Beziehungen eine herausragende Bedeutung.»[50]

Schon deshalb setzte die Regierung Kohl auch im Rahmen der KSZE den bisherigen Kurs im wesentlichen fort. Die Haltung der CDU/CSU hatte sich seit Mitte der siebziger Jahre grundlegend geändert. Hatte sie die Schlußakte von Helsinki abgelehnt und sich damit europaweit isoliert, weil sie darin, ähnlich wie in der Ost- und Deutschlandpolitik, ein ohne Not erfolgtes Festschreiben der deutschen Teilung erblickte, so sah auch sie in den folgenden Jahren in der KSZE zunehmend eine Möglichkeit, um auf die Notwendigkeit ihrer Überwindung hinzuweisen, einer weiteren Vertiefung der Spaltung entgegenzuwirken und vor allem immer wieder die «humanitäre Frage» einzuklagen. Bei seiner Begegnung mit Honecker im Februar 1984 konnte Kohl sogar feststellen, daß «ohne die BRD ... Madrid nicht zum Ergebnis gekommen» wäre. «Die USA seien erst auf einem ganz anderen Dampfer gewesen.»[51]

Die Zeit zwischen dem II. und dem III. Folgetreffen der KSZE war mit insgesamt sechs Expertentreffen, Seminaren und Konferenzen zu Einzelthemen gefüllt. Insbesondere die Expertentreffen über Menschenrechte und Grundfreiheiten in Ottawa (1985) und über menschliche Kontakte in Bern (1986) sowie das im Herbst 1985 veranstaltete «Kulturforum» der KSZE blieben ohne jedes konkrete Ergebnis. Anders verhielt es sich mit der «Konferenz für Vertrauens- und Sicherheitsbildende Maßnahmen und Abrüstung in Europa» (KVAE), deren Einberufung in Madrid beschlossen worden war und die am 17. Januar 1984 in Stockholm zusammentrat. Daß diese schließlich Erfolg haben und geradezu einen Durchbruch in der internationalen Politik herbeiführen sollte, konnte zu diesem Zeitpunkt allerdings schon deshalb niemand vorhersehen, weil kein Mensch ahnte, daß die Welt unmittelbar vor einer Revolution stand.

12. Umbau
Die Revolution der Weltpolitik
1984–1989

Revolutionen melden sich nicht an, sie finden statt. So wenig wie andere vor ihr hatte man die Revolution der Weltpolitik des Jahres 1989 voraussehen können. Auch jetzt mußten mehrere Faktoren, die ursprünglich wenig miteinander zu tun hatten, zusammenkommen und sich zu jenem großen Strom formen, der mit Macht fortriß, was ihm im Wege war. Es begann um die Mitte der achtziger Jahre, ohne daß die Ereignisse den Zeitgenossen schon als der Anfang eines dramatischen Umwälzungsprozesses erschienen wären. Aber bereits das Jahr 1985 brachte Entscheidungen und Entwicklungen, die selbst Optimisten nicht erwarten konnten. Am Ende dieses Jahres jedenfalls hatten immer weniger Beobachter einen Zweifel, daß die Eiszeit in der internationalen Politik vorüber sein könnte, ohne daß man so recht eine Erklärung für die mitunter atemberaubenden Vorgänge zur Hand gehabt hätte.

Die Fakten sprachen freilich für sich. Am 12. März 1985 waren die Genfer Verhandlungen zwischen den Vereinigten Staaten und der Sowjetunion wieder aufgenommen worden, und zwar auf allen Ebenen. Man verhandelte also sowohl über einen Abbau der Mittelstreckenwaffen in Europa (INF) und über eine Reduktion der strategischen Nuklearwaffen (START) als auch über Defensiv- und Weltraumwaffen – einschließlich SDI. Drei Monate später, am 10. Juni, erklärte der amerikanische Präsident Ronald Reagan, daß die USA die Bestimmungen des SALT-II-Vertrages einhalten würden, obgleich dieser in Washington nicht ratifiziert worden war. Acht Tage darauf wurde das amerikanisch-sowjetische Abkommen über landwirtschaftliche Zusammenarbeit wieder in Kraft gesetzt, das Präsident Carter nach dem sowjetischen Einmarsch in Afghanistan sistiert hatte, und vom 19. bis zum 21. November traf Reagan in Genf mit dem Generalsekretär der KPdSU zusammen.

Aber der Mann, der Reagan da am Verhandlungstisch gegenüber saß, war nicht mehr jener erste Sowjet, der den Kurs des Imperiums seit fast 20 Jahren nachhaltig bestimmt und tiefe Spuren in der internationalen Politik der siebziger Jahre hinterlassen hatte. Leonid Iljitsch Breschnew, beim Amtsantritt Reagans im Januar 1981 noch Generalsekretär der KPdSU, war am 10. November 1982 nach einer längeren Phase des physischen und geistigen Kräfteverfalls gestorben. Im Westen stellte sich damit, ähnlich wie nach dem Tode Stalins und dem Sturz Chruschtschows, die große Frage, wer die Nachfolge antreten werde.

Bei Breschnew jedenfalls hatte man gewußt, wen man vor sich hatte und woran man war. Sicher zeichnete Breschnew auch für die Zerschlagung des «Prager Frühlings», für die Vorrüstung im Bereich der nuklearen

Mittelstreckenraketen in Europa, für die sowjetischen Aktivitäten in der Dritten Welt und insbesondere für den Einmarsch in Afghanistan verantwortlich. Geprägt von den Erfahrungen des Zweiten Weltkriegs, hatte Breschnew aber in Europa zugleich eine Politik der Sicherung des Status quo betrieben. Zusammen mit Kossygin und Gromyko setzte der Generalsekretär die Entspannung im Verhältnis zur Bundesrepublik, die KSZE oder auch die SALT-Verhandlungen mit den Vereinigten Staaten durch. Kaum darf dabei freilich übersehen werden, daß er damit zum Teil ältere Strömungen der sowjetischen Politik fortführte und daß er auch durch die innere wie äußere Situation der Sowjetunion zu dieser Politik gezwungen wurde: Am Ende sollte die fortschreitende Erstarrung des gesamten gesellschaftlichen, ökonomischen und politischen Systems der Sowjetunion, die der greise Breschnew geradezu personifizierte, eine entscheidende Ursache für den Zusammenbruch des gesamten Systems bilden.

Für den Westen bedeutete indessen diese allgemeine Erstarrung zugleich ein hohes Maß an Berechenbarkeit, und wenn der sowjetischen Politik im kommenden Jahrzehnt etwas verloren ging, dann war es eben diese. Dabei kamen eine Fülle sehr unterschiedlicher, teils geplanter, teils unvorhersehbarer Faktoren zusammen. Das begann schon mit der personellen Diskontinuität in der ersten Hälfte der achtziger Jahre. Denn der Mann, dem Reagan bei seinem Genfer Gipfeltreffen im November 1985 gegenübersaß, war nicht etwa der Nachfolger Breschnews, auch nicht dessen Nachfolger, sondern schon der dritte Thronerbe, also gewissermaßen der Urgroßenkel Breschnews. Mit anderen Worten, innerhalb von nur vier Jahren erlebten die Sowjetunion, ihre Verbündeten und ihre politischen Gegner den vierten Mann an der Spitze des Staates und damit des Ostblocks. Jurij W. Andropow, der nach dem Tode Breschnews das Amt des Generalsekretärs und im Juni des folgenden Jahres auch das des Staatsoberhauptes übernommen hatte, war gerade acht Jahre jünger als sein Vorgänger. Als er im Februar 1984 unerwartet verstarb, übernahm mit Konstantin U. Tschernenko ein Mann das Amt des Generalsekretärs der KPdSU – und dann, im April 1984, auch die Funktion des Staatsoberhauptes –, der mit 72 Jahren ebenfalls die Pensionsgrenze erreicht hatte, und mit dessen Gesundheit es nicht zum besten stand. Nach den ersten öffentlichen Auftritten war man nicht überrascht, als im März 1985 die Nachricht von seinem Tode um die Welt ging. Die beiden Männer des Übergangs hatten kaum eine Möglichkeit, der sowjetischen Politik ihren Stempel aufzudrücken. Immerhin konnte Andropow, der sich seit 1967 als Leiter des KGB und Mann des Durchgreifens einen einschlägigen Namen gemacht hatte, den einen oder anderen Akzent setzen, zum Beispiel mit seiner Kampagne gegen die Korruption, die deutlich werden ließ, woran das erstarrte System zusehends krankte.

An diesem Punkt setzte auch Michail Sergejewitsch Gorbatschow an, der am 11. März 1985 das Amt des Generalsekretärs der KPdSU übernahm.

Schon bald prangerte er öffentlich die Mißstände in der Sowjetunion an, so zum Beispiel am 11. Juni 1985 in einem Grundsatzreferat über die Wirtschaftspolitik. Seit seiner Rede auf dem ZK-Plenum der KPdSU am 27. und 28. Januar 1987 hatte das Ganze dann einen offiziellen Namen: «Perestroika», «Umbau». Der Begriff war in der Geschichte der Partei schon verschiedentlich für Strukturveränderungen verwendet worden. Seit Mitte des Jahres 1986 setzte er sich allgemein als Synonym für die Systemreform fest, die von «Glasnost», der Transparenz und Offenheit des Prozesses, begleitet werden sollte. Es ist wichtig festzuhalten, daß Gorbatschow ursprünglich mit dem Programm einer Reform der gesellschaftlichen, wirtschaftlichen und politischen, also der inneren Strukturen der Sowjetunion antrat. Am Ende des Weges sollte nicht etwa die Überwindung des kommunistischen Systems und der Partei stehen, sondern vielmehr ihre Reformierung, Stabilisierung und damit Transformierung in eine erneuerte, nach innen und außen effiziente Organisation. Bis zuletzt stand Gorbatschow für die – aus der Chruschtschow-Ära überkommene – Überzeugung, das kommunistische System sowjetischer Prägung sei dem westlichen, kapitalistischen überlegen und werde diese Überlegenheit in seiner Reformierbarkeit unter Beweis stellen.

Gorbatschows Prioritäten überraschten eigentlich nicht. Ein Blick in seine Biographie wies ihn als Mann der Partei und des Systems aus. Die sechziger Jahre hatten zunächst seinen Aufstieg zum Komsomol-, dann zum Parteisekretär seiner kaukasischen Heimatprovinz gesehen. Seit 1971 war der damals erst Vierzigjährige Mitglied des Zentralkomitees der KPdSU und seit 1978 Landwirtschaftssekretär des ZK. Als Michail Gorbatschow, der seit 1980 auch Vollmitglied des Politbüros war, dann im März 1985 zum Generalsekretär der Partei berufen wurde, kam schon das einer kleinen Revolution gleich. Immerhin war er zu diesem Zeitpunkt erst 54 Jahre alt, und damit etwa 20 Jahre jünger als die meisten Mitglieder des Politbüros.

Gorbatschow hatte sich in den sechziger und siebziger Jahren einen Namen als Fachmann für landwirtschaftliche Entwicklung und als Experte für die Steigerung der ökonomischen Effizienz gemacht. Als solcher wurde er berufen, und in diesem Bereich machte er sich umgehend an die Arbeit. Worum es ging, erläuterte er drei Jahre nach seinem Einzug in den Kreml auf der 19. Allunions-Parteikonferenz, die vom 28. Juni bis zum 1. Juli 1988 abgehalten wurde: Man müsse, führte der Generalsekretär aus, das marode System vor dem weiteren «Anschwellen der Stagnationserscheinungen im wirtschaftlichen und sozialen Leben» bewahren. «Was wir brauchen, sind nicht Millionen Tonnen Stahl, Millionen Tonnen Zement, Millionen Tonnen Kohle, sondern konkrete Endergebnisse»[1] – mit anderen Worten: die qualitative Intensivierung der Produktion anstelle der weiteren quantitativen Steigerung um ihrer selbst willen.

Die Umsetzung eines solchen Programms erforderte ein ganzes Paket einander ergänzender Maßnahmen in allen Bereichen des wirtschaftlichen und gesellschaftlichen Lebens. Nichts durfte tabu sein – weder die «Nomenklatura» der allmächtigen Partei und ihre Privilegien, noch die eingefahrenen Wege des täglichen Lebens und Wirtschaftens. Die frühen Kampagnen gegen Korruption, Amtsmißbrauch und Alkoholismus und die schrittweise Einführung des Prinzips der Eigenverantwortlichkeit in den Bereichen der Wirtschaft und des Handels wurden von einschneidenden Eingriffen in den Partei- und den Staatsapparat flankiert: Zwei Jahre nach Gorbatschows Amtsantritt waren nur noch 16% der Sekretäre und gut 10% der Abteilungsleiter des ZK der KPdSU sowie knapp 13% der Mitglieder des Präsidiums des Ministerrats in ihren Ämtern.[2]

Mit diesem ersten Schritt war im Grunde der zweite, die Reform des politischen Systems, bereits eingeleitet. Auch hier operierte Gorbatschow zweigleisig, indem er zum einen zahlreiche führende Repräsentanten des alten Systems, wie Kossygin oder Gromyko, entmachtete und reformwillige Kräfte, so Eduard A. Schewardnadse und Boris N. Jelzin, förderte. Das wird in anderen Zusammenhängen zu zeigen sein. Zum zweiten ergriff der Generalsekretär auf der legislativen und der exekutiven Ebene die Initiative. Die schon erwähnte 19. Parteikonferenz war das Forum, das Gorbatschow im Sommer 1988 für die Präsentation seiner revolutionären Vorschläge wählte. Zu diesen gehörte die Einberufung eines «Kongresses der sowjetischen Volksdeputierten», dessen 2250 Mitglieder sich alle fünf Jahre erneut zur Wahl stellen mußten. Der Kongreß sollte die «wichtigsten konstitutionellen, politischen, wirtschaftlichen und sozialen Fragen» erörtern und überdies den Staatspräsidenten in geheimer Abstimmung wählen. Auch die Schaffung dieses Amtes, das mit weitreichenden Vollmachten ausgestattet sein sollte, regte Gorbatschow auf der Parteikonferenz an.[3]

Angesichts seiner gewaltigen Dimensionen mußte sich der eingeleitete Umbau von Wirtschaft, Gesellschaft, Staats- und Parteiapparat fast zwangsläufig verselbständigen und der Kontrolle entziehen. Man darf ja nicht vergessen, daß die neuen Ideen mit den alten Leuten umgesetzt werden mußten und daß diese sich selbst dann, wenn sie die Reformen engagiert unterstützten, nicht von heute auf morgen den bürokratischen Strukturen entziehen konnten, die das politische, gesellschaftliche und wirtschaftliche System seit Jahrzehnten bestimmt hatten. Außerdem sah sich, der «Glasnost»-Losung folgend, jetzt auch die Geschichte der Partei zusehends kritischen Fragen ausgesetzt. Diese bezogen sich anfänglich vor allem auf die Stalin-Zeit, bald aber auch auf das Jahr 1917 und die Gründungsphase der Sowjetunion und damit auf ihre tragenden Fundamente. Am Ende der achtziger Jahre machte die große Mehrzahl der Bevölkerung die bolschewistische Revolution und das, was aus ihr hervorgegangen war, für die Misere ihrer eigenen Zeit verantwortlich.

Gorbatschow wird gewußt haben, warum er sich anfänglich gegen die Geschichtsdebatte sperrte. Seit Anfang 1987 ließ sie sich nicht mehr aufhalten, und so nahm die Entwicklung für ihn einen geradezu tragischen

Verlauf: Indem er die Debatte über das System in der Absicht in Gang gebracht hatte, es zu reformieren und so zu retten, öffnete er ungewollt die Schleusen für eine Fundamentalkritik, die dieses System selbst in Frage stellte und damit seiner bloßen Reformierbarkeit den Boden entzog. Jetzt machte sich bemerkbar, daß die «Perestroika» in erster Linie eine Art zündende Idee war, aber kein durchdachtes, ausformuliertes Konzept. So gewann der Prozeß alsbald eine unkontrollierbare Eigendynamik. An seinem Ende stand das Scheitern der Idee und des Mannes, der sie propagiert hatte, ohne dabei zu ahnen oder wohl auch nur ahnen zu können, wohin der Zug fahren würde. Schließlich endete die Reise am falschen Ziel, nicht bei der inneren Erneuerung und Stärkung der Sowjetunion, sondern in ihrer Auflösung und damit zugleich in der Atomisierung ihres Imperiums. Das war – auch und vor allem – das Ende einer Weltordnung, der Ordnung des Kalten Krieges. Es war die eigentliche Revolution der Weltpolitik.

Denn als Gorbatschow das Ruder übernahm, war die Sowjetunion nach wie vor die zweite Supermacht, ein Weltreich mit einem gewaltigen nuklearen Potential und einer der stärksten, in jedem Falle aber der numerisch größten konventionellen Armee. Schon deshalb blieb sie unter Gorbatschow ein Hauptakteur in der internationalen Politik, deshalb auch mußte die Außenpolitik im Kreml nach wie vor einen sehr hohen Stellenwert einnehmen. Mancher schüttelte den Kopf, als Gorbatschow den erfahrenen Außenminister Gromyko, der ihn mit in die neue Position gehievt hatte, von dem Amt, das er fast 30 Jahre innegehabt hatte, entband und auf den Repräsentationsposten des Staatsoberhauptes abschob. Bald jedoch wurde erkennbar, daß auch dieser Wechsel zur Auflösung der verkrusteten Strukturen beitragen sollte. Das Amt des Außenministers übernahm Eduard A. Schewardnadse, mit dem Gorbatschow im Zentralkomitee der KPdSU seit langem gut zusammengearbeitet hatte. In dieses höchste sowjetische Gremium war Schewardnadse 1976 gewählt worden, nachdem er sich zuvor als Komsomolsekretär und Mitglied des ZK der Kommunistischen Partei Georgiens, seit 1972 als deren Erster Sekretär, unter anderem mit einer Kampagne gegen die Korruption einen Namen gemacht hatte. Beiden, Schewardnadse und Gorbatschow, fehlte indessen nahezu jede außenpolitische Erfahrung: «Ich bin kein Profi», antwortete Schewardnadse, als ihm von Gorbatschow telefonisch das neue Amt angetragen wurde.[4]

An der Moskwa gab es zu diesem Zeitpunkt andere Prioritäten als die Weltpolitik. Der Schwerpunkt lag eindeutig auf dem Gebiet der Wirtschafts-, Rechts- oder auch Wahlrechtsreform mit dem Ziel einer Stärkung von Partei und Staat. Die Außen- und Sicherheitspolitik war ursprünglich kein Bestandteil dieses Komplexes. Wohl aber sollte sie ganz offenkundig einige Voraussetzungen bzw. Rahmenbedingungen für seine erfolgreiche Umsetzung bilden. Die spürbare Verlangsamung des Rüstungswettlaufs, auf die Gorbatschows zum Teil spektakuläre Vorschläge hinausliefen, sollte unter anderem zu einer drastischen Reduzierung der entsprechenden Kosten führen. Ohne diese Einsparungen waren eine Gesundung der Wirtschaft und damit die Reform von Partei und Staat an Haupt und Gliedern schlechterdings nicht vorstellbar.

Es gehörte zu den Eigenarten der sowjetischen Herrschaftspraxis, daß nur zwei oder drei Personen, wie der Generalsekretär des ZK der KPdSU und der Verteidigungsminister, mehr oder weniger präzise über den militärisch-industriellen Komplex informiert waren. Gorbatschow will erst mit der Übernahme seines neuen Amtes erfahren haben, «daß die Militärausgaben nicht sechzehn, sondern vierzig Prozent des Staatshaushalts» betrugen.[5] Kein Wunder, daß sie «buchstäblich allen Zweigen der Volkswirtschaft die Lebenssäfte» entzogen: «Dieser Moloch verschlang alles, was um den Preis harter Arbeit und schonungsloser Ausbeutung eines Produktionsapparates erzielt wurde, der dabei auch noch völlig verschlissen wurde und besonders im Maschinenbau sowie in den extraktiven Industriezweigen einer Modernisierung bedurft hätte ... Einen Ausweg konnten nur neue Lösungen in der Außenpolitik, vor allem aber ein Dialog mit den Amerikanern bieten».[6]

Offenkundig hatte der Westen mit den Entwicklungen in der Sowjetunion zunächst seine Probleme. Die Einschätzungen der neuen Männer im Kreml, insbesondere Gorbatschows, waren sehr unterschiedlich, ja mitunter sogar gegensätzlich. Mußte man ihn beim Wort nehmen? War seine Vision von einem «Europäischen Haus» ernst gemeint, und war das nicht sogar eine interessante Perspektive? Fest steht, daß einige westliche Politiker sehr frühzeitig auf Gorbatschow setzten, ihn beim Wort und damit in die Pflicht nahmen. Das geschah zum einen, weil es keine Alternative gab. Man hatte schlechterdings keine Möglichkeit, die Personalpolitik des Kreml zu beeinflussen. Dann aber lag in der vorerst vage formulierten Ankündigung der «Perestroika» ja auch eine Chance, sofern es gelang, an der Ausformulierung dieser Idee mitzuwirken und auf diese Weise, über die Neugestaltung der internationalen Politik, indirekt auch Einfluß auf die Sowjetunion zu nehmen. Zu den westlichen Politikern, die diesen Kurs sehr bald einschlugen und dann konsequent beibehielten, gehörte der deutsche Außenminister Hans-Dietrich Genscher. Das war nicht ganz unproblematisch, denn der Vertrauensvorschuß gegenüber der neuen Moskauer Führung traf bei den Verbündeten in den westlichen Metropolen auf zunehmende Skepsis, die sich um die Jahreswende 1988/89 zu einer handfesten Krise in der Atlantischen Allianz verdichtete.

Oder war alles ganz anders? Nicht zu übersehen war ja, daß Gorbatschow sich auf einer regelrechten Werbetour befand, und sich dabei außerordentlich geschickt in Szene setzte. Seine triumphalen Fahrten durch die Straßen deutscher oder amerikanischer Metropolen wären bei seinen Vorgängern undenkbar gewesen. Aber wofür warb Gorbatschow? Nicht wenige Beobachter glaubten zu wissen, daß es sich bei der neuen Politik um ein großangelegtes Täuschungsmanöver handelte. Suchte Gorbatschow am Ende nur eine Ruhepause in der internationalen Politik, um dann die reformierte und gestärkte Weltmacht erneut in die globale Auseinandersetzung zu führen?

Wie sich die Dinge entwickelt hätten, wäre Gorbatschow durch den Westen weitgehend isoliert worden, wissen wir nicht. Daß eben das nicht geschah, lag auch an der Unterstützung, die er von ganz unerwarteter Seite erhielt. Ausgerechnet beim amerikanischen Präsidenten Ronald Reagan, der noch zwei Jahre zuvor die Sowjetunion als das «Reich des Bösen» schlechthin bezeichnet hatte, fanden die Vorschläge und Initiativen Gorbatschows ein nachhaltiges Echo. Dafür gab es Gründe, die zunächst relativ wenig mit der Sowjetunion oder dem amerikanisch-sowjetischen Verhältnis, sehr viel aber mit den spezifischen Verhältnissen in den USA zu tun hatten. Ronald Reagan leitete nämlich die Wende in den amerikanisch-sowjetischen Beziehungen und damit in der internationalen Politik insgesamt ein, bevor Gorbatschow an die Macht kam, und er wurde dazu durch mehrere Umstände veranlaßt.

Im Januar 1984 setzte sich der Präsident mehrfach, so zum Beispiel auch in der «State of the Union Message», für eine Verbesserung der Beziehungen Washingtons zu Moskau ein. Den Worten folgten alsbald Taten: Im Juni warb er in der amerikanischen Hauptstadt auf einer Konferenz über den amerikanisch-sowjetischen Wissenschaftsaustausch höchstpersönlich für eine Intensivierung der Kontakte. Am 17. Juli wurde das Abkommen über die Modernisierung des «Heißen Drahtes» paraphiert, der nach der Berlin- und der Kuba-Krise installiert worden war, um in Zukunft einer Eskalation gefährlicher Vorgänge begegnen zu können. Wenige Tage später hoben die USA das Fangverbot für die sowjetische Fischereiflotte in amerikanischen Gewässern auf, das 1980 in Reaktion unter anderem auf den Einmarsch nach Afghanistan verhängt worden war. Und als der amerikanische Präsident am 28. September dann zum ersten Mal in seiner Amtszeit den sowjetischen Außenminister empfing, hatte das mehr als nur symbolische Bedeutung. Das wurde wenige Tage später, am 22. November, deutlich. An diesem Tage gaben Washington und Moskau ihre Absicht bekannt, die Verhandlungen über die Kontrolle der Kern- und Weltraumwaffen wiederaufzunehmen, die 1983 im Konflikt um den NATO-«Doppelbeschluß» vom Kreml abgebrochen worden waren.[7] Das alles also geschah, bevor Gorbatschow ins Amt kam.

Was aber hat den amerikanischen Präsidenten bewogen, einen Kurs einzuschlagen, der offensichtlich einen radikalen Bruch mit seiner bisherigen Außen- und Sicherheitspolitik darstellte? Es kamen wohl «mehrere Ursachen zusammen, die es dem Präsidenten nahelegten, in der Rüstungskontrolle eine Flucht nach vorne anzutreten».[8] Mit seinen Vorschlägen im nuklearen Bereich reagierte Reagan auf die Forderungen des amerikanischen Kongresses, aber auch der verbündeten Europäer. Natürlich war dieser Präsident nicht bereit, den von ihm erhobenen amerikanischen Führungsanspruch in der Welt aufzugeben. So wurde beispielsweise das Aufrüstungsprogramm im konventionellen Bereich fortgeschrieben, und auch die Modernisierung im Bereich der strategischen Nuklearwaffen, etwa der neuen landgestützten «MX»-Raketen, keineswegs gestoppt, im Gegenteil: Reagan argumentierte jetzt gegenüber dem Parlament, das immer stärker auf Rüstungskontrolle drängte, daß die Umsetzung dieses Programms eine wichtige Voraussetzung für den Erfolg der Genfer Verhandlungen sei.

In erster Linie war es also der Druck des Repräsentantenhauses mit seiner demokratischen Mehrheit, der den Präsidenten veranlaßte, sich seit 1985/86 auf den Dialog mit Gorbatschow einzulassen und sich an die Umsetzung jener Vorschläge zu machen, die er selbst am 18. November 1981 der damals erstaunten Weltöffentlichkeit bekanntgegeben hatte. Andere Erwägungen kamen hinzu, und auch sie hatten vor allem einen innenpolitischen Hintergrund: Am 5. Oktober 1986 wurde über Nicaragua ein Flugzeug der CIA mit Waffen an Bord abgeschossen, und eine der abenteuerlichsten Geschichten des Kalten Krieges bekam Konturen. Danach unterstützten einige Mitglieder des Nationalen Sicherheitsrates der USA auf eigene Faust die «Contras» in Nicaragua, die einen Kampf gegen das sozialistisch orientierte Regime, die sogenannten Sandinisten unter Daniel Ortega, führten. Ihnen hatte Reagan öffentlich den Kampf angesagt, indem er den Sturz des Regimes forderte. Indessen wurde ihm ein direktes Eingreifen in den nicaraguanischen Konflikt durch das Parlament verwehrt. So verlegte sich der Präsident auf Warnungen, Drohungen oder auch die indirekte Unterstützung der «Contras». Zu den Warnungen gehörte unter anderem die Landung amerikanischer Marinetruppen auf Grenada, mit der im Oktober 1983 das marxistische Usurpationsregime beseitigt und zugleich deutlich gemacht wurde, was Kräften in der Region drohen konnte, die nach amerikanischer Interpretation die Ruhe und den Frieden gefährdeten.

Was die Unterstützung der Opposition in Nicaragua anging, so hatten sich einige Mitglieder des Nationalen Sicherheitsrates bereit gefunden, den «Contras» verfassungswidrig auf eigene Faust mit Geldern unter die Arme zu greifen. Aber das war nur die Spitze eines Eisbergs der Skandale. Aus den Papieren, die an Bord des abgestürzten CIA-Flugzeuges gefunden wurden, und auf Flugblättern, die zur gleichen Zeit in Teheran auftauchten, ging des weiteren hervor, daß diese Gelder zum Teil aus amerikanischen Waffenverkäufen an den Iran stammten. Begreiflicherweise zeigte sich der Staat der Mullahs außerordentlich an solchen Waffenkäufen interessiert, war doch die iranische Armee zu Zeiten des Schahs fast ausschließlich mit amerikanischen Waffensystemen ausgerüstet worden, für die man nun Ersatzteile, Munition und passende Ergänzungen benötigte. So wurden zwischen Februar 1985 und Oktober 1986 unter anderem auch Raketen vom Typ «Hawk» und «Tow» an Teheran geliefert. Im Gegenzug gab es Geld und die Zusage, einzelne im Iran festgehaltene amerikanische Geiseln freizulassen. Das Geschäft ließ sich für die Mullahs so günstig an, daß sie nicht zögerten, gleichzeitig weitere Geiseln zu nehmen. Eingeleitet hatte den iranisch-amerikanischen Handel übrigens Israel, das schon damals im Irak die größte Bedrohung seiner Sicherheit sah und deshalb dessen Gegner – eben den Iran – zu stärken suchte.[9]

Diese «Iran-Contra-Affäre» brachte den amerikanischen Präsidenten in die allergrößte Verlegenheit. Denn selbst wenn es zutraf, daß er nur vom ersten Teil des Geschäfts, den Waffenverkäufen an den Iran, nicht aber vom zweiten, der Verwendung der Gelder in Nicaragua, gewußt hat, so machte das die Sache ja nicht besser. Mußte man dann nicht davon ausgehen, daß Ronald Reagan keine Ahnung davon hatte, was in seiner engsten Umgebung, zum Beispiel dem Nationalen Sicherheitsrat, vorging? Wie dem auch gewesen sein mag, der Präsident brauchte Luft, und die verschafften ihm die Verhandlungen mit Gorbatschow in eben jener Frage, die eine über die «Iran-Contra-Affäre» sensibilisierte Öffentlichkeit zusehends als vordringlich betrachtete, die Frage der Rüstungskontrolle. Dieser Entschluß dürfte Reagan durch die Aussicht erleichtert worden sein, daß er sich mit einem Durchbruch auf diesem Gebiet einen bleibenden Namen in den Geschichtsbüchern sichern konnte. Darin bestärkten ihn nicht nur seine Frau Nancy, sondern etwa auch James Baker, der den Präsidenten in außen- bzw. sicherheitspolitischen Fragen beriet.

Von herausragender Bedeutung für den Verhandlungserfolg war der Entschluß Gorbatschows, wie immer er sich auch im einzelnen erklären mochte, die Vorschläge Reagans aufzugreifen, durch eine Serie von Zugeständnissen sogar noch zu übertreffen und damit alle Brücken abzubrechen, die hinter diesen Stand der Diskussion noch einmal zurückführen konnten. Auf ihrer zweiten Gipfelkonferenz von Reykjavik am 11. und 12. Oktober 1986, die auf eine sowjetische Initiative zurückging, überboten sich beide Politiker geradezu mit einer ganzen Serie von Vorschlägen und Konzessionen, zu denen unter anderem die Verbannung sämtlicher Mittelstreckenraketen mittlerer Reichweite aus Mitteleuropa zählte. Lediglich jeweils 100 dieser Systeme sollten erhalten bleiben, und zwar in den USA bzw. im asiatischen Teil der Sowjetunion. Des weiteren verständigten sich die beiden Präsidenten im Grundsatz auf den amerikanischen Vorschlag, den Bestand an strategischen Offensivwaffen zu halbieren, auch den der landgestützten, die das Rückgrat der strategischen sowjetischen Atomstreitmacht bildeten. Schließlich signalisierte Gorbatschow seine Bereitschaft, die amerikanischen Zahlen bzw. die amerikanische Zählweise zu akzeptieren, die nuklearen Potentiale Großbritanniens und Frankreichs nicht mit demjenigen der USA in Verbindung zu bringen und die seegestützten Marschflugkörper aus den Verhandlungen auszuklammern. Auch darauf hatten die Amerikaner bestanden. Schon das waren substantielle Zugeständnisse. Als Gorbatschow sich dann auch noch zu einer «drastischen Verringerung der konventionellen Streitkräfte» bereitfand, konnten der amerikanische Präsident und sein Außenminister «kaum glauben, was geschah».[10]

Das alles aber scheiterte schließlich an SDI. Reagan nämlich hatte vor dem Gipfel öffentlich versichert, SDI nicht als Unterpfand einsetzen zu wollen. Gorbatschow hingegen forderte ein zehnjähriges Testverbot für SDI als Gegenleistung für die sowjetischen Konzessionen. Reagan reagierte auf seine Weise: Als der Mann aus Moskau unbeirrt auf seiner Forderung beharrte, wurde der Präsident «immer wütender», sagte zu Shultz «Gehen wir, George!»,[11] und verließ den Raum. Der Mann war eben Schauspieler, und wenn die Staatskunst auch nicht gerade seine Sache war, so doch der theatralische Auftritt. Noch viele Jahre später hat Gorbatschow sich daran erinnert, wie sehr ihn diese Reaktion irritiert und wohl auch verletzt hat. Die Folge war zunächst ein Rückfall in die alte Entfremdung. Sie äußerte sich in beiderseitigen Spionagevorwürfen, die bereits vor Reykjavik erhoben worden waren und zur Ausweisung einiger Diplomaten beider Länder geführt hatten. Bis zum 1. November 1986 mußten schließlich 55 sowjetische Diplomaten die Vereinigten Staaten verlassen.

Wenn der isländische Gipfel auch gescheitert war, so blieb doch die Idee einer umfassenden Abrüstung lebendig; grundsätzlich war man sich ja durchaus einig gewesen, und deswegen stellten die Gespräche von Reykjavik tatsächlich eine «Revolution» dar.[12] Immerhin hatten die beiden Präsidenten während dieser einen Begegnung «mehr strittige Fragen» gelöst als ihre Vorgänger bei irgendeinem ihrer Gipfeltreffen.[13] Dieser Geist von Reykjavik bestimmte den weiteren Verlauf der Verhandlungen, und das lag auch an einem Ereignis, das mit Trägersystemen wenig zu tun hatte, sehr viel aber mit dem, was sie transportierten: Der Reaktorunfall von Tschernobyl, der sich am 26. April 1986 ereignet hatte, ließ erstmals seit dem Abwurf der beiden Atombomben über Hiroshima und Nagasaki im August 1945 das ganze Ausmaß der nuklearen Gefahr sichtbar werden.

Schlagartig rief Tschernobyl den Menschen ins Bewußtsein, welche tödliche Erbschaft sie sich während des Kalten Krieges zugelegt hatten. Die Dimensionen dieses nuklearen Holocausts waren so gewaltig, daß selbst zehn Jahre später noch keine zuverlässige Bilanz gezogen werden konnte. Jedenfalls ging die Zahl der Bewohner der Ukraine und Weißrußlands, die das Desaster nicht überlebten, an seinen Spätfolgen verstarben oder erkrankten, oder ihre Heimat wegen der radioaktiven Verseuchung verlassen mußten, in die Hunderttausende. Besondere Bestürzung aber riefen die Bilder der mißgebildeten Kinder hervor, deren Schicksal unabweisbar auf das Konto der atomaren Apokalypse ging.[14]

Dabei vermittelte der Unfall im ukrainischen Reaktor nur eine Vorahnung dessen, was jederzeit geschehen konnte. Atomanlagen des gleichen Typs standen in zahlreichen sowjetischen Republiken und in den Staaten des Warschauer Paktes. Drei Jahre nach dem Desaster von Tschernobyl, am 6. April 1989, sank unweit der norwegischen Küste das sowjetische U-Boot «Komsomolez». Mit ihm glitten seine beiden Atomreaktoren sowie die mit Nuklearsprengköpfen bestückten Raketen auf den Meeresgrund. Als sich in den ausgehenden achtziger Jahren der Eiserne Vorhang zu heben begann, wurde endgültig offenbar, daß man es bei dieser Zeitbombe nicht mit einer Ausnahme, sondern mit der Regel zu tun hatte. Das Vermächtnis der atomgetriebenen sowjetischen U-Boot-Flotte bestand unter anderem aus zehntausenden unsachgemäß gelagerten Brennstäben. Für die Entsorgung des strahlenden Mülls hatte es nie ein Konzept gegeben, und bis zur ukrainischen Katastrophe hatte sich anscheinend kaum jemand Gedanken gemacht, was in einem solchen Fall zu tun sei.

Einen schweren Rückschlag mußten zu dieser Zeit auch die Vereinigten Staaten hinnehmen. Am 28. Januar 1986 explodierte die amerikanische Raumfähre «Challenger» nach dem Start mit sechs Astronauten an Bord. Das computergesteuerte System, der Inbegriff des Fortschritts in der Zeit des Kalten Krieges schlechthin, hatte versagt. Das «Space-shuttle»-Programm war der nächste große Schritt auf dem Weg zur Eroberung des Weltraums, nachdem am 11. Dezember 1972 im Rahmen der «Apollo-17»-Mission vorläufig zum letzten Mal ein Mensch seinen Fuß auf den Mond gesetzt hatte. Jetzt ging es darum, einen Flugkörper aus der Satellitenbahn wieder zur Erde zurückzubringen, um ihn erneut einsetzen zu können. Am 12. April 1981 war mit der «Columbia» die erste Raumfähre erfolgreich gestartet worden. Nach dem «Challenger»-Unfall wurden die Flüge bis zum September 1988 eingestellt. Wenige Wochen nach Wiederaufnahme des amerikanischen Programms brachten auch die Sowjets ihren ersten Raumgleiter in eine Umlaufbahn.

Die beiden Katastrophen, «Tschernobyl» und «Challenger», hatten einiges gemeinsam. Sie riefen der Menschheit für einen Augenblick ins Bewußtsein, daß alles, auch das technisch Machbare, seine Grenzen hat, vor allem aber waren beide gleichsam öffentlich. Das galt ohnehin für den Start des amerikanischen Raumgleiters, der wie üblich direkt übertragen wurde. Es galt aber auch für das Desaster von Tschernobyl und war daher ein Signal an die Adresse der sowjetischen Führung, daß das System nicht mehr nach außen abgeschottet werden konnte. Eine Katastrophe solchen Ausmaßes, selbst wenn sie sich in der fernen Ukraine ereignete, war auch mit den entsprechenden Instrumenten der westlichen Welt zu erfassen. Vor allem aber konnte sich nicht eine Politik, die offensiv als «Glasnost» firmierte, ihrer eigenen Absicht zuwiderlaufend, der Weltöffentlichkeit entziehen. Wenn zum Beispiel der deutsche Bundeskanzler am 14. Mai 1986, also etwa drei Wochen nach dem Unfall, vor dem Bundestag erklärte, daß die Bundesregierung «immer noch nicht wirklich darüber informiert worden» sei, «was in Tschernobyl tatsächlich vorgefallen ist»,[15] dann warf das kein günstiges Licht auf die neue Kremlführung.

Schließlich aber mußte der Schock von Tschernobyl Rückwirkungen auf die Verhandlungen über die nukleare Rüstungskontrolle haben. Auch so erklärt sich die Flut von Vorschlägen in diesem Bereich, mit denen Gorbatschow Reagan in Reykjavik, also ein halbes Jahr später, überschüttete. Nach ihrem isländischen Gipfel sahen sich beide Seiten mit zwei Schwierigkeiten konfrontiert; erstens mit dem Problem der Verifikation, also der Überprüfung der zu beschließenden Abrüstungs- bzw. Rüstungskontrollvereinbarungen, und zweitens mit der Frage, wie man die jeweiligen Bündnispartner von den zu erwartenden Ergebnissen dieser «Revolution» überzeugen konnte. Dieses Problem stellte sich naturgemäß vor allem für die Amerikaner. Immerhin liefen die INF-Vereinbarungen bei konsequenter Umsetzung auf eine Umwandlung Mitteleuropas in eine atomwaffenfreie Zone hinaus. Das war ein radikaler Bruch mit allen strategischen Planungen seit den fünfziger Jahren und gerade in Bonn alles andere als unumstritten.

Aber der Prozeß war schon deshalb nicht mehr aufzuhalten, weil die Sowjetunion eine Konzession nach der anderen machte. Bereits am 28. Februar 1987 hatte Gorbatschow den Vereinigten Staaten ein separates Abkommen über die landgestützten Mittelstreckenraketen in Europa vorgeschlagen. Das heißt: er machte eine solche Vereinbarung jetzt nicht mehr, wie noch in Reykjavik, von amerikanischen Konzessionen in der Frage der Defensiv- und Weltraumwaffen abhängig. Reagan brauchte sich folglich bei SDI vorerst nicht zu bewegen. Fünf Monate später, am 22. Juli, stimmte Moskau der weltweiten sogenannten doppelten «Null-Lösung» zu. Gorbatschow erklärte sich also damit einverstanden, alle landgestützten atomaren Mittelstreckenraketen größerer und kürzerer Reichweite zu beseitigen und zugleich auf die Stationierung von 100 Systemen im asiatischen Teil der Sowjetunion zu verzichten, auf der er noch in Island bestanden hatte.

Dieses Zugeständnis war besonders wichtig für die Verbündeten der Vereinigten Staaten. Bonns Argument, wonach die in Asien stationierten Raketen leicht nach Westen hätten verlegt werden können, war damit hinfällig. Ähnliches gilt für die Sorge Tokios, das in einer solchen Stationierung sowjetischer Mittelstreckenraketen vor seiner eigenen Haustür eine potentielle Bedrohung sehen mußte. Zwar gab es in dieser Phase des Kalten Krieges keine akuten Spannungen im sowjetisch-japanischen Verhältnis, aber die Beziehungen waren schon deshalb dauerhaft unterkühlt, weil aus japanischer Sicht die Frage der Kurilen-Inseln noch ungelöst war.

Am 8. Dezember 1987 unterzeichneten Reagan und Gorbatschow in Washington den INF-Vertrag. Danach sollten alle landgestützten Mittelstreckenraketen größerer Reichweite, also zwischen 1 000 und 5 500 Kilometern, innerhalb von drei Jahren und alle landgestützten Mittelstreckenraketen kürzerer Reichweite, also zwischen 500 und 1 000 Kilometern, innerhalb von anderthalb Jahren nach Inkrafttreten des Vertrages beseitigt sein. Außerdem wurden Inspektionssysteme und andere Maßnahmen festgelegt. Sechs Monate später, am 29. Mai 1988, setzte mit Ronald Reagan zum ersten Mal seit 14 Jahren wieder ein amerikanischer Präsident seinen Fuß auf sowjetischen Boden, um mit dem führenden Mann im Kreml die Ratifikationsurkunden zum INF-Vertrag auszutauschen und diesen damit in Kraft zu setzen. Beide Seiten haben sich an den Vertrag gehalten: Im Mai 1991, also in den Dämmerstunden des Kalten Krieges, wurde die letzte «SS 20» verschrottet.

Der Vertrag war ein Triumph der Politik. Durch ihn wurden Waffensysteme zur Vernichtung freigegeben, die ohne eine Erwärmung des politischen Klimas nie und nimmer verrechenbar gewesen wären. So wurden moderne amerikanische «Cruise missiles» gegen veraltete sowjetische «SS 4» und «SS 5» aufgerechnet und die gefährlichen neuen «SS 20» mit Mehrfachsprengköpfen und einer Reichweite von mehr als 5000 Kilometern gegen «Pershing-II»-Raketen, die eine Reichweite von 1800 Kilometern besaßen und nur einen Sprengkopf trugen. Von grundlegender Bedeutung war der Vertrag aber nicht nur wegen seines Ergebnisses, sondern auch wegen seines Präzedenzcharakters. Erstmals in der Geschichte der Abrüstung und der Rüstungskontrolle hatte ein Staat, die Sowjetunion, der asymmetrischen Reduktion eines Waffensystems und damit dem Abbau seiner diesbezüglichen Überlegenheit zugestimmt; erstmals wurde ein hochmodernes Waffensystem vollständig zur Verschrottung freigegeben. Es schien nur noch eine Frage der Zeit zu sein, wann ähnliche Schritte auf anderen Gebieten, etwa dem der konventionellen Streitkräfte in Europa, getan werden konnten.

Der INF-Vertrag war ein zwar außerordentlich wichtiger, gleichwohl aber nur ein erster Schritt. Aus Sicht der NATO-Partner der USA waren in vier weiteren Bereichen Vereinbarungen über Rüstungskontrolle und Abrüstung zu treffen. Darauf hatten die Außenminister der NATO bereits auf ihrem Frühjahrstreffen am 11. und 12. Juni 1987 in Reykjavik, also noch vor Unterzeichnung des INF-Abkommens, hingewiesen. Ein halbes Jahr darauf griff die Ministerratstagung der NATO den Gedanken erneut auf. Auf der gleichen Tagung vom 11. Dezember 1987 wurde zum ersten Mal in der Geschichte der Atlantischen Allianz ein Deutscher zu ihrem Generalsekretär gewählt, und zwar der Verteidigungsminister der Bundesrepublik, Manfred Wörner.

Das Kommuniqué, in dem deutlich die Bonner Handschrift zu lesen war, gab der Auffassung der 15 Mitglieder Ausdruck, «daß der INF-Vertrag ein wichtiges Element in einem kohärenten Gesamtkonzept der Rüstungskontrolle und Abrüstung ist, das im Einklang mit der NATO-Strategie der flexiblen Erwiderung einschließen will: – eine fünfzigprozentige Reduzierung der strategischen nuklearen Offensivwaffen der USA und der Sowjetunion, die während der laufenden Genfer Verhandlungen erzielt werden sollte; – die weltweite Beseitigung chemischer Waffen; – die Herstellung eines stabilen und sicheren Niveaus konventioneller Streitkräfte durch die Beseitigung von Ungleichgewichten in ganz Europa; – im Zusammenhang mit der Herstellung eines konventionellen Gleichgewichts und einer weltweiten Beseitigung chemischer Waffen deutliche und überprüfbare Reduzierungen amerikanischer und sowjetischer bodengestützter nuklearer Flugkörpersysteme kürzerer Reichweite, die zu gleichen Obergrenzen führen.»[16]

Das war ein umfassendes und ambitiöses Programm, und es ist erstaunlich, in welchem Umfang es verwirklicht worden ist, wenn auch zu Teilen nur auf dem Papier und erst nach Ende des Kalten Krieges. Der Zusammenbruch der Sowjetunion und die sich rapide wandelnden Verhältnisse im östlichen Teil Europas haben dazu beigetragen, den Gang der Dinge zu beschleunigen. Es ist wenig wahrscheinlich, daß die Sowjets ohne diesen Erosionsprozeß zu weitgehenden Zugeständnissen bei den strategischen, konventionellen oder auch chemischen Waffen bereit gewesen wären, setzten sie doch ein radikales Umdenken auf dem Gebiet der Militärstrategie voraus. Das unterschied diese Waffenkategorien von den Mittelstreckenraketen.

Was die strategischen Offensivwaffen betraf, so gingen die beiden START-Verträge vom 31. Juli 1991 und vom 3. Januar 1993 sogar noch über die im Dezember 1987 geforderte fünfzigprozentige Reduzierung hinaus. Auf der Basis des zweiten START-Vertrages, der von den Nachfolgern Reagans und Gorbatschows, George Bush und Boris Jelzin, unterzeichnet wurde, sollten bis zum 1. Januar 2003, also innerhalb von zehn Jahren, die nuklearen Arsenale beider Seiten um zwei Drittel des ursprünglichen Umfangs reduziert und alle landgestützten Interkontinentalraketen mit Mehrfachsprengköpfen vernichtet werden. Zum Zeitpunkt der Unterzeichnung von START II gab es allerdings die Sowjetunion schon nicht mehr, wohl aber an ihrer Stelle insgesamt vier Nuklearmächte und damit neue Probleme. Erst nachdem als letzter Nachfolgestaat schließlich auch die Ukraine dem Atomwaffensperrvertrag beigetreten war, konnten die Präsidenten der USA, Rußlands, Weißrußlands, Kasachstans und eben der Ukraine am 6. Dezember 1994 die Ratifikationsurkunden zum START-I-Vertrag austauschen.

Unerwartet gute Fortschritte gab es auch in der Frage der weltweiten Beseitigung chemischer Waffen. Vom 13. bis zum 15. Januar 1993 unterzeichneten 130 Staaten in Paris nach langwierigen Verhandlungen die Konvention zur weltweiten Ächtung chemischer Waffen. Der Vertrag, dem nach Unterzeichnung noch weitere Staaten beitraten, schloß nicht nur die Waffen selbst, sondern auch die entsprechenden Produktionsanlagen ein. Für den Fall seines Inkrafttretens waren sie innerhalb von zehn Jahren zu zerstören. Noch während des Kalten Krieges wurde unerwartet auch die dritte Forderung der NATO erfüllt, kam es also, wie noch zu zeigen sein

wird, zu einem ausgewogenen und stabilen Niveau konventioneller Streitkräfte in ganz Europa.

Besondere Schwierigkeiten, und zwar innerhalb der NATO, bereitete
die vierte Forderung, die im Kommuniqué der Ministerratstagung vom
11. Dezember 1987 festgeschrieben worden war. Sorgfältig formuliert,
wurden dort die «Reduzierungen amerikanischer und sowjetischer bodengestützter nuklearer Flugkörpersysteme kürzerer Reichweite» gefordert, «die zu gleichen Obergrenzen führen». Das bezog sich auf die nuklearen Kurzstreckenwaffen mit einer Reichweite bis zu 500 Kilometern,
die nicht vom INF-Vertrag erfaßt wurden. Sie waren vor allem für die
Bundesrepublik von Bedeutung, weil der INF-Vertrag alle Mittelstreckenraketen, also diejenigen kürzerer und größerer Reichweite, zur Vernichtung freigegeben hatte.

Gerade in der Bundesrepublik gab es erhebliche Widerstände gegen den
Vertrag. Zum einen war umstritten, ob die Amerikaner tatsächlich der
doppelten «Null-Lösung», also der Einbeziehung der Mittelstreckenraketen kürzerer Reichweite in den INF-Vertrag zustimmen sollten. Hier kam
es zu «offenen Meinungsverschiedenheiten zwischen den Koalitionsparteien»,[17] da sich Kohl zunächst dagegen aussprach. Anfang Juni schwenkte
die Bundesregierung schließlich auf die amerikanische Linie ein. Dann
aber ging es um die Frage der in deutschem Besitz befindlichen «Pershing
I A», die zwar in diese Kategorie von Mittelstreckenraketen mit einer
Reichweite von 500–1000 Kilometern gehörten, aber von den Amerikanern ebensowenig wie die britischen und französischen Nuklearwaffen
direkt zum Gegenstand ihrer Verhandlungen mit den Sowjets gemacht
werden konnten. Der Kreml aber bestand auf der Einbeziehung der deutschen Raketen in das Gesamtpaket. Erst am 26. August 1987 erklärte der
Bundeskanzler die Bereitschaft der Bundesrepublik, nach Inkrafttreten des
INF-Vertrages die deutschen «Pershing I A» abzubauen, und machte damit
auch für die deutsche Seite den Weg zur Vertragsunterzeichnung frei. Natürlich gab es keine Alternative: Formal handelte es sich zwar um eine
«autonome deutsche Entscheidung».[18] Da aber die Sprengköpfe für die
«Pershing I A» unter alleiniger amerikanischer Verfügungsgewalt standen,
war in der Sache letztlich nichts zu entscheiden.

Wo aber lag das Problem des INF-Vertrages? Im Grunde machte er
«Carters Konzession rückgängig», indem er die amerikanische Europastra-
tegie fast vollständig denuklearisierte.[19] Für manchen Europäer bedeutete
das nicht nur eine nachhaltige Gefährdung der Abschreckungslogik des
Kalten Krieges, sondern auch das Wiederaufleben einer höchst unbehag-
lichen Tradition: Bereits die Ersetzung des Konzepts der «massiven Vergeltung» durch das der «flexiblen Antwort» zu Beginn der sechziger Jahre
war im wesentlichen ein amerikanischer Alleingang gewesen, der für die
betroffenen Europäer die Abschreckungsqualität des westlichen Bündnisses
deutlich reduzieren konnte. Ähnliches galt für den jüngsten Schritt. Die

Beseitigung einer ganzen Waffenkategorie, der Mittelstreckenraketen mit einer Reichweite von 500 bis 5 500 Kilometern, die der INF-Vertrag festschrieb, schwächte noch einmal das Abschreckungspotential und gefährdete grundsätzlich die Strategie der «Flexible response».

Tatsächlich verlor die NATO mit dem INF-Vertrag die Möglichkeit, das Territorium der Sowjetunion von Westeuropa aus mit amerikanischen nuklearen Waffen zu erreichen. Hingegen behielt die Sowjetunion ihre Optionen. An der sowjetischen Überlegenheit unterhalb der Ebene der Mittelstreckenraketen kürzerer und längerer Reichweiten hatte sich ja nichts geändert – weder bei den konventionellen Waffen noch bei den atomaren Kurzstreckenraketen bzw. Gefechtsfeldwaffen mit einer Reichweite von weniger als 500 Kilometern. Damit stand die NATO vor der Alternative, entweder auf dem Gebiet dieser atomaren Kurzstreckenwaffen ihrerseits nachzurüsten bzw. zu modernisieren oder aber einen vollständigen Abbau dieser Systeme in Europa, also die dritte «Null-Lösung», herbeizuführen. Die Bundesregierung sprach sich anfänglich entschieden gegen eine solche dritte «Null-Lösung» aus und wußte sich damit in vollständiger Übereinstimmung mit ihren wichtigsten Partnern. In diesem Sinne stellte der Bundeskanzler auf der NATO-Gipfelkonferenz am 2. März 1988 in Brüssel klar: «Die Bundesregierung wünscht keine weitere ‹Null-Lösung›, keine kernwaffenfreien Zonen und schon gar nicht eine Denuklearisierung Europas. Sie wird auch künftig die nach eingehender und umfassender Prüfung im Bündnis gemeinsam beschlossenen Maßnahmen mittragen und durchführen, um unsere Strategie der flexiblen Antwort wirksam zu erhalten ... Das Verhandlungsziel ist klar: Gleiche Obergrenzen, aber nicht Null.»[20]

Die Beseitigung des letzten Restes nuklearer Abschreckung hätte nämlich die massive sowjetische Überlegenheit im konventionellen Bereich voll wirksam werden lassen. Davon war potentiell wiederum in erster Linie die Bundesrepublik betroffen, da diese nach wie vor «Frontstaat» und im Falle einer künftigen militärischen Auseinandersetzung das wichtigste Schlachtfeld gewesen wäre. Auf der Basis der von Bonn mitgetragenen NATO-Beschlüsse bestand im Frühjahr 1988 die einzige denkbare Möglichkeit in einem asymmetrischen Abbau der sowjetischen Systeme etwa auf den Stand der amerikanischen. Das Forum, auf dem diese Vorstellung hätte besprochen werden können, waren die MBFR-Verhandlungen. Eben die aber befanden sich nach 15 Jahren endgültig in der Sackgasse, und am 2. Februar 1989 wurden sie dann auch konsequenterweise beendet und durch die noch zu erläuternden VKSE-Verhandlungen ersetzt. Daß diese bereits anderthalb Jahre später erfolgreich abgeschlossen werden konnten, hat allerdings im Frühjahr 1988 niemand für möglich gehalten.

Damals standen in Europa den vergleichsweise veralteten 88 Kurzstreckenraketen der NATO vom Typ «Lance» knapp 1 400 vergleichbare Systeme des Warschauer Paktes gegenüber, und zwar der Typen «SS 1», «SS 21» und «Frog». Anzeichen für einen asymmetrischen Abbau der dramatischen Überlegenheit des Warschauer Paktes gab es nicht, konnte es auch nicht geben: Wie die meisten Experten der NATO damals sicher annahmen und wie es sich nach Ende des Kalten Krieges bestätigte, besaßen gerade diese Systeme in den Angriffsplänen des Warschauer Paktes eine herausragende Bedeutung, auch noch in den 1988/89 gültigen.[21]

Angesichts dieser Lage hätte eigentlich gerade für die Bundesrepublik Veranlassung bestanden, an ihrer Linie festzuhalten und zu den NATO-Beschlüssen zu stehen. Eben das aber tat sie nicht. Die Folge war eine schwere Krise zwischen der Bundesrepublik auf der einen und den USA und Großbritannien auf der anderen Seite, die sich während des ganzen Winters 1988/89 hinschleppte und ihren Höhepunkt im April und Mai 1989 erreichte. Hintergrund war ein Beschluß der Außenminister der NATO vom 12. Juni 1987, wonach Gespräche mit den Sowjets über die «Lance»-Raketen «im Zusammenhang mit der Herstellung eines konventionellen Gleichgewichts und einer weltweiten Beseitigung chemischer Waffen» geführt werden sollten.[22] Auf diesen Beschluß hatte sich übrigens auch der Bundeskanzler in seiner zitierten Brüsseler Rede am 2. März 1988 bezogen. Kurzfristig sollte das krasse Ungleichgewicht bei den Kurzstreckenraketen durch eine «Modernisierung» der «Lance»-Systeme etwas ausgeglichen werden.

An eben diesem Punkt entzündete sich im Winter 1988/89 die Kontroverse. Offenbar hatten die spektakulären Ankündigungen einseitiger Abrüstung auf dem Gebiet der konventionellen Rüstung, mit denen der Warschauer Pakt, beginnend mit einer Rede Gorbatschows vor der UNO am 7. Dezember 1988, im Winter 1988/89 hervortrat, ihre Wirkung auf Bonn nicht verfehlt. Während Washington, London und auch Den Haag auf einer Modernisierung der «Lance»-Raketen bestanden, wollte Bonn mit Moskau über eine Reduzierung oder sogar den vollständigen Abbau der sowjetischen Raketen verhandeln und bündnisintern nicht vor 1992 über die Einführung eines Nachfolgesystems entscheiden. Zur Begründung stellte der Bundeskanzler, der sich diese Position nur zögernd zueigen gemacht hatte, am 27. April 1989 vor dem Bundestag fest, daß die Bundesrepublik angesichts der Reichweite der Kurzstreckensysteme stärker berührt sei als alle anderen NATO-Partner. «Von daher ist es für mich selbstverständlich, daß unsere Freunde für unsere Interessen das gleiche Verständnis haben, wie wir es bei vielen Gelegenheiten ebenso selbstverständlich für sie bewiesen haben.»[23] Das war ein Irrtum.

Ihren Höhepunkt erreichte die Krise anläßlich des Treffens von Bundeskanzler Kohl und Premierministerin Thatcher am 30. April 1989 im pfälzischen Deidesheim. In seinem Vorfeld hatte sich die Kritik der britischen und amerikanischen Presse an der Bundesregierung erheblich verschärft. Dabei wurde deutlich, daß es im Frühjahr 1989 nur noch am Rande um die Raketen bzw. ihre Modernisierung ging. Vielmehr brachen sich starke Zweifel der Verbündeten an der Zuverlässigkeit des deutschen Partners Bahn. Amerikaner wie Briten glaubten deutliche «Warnsignale» auffangen zu können, wonach sich der westdeutsche «Konsens» in Vertei-digungsfragen zu verflüchtigen begann.[24] So wurde die Frage, ob die Bun-desrepublik auch weiter eng an der Seite Amerikas stehen solle, im De-zember 1987 nur noch von 32% der Bundesbürger bejaht; im November 1980 waren es noch 56% gewesen. Und die Frage, ob die Bundesrepublik eine Politik der Neutralität zwischen den Großmächten in Ost und West führen solle, fand bereits bei 44% Zustimmung im Unterschied zu 31%, die diese Frage sieben Jahre zuvor bejaht hatten.[25]

Diesem Trend der öffentlichen Meinung, wonach die Sowjetunion im-mer weniger als eine Bedrohung wahrgenommen wurde, konnten und wollten sich die bundesdeutschen Politiker aller Parteien nicht mehr ent-ziehen. Auch auswärtige Beobachter, wie der neue amerikanische Außen-minister James Baker, wußten, daß Opposition wie Regierung dabei die nächsten Wahlen im Auge hatten.[26] Für ihre Kritiker, auch ihre deutschen, schienen sie «untereinander darin [zu] wetteifern, die größeren Friedens-freunde, die besseren Abrüster oder die aufgeschlosseneren Geburtshelfer der Veränderung in der Sowjetunion zu sein».[27] In diesem Klima konnten Ängste, Vorurteile und Klischees prächtig gedeihen. Alsbald liefen sie unter der blumigen Wortschöpfung «Genscherismus» um, mit der um die Jah-reswende 1988/89 in den Hauptstädten der Alliierten «abfällig» das be-zeichnet wurde, «was man dort für Servilität und den sehnsüchtigen Ver-such» hielt, «der Wirklichkeit aus dem Wege zu gehen».[28] Der «Gensche-rismus» war gewissermaßen die anglo-amerikanische Variante des französischen «Rapallo-Komplexes», und natürlich tauchte auch der in dieser Zeit wieder auf, als Gorbatschow im Juni 1989 die Bundesrepublik besuchte.[29] Zu diesem Zeitpunkt war allerdings die NATO-Krise bereits überwunden.

Hinter der vordergründigen Kritik an der Bonner Politik kamen alte Sorgen und Ängste ihrer Verbündeten zum Vorschein. Immer wieder wur-de im Frühjahr 1989 die Vermutung geäußert, daß Deutschland, ohnehin die «dominierende Wirtschaftsmacht in West-Europa», nach neuer «Macht im Osten» strebe,[30] daß Bonn erneut gegenüber der Sowjetunion eine «selbstbewußte und unabhängige Politik» betreiben wolle.[31] Aus dieser Sicht der Dinge war Gorbatschow gleichsam der Steigbügelhalter der deutschen Ambitionen, und es ging um nichts weniger als Deutschlands künftige Rolle in Europa. Für westliche Beobachter zeichnete sich die Gefahr am Horizont ab, daß die eine Revolution die andere, die russische die deutsche, nach sich ziehen könne. Zwar rechnete zu diesem Zeitpunkt noch niemand mit der Überwindung der deutschen Teilung. Aber allein die Vorstellung, daß die Bundesrepublik in Europa stärker als bislang Machtpolitik betreiben könne, löste starke Besorgnisse aus. Unverblümt stellte das amerikanische Magazin «Newsweek» im Dezember 1988 dem deutschen Außenminister die Frage: «Ist Deutschland dabei, einmal mehr seine traditionell vorherrschende Rolle in Mitteleuropa zu spielen?»[32]

Daß die Raketen nur der Anlaß der Krise waren, hinter der tatsächlich die Frage nach der künftigen Rolle Deutschlands stand, ließ eine Reihe von Indikatoren erkennen: So zögerte nicht nur die Bundesregierung in der Frage der Modernisierung der «Lance»-Raketen, sondern zum Beispiel auch die Regierungen Belgiens, Dänemarks, Griechenlands, Spaniens und Italiens, ohne daß in diesen Fällen eine vergleichbare Kritik hörbar wurde. Der französische Präsident Mitterrand unterstützte sogar zeitweilig die deutsche Position, die Entscheidung aufzuschieben. Schließlich konnte beim Treffen der Staats- und Regierungschefs der NATO am 29. und 30. Mai 1989 eine Einigung in den umstrittenen Fragen gefunden werden. Wie kaum anders zu erwarten, handelte es sich dabei um einen Kompromiß. Einvernehmlich wurde festgestellt, daß die Nuklearstreitkräfte unterhalb der strategischen Ebene einen «wesentlichen Beitrag zur Abschreckung» leisteten. Eine Möglichkeit, die «direkte Bedrohung» durch die zahlenmäßig weit überlegenen und «in den letzten Jahren erheblich verbesserten nuklearen Flugkörper kürzerer Reichweite» zu beseitigen, «wären deutliche und überprüfbare Reduzierungen» der amerikanischen und sowjetischen Systeme, «die zu gleichen Obergrenzen auf niedrigerem Niveau führen». Die Voraussetzung dafür sei die Implementierung eines Abkommens über «Reduzierungen konventioneller Streitkräfte» in Europa. Die Frage der Modernisierung sollte 1992 behandelt werden, und zwar – das war die Konzession an die Adresse Bonns – «im Lichte der sicherheitspolitischen Gesamtentwicklung».[33] Damit war die Kuh vom Eis. Daß das Thema dann nicht wieder auf die Tagesordnung kam, hatte mit dem Umbruch der folgenden Jahre zu tun. Vor dem Hintergrund der Entwicklung in der Sowjetunion kündigte der amerikanische Präsident Bush am 27. September 1991 einen drastischen einseitigen Abbau nuklearer Systeme der USA an, unter anderem den Abzug aller landgestützten nuklearen Kurzstreckenwaffen aus Europa.[34]

Das alles war im Mai 1989 noch nicht absehbar. Damals galten langwierige Verhandlungen als wahrscheinlich. Die Staats- und Regierungschefs hatten ja Gespräche über eine Reduzierung der Kurzstreckenraketen, die zu gleichen Obergrenzen führen konnten, vom vorherigen Abschluß eines Abkommens über die konventionellen Streitkräfte abhängig gemacht. Tatsächlich kam, was jahrelang niemand für möglich gehalten hatte, Mitte der achtziger Jahre Bewegung in die Sache, und das wiederum war ein Erfolg des KSZE-Prozesses. Auch damit hatte kaum jemand gerechnet, hatte sich dieser in der zweiten Hälfte der siebziger und in der ersten Hälfte der achtziger Jahre doch eher durch allgemeine Stagnationserscheinungen ausgezeichnet. Von den sechs KSZE-Begegnungen zwischen dem II., also dem Madrider Folgetreffen der Jahre 1980 bis 1983, und dem III., dem Wiener

Folgetreffen von 1986 bis 1989, war nur eine einzige wirklich erfolgreich, die «Konferenz über Vertrauens- und Sicherheitsbildende Maßnahmen und Abrüstung in Europa» (KVAE). Das Mandat zu dieser Konferenz war in Madrid erteilt worden. Nach Abschluß des Vorbereitungstreffens Ende 1983 tagte die KVAE vom 17. Januar 1984 bis zum 19. September 1986 in Stockholm. Sie brachte erstmals einen Durchbruch im sensiblen und zugleich wichtigen Bereich «Sicherheit». Schon daß diese Fragen nunmehr als Bestandteil des zwar mühsamen, aber alles in allem doch bewährten KSZE-Prozesses und nicht mehr nur ausschließlich und vornehmlich der festgefahrenen MBFR-Verhandlungen betrachtet wurden, durfte als Erfolg gelten. Die Schwerpunkte des KVAE-Schlußdokuments lagen auf dem Gebiet der Ankündigung und Beobachtung von Manövern einschließlich sogenannter Überraschungsinspektionen. Als «Anwendungszone für vertrauens- und sicherheitsbildende Maßnahmen» (VSBM) galt ganz Europa bis zum Ural, also nicht mehr nur ein 250 Kilometer breiter Streifen des sowjetischen Territoriums, sowie «das angrenzende Seegebiet und der angrenzende Luftraum».[35] Als am 25. März 1987 erstmals zwei Bundeswehroffiziere in Uniform gemäß dem Beschluß der KVAE ein Manöver von sowjetischen Soldaten und Angehörigen der Nationalen Volksarmee auf dem Gebiet der DDR beobachteten, hatte das mehr als nur symbolische Bedeutung. Zweifellos war mit der Schlußakte von Stockholm ein «prinzipieller Durchbruch erreicht, dem für die gesamte Rüstungskontrolle Bedeutung» zukam.[36] Dort knüpften die Verhandlungen des III. KSZE-Folgetreffens an, das am 23. September 1986, nur vier Tage nach Abschluß der KVAE, mit dem Vorbereitungstreffen in Wien eröffnet und am 15. Januar 1989 erfolgreich beendet wurde.

Es lag einmal mehr an den Rahmenbedingungen, daß in Wien konkrete Mandate für entsprechende Verhandlungen erteilt werden konnten. Am 8. Dezember 1987 war, wie gesehen, der INF-Vertrag unterzeichnet worden, und bereits am 25. Februar 1986, also noch in der Endphase der KVAE, hatte Gorbatschow angekündigt, daß die Sowjetunion in naher Zukunft ihre Truppen aus Afghanistan abziehen werde. Im Februar 1988 wurde dafür ein konkreter Termin bekanntgegeben und dann auch eingehalten, nämlich der 15. Mai. Am 14. April unterzeichneten Afghanistan und Pakistan in Genf zwei Abkommen über Nichteinmischung und «freiwillige Rückkehr von Flüchtlingen nach Afghanistan»,[37] und am 15. Februar 1989 verließ der letzte sowjetische Soldat das Land der Mudschaheddin. So wie die Politik der Sowjetunion in der Dritten Welt während der ausgehenden siebziger Jahren den eigentlichen Anlaß für den Klimasturz in der Weltpolitik gebildet hatte, war sie jetzt, zehn Jahre später, ein wichtiger Testfall für die Tragfähigkeit der neuen Entspannung.

Was für den Mittleren Osten galt, galt auch für Afrika und für Mittelamerika. Im Falle Angolas hatte Moskau, wie schon gesehen, einen nicht unerheblichen Anteil daran, daß am 31. Mai 1991 der fünfzehnjährige Bürgerkrieg, jedenfalls vorübergehend, beendet werden konnte. Nicht unbeträchtlich war der Einfluß des Kreml auch bei der Planierung des verschlungenen Weges zu den Präsidentenwahlen in Nicaragua, die am 25. Februar 1990 überraschend von der gemeinsamen Kandidatin der gegen Daniel Ortega antretenden Koalition, Violeta Barrios de Chamorro, gewonnen wurden, und bei der Beendigung des Bürgerkrieges in El Salvador: Daß am 16. Januar 1992, als es die Sowjetunion schon nicht mehr gab, auch die Guerilla den Waffenstillstand in Mexiko-City unterzeichnete, war nicht zuletzt das Verdienst Gorbatschows.

Der Generalsekretär war dann auch sichtlich irritiert, als die USA ihrerseits in der Dritten Welt auf Methoden zurückgriffen, denen die Sowjetunion soeben abgeschworen hatte. Das geschah verstärkt in der Amtszeit von George Bush, der als Vizepräsident acht Jahre im Schatten Ronald Reagans gestanden hatte und von diesem im Jahre 1989 das Präsidentenamt übernahm. Die militärische Intervention in Panama, die am 20. Dezember 1989 begann und am 3. Januar 1990 mit der Gefangennnahme des Dikators Manuel Antonio Noriega im Sinne Washingtons erfolgreich abgeschlossen wurde, konnte man zwar mit den politischen Morden der jüngsten Zeit, mit Übergriffen auf Amerikaner, mit Noriegas «Kriegserklärung» und vor allem mit der Drogenpolitik des Landes legitimieren; aber wirklich zu überzeugen vermochte die Begründung nicht. Immerhin waren die panamaischen Militärs, seit sie sich 1968 an die Macht geputscht hatten, jahrelang von den USA, nicht zuletzt vom CIA-Chef Bush, hofiert und honoriert worden. Aber nicht nur in dieser Hinsicht ging es hier um die Beseitigung einer «Altlast» aus dem Kalten Krieg. Für Washington erwies sich die Panama-Intervention vielmehr auch als ein wichtiger Schritt bei der Bewältigung eines alten Traumas: Vietnam.

Beim sowjetischen Rückzug aus Afghanistan verhielt es sich genau umgekehrt. Auch deshalb erinnerte er in mehr als einer Hinsicht an das Debakel, das die Vereinigten Staaten 14 Jahre zuvor in Südostasien erlebt hatten. Tatsächlich bedeutete der jeweilige Rückzug der beiden Supermächte aus einem Land der «Dritten Welt» einen enormen Gesichtsverlust nach außen, ein nachwirkendes Trauma im Innern und nicht zuletzt ein Medienereignis. Denn auch der sowjetische Abzug aus dem Mittleren Osten wurde öffentlich dargeboten – vor allem auch der Bevölkerung der UdSSR. Jetzt zeigte sich, was «Glasnost» konkret bedeuten konnte. Offensichtlich hat diese Erfahrung den Druck auf die Reformer in Moskau noch weiter erhöht: Die sich in Afghanistan anbahnende Katastrophe sprach deutlicher als alle Worte für die Notwendigkeit der «Perestroika», für den Umbau des verknöcherten Systems.

Anders als die Vereinigten Staaten bei ihrem Abzug aus Vietnam, befand sich die Sowjetunion beim Abschluß ihrer gescheiterten Afghanistan-Intervention in einem Zustand allgemeiner innerer Schwäche, ja beginnender

Auflösung. Das Debakel, das ja auch ein finanzielles und wirtschaftliches war, hat diesen Erosionsprozeß fraglos beschleunigt oder doch jedenfalls einer wachsenden Zahl sowjetischer Machthaber vor Augen geführt, in welchem Zustand sich ihr Imperium befand. Gewissermaßen symbolische Qualität gewann in diesem Zusammenhang eine Episode, die wenige Jahre zuvor kaum denkbar gewesen wäre und daher jetzt weltweit Verwunderung auslöste: Am 28. Mai 1987 war es einem neunzehnjährigen, politisch im übrigen ganz unambitionierten Sportflieger gelungen, mit einem Sportflugzeug von der Bundesrepublik aus unbemerkt den sowjetischen Luftraum zu durchdringen und auf dem Roten Platz in Moskau zu landen. Der Riese war fraglos angeschlagen, und das konnte, wie sich immer deutlicher zeigte, keinesfalls Anlaß für westliche Triumphgebärden sein.

Kurzfristig wirkten sich die sowjetischen Schwächen und namentlich der Rückzug aus Afghanistan positiv auf den KSZE-Prozeß aus. Die Ergebnisse des III. Folgetreffens wurden am 15. Januar 1989 veröffentlicht. Mit seinen zahlreichen Anhängen ist das Dokument umfangreicher als die Schlußakte von Helsinki. Zu den wichtigsten Bestimmungen gehörten die im Rahmen der «Neuen Bemühungen um Sicherheit und Abrüstung in Europa» erteilten Mandate. Einmal wurde der KVAE-Gedanke in Form von «Verhandlungen über Vertrauens- und Sicherheitsbildende Maßnahmen» (VVSBM) der KSZE-Teilnehmer fortgeschrieben. Dann aber erteilte die KSZE den Staaten der NATO und des Warschauer Paktes ein Mandat, «Verhandlungen über Konventionelle Streitkräfte in Europa» (VKSE) zu führen. Sie sollten die seit 1973 mehr oder weniger stagnierenden und am 2. Februar 1989 ohne Ergebnis eingestellten MBFR-Verhandlungen ablösen, jedoch ausdrücklich «im Rahmen des KSZE-Prozesses».[38]

Im Unterschied zu den MBFR-Verhandlungen saßen sich bei VKSE nicht die beiden Blöcke, sondern deren Mitglieder, also alle 16 NATO-Staaten und alle sieben Warschauer Pakt-Staaten, gegenüber. So wurde auch die Teilnahme Frankreichs möglich. Am 9. März 1989 fiel der Startschuß sowohl für VVSBM als auch für VKSE. Damit hatte sich die KSZE in der Endphase des Kalten Krieges, für viele Beobachter unerwartet, zu einem Motor der Einigung des Kontinents bzw. der Überwindung seiner Teilung entwickelt. Das galt zwar in erster Linie für den sicherheitspolitischen Aspekt, war aber zweifellos ein Schritt in die Richtung allgemeiner Verständigung. Immerhin waren sich Ost und West in diesen Fragen seit den fünfziger Jahren nicht entscheidend näher gekommen, und nun gab es innerhalb weniger Jahre beträchtliche Fortschritte.

Vergleichbares ließ sich von der Integration des westlichen Europa nicht sagen. Zumal aus der Sicht der Bundesrepublik, die ja auch hier seit den Anfängen eine treibende Kraft gewesen war, kam die Entwicklung nur mühsam und in jedem Falle zu langsam voran. Immerhin konnten auf dem Feld des «langwierigen und mühsamen Prozesses der europäischen Integration» einige «Zwischenschritt[e]» getan werden.[39] Dazu zählten, wie gesehen, unter anderem der endgültige Beitritt Spaniens und Portugals zur EG, der am 1. Januar 1986 erfolgte. Allerdings hatte Grönland, das einen Sonderstatus besaß, zum 1. Februar 1985 seine Mitgliedschaft in der EG beendet. Für nicht minder wichtig als die Erweiterung hielten viele die Unterzeichnung der sogenannten «Einheitlichen Europäischen Akte», die am 17. und 28. Februar in Luxemburg bzw. Den Haag zelebriert wurde. Nach Abschluß des Ratifizierungsverfahrens trat sie am 1. Juli 1987 in Kraft. Die Akte brachte die erste Reform der Römischen Verträge von 1957 und stellte nicht nur nach deutscher Lesart den Versuch dar, «die innere und äußere Handlungsfähigkeit der Gemeinschaft zu stärken» und die Bedeutung Europas «neben den USA und Japan als dynamischer Wirtschaftsraum[,] als ein großer und freier Binnenmarkt und als Pionier der Spitzentechnologie» zu fördern.[40]

Das besondere Gewicht der Akte lag auf der Koordinierung der nationalen politischen Linien. In gewisser Weise stellte sie so etwas wie eine Übergangslösung auf dem Weg zur vorerst nicht erreichbaren Politischen Union dar. Überdies peilte das Dokument den 31. Dezember 1992 als Stichtag für die Vollendung des europäischen Binnenmarktes einschließlich der begleitenden Maßnahmen an, wie dem Fortfall der Grenzkontrollen und anderem mehr. Schließlich wurden mit der Akte sowohl die EPZ als auch der «Europäische Rat» in das Vertragswerk eingegliedert, also europäischem Recht unterstellt. Letzterer sollte aus den Staats- und Regierungschefs sowie dem Präsidenten der Kommission bestehen, von den Außenministern unterstützt werden und mindestens zweimal jährlich tagen.[41] Der Europäische Rat war in den Gründungsverträgen der Gemeinschaft nicht vorgesehen, und anders als der Rat der Minister, mit dem er nicht zu verwechseln ist, war er auch kein Organ der EG. Im Grunde ging der Europäische Rat auf den Beschluß des Pariser Gipfels vom Dezember 1974 zurück, wonach sich die Staats- und Regierungschefs dreimal jährlich treffen wollten. So gesehen hat sich der Europäische Rat aus Gewohnheit gebildet, und das war keineswegs untypisch für die Entwicklung der Gemeinschaft.

Was die Europäische Politische Zusammenarbeit angeht, so sprach das Dokument eher vage davon, daß sich die Mitglieder der EG «bemühen» wollten, «gemeinsam eine europäische Außenpolitik auszuarbeiten und zu verwirklichen».[42] Immerhin war damit die Koordination der Außenpolitik der einzelnen Mitgliedsstaaten ins Auge gefaßt. Die Wirklichkeit sah indessen anders aus. Wie die schweren internationalen Krisen am Persischen Golf und in Jugoslawien während der Endphase des Kalten Krieges zeigen sollten, konnte von einer wirklich koordinierten und entsprechend effizient operierenden europäischen Außenpolitik nicht die Rede sein. Der Vertrag von Maastricht hat dann die EPZ in eine neue Dimension, die «Gemeinsame Außen- und Sicherheitspolitik» (GASP) überführt – jedenfalls auf dem Papier.

Ergänzend wurde in den späten achtziger Jahren eine Serie von organisatorischen Reformmaßnahmen auf den Weg gebracht. Sie waren in hohem Maße das Verdienst des neuen Präsidenten der Europäischen Kommission. Der Franzose Jacques Delors, der keine der französischen Eliteschulen besucht hatte und insoweit auf eine untypische Karriere zurückblickte, hatte von 1981 bis 1984 das französische Wirtschafts- und Finanzministerium geleitet. Am 7. Januar 1985 trat er sein neues Amt an. Wie kaum ein zweiter Präsident hat Delors das Gesicht der EG während seiner zehnjährigen Amtszeit geprägt und zudem das nicht sonderlich seetüchtige europäische Schiff insgesamt erfolgreich durch die rauhen Gewässer der aufziehenden weltpolitischen Revolution gesteuert. Zwar verbinden sich mit der Amtszeit Delors auch administrative Reformen im politischen Bereich, sein Hauptaugenmerk galt aber der Struktur-, Finanz- und Agrarpolitik. Darauf bezogen sich die Vorschläge der Kommission, die am 11. und 12. Februar 1988 vom Europäischen Rat in Brüssel beraten und verabschiedet wurden und als «Delors-Paket I» firmierten. Im einzelnen ging es um eine neue Finanzverfassung, die Begrenzung der uferlos gewordenen Agrarausgaben sowie um eine Aufstockung des Strukturfonds zugunsten der ärmeren Länder bzw. Regionen des Südens der Gemeinschaft. Damit wurde der Süderweiterung Rechnung getragen. In einer dramatisch verlaufenden Nachtsitzung des europäischen Rates hat Delors im Schulterschluß mit Mitterrand und Kohl sein Paket gegen den zunächst hartnäckigen Widerstand Thatchers durchgeboxt. Das Verhältnis des Kommissionspräsidenten zur britischen Premierministerin wurde dadurch irreparabel in Mitleidenschaft gezogen.

Mit seinen Beschlüssen machte der Brüsseler Gipfel zugleich den Weg für die nächste Stufe der Reformpolitik frei: Am 26. und 27. Juni 1989 nahm der Europäische Rat in Madrid den später sogenannten «Delors-Bericht» an, der ein Jahr zuvor vom Präsidenten angeregt und 1988/89 durch ein Komitee der EG-Notenbankpräsidenten sowie von unabhängigen Sachverständigen erarbeitet worden war. Das war die eigentliche Geburtsstunde der «Wirtschafts- und Währungsunion». Ihre Einrichtung sollte einem Stufenplan folgen und im monetären Bereich aus drei Schritten bestehen, nämlich erstens einer Kapitalverkehrsliberalisierung mit verstärkter Koordination, die am 1. Juli 1990 in Kraft trat, zweitens der Einrichtung eines Europäischen Zentralbanksystems und drittens der Währungsunion mit festen Wechselkursen bzw. einer Zentralwährung. Eine Schlüsselstellung in diesem Prozeß fiel Deutschland zu, das traditionell zu den Promotoren der europäischen Integration zählte. Zudem war die Wirtschafts- und Währungsunion nicht gegen das diesbezüglich stärkste Mitglied der Gemeinschaft durchzusetzen. In den Jahren 1988/89 ging es zunächst darum, die Voraussetzungen für den Ausbau des Europäischen Währungssystems (EWS) und den Aufbau einer Europäischen Zentralbank zu schaffen. Und diese waren, den Beschlüssen des Europäischen Rates zum Trotz, nicht gerade günstig, mußten doch auch Großbritannien, Griechenland, Spanien und Portugal erst einmal dem Wechselkursmechanismus beitreten. Alles in allem wurde wieder deutlich, in welchem Maße die Entwicklung der europäischen Integration von der Zusammenarbeit zwischen Bonn und Paris abhängig war. Während der achtziger Jahre gab es hier beachtliche Fortschritte zu vermelden. Das hatte, wie erwähnt, auch damit zu tun, daß Kohl und Mitterrand bald zu einem guten gegenseitigen Verhältnis fanden. Äußerlich dokumentierte der gemeinsame Besuch der Schlachtfelder von Verdun und der symbolische Händedruck vom 22. September 1984 die enge Beziehung. Zweifellos war diese Geste glücklicher als der gemeinsame Besuch Kohls und Reagans auf dem Soldatenfriedhof von Bitburg, der eine Welle der Empörung auslöste, weil dort auch Angehörige der Waffen-SS beigesetzt waren.

Die deutsch-französische Zusammenarbeit jener Jahre ging indessen weit über symbolische Gesten hinaus. So war die «Einheitliche Europäische Akte» das Ergebnis einer gemeinsamen Initiative der rheinischen Nachbarn. Damit wurde einem zunehmenden französischen Bedürfnis Rechnung getragen. Unzweideutig hatten die Entwicklungen im Umkreis des NATO-«Doppelbeschlusses» gezeigt, wie fest die Bundesrepublik im Atlantischen Bündnis verankert war, und dessen militärisch integrierter Struktur gehörte Frankreich eben seit 1966 nicht mehr an. Entsprechend gering waren auch die für Paris so wichtigen Kontrollmöglichkeiten. Zudem erwies sich auch die WEU, die ja ursprünglich für eben diesen Zweck geschaffen worden war, als wenig handlungsfähige Institution. Einem Beschluß der Außenminister vom 12. Juni 1984, die WEU zu aktivieren, folgten bezeichnenderweise keine Taten. Daher wuchs in Paris das Bedürfnis nach einer engeren französisch-deutschen Kooperation auch auf diesem Gebiet. Bereits 1985 war es zur Einrichtung eines «Roten Telefons» gekommen; Ende Februar 1986 erklärte der französische Präsident seine Bereitschaft, den Bundeskanzler über den eventuellen Einsatz jener prästrategischen Nuklearwaffen zu konsultieren, deren Reichweite nicht über deutsches Gebiet hinausging. Hinzu kamen gemeinsame Manöver, die Anfänge einer koordinierten Offiziersausbildung, die Planungen für einen gemeinsamen Panzerabwehrhubschrauber sowie die Aufstellung einer deutsch-französischen Brigade. Diese bildete den Kern jenes «Eurokorps», das nach Ende des Kalten Krieges zunehmend an Bedeutung gewann und zum Nukleus einer europäischen Armee im wahrsten Sinne des Wortes werden sollte.

Am 22. Januar 1988 wurden aus Anlaß des fünfundzwanzigjährigen Jubiläums der Unterzeichnung des Elysée-Vertrages in zwei Zusatzprotokollen ein gemeinsamer Finanz- und Wirtschaftsrat sowie ein gemeinsamer Verteidigungs- und Sicherheitsrat eingerichtet. Ihm gehörten die Staats- und Regierungschefs, die Außenminister, die Verteidigungsminister sowie der Generalinspekteur bzw. der Generalstabschef an und er sollte mindestens zweimal jährlich – abwechselnd in Deutschland und Frankreich tagen. Die konstituierende Sitzung fand am 20. April 1989, einen Tag nach Austausch der Ratifikationsurkunden, statt. Zu seinen Aufgaben gehörten bezeichnenderweise die «Entwicklung und Vertiefung der Rüstungszusammenarbeit unter Berücksichtigung der Notwendigkeit, zur Sicherung der gemeinsamen Verteidigung ein angemessenes industrielles und technologisches Potential in Europa aufrechtzuerhalten und zu stärken».[43]

In diesem Zusammenhang ist auch das Projekt eines eigenen europäischen Hochtechnologieprogramms zu sehen, das am 17. Juli 1985 durch 17 Staaten aus der Taufe gehoben wurde. Das ehrgeizige Unternehmen einer «European Research Coordination Agency» (EUREKA) war eine französische Initiative. Im Kern ging es dabei um den Versuch, ein wissenschaftlich-technologisches Modernisierungsprogramm, das angesichts seiner Dimensionen nicht im Alleingang zu realisieren war, mit den erforderlichen Partnern durchzusetzen. Zwar gab es bereits seit 1964 zwei europäische Weltraumorganisationen, die 1975 durch die «European Space Agency» (ESA) abgelöst worden waren. Allerdings konzentrierten die Mitgliedsstaaten – seit 1987 waren es 13 – ihre ganze Energie auf die Satellitentechnik und den Bau von Raketen wie insbesondere der erfolgreichen «Ariane».

Damit zogen sie, durch Paris gedrängt, ihre Konsequenzen aus Erfahrungen, die sie Anfang der siebziger Jahre hatten sammeln müssen. Damals wollten die Europäer den Telekommunikationssatelliten «Symphonie» in den Weltraum bringen. Das war allein mit Hilfe einer amerikanischen Trägerrakete möglich, doch Washington gewährte seine Hilfe nur unter der Bedingung, daß der Satellit nicht operativ eingesetzt werden dürfe. 20 Jahre später, Anfang der neunziger Jahre, hielt die «Ariane», die Antwort der Europäer auf ihre langjährige Abhängigkeit von der amerikanischen Raumfahrttechnik, 60% Anteil am Weltmarkt der Trägerraketen für zivile Satelliten.[44]

Insgesamt war die französische Politik also schon früh darauf bedacht, daß Europa in der zweiten Hälfte des Kalten Krieges nicht völlig den Anschluß an die in dieser Technologie führenden Staaten und Regionen der Welt verlor. Was für die Raumfahrt- und Raketentechnik galt, traf auch auf den Bau von Hochgeschwindigkeitszügen sowie zivilen Großraum- und Überschallflugzeugen zu: Am 2. März 1969 begab sich mit der «Concorde» das einzige Passagierflugzeug auf seinen ersten Probeflug, das die Schallgrenze durchbrach und in Betrieb genommen wurde, wenn auch nur 16 Exemplare des französisch-britischen Prestigevogels gebaut worden sind; und am Ende des Kalten Krieges behauptete das «Airbus»-Konsortium immerhin zeitweilig einen Anteil von 40% an der weltweiten Produktion von Passagierflugzeugen dieser Kategorie.

Wie die Partner der ESA wurden auch die von EUREKA im Kern durch die Mitglieder der EG gestellt. Um diese und die französische Öffentlichkeit von dem Projekt und der Notwendigkeit einer Beteiligung zu überzeugen, wurde EUREKA zunächst als europäische Antwort auf SDI verkauft. Das war sie unter anderem auch, denn SDI hätte die nationale nukleare Abschreckungsstreitmacht Frankreichs, die «Force de frappe», wertlos gemacht. Damit wiederum wäre eines der wichtigsten Elemente des französischen Großmachtstatus neutralisiert worden. Aber hier lag nicht der wichtigste Grund für die französische Initiative. Vielmehr war es François Mitterrand, dem Initiator des Unternehmens, auch in diesem Falle darum zu tun, Europa auf dem zukunftsträchtigen Gebiet der Hochtechnologie seine Konkurrenzfähigkeit gegenüber den USA und Japan zu sichern. Dafür hatte der französische Präsident seit dem Sommer 1982 die Werbetrommel gerührt. Bei den Staaten, die am 17. Juli 1985 während des Treffens ihrer Außen- und Forschungsminister in Paris EUREKA begründeten, handelte es sich um die in der EG zusammengeschlossenen Länder einschließlich ihrer designierten Mitglieder Spanien und Portugal sowie um Finnland, Norwegen, Österreich, Schweden und die Schweiz. Das Ergebnis war ein Kompromiß. Immerhin waren Mitte 1990 369 EUREKA-Projekte vereinbart, die ein Finanzvolumen von 15,6 Milliarden D-Mark hatten und an denen 1 273 Unternehmen und Forschungseinrichtungen beteiligt waren.[45]

EUREKA war nicht zuletzt ein Kind der geteilten Welt, und als solches richtete sich das Unternehmen zumindest indirekt immer auch gegen die Sowjetunion und den Warschauer Pakt, schon deshalb, weil hier eine Möglichkeit lag, es in der westeuropäischen Öffentlichkeit zu legitimieren. Nach dem Kalten Krieg entfiel dieses Argument, und EUREKA bekam geradezu einen gesamteuropäischen Charakter. Auf der Zehnten EUREKA-Konferenz wurde 1992 mit Ungarn das erste Land des vormaligen Ostblocks als 21. Mitglied aufgenommen, ein Jahr später, auf der Elften Konferenz vom Juni 1993, trat dann Rußland der Agentur als 22. Mitglied bei.

Insbesondere die Bundesrepublik geriet durch die französische EUREKA-Initiative in nicht unbeträchtliche Verlegenheit. Für Paris war Bonn von Anfang an der wichtigste Partner. Dafür gab es sachbezogene, aber auch politische Gründe. Eben diese spielten auch bei dem Bemühen Washingtons eine Rolle, Bonn von einer Beteiligung an SDI zu überzeugen. Tatsächlich wurde am 27. März 1986 unter anderem ein deutsch-amerikanisches Abkommen über eine Beteiligung der Bundesrepublik an den SDI-Forschungen unterzeichnet. Die ganze Angelegenheit war jedoch in mehrfacher Hinsicht delikat. Die Bundesregierung wußte sehr wohl, warum sie in der öffentlichen Debatte die militärische Dimension von EUREKA praktisch unerwähnt ließ und sorgfältig darauf bedacht war, die europäische Initiative nicht gegen SDI bzw. die USA auszuspielen. Ohnehin wurde die Kritik an SDI gerade in der Bonner Republik vernehmlich artikuliert. Das wäre aus amerikanischer Sicht noch nicht so bedenklich gewesen, hätte man da nicht zur gleichen Zeit eine beunruhigende Belebung in den deutsch-deutschen Beziehungen registrieren müssen.

An deren Geschäftsbedingungen hatte sich nichts geändert. Bonn setzte weiterhin auf menschliche Erleichterungen für die Bewohner der DDR sowie auf die Sicherung West-Berlins. Ost-Berlin ließ sich sein Entgegenkommen in diesen Angelegenheiten bezahlen, und zwar weiterhin in harten Devisen und in demonstrativer Anerkennung und sichtbarer Aufwertung. Auf dieser Basis konnte die Bundesregierung auch in der zweiten Hälfte der achtziger Jahre manchen Erfolg vorweisen, so zum Beispiel am 6. Mai 1986 die Unterzeichnung eines Kulturabkommens, über das die beiden deutschen Staaten immerhin 13 Jahre lang verhandelt hatten und das West-Berlin in die Vereinbarungen miteinbezog. Und auch bei der Frage der menschlichen Erleichterungen waren durchaus Fortschritte zu vermelden. So kündigte Ost-Berlin Mitte des Jahres 1984 wieder einmal an, den Mindestumtausch für Rentner, die die DDR besuchen wollten, herabsetzen zu wollen. Überdies stieg die Zahl von DDR-Bürgern, die in sogenannten dringenden Familienangelegenheiten in die Bundesrepublik reisten, rapide an. Kamen bis Mitte der achtziger Jahre jährlich etwa 40 000, so waren es 1988 anderthalb Millionen.

Wie gesagt, umsonst war dieses Entgegenkommen Pankows nicht zu haben. Einmal abgesehen davon, daß es zu keinem Zeitpunkt eine gesetzliche Garantie der Westreisen für DDR-Bewohner gegeben hat, die drohende Rücknahme entsprechender Konzessionen also stets als Druckmittel eingesetzt werden konnte, mußte Bonn kräftig zahlen. Besonderes Aufsehen haben in ihrer Zeit zwei Finanzkredite erregt, die im Juli 1983 und im Juli 1984 an die DDR gingen. Sie wurden aus «Euromitteln» finanziert und waren mit einer Garantie der Bundesregierung versehen. Beachtlich war schon ihre Höhe, nämlich eine Milliarde und dann noch einmal 950 Millionen D-Mark. Nach Auffassung der Bundesregierung dienten sie als «neues Instrument» sowohl in der Deutschlandpolitik als auch in den Wirtschaftsbeziehungen zur DDR und sie trugen nicht unmaßgeblich dazu bei, «die internationale Zahlungsfähigkeit und Bonität der DDR zu verbessern».[46]

Vermittelt hatte die Kredite der bayerische Ministerpräsident Franz Josef Strauß. Das ließ aufhorchen. Denn der CSU-Vorsitzende galt als erklärter Gegner der Ost- und Deutschlandpolitik der sozialliberalen Koalition in den Jahren 1969–1982. Allerdings hatte mancher Zeitgenosse hinter dieser Opposition vor allem wahlkampftaktisches Kalkül gesehen, war doch der Bayer einer der ersten prominenten Vertreter der CDU/CSU gewesen, der in den sechziger Jahren öffentlich eine Wiedervereinigung Deutschlands als unwahrscheinlich bezeichnet hatte. Insoweit sprach alles dafür, im Interesse der Bewohner der DDR keine Experimente zu wagen. Zudem konnte die Vermittlertätigkeit von Strauß in diesem Kreditgeschäft «nach dem Regierungswechsel statt der vielerseits befürchteten Wende in der Deutschlandpolitik Kontinuität signalisier[en]».[47] Strauß knüpfte an Gespräche an, die schon von der Regierung Schmidt geführt worden waren, und kam in diesem Punkt seinem alten Rivalen Kohl zuvor. Der Verhandlungs- und Gesprächspartner des Bayern war Alexander («Schalck») Schalck-Golodkowski, der damals auf seiten der DDR den 1966 gegründeten «Bereich Kommerzielle Koordinierung» (KoKo) leitete. In dieser Eigenschaft war Schalck-Golodkowski für die Devisenbeschaffung des SED-Staates zuständig. Das bedeutete nichts anderes, als daß er die schwierige Aufgabe hatte, die DDR vor dem Bankrott zu bewahren. Das ist ihm bis zum unabwendbaren Ende nicht zuletzt dank der Kredite gelungen, die ihm Strauß 1983/84 vermittelt hatte.

Insgesamt dürfte Schalck-Golodkowski der DDR in den Jahren 1972–1989 auf dem Wege direkter Transfers mindestens 14 Milliarden D-Mark, nach eigenen Angaben insgesamt sogar bis zu 50 Milliarden D-Mark gesichert haben.[48] Der Betrag setzte sich zusammen aus Zahlungen für Häftlingsfreikäufe, Pauschalgebühren für Transitreisen oder auch Investitionen in die Straßen-, Wasser- und Schienenverbindungen nach West-Berlin. Wie dringend Pankow die Kredite brauchte, zeigte die wirtschaftliche Situation im Jahre 1982. Immerhin betrug die Westverschuldung der DDR zu diesem Zeitpunkt schätzungsweise 10 bis 13 Milliarden US-Dollar.[49] Probleme ergaben sich vor allem auch aus der Abhängigkeit von sowjetischem Erdöl, dessen Preis zwischen 1978 und 1982 von 50 auf 136 Rubel pro Tonne erhöht worden war, sich also innerhalb von vier Jahren nahezu verdreifacht hatte.[50]

Aber «Schalck» hat die über Jahre aufgebauten guten Beziehungen nicht nur benutzt, um seinem Staat die lebenswichtigen Devisen zu beschaffen. Vielmehr war er auch maßgeblich daran beteiligt, daß der DDR jene Anerkennung und Aufwertung zuteil wurde, welche für den zweiten deutschen Teilstaat fast ebenso wichtig war wie die bare Münze. So hat Schalck-Golodkowski vor Ort, also unter anderem im Bonner Kanzleramt, den Besuch Erich Honeckers am Rhein vorbereitet. Vom 7. bis zum 11. September 1987 weilte dieser dann als erster Staats- und Parteichef der DDR zu einem offiziellen Besuch in der Bundesrepublik. Die Reise ging noch auf eine Einladung Helmut Schmidts vom Dezember 1981 zurück. Sie hatte wiederholt verschoben werden müssen, weil die Sowjets Einwände gegen die deutsch-deutschen Alleingänge erhoben. Im Spätsommer 1987 führte der Weg den ersten Mann der DDR zunächst zu Gesprächen mit Bundeskanzler Kohl nach Bonn und dann durch die Bundesländer Nordrhein-Westfalen, Saarland, Rheinland-Pfalz und Bayern. Als der gebürtige Saarländer bei seiner Ankunft in Bonn mit protokollarischen Ehren empfangen wurde, genoß er sichtlich den enormen Erfolg, den dieser Akt wie die Reise insgesamt darstellten. Immerhin hatte die Bundesrepublik den anderen deutschen Staat ja fast 25 Jahre lang zu ignorieren und zu isolieren versucht, und das nicht ohne Erfolg. Aus der Sicht der Ost-Berliner Machthaber bedeutete daher der symbolträchtige Auftritt Honeckers in der Bundesrepublik, wohl mehr noch als der Grundlagenvertrag des Jahres 1972, den endgültigen Todesstoß für die Bonner «Alleinvertretungsanmaßung».

Auch in der Bundesrepublik wußte man natürlich, was man tat. Da Bonn die innere, namentlich wirtschaftliche Stabilität der DDR ziemlich hoch einschätzte, konnten Finanzkredite, Honecker-Besuch und anderes mehr nur dazu beitragen, das System weiter zu stabilisieren. Diese Zielsetzung war Mitte der achtziger Jahre in allen politischen Parteien der Bundesrepublik mehrheitsfähig. Zumal seit der Visite des Staatsratsvorsitzenden am Rhein gaben sich ihre Vertreter die Klinken der mitteldeutschen Türen in die Hand, und es wurde für viele ihrer Repräsentanten zur Routine, daß sie «nach Osten pilgerten und sich durch den Empfang bei Honecker gewissermaßen die höheren Weihen holten».[51]

Die Bundesregierung wiederum ließ, unbeschadet einer Politik, die den Status quo weiter zementieren mußte, zumindest rhetorisch keinen Zweifel, daß für sie das Gebot der Präambel des Grundgesetzes verbindlich blieb. Unterstützt wurde sie darin durch einen Beschluß des Bundesverfassungsgerichtes vom 21. Oktober 1987, in dem unter anderem von der «Pflicht» die Rede war, «die Identität des deutschen Staatsvolkes zu erhalten».[52] Gelegenheiten, dieser Position öffentlich Ausdruck zu geben, boten neben den KSZE-Treffen die jährlichen Berichte zur «Lage der Nation im geteilten Deutschland» oder auch der Besuch Honeckers in der Bundesrepublik. Kohl hatte die Direktübertragung der Tischreden zu einer Voraussetzung für den Empfang des Staatsratsvorsitzenden gemacht. In seiner Ansprache führte der Bundeskanzler unter anderem aus: «Die Präambel unseres Grundgesetzes steht nicht zur Disposition, weil sie unserer Überzeugung entspricht. Sie ... fordert das gesamte deutsche Volk auf, in freier Selbstbestimmung die Einheit und Freiheit Deutschlands zu vollenden ... Wir stehen zu diesem Verfassungsauftrag, und wir haben keinen Zweifel, daß dies dem Wunsch und Willen, ja der Sehnsucht der Menschen in Deutschland entspricht ... Die Menschen in Deutschland leiden unter der Trennung. Sie leiden an einer Mauer, die ihnen buchstäblich im Wege steht und die sie abstößt ... Sie wollen zueinander kommen können, weil sie zusammengehören.»[53]

Das klang in den Ohren vieler, wenn nicht der meisten Zeitgenossen anachronistisch. Tatsächlich wurde in der Bundestagsdebatte über die «Lage der Nation im geteilten Deutschland» vom 1. Dezember 1988 erstmals in der Geschichte der Bundesrepublik ein «offener Streit über das Fernziel Wiedervereinigung» ausgetragen.[54] Ausdrücklich stellte der Fraktionsvorsitzende der SPD und Oppositionsführer, Hans-Jochen Vogel, fest, daß die Zugehörigkeit der beiden deutschen Staaten zu ihren jeweiligen Bündnissen mit ihrer Vereinigung «unvereinbar» sei. Das gelte insbesondere für die «Wiederherstellung des Deutschen Reiches in den Grenzen von 1937».[55] Ähnlich hatte sich wenig zuvor der Ehrenvorsitzende der SPD, Willy Brandt, geäußert. In einem Vortrag vom 11. September 1988 hatte er, – wie schon einmal andeutungsweise 1984 und nach eigener Interpretation bezogen auf eine deutsche Wiedervereinigung in den Grenzen von 1937 – von der «spezifischen Lebenslüge der zweiten deutschen Republik» gesprochen[56] und damit einen Terminus benutzt, den ihm Egon Bahr ins Redemanuskript geschrieben hatte.[57] Diese Haltung spiegelte wohl zu diesem Zeitpunkt die Auffassung der Mehrheit der Bundesbürger wider und trug so einiges dazu bei, daß viele von ihnen erst nach Öffnung der Mauer erkannten, was geschah: «Die schlafende Löwin der deutschen Einheit», so stellte Rudolf Augstein noch am 18. September 1989 verwundert fest, «hebt ihr Haupt, aber merkwürdigerweise … nicht in der Bundesrepublik; statt dessen in den USA und in Frankreich, sogar in England»,[58] und er hätte hinzufügen können: selbst in der Sowjetunion.

Aber was immer die Bonner Politik auch tat, um die DDR zu stabilisieren, eines war schlechterdings nicht zu übersehen: Die Zahl der Ausreise- bzw. Übersiedlungsanträge nahm stetig zu. Bei den Antragstellern handelte es sich häufig um «Oppositionelle», die dem Regime, aus welchen Gründen immer, lästig geworden waren. Allein 1987, also im Jahr des Besuches von Erich Honecker, wurden mehr als 100 000 Anträge auf «dauerhafte Ausreise» gestellt. Daß sich dieser beachtliche Strom innerhalb von nur zwei Jahren zu einer gewaltigen Fluchtwelle aufbauen könnte, hat 1987 niemand für möglich gehalten. Die Gründe für diese Entwicklung, die natürlich nicht isoliert zu sehen ist, waren dieselben, die schon für die «Abstimmung mit den Füßen» der ausgehenden fünfziger Jahre ausschlaggebend gewesen waren.

Es traf zwar zu, daß die DDR innerhalb des Ostblocks ökonomisch eine führende Stellung einnahm. Doch darf nicht übersehen werden, daß sich die Bewohner der DDR in wirtschaftlicher Hinsicht nicht an den ärmeren sozialistischen «Bruderländern», sondern am westlichen Nachbarn Bundesrepublik orientierten. Und was da möglich war, konnte man über die Bildschirme oder aber in zunehmendem Maße durch Reisen auch persönlich in Augenschein nehmen. Außerdem war das System längst marode und wurde im Grunde nur noch künstlich, nicht zuletzt durch westliche Stützungsmaßnahmen, aufrecht- und zusammengehalten. Daß hier die eigentliche Ursache der zusehends aus dem Ruder laufenden Entwicklung lag, war beispielsweise auch den Angehörigen der sowjetischen Botschaft in Ost-Berlin bewußt. In einer Lagebesprechung vom 16. Oktober 1989 in der mit 150 Mitarbeitern größten Auslandsvertretung der Sowjetunion überhaupt hieß es nach einer Aufzeichnung des Gesandten Igor F. Maximytschew: «Die Ursache der Krise ist der verzweifelte Zustand der Wirtschaft.»[59]

Die politischen Motive für die Flucht- und Demonstrationswelle des Jahres 1989 wurzelten nicht zuletzt im Unmut über die Weigerung der senilen Führungsspitze in Ost-Berlin, sich den sowjetischen Reformgeist zu eigen zu machen. Starrsinnig vertrat Politbüromitglied Kurt Hager die Überzeugung, daß es falsch sei, «Deutschland das Sowjetsystem aufzuzwingen»; schließlich tapeziere man seine Wohnung nicht deshalb gleich neu, weil das der Nachbar tue.[60] Und der Staatsrats- und Parteivorsitzende prophezeite gar im Januar 1989, daß die Mauer auch noch in 50 und 100 Jahren stehen werde, sofern die «dazu vorhandenen Gründe» noch bestünden.[61]

So gesehen waren die Reaktionen von SED und DDR-Volkskammer auf das Massaker in Peking durchaus konsequent. Längst hatte sich die Entwicklung verselbständigt. Was 1985 von Gorbatschow als «Perestroika» angestoßen worden war, hatte sich in der sozialistischen Welt rasch als Wille zur Reform der überalterten Systeme konkretisiert. Alle kommunistischen Führungen sahen sich, mehr oder weniger stark, mit der lauter werdenden Frage ihrer Völker konfrontiert, wann und wie man dem sowjetischen Vorbild nachzueifern gedenke, so diffus sich dieses in der Realität auch darstellen mochte. Inzwischen wurde diese Frage auch im Land des großen Rivalen gestellt. Anfang Juni 1989 fanden sich auf dem Platz des Himmlischen Friedens in Peking Zehntausende vorwiegend junge Demonstranten ein, um ihren Forderungen nach einer demokratischen Öffnung des Systems Nachdruck zu verleihen. Die von der chinesischen Führung eingesetzte Armee richtete bei ihrem Vorrücken in der Nacht vom 3. zum 4. Juni unter ihnen ein Blutbad an. Zuverlässige Angaben über die Opfer waren nicht zu bekommen, aber die Zahl der Toten und Verwundeten ging wohl in die Tausende.

Die Weltöffentlichkeit reagierte mit einhelliger Empörung. Zu den wenigen Ausnahmen gehörte die Volkskammer der DDR, die in einer Erklärung vom 8. Juni zwar ihrem Bedauern über die Opfer Ausdruck gab, aber gleichzeitig – und zwar einstimmig – das Vorgehen in Peking billigte.[62] Diese Verlautbarung ist in ihrer Bedeutung für die weitere Entwicklung in der DDR sehr hoch zu veranschlagen. Mit ihr distanzierte sich das Regime noch einmal nachdrücklich auch von der Forderung, die DDR im Sinne der «Perestroika» zu reformieren. So manövrierte sich der ostdeutsche Teilstaat selbst innerhalb der sozialistischen bzw. kommunistischen Welt weiter in die Isolierung, und eben dort fühlte sich eine zusehends größer werdende Zahl seiner Bewohner immer weniger wohl.

So hatte die Entwicklung, die schließlich am 9. November 1989 zur Öffnung der deutsch-deutschen Grenze führen sollte, zwei Ursachen. Da war einmal die – wichtige, aber insgesamt weniger entscheidende – Dynamik der Protestbewegung in der DDR. Sie kulminierte in einer Serie von Demonstrationen, beginnend mit der sogenannten «Liebknecht/Luxemburg-Kampfdemonstration» vom 17. Januar 1988 und den entsprechenden Reaktionen der DDR-Führung. Ihren Höhepunkt fand sie in den Großdemonstrationen, vor allem in Leipzig, während der Monate September und Oktober 1989. Am 16. Oktober gingen dort nahezu

150 000 Menschen auf die Straße, am 30. Oktober waren es etwa 300 000, und am 4. November versammelten sich auf dem Alexander-Platz in Ost-Berlin, je nach Schätzung, zwischen 700 000 und eine Million Demonstranten. Unter den zahlreichen Parolen, welche sie skandierten oder auf Spruchbändern durch die Straßen und über die Plätze trugen, fand sich bezeichnenderweise auch die Aufforderung «Nie wieder China». Flankiert wurden die Proteste und Demonstrationen durch die Bildung von Oppositionsgruppen, wie dem «Demokratischen Aufbruch», dem «Neuen Forum», der Bürgerbewegung «Demokratie Jetzt» oder der «Sozialdemokratischen Partei in der DDR» (SDP).

Die zweite – noch wichtigere – Ursache für die sich überschlagenden Ereignisse in der DDR war der rasante Wandel der Verhältnisse in den Nachbarländern, auf den noch einzugehen sein wird. Eine besondere Rolle spielte hier Ungarn, und zwar wegen der couragierten Haltung seiner politischen Führung, wegen des guten Verhältnisses der ungarischen zur bundesdeutschen Regierung und wegen des Stillhaltens der Sowjetunion. Eigentlich begann alles mit einem Besuch, den der ungarische Außenminister Gyula Horn vom 25. bis zum 27. Juni 1989 Österreich abstattete. Zum Abschluß dieser Visite entfernte er gemeinsam mit seinem Wiener Amtskollegen Alois Mock ein Stück des Stacheldrahtzaunes an der ungarisch-österreichischen Grenze, mit dessen Abbau ungarische Soldaten bereits am 2. Mai begonnen hatten. Damit war sozusagen vor den Augen der Welt ein Loch in jenen «Eisernen Vorhang» geschnitten worden, der Europa seit Jahrzehnten in zwei Hälften teilte.

Der symbolträchtige Akt der beiden Außenminister setzte eine Entwicklung in Gang, deren Folgen schon sehr bald nicht mehr kontrolliert werden konnten. Dazu gehörte vor allem eine Fluchtwelle von Bürgern der DDR, die hofften, österreichisches Staatsgebiet und von diesem aus die Bundesrepublik zu erreichen. Noch hielten sich freilich die ungarischen Behörden an die Bestimmungen des Reiseverkehrsabkommens, das Budapest und Ost-Berlin am 20. Juni 1969 abgeschlossen hatten, und versuchten, die Staatsangehörigen der DDR an der Ausreise nach Österreich zu hindern. Dennoch gelang in den folgenden Wochen Tausenden der Grenzübertritt. Je mehr sich das herumsprach, nicht zuletzt durch die westlichen Medien, um so stärker schwoll der Flüchtlingsstrom an. Seine Hauptroute nahm er auf dem Weg durch die Tschechoslowakei, da Staatsbürger der DDR für die Einreise in die ČSSR lediglich einen Paß, aber kein Visum benötigten. Von dort versuchten sie dann, illegal die Grenze nach Ungarn zu passieren. Die Ständige Vertretung Bonns in Ost-Berlin war bereits am 8. August geschlossen worden, nachdem dort 130 Bürger der DDR Zuflucht gesucht hatten. Das verstärkte den Druck vor allem auf Budapest.

In dieser für Ungarn zusehends schwierigeren Situation reisten am 25. August 1989 Ministerpräsident Nemeth und Außenminister Horn überraschend in die Bundesrepublik. Auf Schloß Gymnich trafen die beiden Vertreter der reformkommunistischen Führung zu einer zunächst geheimgehaltenen Unterredung mit Kohl und Genscher zusammen. In dem Gespräch wurde rasch grundsätzliches Einvernehmen hergestellt. Die ungarischen Politiker versicherten, keinen Flüchtling gegen seinen Willen in die DDR abzuschieben, vielmehr schon bald die Ausreise in die Bundesrepublik zu ermöglichen. Das geschah am 10. September 1989, als der ungarische Außenminister über das Fernsehen die Grenzöffnung bekanntgab. Die DDR-Führung war zuvor, am 31. August, von dieser Absicht unterrichtet worden. Innerhalb von 48 Stunden passierten 10 000 Flüchtlinge aus der DDR die ungarische Grenze nach Österreich.

Tausende von DDR-Bürgern besetzten daraufhin in den folgenden Tagen und Wochen die Vertretungen der Bundesrepublik in Warschau und Prag, um von dort in die Bundesrepublik ausreisen zu können. Zwangsläufig stellten sich vor Ort katastrophale Zustände ein. So hielten sich am 30. September allein auf dem Botschaftsgelände in Prag etwa 4 000 Ausreisewillige auf. In dieser Situation führte Außenminister Genscher am Rande der UN-Vollversammlung eine Serie von Gesprächen mit den Außenministern der betroffenen Staaten sowie mit dem sowjetischen Außenminister Schewardnadse und seinem Ost-Berliner Amtskollegen Oskar Fischer. Am 30. September konnte er vom Balkon des Prager Botschaftsgebäudes aus das Ergebnis der Sondierungen bekannt geben: Am kommenden Tag, dem 1. Oktober, durften etwa 7 000 DDR-Bürger die Vertretungen verlassen und in die Bundesrepublik reisen. Die Fahrt, das war eine Bedingung Ost-Berlins, erfolgte mit Sonderzügen durch die DDR. Auf diese Weise glaubte man dort die Absatzbewegung als «Ausreise» darstellen und solchermaßen das Gesicht wahren zu können. Am 4. Oktober wurde die Prozedur mit 11 000 Menschen wiederholt.

Das war die Lage, in der am 6. und 7. Oktober 1989 die Feiern zum 40. Jahrestag der Gründung der DDR stattfanden. Prominentester Gast der üppig inszenierten Veranstaltungen war der sowjetische Staats- und Parteichef Gorbatschow. Während sich die Massendemonstrationen auch in diesen Tagen fortsetzten und große Teile der DDR-Bevölkerung ihre Hoffnung auf den charismatischen Generalsekretär setzten, vermittelten die Auftritte des krank und senil wirkenden Honecker einen geradezu gespenstisch realitätsfernen Eindruck. Hinter verschlossenen Türen und auch öffentlich gab Gorbatschow zu verstehen, welche Ziele die Sowjetunion verfolgen wolle. So stellte der Gast aus Moskau während einer internen Besprechung der sowjetischen Delegation mit den Mitgliedern des SED-Politbüros fest: «Letzten Endes sind wir doch alle Kommunisten»,[63] und wenig später tat er die berühmt gewordene, wohl auch auf sich selbst bezogene Äußerung: «Wer in der Politik zu spät kommt, den bestraft das Leben».[64]

Keine Frage, Gorbatschow wollte nach wie vor die Reform des kommunistischen Systems, Honecker nicht. Deshalb mußte er seinen Hut nehmen. Auch Jahre nach diesem Ereignis ließ sich nicht mit letzter Bestimmtheit sagen, ob der Abgang von langer Hand vorbereitet war und wer zu welchem Zeitpunkt an der Inszenierung beteiligt gewesen ist. Einiges sprach aber dafür, daß der Coup möglicherweise bereits im Sommer 1987 bei einem DDR-Besuch des damals stellvertretenden KGB-Chefs, General Wladimir A. Krjutschkow, eingefädelt wurde. Die Ausführenden in der DDR waren Markus Wolf, bis zu seiner Beurlaubung im Mai 1986 Chef der «Hauptverwaltung Aufklärung» (HVA), und Hans Modrow, der von Honecker als Dresdner SED-Bezirksvorsitzender in die sächsische Provinz abgeschoben worden war. An einen gewaltsamen Sturz dachten die beiden offenbar ursprünglich nicht. Sie setzten vielmehr «auf den biologischen Faktor, ein verunsichertes Politbüro, Überredung und moderaten Druck aus Moskau».[65]

Solche zum Teil aus persönlicher Rivalität erwachsenen Motive dürften kaum derart weitreichende Konsequenzen wie den Sturz der alten Garde gezeitigt haben, hätte sich Honecker nicht geweigert, auf Gorbatschows Reformkurs einzuschwenken. Das war nicht nur ein Audruck fortschreitenden Altersstarrsinns. Vielmehr fühlte sich der Staatsratsvorsitzende durch die Erfolge der voraufgegangenen Jahre in seiner Überzeugung bestärkt, daß die DDR keine Reformen nötig habe. Dem Besuch der Bundesrepublik war im Januar 1988 die prestigeträchtige Visite in der französischen Hauptstadt gefolgt, für 1989 war der ersehnte Staatsbesuch in den USA ins Auge gefaßt, und die mannigfache, auch finanzielle Unterstützung vom Rhein schien, wenn man es denn so interpretieren wollte, insgesamt für stabile Verhältnisse zu sprechen. Das sah man in Moskau, wo der Zustand der DDR ziemlich genau bekannt war, ganz anders.

Am 18. Oktober 1989 wurde Erich Honecker auf eigenen Wunsch von seinen Funktionen als Staats- und Parteichef entbunden. Zeitpunkt und Verlauf des nun folgenden Umsturzes waren dann, wie gesehen, eine Mischung aus Zufall und Inszenierung. Allerdings entglitt der inszenierte Teil zusehends der Kontrolle. Das lag vor allem an der Bevölkerung, die nicht die Rolle spielte, die ihr eigentlich zugedacht war. In dieser Hinsicht also kann man mit Fug und Recht davon sprechen, daß die Bürger der DDR die Entwicklung bestimmt haben. Mit ihren Massendemonstrationen haben sie einen längst eingeleiteten, außer Kontrolle geratenen Prozeß beschleunigt und ihm schließlich eine unerwartete Wendung gegeben. Zum Nachfolger Honeckers wurde Egon Krenz gewählt, der allerdings nur eine Übergangslösung sein sollte, um anderen den Weg zur Macht zu ebnen.[66] Der neue Mann an der Spitze machte bereits in seiner ersten Ansprache am 18. Oktober deutlich, worum es jetzt ging, kündigte er doch die Vorbereitung eines «Gesetzentwurf[es] über Reisen von DDR-Bürgern ins Ausland» an.[67] Ein solches Gesetz ist indessen nie in Kraft getreten, es wurde auch nicht mehr gebraucht.

Am 8. November 1989 trat das gesamte SED-Politbüro angesichts der immer weiter zunehmenden öffentlichen Proteste zurück. Am gleichen Tag wählten die Mitglieder des ZK der SED ein deutlich verkleinertes neues Politbüro, dem nach wie vor Egon Krenz als Generalsekretär und Günter Schabowski als Informationssekretär des ZK der SED angehörten. Dieser verlas am folgenden Tag, also am 9. November 1989, kurz vor 19.00 Uhr auf einer Pressekonferenz eine Erklärung zum Stand der Ausarbeitung des Reisegesetzes. Darin hieß es, daß bis zu dessen Inkrafttreten einige Regelungen Gültigkeit besäßen, darunter die folgende: «Ständige Ausreisen können über alle Grenzübergangsstellen der DDR zur BRD bzw. zu Berlin(West) erfolgen. Damit entfällt die vorübergehende Erteilung von Genehmigungen von Auslandsvertretungen der DDR bzw. über die Ständige Ausreise mit dem Personalausweis der DDR über Drittstaaten.»[68] Befragt, wann die Regelung in Kraft trete, antwortete Schabowski: «Sofort, unverzüglich!» Der sowjetische Gesandte in Ost-Berlin notierte sich dazu: «Als er diese Auskunft gab, war dem völlig übermüdeten Schabowski nicht klar – und konnte es auch gar nicht sein –, daß er mit diesen beiden Worten den Grundstein zur Auflösung der DDR gelegt hatte.»[69]

Mit einer Mischung aus Überraschung, Skepsis und Neugier nahm die Bevölkerung der DDR diese vom staatlichen Fernsehen direkt übertragene Nachricht zur Kenntnis, deren Wahrheitsgehalt immer mehr Menschen vor Ort überprüfen wollten. Unter dem Eindruck dieses Ansturms öffneten die verunsicherten Grenzsoldaten um 23.14 Uhr die ersten Schlagbäume. Das war der Anfang vom Ende der Mauer. In der Rückschau bestätigt sich der Eindruck, den bereits die meisten Zeitgenossen in dieser Situation hatten: Das noch wenig zuvor für unmöglich gehaltene, spektakuläre Ereignis einer Öffnung der deutsch-deutschen Grenze war das Ergebnis von Zufall, Chaos, Druck und Ratlosigkeit.

Der 9. November 1989 in Deutschland war möglich, weil die Sowjets ihre Panzer nicht aus den Kasernen holten und sich damit anders entschieden als 36 Jahre zuvor, am 17. Juni 1953. Die Bevölkerung der DDR konnte erstmals vom Recht der Selbstbestimmung Gebrauch machen, weil die «Umstände und die Sowjets es zuließen».[70] Angesichts der Umstände besaß der Kreml indessen kaum mehr eine Alternative. Denn die Vorkommnisse in der DDR waren lediglich Teil eines revolutionären Prozesses, der längst weite Teile Ost-, Ostmittel- und Südosteuropas erfaßt hatte und an dessen Ende vielerorts die Renaissance des nationalstaatlichen Prinzips und die Rekonstruktion des alten Europa stehen sollte.

13. Abgesang
Rekonstruktion des alten Europa?
1989–1991

Wer zu spät kommt, den bestraft das Leben. So oder doch so ähnlich hatte sich der sowjetische Staats- und Regierungschef anläßlich seiner Teilnahme an den Feierlichkeiten zum vierzigjährigen Bestehen der DDR geäußert. Daß er selbst und das Imperium, das er zu diesem Zeitpunkt noch repräsentierte, von der Entwicklung eingeholt und überrollt werden könnten, hatte Mitte der achtziger Jahre, als er das Ruder der sowjetischen Politik übernahm, weder Gorbatschow noch sonst jemand für möglich gehalten. Aber am Ende stand der politische Ruin des Imperiums, des Staates und des Mannes, der alles in Gang gesetzt hatte, um eben diesen Kollaps zu verhindern. Unter den vielfältigen Ursachen, die zu diesem Ende führten, steht an erster Stelle die enorme Überstrapazierung der Kräfte und Ressourcen. Sie wiederum war eine Folge des ehrgeizigen Versuchs, mit dem weltpolitischen Rivalen, den Vereinigten Staaten von Amerika, gleichzuziehen oder ihn gar zu überflügeln. Der Wettlauf war indessen nicht zu gewinnen, weil die Kräfte der Sowjetunion, anders als die der USA, nach dem großen Krieg vollständig erschöpft waren, weil sich Moskau nie vom System seiner dirigistischen Wirtschaftspolitik lösen konnte und weil der Kreml dieses Ringen mit einer enormen Bürde antrat: seinem Imperium.

Wenn man davon ausgeht, daß der Kalte Krieg auch das Zeitalter der Dekolonisierung bzw. Befreiung war, dann mußten über kurz oder lang die letzten Kolonialreiche von dieser Entwicklung erfaßt werden. Tatsächlich hat keines von ihnen das Ende des Kalten Krieges überlebt, sieht man von China ab – in fast jeder Hinsicht ein Sonderfall. Das Land der Mitte hatte sich zuletzt 1884 das riesige Xingjiang endgültig einverleibt, allerdings im selben Zeitraum einige Randgebiete an Rußland, Frankreich und Japan abtreten müssen. In diesen Grenzen überlebte China das Zeitalter der Weltkriege und des Kalten Krieges, vorübergehende innere Auflösung und wiederholte Invasion von außen. Das lag an seiner vergleichsweise hohen kulturellen und ethnischen Homogenität, durch die sich das Riesenreich von seinem nördlichen Nachbarn und Rivalen, der Sowjetunion, unterschied.

Als Folge einer auch nach der bolschewistischen Revolution des Novembers 1917 ungebrochenen Politik der Expansion bzw. der Rekonstruktion des alten Besitzstandes erreichte das sowjetische Imperium in der Zeit des Kalten Krieges nicht nur seine größte Ausdehnung. Es war vielmehr auch ein sehr heterogenes Gebilde. Das galt sowohl für die Vielzahl der von Moskau kontrollierten Völker und Staaten als auch für die Formen ihrer Verwaltung. In den Kategorien des imperialistischen Zeitalters formuliert, handelte es sich bei der sowjetischen Machtausübung während des Kalten Krieges um eine Mischung aus formellem und informellem Imperialismus, also von direkter und indirekter imperialer Kontrolle.

Direkt eingegliedert waren der Sowjetunion neben dem Zentrum, der Russischen Sozialistischen Föderativen Sowjetrepublik (RSFSR): Aserbaidschan, Armenien, Estland, Georgien, Kasachstan, Kirgisien, Lettland, Litauen, Moldawien, Tadschikistan, Turkmenistan, die Ukraine, Usbekistan und Weißrußland. Einen mehr oder weniger direkten Zugriff hatte der Kreml überdies auf die 1924 proklamierte Mongolische Volksrepublik. Was schließlich die RSFSR selbst anging, die bei weitem größte Unionsrepublik der UdSSR, so war sie eben eine Föderation, bestehend aus zehn autonomen Kreisen, 56 Gebieten und 21 Republiken: von der Karelischen im Westen, über die Tschetscheno-Inguschische bis hin zur Jakutischen autonomen Republik. Ob das Verhältnis der Zentrale zu den «autonomen» Provinzen Rußlands seinerseits ein koloniales bzw. imperiales war, wurde nach dem Ende des Kalten Krieges zu einer brisanten Streitfrage, die von den Betroffenen mit unterschiedlichen Mitteln ausgetragen wurde – von der Verweigerung der Steuerzahlungen im Falle Jakutiens bis hin zur militärischen Rebellion im Falle Tschetscheniens. Schließlich kontrollierte Moskau auch ein informelles europäisches Imperium, nämlich die Mitglieder des Warschauer Paktes, dem am Ende der achtziger Jahre neben der Sowjetunion Polen, die Tschechoslowakei, Ungarn, Rumänien, Bulgarien und die DDR angehörten.

Der Aufbau dieses gewaltigen Imperiums ging auf eine Fülle von bereits erörterten Motiven zurück. Nach dem Ende des Zweiten Weltkriegs ließen die Sowjets keinen Zweifel an ihrer Entschlossenheit, diesen Herrschaftsbereich zusammenzuhalten – wenn nötig mit Gewalt. Dieser Entschlossenheit folgten Taten, als im Lager der kommunistischen Staaten der Spaltpilz wuchs und sich China als potentieller Konkurrent um den Führungsanspruch zu profilieren suchte: Die militärischen Interventionen in Ost-Berlin 1953, in Ungarn 1956 und in der Tschechoslowakei 1968, aber auch die unverhüllte Bereitschaft zum Eingreifen in Polen 1981 gehörten in diesen Zusammenhang. Seit 1968 wurde die Intervention öffentlich mit der Begründung legitimiert, daß die sozialistischen Staaten nur eine beschränkte Souveränität besäßen und das Abweichen eines Landes vom sozialistischen Weg eine Gefährdung der «gemeinsamen Lebensinteressen» bedeute.

Die Preisgabe dieser sogenannten Breschnew-Doktrin und damit des Interventionsprinzips bildete gleichermaßen eine wichtige Voraussetzung wie ein folgenreiches Ergebnis der europäischen Revolution in den ausgehenden achtziger Jahren. Dieser Schritt wurde von Gorbatschow getan, unter anderem in seinem Buch «Perestroika»: «Universale Sicherheit beruht in unserer Zeit auf der Anerkennung des Rechts jeder Nation, den Weg ihrer sozialen Entwicklung selbst zu bestimmen, auf dem Verzicht der

Einmischung in die inneren Angelegenheiten anderer Staaten und auf der Achtung anderer Staaten in Verbindung mit einer objektiven, selbstkritischen Einschätzung der eigenen Gesellschaft.»[1] Ähnlich äußerte sich der Generalsekretär ein halbes Jahr später, am 6. Juli 1989, vor der Parlamentarischen Versammlung des Europarates in Straßburg, vor der Gorbatschow als erster sowjetischer Partei- und Staatschef überhaupt sprach.

Dieser allgemein gehaltenen Ankündigung folgte wenige Tage später die Tat: Auf dem Gipfeltreffen des Warschauer Paktes in Bukarest wurde die «Breschnew-Doktrin» offiziell zu Grabe getragen. Der Ort des Treffens wurde mit Bedacht gewählt, denn der rumänische Staatspräsident Nicolae Ceauşescu war einer der entschiedensten Gegner des von der Sowjetunion ausgehenden Reformprozesses. In einer Erklärung, die zum Abschluß des Gipfeltreffens vom 8. Juli 1989 veröffentlicht wurde, war expressis verbis vom Recht eines jeden Volkes die Rede, «selbst das gesellschaftspolitische und ökonomische System, die staatliche Ordnung, die es für sich als geeignet betrachtet, zu wählen ... Stabilität setzt ... die Unzulässigkeit einer direkten und indirekten Einmischung in die inneren Angelegenheiten anderer Staaten voraus. Kein Land darf den Verlauf der Ereignisse innerhalb eines anderen Landes diktieren, keiner darf sich die Rolle eines Richters oder Schiedsrichters anmaßen.»[2]

Die Bukarester Erklärung war in erster Linie eine Reaktion auf eine zu diesem Zeitpunkt offenbar schon unaufhaltsame Entwicklung. Denn in der zweiten Hälfte der achtziger Jahre brach endgültig jener Damm, der während des Kalten Krieges mühsam – oft mit Gewalt – gehalten worden war. Rußlandexperten wie George F. Kennan hatten stets vorausgesagt, daß der Wandel in der Sowjetunion eine Frage der Zeit sei und daß er durch die extremen Positionen des Kalten Krieges mehr oder weniger künstlich «aufgehalten» werde.[3] Aber selbst die Fachleute wurden von der elementaren Wucht überrascht, mit der sich der Wille zu nationaler Unabhängigkeit Bahn brach. Es ging eben immer auch um die Wiedererlangung von Rechten, die den unterdrückten Völkern bzw. Nationen genommen worden waren und die sie nunmehr einklagten. Die Frage, ob man überhaupt auf die nationale Unabhängigkeit vorbereitet sei und wirtschaftlich automon überleben könne, stellte sich nicht oder wurde verdrängt. Als während der neunziger Jahre die großen Probleme – Folgen der sowjetischen Planwirtschaft – offenbar wurden und der Unabhängigkeitsdrang seine vitale Kraft eingebüßt hatte, machte sich vielerorts Ernüchterung und gelegentlich sogar ein Trend hin zur partiellen Rekonstruktion der alten Strukturen breit.

Im Dezember 1986 war erstmals erkennbar geworden, daß etwas in Bewegung geriet: In Alma-Ata, der Hauptstadt Kasachstans, kam es zu blutigen Zusammenstößen zwischen Sicherheitskräften und kasachischen Nationalisten, welche die Wiederherstellung jener Unabhängigkeit forderten, die das Land nach der Februar-Revolution des Jahres 1917 bis zur

Machtübernahme durch die Bolschewisten im Frühjahr 1920 hatte behaupten können. Fortan waren Nachrichten über nationale Unruhen im sowjetischen Machtbereich an der Tagesordnung. Mancher im Westen horchte auf, als im Juni 1988 bekannt wurde, daß die Krim-Tataren – nach einer Serie von Protesten – aus Moskau eine Zusage erhalten hatten, in ihre angestammte Heimat zurückkehren zu dürfen. Damit wurde jenes Unrecht teilweise rückgängig gemacht, das 1944 mit der Zwangsumsiedlung an den Krim-Tataren begangen worden war.

Auch in Moldawien, dem vormaligen Bessarabien, das im August 1940 der Sowjetunion eingegliedert worden war, drängte es die Menschen im Sommer 1987 auf die Straße. Ihnen ging es zunächst um das Recht, ihre Muttersprache offiziell gebrauchen zu dürfen. Das war auch hier der erste Schritt auf dem Weg aus dem sowjetischen Staatenverband. Ob das Land wie schon einmal in den Jahren 1918–1940 zu Rumänien gehören solle, wurde vorerst heftig diskutiert, aber noch nicht entschieden. Die Losungen der moldavischen Bevölkerung waren besonders brisant, weil sie auf eine Revision des «Hitler-Stalin-Paktes» hinauslaufen mußten. Stimmen, die das forderten, wurden im Laufe des Jahres 1987 vor allem in den baltischen Republiken der Sowjetunion laut.

Ziemlich unerwartet war die Gegenwart von der Vergangenheit eingeholt worden. Was fast ein halbes Jahrhundert tabu gewesen war, wurde jetzt zum Thema. Öffentlich forderten die Völker Estlands, Lettlands und Litauens vom Kreml, sich zu den geheimen Absprachen Stalins mit Hitler zu bekennen und sie zu revidieren. Gemeint waren die geheimen Zusätze zu den beiden Abkommen, welche die Sowjetunion und das Deutsche Reich am 23. August und am 28. September 1939, also unmittelbar vor und nach der gemeinsamen Zerschlagung Polens, geschlossen hatten. Zwischen September 1939 und August 1940 sicherten sich dann die Sowjets ihren Teil der Beute. Wie in anderem Zusammenhang gezeigt, änderte sich für die Bewohner Ostpolens, Bessarabiens bzw. Moldawiens und der baltischen Republiken an diesem Zustand mit der Wende des Kriegsgeschehens und der Beendigung des Zweiten Weltkrieges nichts.

Auch jetzt, in den ausgehenden achtziger Jahren, zogen sich die Sowjets vorerst auf ihre bekannte Haltung zurück, die geheimen Zusatzprotokolle zu Stalins Pakt mit Hitler seien Fälschungen.[4] Dabei handelte es sich schon um ein leicht zu durchschauendes Rückzugsgefecht. Am 18. August 1989 gab der Kreml offiziell die Existenz sämtlicher Dokumente zu. Allerdings dauerte es weitere vier Monate, bis der Kongreß der Volksdeputierten am 24. Dezember 1989, und zwar im zweiten Anlauf, den Pakt der Diktatoren verurteilte. Noch einmal mußte die Weltöffentlichkeit vier Monate warten, bis die sowjetische Regierung am 13. April 1990 auch zu dem Eingeständnis bereit war, daß die stalinistische Geheimpolizei für die Massaker von Katyn verantwortlich zeichnete. In der Nähe dieser russischen Ortschaft hatten deutsche Soldaten 1943 die Leichen von mehr als 4 000 polnischen

Kriegsgefangenen entdeckt. Daß die Sowjetunion nun von ihrer Geschichte eingeholt wurde, beschleunigte den Erosionsprozeß in ihrem Machtbereich erheblich.

Eigentlich ausgelöst wurde er von den Protesten und Demonstrationen in den baltischen Republiken. Im Oktober 1988 formierten sich in Estland, Lettland und Litauen die ersten Volksfronten. Ihr Ziel bestand in der Wiederherstellung der Unabhängigkeit der baltischen Staaten in den Jahren 1918–1940. Der Beschluß des Kongresses der Volksdeputierten machte dann den Weg frei: Zwischen dem 11. März und dem 5. Mai 1990 erklärten sich Litauen, Estland und Lettland für unabhängig. Knapp anderthalb Jahre später, am 27. August 1991, folgte schließlich auch die vierte vom «Hitler-Stalin-Pakt» direkt betroffene Sowjetrepublik: Moldawien. Inzwischen hatte der Steppenbrand der Volksabstimmungen und Souveränitätserklärungen längst weite Teile des asiatischen Raums der Sowjetunion erfaßt, mitunter «pogromartige Ausmaße» angenommen und Tausende von Opfern gefordert. Schließlich befanden sich nahezu eine Million Menschen auf der Flucht.[5] Das Ergebnis dieses dramatischen Prozesses, der eine erhebliche Eigendynamik entwickelte, war die vollständige Auflösung der UdSSR. Am 23. September 1991 erklärte Armenien seine Unabhängigkeit, gefolgt von Georgien, Aserbaidschan, der Ukraine, Weißrußland, Kirgistan, Usbekistan, Tadschikistan, Turkmenistan und, als letzte der früheren Sowjetrepubliken, am 16. Dezember 1991 Kasachstan.

Angesichts dieser unaufhaltsamen Bewegung überraschte es kaum, daß die «Breschnew-Doktrin» nicht mehr aufrechterhalten werden konnte. Für eine entschiedene Intervention an den Rändern seines informell kontrollierten Imperiums fehlte dem Kreml die Kraft. Daß die Sowjetunion schließlich, in der ersten Hälfte des Jahres 1991, sogar stillschweigend mehrere Inseln in den Flüssen Amur, Argun und Ussuri an China übergab, darunter auch die Amurinsel Daman, über deren territoriale Zugehörigkeit sich 1969 der bewaffnete Konflikt zwischen den beiden Rivalen entzündet hatte, sprach für sich. Seit dem Juli 1989 also war der Weg auch für die Völker Ostmittel- und Südosteuropas frei. Die Frage, wohin er führen würde, war indessen nicht einheitlich und eindeutig zu beantworten. Daß er in ganz Europa das Ende der kommunistischen Zwangsherrschaft bringen und daß dieses Ziel bereits 1991 erreicht sein würde, war noch 1987/88 nicht unbedingt zu erwarten gewesen: Wer hätte damals die Prognose gewagt, daß am Ende selbst die von China protegierten albanischen Kommunisten im Februar 1991 auf ihr Machtmonopol verzichten, den Sturz des Denkmals von Enver Hoxha in Tirana tatenlos hinnehmen und den Weg für die ersten freien Wahlen im März 1991 freimachen würden?

Zu diesem Zeitpunkt hatten die Staaten des Warschauer Paktes, dem das Land der Skipetaren ja seit 1961/68 nicht mehr angehörte, den Schritt schon hinter sich. Eine Vorreiterrolle hatte wieder einmal Polen gespielt. Der Emanzipationsprozeß, der 1980 mit der Gründung der Gewerkschaft «Solidarność» begonnen hatte, konnte zwar durch das Kriegsrecht und andere Maßnahmen seit Dezember 1981 verlangsamt, aber nicht mehr grundsätzlich aufgehalten werden. 1988 überzogen erneut Streikwellen das Land, und seit Februar 1989 wurde dann unter Beteiligung der nach wie vor illegalen «Solidarność» am «Runden Tisch» über die Zukunft Polens beraten. Am 4. Juni 1989 wurden erstmals «halbfreie» Wahlen durchgeführt, in deren Gefolge mit Tadeusz Mazowiecki der erste nicht-kommunistische Premierminister in einem Staat des Warschauer Paktes sein Amt antrat, und am 9. Dezember 1990 wurde Lech Wałęsa, der Mitbegründer und Vorsitzende der «Solidarność», im zweiten Wahlgang zum Staatspräsidenten gewählt. Und auch hier spielten wie in vielen anderen Staaten des zerfallenden Ostblocks symbolische Handlungen eine ganz besondere Rolle: Bei seiner Amtseinführung nahm Wałęsa aus der Hand des Präsidenten der Exilregierung, die ein halbes Jahrhundert lang in London residiert hatte, die Insignien Vorkriegs-Polens entgegen. Die Rekonstruktion des alten Europa war in vollem Gange; mit dem Schmelzen des Eises wurden schon in der Endphase des Kalten Krieges viele jener Konturen wieder sichtbar, die das Gesicht des alten Kontinents im Zeitalter der Weltkriege geprägt hatten.

Einen verstärkenden Schub bekam diese Entwicklung durch die Ereignisse in Bulgarien, Rumänien und vor allem in Ungarn. Die politische Situation in diesen Staaten des Warschauer Paktes wies manche Gemeinsamkeiten auf, nicht zuletzt jene, daß sie von Dinosauriern des orthodoxen Kommunismus geführt wurden, die «mit der Zeit auf den Geschmack unkontrollierbarer Macht gekommen» waren.[6] Nicolae Ceauşescu stand der kommunistischen Partei Rumäniens seit 1965 vor, János Kádár präsidierte dem ZK der ungarischen Kommunistischen Partei seit 1956, und Todor Schiwkow war gar seit 1954 Erster Sekretär der Kommunistischen Partei Bulgariens. Im bulgarischen und im rumänischen Fall waren die Umwälzungen der ausgehenden achtziger Jahre nicht zuletzt Folgen parteiinterner Verschwörungen und Satrapenkämpfe. Auch hier ging es ursprünglich, ähnlich wie bei den sowjetischen «Perestroikisten», um eine Reform des kommunistischen Systems.

Die bulgarische Revolte, die am 10. November 1989 mit dem Sturz Schiwkows eingeläutet wurde und am 10. und 17. Juni 1990 mit den ersten freien Wahlen ihren vorläufigen Höhepunkt erlebte, verlief vergleichsweise unblutig. Dagegen ereilte den rumänischen Diktator Ceauşescu, der am 22. Dezember 1989 festgenommen worden war, ein brutales Ende seiner Tyrannenkarriere. Drei Tage nach seiner Verhaftung wurde er im Anschluß an einen von selbsternannten Richtern veranstalteten Schauprozeß zusammen mit seiner Frau exekutiert. Drahtzieher des Umsturzes in Rumänen war Ion Iliescu, der es verstand, sich als Befreier vom Joch Ceauşescus zu empfehlen und auf diese Weise seine Partei und seine Person in den ersten freien Präsidentschafts- und Parlamentswahlen vom 20. Mai 1990 zum Sieg zu führen.

Das erste Kommuniqué, das der «Rat der Front der Nationalen Rettung» am 23. Dezember 1989 publizierte, enthielt unter anderem in Punkt 7 die Proklamation der «Achtung der Rechte und Freiheiten der nationalen Minderheiten und die Gewährleistung ihrer vollen Gleichberechtigung mit den Rumänen».[7] Das verwies auf ein grundlegendes Problem, dem sich fast alle neu entstehenden bzw. reformierenden Staaten der Region gegenüber sahen: Die Revolution der ausgehenden achtziger Jahre war stets auch ein nationales Ereignis. In dem Maße, in dem erstmals seit einem halben Jahrhundert wieder nationale Regungen artikuliert werden durften, stellte sich auch erneut die bis dahin rigoros unterdrückte Frage der nationalen Minderheiten. Das konnte nicht überraschen, wenn man bedachte, daß die Grenzen Ost-, Südost- und Ostmitteleuropas erstens in aller Regel nicht von den Betroffenen, zweitens nicht nach deren Wünschen und drittens häufig bereits in der ersten Jahrhunderthälfte gezogen worden waren.

Ein Wegbereiter des Umbruchs in Osteuropa war neben Polen vor allem Ungarn. Wie kein zweites Mitglied des Warschauer Paktes hatte sich das Land in den achtziger Jahren nach Westen geöffnet. Wirtschaftlich führte diese Entfaltung zum «Gulasch-Kommunismus», der unter anderem eine vergleichsweise gute Versorgung der Bevölkerung mit sich brachte, politisch zu zaghaften Versuchen größerer Meinungsfreiheit, aber auch zu besseren Reisemöglichkeiten für viele Ungarn führte. Am 20. Mai 1988 trat János Kádár als Parteichef zurück. Bei allen Verdiensten um die vorsichtige Reform des ungarischen Kommunismus in den achtziger Jahren, stand Kádár doch für das alte System und nicht zuletzt für die blutige Niederschlagung des Aufstandes im November 1956. Sein Rücktritt machte den Weg für tiefgreifende Reformen frei: Am 3. September 1988 wurde das «Ungarische Demokratische Forum» gegründet, gefolgt von weiteren Parteien, aber auch Gewerkschaften. Im Februar 1989 verzichtete das Plenum des ZK der «Ungarischen Sozialistischen Arbeiterpartei» auf die Führungsrolle, am 23. Oktober desselben Jahres verabschiedete das Parlament der «Ungarischen Republik» tiefgreifende Änderungen der Verfassung, und am 25. März und 8. April 1990 fanden in Ungarn die ersten freien Wahlen bzw. Stichwahlen statt. Am 17. Juni 1991 verließen die letzten sowjetischen Truppen das Land, in dem sie 35 Jahre zuvor eine Erhebung blutig niedergeschlagen hatten.

Auch dieser Prozeß wurde von symbolischen Gesten begleitet. So wurden am 16. Juni 1989, dem «Tag der nationalen Versöhnung», die Gebeine Imre Nagys auf den Zentralfriedhof in Budapest umgebettet. Das war die formelle Rehabilitierung des Helden von 1956 und zugleich der Versuch, eine neue, eine andere Nationalgeschichte zu begründen. In vielen Fällen war das ein schwieriges Unterfangen, denn die Suche nach einer nationalstaatlichen Tradition, die aus der Sicht der betroffenen Völker durch die Herrschaft des Kommunismus gerade unterbrochen worden war, führte zumeist zurück in die kurze Zeit nationaler Unabhängigkeit zwischen den beiden Weltkriegen. Etwas anders war die Situation eben in Ungarn, wo auch an die Tradition des Jahres 1956 angeknüpft werden konnte, und in der Tschechoslowakei. Dort gehörte die Rehabilitierung der Helden von 1968, allen voran Alexander Dubčeks, zu den mit Stolz vollzogenen Befreiungsgesten. Indessen war die kurze demokratische Tradition eine Sache, der nationale Impetus eine andere. Als am 31. Dezember 1992 die Tschechoslowakei zu bestehen aufhörte und an ihre Stelle die Nachfolgestaaten Tschechische und Slowakische Republik traten, wurde auch sie von jener Entwicklung eingeholt, die den östlichen Teil des europäischen Kontinents seit den ausgehenden achtziger Jahren erfaßt hatte.

Denn seit 1988/89 waren der Drang zur Selbstbestimmung der Nationen Europas und ein damit einhergehender Renationalisierungsschub auf dem Kontinent nicht mehr aufzuhalten. Der Prozeß hatte inzwischen eine enorme Eigendynamik. In dieser bewegten Zeit besuchte Gorbatschow vom 12. bis zum 15. Juni 1989 die Bundesrepublik. Am Rande der Begegnung kam es zur Unterzeichnung von elf Abkommen. Auch deshalb traf der Besuch bei den westlichen Nachbarn auf irritierte Aufmerksamkeit.[8] Immerhin war ja erst wenige Wochen zuvor jene schwere Krise des westlichen Bündnisses beigelegt worden, die im Winter 1988/89 die politische Atmosphäre belastet hatte und durch die Frage ausgelöst worden war, ob die in der Bundesrepublik stationierten taktischen Nuklearwaffen der NATO modernisiert werden sollten oder nicht. Allerdings war hinter der zum Teil massiven britischen und amerikanischen Kritik an der Bonner Raketenpolitik etwas anderes deutlich geworden, nämlich die Sorge, daß die Bundesrepublik, gleichsam unbemerkt, einige jener Positionen in Ost- bzw. Ostmitteleuropa besetzen könnte, welche die Sowjetunion angesichts ihres allgemeinen Schwächezustandes nach und nach aufgegeben hatte.

Am 13. Juni 1989 gaben Kohl und Gorbatschow eine gemeinsame Erklärung ab, in der sie unter anderem feststellten: «Das Recht aller Völker und Staaten, ihr Schicksal frei zu bestimmen und ihre Beziehungen zueinander auf der Grundlage des Völkerrechts souverän zu gestalten, muß sichergestellt werden».[9] Galt das nicht auch für das deutsche Volk und die beiden deutschen Staaten? Tatsächlich rückte dieses Thema in den folgenden Wochen und Monaten in den Vordergrund der internationalen Diskussion. Zunehmend äußerten sich jetzt auch führende Persönlichkeiten in der Sowjetunion in dem Sinne, daß man Deutschland schlechterdings nicht das Recht auf Selbstbestimmung verweigern könne. Am späten Abend des 9. November 1989 wurde die theoretische Erörterung dann, zu diesem Zeitpunkt unerwartet, zu einer Frage der politischen Praxis. Davon war schon die Rede.

Die weitere Entwicklung wurde vor allem durch drei Faktoren bestimmt, allen voran von der Antwort der alliierten Sieger des Zweiten

Weltkriegs auf die erneut aufgeworfene Frage nach der Zukunft Deutschlands. Zum zweiten hing einiges vom weiteren Gang der Dinge in der DDR ab. Die Öffnung der Mauer hatte den Ereignissen wenig von ihrer Dynamik genommen, im Gegenteil: Die Bewegungen schienen zusehends unkontrollierbar. Massendemonstrationen und die Forderung nach «freien Wahlen» bestimmten das Bild. Überdies kamen allein in den ersten drei Novemberwochen etwa 100 000 Übersiedler in die Bundesrepublik. Schließlich aber wurde der weitere Gang der Ereignisse ganz erheblich durch die Entscheidung des Bundeskanzlers mitbestimmt, die Initiative an sich zu reißen, damit die Meinungsführung in der Deutschen Frage zu übernehmen und sich so innenpolitisch einen schwer einzuholenden Vorteil zu verschaffen.

Es ist keine Frage: nach Öffnung der Mauer war der Weg zur deutschen Einheit in wichtigen Etappen auch ein Alleingang Helmut Kohls. Angesichts der äußeren Umstände und mit Blick auf das Erreichte war das zweifellos eine große politische Leistung. Allerdings war die Offensive im November und Dezember 1989 nicht ohne Risiko. Das erklärt, warum später mancher diesen Erfolg für sich zu verbuchen suchte, dem noch Ende des Jahres 1989 «unwohl» dabei gewesen war, die vom Kanzler vorgegebene Linie vertreten zu müssen.[10] Kohls am 6. Juni 1991 vor dem Deutschen Bundestag rückblickend vorgetragene Einschätzung, «daß es eben nur ein paar Wochen waren, in denen die deutsche Einheit international durchsetzbar war»,[11] hatte einiges für sich. Überprüfen ließ sie sich kaum, da ein erneuter Versuch nicht unternommen werden mußte. Immerhin blieb Kohls These ohne Widerspruch.

Am 28. November 1989 hatte der Bundeskanzler in der Haushaltsdebatte des Deutschen Bundestages ein «Zehn-Punkte-Programm» vorgelegt, das weder mit den Koalitionsparteien, geschweige denn mit der Opposition, noch mit dem Auswärtigen Amt, noch mit den Verbündeten – also auch nicht mit Frankreich – abgesprochen oder gar abgestimmt war. Das war deshalb brisant, weil die zehn Punkte «Etappen» markierten, die den Weg zur «deutschen Einheit» vorbereiten sollten. Als Grund für diesen überraschenden Vorstoß hat der Bundeskanzler in der Rückschau an erster Stelle die «undurchsichtige Gesamtsituation» genannt, verbunden mit der Sorge, daß die Sowjetunion doch noch «eingreifen» könne. Kohl ging freilich zu diesem Zeitpunkt nicht von einer raschen Herstellung der deutschen Einheit aus. Er war vielmehr davon überzeugt, daß die Vollendung des europäischen Binnenmarktes, die zum 31. Dezember 1992 geplant war, eher kommen werde als die Vereinigung.[12]

Im zentralen Punkt 5 des Programms schlug der Kanzler als eine Art Zwischenschritt *konföderative Strukturen* zwischen beiden Staaten in Deutschland» vor, ein Gedanke, der schon in den ausgehenden fünfziger und frühen sechziger Jahren aufgetaucht war, damals in der DDR. Als Voraussetzung für die Einrichtung einer solchen «bundesstaatlichen Ord-

nung» bezeichnete Kohl in seiner Rede vor dem Bundestag «eine demokratisch legitimierte Regierung in der DDR».[13] Davon konnte indessen
zu diesem Zeitpunkt keine Rede sein. Nachdem die alte Garde «aus dem
Amt demonstriert» worden war,[14] hatte die Volkskammer in Ost-Berlin
lediglich am 18. November in offener Abstimmung einen neuen Ministerrat bestätigt. Zwölf seiner 28 Mitglieder gehörten nicht der SED an.
Zum Vorsitzenden wurde Hans Modrow gewählt.

Ihn traf Helmut Kohl erstmals am 19. und 20. Dezember 1989 in Dresden. Gegenstand der Unterredungen zwischen dem Bundeskanzler und
dem Ministerpräsidenten der DDR waren technische Probleme, wie Reiseerleichterungen und Währungsfragen. Ausdrücklich lehnte Modrow die
Herstellung der staatlichen Einheit Deutschlands und damit die übergeordnete Zielsetzung des «Zehn-Punkte-Programms» ab. Das sah die Bevölkerung der DDR offensichtlich ganz anders, wie dem Bundeskanzler
und seinen Begleitern rasch bewußt wurde. Jedenfalls bemerkte Kohl zu
Innenminister Seiters bei der Ankunft in Dresden: «Die Sache ist gelau-
fen.»[15] Dieser Eindruck wurde während seiner kurzen Ansprache an die
etwa 100 000 Menschen bestätigt, die sich vor der Frauenkirche eingefun-
den hatten. Kohl hat später seinen Aufenthalt in Dresden als den «Wendepunkt» der Entwicklung und seine Rede an die versammelte Menge
als «eine der schwierigsten» seines Lebens bezeichnet.[16]

Tatsächlich wurde gerade diese Rede im Ausland mit größter Aufmerksamkeit verfolgt und analysiert. Dort, bei den nahen und fernen Nachbarn,
hatten sich inzwischen Sorgen und Ängste vor einer zu raschen Vereinigung
ausgebreitet. Kohl hat den Eindruck zahlreicher Gespräche dieser Tage und
Wochen dahingehend zusammengefaßt, daß die mit der Maueröffnung
beginnende Entwicklung für viele ausländische Beobachter «schockartig»
gewesen sei und «berechtigte, verständliche Ängste» freigesetzt habe.[17] Zwar
wurde der Fall der Mauer durchweg spontan begrüßt und nicht selten als
Triumph westlicher Standfestigkeit gefeiert, doch alsbald überlagerten skep-
tische Warnungen vor einer übereilten Vereinigung der beiden deutschen
Staaten diese erste Reaktion. Die einzigen, die, so Kohl, mit diesem Gedanken «nicht das geringste Problem hatten» und die Bundesregierung in
jeder Hinsicht unterstützten, «waren die Amerikaner».[18]

Anders Großbritannien und Frankreich, die ja nicht nur die beiden
größten europäischen Verbündeten Bonns, sondern zugleich auch zwei der
vier alliierten Sieger des Zweiten Weltkrieges waren. Sie hatten zumindest
keine Eile. Denn für London wie Paris stand einiges auf dem Spiel, nicht
zuletzt ein Stück ihres Großmachtstatus. Neben dem ständigen Sitz im
Sicherheitsrat und den Nuklearwaffen war die Funktion als «Siegermacht»
eines der wenigen verbliebenen Großmachtinsignien, nachdem die Stellung als Kolonialmacht seit 1956 endgültig der Vergangenheit angehörte.
Also wurde zunächst versucht, die Entwicklung aufzuhalten. Die britische
Premierministerin Thatcher stellte wiederholt, so auch am 28. November,

fest, daß die Wiedervereinigung «nicht auf der Tagesordnung» stehe.[19]
Noch einen Schritt weiter ging der französische Staatspräsident Mitter-
rand, der sich offensichtlich durch die nicht angekündigte Verlesung des
«Zehn-Punkte-Programms» düpiert fühlte und Kohl diesen Alleingang
«niemals vergessen» wollte.[20] Vom 20. bis zum 22. Dezember 1989 besuchte
Mitterrand geradezu demonstrativ die DDR, und das war keineswegs eine
Visite wie andere auch. Vielmehr stattete mit dem französischen Staatspräsidenten erstmals überhaupt ein Staatsoberhaupt einer der drei westlichen
Siegermächte des Zweiten Weltkrieges der DDR und ihrer «Hauptstadt»
Ost-Berlin einen offiziellen Besuch ab. Natürlich wußte Mitterrand, der
viel Sinn für Symbolik besaß, was er tat, und da man «schließlich nicht
gegen Deutschland Krieg führen» konnte, «um die Wiedervereinigung zu
verhindern»,[21] bekundete sein Besuch die gezielte Aufwertung der sich
reformierenden DDR und eine demonstrative Anerkennung des territorialen Status quo.

Ähnlich skeptisch gegenüber einer sich abzeichnenden Wieder-Vereinigung Deutschlands wie die westlichen waren naturgemäß die östlichen
Nachbarn Deutschlands, allen voran Polen und die Sowjetunion. Warschau
forderte in den Tagen und Wochen nach Öffnung der Mauer die Anerkennung der bestehenden Grenzen, Entschädigungen polnischer Zwangs-
arbeiter während des Zweiten Weltkriegs und sogar eine Beteiligung an
den Gesprächen über die Lösung der Deutschen Frage. Wie der Zufall es
wollte, hatte der Bundeskanzler am Tag der Maueröffnung, am 9. November 1989, einen offiziellen Besuch in Polen angetreten, der dann aus Anlaß
der Grenzöffnung für zwei Tage unterbrochen wurde. Entschieden sprachen sich zunächst auch die Sowjets gegen eine Wiedervereinigung aus.
In diesem Sinne stellte Außenminister Schewardnadse am 19. Dezember
1989 vor dem Europäischen Parlament die Frage: «Wo sind die politischen,
gesetzlichen und materiellen Garantien, daß die deutsche Einheit nicht in
Zukunft eine Bedrohung für die nationale Sicherheit anderer Staaten und
für den Frieden in Europa schafft?»[22]

Trotz solcher Bedenken, Vorbehalte und Widerstände ging es mit der
deutsch-deutschen Annäherung sehr rasch voran. Das lag vor allem an der
Bevölkerung der DDR. Die nämlich wollte die Einheit, und sie wollte sie
zu bundesdeutschen Konditionen. Der erste Schritt wurde am 28. Januar
1990 getan. Etwa zwei Monate, nachdem am 7. Dezember ein «Runder
Tisch» aus allen Parteien und gesellschaftlichen Gruppen zusammengetreten war, einigte man sich in diesem Gremium und mit der Regierung der
DDR auf vorgezogene Wahlen zur Volkskammer. Sie fanden am 18. März
statt und brachten mit 192 Sitzen eine eindeutige Mehrheit für die von
der CDU der DDR angeführte «Allianz für Deutschland». Die SPD kam
auf 88 Sitze und die «Partei des Demokratischen Sozialismus» (PDS), die
Nachfolgeorganisation der SED, auf 66. Knapp vier Wochen später waren
die Koalitionsverhandlungen abgeschlossen.

Die Regierung einer großen Koalition aller demokratischen Parteien, der Lothar de Maizière als neuer Ministerpräsident vorstand, hatte sich darauf geeinigt, die «Einheit Deutschlands nach Verhandlungen mit der BRD auf der Grundlage des Art. 23 GG zügig und verantwortungsvoll für die gesamte DDR gleichzeitig zu verwirklichen».[23] Diese konnten bereits am 18. Mai mit der Unterzeichnung des Vertrages «über die Schaffung einer Währungs-, Wirtschafts- und Sozialunion zwischen der Bundesrepublik Deutschland und der Deutschen Demokratischen Republik» durch die beiden Finanzminister abgeschlossen werden. Am 1. Juli trat er in Kraft. Fortan war die D-Mark auch Zahlungsmittel in der DDR. Die umstrittene Umstellung von Guthaben erfolgte auf der Basis 1:1, wobei, abhängig vom Lebensalter, bis zu 6000 Mark der DDR für D-Mark gutgeschrieben wurden.[24]

Das Ganze war gewiß ein hochkomplexer Vorgang, und kaum jemand gab sich der Illusion hin, daß mit diesem Vertrag die Probleme aus der Welt seien. Erst im Verlauf der kommenden Monate und Jahre wurde offenkundig, wie bankrott der DDR-Staat tatsächlich war. Das zeigte sich nicht nur an den Transferzahlungen in Höhe von mehr als 600 Milliarden D-Mark, die in den ersten fünf Jahren nach der Vereinigung von West nach Ost gingen, sondern auch an der Arbeit der «Anstalt zur treuhänderischen Verwaltung des Volkseigentums», der sogenannten Treuhandanstalt, deren Gründung am 1. März 1990 durch den DDR-Ministerrat beschlossen worden war und die sich über einen Zeitraum von fast fünf Jahren erstreckte. Dennoch war das Tempo, mit dem der Weg von der Öffnung der deutsch-deutschen Grenze hin zur Herstellung der inneren Einheit zurückgelegt wurde, erstaunlich, am 9. November 1989 gewiß nicht vorherzusehen und jedenfalls durch die Regierung de Maizière ursprünglich auch nicht angestrebt.

Aber es gab eben kaum eine Alternative, jedenfalls dann nicht, wenn man sich am Wunsch und Willen der mitteldeutschen Bevölkerung orientierte. Daran änderte die Enttäuschung, die in den folgenden Jahren nicht wenige Bewohner der «neuen Bundesländer» angesichts ihrer sozialen und wirtschaftlichen Lage empfanden, nichts. Vor allem aber waren die völkerrechtliche Herstellung der inneren Einheit und das dabei eingeschlagene Tempo auch eine Frage des politischen Willens, und an dem ließen die Bundesregierung und namentlich der Bundeskanzler keinen Zweifel. Schließlich saßen bei den Vertragsverhandlungen nur zwei Partner am Tisch. Dadurch unterschied sich die politische Herstellung der inneren Einheit von derjenigen der äußeren.

Die völkerrechtliche Herstellung der äußeren Einheit war ein höchst vielschichtiger, komplexer und diffiziler Vorgang. Er spielte sich auf mehreren Ebenen gleichzeitig ab, von denen vier, wiederum eng miteinander verbunden, eine besondere Bedeutung besaßen. Da war erstens die gesamteuropäische Ebene, also der Kreis der europäischen Gemeinschaften, für die sich unter anderem die Frage der Mitgliedschaft der DDR bzw. einer vergrößerten Bundesrepublik stellte. Zweitens spielte das Verhältnis der Bundesrepublik zu den drei Westmächten eine herausragende Rolle, schon deshalb, weil diese als alliierte Sieger des Zweiten Weltkrieges zusammen mit der Sowjetunion das letzte Wort über den deutschen Einigungsprozeß zu sprechen hatten. Allen Beteiligten war von Anfang an klar, daß aus diesem und anderen Gründen die dritte Ebene, nämlich das Verhältnis der Bundesrepublik zur Sowjetunion, die wohl entscheidende sein würde. Denn der Durchbruch bei den deutsch-sowjetischen Sondierungen war die Voraussetzung für den Erfolg auf der vierten Ebene, den Verhandlungen zwischen den vier alliierten Siegern des Zweiten Weltkrieges und den beiden deutschen Teilstaaten.

Bereits in seinem «Zehn-Punkte-Programm» hatte der Bundeskanzler klargestellt, daß die «Entwicklung der innerdeutschen Beziehungen ... in den *gesamteuropäischen Prozeß*» eingebettet bleiben würde.[25] Damit war sowohl die KSZE als vor allem auch die EG gemeint. Da dieses Europa in seinen Ursprüngen eine französische «Erfindung» war und sich an den Zielsetzungen der Pariser Europapolitik insgesamt wenig geändert hatte, fiel Frankreich auf der europäischen Ebene eine zentrale Rolle zu. François Mitterrand war erkennbar darum bemüht, Vorsorge dafür zu tragen, daß auch ein möglicherweise wiedervereinigtes und voraussichtlich noch gewichtigeres Deutschland fest in den europäischen Rahmen eingebunden und solchermaßen unter französischer Beobachtung bzw. Mitkontrolle blieb.

Dem trug Kohl Rechnung, als er auf der Straßburger Tagung des Europäischen Rates am 8. und 9. Dezember 1989 dem Druck Frankreichs und fast aller übrigen EG-Mitglieder nachgab und der Einberufung einer Regierungskonferenz im Dezember des kommenden Jahres zustimmte. Dort sollte die zweite und dritte Stufe der Europäischen Wirtschafts- und Währungsunion (EWWU) vorbereitet und damit eine Änderung der Römischen Verträge von 1957 in Angriff genommen werden. Der Bundeskanzler hatte ursprünglich ein späteres Datum für diese einschneidende Maßnahme im Auge, tat sich aber mit seinem Entgegenkommen insofern nicht schwer, als für ihn die Vereinigung Deutschlands und Europas zwei Seiten derselben Medaille waren. Kohls Nachgeben in dieser Frage war also eine Konzession, die vergleichsweise leicht zu machen war – auch ein Signal an die Adresse der Partner, denen es vor allem um die feste Einbindung eines bald stärkeren Deutschland gehen mußte. Daß dessen Gewicht insgesamt nach dem Fall der Mauer zunehmen würde, galt als ausgemacht, auch wenn viele zunächst noch davon ausgingen, daß es auf absehbare Zeit zwei deutsche Staaten geben werde. So kam es beispielsweise noch am 13. März 1990 zur Paraphierung eines Handels- und Kooperationsabkommens der EG mit der DDR, das indessen bald von der Entwicklung überholt wurde.

Je klarer sich das abzeichnete, je eindeutiger die Zeichen auf eine Vereinigung der beiden deutschen Staaten wiesen, um so weniger reichte Kohls Zugeständnis vom Dezember 1989 aus, um die europäischen Partner zu beruhigen. Deshalb machte der Bundeskanzler nach der ersten noch eine weitere Konzession – in Form einer Initiative. Sie bestand in dem Vorschlag, parallel zur beschlossenen Regierungskonferenz über die EWWU eine zweite über die «Europäische Politische Union» (EPU) einzuberufen. Offensichtlich verfolgte er damit ein doppeltes Ziel: Einmal war das parallele Verhandeln beider Projekte dazu angetan, einem zu schnellen, übereilten Fortgang des EWWU-Prozesses vorzubeugen. Dann aber sollten die Skeptiker in dem Vorschlag ein Signal erkennen, daß die Bundesrepublik auch in Zukunft auf eine verantwortliche und gemeinsame Außen- und Sicherheitspolitik setzen werde.

Mit Bedacht erfolgte der Vorstoß in einer gemeinsamen Botschaft, die Kohl und Mitterrand am 18. April 1990 an den amtierenden Präsidenten des Europäischen Rates, den irischen Premierminister Charles Haughey, richteten. Mit ihrem Schulterschluß machten sich die beiden nicht nur Freunde. Manchem Verbündeten kam der Verdacht, daß hier jene alte Zweibundidee mit Leben erfüllt werden könnte, die seit den Tagen de Gaulles immer wieder im Gespräch gewesen war. Als sich Kohl und Mitterrand anderthalb Jahre später, am 14. Oktober 1991, in einem weiteren Brief an den niederländischen Ratsvorsitzenden Lubbers für eine gemeinsame europäische Sicherheits- und Verteidigungspolitik aussprachen und anregten, die deutsch-französische Brigade zum «Kern für ein europäisches Korps» zu formen,[26] stießen sie anfänglich in den USA und Großbritannien, aber auch in Italien und Belgien auf eine reserviert-ablehnende Reaktion. Daraus zogen Deutschland und Frankreich ihre Konsequenzen und unterzeichneten am 21. Januar 1993 mit der NATO ein Abkommen über die Anbindung des Eurokorps an die Allianz. Das hieß nichts anderes, als daß die inzwischen installierte Europäische Union vorläufig keine militärische Eigenständigkeit besitzen würde.

Diese Union war im Februar 1992 aus der Taufe gehoben worden. Am 25. und 26. Juni 1990 hatte ein Sondergipfel der Staats- und Regierungschefs in Dublin endgültig die Weichen gestellt und für Dezember zwei Regierungskonferenzen in Rom anberaumt. Die wichtigsten Entscheidungen fielen allerdings bereits auf einer kurzfristig in die italienische Hauptstadt einberufenen Sondertagung der Staats- und Regierungschefs am 27. und 28. Oktober 1990. Dort bekräftigte der Europäische Rat seinen Willen, «die Gemeinschaft schrittweise in eine Europäische Union umzuwandeln». Überdies beschlossen elf Mitgliedsstaaten, die «zweite Stufe» der EWWU «am 1. Januar 1994 beginnen» zu lassen.

Lediglich Großbritannien, vertreten durch seine Premierministerin, sah sich «nicht in der Lage, dem oben dargelegten Konzept zuzustimmen».[27] Aus britischer Sicht gab es dafür einige gute Gründe, denn die Kosten-

Nutzen-Rechnung nahm sich für die Insel nicht eben günstig aus: Während die Handelsbilanz der Bundesrepublik mit den anderen EG-Staaten zwischen 1973 und 1994 ein Plus von fast 360 Milliarden D-Mark verzeichnete, wies diejenige Großbritanniens ein Minus von mehr als 181 Milliarden D-Mark auf.[28] Allerdings war die Blockadepolitik Margaret Thatchers, die sie bereits auf dem Straßburger Gipfel praktiziert hatte, selbst in den eigenen Reihen nicht unumstritten. Sie trug einiges zu ihrem erzwungenen Rücktritt am 22. November und zur Wahl ihres Nachfolgers, John Major, fünf Tage später bei. Am 15. Dezember 1990 konnten im Anschluß an das Gipfeltreffen in Rom die beiden Regierungskonferenzen zur EWWU und zur EPU ihre Arbeit aufnehmen und am 9. und 10. Dezember des folgenden Jahres durch den Europäischen Rat in Maastricht zum Abschluß gebracht werden. Am 7. Februar 1992 wurde dort auch der Vertrag über die «Europäische Union» (EU) unterzeichnet.

Zu diesem Zeitpunkt war die äußere Herstellung der deutschen Einheit längst abgeschlossen, und es steht außer Frage, daß den Vereinigten Staaten auf westlicher Seite dabei die Schlüsselrolle zufiel. Keinen Augenblick ließ die amerikanische Regierung ihre Verbündeten im Zweifel, daß sie die Vereinigung Deutschlands befürwortete und unterstützte, daß sie auf der NATO-Mitgliedschaft des vereinigten Deutschlands bestehen werde und daß sie entschlossen war, ihre Truppen in Deutschland zu belassen – wenn auch möglicherweise in reduziertem Umfang. Es sei dahingestellt, ob es – mit Blick auf die Zukunft der Atlantischen Allianz – überhaupt eine Alternative gegeben hat. Jedenfalls wirkte Washingtons klare Linie in Paris und London beruhigend. Die NATO stellte eben nach der Revolution der Weltpolitik immer noch das dar, was sie stets auch gewesen war: eine Sicherheitsgarantie vor Deutschland. Für viele blieb diese Funktion im Zentrum der NATO-Planungen.

Angesichts dieser unmißverständlichen Haltung der amerikanischen Regierung zur Deutschen Frage wuchs in Paris und London ebenso wie in den Metropolen der übrigen EG-Mitglieder die Bereitschaft, die sich abzeichnende Vereinigung der beiden deutschen Staaten zu akzeptieren, die aus dieser Sicht eben immer auch eine Wieder-Vereinigung war. Mitterrand signalisierte Kohl bei dessen Besuch am 15. Februar 1990 in Paris seine grundsätzliche Zustimmung, zumal der Bundeskanzler bei dieser Gelegenheit ausdrücklich den deutschen Verzicht auf ABC-Waffen bekräftigte. Daß Mitterrand damit keinem Herzenswunsch Ausdruck verlieh, blieb zumindest seinen engsten Beratern nicht verborgen. Als fünf Monate später die Ergebnisse der noch zu beleuchtenden Kaukasus-Begegnung bekannt wurden, ließ der Präsident seinem Unmut freien Lauf: «Da haben wir's! Wie hat uns Gorbatschow bekniet, Kohl nicht nachzugeben. Und jetzt überläßt er ihm alles, zweifellos für ein paar Mark.»[29]

Margaret Thatcher kündigte ihre Zustimmung in einem Telefonat mit Bush an, bevor dieser am 24. und 25. Februar Kohl empfing.[30] Indessen ließ die unberechenbare Britin zur gleichen Zeit, am 25. Februar, in einem Interview mit der «Sunday Times» erneut Warnungen vor einer übereilten Vereinigung verlautbaren, indem sie auf die Geschichte der ersten Jahrhunderthälfte verwies, die man nicht «einfach ignorieren» könne: «So geht es nicht».[31] Ziemlich genau einen Monat später, am 24. März 1990, lud die Premierministerin einige prominente britische und amerikanische Historiker auf ihren Landsitz Chequers ein, um sich über mögliche Gefahren der Vereinigung ins Bild setzen zu lassen. Die heftigen Reaktionen der britischen Öffentlichkeit auf diese und andere Ereignisse ließen dann freilich erkennbar werden, daß Frau Thatcher nicht für die Mehrheit sprach. Den endgültigen Durchbruch erzielte die wachsende Zahl der Befürworter des Einigungsprozesses auch jenseits des Kanals mit dem 18. März. Das Ergebnis dieser ersten freien Wahl in der DDR sprach für sich und wurde mit Recht als Votum für die Vereinigung der beiden deutschen Staaten interpretiert.

Inzwischen zeichnete sich auch bei einem anderen, größeren Problem eine Lösung ab. Was auf der zweiten Ebene, im Verhältnis der Bundesrepublik zu den drei Westmächten, förderlich war, erwies sich zunächst auf der dritten, der Ebene der deutsch-sowjetischen Beziehungen, als das glatte Gegenteil. Das galt insbesondere für die Zugehörigkeit des vereinigten Deutschland zur NATO. Nach einer Zeit unverhohlener Reserve gegenüber jedweder Einigungsabsicht hatte die sowjetische Führung anläßlich des Aufenthaltes von Bundeskanzler Kohl in Moskau in der Zeit vom 10. bis zum 12. Februar 1990 ihre grundsätzliche Zustimmung signalisiert.

Die Gründe für diesen Sinneswandel waren im Westen, auch in Bonn, recht eindeutig zu erkennen. Offenbar hatte sich inzwischen im Kreml die Erkenntnis durchgesetzt, daß die Entwicklung in Deutschland mit politischen Mitteln kaum mehr aufgehalten werden konnte. Sie war eben auch Teil eines größeren Prozesses, jenes mächtigen Trends hin zu nationaler Selbständigkeit, der inzwischen weite Teile des Warschauer Paktes und der Sowjetunion selbst erfaßt hatte. Von Moskau aus war das nicht mehr zu steuern, war ein mögliches Chaos in der DDR nicht zu verhindern. Eine Beruhigung der Lage konnte und mußte von Bonn ausgehen. Das aber war nur möglich, wenn der Westen Deutschlands dem Osten eine Perspektive bot. Im übrigen wußte Gorbatschow, daß der Reformprozeß, den er angestoßen und der sich längst verselbständigt hatte, ohne westliche Unterstützung nicht erfolgreich fortzusetzen war. Und natürlich richtete sich der hilfesuchende Blick zuerst und vor allem auf die Bundesrepublik, und das nicht nur wegen der guten Tradition sowjetisch- bzw. russisch-deutscher Beziehungen, sondern auch in der sicheren Erwartung, daß die Deutschen als Gegenleistung für die Zustimmung zur deutschen Einigung wirtschaftliche Hilfe nicht vorenthalten würden.

So konnte der Bundeskanzler bereits am ersten Tag seines Moskau-Aufenthaltes während einer Pressekonferenz eine Botschaft an die deutsche

Bevölkerung richten: «Generalsekretär Gorbatschow hat mir unmißverständlich zugesagt, daß die Sowjetunion die Entscheidung der Deutschen,
in einem Staat zu leben, respektieren wird, und daß es Sache der Deutschen ist, den Zeitpunkt und den Weg der Einigung selbst zu bestimmen.»[32] Allerdings hatten die Sowjets, und das sagte Kohl bei dieser Gelegenheit nicht, ihre prinzipielle Zustimmung an drei Bedingungen geknüpft, von denen die beiden ersten vergleichsweise leicht zu erfüllen
waren: die Forderungen nach Anerkennung der Unantastbarkeit der Grenzen und nach deutscher Wirtschaftshilfe für die Sowjetunion. Bereits im
Februar 1990 gewährte Bonn Moskau eine Lebensmittelhilfe in Höhe von
220 Millionen D-Mark. Überdies erstattete die Bundesrepublik der Sowjetunion zwei Milliarden D-Mark für Sowjetexporte in die DDR, die
noch von deren Regierung vereinbart, aber 1990 nicht mehr abgenommen worden waren.[33] Das ganze Ausmaß dieser Probleme konnte aber
damals noch gar nicht übersehen werden: Immerhin hatte die DDR mit
137 Staaten mehr als 2600 Verträge abgeschlossen, von denen lediglich 7%
in ihrem Gesetzblatt veröffentlicht worden waren.

Als wesentlich schwieriger und zunächst offenbar auch unerfüllbar erwies sich die dritte Bedingung, die Gorbatschow gestellt hatte: Verzicht
des vereinigten Deutschland auf die NATO-Mitgliedschaft. Unmißverständlich stellte Gorbatschow im März 1990 vor laufenden Kameras aus
beiden deutschen Staaten mit Blick auf diese NATO-Mitgliedschaft fest:
«Das ist absolut ausgeschlossen.»[34] Zur Überraschung vieler konnte indessen auch diese letzte Hürde schon im Juli 1990 genommen werden. Nach
einer Übergangsphase, in der zeitweilig von Moskau eine «Doppelmit-
gliedschaft» des vereinigten Deutschland in NATO und Warschauer Pakt
ins Gespräch gebracht worden war und auch deutsche Politiker, wie der
Bonner Außenminister, mit dieser Idee geliebäugelt hatten, gab Gorbatschow anläßlich seines nächsten Treffens mit Kohl am 15. und 16. Juli seine
Zustimmung zur NATO-Mitgliedschaft des vereinigten Deutschland. Die
Juli-Reise führte den Bundeskanzler, in dessen Begleitung sich unter anderem Außenminister Genscher und Finanzminister Waigel befanden, zunächst nach Moskau und dann in die kaukasische Heimat des Generalsekretärs.

Vielen Beobachtern stellte sich die Frage nach den Gründen für dessen
Sinneswandel, wenn es denn einer war. Von nicht zu unterschätzender
Bedeutung ist wohl die indirekte Zustimmung gewesen, die Gorbatschow
auf dem 28. Parteitag der KPdSU erhalten hatte, der vom 2. bis zum
13. Juli tagte. Dort war er in geheimer Abstimmung − und zwar nicht,
wie bis dahin üblich, vom ZK, sondern vom Parteitag − als Parteichef
bestätigt worden. Sicher war das auch ein Indiz dafür, daß Gorbatschow
sich mit seiner Außenpolitik gegen die Kritiker in den eigenen Reihen
durchgesetzt hatte. Gestärkt von diesem Erfolg, traf er offenbar im Alleingang die Entscheidung, der deutschen NATO-Mitgliedschaft nunmehr

zuzustimmen, wie einer seiner schärfsten Kritiker, Valentin Falin, hervorhebt: «Weder vom Obersten Sowjet oder der Regierung, weder vom Verteidigungs- beziehungsweise Präsidentenrat noch vom Föderationsrat, vom Politbüro oder dem Sekretariat des ZK ganz zu schweigen, hatte Gorbatschow Vollmacht für die von ihm getroffenen Entscheidungen bekommen.»[35]

Anderes kam hinzu und hat Gorbatschows Schritt sicher maßgeblich mitbestimmt. Man darf nicht vergessen, daß sich mit dem Wahlergebnis in der DDR vom 18. März und mit Inkrafttreten der Währungsunion vom 1. Juli der «Spielraum der sowjetischen Diplomatie ... merklich verengt» hatte.[36] Vor allem aber hatte die NATO im Vorfeld des Kaukasus-Treffens ein Signal gesendet, das es Gorbatschow doch sehr erleichterte, seinen Widerstand gegen die NATO-Mitgliedschaft und damit den letzten Vorbehalt gegen eine deutsche Vereinigung aufzugeben. Anläßlich ihres Gipfeltreffens am 5. und 6. Juli 1990 hatten die Staats- und Regierungschefs der Atlantischen Allianz in ihrer «Londoner Erklärung» bekräftigt, «niemals und unter keinen Umständen als erste Gewalt anwenden» zu wollen. Überdies hatten sie eine «gemeinsame Erklärung» der Mitglieder von NATO und Warschauer Pakt angeregt, «in der wir feierlich bekunden, daß wir uns nicht länger als Gegner betrachten, und in der wir unsere Absicht bekräftigen, uns der Androhung oder Anwendung von Gewalt zu enthalten, die gegen die territoriale Integrität oder politische Unabhängigkeit irgendeines Staates gerichtet ... ist.»[37] Beide Erklärungen hatten in erster Linie psychologische Bedeutung. Sie zielten auf die Stimmungslage innerhalb der Sowjetunion. Selbstverständlich hatte die NATO zu keiner Zeit die territoriale Integrität der UdSSR bedroht. Aber mit dieser Bekundung liquidierte sie offiziell ein Feindbild, und das beruhigte in Moskau.

Schließlich erleichterte die deutsche Seite der sowjetischen ihre Zustimmung zur NATO-Mitgliedschaft des vereinigten Deutschland, indem sie sich auf dem Weltwirtschaftsgipfel in Houston vom 9. bis 11. Juli, also im unmittelbaren Vorfeld des Kaukasus-Treffens, für Moskaus Nöte stark machte und die Teilnehmer von der Dringlichkeit wirtschaftlicher Hilfe für die Sowjetunion überzeugte. Vor allem aber hatte sie – schon vor dem Treffen – für einen Fünf-Milliarden-Kredit gebürgt. Die Einzelheiten waren am 14. Mai auf einer Geheimmission des außenpolitischen Beraters von Bundeskanzler Kohl, Horst Teltschik, geklärt worden, an der auch zwei führende deutsche Bankiers teilgenommen hatten. Schon im Februar hatte Kohl zu Bush und Baker gesagt, daß letztlich alles eine Frage von «cash» sei: «Die brauchen Geld».[38]

Das also waren auf westlicher Seite die Voraussetzungen, unter denen die Begegnung zwischen Kohl und Gorbatschow im Kaukasus stattfand und zu einem aus deutscher Sicht erfolgreichen Ergebnis geführt werden konnte. Am 16. Juli 1990 gab der Bundeskanzler der erstaunten Weltöffentlichkeit in einer Pressekonferenz in Schelesnowodsk bekannt: «Das vereinte Deutschland kann in Ausübung seiner uneingeschränkten Souveränität frei und selbst entscheiden, ob und welchem Bündnis es angehören will.» Im Gegenzug verpflichtete sich die Bundesrepublik, eine Reihe von militärischen Selbstbeschränkungen einzuführen bzw. beizubehalten, zu denen unter anderem die Reduzierung der Streitkräfte des vereinigten Deutschland auf 370 000 Mann, der Verzicht auf «Herstellung, Besitz und Verfügung von ABC-Waffen» und die bleibende Mitgliedschaft im Atomsperrvertrag gehörten. Nach vollzogener Vereinigung sollten dann noch die Modalitäten des sowjetischen Truppenabzugs aus der DDR vertraglich festgelegt werden.[39]

Der Erfolg im Kaukasus bereitete zugleich der Verhandlungslösung auf der vierten, völkerrechtlich entscheidenden Ebene den Weg. Bereits gut einen Monat nach der Öffnung der Mauer waren auf sowjetische Initiative hin erste Gespräche aufgenommen worden: Am 11. Dezember 1989 trafen sich, erstmals seit 1971, die Botschafter der vier Siegermächte im ehemals vom Alliierten Kontrollrat benutzten Gebäude in Berlin. Auch diese Begegnung war von beträchtlicher Symbolkraft. Immerhin wurde das Ende des Kalten Krieges dort eingeläutet, wo dieser am 20. März 1948, mit dem Auszug des sowjetischen Vertreters aus dem Alliierten Kontrollrat, in seine heiße Phase eingetreten war.

Fortschritte bei diesen Viermächte-Verhandlungen brachte der Februar 1990. Anlaß war ein Treffen der Außenminister von NATO und Warschauer Pakt in Ottawa vom 12. bis zum 14. Februar, dessen eigentliches Thema das vom amerikanischen Präsidenten Bush angeregte Konzept der «Open skies» war. Am 13. Februar taten die Außenminister der vier Siegermächte des Zweiten Weltkrieges und der beiden deutschen Staaten in einer gemeinsamen Erklärung ihre Absicht kund, sich zu treffen, «um die äußeren Aspekte der Herstellung der deutschen Einheit, einschließlich der Fragen der Sicherheit der Nachbarstaaten, zu besprechen. Vorbereitende Gespräche auf Beamtenebene werden in Kürze aufgenommen.»[40] Das geschah am 14. März in Bonn. Drei Wochen später, am 5. Mai 1990, begannen die sogenannten «Zwei-plus-Vier»-Verhandlungen der sechs Außenminister in Bonn.

In ihrer dritten Verhandlungsrunde akzeptierten die Sechs am 17. Juli in Paris die einen Tag zuvor im Kaukasus geschaffenen Tatsachen. An diesem Treffen nahm zeitweilig auch der polnische Außenminister Krzysztof Skubiszewski teil. Damit wurde einer Forderung Rechnung getragen, die erstmals durch den polnischen Ministerpräsidenten Mazowiecki am 14. Februar bei einem Besuch in London erhoben worden war. Der Rest war nahezu Routine. Nach der grundsätzlichen sowjetischen Zustimmung ging es vor allem noch um die Klärung von Detailfragen. Am 12. September 1990 fand in Moskau die letzte Runde der Außenminister-Treffen im Rahmen der «Zwei-plus-Vier»-Gespräche statt. Am Ende stand die Unterzeichnung des «Vertrages über die abschließende Regelung in bezug auf Deutschland».

Der «Zwei-plus-Vier»-Vertrag war kein Friedensvertrag, übernahm aber dessen Funktion. Zwar erhob die Sowjetunion anfänglich noch die Forderung nach Abschluß eines solchen Vertrages, doch lenkte sie schließlich ein, da zahlreiche Gründe dagegen sprachen. Einmal waren schon seit Mitte der fünfziger Jahre einige Hauptgegenstände eines Friedensvertrages «nicht mehr regelungsbedürftig».[41] Das galt sowohl für die Beendigung des Kriegszustandes als auch für das Problem der Reparationsleistungen. Vor allem aber stellte sich die Frage, ob dann nicht alle Staaten, die sich während des Zweiten Weltkrieges mit Deutschland im Kriegszustand befunden hatten, auch den Friedensvertrag mit Deutschland hätten unterzeichnen müssen. Nach der Rechnung, welche die Sowjets in ihrem Friedensvertragsentwurf von 1959 aufgemacht hatten, wären das 29 Staaten einschließlich Weißrußlands und der Ukraine gewesen.

Gemäß Artikel 1.1 des «Vertrages über die abschließende Regelung in bezug auf Deutschland» umfaßte das «vereinte Deutschland ... die Gebiete der Bundesrepublik Deutschland, der Deutschen Demokratischen Republik und ganz Berlins ... Seine Außengrenzen werden die Grenzen der Deutschen Demokratischen Republik und der Bundesrepublik Deutschland sein und werden am Tag des Inkrafttretens dieses Vertrages endgültig sein.»[42] Artikel 1.2 verpflichtete das vereinigte Deutschland, seine Grenze zu Polen in einem Vertrag zu bestätigen. Das geschah am 14. November 1990 in Warschau. Nachdem der Bundestag und die Volkskammer der DDR bereits am 21. Juni ihre Bereitschaft zu diesem Schritt signalisiert hatten, erklärten Polen und das inzwischen vereinigte Deutschland, «daß die zwischen ihnen bestehende Grenze jetzt und in Zukunft unverletzlich ist».[43] Damit bestätigten Repräsentanten deutscher Staaten zum wiederholten Mal seit Ende des Zweiten Weltkrieges die Oder-Neiße-Grenze. Vorangegangen war die DDR im Görlitzer Vertrag vom 6. Juli 1950, gefolgt von der Bundesrepublik, die am 7. Dezember 1970 im Warschauer Vertrag die Unverletzlichkeit dieser Grenze anerkannt hatte.

Mit Artikel 7.1 des «Zwei-plus-Vier»-Vertrages beendeten die Vier Mächte «ihre Rechte und Verantwortlichkeiten in bezug auf Berlin und Deutschland als Ganzes».[44] Das hörte sich unscheinbar an, bedeutete aber immerhin die Sistierung unter anderem der Londoner EAC-Protokolle vom 12. September und 14. November 1944, der Erklärung der Übernahme der obersten Regierungsgewalt durch die Vier Mächte vom 5. Juni 1945, des «Potsdamer Abkommens», der Deutschland-Verträge zwischen den Westmächten und der Bundesrepublik Deutschland sowie der entsprechenden Vereinbarungen zwischen der Sowjetunion und der DDR, der Anwendbarkeit der «Feindstaatenklauseln» in den Artikeln 53.1 und 107 der UN-Charta und einer Reihe anderer Vereinbarungen.

Schließlich bestätigte der Vertrag den deutschen Verzicht auf die Herstellung, den Besitz und die Verfügung von ABC-Waffen und die Beschränkung der Bundeswehr auf 370 000 Mann einschließlich der Seestreitkräfte, zu der sich die Bundesrepublik bereits am 30. August 1990 im Rahmen der noch zu erläuternden Wiener VKSE verpflichtet hatte. Allerdings betrafen die Bestimmungen nicht die Lagerung von Nuklearwaffen der NATO auf dem Gebiet der alten Bundesrepublik und auch nicht die Möglichkeit einer «Mitverfügung über Atomwaffen im Rahmen einer künftigen Europäischen Politischen Union».[45] Denn das Recht des vereinigten Deutschland, Bündnisse mit allen sich daraus ergebenden Rechten und Pflichten einzugehen, wurde von dem Vertrag nicht berührt. Jedoch konnte die Eingliederung der auf dem Gebiet der ehemaligen DDR stationierten Land-, Luft- und Seestreitkräfte erst nach Abschluß des sowjetischen Truppenabzuges im Januar 1995 vollzogen werden. Am 1. Oktober überreichten die Vier Mächte der Bundesrepublik eine Erklärung, «daß die Wirksamkeit ihrer Rechte und Verantwortlichkeiten in bezug auf Berlin und Deutschland als Ganzes mit Wirkung vom Zeitpunkt der Vereinigung Deutschlands bis zum Inkrafttreten des Vertrages ... ausgesetzt wird».[46] Damit war in dürren Worten fast ein halbes Jahrhundert nach Beendigung des Zweiten Weltkriegs die wichtigste noch offene Frage beantwortet.

Am 3. Oktober 1990 wurde die Vereinigung der beiden deutschen Staaten feierlich vollzogen, und am folgenden Tag fand im Reichstagsgebäude zu Berlin die erste Plenarsitzung eines freigewählten gesamtdeutschen Parlaments seit 57 Jahren statt. Selbst zu diesem Zeitpunkt war wohl den wenigsten bewußt, was sie erlebten: Nicht nur gaben die dramatischen Ereignisse der Jahre 1989/90 den Deutschen nach 1871 und 1918 die dritte historische Chance und bescherten ihnen erneut den spätestens seit 1961 für unerreichbar gehaltenen Nationalstaat, vielmehr katapultierten sie die Bundesrepublik gleichsam über Nacht wieder in die Rolle einer kontinentalen Großmacht mit weltpolitischem Gewicht. Gewissermaßen ohne Vorwarnung war Deutschland «zum stärksten Staat Europas (nach Rußland) aufgestiegen».[47] Diesen höchst folgenreichen Sachverhalt, den viele ausländische Beobachter frühzeitig realisierten, mochten oder konnten die meisten Deutschen in jener Nacht, in der sie die Vereinigung ihrer beiden Staaten bejubelten, nicht wahrhaben. Sie gingen vielmehr davon aus, daß auch die erweiterte Bundesrepublik künftig im Windschatten des Ost-West-Konfliktes als mittlere Macht prosperieren könne.

Dabei wurde die Geschichte des deutschen Nationalstaats übersehen, der von seiner Gründung im Jahre 1871 bis zu seinem Ende ein Dreivierteljahrhundert später eine Großmacht gewesen war. Wie die Auflösung des einen die Demontage der anderen einbegriffen hatte, so bedeutete die Vereinigung der beiden Teilstaaten zwangsläufig etwas anderes als eine Korrektur von Zahlen, Daten und Bilanzen in den Statistiken des Kontinents. Allerdings waren schon diese im Falle des vereinigten Deutschlands beeindruckend genug: Die Bevölkerungszahl der Bundesrepublik war nach der Vereinigung im europäischen Vergleich überdurchschnittlich hoch, ihre territoriale Größe nicht unerheblich. Und natürlich gewannen diese Faktoren mit dem noch zu erläuternden Prozeß der politischen und territorialen Atomisierung in Südost- und Osteuropa weiter an Gewicht: Die Vereinigung Deutschlands stand als einziges Ereignis dieser Art gegen den allgemeinen Trend. Hinzu kamen ein relativ hoher Bildungsstand, eine vergleichsweise intakte Umwelt, insbesondere aber eine enorme Wirtschaftskraft, die durch die europäische Integration zusätzlich gesteigert wurde, sowie eine der stärksten Währungen der Welt und die wichtigste des Kontinents. Nicht zuletzt war die Bundesrepublik alles andere als ein militärischer Zwerg. Unbeschadet der genannten Beschränkungen bzw. Selbstbeschränkungen blieb die Bundeswehr die zahlenmäßig zweitstärkste Armee Europas. Das gab ihr in einer Zeit rapiden Zerfalls der militärischen Strukturen im östlichen Europa ein eigenes Gewicht. Ein letztes Moment kam hinzu: Ähnlich wie Japan besaß die Bundesrepublik durchaus das «Potential, mittels Nichtkooperation die Funktionen» des internationalen Systems zu «sabotieren».[48] Anders als während der ersten Hälfte des 20. Jahrhunderts war das eine Eigenschaft, die jede verantwortlich agierende Großmacht um so stärker in Rechnung zu stellen hatte, je weiter die Globalisierung und Vernetzung aller Lebensbereiche voranschritt und damit die Anfälligkeit des weltpolitischen Gesamtsystems zunahm.

Diese Dimensionen der Vereinigung Deutschlands und vor allem ihre vielfältigen Konsequenzen konnte 1989/90 zweifellos kaum jemand vorhersehen, zumal die Bundesrepublik mit dem 3. Oktober 1990 noch keineswegs vollständig souverän war. Vorläufig waren die Rechte und Verantwortlichkeiten der Vier Mächte nur «ausgesetzt». Ihr endgültiges Erlöschen hing vom Inkrafttreten des «Zwei-plus-Vier»-Vertrages ab, und das wiederum setzte seine Ratifizierung voraus. Die Sowjets machten diesen letzten Schritt von einigen Vereinbarungen über die Modalitäten des Abzuges ihrer Truppen aus Deutschland abhängig. Die erste dieser Vereinbarungen wurde noch am 13. September 1990, einen Tag nach Unterzeichnung des «Zwei-plus-Vier»-Vertrages und auf den Tag genau 35 Jahre nach Aufnahme diplomatischer Beziehungen zwischen der Bundesrepublik und der UdSSR, in Moskau paraphiert. Das war der «Vertrag über gute Nachbarschaft, Partnerschaft und Zusammenarbeit». Er wurde am 9. November 1990, dem Jahrestag der Maueröffnung, von Kohl und Gorbatschow in Bonn unterzeichnet.

Das Dokument enthielt eine Fülle interessanter Aspekte, zu denen seine Laufzeit von 20 und eine automatische Verlängerung um jeweils fünf Jahre zählten. Die Bestimmungen des Artikels 6 waren denen des Vertrages über die deutsch-französische Zusammenarbeit vom 22. Januar 1963 nachempfunden. Sie sahen «regelmäßige Konsultationen» auf allen Ebenen vor, also denen der Außen-, Verteidigungs-, Fachminister, und natürlich «auf höchster politischer ... so oft wie erforderlich, mindestens jedoch einmal jährlich». Und schließlich gab es den Artikel 3, Absatz 3, der wie folgt lautete: «Sollte eine der beiden Seiten zum Gegenstand eines Angriffs werden, so wird die andere Seite dem Angreifer keine militärische Hilfe oder sonstigen Beistand leisten und alle Maßnahmen ergreifen, um den Konflikt ... beizulegen.»[49]

Das klang plausibel, naheliegend, bis in die Formulierungen hinein vertraut – und ließ eben deshalb aufhorchen. Immerhin hatte der Neutralitäts- bzw. Nichtangriffsvertrag gerade in den deutsch-sowjetischen bzw. deutsch-russischen Beziehungen eine besondere Tradition. Am Ende des Kalten Krieges und an der Schwelle zu einer neuen Epoche schloß die wieder souveräne Großmacht Bundesrepublik Deutschland mit der Weltmacht Sowjetunion – und nur mit ihr – einen Vertrag der Art, wie ihn bis zum Zweiten Weltkrieg das Deutsche Reich mit Rußland bzw. der UdSSR wiederholt abgeschlossen hatte. Sowohl der «Rückversicherungsvertrag» des Jahres 1887 als auch der Berliner Vertrag von 1926 und der «Hitler-Stalin-Pakt» des Jahres 1939 waren unter anderem Neutralitätsverträge gewesen. Vermutlich war diese historische Reminiszenz von den Vertragsparteien nicht beabsichtigt. Aber daß sie in einer Zeit des mehrfach erklärten und von beiden Seiten, etwa im Rahmen der UNO oder der KSZE, feierlich bekräftigten Gewaltverzichts überhaupt auf diese «unglückliche»[50] Formulierung verfielen, ist bemerkenswert.

Ergänzt wurde der deutsch-sowjetische Vertrag über «gute Nachbarschaft, Partnerschaft und Zusammenarbeit» durch zwei Abkommen, die am 9. bzw. 12. Oktober 1990 unterzeichnet worden waren. Das erste regelte «einige überleitende Maßnahmen», worunter im wesentlichen Modalitäten der Finanzierung des sowjetischen Truppenabzugs vom Territorium der ehemaligen DDR zu verstehen waren. Insgesamt wurde ein auf vier Jahre verteilter Betrag von zwölf Milliarden D-Mark zugesagt, darunter 7,8 Milliarden für den Bau von Wohnungen für einen Teil der in die Sowjetunion abziehenden Soldaten. Tatsächlich waren 1995 8,35 Milliarden D-Mark für ein «Bauprojekt in einer noch nie gekannten Größenordnung mit einem noch nie dagewesenen Tempo» aufgewendet worden. Insgesamt wurden 45000 schlüsselfertige Wohnungen gebaut, mit einer eigenen Strom-, Wasser- und Wärmeversorgung sowie Schulen, Krankenhäusern, Kindergärten und Einkaufszentren.[51] Der zweite Vertrag regelte die «Bedingungen des befristeten Aufenthalts und die Modalitäten des planmäßigen Abzugs der sowjetischen Truppen» bis zum Jahre 1994 und enthielt unter anderem den Hinweis, daß für Moskaus Streitkräfte die einschlägigen Regelungen des KVAE-Dokuments vom September 1986 gelten sollten. Damit dokumentierte auch dieser letzte deutsch-sowjetische Vertrag die hohe Bedeutung des KSZE-Prozesses für die Entwicklungen im Europa des endenden Kalten Krieges.

Ähnlich wie die EG und die NATO bildete die KSZE eine jener äußeren Rahmenbedingungen, in welche der deutsche Vereinigungsprozeß eingebettet und ohne die er nur schwer vorstellbar war. Das KSZE-Gipfeltreffen der Staats- und Regierungschefs vom 19. bis zum 21. November 1990 in Paris demonstrierte das auf eindrucksvolle Weise. Aus deutscher Sicht war diese Begegnung der führenden Repräsentanten von nunmehr nur noch 34 Teilnehmerstaaten schon deshalb bedeutsam, weil es am 19. November zur Unterzeichnung des ersten Abkommens über die Konventionellen Streikräfte in Europa (KSE) durch die Vertreter der 22 NATO- und Warschauer-Pakt-Staaten kam. Das erste Abkommen über Vertrauens- und Sicherheitsbildende Maßnahmen (VSBM) war bereits zwei Tage zuvor in Wien unterzeichnet worden. VKSE I legte unter anderem in den Abschnitten II bis VII detailliert die «Verfahren zur Reduzierung» von Kampfpanzern, gepanzerten Kampffahrzeugen, Artilleriewaffen, Kampfflugzeugen und Angriffshubschraubern «durch Zerstörung» fest. Ein langer Weg war zurückgelegt, ein erster Gipfel erklommen worden. Vor allem die Deutschen wußten, was das bedeutete, hatte doch gerade Bonn immer wieder auf den asymmetrischen Abbau der konventionellen Waffenarsenale gedrängt.

Schließlich begrüßten die 34 Staats- und Regierungschefs, unter diesen die der vier Siegermächte des Zweiten Weltkriegs, in ihrer «Charta von Paris für ein neues Europa ... aufrichtig, daß das deutsche Volk sich in Übereinstimmung mit den Prinzipien der Schlußakte der Konferenz über Sicherheit und Zusammenarbeit in Europa und in vollem Einvernehmen mit seinen Nachbarn in einem Staat vereinigt hat».[52] So markierte der KSZE-Gipfel den glanzvollen Höhepunkt und Abschluß einer Entwicklung, welche die meisten noch zwei Jahre zuvor für unmöglich und viele – im In- wie im Ausland – sogar für nicht wünschenswert gehalten hatten. Egon Bahr, einer der Architekten bundesdeutscher Ostpolitik in den ausgehenden sechziger und beginnenden siebziger Jahren, war wie viele, wenn nicht die meisten noch 1988 überzeugt: «Wer ... die deutsche Frage aufwirft, stört Europa ... Auch am Ende dieser Prozesse wird es die beiden Staaten geben, also so weit wir nach vorn sehen können. Das muß man nicht nur wissen, sondern man muß es auch sagen und sogar wollen.»[53]

Einer der ersten, der sogleich die ganze Tragweite der Ereignisse des 9. Novembers 1989 erkannte und deshalb auch wußte, welcher Weg noch vor den Deutschen und ihren Nachbarn lag, war Willy Brandt, in dessen politischer Biographie sich gleichsam symbolisch das Schicksal des geteilten Deutschland spiegelte. In bewegten und bewegenden Worten faßte er das am 10. November 1989 in Berlin zusammen: «Aus dem Krieg und aus der Veruneinigung der Siegermächte erwuchs die Spaltung Europas, Deutschlands und Berlins. Jetzt wächst zusammen, was zusammengehört.»[54] Wenn es eine eindrucksvolle Bestätigung für diese Sicht der Dinge gab, dann war es der KSZE-Gipfel des Novembers 1990. Er lag indessen bereits im Schatten von Ereignissen, die sehr bald die Harmonie stören und vor allem das frisch vereinigte Deutschland abrupt aus seiner Feierstimmung reißen sollten.

In der Nacht vom 16. auf den 17. Januar 1991 eröffnete eine alliierte Koalition aus 28 Staaten mit einer Luftoffensive die Kampfhandlungen gegen den Irak. Sie folgte damit einer ohne Gegenstimme gefaßten Resolution des Weltsicherheitsrates der Vereinten Nationen, in welcher der Irak ultimativ zur Räumung des am 2. August 1990 gewaltsam besetzten und sechs Tage darauf annektierten Kuwait aufgefordert worden war. In den frühen Morgenstunden des 24. Februar begann schließlich die Bodenoffensive, die vier Tage später mit einer Feuerpause erfolgreich abgeschlossen werden konnte, nachdem die alliierte Streitmacht Kuwait befreit und der Irak seine Bereitschaft zur Annahme aller zwölf UNO-Resolutionen erklärt hatte.

So durchschlagend der militärische Erfolg, vom Ergebnis her gesehen, gewesen ist, so unwägbar waren die Risiken im Vorfeld. Offenkundig war der irakische Diktator zum äußersten entschlossen. Das zeigten die Raketenangriffe auf Israel, die am 18. Januar einsetzten, das hatte Saddam Husain aber auch schon mit dem Einsatz chemischer und bakteriologischer Kampfstoffe in den Kriegen gegen den Iran und gegen die kurdische Bevölkerung seines eigenen Landes unter Beweis gestellt. Da er offenbar keine Skrupel kannte, sein B-C-Arsenal auch während der bevorstehenden Operation «Desert Storm» einzusetzen, drohte der amerikanische Außenminister Baker seinem irakischen Amtskollegen Aziz bei ihrem letzten Genfer Zusammentreffen unverhohlen mit einer nuklearen Antwort. Dieser Wink mit dem atomaren Zaunpfahl – nicht der erste in der Geschichte des Kalten Krieges, aber wohl der letzte – verfehlte seine Wirkung nicht.[55]

In der Endphase des Kalten Krieges ausgetragen, wies der Zweite Golfkrieg in mehrfacher Hinsicht in eine neue Zeit. Einmal stand er für die Rückkehr des Krieges als Mittel der Konfliktlösung. Unter den Bedingungen der geteilten Welt, also mit einer handlungsfähigen und in traditionellen Kategorien operierenden Sowjetmacht, wäre er so kaum vorstellbar gewesen. Dann aber bereitete der Krieg den Weg für eine – bis dahin nicht minder unvorstellbare – Friedensregelung im Nahen Osten. Der finanzielle und politische Bankrott der PLO, die sich auf die Seite des irakischen Aggressors geschlagen hatte, die Erkenntnis Tel Avivs, daß Israel im Zweifelsfall Raketenangriffen schutzlos ausgeliefert sei, oder auch die taktische Entscheidung Syriens, sich auf die Seite der Allianz zu schlagen, trugen dazu bei, daß sich in einer der gefährlichsten Krisenregionen der Erde der Wille zum Frieden durchzusetzten begann.

Schließlich aber führte der Golfkrieg den Deutschen gleichsam über Nacht vor Augen, daß sich ihre Lage dramatisch gewandelt hatte. Mit der

Zuspitzung der Golfkrise und dem Eingreifen der Vereinten Nationen war auch das vereinigte Deutschland – seine Öffentlichkeit, seine Medien und vor allem seine politischen Repräsentanten – aufgefordert, Stellung zu beziehen, gezwungen, zu reagieren. Daß unter den gegebenen politischen Bedingungen keine Bundeswehreinheiten in die alliierte Koalition, also zur Teilnahme an Kampfhandlungen außerhalb des NATO-Gebietes, entsandt werden konnten, war im wesentlichen unbestritten. Überrascht und zunehmend befremdet nahmen allerdings die nahen und fernen Nachbarn zur Kenntnis, daß die Bonner Politik schwieg und so die Außendarstellung der Republik zeitweilig einer sich lautstark gegen die Alliierten artikulierenden Minderheit überließ. Unverständnis kam auf, auch Unmut. Mancher Beobachter zeigte sich irritiert, daß eine Nation, die eine vernichtende Diktatur erlebt und überlebt hatte, sich nicht an dem Versuch beteiligen mochte, einen offenbar zu allem entschlossenen Diktator zu stoppen.

Was jenseits der deutschen Grenzen erwartet wurde, war nicht nur eine Beteiligung im Rahmen des Möglichen. Die galt als selbstverständlich, und es gab sie durchaus: von der Bereitstellung des Territoriums der Bundesrepublik als Drehscheibe für den Golfnachschub bis hin zu umfangreichen Material- und Waffenlieferungen und, nach einiger Diskussion, der Zahlung erheblicher Geldbeträge. Nach einem Informationserlaß des Auswärtigen Amtes vom 19. Februar 1991 hatte Bonn bis zu diesem Zeitpunkt etwa 17 Milliarden D-Mark gezahlt.[56] Es war im übrigen eben diese indirekte Art der Unterstützung, die der deutschen Politik in ausländischen Medien alsbald die klischeehafte Charakterisierung als «Scheckbuchdiplomatie» eintrug.[57]

Dabei beschränkten sich die deutschen Aktivitäten keineswegs nur auf materielle Unterstützung. So beteiligten sich Bundeswehreinheiten an vorsorglichen militärischen Maßnahmen der NATO zur Verhinderung eines Angriffs auf den Bündnispartner Türkei. Schließlich kam es, einige Wochen nach der Beendigung der Kampfhandlungen, aber noch vor Unterzeichnung des endgültigen Waffenstillstandes, zur Entsendung deutscher Minensuchboote in den Persischen Golf. Es war bezeichnend für die tiefe Unsicherheit der deutschen Politik in dieser Krise, daß solche Entscheidungen nahezu im verborgenen getroffen und umgesetzt wurden. Wo das nicht möglich war, wie bei der Beteiligung an NATO-Aktionen, entwickelte sich rasch eine heftige öffentliche Debatte.

Aus der Sicht der Allianz galt diese Unterstützung als selbstverständlich, erwartet wurde mehr, vor allem eine umgehende, öffentliche Solidarisierung führender Repräsentanten aller politischen Parteien und insbesondere der Bundesregierung mit den Alliierten. Die ließ indessen auf sich warten. Buchstäblich in letzter Minute, anläßlich der Eröffnung der alliierten Bodenoffensive zur Befreiung Kuwaits in der Nacht vom 23. auf den 24. Februar 1991, fand die deutsche Politik ihre Sprache wieder. Nachdem sich ihre Vertreter noch wenige Tage und Stunden zuvor als einziger größerer Partner der westlichen Allianz für einen aus alliierter Sicht nicht akzeptablen sowjetischen Friedensplan ausgesprochen hatten, ließen sie jetzt in mehreren öffentlichen Stellungnahmen keinen Zweifel daran, daß die Aktion in dieser Form und zu diesem Zeitpunkt legitim und notwendig sei und daß man in politischer Solidarität «fest und unverbrüchlich» an der Seite der alliierten Koalition stehe.[58]

Mehrere Ursachen zeichneten in diesen ersten Wochen des Jahres 1991 für die Unentschlossenheit der deutschen Politik verantwortlich. So befand sich Bonn nach den ersten gesamtdeutschen Wahlen vom 2. Dezember mitten in der Regierungsbildung, die erst am 18. Januar 1991 mit der Vereidigung der Kabinettsmitglieder abgeschlossen wurde. Das war ein nicht zu unterschätzender, aber gewiß nicht der entscheidende Grund für die hinhaltende Politik der Bundesregierung. Kaum weniger von Gewicht waren vornehmlich historische Ursachen von beträchtlicher Langzeitwirkung. Hatte man den Deutschen nach Beendigung des Zweiten Weltkrieges nicht unmißverständlich zu verstehen gegeben, daß die Zeiten aktiver Großmachtpolitik endgültig vorüber seien? Waren nicht die Erinnerungen an die deutschen Ambitionen in der ersten Hälfte des Jahrhunderts bei den Nachbarn noch durchaus lebendig? Gab es nicht angesichts des Vernichtungswahns, dem die Deutschen während des Zweiten Weltkriegs verfallen und mit einer bis dahin in der zivilisierten Welt nicht gekannten Konsequenz gefolgt waren, geradezu eine Verpflichtung, das Land von jeder Form der militärischen Machtausübung fernzuhalten? Diese nachvollziehbaren Überlegungen waren auch 1991 durchaus nicht überholt: Selbst in den USA, wo der Fall der Mauer wie in keinem zweiten westlichen Land begrüßt und gefeiert worden war, hatten zwar Ende März 1990 mehr als drei Viertel der Amerikaner die deutsche Vereinigung begrüßt,[59] doch sprachen sich diese noch ein Jahr später ebenso eindeutig gegen einen entsprechenden Einsatz deutscher Truppen aus.[60]

Wie schnell die größer gewordene Bundesrepublik in diesen Umbruchzeiten in den Verdacht geraten konnte, an vergangene, aber längst nicht vergessene Traditionen anzuknüpfen, offenbarten die unerwartet heftigen Reaktionen auf ihren diplomatischen Alleingang im Jugoslawien-Konflikt, von dem noch zu sprechen ist. Am 23. Dezember 1991 erkannte Bonn Slowenien und Kroatien diplomatisch an. Ursprünglich hatte die EG eine gemeinsame Anerkennung der beiden Staaten ins Auge gefaßt, die auch am 15. Januar des kommenden Jahres erfolgte. Das Vorpreschen der Bundesrepublik unterschied sich keineswegs vom Verhalten anderer Großmächte in vergleichbaren Situationen. Wie die folgenden Jahre zeigen sollten, förderte der nachlassende Außendruck auf die westlichen Gemeinschaften die Neigung namentlich Frankreichs zu unabgesprochenen Einzelgängen. Allerdings betrat die deutsche Großmacht das neue Zeitalter mit einer anderen historischen Bürde als ihre Nachbarn. Außerdem stand

Bonns Balkan-Politik scheinbar im krassen Gegensatz zu ihrer auffälligen politischen Abstinenz während des Golfkrieges am Beginn des Jahres, war indessen gleichfalls Ausdruck einer tiefen Verunsicherung über die neue Lage und die ungewohnte Rolle.

Die Verbündeten reagierten zum Teil heftig auf den deutschen Alleingang in dieser Frage. Mancher Beobachter hegte den Verdacht, daß Deutschland lediglich neue Taktiken anwende, um sein altes Ziel, die «Hegemonie» über den Kontinent zu erreichen.[61] Das war natürlich eine Übertreibung, aber sie ließ doch sehr deutlich werden, daß die Nachbarn in Ost wie in West wesentlich früher als die Deutschen selbst begriffen, was die Revolution der ausgehenden achtziger und beginnenden neunziger Jahre neben vielem anderen bedeutete – die Geburt einer deutschen Großmacht.[62]

Gewiß konnte man es niemandem verdenken, der in dieser Situation etwas großzügige historische Parallelen zog, auch wenn diese mitunter die politische Wirklichkeit verfehlten. Aber in den Augen vieler Gegner und Opfer der deutschen Politik und Kriegführung hatte das Verhängnis nicht erst 1933 oder 1939 begonnen. Ihnen stellten sich das «Dritte Reich», der von Hitler entfesselte Krieg und selbst die Vernichtung des europäischen Judentums vor allem auch als vorläufig letzter Ausdruck einer langen Tradition dar, die in der Zeit Friedrichs des Großen mit dem Aufstieg Preußens zur Großmacht begonnen hatte und die bis in das Zeitalter der Weltkriege hinein ungebrochen schien. Deshalb war das Ziel nicht nur die Ausrottung des Nationalsozialismus gewesen, sondern auch die Zerschlagung der Großmacht Deutsches Reich und ihres preußischen Kerns. Das Machtbewußtsein der Deutschen war entsprechend gründlich demontiert worden, zunächst von außen, durch die alliierten Siegermächte des Zweiten Weltkrieges, dann im Innern, durch einen gründlichen Abschied von allem Machtdenken.[63]

Das fiel zunächst kaum auf, weil der deutsche Handlungsspielraum auch nach 1949/55 stark eingeschränkt, an eine «Machtpolitik» also ohnehin nicht zu denken war. Hier lag ein weiterer Grund für die Unsicherheit in der Bonner Außenpolitik während der Jahre 1990/91. Bis zum Oktober 1990 stand sie ja unter den alliierten Vorbehalten in bezug auf Berlin und Deutschland als Ganzem und besaß damit in vitalen Fragen allenfalls eine bedingte Handlungsfähigkeit. Dazu kam, daß man sehr wohl wußte, wie sehr die Republik im Vergleich zu anderen Mitgliedern der Atlantischen Allianz wegen ihrer exponierten Lage im Zentrum der geteilten Welt auf deren Schutz angewiesen war. An diese Sicherheitsgarantie waren von Anfang an Vorgaben und Bedingungen geknüpft – politische, militärische und wirtschaftliche. Kurswechsel oder -korrekturen deutscher Außenpolitik, wie zum Beispiel die Ost- und Deutschlandpolitik der Jahre 1969–1973, erfolgten deshalb stets in enger Absprache und im Einvernehmen mit den Westmächten. Konnte es da überraschen, daß die Republik, als sie im Jahre 1990 unerwartet in die Pflicht souveränen Agierens als europäische Großmacht genommen wurde, hilflos und verunsichert wirkte?

Für dieses Erscheinungsbild Deutschlands zu Beginn des Jahres 1991 gab es indessen nicht nur historische Gründe, sondern auch einen hochaktuellen, einen sicherheitspolitischen. Die schwere internationale Krise dieser Wochen war eine Doppelkrise, und aus deutscher Sicht stellten sich die dramatischen Entwicklungen in Ost- und Ostmitteleuropa nicht minder brisant dar als der Krieg am geographisch eher entfernten Persischen Golf. Ohne Zweifel war die Bundesrepublik, gelegen an der Nahtstelle zwischen Ost und West, von den Vorgängen im zerfallenden Sowjetimperium besonders betroffen. Immerhin standen auf ihrem Territorium zu diesem Zeitpunkt noch über 350000 mit modernsten, auch taktischen Nuklearwaffen ausgerüstete Angehörige der Roten Armee. Im übrigen waren die Verträge mit der Sowjetunion noch nicht in Kraft. Der «Vertrag über gute Nachbarschaft, Partnerschaft und Zusammenarbeit» und der «Zwei-plus-Vier»-Vertrag sollten vom Obersten Sowjet erst am 4. März 1991 und der deutsch-sowjetische Vertrag über die Stationierung und die «Modalitäten des planmäßigen Abzuges der sowjetischen Truppen aus dem Gebiet der Bundesrepublik Deutschland» gar erst am 2. April ratifiziert werden.

In dieser Situation wurde gerade in Bonn mit Besorgnis wahrgenommen, wie die sowjetischen Streitkräfte in den baltischen Staaten vorgingen, um die Unabhängigkeitsbestrebungen unter Kontrolle zu bringen. Lediglich in Estland kam es deshalb nicht zu einer Eskalation, weil sich der tschetschenische General – und spätere erste Präsident seines Landes –, Dschochar Dudajew, weigerte, das Parlament abzuriegeln. Hingegen wurden am 13. Januar, dem «blutigen Sonntag», in der litauischen Hauptstadt Wilna mindestens 13 Bürger von sowjetischen Soldaten getötet, und eine Woche später kam es in Lettland zu ähnlichen Vorfällen. Daß diese Einsätze offenbar nicht durch die politische Führung in Moskau angeordnet oder autorisiert worden waren, machte die Sache nicht besser – im Gegenteil. Hinzu kamen aus westlicher Sicht erhebliche Verstöße der Sowjetunion gegen Geist und Buchstaben des am 19. November 1990 unterzeichneten VKSE-Abkommens, die Anfang Februar 1991 in den USA Anlaß für eine Verschiebung der Ratifizierung waren.

Genau diese Unsicherheiten und Unwägbarkeiten der neuen Zeit trugen erheblich dazu bei, daß die anfänglich von vielen fernen und nahen Nachbarn nicht ohne Sorge beobachtete Vereinigung der beiden deutschen Staaten gleichsam über Nacht zur fest einkalkulierten Normalität des politischen Lebens in Europa wurde und daß sich die Vorbehalte gegenüber jedweder machtpolitischen Betätigung Deutschlands ins Gegenteil verkehrten. Angesichts der geschilderten Ausgangslage mußte es seine Zeit dauern, bis die Entscheidungsträger der Republik den gewandelten Rahmenbedingungen Rechnung trugen. Nach einer intensiven öffentlichen Debatte stellte das Bundesverfassungsgericht am 12. Juni 1994 klar, daß das Grundgesetz den Bund «nicht nur zum Eintritt in ein System gegenseitiger kollektiver Sicherheit und zur Einwilligung in damit verbundene Beschränkungen seiner Hoheitsrechte» autorisiere, sondern auch die verfassungsrechtliche Grundlage «für die Übernahme der mit der Zugehörigkeit zu einem solchen System typischerweise verbundenen Aufgaben» biete.[64] In diesem Sinne gab der Bundesaußenminister am 27. September 1994 vor der 49. Generalversammlung der Vereinten Nationen die Erklärung ab, «daß Deutschland sich voll an UN-Friedensoperationen beteiligen könne».[65] Fünf Jahre nach der Vereinigung setzte sich also bei den Repräsentanten deutscher Politik die Erkenntnis durch, daß «das Ende des Trittbrettfahrens … erreicht» sei und daß die «Qualität» des Engagements dem «gewachsenen Gewicht» Deutschlands entsprechen müsse.[66] Anlaß für diese deutlichen Worte des Bundespräsidenten vom März 1995 war das noch zu erläuternde Drama in Bosnien-Herzegowina.

Schon seit Mitte des Jahres 1991 bahnte sich in Ostmittel-, Ost- und Südosteuropa eine grundlegende Wandlung der überkommenen Verhältnisse an. Nach der politischen standen jetzt eine wirtschaftliche und eine militärische Revolution ins Haus. Am 27. Juni 1991 wurde das nie sehr erfolgreiche Experiment eines gemeinsamen kommunistischen Marktes zu Grabe getragen. Auf seiner 46. Sitzung faßte der Rat für Gegenseitige Wirtschaftshilfe (RGW) den formellen Auflösungsbeschluß. Unterzeichnet wurde das Dokument von Vertretern seiner neun verbliebenen Mitglieder: der Sowjetunion, Bulgarien, Rumänien, Polen, der Tschechoslowakei, Ungarn, Kuba, Vietnam und der Mongolei. Am 1. Juli 1991 beschloß auch der Politische Beratende Ausschuß, das höchste Organ des Warschauer Paktes, dessen Auflösung. Daß diese Entscheidung durch die Vertreter der Sowjetunion, Polens, Ungarns, Bulgariens, Rumäniens und der Tschechoslowakei in Prag gefällt wurde, war nicht ohne symbolische Bedeutung. Immerhin hatte der Warschauer Pakt hier 1968 zum ersten und einzigen Mal militärisch interveniert – gegen eines seiner Mitglieder.

Die westlichen Reaktionen waren insgesamt eher verhalten. Gewiß, der Warschauer Pakt war stets als Bedrohung gesehen worden, und insofern wurde seine Auflösung mit Genugtuung und Erleichterung quittiert. Doch jetzt bildete sich anstelle eines einheitlichen und vergleichsweise berechenbaren militärischen Blocks ein Vakuum heraus, von dem niemand so recht wußte, was es für die Stabilität des Kontinents insgesamt bedeutete. Das ließ sich auch von der Auflösung des RGW sagen. Die Organisation hatte in der Weltwirtschaft zwar nie eine bedeutende Rolle gespielt, aber seinen Mitgliedern eine relativ gesicherte, wenn auch zuletzt unverhältnismäßig teure Rohstoffversorgung aus sowjetischen Quellen, vor allem aber einen sicheren Absatzmarkt garantiert.

Angesichts dieser allgemeinen Auflösungserscheinungen des sowjetischen Imperiums war es für manchen Beobachter nur noch eine Frage der Zeit, bis die von der Peripherie ausgehenden Druckwellen das Zentrum selbst erreichten. Am 12. Juni 1991 wurde Boris Jelzin mit 57% der Stimmen zum Präsidenten der Russischen Sozialistischen Föderativen Sowjetrepublik (RSFSR) gewählt. Das war ein deutliches Signal, denn Jelzin galt als erklärter Gegner der kommunistischen Partei, als Verfechter einer Trennung von Partei und Staat und als Befürworter einer konsequenteren, schnelleren Umsetzung der angepeilten Reformen. Vor allem aber war Jelzin eine der treibenden Kräfte hinter der Verabschiedung des Gesetzes über die Souveränität Rußlands gewesen, mit dem am 12. Juni 1990 ein entscheidender Schritt auf dem Weg zur definitiven Auflösung der UdSSR getan worden war.

In der Nacht vom 18. auf den 19. August 1991 wurde eine schockierte Weltöffentlichkeit davon in Kenntnis gesetzt, daß der Präsident der UdSSR durch einen Putsch entmachtet und ein achtköpfiges «Notstandskomitee» an seine Stelle getreten sei. Gorbatschow selbst dürfte nicht so überrascht gewesen sein wie fast der ganze Rest der Welt, waren er und Außenminister Alexander Bessmertnych doch nahezu zwei Monate zuvor – unter anderem über den amerikanischen Botschafter in Washington – gewarnt worden.[67] Als Grund für ihre Aktion nannten die Putschisten die bevorstehende Unterzeichnung eines neuen Unionsvertrages. Zwar scheiterte das schlecht vorbereitete und dilettantisch durchgeführte Unternehmen nach drei Tagen, dennoch zeitigten die Vorgänge beträchtliche Folgen. Dazu gehörte die Erkenntnis, daß in den unübersichtlichen Entwicklungen in der Sowjetunion potentiell enorme Gefahren steckten.

Vor allem aber stärkte der gescheiterte Staatsstreich die Position des russischen Präsidenten Jelzin. Denn zum einen waren sämtliche Putschisten ursprünglich durch Gorbatschow in ihre Ämter gekommen. Das weckte Zweifel an der politischen Klugheit des sowjetischen Präsidenten. Dann aber hatte sich Jelzin, obgleich er ein erklärter Gegner Gorbatschows war, erfolgreich gegen die Frondeure gestellt. Jetzt nutzte er die Gunst der Stunde: Am 23. August, wenige Stunden nach dem Scheitern des Putsches, verbot er alle Aktivitäten der kommunistischen Partei in Rußland. Am folgenden Tag trat Gorbatschow nach einer vom russischen Fernsehen direkt übertragenen, demütigenden Auseinandersetzung mit Jelzin von seinem Posten als Generalsekretär der KPdSU zurück. Damit begann der letzte Akt im Auflösungsdrama der Sowjetunion. Zwar hatten sich am 17. März 1991 in einem Referendum etwa drei Viertel ihrer Bewohner für den Erhalt ausgesprochen, zwar war kurz zuvor ein neuer Vertrag über die «Union Souveräner Staaten» erarbeitet und veröffentlicht worden, doch konnten auch diese Maßnahmen nichts an den zentrifugalen Tendenzen ändern: Nachdem bereits am 8. Dezember durch Rußland, Weißrußland und die Ukraine die «Gemeinschaft Unabhängiger Staaten» gegründet worden war, erklärte der sowjetische Staatspräsident am 25. Dezember seinen Rücktritt.

Als Michail Gorbatschow vor die Fernsehkameras trat und seinen «lieben Landsleuten» und «Mitbürgern» seine Entscheidung bekanntgab, liquidierte er nicht nur förmlich die UdSSR, sondern zugleich den Kommunismus als staatstragende Ideologie. Ehe seine Anhänger wie seine Gegner so recht begriffen hatten, was sich da vor ihren Augen abspielte, war die Karriere einer Weltanschauung beendet, die fast 75 Jahre lang die Welt in Atem gehalten und eine ganze Epoche geprägt hatte. Daß sich dieser Prozeß weitgehend friedlich vollziehen, daß der Untergang der Sowjetunion und ihres Imperiums die Folge einer Implosion und nicht eines apokalyptischen Kräftemessens sein würde, hatte man so nicht erwarten können. Immerhin war der Kalte Krieg durch die Sowjetunion stets auch als Kampf um die Selbstbehauptung und letztlich um den Sieg im Ringen der Systeme geführt worden. Um nicht vom Gegner und Herausforderer überrascht zu werden und, jedenfalls zeitweilig, auch um den Wettlauf zu forcieren und zu entscheiden, hatte sich der Kreml eine gewaltige Streitmacht zugelegt. Jetzt, als es um alles oder nichts ging, kam sie nicht zum Einsatz. Noch größer als das Erstaunen über die Revolution war deshalb die Überraschung darüber, wie sie sich vollzog.

Ein historischer Prozeß mit derart weitreichenden politischen, wirtschaftlichen, militärischen oder auch kulturellen Ursachen und Folgen entzieht sich jeder eindimensionalen Erklärung. Der Kollaps hatte vielfältige Ursachen, die Gegenstand der Betrachtung gewesen sind. Zu ihnen zählen an vorderster Stelle die vollständige Erschöpfung der wirtschaftlichen Ressourcen, die mangelnde Flexibilität der staatstragenden Ideologie, die Erschütterung des militärisch-strategischen Selbstbewußtseins nach dem Afghanistan-Debakel, die schonungslose Überdehnung der imperialen Kräfte und ganz gewiß auch die Unterdrückung und Unterschätzung nationaler Vielfalt und Eigenständigkeit. In dieser Hinsicht markierte der Zerfall der Sowjetunion und ihres Imperiums den Kulminationspunkt eines Prozesses, in dem nicht wenige Zeitgenossen die Renationalisierung weiter Teile der europäischen Landschaft sahen. Weil der Kalte Krieg vor allem auch alle nationalen Regungen eingefroren hatte, fiel das Ende des einen fast zwangsläufig mit der Renaissance der anderen zusammen.

Das gilt vor allem für den östlichen Teil des Kontinents, wo es den Völkern selbst im Zeitalter der Nationalstaaten verwehrt gewesen war, ihre Vorstellungen von nationaler Selbständigkeit in politische Wirklichkeit umzusetzen. Im Westen Europas, der für diesen Zustand maßgeblich die Verantwortung mittrug, für sich selbst aber die nationalstaatliche Idee realisiert und inzwischen sogar partiell überwunden hatte, verfolgte man das Erwachen der nationalen Triebe mit wachsender Sorge. Denn wie vor dem Ersten Weltkrieg folgte der Idee auch jetzt ihre Übersteigerung und Pervertierung auf dem Fuße. Welche Auswirkungen das haben konnte, offen-

barte die Todesstunde des Kalten Krieges. Das Jahr 1991 brachte, erstmals
wieder seit einem halben Jahrhundert, Kriege und Bürgerkriege nach
Europa.

Nicht nur wurden allein in der noch existierenden Sowjetunion fast 80
Schauplätze von Nationalitätenkonflikten registriert, vielmehr hielt der
militärisch ausgetragene Konflikt Einzug in das Herz des alten Kontinents.
Der Krieg im ehemaligen Jugoslawien hinterließ eine klaffende Wunde,
die auch lange nach Überwindung des Ost-West-Gegensatzes nicht heilen
und dem Kontinent vor Augen führen sollte, daß es durchaus möglich ist,
von der Vergangenheit eingeholt zu werden: Nach einer verwickelten Vorgeschichte zerbrach im Verlauf des Jahres 1991 jener Vielvölkerstaat, der
am 1. Dezember 1918 als «Königreich der Serben, Kroaten und Slowenen»
gegründet worden war. Wie kein zweiter Fall stand die Zerstörung dieses
künstlichen Gebildes für die Rückkehr zum Nationalismus und damit für
die Rekonstruktion des alten, überlebt geglaubten Europa.

Im Dezember 1990 hatten Kroatien mit der Verabschiedung der Verfassung für einen souveränen Staat und Slowenien mit der Ausrufung einer
eigenständigen Republik im Gefolge eines Plebiszits wichtige Schritte auf
dem Weg zur vollständigen Souveränität getan. Am 25. Juni des folgenden
Jahres proklamierten sie ihre Unabhängigkeit. Die serbisch kontrollierte
jugoslawische Bundesarmee beantwortete diese Politik mit dem Angriff,
zunächst, am 27. Juni, gegen Slowenien und dann, am 15. Juli, gegen
Kroatien. Bereits am 31. März 1991 hatten serbische Freischärler bei Plit-
vice das Gefecht in der Absicht eröffnet, sich einen Teil Kroatiens, die
Kraina, zu sichern, und am 27. September erlaubte das serbische Parlament
offiziell den Einsatz der serbischen Territorialverteidigung in Kroatien.
Inzwischen schritt die allgemeine Auflösung des Vielvölkerstaates voran.
Am 8. September hatten 74% der Makedonier in einer Volksabstimmung
für die Unabhängigkeit gestimmt, und in der Zeit vom 26. bis zum
30. September entschieden sich mehr als 90% der Bewohner des Kosovo
in einem geheimen Plebiszit für eine selbständige Republik. Anders als im
Falle Makedoniens blieb dieser Wunsch allerdings unerfüllt. Am 15. Oktober beschloß das Parlament von Bosnien-Herzegowina ohne die serbischen Vertreter die staatliche Souveränität. Dementsprechend wurde am
29. Februar und am 1. März 1992 ein zweitägiges Referendum durchgeführt. Während sich Kroaten und Muslime für die Unabhängigkeit Bos-
niens und der Herzegowina aussprachen, boykottierten die Serben mehrheitlich die Befragung mit dem Argument, bereits im November ein Referendum durchgeführt zu haben, und riefen am 7. April ihrerseits eine
eigene Republik aus.

So sah man in den letzten Tage des Kalten Krieges im vormaligen
Jugoslawien noch Geschehnisse, die für manchen Beobachter in die Vergangenheit zurückführten. Es sah sogar eine ganze Weile so aus, als könne
über diesen Konflikten der gesamte Balkan in Brand geraten. Erst 1995

schien die Gefahr gebannt. Die Methoden der Konfliktbegrenzung und -beendigung entsprachen den Mitteln, mit denen diese ausgetragen worden waren. Daß Griechenland und Makedonien im September 1995 mit einem Abkommen über die Normalisierung der Beziehungen unter anderem ihren Streit über das Staatssymbol beilegten, ging auf Druck der Vereinigten Staaten zurück; daß die Serben die besetzten Gebiete Kroatiens fast vollständig räumten, war das Ergebnis eines erfolgreichen Feldzuges der kroatischen Armee mit logistischer Unterstützung der USA; und daß sie sich zu einem Waffenstillstand in Bosnien-Herzegowina und zur Respektierung der UN-Schutzzone Sarajevo bereitfanden, mußte in erster Linie mit den schwereren Luftschlägen erklärt werden, welche die NATO im Auftrag der UNO gegen serbische Stellungen flog. Militäreinsätze hatten in wenigen Wochen erreicht, was mit Plänen, Verhandlungen und Vermittlungsaktionen in Jahren nicht gelungen war – so lautete die bittere Lehre, die man aus dem vierjährigen Krieg im Herzen Europas ziehen mußte.

Daß der alte Kontinent in den Dämmerstunden des 20. Jahrhunderts noch einmal von seiner Geschichte eingeholt wurde, hatte einen einfachen Grund. Seine politische Landkarte hatten die Sieger der beiden Weltkriege angefertigt. Die instabilen Fundamente dieser Ordnung waren 1918/19 nach dem Zusammenbruch der großen Imperien Mittel- und Osteuropas gelegt, Korrekturen und Modifikationen 1943–1945 durch die Alliierten vorgenommen worden. Die Völker, denen verwehrt wurde, ihr Schicksal selbst in die Hand zu nehmen, holten das nach dem Zusammenbruch der alten Ordnung nach. Nun wurden Kräfte freigesetzt, die sich in der Zeit der Weltkriege und während des Kalten Krieges nicht entfalten konnten.

Wie schon einmal am Ende des Ersten Weltkriegs erlebte Europa eine tiefgreifende revolutionäre Umgestaltung, und auch jetzt mündete die stürmische Entwicklung in eine Reihe neuer Staatsgründungen. Innerhalb von nur drei Jahren erblickten 15 Staaten zum ersten Mal oder auch erneut das Licht der unruhigen Welt: Rußland, Estland, Lettland, Litauen, Weißrußland, die Ukraine, Moldawien, die Slowakei, Tschechien, Mazedonien, Serbien, Bosnien-Herzegowina, Kroatien, Slowenien und, als Folge der Vereinigung, nicht zuletzt auch Deutschland. Dabei sind jene Gebiete nicht einmal mitgezählt, die, wie die Regionen von Kosovo und Novi Pazar, den Anspruch erhoben, unabhängige Staaten zu sein, aber völkerrechtlich nicht als solche anerkannt wurden. Diese Entwicklung wiederum hatte, mehr oder minder unmittelbar, Rückwirkungen auf Polen, Ungarn, Rumänien, Bulgarien und Griechenland. Mit den neuen Staaten, die in ihrer Nachbarschaft entstanden, stellte sich nämlich auch für diese Länder erneut – und gleichsam über Nacht – das Minoritätenproblem, von jeher eine der brisantesten Fragen der neueren europäischen Geschichte überhaupt.

Eine besondere Rolle spielten in diesem Zusammenhang Rußland und Deutschland. Nicht nur waren sie Hauptakteure dieses Prozesses, sie flankierten ihn vielmehr auch im wahrsten Sinne des Wortes. Das war nicht ohne Brisanz, hatten doch beide in der ersten Hälfte des Jahrhunderts mit ihrer Politik die Weichen in eine ungewisse Zukunft gestellt. Mit der deutschen Kriegserklärung an Rußland war am 1. August 1914 das Zeitalter der Weltkriege eröffnet und zugleich jene Entwicklung eingeleitet worden, die in der Bildung der Sowjetunion kulminierte; der deutsche Überfall auf die UdSSR am 22. Juni 1941 war, wie eingangs dargelegt, im Grunde schon der Beginn des Kalten Krieges. Ein halbes Jahrhundert lang stand dieser Kalte Krieg für die Zerschlagung und dauerhafte Ausschaltung der Großmacht Deutsches Reich sowie für den Aufstieg der Sowjetunion zur Hegemonialmacht des Kontinents und zu einer der beiden Vormächte der geteilten Welt. War es ein historischer Zufall, daß der Kalte Krieg mit der Auflösung der Sowjetunion, der Überwindung der Teilung Deutschlands sowie der Rekonstruktion eines russischen und eines deutschen Nationalstaates seinen Abschluß fand?

Das war die eine Seite, aber es gab auch die andere: Deutschland bildete nämlich zugleich die Brücke zu jenem Teil Europas, der längst nicht mehr der konfliktträchtige Kontinent der ersten Jahrhunderthälfte war. Hier hatten die Völker ihre Konsequenzen aus der Katastrophe zweier verheerender Kriege gezogen. Ihr Zusammenschluß in übernationalen Organisationen, ihr gemeinschaftlich erarbeiteter Wohlstand und ihre gemeinsam behaupteten demokratischen Prinzipien hatten auf ihre Weise eine Revolution bewirkt: die Überwindung des Krieges. Diese Perspektive eröffnete sich nach dem Fall des «Eisernen Vorhangs» auch den Nationen des östlichen Europa. Sie besaß ganz offenkundig eine enorme Attraktivität und gab Anlaß zu der Hoffnung, daß jenes erneute Aufflackern des Nationalismus zugleich sein letztes Zucken und die nachgeholte Einrichtung unabhängiger Nationalstaaten traditionellen Zuschnitts in diesem Teil des Kontinents ein unvermeidliches Durchgangsstadium auf dem Weg zu seiner Überwindung gewesen sein könnte. Diese Tendenz in einen irreversiblen Prozeß zu überführen und damit auch einer Renaissance des alten Denkens im westlichen Europa gegenzusteuern, wie man sie in den ersten Jahren des neuen Zeitalters gelegentlich verzeichnen mußte, wurde für manchen Beobachter des Geschehens beim endgültigen Abschied von der alten Epoche zur großen Herausforderung für das neue Jahrhundert.

14. Bilanz
Der Dritte Krieg
1941–1991

Die Zukunft hatte längst begonnen. Da wurde die Menschheit unvermittelt von ihrer Vergangenheit eingeholt. Unangekündigt und mit Vehemenz kehrte im Dämmerlicht des 20. Jahrhunderts eine Plage zurück, die man längst für überwunden hielt: der Nationalismus. Von Osteuropa, über den Nahen Osten und große Teile des afrikanischen Kontinents, die Kaukasusregion, den indischen Subkontinent bis hin zum Fernen Osten erstreckte sich ein breites Band alter und neuer Konfliktherde. Mit ungehemmter Gewalt wurden diese Teile der Erde von Krieg, Bürgerkrieg und Genozid heimgesucht.

Das war ein unerhörter Vorgang. Er ließ für einen Augenblick übersehen, daß andere Gebiete der Erde, darunter das westliche Europa, von dieser Plage verschont blieben. Dort hatte man die Erfahrung hinter sich und wurde zudem längst durch die Herausforderungen des 21. Jahrhunderts in Atem gehalten, denn die waren gewaltig: die Struktur- und Orientierungskrise, der sich die Gesellschaften aller Kulturkreise mehr oder weniger unvorbereitet gegenübersahen; der krasse Nord-Süd-Gegensatz mit seinen gravierenden Folgen; der um sich greifende religiös aufgeladene Fundamentalismus; die neuen Formen, Methoden und vor allem Objekte der internationalen Kriminalität und des global operierenden Terrorismus; die technologische Revolution, die den gesamten Globus erfaßte und ihren sichtbarsten Niederschlag im Aufbau einer totalen Kommunikations- und Informationsgesellschaft fand; die weltweite Vernetzung der Finanzmärkte und die Globalisierung der unternehmerischen Tätigkeit mit ihren wachsenden Anfälligkeiten; die Deformationen der Umwelt; die Süchte und Seuchen der Massengesellschaft; das Problem der knapper werdenden natürlichen Ressourcen der Erde; und nicht zuletzt: die Erblasten des 20. Jahrhunderts.

In diesem 20. Jahrhundert hat die Menscheit nicht nur zahllose Krisen, Katastrophen und Revolutionen durchlebt und überlebt, sondern auch hunderte von regionalen und drei globale Kriege: den Ersten (1914–1918) und den Zweiten Weltkrieg (1939–1945) sowie den Dritten – den Kalten – Krieg (1941–1991). Wie der Erste und der Zweite hat er alle Bereiche des politischen, militärischen, wirtschaftlichen, aber auch des sozialen und des kulturellen Lebens erfaßt und der Menschheit zudem die Möglichkeit ihrer eigenen mehrfachen Vernichtung vor Augen geführt. Kein Volk, kein Staat auf dem Planeten ist von den Wirkungen dieses Dritten Krieges unberührt geblieben.

Dafür gibt es viele Gründe, vor allem aber den, daß der Kalte Krieg in erheblichem Maße, teils direkt, teils indirekt, in der Dritten Welt ausgetragen worden ist. Genaugenommen, war die Dritte Welt selbst sein Produkt. Nicht eines der klassischen Kolonialreiche, vom Sonderfall China abgesehen, hat ihn überlebt. Dekolonisierung und Befreiung mußten sich den Formen dieses Krieges beugen, denn in der bipolaren Welt war Unterstützung nur von der einen oder der anderen Seite zu bekommen. Mit China hat sich erst später, in den siebziger Jahren und dann auch nur eingeschränkt, eine dritte Option abgezeichnet. Der Westen wie der Osten aber gewährten solche Unterstützung nur unter Bedingungen. Maßgebend für die Hilfe war in der Regel nicht das Interesse der Staaten, die für ihre Unabhängigkeit oder um ihr Überleben kämpften, sondern derer, welche die Unterstützung offerierten. Und dieses Interesse definierte sich nicht über regionale Situationen in Afrika, Asien oder Iberoamerika, sondern über die globale Dimension des Ost-West-Konfliktes und damit über die Befindlichkeiten der nördlichen Halbkugel.

Nur so war es lange Zeit möglich, die gewaltigen Probleme der Dritten Welt mit ihren sichtbaren Folgen, insbesondere den stetig anschwellenden Flüchtlingsströmen, zu ignorieren. Dabei hat der Kalte Krieg von der Dritten Welt einen enormen Tribut gefordert, der in ungezählten Krisen, Kriegen und Katastrophen entrichtet worden ist. Diese hatten vielfältige, nicht selten voneinander abhängige Ursachen und zeitigten mithin besonders explosive Wirkungen. Dazu zählten die hemmungslosen Ambitionen skrupelloser Diktatoren, die Fundamentalismen aller Art, die unkontrollierte Bevölkerungsexplosion, mangelnde Hygiene und unzureichende Bildung und natürlich die zahllosen Umwelt- oder Hungerkatastrophen. Diese zusehends verheerende Entwicklung in großen Teilen der Dritten Welt war nicht nur bekannt, sondern mit fortschreitender Zeit und elektronischer Vernetzung in immer dichterer Folge über die Bildschirme der übrigen Welt unmittelbar zu besichtigen. Das Kriegs- und Hungerdesaster, das Biafra, die Ostregion Nigerias, 1967–1970 bei dem vergeblichen Versuch durchlitt, seine staatliche Unabhängigkeit zu erlangen, durfte als das erste «Medienereignis» dieser Art gelten. Solche Bilder führten, jedenfalls in der westlichen Welt, zu Solidarität und Hilfsbereitschaft, auch zur Ausbildung einer regelrechten Kultur der Betroffenheit. Für ein entschiedenes Engagement fehlten jedoch in der Regel der Wille, die Energie und die Ressourcen, waren diese doch in starkem Maße, mitunter ausschließlich, durch den alles überlagernden Ost-West-Gegensatz gebunden.

Dieser bildete den starren äußeren Rahmen für eine Fülle lokal und regional begrenzter, militärisch ausgetragener Konflikte in der Dritten Welt. Ihre genaue Zahl zu bestimmen, ist wegen der Vielfalt der militärisch geführten Auseinandersetzungen schwierig. Insgesamt dürften es aber bis 1991 fast 200 gewesen sein.[1] Am Anfang standen zumeist jene Kriege, welche die Völker gegen ihre Kolonialherren führten. Sie begannen noch in der Endphase des Zweiten Weltkrieges. Sie endeten ein knappes halbes Jahrhundert später, mit dem Rückzug Rußlands aus seinen europäischen und mittelasiatischen Besitzungen: Die Auflösung der Sowjetunion und des Warschauer Paktes markierten ja nicht nur das Ende des Kalten Krieges, sondern auch den Abschluß der Dekolonisierung.

Von einem kontinuierlichen Prozeß läßt sich dabei kaum sprechen. In zahlreichen Fällen wechselten sich die Kolonialherren bzw. Besatzer lediglich ab, in anderen ging der Kolonial- bzw. der Befreiungskrieg unmittelbar in den Bürgerkrieg über. Schließlich wurden während des Kalten Krieges auch zahlreiche militärische Auseinandersetzungen im traditionellen Sinne ausgefochten. Allerdings änderten sich im Laufe dieses halben Jahrhunderts Ursachen und Anlässe für den Kriegsausbruch: Spielte zunächst noch der klassische Herrschafts- oder Gebietsanspruch eine herausragende Rolle, so rückte während der siebziger und achtziger Jahre immer stärker der Wettlauf um die knapper werdenden Ressourcen der Erde in den Vordergrund. Bodenschätze, wie Öl und Gas, wurden zusehends zu einem Kriegsgrund, aber auch Nahrungsquellen, wie etwa Fischvorkommen, und vor allem die wohl wertvollste Ressource: Wasser.

Alle während des Kalten Krieges militärisch ausgetragenen Auseinandersetzungen − vom Befreiungskrieg, über den Bürgerkrieg bis hin zum klassischen zwischenstaatlichen Krieg − hatten dreierlei gemeinsam. Erstens hat es in keinem der zwischenstaatlichen Kriege eine förmliche Kriegserklärung auf diplomatischem Wege gegeben, wie das noch im Zeitalter der Weltkriege üblich war. In den meisten Fällen haben die Konfliktparteien sogar bestritten, daß sie sich im Kriegszustand befanden, so auch während des sowjetisch-chinesischen Grenzkonflikts 1969. Und in einigen Kriegen, wie dem indisch-chinesischen von 1962 oder dem indisch-pakistanischen von 1965, sind nicht einmal die diplomatischen Beziehungen abgebrochen worden.[2] Zweitens erstreckten sich viele der im Zeitalter des Ost-West-Gegensatzes ausgetragenen Kriege der unterschiedlichsten Art nicht nur über einen ungewöhnlich langen Zeitraum. Vielmehr wurden sie auch mit einer ungeheuren Intensität und mit enormen Verlusten geführt, so im Falle Vietnams, das immerhin 40 Jahre im Krieg stand: gegen Frankreich, die USA, das Kambodscha der Roten Khmer, China − und nicht zuletzt gegen sich selbst.

Drittens wurden alle Kriege, ganz gleich welcher Art, ausnahmslos in der Dritten Welt ausgetragen, auch jene, an denen ein Staat der sogenannten Ersten oder Zweiten Welt beteiligt war. Das galt für die Intervention Frankreichs und Großbritanniens in Ägypten, für das Engagement zunächst Frankreichs, dann der USA in Vietnam, für den «Falkland-Krieg» Großbritanniens gegen Argentinien oder auch für die sowjetische Intervention in Afghanistan. Daß alle Kriege, auch diese, in der Dritten Welt ausgetragen wurden, hatte seinen Grund.

Denn so vielfältig die Anlässe für diese Kriege, so verschiedenartig die kriegführenden Parteien und so unterschiedlich die Formen der Kriegführung gewesen sein mögen, eines war ihnen gemeinsam: Keiner dieser

Konflikte, das war gewissermaßen ihre Spielregel, durfte zum Anlaß für eine gleichzeitige, militärische Intervention der Nuklearmächte werden, schon gar nicht der beiden Supermächte. Denn diese verfügten über eine Waffe, die in der Endphase des Zweiten Weltkrieges entwickelt, getestet und eingesetzt worden war, im Verlaufe des Kalten Krieges in die Massenproduktion ging und eine bis dahin nicht gekannte Zerstörungsgewalt hatte: Die Atombombe und ihre Weiterentwicklungen haben das Gesicht des Kalten Krieges wie nichts anderes geprägt.

Das gilt auch für jene Dimension, der von den Zeitgenossen mitunter eine überragende Bedeutung zugemessen worden ist – die ideologische. Anders als während des Zeitalters der Weltkriege waren Ideologien in der Ära des Kalten Krieges stumpfe Waffen. Sie taugten für Scheingefechte und Stellvertreterkriege. Die allerdings wurden verbissen ausgefochten, vornehmlich in der Dritten Welt. Eben weil die Auseinandersetzung nicht unmittelbar geführt werden konnte, verblieb die ideologische Konfrontation, vor allem in Form wirtschaftlicher und technologischer Rivalität. Das war die einzig mögliche Form des direkten Kräftemessens. Auch deshalb ließen sich die Positionen der Kontrahenten auf einfache Grundmaximen reduzieren. Das gilt für den Ost-West-Gegensatz ebenso wie für die sowjetisch-chinesische Konkurrenz und die übrigen Frontstellungen der geteilten Welt. Alles andere war Beiwerk, war rhetorische Munition in einem Krieg, der immer nur unterhalb der Schwelle zur nuklearen Apokalypse geführt werden durfte.

Zumindest bis in die siebziger Jahre waren Entwicklung und Besitz der Nuklearwaffe dem exklusiven Kreis jener fünf Mächte vorbehalten, die als alliierte Sieger aus dem Zweiten Weltkrieg hervorgegangen waren und deshalb auch die ständigen Sitze im Sicherheitsrat der Vereinten Nationen einnahmen: die USA, die Sowjetunion, Großbritannien, Frankreich und China, das 1964 als letzte dieser fünf eine eigene Nuklearwaffe getestet hatte. Gewiß erweiterte sich bis zum Ende des Kalten Krieges mit Israel, Indien, Pakistan und zeitweilig Südafrika der Kreis der Atommächte, gab es mit Brasilien oder Argentinien kernwaffenfähige und mit dem Irak oder Nordkorea zur atomaren Rüstung entschlossene Staaten. Dennoch konnte man bis in die ausgehenden achtziger Jahre davon ausgehen, daß das nukleare Regiment im wesentlichen von den fünf «legalen» Atommächten geführt wurde, die sich bei allen sonstigen weltpolitischen Gegensätzen in der Absicht einig waren, dieses Regiment und damit die Exklusivität des nuklearen Klubs aufrechtzuerhalten.

Auch in diesem Kreis gab es eine Hierarchie, auch sie ergab sich aus den nuklearen Kapazitäten. Nicht nur verfügten die beiden Supermächte über nahezu 99% aller jemals produzierten Gefechtsköpfe, lediglich sie besaßen auch jene Arsenale an strategischen, also interkontinentalen Waffen, die der Logik des Ost-West-Gegensatzes so etwas wie eine «Stabilitätsgarantie» gaben. Diese gründete auf dem Gedanken der «Mutual Assured Destruction», dem Kalkül, daß kein nuklearer Erstschlag den Gegner so vernichtend treffen konnte, daß dieser nicht zu einem immer noch verheerenden Zweitschlag in der Lage gewesen wäre. Was das hieß, wurde spätestens am 30. Oktober 1961 deutlich: Als die Sowjets um 11.32 Uhr Moskauer Zeit eine 50-Megatonnen-Bombe zur Explosion brachten, wurde auf einen Schlag mehr Kraft freigesetzt als durch sämtliche Sprengstoffe, die während des Zweiten Weltkrieges eingesetzt worden waren – einschließlich der beiden über Japan abgeworfenen Atombomben. Der Atompilz, das Symbol der Vernichtung schlechthin, erreichte eine Höhe von 64 Kilometern, und das grelle Licht der Explosion war trotz wolkenverhangenen Himmels noch in einer Entfernung von 1 000 Kilometern zu sehen![3]

Der Test verfolgte keinen unmittelbaren militärischen Zweck. Er war eine reine Machtdemonstration. Er zeigte, was möglich war. Fast auf den Tag ein Jahr später, im Oktober 1962, machte die dramatische Eskalation in der Kuba-Krise auch dem letzten Zweifler klar, daß aus der experimentellen Möglichkeit sehr schnell eine apokalyptische Wirklichkeit werden konnte, daß eine militärische, auch eine nuklear geführte Auseinandersetzung eben nicht grundsätzlich auszuschließen war. Daraus ließ sich nur ein Schluß ziehen: Sie mußte unter allen Umständen verhindert werden. So entstand das Gleichgewicht des Schreckens; es hat in der Tat für weitere drei Jahrzehnte den Krieg zwischen den beiden großen politischmilitärischen Blöcken in der Welt verhindert. Um das zu erreichen, sind bis zuletzt zwei Wege parallel verfolgt worden. Der Weg der Rüstungskontrolle, später auch der Abrüstung, wurde unmittelbar nach der Kuba-Krise, mit dem Atomteststoppabkommen des Jahres 1963, eingeschlagen und bis zum ersten Abkommen über den Abbau der strategischen Waffen, also den START-I-Vertrag des Jahres 1991, konsequent begangen.

Indessen ist auch der zweite Weg, der Weg der nuklearen Hochrüstung und Modernisierung, nie verlassen worden, im Gegenteil. Man darf ja nicht vergessen, daß er immer auch im Windschatten der zivilen Raumfahrt verfolgt wurde, und die galt, hier wie dort, als notwendig, zukunftsträchtig und vor allem als Indikator für die jeweilige Stellung im Ringen um die Weltspitze. Der Start des «Sputnik» (1957) oder der erste Mann auf dem Mond (1969) waren doch nicht nur, vielleicht nicht einmal in erster Linie, technische Erfolge, sondern zunächst und vor allem politische bzw. ideologische in dem besagten Sinne. Außerdem wollten sich ja auch die Nachzügler Großbritannien, Frankreich und China als Nuklearmächte etablieren und behaupten und schraubten mit dieser Ambition die Rüstungsspirale weiter in die Höhe. Und schließlich gehörte es zu den Regeln des nuklearen Wettlaufs, daß man der anderen Seite keinen quantitativen, vor allem aber keinen qualitativen Vorsprung gewähren durfte, weil dieser die gesamte Abschreckungslogik gefährdet hätte.

So kam es, daß in der Zeit des Kalten Krieges, beginnend mit der ersten erfolgreichen Zündung einer Atombombe am 16. Juli 1945, im Durchschnitt alle neun Tage eine nukleare Testexplosion registriert worden ist. Insgesamt waren es nahezu 2000. Kosten wurden dabei nicht gescheut; der Einsatz menschlichen Lebens bildete keine Hemmschwelle; und für die kurz- wie langfristigen Wirkungen interessierte sich kaum jemand. Das galt in den fünfziger Jahren für alle testenden Staaten: Die Abwürfe der beiden amerikanischen Atombomben auf Hiroshima und Nagasaki, die unter anderem auch «Testfunktion» hatten, forderten etwa 200 000 Opfer; 1954 mußten 45 000 sowjetische Soldaten den Einsatz einer Nuklearwaffe unter Kampfbedingungen erproben; seit 1952 wurden in britischen Kliniken Krebskranke und Schwangere mit radioaktiven Substanzen behandelt, um die Wirkungen von Nuklearwaffen zu testen; nach mindestens 87 der 121 oberirdischen amerikanischen Nuklearwaffenversuche, die zwischen 1951 und 1958 in Nevada durchgeführt worden sind, kam es zu radioaktiven Niederschlägen mit meßbaren Spätfolgen;[4] und auf dem Territorium der ehemaligen Sowjetunion soll ein Gebiet von der elffachen Größe Deutschlands so stark radioaktiv verseucht sein, daß es als unbewohnbar gelten muß, woran allerdings Katastrophen wie die von Tschernobyl einen nicht unerheblichen Anteil haben.[5]

Diese Entwicklung im Bereich der atomaren Hochrüstung mußte unmittelbare Folgen für alle anderen Bereiche des militärischen, wirtschaftlichen und politischen Lebens in der Zeit des Ost-West-Gegensatzes haben. Bereits im November 1956 brachte der deutsche Bundeskanzler Konrad Adenauer diese Entwicklung auf den Punkt: «Die großen nuklearen Waffen haben eine merkwürdige Eigenschaft mit sich gebracht, sie haben ihre Besitzer ... mehr oder weniger neutralisiert.»[6] Anlaß für diese bemerkenswert frühe Lageanalyse war die Suez-Krise, die zweierlei deutlich werden ließ: Einmal verdammten die nuklearen Arsenale und die aus ihnen erwachsene Logik des Atomzeitalters die Hauptakteure sichtlich zur Handlungsunfähigkeit gegenüber dem eigentlichen weltpolitischen Rivalen. Dann aber zwang sie die Supermächte zur Intervention, wenn diese Logik durch dritte gefährdet war und deshalb die Aktivierung jener Arsenale nicht mehr ausgeschlossen werden konnte. Ein solcher Fall schien 1956 mit dem militärischen Eingreifen Frankreichs und Großbritanniens in Ägypten gegeben. Die nukleare Dimension des Kalten Krieges veranlaßte Washington zu einer unmißverständlichen Intervention bei seinen Verbündeten in London und Paris. So fanden sich die weltpolitischen Rivalen USA und UdSSR unvermittelt in einer Art Interessengemeinschaft wieder, aus der die Entspannungspolitik erwachsen konnte.

Hier offenbarte sich ein durchgängiger, bemerkenswerter Grundzug des Ost-West-Konfliktes. So sehr seine Eigenlogik die beiden Führungsmächte zur Handlungsunfähigkeit gegenüber dem Herausforderer verdammte, so wenig galt das, aufs Ganze gesehen, für die eigenen Verbündeten. Ohne die alles überschattende nukleare Bedrohung wäre das so nur schwer vorstellbar gewesen. Bis in die Endphase des Kalten Krieges hinein haben die beiden Supermächte von den Möglichkeiten der Disziplinierung ihrer jeweiligen Verbündeten Gebrauch gemacht. Offenkundig war das im Falle der Sowjetunion. Die hielt ja nicht nur ganze Länder, wie die baltischen, die Ukraine oder Weißrußland, direkt besetzt, sondern sie machte gegebenenfalls auch formal unabhängigen Staaten ihres Einflußbereichs unmißverständlich klar, an welchen Vorgaben, Handlungszwängen und Interessen sie sich zu orientieren hatten. Diese schmerzliche Erfahrung haben 1953 die DDR, 1956 Ungarn, 1968 die Tschechoslowakei und 1981 auf seine Weise auch Polen machen müssen.

Weniger sichtbar war die Disziplinierung innerhalb des westlichen Bündnisses, doch es gab sie auch hier. Das konnte nur den überraschen, der übersah, daß lediglich der nukleare Schutz der Vereinigten Staaten die Sicherheit Westeuropas wirksam zu garantieren vermochte. Gerade den Mitgliedern der westlichen Gemeinschaften − wie Frankreich −, die sich immer wieder von der amerikanischen Hegemonie zu lösen versuchten, war das wohl bewußt. De Gaulle mochte zwar sein Land 1966 aus der militärisch integrierten Organisation der NATO herausführen, aber das änderte nichts an der Präsenz der USA in der Bundesrepublik und damit am wirksamen Schutz auch Frankreichs.

Wenn sich die Westeuropäer doch einmal zu einem verbalen Kraftakt gegenüber der Führungsmacht aufrafften, wie 1973 im Zusammenhang der Nahost- und Ölkrise, dann ließ diese ihre Verbündeten rasch wissen, wie die Dinge lagen. Die Europäer, so stellte Präsident Nixon am 15. März 1974 in einer berühmt gewordenen Antwort auf eine entsprechende Frage fest, könnten «*nicht* beides» haben: «Sie können nicht *an der Sicherheitsfront die Beteiligung* und Kooperation *der USA* haben *und an der wirtschaftlichen und politischen Front eine Konfrontation* oder gar *Feindschaft*».[7] Das genügte in der Regel, jedenfalls unter den Bedingungen des Ost-West-Konfliktes, also so lange, wie es eine unübersehbare Bedrohung durch eine tatsächlich oder scheinbar handlungsfähige Macht im Osten Europas gab.

Im übrigen verwies Nixons Klarstellung auf eine dritte «Front» des Kalten Krieges. Denn die bipolare Welt hat nicht nur die militärischen und politischen Strukturen geprägt, sondern auch die wirtschaftlichen. Auch sie hatten sich den spezifischen Konstellationen des Ost-West-Konfliktes anzupassen. Diese Rahmenbedingungen aber ließen es nicht zu, daß auf den Trümmern, die der Zweite Weltkrieg hinterlassen hatte, eine einheitliche, globale Wirtschaftsordnung errichtet wurde. Was im Zuge der Industriellen Revolution entstanden und selbst im Zeitalter der Weltkriege und der Weltwirtschaftskrise zwar angeschlagen, aber nicht gänzlich zerstört worden war, hatte unter den Bedingungen des Kalten Krieges keine Chance zur Rekonstruktion und Erneuerung, im Gegenteil: Die Weltwirtschaft wurde fragmentiert bzw. segmentiert. Die Bruchlinien entsprachen zunächst den Fronten des Kalten Krieges, sie verliefen also zwischen der östlichen und der westlichen Welt einerseits sowie zwischen diesen und der Dritten Welt andererseits.

Für den westlich geprägten Welthandel spielten die kommunistischen Staaten schon deshalb eine insgesamt marginale Rolle, weil sie mit dem Rat für Gegenseitige Wirtschaftshilfe eine Art Binnenmarkt eingerichtet hatten. Bei allen Problemen garantierte er seinen Mitgliedern bis zu seiner Auflösung im Juni 1991 doch immerhin eine relativ gesicherte Rohstoffversorgung und vor allem einen insgesamt sicheren Absatzmarkt für die eigenen Produkte: Während der siebziger Jahre gingen zwischen gut 50 % der Exporte, im Falle der Sowjetunion und zeitweilig Ungarns, und fast 100 %, im Falle der Mongolei, in andere RGW-Länder.[8]

Die meisten Staaten der Dritten Welt hatten nicht einmal diese Perspektive, zumal sie trotz numerisch zunehmenden Gewichts immer weniger als eigene Kraft aufzutreten vermochten. Das hatte auch damit zu tun, daß sich eine Gruppe wohlhabender Länder der Dritten von der immer weiter zurückbleibenden, nunmehr Vierten Welt absetzte. Die wenigen Reichen verdankten ihren Wohlstand entweder, wie die ölfördernden Staaten des Nahen Ostens, ihrem natürlichen Reichtum oder aber ihrer wachsenden Leistungskraft, insbesondere auf dem Gebiet der zukunftsweisenden Technologien. Beachtliche Karrieren machte eine wachsende Zahl von Staaten im ostasiatisch-pazifischen Raum, die sich während des Kalten Krieges politisch der westlichen Welt zurechneten, für diese aber auf den Gebieten der Wirtschaft und des Handels zu einer ernstzunehmenden Herausforderung wurden.

Dennoch waren gerade sie, ähnlich wie die Staaten Westeuropas, in besonderem Maße in die – ausschließlich von westlichen Normen geprägte – Weltwirtschaft eingebunden. Die Anfälligkeit Japans und der Bundesrepublik für weltwirtschaftliche Turbulenzen erklärte sich aus ihrer jeweils überproportional hohen Beteiligung am Weltexport. Im Fall Japans belief er sich Mitte der achtziger Jahre auf 9,2 %, im Falle der Europäischen Gemeinschaft auf 32 %, wobei allein die Bundesrepublik 9,5 % des Ausfuhranteils am Welthandel hielt. Das war, auch im Vergleich etwa zu den 11,1 % der USA, beachtlich. Abgesehen von den ohnehin heimgesuchten Entwicklungsländern, bekamen deshalb vor allem Japan und Europa die Wirkungen jenes «Erdbebens»[9] zu spüren, das die Weltwirtschaft in den siebziger Jahren erschütterte und zu ihrer weiteren Fragmentierung beitrug. Die Krise hatte vielfältige Ursachen, wie die etappenweise Demontage des Währungssystems von Bretton Woods in den sechziger und siebziger Jahren sowie die Ölpreisschocks von 1973/74 und 1978/79. Daß das westliche Europa dieses «Erdbeben» zwar mit Blessuren, aber insgesamt intakt überstand, lag an seiner Selbstorganisation, die einerseits den Regionalisierungstrend der Weltwirtschaft beschleunigt hatte, andererseits aber eine Größenordnung darstellte, die sich alles in allem als erstaunlich krisenfest erwies.

Dabei hatten der Erfindung des neuen Europa in den Jahren 1950–1957 ursprünglich sehr verschiedenartige Motive zugrunde gelegen, und keineswegs nur wirtschaftliche. Schon bei der Initiative für die Gründung einer «Europäischen Gemeinschaft für Kohle und Stahl» stand 1950 die Absicht Frankreichs und anderer Pate, das sich langsam erholende Deutschland von Anfang an fest einzubinden und damit zu kontrollieren. Hinzu kamen der Wille zur Überwindung der alten politischen Antagonismen und die Absicht, sich gemeinsam wirtschaftlich und technologisch auf jenen Wettbewerb der Zukunft vorzubereiten, der sich im amerikanischen und immer stärker auch im ostasiatisch-pazifischen Raum, also im eigenen politischen Lager, abzuzeichnen begann. Und schließlich gab es für die Westeuropäer jene gemeinsame politische, wirtschaftliche und militärische Herausforderung durch die Sowjetunion und den von ihr kontrollierten Block, in welcher wohl der mächtigste, unmittelbare Anstoß für den Zusammenschluß zu sehen war.

Für die «Europäische Gemeinschaft», wie sich das Unternehmen nach der Fusion der Organe seiner drei Gemeinschaften seit 1967 etwas euphemistisch nannte, hatte der Kalte Krieg also eine elementare Bedeutung: Die sowjetische Herausforderung war gewissermaßen einer ihrer Geburtshelfer und danach hatte sie einen beträchtlichen Anteil an jenem Außendruck, der die Europäer immer wieder zum Schulterschluß zwang. Vergleichbares traf auf alle internationalen Gemeinschaften zu, die in den Dezennien des Kalten Krieges gegründet wurden und deshalb zwangsläufig auch Kinder der geteilten Welt gewesen sind. So gesehen, war die Auflösung des Warschauer Paktes zum 1. Juli 1991 ein konsequenter Schritt. Andere globale und regionale Organisationen, wie die UNO, die NATO oder die KSZE, sahen sich vor die Frage gestellt, welche Rolle sie nach dem Untergang der alten Ordnung in einer gewandelten Welt spielen konnten oder mußten.

Das galt in besonderem Maß für die Vereinten Nationen, ging doch die Gründung der UNO auf das Bestreben der Mitglieder der «Anti-Hitler-Koalition» zurück, eine weitere globale Katastrophe schon im Keim zu ersticken. In dem Augenblick, als mit der Niederwerfung und Zerschlagung Deutschlands sichergestellt worden war, daß eine entsprechende Gefahr nicht mehr von dort ausgehen werde, nahmen sich die Mitglieder dieser Koalition gegenseitig als potentielle Verursacher eines dritten – heißen – Weltkrieges ins Visier. Den zu verhindern, wurde zum Hauptanliegen der UNO in der Zeit des Kalten Krieges. Schon deshalb hatten sich praktisch alle anderen Fragen und Probleme, bis hin zu regionalen Kriegen, der globalen Grundstruktur des Ost-West-Konfliktes anzupassen, ja unterzuordnen. Nachdem die Gefahr einer globalen Konfrontation mit

dem Ende der Sowjetunion als gebannt gelten durfte, stellte sich folgerichtig die Frage, was die für den Kalten Krieg geschaffenen Strukturen
der UNO nach dessen Ende noch bewirken, ob und wie sie den neuen
Gegebenheiten angepaßt werden konnten.

In eine ähnliche Identitätskrise mußten NATO und KSZE geraten, so
unterschiedlich sie, von ihrer Entstehungsgeschichte und ihrer Anlage her
betrachtet, auch gewesen sein mögen. Die NATO war im April 1949 in
der erklärten Absicht gegründet worden, eine westliche Verteidigungsstruktur gegen die sowjetische Herausforderung zu schaffen. Wie keine
zweite Organisation lebte die NATO von dem gemeinsamen Willen,
dem weltpolitischen Gegner auch nicht die Chance eines Zugriffs auf
die Freiheit, die Unabhängigkeit und natürlich auch den Wohlstand ihrer
Mitglieder zu geben. Das ist ihr auf ganzer Linie gelungen und hatte
beträchtliche, ungewollte, kaum kontrollierbare Folgen. Denn je stärker
sich der Erfolg der NATO abzeichnete, desto mehr begannen sich die
Menschen daran zu gewöhnen, daß Frieden und Stabilität in der Welt
fast selbstverständlich zu haben und zu erhalten seien. Einen vergleichbaren Effekt hatten, auf ihre Weise, die politischen, wirtschaftlichen oder
eben auch militärischen Strukturen des Ostblocks.

So schuf der Kalte Krieg Rahmenbedingungen, unter ihnen natürlich
auch klar konturierte Feindbilder, die den Völkern und Staaten und damit
dem Einzelnen ein Weltbild vermittelten, das als Orientierungshilfe in der
zweiten Jahrhunderthälfte einstweilen nützlich war. Denn die großen Katastrophen der Jahre 1914–1945 hatten an den Kräften der Menschheit
gezehrt, nicht nur an ihren physischen im wahrsten Sinne des Wortes,
sondern auch an ihren wirtschaftlichen, sozialen, kulturellen, geistigen und
psychischen. Die starren Konstellationen des Kalten Krieges, die sich bereits in der Endphase des Zweiten Weltkrieges auszubilden begannen, verschafften der Menschheit jene vorübergehende, jene tatsächliche oder trü-
gerische Ruhe, die nötig war, um sich zu regenerieren und für die Bewältigung der neuen Herausforderungen, allen voran die technologische
Revolution und die ökologische Bedrohung, zu rüsten. Das galt jedenfalls
für die nördliche Halbkugel, für die jene Friedensordnung ja in erster
Linie erfunden worden war. Je weiter die Zeit voranschritt, um so mehr
wurde die Ruhe von der Ausnahme zur Regel, von der Notwendigkeit
zur Selbstverständlichkeit.

In besonderem Maße hat zu dieser Auffassung die Entspannung im
Bereich der internationalen Politik beigetragen, symbolisch dokumentiert
und institutionalisiert in der «Konferenz über Sicherheit und Zusammenarbeit in Europa». Die KSZE war das klassische Produkt eines Kompromisses zwischen westlichen und östlichen Vorstellungen, ein Instrument
zum Management des Ost-West-Gegensatzes, nicht nur in Europa. Je erfolgreicher es angewandt wurde, seit 1989 selbst auf dem Gebiet des Ab-
baus der konventionellen Streitkräfte, um so weniger machten sich die

Menschen klar, daß auch diese Organisation auf dem Gegensatz des Kalten Krieges gründete und insofern von ihm lebte. Überdies bewirkte der vergleichsweise große Erfolg der KSZE, ähnlich wie derjenige der NATO oder auch der UNO, ein hohes Maß der Gewöhnung an die gegebenen Strukturen des Kalten Krieges insgesamt, die sich unter solchen Bedingungen, zumindest in der westlichen Welt, als durchaus akzeptabel, ja komfortabel darstellten.

So setzte sich seit 1945 in allen Bereichen eine Tendenz durch, die im Ergebnis zu den einschneidendsten des Kalten Krieges überhaupt gehörte, nämlich die umfassende Einbindung aller Staaten in inter-, ja supra-nationale Gemeinschaften. Diese ersetzten folgerichtig jenes nationalstaatliche Ordnungsprinzip, das für die internationale Politik bis in den Zweiten Weltkrieg hinein verbindlich gewesen war. Auch das galt für die nördliche Halbkugel. Seit dem 19. Jahrhundert war hier die nationale Idee, war der Wille zur nationalen Einigung nicht nur die eigentliche Antriebskraft des politischen, wirtschaftlichen oder auch kulturellen Lebens gewesen. Vielmehr hatte das nationale Prinzip dort, wo es seine größten Triumphe gefeiert hatte, auch seine Übersteigerung und Pervertierung in Form von Nationalismus und Chauvinismus erlebt. Scheinbar unaufhaltsam hatten sich diese seit dem ausgehenden 19. Jahrhundert Bahn gebrochen und die Völker Europas und der Welt in die Katastrophe zweier Weltkriege gestürzt. Die Überwindung des Nationalstaats in seiner bestehenden und eben gescheiterten Form wurde daher im Ausgang dieser Epoche, am Ende des Zweiten Weltkriegs, zu einem erklärten politischen Ziel. Denn wenn die beiden großen Kriege eine Erkenntnis gezeitigt hatten, dann war es die, daß der Nationalstaat gerade das nicht bieten konnte, um dessentwillen er doch gerade angestrebt und begründet worden war: Sicherheit.

Es war nur konsequent, daß mit dem sukzessiven Hineinwachsen der Nationalstaaten in inter-nationale Verbände ein zweiter Prozeß einherging: Der klassische Machtstaat, die Großmacht, die im Verein mit anderen Großmächten über Jahrhunderte die Geschicke Europas und der Welt bestimmt hatte, sank nach 1945 zu relativer Bedeutungslosigkeit herab. Nicht nur ging im Zuge der Dekolonisierung endgültig eine wichtige Basis klassischer Großmachtpolitik verloren. Vielmehr definierte sich der Status einer hegemonialen Macht in erster Linie über die Fähigkeit zur eingangs zitierten «Mutual Assured Destruction», also zum vernichtenden nuklearen Zweitschlag. Auch deshalb delegierten jene Staaten, die diese nicht besaßen, zwangsläufig immer mehr genuin machtstaatliche Kompetenz an supranationale Organisationen, und aus diesem Grund gruppierten sie sich um die beiden Supermächte, die diese Fähigkeit und den damit verbundenen Schutz offerieren konnten.

Es war kein Zufall, daß mit dem Ende des Kalten Krieges in vielen Teilen der vormals Ersten und Zweiten Welt, auch in Europa, nicht nur der konventionell geführte Krieg und Bürgerkrieg wieder zu alltäglicher Realität wurden, sondern daß in diesem Zusammenhang auch der Machtstaat klassischen Zuschnitts erneut Konturen gewann. Es war auch kein Zufall, daß sich diese Entwicklung parallel zur Krise, zum Umbau oder auch zur Auflösung der inter-nationalen Organisationen des Kalten Krieges und zur Renaissance von nationaler Idee und nationalstaatlicher Ordnung vollzog, daß also die Welt, so gesehen, «im späten 20. Jahrhundert» wieder – oder immer noch – die alte war: «eine Welt der Nationen, der nationalen Staaten».[10]

Und schließlich war es alles andere als ein Zufall, daß im Zuge dieser Entwicklung die Deutsche Frage einer jahrzehntelang für unmöglich gehaltenen Lösung zugeführt wurde. Aber jetzt zeigte sich, wie eng beide, wie eng Kalter Krieg und Deutsche Frage miteinander verbunden gewesen waren. Der Kalte Krieg erwuchs ja gleichsam aus jenem mühsam formulierten Minimalkompromiß in der Deutschen Frage, auf den sich die Mitglieder der «Anti-Hitler-Koalition» geeinigt hatten. Genaugenommen war diese Koalition selbst ein Kompromiß, eine Notlösung, eine unnatürliche Allianz: Ohne den deutschen Überfall auf die Sowjetunion wäre sie schwer vorstellbar gewesen.

Der 22. Juni 1941 war daher nicht nur die Geburtsstunde der «Anti-Hitler-Koalition», sondern zugleich der Beginn des Kalten Krieges und des besagten Minimalkompromisses. Er bestand in der Entschlossenheit der «Anti-Hitler-Koalition», einen wie immer gearteten Wiederaufstieg Deutschlands zu einem handlungsfähigen Nationalstaat und damit zugleich die Wiedergeburt einer deutschen Großmacht für alle Zeit zu verhindern. Mit der Zerschlagung des deutschen Nationalstaates sollten also zwei Ziele verfolgt, sollte sowohl und ein für allemal die deutsche Gefahr beseitigt als auch, und gewissermaßen symbolisch, das überlebte nationalstaatliche Prinzip zu Grabe getragen werden.

Beide Zielsetzungen mußten in den achtziger Jahren aufgegeben werden. Die Wiederkehr von nationaler Idee und Nationalismus, auch nach Europa, hatte dramatische Konsequenzen, zu denen vor allem die Aufgabe des Minimalkompromisses in der Deutschen Frage und damit die Überwindung der Teilung Deutschlands zu rechnen sind. Mit der Hinterlegung der letzten, der sowjetischen Ratifikationsurkunde zum «Zwei-plus-Vier»-Vertrag wurde die Vereinigung der beiden deutschen Teilstaaten, die ein halbes Jahrhundert als undenkbar zu gelten hatte, am 15. März 1991 auch völkerrechtlich wirksam. Die Rückkehr des nationalen Prinzips nach Europa und die in diesem Zusammenhang zu sehende deutsche Vereinigung waren somit Ausdruck einer machtvollen, unumkehrbaren Entwicklung, die schließlich, im Dezember 1991 und geradezu folgerichtig, im Zusammenbruch der Sowjetunion kulminierte.

Konnte es eine symbolträchtigere Dramaturgie, konnte es eine mächtigere Demonstration geschichtlicher Logik geben? Immerhin stand die

Sowjetunion wie kein zweiter Akteur des Kalten Krieges für dessen herausragendes Doppelprinzip. Nicht nur war und blieb sie die treibende Kraft der Teilung Deutschlands. Vielmehr hielt sie ja allein in ihren europäischen Grenzen mit den baltischen Staaten, Weißrußland, der Ukraine und Moldawien ein halbes Dutzend und innerhalb des von ihr kontrollierten Machtbereichs in Europa noch einmal dieselbe Zahl von Nationen davon ab, sich als solche zu entfalten, darunter einen Teil Deutschlands.

Und so kam es, wie es wohl kommen mußte, auch wenn es niemand vorhergesehen hat. Aber Revolutionen kündigen sich nicht an, sie finden statt, und keiner vermag zu sagen, ob sie einen Fortschritt einleiten oder aber das Gegenteil. Das gilt auch für die Revolution der ausgehenden achtziger Jahre. Vorderhand bescherte sie der Welt, selbst dem europäischen Kontinent, eine fundamentale Renationalisierung der politischen Landschaft. So sah sich die Menschheit am Ausgang des Dritten Krieges, jedenfalls zeitweilig und in einigen Weltgegenden, wieder vielen jener Probleme gegenüber, um derentwillen der Erste und der Zweite geführt worden waren. Wie die beiden Weltkriege hat ganz offenkundig auch der Kalte Krieg sie nicht dauerhaft lösen können, sondern gewissermaßen für ein halbes Jahrhundert auf Eis gelegt.

Das war dort der Fall, wo es den Völkern über Jahrzehnte, wenn nicht über Jahrhunderte, versagt gewesen war, ihren Weg selbst zu wählen und zu begehen. Jetzt, am Ende des Kalten Krieges und mit dem Zusammenbruch seiner disziplinierenden Ordnung, holten sie jene bittere Erfahrung nach, die andere vor ihnen auf eben diesem Weg bereits gemacht hatten. Und so rangen am Ende des Dritten Krieges, im Ausgang des Zeitalters der Weltkriege, zwei Prinzipien miteinander: Während der Krieg in einige Regionen der Erde Einzug gehalten hatte, war er in anderen weniger denkbar denn je. Allerdings führte das unerwartete Aufleben längst überlebt geglaubter Klischees und Verhaltensweisen, das nach Überwindung der alten Ordnung mitunter auch in der westlichen Welt zu beobachten war, während der neunziger Jahre zu der Erkenntnis, daß Friedenssicherung und Kriegsverhütung Akte des Willens bleiben würden.

Auch in Zukunft wird der Mensch also unter Beweis zu stellen haben, daß er nicht nur über eine beachtliche Überlebens-, sondern auch über eine gewisse Lernfähigkeit verfügt. Während des Kalten Krieges hat er diesen Beweis erbracht. Die katastrophalen Erfahrungen der ersten Jahrhunderthälfte führten ihn in der zweiten zu einer Einsicht, die auch im 21. Jahrhundert wenig von ihrer Gültigkeit verlieren wird: Einen Krieg, erwachsen aus den Problemen und Konstellationen des ersten, geführt mit der Verbissenheit des zweiten und ausgetragen mit dem Mittel des dritten, also mit der Nuklearwaffe, dürfte die Menschheit kaum überleben. In diesem Wissen gründete die Logik des Dritten Krieges, der deshalb ein kalter blieb.

Anhang

Nachwort

Was wäre die Geschichte ohne den Zufall, was die Arbeit des Historikers ohne das unvorhergesehene, das unvorhersehbare Ereignis? Als ich im Sommer 1989 mit den Vorarbeiten für ein Buch über die Nachkriegszeit begann, konnte ich ebensowenig wie die meisten Zeitgenossen ahnen, daß die Welt unmittelbar vor einer Revolution stand. Zwei Jahre später hatte die Epoche, über die ich berichten wollte, mit der Auflösung der Sowjetunion, der Vereinigung Deutschlands und anderen Vorkommnissen ein unerwartetes Ende gefunden.

Da ich der Überzeugung war und bin, daß gerade der Historiker, wenn er schon zum Augenzeugen eines solchen Prozesses wird, aufgefordert ist, ihn beschreibend, kommentierend und erklärend zu begleiten, habe ich es für selbstverständlich gehalten, diese jüngsten Kapitel der Weltgeschichte in die Gesamtdarstellung des nunmehr abgeschlossenen Zeitalters einzubeziehen. Das war auch deshalb eine enorme Herausforderung, weil es darum ging, die komplexen Strukturen sichtbar werden zu lassen, die der Kalte Krieg geschaffen und hinterlassen hat, ohne dabei zu übersehen, daß auch diese von Menschen gemacht sind.

Bei dem Versuch, diese Aufgabe zu meistern, habe ich wertvolle Unterstützung erfahren. Großen Dank schulde ich den hilfsbereiten Kennern der Materie, die Teile des Manuskripts gelesen und durch wichtige Hinweise bereichert haben. Sehr viel verdankt das Buch den Chronisten der modernen Zeit, den Fachjournalisten, die das Geschehen der vergangenen Jahrzehnte begleitet haben und deren Arbeit deshalb eine unverzichtbare Grundlage jeder zeitgeschichtlichen Forschung bildet, weil das Leben, in allen Bereichen und wie nie zuvor in der Geschichte, zu einer öffentlichen Angelegenheit geworden ist.

Mein besonderer Dank gilt Frau Irmfriede El Massri für die geduldige und zuverlässige Erstellung der Druckvorlage, den Herren Friedrich Kießling, M. A., und Alexander Troche, M. A., für die engagierte Unterstützung bei der mitunter schwierigen Verifizierung von Daten und Zitaten sowie – nicht zuletzt und einmal mehr – dem Verlag C. H. Beck für die ausgezeichnete Zusammenarbeit und namentlich Herrn Dr. Detlef Felken, dessen intensive Beschäftigung mit dem Manuskript und nachdrücklicher Einsatz für die Sache dem Buch sehr zugute gekommen sind.

Erlangen, im April 1996   Gregor Schöllgen

Abkürzungen

AA	Auswärtiges Amt
AAPD	Akten zur Auswärtigen Politik der Bundesrepublik Deutschland
ABC-Waffen	Atomare, Biologische und Chemische Waffen
ABM	Anti-Ballistic Missile
AdG	Archiv der Gegenwart
AKP-Staaten	Staaten Afrikas, der Karibik, und des Pazifik
ASEAN	Association of Southeast Asian Nations
Bulletin	Bulletin des Presse- und Informationsamtes der Bundesregierung
CIA	Central Intelligence Agency
CWIHPB	Cold War International History Project Bulletin
DA	Deutschland Archiv
DDF	Documents Diplomatiques Français
DDP	Dokumente zur Deutschlandpolitik
EA	Europa-Archiv
EAC	European Advisory Commission
EFTA	European Free Trade Association
EG	Europäische Gemeinschaft
EGKS	Europäische Gemeinschaft für Kohle und Stahl
EPG	Europäische Politische Gemeinschaft
EPU	Europäische Politische Union
EPZ	Europäische Politische Zusammenarbeit
ERP	European Recovery Program
ESA	European Space Agency
EURATOM	Europäische Atomgemeinschaft
EUREKA	European Research Coordination Agency
EVG	Europäische Verteidigungsgemeinschaft
EWG	Europäische Wirtschaftsgemeinschaft
EWS	Europäisches Währungssystem
EWWU	Europäische Wirtschafts- und Währungsunion
FAZ	Frankfurter Allgemeine Zeitung
FRUS	Foreign Relations of the United States
GATT	General Agreement on Tariffs and Trade
IAEO	International Atomic Emergency Agency
IHT	International Herald Tribune
INF	Intermediate-Range Nuclear Forces
IWF	Internationaler Währungsfond
KGB	Komitee für Staatssicherheit [der UdSSR]
KMT	Kuomintang
Kominform	Kommunistisches Informationsbüro
KP	Kommunistische Partei
KPdSU	Kommunistische Partei der Sowjetunion
KSE	Konventionelle Streitkräfte in Europa

KSZE	Konferenz über Sicherheit und Zusammenarbeit in Europa
KVAE	Konferenz für Vertrauens- und Sicherheitsbildende Maßnahmen und Abrüstung in Europa
MBFR	Mutual and Balanced Force Reductions
MIRV	Multiple Independently-targetable Re-entry Vehicle
MLF	Multilateral Nuclear Force
MNF	Multi-National Force
MPLA	Movimento Popular de Libertação de Angola
NASA	National Aeronautics and Space Administration
NATO	North Atlantic Treaty Organization
NVA	Nationale Volksarmee [der DDR]
NYT	The New York Times
OAPEC	Organization of Arab Petroleum Exporting Countries
OAS	Organization of American States
OAU	Organization for African Unity
OECD	Organization for Economic Co-operation and Development
OEEC	Organization for European Economic Cooperation
OPEC	Organization of Petroleum Exporting Countries
PLO	Palestine Liberation Organization
RGW	Rat für Gegenseitige Wirtschaftshilfe
RSFSR	Russische Sozialistische Föderative Sowjetrepublik
SALT	Strategic Arms Limitation Talks
SBZ	Sowjetische Besatzungszone [in Deutschland]
SDI	Strategic Defense Initiative
SIPRI	Stockholm International Peace Research Institute
START	Strategic Arms Reduction Talks
Sten. Ber.	Stenographische Berichte des Deutschen Bundestages
UdSSR	Union der Sozialistischen Sowjetrepubliken
UNCTAD	United Nations Conference on Trade and Development
UNO	United Nations Organization
VAR	Vereinigte Arabische Republik
VfZG	Vierteljahreshefte für Zeitgeschichte
VKSE	Verhandlungen über Konventionelle Streitkräfte in Europa
VSBM	Vertrauens- und Sicherheitsbildende Maßnahmen
VVSBM	Verhandlungen über Vertrauens- und Sicherheitsbildende Maßnahmen in Europa
WEU	Westeuropäische Union
WSLF	Western Somalian Liberation Front
ZK	Zentralkomitee

Anmerkungen

1. Weichenstellung

1 Dokumente der Deutschen Politik und Geschichte von 1848 bis zur Gegenwart, hrsg. von J. Hohlfeld, Bd. 4, Berlin o. J. Nr. 89.
2 Akten zur deutschen auswärtigen Politik (= ADAP), D I, S. 29.
3 Walerij Danilow, Hat der Generalstab der Roten Armee einen Präventivschlag gegen Deutschland vorbereitet?, in: Österreichische Militärische Zeitschrift 1/1991, S. 41 ff.
4 Den Terminus benutzte Hitler z. B. in seiner Unterredung mit Molotow am 12. November 1940, in: ADAP, D XI/1, S. 456.
5 EA 1 (1946/47), S. 343.
6 Ebd., S. 219.
7 Ebd.
8 FRUS, The Conference of Berlin, Bd. 2, S. 1138 f., 1150 und 1152; Winston S. Churchill, The Second World War, Bd. 6, London u. a. 1954, Karte S. 566.
9 W. M. Molotow, Fragen der Außenpolitik. Reden und Erklärungen April 1945 - Juni 1948, Moskau 1949, S. 258.
10 Ernst Deuerlein, Die Einheit Deutschlands, Bd. 1: Die Erörterungen und Entscheidungen der Kriegs- und Nachkriegskonferenzen 1941–1949. Darstellung und Dokumente, Frankfurt a. M./Berlin ²1961, S. 334.
11 EA 1 (1946/47), S. 217.
12 Ebd., S. 218.
13 So der anwesende Gromyko rückblickend in einem seiner letzten Interviews, zit. nach: The Independent, 27. Januar 1989: «‹Mr Nyet› and the cold war».

2. Provisorien

1 EA 1 (1946/47), S. 216.
2 Ebd.
3 So der Acting Secretary of State am 3. September 1947, in: FRUS 1947/II, S. 789 f.; dito: The Forrestal Diaries, hrsg. von W. Millis, New York 1951, S. 347.
4 EA 1 (1946/47), S. 637 f.
5 Ebd., S. 560.
6 AAPD, Bd. 1, S. 223 f.
7 Zit. nach Heinrich August Winkler, «Das Deutsche Reich muß als staatliches Ganzes erhalten bleiben». Kurt Schumacher und die nationale Frage, in: FAZ, 31. Oktober 1995.
8 Zit. nach: S. Slutsch, Voraussetzungen des Hitler-Stalin-Paktes: Zur Kontinuität totalitärer Außenpolitik, in: B. Faulenbach/M. Stadelmaier (Hrsg.), Diktatur und Emanzipation. Zur russischen und deutschen Entwicklung 1917–1991, S. 144 ff., hier S. 156.

9 Norman M. Naimark, The Russians in Germany. A History of the Soviet Zone of Occupation, 1945–1919, Cambridge, Mass. 1995, S. 133.

10 EA 1 (1946/47), S. 344.

11 Milovan Djilas, Gespräche mit Stalin, Frankfurt a. M. 1962, S. 146.

12 FRUS 1946/VII, S. 340–342.

13 EA 3 (1948), S. 1350.

14 George F. Kennan, Memoirs 1925–1950, Boston/Toronto 1967, S. 547 ff., hier S. 557.

15 Ebd., S. 294 f.

16 X [= George F. Kennan], The Sources of Soviet Conduct, in: Foreign Affairs 25 (1946/47), S. 566 ff.

17 EA 2 (1947), S. 819 f.

18 Walter Lippmann, The Cold War. A Study in U. S. Foreign Policy, New York/London 1947.

19 D. A. Rosenberg, U. S. nuclear stockpile, 1945 to 1950, in: The Bulletin of the Atomic Scientists 38 (1982), S. 25 ff., Zitat S. 30.

20 Zit. nach David Holloway, Stalin and the Bomb. The Soviet Union and Atomic Energy 1939–1956, New Haven/London 1994, S. 265.

21 AdG 16/17 (1946/47), S. 669 f.

22 Ebd., S. 677.

23 Ebd., S. 872.

24 Rainer Karlsch, Allein bezahlt? Die Reparationsleistungen der SBZ/DDR 1945–1953, Berlin 1993, S. 229 und 231.

25 Kungtu C. Sun, The Economic Development of Manchuria in the First Half of the Twentieth Century, Cambridge, Mass. 1969, S. 88.

26 John Gimbel, Science, Technology, and Reparations. Exploitation and Plunder in Postwar Germany, Stanford 1990, S. 134 bzw. 63.

27 Karlsch, Allein bezahlt?, S. 154 f.

28 Jörg Fisch, Reparationen nach dem Zweiten Weltkrieg, München 1992, S. 109 ff.

29 Adenauer, Erinnerungen 1945–1953, z. B. S. 248 und 251.

30 EA 2 (1947), S. 821.

31 Verlautbarung des Bundesministeriums für Wirtschaft und Finanzen, in: Bulletin, Nr. 102, 2. Juli 1971, S. 1122.

32 Molotov Remembers. Inside Kremlin Politics. Conversations with Felix Chuev, hrsg. von A. Resis, Chicago 1993, S. 62.

33 EA 3 (1948), S. 1263 f.

34 Department of State: Bulletin, 28. März 1948, S. 419.

35 EA 4 (1949), S. 2115.

36 Ebd., S. 2071 ff.

37 EA 4 (1949), S. 2074 f.

38 Andreas Hillgruber, Deutsche Geschichte 1945–1982. Die «deutsche Frage» in der Weltpolitik, Stuttgart u. a. [4]1983, S. 45.

3. Antwort

1 Henry Kissinger, Die Vernunft der Nationen. Über das Wesen der Außenpolitik, Berlin 1994, S. 541.

2 Die Neue Zeitung, 21. August 1948: «Bevölkerung wünscht Westregierung».

3 Sten. Ber., Bd. 5, S. 3188.

4 EA 5 (1950), S. 3330.

5 ADAP 1949–1951, S. 200.
6 Sten. Ber., Bd. 1, S. 525.
7 EA 5 (1950), S. 3091.
8 Documents on British Policy Overseas, Bd. II/1, S. 140 ff.
9 Kurt Schumacher, Reden – Schriften – Korrespondenzen 1945–1952, hrsg. von W. Albrecht, Berlin/Bonn 1985, S. 806 f.
10 AdG 20 (1950), S. 2212.
11 Zit. nach: Department of State, The China White Paper 1949 […] New Introduction by L. P. Van Slyke, Stanford 1967, S. XVII.
12 United Nations, Department of Public Information, Yearbook 1950, S. 230.
13 Zit. nach: Bernd Bonwetsch/Peter M. Kuhfuß, Neue Quellen zum Eintritt Chinas in den Koreakrieg (Juni-Oktober 1950), in: VfZG 34 (1986), S. 269 ff., hier S. 274 bzw. 277.
14 Chruschtschow erinnert sich, hrsg. von S. Talbott, Reinbek 1971, S. 373; CWIHPB 3 (1993), S. 15 ff.; ebd. 4 (1994), S. 61.
15 Zahlen nach: Gottfried-Karl Kindermann, Der Aufstieg Koreas in der Weltpolitik […], München 1994, S. 83 f.
16 FRUS 1950/VII, S. 1148 f.
17 Ebd., S. 1041 f.
18 AdG 20 (1950), S. 2588.
19 Adenauer, Erinnerungen 1945–1953, S. 342.
20 Ebd., S. 351.
21 Ebd., S. 358.
22 Ebd., S. 359.
23 Ludwig Erhard (Hrsg.), Deutschlands Rückkehr zum Weltmarkt, Düsseldorf 1953, S. 264. Hervorhebung im Original.
24 EA 5 (1950), S. 3518 f.
25 Detlef Felken, Dulles und Deutschland. Die amerikanische Deutschlandpolitik 1953–1959, Bonn/Berlin 1993, S. 511.
26 Im Zentrum der Macht. Das Tagebuch von Staatssekretär Lenz 1951–1953, hrsg. von K. Gotto u. a., Düsseldorf 1989, S. 315.
27 Erhard (Hrsg.), Deutschlands Rückkehr zum Weltmarkt, S. 154 und 187 f.
28 Adenauer, Erinnerungen 1945–1953, S. 468.
29 AdG 22 (1952), S. 3485.
30 Ebd.
31 Carlo Schmid, Erinnerungen. Gesammelte Werke, Bd. 3, Bern u. a. 1979, S. 502 f.
32 EA 6 (1951), S. 4552 f.
33 AdG 21 (1951), S. 2850.
34 EA 7 (1952), S. 4832 f., Zitat S. 4833.
35 Ebd., S. 4833 f., Zitat S. 4834.
36 Ebd., S. 4963 ff., Zitat S. 4965.
37 Gerhard Wettig, Stalin and German Reunification: Archival evidence on Soviet foreign policy in spring 1952, in: The Historical Journal 37 (1994), S. 411 ff.
38 Zit. nach: Hans-Peter Schwarz, Adenauer, [Bd 2]: Der Staatsmann 1952–1967, Stuttgart 1991, S. 15.
39 Documents on American Foreign Relations (1954), New York 1955, S. 9 f.
40 AdG 28 (1958), S. 7274.
41 NYT, 25. Dezember 1952: «Stalin for Eisenhower Meeting; Tells the Times that he Favors New Approach to End Korea War».
42 Helmut Altrichter, Kleine Geschichte der Sowjetunion 1917–1991, München 1993, S. 131.

43 AdG 23 (1953), S. 4110.
44 Adenauer, Erinnerungen 1953–1955, S. 289.
45 Ders., Teegespräche 1955–1958, S. 90 bzw. 181.
46 Ders., Erinnerungen 1945–1953, S. 545.
47 AAPD 1963, S. 197.
48 Sitzung des Bundesvorstandes der FDP vom 22./23. Januar 1954, in: Udo Wengst (Bearb.), FDP-Bundesvorstand. Die Liberalen unter dem Vorsitz von Theodor Heuss und Franz Blücher. Sitzungsprotokolle 1949–1954, Düsseldorf 1990, S. 1363.
49 Presse- und Informationsamt der Bundesregierung (Hrsg.), Die Viererkonferenz in Berlin 1954. Reden und Dokumente, Berlin o. J., S. 190 ff.
50 Institut für Internationale Politik und Wirtschaft der DDR (Hrsg.), Dokumente zur Abrüstung 1917–1976, Frankfurt a. M. 1978, S. 92.
51 EA 9 (1954), S. 6533.
52 Wilhelm Grewe, Rückblenden 1976–1951, Frankfurt a. M. u. a. 1979, S. 186.
53 AdG 24 (1954), S. 4804.
54 Ebd., S. 4805.
55 Adenauer, Teegespräche 1950–1954, S. 293.
56 Zahlen des Statistischen Bundesamtes, zit. nach: Ludwig Erhard, Wohlstand für Alle, Düsseldorf 1957, S. 78 ff. und 369.
57 EA 10 (1955), S. 7345 f.
58 EA 2 (1947), S. 1046.
59 EA 10 (1955), S. 7928 ff.
60 Michael Gorbatschow, Erinnerungen, Berlin 1995, S. 795.
61 Günter Buchstab (Bearb.), Adenauer: «Wir haben wirklich etwas geschaffen». Die Protokolle des CDU-Bundesvorstands 1953–1957, Düsseldorf 1990, S. 258.
62 Wolfram F. Hanrieder, Deutschland, Europa, Amerika. Die Außenpolitik der Bundesrepublik Deutschland 1949–1989, Paderborn u. a. 1991, z. B. S. 162.
63 Karl Jaspers, Antwort. Zur Kritik meiner Schrift ‹Wohin treibt die Bundesrepublik?›, München 1967, S. 108.
64 Veröffentlicht bei: Rolf Steininger, Ein vereintes, unabhängiges Deutschland? Winston Churchill, der Kalte Krieg und die deutsche Frage im Jahre 1953, in: Militärgeschichtliche Mitteilungen 2/84, S. 105 ff., hier S. 130.

4. Sputnik

1 Der Spiegel, Nr. 42, 16. Oktober 1957, S. 38: «Völker hörten die Signale». Dort auch das Ergebnis der Zählung der «New-York-Times»-Artikel.
2 DDP III/1, S. 187 f.
3 Ebd., S. 209.
4 Ebd., S. 218.
5 Ebd., S. 164 f. u. 199.
6 Ebd., S. 493 f.
7 Grewe, Rückblenden, S. 269.
8 Adenauer, Erinnerungen 1953–1955, S. 530.
9 Ebd., S. 515.
10 AdG 25 (1955), S. 5284.
11 EA 10 (1955), S. 8315 ff.
12 FAZ, 17. Dezember 1994: «Sowjetkommando saß auf Airforce-Bombe».
13 EA 10 (1955), S. 8319.
14 Zit. nach: Warren I. Cohen, The United States and China Since 1945, in: Ders.

(Hrsg.), New Frontiers in American-East Asian Relations. Essays presented to Dorothy Borg, New York 1983, S. 129 ff., hier S. 151.

15 AdG 25 (1955), S. 5514.

16 Adenauer, Erinnerungen 1955–1959, S. 157.

17 Ders., Teegespräche 1955–1958, S. 156.

18 Walter Laqueur, Europa auf dem Weg zur Weltmacht 1945–1992, München 1992, S. 233 f.

19 Zit. nach: Dietrich A. Loeber, Die Ereignisse in Ungarn und die sowjetische Definition der Aggression, in: EA 11 (1956), S. 9355.

20 Pressekonferenz vom 18. Dezember 1956, in: Department of State: Bulletin, 7. Januar 1959, S. 3 f.

21 AdG 26 (1956), S. 6084 f.

22 Wilhelm Grewe, Die deutsche Außenpolitik vor neuen Aufgaben, in: Süddeutsche Zeitung, 17./18. November 1956.

23 Adenauer, Erinnerungen 1955–1959, S. 226.

24 Zit. nach: Alfred Grosser, Frankreich und seine Außenpolitik 1944 bis heute, München 1989, S. 52.

25 Herbert Blankenhorn, Verständnis und Verständigung. Blätter eines politischen Tagebuchs 1949 bis 1979, Frankfurt a. M. u. a. 1980, S. 273.

26 So die entsprechende Resolution des Kongresses vom 9. März, in: EA 12 (1957), S. 9785.

27 George F. Kennan, Rußland, der Westen und die Atomwaffe, Frankfurt a. M. 1958, S. 42.

28 DDF 1956/III, S. 231 ff., hier S. 235.

29 Adenauer, Teegespräche 1955–1958, S. 163.

30 AdG 27 (1957), S. 6579.

31 Protokolle des CDU-Bundesvorstands 1953–1957, S. 527.

32 Adenauer, Teegespräche 1955–1958, S. 244.

33 Ders., Erinnerungen 1955–1959, S. 319.

34 C. L. Sulzberger, The Last of the Giants, New York [2] 1971, S. 59.

35 So der Leitartikel von Karl Korn, Wir sind dabei gewesen, in: FAZ, 7. Oktober 1957, S. 1.

36 Viktor Adamsky/Yuri Smirnov, Moscow's Biggest Bomb: The 50-Megaton Test of October 1961, in: CWIHPB 4 (1994), S. 3 und S. 19 ff.

37 Adenauer, Teegespräche 1955–1958, S. 307.

38 Bulletin, Nr. 131, 19. Juli 1955, S. 1112.

39 Carlo Schmid, Politik im Atomzeitalter, in: Weltmacht Atom, hrsg. von der Arbeitsgemeinschaft sozialdemokratischer Akademiker, Frankfurt a. M. 1955, S. 117 f., hier S. 123.

40 NYT, 13. Juli 1956: «Radford Seeking 800,000-Man Cut; 3 Services Resist».

41 Zit. nach: Reiner Pommerin, General Trettner und die Atom-Minen. Zur Geschichte nuklearer Waffen in Deutschland, in: VfZG 39 (1991), S. 637 ff., hier S. 640.

42 So Adenauer am 11. Mai 1957, in: Protokolle des CDU-Bundesvorstands 1953–1957, S. 1228.

43 Franz Josef Strauß, Die Erinnerungen, Berlin 1989, S. 310.

44 Ebd., S. 240 f.

45 Ebd., S. 310.

46 Adenauer, Teegespräche 1955–1958, S. 210.

47 Zit. nach: Schwarz, Adenauer, Bd. 2, S. 424.

48 Carl Friedrich von Weizsäcker, Should Germany Have Atomic Arms?, in: Bulletin of the Atomic Scientists 13 (1957), S. 283 ff., hier S. 286.

49 Adenauer, Erinnerungen 1955–1959, S. 253 ff.

50 Documents on British Policy Overseas, Bd. II/1, S. 242 ff.

51 Ministère des Finances et des Affaires Économiques, Annuaire Statistique de la France, Bd. 65, Paris 1959, S. 282.

52 Sten. Ber., Bd. 35, S. 11332.

53 Carlo Schmid, Politik im Atomzeitalter, S. 143 f.

54 DDP IV/1, S. 19.

55 Ebd., S. 151 ff.

56 Jörg Fisch, Krieg und Frieden im Friedensvertrag. Eine universalgeschichtliche Studie über Grundlagen und Formelemente des Friedensschlusses, Stuttgart 1979, S. 252.

57 DDP III/2, S. 1009.

58 DDP IV/1, S. 556 ff.

59 AdG 28 (1958), S. 7412.

60 Heinrich Krone, Aufzeichnungen zur Deutschland- und Ostpolitik 1954–1969, in: Adenauer-Studien III. Untersuchungen und Dokumente zur Ostpolitik und Biographie, hrsg. von R. Morsey und K. Repgen, Mainz 1974, S. 134 ff., hier S. 152.

61 Ebd.

62 Harold Macmillan, Erinnerungen, Frankfurt a. M./Berlin 1972, S. 410 f.

63 Krone, Aufzeichnungen, S. 156.

64 Hillgruber, Deutsche Geschichte, S. 71.

65 Hans Rattinger u. a., Außenpolitik und öffentliche Meinung in der Bundesrepublik. Ein Datenhandbuch zu Umfragen seit 1954, Frankfurt a. M. 1995, Fallnr. 963.

66 DDP IV/1, S. 715.

67 Ebd., S. 1219 ff.

68 Wolfgang Hölscher (Hrsg.), Die SPD-Fraktion im Deutschen Bundestag. Sitzungsprotokolle 1957–1961, Düsseldorf 1993, S. 449.

69 DDP IV/1, S. 36 f.

70 Ebd., S. 471.

71 Adenauer, Erinnerungen 1955–1959, S. 132.

72 Ders., Teegespräche 1955–1958, S. 221.

73 DDP III/4, S. 1060 ff., hier S. 1062.

74 Adenauer, Erinnerungen 1953–1955, S. 553.

75 Ders., Erinnerungen 1955–1959, S. 369.

76 Ebd., S. 375.

77 Ebd., S. 377 f.

78 Rattinger u. a., Außenpolitik und öffentliche Meinung, Fallnr. 970 f.

79 Sten. Ber., Bd. 40, S. 868.

80 Krone, Aufzeichnungen, S. 148 f.

81 Adenauer, Teegespräche 1959–1961, S. 248.

82 Brandt-Reden 1961–1965, ausgew. und eingel. von H. Bortfeldt, Köln 1965, S. 24.

83 Der Globke-Plan zur Wiedervereinigung, bearb. u. eingel. von K. Gotto, in: Adenauer-Studien III, S. 202 bzw. 204.

84 Zit. nach Vladislav Zubok, Spy vs. Spy: The KGB vs. the CIA, 1960–1962, in: CWIHPB 4 (1994), S. 22 ff., hier S. 26.

85 Adenauer, Teegespräche 1959–1961, S. 302.

5. Konfrontation

1 Memorandum Kennedys vom 21. August 1961, FRUS 1961–1963/XIV, S. 359.
2 Andreas Hillgruber, Europa in der Weltpolitik der Nachkriegszeit 1945–1963, München ⁴1993, S. 95.
3 Heinrich von Siegler, Wiedervereinigung und Sicherheit Deutschlands. Eine dokumentarische Diskussionsgrundlage, Bd. 1: 1944–1963, Bonn u. a. ⁶1967, S. 199.
4 NYT, 21. November 1995: «Where Is Che Guevara Buried? A Bolivian Tells.»
5 EA 16 (1961), D 108 f.
6 Grewe, Rückblenden, S. 458.
7 DDP IV/6, S. 537.
8 EA 16 (1961), D 318.
9 DDP IV/6, S. 1348 f.
10 Ebd., S. 1353.
11 Ebd., S. 1349.
12 DDP IV/6, S. 931.
13 Ebd., S. 934.
14 DDP IV/6, S. 1549.
15 DDP IV/7, S. 18.
16 Ebd., S. 16.
17 Ebd., S. 12.
18 Valentin Falin, Politische Erinnerungen, München 1993, S. 345.
19 Willy Brandt, Erinnerungen. Mit den «Notizen zum Fall G», erweiterte Ausgabe, Berlin/Frankfurt a. M. 1994, S. 58.
20 Kurt Birrenbach, Meine Sondermissionen, Rückblick auf zwei Jahrzehnte bundesdeutscher Außenpolitik, Düsseldorf/Wien 1984, S. 71.
21 Auszüge veröffentlicht in: CWIHPB 3 (1993), S. 59 ff., hier S. 60.
22 EA 17 (1962), D 567.
23 Ebd., D 570.
24 Bernd Greiner, Kuba-Krise. 13 Tage im Oktober: Analyse, Dokumente, Zeitzeugen, Nördlingen 1988, S. 76 f.
25 Referat N. S. Chruschtschows auf der Tagung des Obersten Sowjet der UdSSR am 12. Dezember 1962, hrsg. von der Presseabteilung der Botschaft der UdSSR, Bonn o. J., S. 11.
26 McGeorge Bundy, Danger and Survival. Choices About the Bomb in the First Fifty Years, New York 1988, S. 446.
27 Ebd., S. 456.
28 Robert S. McNamara, One Minute to Doomsday, in: NYT, 14. Oktober 1992. Diese noch nicht bewiesene These ist ein anschauliches Beispiel für die nach wie vor gegebene Gefahr der Legendenbildung über brisante Kapitel des Kalten Krieges: Mark Kramer, Tactical Nuclear Weapons, Soviet Command Authority, and the Cuban Missile Crisis, in: CWIHPB 3 (1993), S. 40 ff.; James G. Blight u. a., Kramer vs. Kramer: Or, How Can You Have Revisionism in the Absence of Orthodoxy?, in: ebd., S. 41 ff.
29 AdG 31 (1961), S. 8892.
30 Uwe Nerlich, Die nuklearen Dilemmas der Bundesrepublik Deutschland, in: EA 20 (1965), S. 637 ff., hier S. 643.
31 Robert Kleiman, Atlantic Crisis. American Diplomacy Confronts a Resurgent Europe, New York 1964, S. 113.
32 Adenauer, Erinnerungen 1959–1963, S. 199.
33 Adamsky/Smirnov, Moscow's Biggest Bomb, a. a. O., S. 3.

34 Ilona Stölken-Fitschen, Atombombe und Geistesgeschichte. Eine Studie der 50er Jahre aus deutscher Sicht, Baden-Baden 1995, S. 84.

35 FAZ, 8. Juli 1995: «Strahlentod im Fladenbrot».

36 FAZ, 15. September 1994: «40 Jahre nach einem barbarischen Experiment im Ural».

37 Albert Wohlstetter, The Delicate Balance of Power, in: Foreign Affairs 37 (1958/59), S. 211 ff., hier S. 221.

38 Krone, Aufzeichnungen, S. 180 bzw. 178.

39 Ebd., S. 180.

40 George McGhee, Botschafter in Deutschland 1963–1968, München 1989, S. 71 und 157.

41 EA 18 (1963), D 408 ff., hier D 412.

42 So Schröder am 30. April 1962 gegenüber der «Kölnischen Rundschau», in: DDP IV/1, S. 473 ff., hier S. 474.

43 Waldemar Besson, Die Außenpolitik der Bundesrepublik Deutschland. Erfahrungen und Maßstäbe, München 1970, S. 336.

44 DDP IV/9, S. 572 ff.

45 McGhee, Botschafter in Deutschland, S. 96.

46 Krone, Aufzeichnungen, S. 164.

47 DDP IV/8, S. 625.

48 Hans Kroll, Lebenserinnerungen eines Botschafters, Köln/Berlin 1967, S. 540.

49 DDP IV/1, S. 1268.

50 Sulzberger, The Last of the Giants, S. 65 f.

51 Hans-Dieter Lucas, Europa vom Atlantik bis zum Ural? Europapolitik und Europadenken im Frankreich der Ära de Gaulle (1958–1969), Bonn/Berlin 1992, S. 156 f.

52 DDF 1958/II, S. 376 f. und 383 f., hier S. 377.

53 Sulzberger, The Last of the Giants, S. 53.

54 So Adenauer, Erinnerungen 1959–1963, S. 59.

55 DDF 1957/II und 1958/I; Strauß, Erinnerungen, S. 313 ff.

56 DDF 1957/II, S. 762 f.

57 Strauß, Erinnerungen, S. 314.

58 Ebd., S. 317.

59 Lucas, Europa vom Atlantik bis zum Ural?, S. 249 ff.

60 EA 14 (1959), D 196.

61 Adenauer, Erinnerungen 1955–1959, S. 466.

62 Referat Chruschtschows auf der Tagung des Obersten Sowjet vom 12. Dezember 1962, S. 31.

63 Adenauer, Erinnerungen 1959–1963, S. 132.

64 Charles de Gaulle, Memoiren der Hoffnung. Die Wiedergeburt 1958–1962, Wien u. a. 1971, S. 412.

65 Blankenhorn, Verständnis und Verständigung, S. 316.

66 Paul Sethe, Öffnung nach Osten. Weltpolitische Realitäten zwischen Bonn, Paris und Moskau, Frankfurt a. M. 1966, S. 143.

67 Kleiman, Atlantic Crisis, S. 11.

68 S. J. Ball, Military nuclear relations between the United States and Great Britain under the terms of the McMahon Act, 1946–1958, in: The Historical Journal 38 (1995), S. 439 ff., hier S. 453.

69 DDF 1958/II, S. 89 ff., hier S. 90.

70 EA 18 (1963), D 87 ff.

71 Sten. Ber., Anlagen, Bd. 84, Drucksache IV/1252, S. 10.

72 Birrenbach, Meine Sondermissionen, S. 172.

73 Krone, Aufzeichnungen, S. 178.
74 Ebd., S. 184.

6. *Turbulenzen*

1 James Reston, Challenge to the Alliance: A View of Europe's Attitudes on the Future of NATO, in: NYT, 12. April 1965.
2 Helmut Handzik, Politische Bedingungen sowjetischer Truppenabzüge 1925–1958, Baden-Baden 1993, S. 236 f.
3 Zahlen nach: Klaus von Beyme, Die Sowjetunion in der Weltpolitik, München/Zürich 1983, S. 126.
4 Jonathan D. Spence, Chinas Weg in die Moderne, München/Wien 1995, S. 694.
5 AdG 34 (1964), S. 11395.
6 Kleiman, Atlantic Crisis, passim; Henry A. Kissinger, The Troubled Partnership, A Re-Appraisal of the Atlantic Alliance, New York u. a. 1965. Ähnlich in der Bundesrepublik: Kurt Birrenbach, Die Zukunft der Atlantischen Gemeinschaft, Freiburg 1962; Heinrich von Siegler, Kennedy oder de Gaulle? Probleme der Atlantik- und Europapolitik [...], Bonn u. a. 1963.
7 Wolfgang Schollwer, FDP im Wandel. Aufzeichnungen 1961–1966, hrsg. von M. Faßbender, München 1994, S. 203: Eintrag vom 9. Mai 1964.
8 Kissinger, Troubled Partnership, S. 207.
9 AdG 33 (1963), S. 10 859 ff.
10 Willy Brandt, Begegnungen und Einsichten. Die Jahre 1960–1975, Hamburg 1976, S. 143.
11 AdG 36 (1966), S. 12576.
12 Franz Josef Strauss, The Grand Design. A European Solution to German Reunification, London 1965, S. 53.
13 Henry A. Kissinger, Bündnisdiplomatie im Atomzeitalter. Wie einig muß die Atlantische Gemeinschaft sein?, in: FAZ, 24. Juni 1964.
14 NYT, 11. September 1964: «Finletter calls NATO fleet vital».
15 EA 18 (1963), D 571.
16 Sten. Ber., Bd. 50, S. 941.
17 Zit. nach: Pommerin, General Trettner und die Atom-Minen, S. 648.
18 Kissinger, Die Vernunft der Nationen, S. 716 bzw. 713.
19 Robert S. McNamara, In Retrospect. The Tragedy and Lessons of Vietnam, New York 1995, S. 80 f.
20 IHT, 10. November 1995: «McNamara And Giap Revisit Gulf of Tonkin».
21 AdG 34 (1964), S. 11362.
22 EA 21 (1966), Z 160.
23 Brandt, Begegnungen und Einsichten, S. 423.
24 McGhee, Botschafter in Deutschland, S. 133.
25 Kissinger, Troubled Partnership, S. 207.
26 Andreas Schlieper, Die Wechselwirkung Taktik-Technik-Mensch. Die Einführung des Flugzeuges F-104 G in die deutsche Luftwaffe und die «Starfighterkrise» von 1965/66, in: Bruno Thoß (Hrsg.), Vom Kalten Krieg zur deutschen Einheit. Analysen und Zeitzeugenberichte zur deutschen Militärgeschichte 1945 bis 1995, München 1995, S. 551 ff., hier S. 562 f. und 568 f.
27 EA 21 (1966), D 228 f.
28 EA 4 (1949), S. 2072.
29 Brandt, Begegnungen und Einsichten, S. 219 bzw. 101.

30 Ebd., S. 211.
31 DDP IV/10, S. 1026.
32 Strauß, Erinnerungen, S. 341 ff.
33 AAPD 1965, S. 10.
34 Ebd., S. 363.
35 DDP IV/11, S. 207.
36 EA 21 (1966), D 171 f. und 175.
37 Krone, Aufzeichnungen, S. 190.
38 Interview mit der «Zeit», 8. April 1966.
39 DDP IV/12, S. 812.
40 Helmuth Stoecker (Hrsg.), Handbuch der Verträge 1871–1964. Verträge und andere Dokumente aus der Geschichte der internationalen Beziehungen, Berlin [Ost] 1968, S. 782.
41 Heinrich End, Zweimal deutsche Außenpolitik. Internationale Dimensionen des innderdeutschen Konflikts 1949–1972, Köln 1973, S. 46 f.

7. Gehversuche

1 DDP V/1, S. 58 ff.
2 DDP V/2, S. 652.
3 EA 21 (1966), D 519.
4 DDP V/1, S 56 f.
5 Bundesgesetzblatt, Nr. 62, Teil II, S. 1569 ff., hier S. 1570.
6 EA 22 (1967), D 84 f.
7 DDP V/1, S. 537 ff., hier S. 538.
8 EA 22 (1967), S. 262 f.
9 Peter J. Opitz (Hrsg.), Das Weltflüchtlingsproblem. Ursachen und Folgen, München 1988, S. 202.
10 Der Spiegel, Nr. 25, 12. Juni 1967, S. 30.
11 So Rudolf Augstein, ebd., S. 3.
12 Dokumente zur Außenpolitik der DDR, Bd. 15/2, S. 1030.
13 Brandt, Begegnungen und Einsichten, S. 184.
14 DDP V/1, S. 60.
15 Ingo von Münch, Dokumente des geteilten Deutschland. Quellentexte zur Rechtslage des Deutschen Reiches, der Bundesrepublik Deutschland und der Deutschen Demokratischen Republik, Stuttgart ²1976, S. 428 ff.
16 DDP V/1, S. 1278.
17 Ebd., S. 1321 ff., hier S. 1323.
18 Willy Brandt, Realitäten des politischen Handelns, in: Bulletin, Nr. 70, 5. Juni 1968, S. 594.
19 DDP V/1, S. 482.
20 Georg Ferdinand Duckwitz, Gewaltverzicht und Interventionsrecht, in: Außenpolitik 19 (1968), S. 514 ff., Zitat S. 523.
21 So Artikel 53.2, EA 1 (1946/47), S. 349.
22 EA 23 (1968), D 377.
23 CWIHPB 4 (1994), S. 68.
24 EA 23 (1968), D 391.
25 EA 23 (1968), D 451 f.
26 Zit. nach: Der Fall ČSSR. Strafaktion gegen einen Bruderstaat. Eine Dokumentation, Redaktion K. Kamberger, Frankfurt a. M. 1968, S. 69.

27 AdG 39 (1969), S. 14695.
28 AdG 37 (1967), S. 13020.
29 EA 23 (1968), D 75 f.
30 Ebd., D 357 ff., hier D 360.
31 Willy Brandt, Plädoyer für die Vernunft. Deutsche Außenpolitik nach dem 21. August, in: Der Monat, Heft 245 (1969), S. 20 ff., hier S. 23.
32 Ebd.
33 Haftendorn, Sicherheit und Entspannung, S. 632.
34 EA 22 (1967), D 332 ff.
35 EA 24 (1969), D 538.
36 EA 23 (1968), D 325.
37 Brandt, Begegnungen und Einsichten, S. 250.
38 AdG 38 (1968), S. 14029.
39 EA 20 (1965), D 303 ff.
40 FAZ, 30. Juni 1992: «Der Butterberg wird 25 Jahre alt».
41 Brandt, Begegnungen und Einsichten, S. 199.

8. Gipfelstürmer

1 Henry A. Kissinger, Memoiren 1968–1973, München 1979, S. 855.
2 Sten. Ber., Bd. 71, S. 21 bzw. 66.
3 Ebd., S. 31.
4 Brandt, Begegnungen und Einsichten, S. 486.
5 Sten. Ber., Bd. 71, S. 32 f.
6 Dieses «fatale Wort» prägte der französische Außenminister Michel Debré: Brandt, Begegnungen und Einsichten, S. 283.
7 EA 25 (1970), D 19.
8 Neues Deutschland, 18. März 1969: «Appell der Teilnehmerstaaten des Warschauer Vertrages an alle europäischen Länder».
9 Falin, Erinnerungen, S. 74.
10 Zit. nach Arnulf Baring, Machtwechsel. Die Ära Brandt-Scheel, Stuttgart ³1982, S. 305.
11 Helmut Allardt, Politik vor und hinter den Kulissen. Erfahrungen eines Diplomaten zwischen Ost und West, Düsseldorf/Wien 1979, S. 353.
12 Sten. Ber., Bd. 79, S. 9860.
13 Günther Schmid, Entscheidung in Bonn. Die Entstehung der Ost- und Deutschlandpolitik, Köln 1979, S. 366.
14 Falin, Politische Erinnerungen, S. 101.
15 EA 25 (1970), D 394.
16 Brandt, Begegnungen und Einsichten, S. 443.
17 EA 25 (1970), D 394.
18 Ebd., D 394 f.
19 Allardt, Politik vor und hinter den Kulissen, S. 340.
20 EA 10 (1955), S. 8219.
21 EA 25 (1970), D 399.
22 Ebd., D 396.
23 Brandt, Erinnerungen, S. 213.
24 EA 26 (1971), D 25 f.
25 Brandt, Begegnungen und Einsichten, S. 527 f.
26 EA 26 (1971), D 18.
27 Ebd., D 17.

28 Brandt, Begegnungen und Einsichten, S. 386.

29 Strauß, Erinnerungen, S. 459.

30 EA 25 (1970), D 301 ff., Zitate D 302, 304 und 306.

31 Kissinger, Memoiren 1968–1973, München 1979, S. 441.

32 Ders., Die Vernunft der Nationen, S. 811.

33 Ders., Memoiren 1968–1973, S. 442.

34 Brandt, Begegnungen und Einsichten, S. 357.

35 Bulletin, Nr. 148, 24. Oktober 1972, S. 1762.

36 AdG 40 (1970), S. 15819.

37 Kissinger, Memoiren 1968–1973, S. 856.

38 Bui Tin, Following Ho Chi Minh. The Memoirs of a North Vietnamese Colonel, London 1995, S. 57.

39 Kissinger, Die Vernunft der Nationen, S. 688.

40 Ebd., S. 753 und 764.

41 NYT, 11. April 1988: «Nixon's Big Regret: Bombing Delay».

42 McNamara, In Retrospect, S. 320.

43 Kissinger, Memoiren 1968–1973, S. 873.

44 EA 27 (1972), D 136 ff.

45 AdG 43 (1973), S. 17686.

46 EA 27 (1972), D 289 ff.

47 Kissinger, Memoiren 1968–1973, S. 873.

48 Ebd.

49 EA 26 (1971), D 443 f.

50 Ebd., D 444.

51 Ebd.

52 Ebd., D 456.

53 Ebd., D 449.

54 Ebd., D 451.

55 Peter Bender, Neue Ostpolitik. Vom Mauerbau bis zum Moskauer Vertrag, München 1986, S. 188.

56 EA 26 (1971), D 458.

57 Benno Zündorf, Die Ostverträge. Die Verträge von Moskau, Warschau, Prag, das Berlin-Abkommen und die Verträge mit der DDR, München 1979, S. 175.

58 Bulletin, Nr. 72, 18. Mai 1972, S. 1048.

59 Leserbrief an die FAZ, veröffentlicht: 20. September 1990.

60 Bulletin, Nr. 72, 18. Mai 1972, S. 1048.

61 Manfred Lunda, in: Abgeordnete des Deutschen Bundestages. Aufzeichnungen und Erinnerungen, Bd. 8, Boppard a. Rh. 1990, S. 151.

62 EA 26 (1971), D 473.

63 Veröffentlicht in: FAZ, 19. März 1992: «Es wächst die Gefahr des Eindringens des Nationalismus in die DDR».

64 Ingo von Münch (Hrsg.), Dokumente des geteilten Deutschland [...], Bd. 2: Seit 1968, Stuttgart 1974, S. 260.

65 Der Spiegel, Nr. 17, 20. April 1970, S. 31: «Durchlöcherter Anspruch».

66 Zündorf, Die Ostverträge, S. 217.

67 EA 28 (1973), D 13 f.

68 Garton Ash, Im Namen Europas, S. 225.

69 Wolfgang Brinkschulte u. a., Freikaufgewinnler. Die Mitverdiener im Westen, Frankfurt a. M./Berlin 1993, S. 22 ff.

70 Wjatscheslaw Kotschemassow, Meine letzte Mission. Fakten, Erinnerungen, Überlegungen, Berlin 1994, S. 91.

71 EA 28 (1973), D 15.
72 Ebd., D 14.
73 Zündorf, Die Ostverträge, S. 224. Unter diesem Pseudonym veröffentlichte Eitel 1979 sein wichtiges Buch.
74 Münch (Hrsg.), Dokumente des geteilten Deutschland, Bd. 2, S. 368 f. und 375.
75 Besson, Die Außenpolitik der Bundesrepublik, S. 421.
76 Ebd., S. 44.
77 Ulrich von Hassell, Deutschland zwischen West und Ost, in: Gregor Schöllgen, Ulrich von Hassell 1881–1944. Ein Konservativer in der Opposition, München 1990, S 207 ff., hier S. 217.
78 Adenauer, Erinnerungen 1953–1955, S. 20.
79 Willy Brandt, Friedenspolitik in Europa, Frankfurt a. M. 1968, S. 18.
80 Adenauer, Teegespräche 1959–1961, S. 206.
81 Brandt, Friedenspolitik in Europa, S. 14.
82 Ders., Erinnerungen, S. 14.
83 Sten. Ber., Bd. 71, S. 840.
84 Ebd., S. 843.
85 Brandt, Notizen zum Fall G, in: Erinnerungen, S. 513 ff., Zitat S. 533.
86 Der Spiegel, Nr. 41, 8. Oktober 1973, S. 25.
87 Helmut Schmidt, Menschen und Mächte, Berlin 1987, S. 79.
88 Sten. Ber., Bd. 83, S. 1931.
89 EA 29 (1974), D 66.
90 Brandt, Notizen zum Fall G, S. 533.
91 Karl Dietrich Bracher u. a., Republik im Wandel 1969–1974. Die Ära Brandt, Stuttgart/Mannheim 1986, S. 226 bzw. 462.

9. Schulterschluß

1 Schmidt, Menschen und Mächte, S. 217.
2 Ebd., S. 196.
3 EA 28 (1973), D 220 ff.
4 Brandt, Erinnerungen, S. 459 bzw. 482.
5 EA 28 (1973), D 516.
6 EA 29 (1974), S. 142.
7 Ebd., S. 144 ff.
8 Interview mit der Zeitschrift «Newsweek», 9. April 1973. Das Heft trug die Schlagzeile «Egypt: Heading for War».
9 Brandt, Begegnungen und Einsichten, S. 420.
10 Ebd.
11 AdG 43 (1973), S. 18317.
12 EA 29 (1974), D 29 f., Zitat D 30.
13 AdG 43 (1973), S. 18322.
14 EA 29 (1974), D 52 f. bzw. 51.
15 Ebd., D 52.
16 AdG 44 (1974), S. 18571.
17 EA 29 (1974), D 420 f.
18 Ebd., D 421.
19 Ebd., D 418.
20 Sten. Ber., Bd. 71, S. 21.
21 EA 20 (1965), D 212.

22 So Walter Scheel in: Publik, 10. September 1971, zit. nach Jakobsen u. a. (Hrsg.), Sicherheit und Zusammenarbeit in Europa, Bd. 1, Nr. 94.
23 Bender, Neue Ostpolitik, S. 203.
24 EA 30 (1975), D 437–484. Die Zitate entstammen dieser Vorlage.
25 Schmidt, Menschen und Mächte, S. 62.

10. Irritationen

1 So Artikel 2, EA 18 (1963), D 315.
2 Spence, Chinas Weg in die Moderne, S. 688.
3 Zahlen nach von Beyme, Die Sowjetunion in der Weltpolitik, S. 153.
4 Michael Brzoska/Thomas Ohlson, Arms Transfers to the Third World, 1971–85, Oxford/New York 1987, A. 288. Die Datenbasis dieser erschöpfenden Dokumentation lieferte SIPRI.
5 Ebd., S. 191–195.
6 Paul R. Ehrlich/Anne H. Ehrlich: The Population Explosion, New York u. a. 1990, S. 9 und 263.
7 Robert Engelman/Pamela LeRoy, Mensch, Wasser! Die Bevölkerungsentwicklung und die Zukunft der erneuerbaren Wasservorräte, Hannover 1995, S. 27, 29 und 33.
8 Zahlen nach Paul M. Kennedy, In Vorbereitung auf das 21. Jahrhundert, Frankfurt a. M. 1993, S. 280f.
9 Diese Angaben machte 1996 der ehemalige pakistanische Finanz- und Planungsminister Mahub-ul-Haq, zit. nach: FAZ, 19. Februar 1996: «Bequeme Eliten».
10 FAZ, 11. November 1993: «Mehr als 18 Millionen Menschen sind auf der Flucht».
11 Brandt, Erinnerungen, S. 379.
12 Das Überleben sichern. Der Brandt-Report. Bericht der Nord-Süd-Kommission, Frankfurt a. M. u. a. 1981, S. 66.
13 Schmidt, Menschen und Mächte, S. 452.
14 Helga Haftendorn, Sicherheit und Stabilität. Außenbeziehungen der Bundesrepublik zwischen Ölkrise und NATO-Doppelbeschluß, München 1986, S. 62 und 79f.
15 Zahlen nach: Franz Nuscheler, Lern- und Arbeitsbuch Entwicklungspolitik, Bonn [4]1995, S. 305 und 308.
16 FAZ, 6. Februar 1995: «Spranger bietet Ausbildungshilfe an».
17 EA 32 (1977), D 496.
18 Bulletin, Nr. 25, 17. Februar 1971, S. 263.
19 Haftendorn, Sicherheit und Stabilität, S. 274f.
20 Arnulf Baring, Breit, nicht tief, in: FAZ, 2. Oktober 1990.
21 Garton Ash, Im Namen Europas, S. 549.
22 Ebd.
23 Hans-Dietrich Genscher, Erinnerungen, Berlin 1995, S. 195.
24 EA 32 (1977), D 650.
25 Schmidt, Menschen und Mächte, S. 215 und 229.
26 EA 30 (1975), D 668.
27 Ebd., D 42.
28 Sten. Ber., Bd. 108, S. 9487.
29 EA 30 (1975), D 42.
30 Interview Rudolf Augsteins, in: Die Zeit, Nr. 42, 15. Oktober 1993.
31 Presse- und Informationsamt der Bundesregierung (Hrsg.): Dokumentation zu den

innerdeutschen Beziehungen. Abmachungen und Erklärungen, [Bonn] [12]1989, S. 43 f.

32 Bundesministerium für Innerdeutsche Beziehungen (Hrsg.): Zehn Jahre Deutschlandpolitik. Die Entwicklung der Beziehungen zwischen der Bundesrepublik Deutschland und der Deutschen Demokratischen Republik 1969–1979. Sonderdruck Dokumentation, o. O. 1980.

33 Ernst Martin, Zwischenbilanz: Deutschlandpolitik der 80er Jahre, Stuttgart 1986, S. 43 f.

34 Sten. Ber., Bd. 90, S. 8529 f.

35 Zahlen nach von Beyme, Die Sowjetunion in der Weltpolitik, S. 100.

36 Schmidt, Menschen und Mächte, S. 94.

37 EA 33 (1978), S. 514.

38 Ole Diehl, Die Strategiediskussion in der Sowjetunion. Zum Wandel der sowjetischen Kriegsführungskonzeption in den achtziger Jahren, Wiesbaden 1993, S. 51.

39 Allen Lynch, Der Einfluß des Militärs auf die Außenpolitik Rußlands, in: EA 49 (1994), S. 437 ff, hier S. 440.

40 Zit. nach: Diehl, Die Strategiediskussion der Sowjetunion, S. 54.

41 Peter Rudolf, Amerikanische Seemachtpolitik und maritime Rüstungskontrolle unter Carter und Reagan, Frankfurt/New York 1990, S. 90.

42 Ernst-Otto Czempiel, Machtprobe. Die USA und die Sowjetunion in den achtziger Jahren, München 1989. S. 26.

43 Jürgen Osterhammel, China und die Weltgesellschaft. Vom 18. Jahrhundert bis in unsere Zeit, München 1989, S. 371.

44 EA 29 (1974), D 285.

45 EA 32 (1977), D 631.

46 James Hamill, Angolas Weg aus den Trümmern, in: EA 49 (1994), S. 11 ff., hier S. 12.

47 So jedenfalls Gorbatschow, Erinnerungen, S. 944 und 946.

48 Zbigniew Brzezinski, Power and Principle. Memoirs of the National Security Adviser 1977–1981, New York [2]1985, S. 189.

49 So Mengistu in einem Interview mit dem «Spiegel», Nr. 27, 3. Juli 1995, S. 146.

50 Odd Arne Westad, Prelude to Invasion: The Soviet Union and the Afghan Communists, 1978–1979, in: The International History Review 16 (1994), S. 49 ff., hier S. 68.

51 NYT, 23. Dezember 1990: «U. S. Is Relaxing Its Ban on Oil Imports from Iran».

52 EA 35 (1980), D 103 f.

53 FAZ, 6. Juni 1994: «In Kambodscha werden Gefangene geköpft».

54 Zit. nach: Czempiel, Machtprobe, S. 77.

55 FAZ, 14. Dezember 1991: «Lächeln und töten, wir können beides». So Erhard Haubold, der erheblich dazu beigetragen hat, die deutsche Öffentlichkeit über diese Vorgänge zu informieren.

56 Miles Kahler, Rumours of War: The 1914 Analogy, in: Foreign Affairs 58 (1979–80), S. 374 ff.

57 Spiegel, Nr. 17, 10. März 1980, S. 21 ff. Die Zitate entstammen dem Titelblatt des Heftes.

11. Klimasturz

1 Schmidt, Menschen und Mächte, S. 230.

2 Kissinger, Die Vernunft der Nationen, S. 831.

3 Schmidt, Menschen und Mächte, S. 230.

4 Bulletin, Nr. 112, 8. November 1977, S. 1014 f.
5 Schmidt, Menschen und Mächte, S. 101.
6 Lothar Rühl, Mittelstreckenwaffen in Europa: Ihre Bedeutung in Strategie, Rüstungskontrolle und Bündnispolitik, Baden-Baden 1987, S. 315.
7 Schmidt, Menschen und Mächte, S. 91.
8 Michael Gorbatschow, Erinnerungen, Berlin 1995, S. 620 f.
9 Diehl, Die Strategiediskussion in der Sowjetunion, passim.
10 Egon Bahr, Ist die Menschheit dabei, verrückt zu werden?, in: Vorwärts, 21. Juli 1977.
11 Sten. Ber., Bd. 105, 13. April 1978, S. 6501.
12 EA 34 (1979), D 556 ff., Zitat D 557.
13 Kissinger, Die Vernunft der Nationen, S. 860.
14 EA 35 (1979), D 36 f.
15 Schmidt, Menschen und Mächte, S. 292.
16 FAZ, 16. Dezember 1993: «Nicht nur ein spontaner Emanzipationsprozeß».
17 Sten. Ber., Bd. 120, 14. Januar 1982, S. 4412.
18 AdG 50 (1980), S. 23971.
19 Dokumente zur Außenpolitik der Deutschen Demokratischen Republik 38 (1980), S. 64.
20 FAZ, 13. November 1991: «Honeckers Wahlhilfe für Vogel».
21 Adam Krzeminski, Polen im 20. Jahrhundert. Ein historischer Essay, München 1993, S. 155.
22 So Jaruzelski in einem Gespräch mit dem «Spiegel», in: Der Spiegel, 46 (1992), Nr. 20, S. 181 ff., Zitat S. 181.
23 Michael Kubina/Manfred Wilke (Hrsg.), «Hart und kompromißlos durchgreifen». Die SED contra Polen 1980/81. Geheimakten [...], Berlin 1995, S. 197 ff. und 204 ff.
24 Ebd., S. 392.
25 Klaus Bölling, Die fernen Nachbarn. Erfahrungen in der DDR, Hamburg 1983, S. 140.
26 Sten. Ber., Bd. 110, 17. Mai 1979, S. 12264 f.
27 Peter Bender, Episode oder Epoche? Zur Geschichte des geteilten Deutschland, München 1996, S. 71.
28 Czempiel, Machtprobe, S. 126.
29 FAZ, 5. August 1995: «Für schnellen Aufbau der Raketenabwehr».
30 Czempiel, Machtprobe, S. 289.
31 EA 36 (1981), D 657 f.
32 Christian Tuschhoff, Der Genfer «Waldspaziergang» 1982. Paul Nitzes Initiative in den amerikanisch-sowjetischen Abrüstungsgesprächen, in: VfZG 38 (1990), S. 289 ff., Zitat S. 292.
33 Sten. Ber., Bd. 123, S. 8987.
34 Henry Kissinger, Kohl Again Can Be Good For Alliance and Europe, in: IHT, 24. Oktober 1994.
35 Genscher, Erinnerungen, bes. S. 573 und 580.
36 So Kohl in einem Gespräch mit der FAZ, in: FAZ, 29. September 1994.
37 EA 35 (1980), S. 385 f.
38 EA 42 (1987), D 448.
39 EA 35 (1980), D 382 f.
40 EA 37 (1982), D 222.
41 EA 35 (1980), S. 386.
42 EA 36 (1981), D 164.

43 EA 37 (1982), D 56.
44 EA 38 (1983), D 435.
45 EA 33 (1978), D 247.
46 Zit. nach: Heinrich Potthoff (Hrsg.), «Die Koalition der Vernunft». Deutschland-politik in den 80er Jahren, München 1995, S. 102.
47 Ebd., S. 310. So die Aufzeichnung aus dem Zentralen Parteiarchiv der SED.
48 Ebd., S. 307.
49 Ebd., S. 590 f. Ebenfalls nach einer Aufzeichnung aus dem Zentralen Parteiarchiv der SED.
50 Ebd., S. 584.
51 Ebd., S. 240. Auch dieses Dokument entstammt dem Zentralen Parteiarchiv der SED.

12. Umbau

 1 AdG 58 (1988), S. 32310.
 2 Zahlen nach Altrichter, Kleine Geschichte der Sowjetunion, S. 175 f.
 3 AdG 58 (1988), S. 32310.
 4 Gorbatschow, Erinnerungen, S. 279.
 5 Ebd., S. 323.
 6 Ebd., S. 203 f.
 7 Czempiel, Machtprobe, S. 254 f. und 258.
 8 Ebd., S. 281.
 9 NYT, 25. Dezember 1992: «Birth of a Scandal and Mysteries of Its Parentage».
10 Ronald Reagan, Erinnerungen. Ein amerikanisches Leben, Berlin/Frankfurt a. M. 1990, S. 718 f.
11 Ebd., S. 721.
12 Die Bezeichnung wurde erstmals von Henry Kissinger benutzt und setzte sich rasch durch: Henry Kissinger, The ‹Reykjavik Revolution›: Putting Deterrence in Question, in: Washington Post, 18. November 1986.
13 Jack F. Matlock, Jr., Autopsy on an Empire. The American Ambassador's Account of the Collapse of the Soviet Union, New York 1995, S. 96 f.
14 Frank Franke u. a.: Verstrahlt, vergiftet, vergessen. Die Opfer von Tschernobyl nach zehn Jahren, Frankfurt a. M./Leipzig 1996.
15 Sten. Ber., Bd. 138, S. 1625.
16 EA 43 (1988), D 109.
17 Genscher, Erinnerungen, S. 567.
18 Ebd., S. 566.
19 Czempiel, Machtprobe, S. 290.
20 EA 43 (1988), D 198.
21 FAZ, 1. Februar 1992: «Die Angriffspläne des Warschauer Pakts gegen Deutschland und die NATO». Allerdings handelte es sich dabei vorerst um Schlußfolgerungen, die sich aus Materialien der NVA ergaben, nicht um direkte Belege. Dazu: Gerhard Wettig, Warsaw Pact Planning in Central Europe: The Current Stage of Research, in: CWIHPB 3 (1993), S. 51.
22 EA 42 (1987), D 383 f.
23 Sten. Ber., Bd. 149, S. 10303.
24 Financial Times, 31. Oktober 1988: «Bonn faces tricky dilemmas in East-West relations».
25 FAZ, 22. Juli 1988: «Wenn das Gefühl der Bedrohung schwindet».

26 James A. Baker, III, The Politics of Diplomacy. Revolution, War and Peace 1989–1992, New York 1995, S. 87.

27 Günther Gillessen, Zweifelhafte Optionen, in: FAZ, 17. April 1989.

28 NYT, 2. April 1989: «Once Again, the Allies Get Touchy About Bonn's Commitment».

29 Le Monde, 13. Juni 1989: «Un pont entre l'Est et l'Ouest».

30 NYT, 2. Mai 1989: «Nobody Tells the Truth». Autor dieses Kommentars war A. M. Rosenthal.

31 Time Magazine, 8. Mai 1989: «The Implausibly Durable Guardian of *Ostpolitik*». Das Magazin hatte seine Titelgeschichte dem Thema gewidmet: «Genscher's Tune».

32 Interview mit Hans-Dietrich Genscher, in: Newsweek, 5. Dezember 1988. «Newsweek» hatte seine Titelgeschichte dem Thema gewidmet: «Europe After the Cold War. West Germany's Genscher and His Controversial Vision of East-West Cooperation».

33 EA 44 (1989), D 349 u. 352 f.

34 NYT, 28. September 1991: «U. S. to Give up Short-Range Nuclear Arms; Bush Seeks Soviet Cuts and Further Talks.» Dort auch der Wortlaut der Rede des Präsidenten.

35 EA 41 (1986), D 628 u. 637.

36 So Genscher am 2. Oktober 1986 vor dem Bundestag: Sten. Ber., Bd. 139, S. 18168.

37 EA 43 (1988), D 305 f.

38 EA 44 (1989), D 141 f. u. 162.

39 So Genscher am 13. November 1986 vor dem Bundestag: Sten. Ber., Bd. 140, S. 18974.

40 Ebd., S. 18975.

41 EA 41 (1986), D 165.

42 Ebd., D 176.

43 EA 43 (1988), D 132.

44 Yves Boyer, Sprengt die Militärtechnik das transatlantische Bündnis?, in: EA 49 (1994), S. 659 ff., hier S. 661.

45 EUREKA-Büro des Bundesministers für Forschung und Technologie bei der Deutschen Forschungsanstalt für Raumfahrt (Hrsg.), Eureka. Technologische Zusammenarbeit in Europa. Dokumentation 1990, Köln 1990, S. 97.

46 Bundesministerium für innerdeutsche Beziehungen, Materialien zum Bericht zur Lage der Nation im geteilten Deutschland 1987, Bonn 1987, S. 634.

47 Ebd.

48 Garton Ash, Im Namen Europas, S. 235; FAZ, 12. September 1995: «Schalck erinnert an seine alten Verbindungen zu bundesdeutschen Politikern».

49 Wolfgang Seiffert, Zur Verschuldung der DDR und ihren Konsequenzen, in: DA 15 (1982), S. 1241 ff., hier S. 1241.

50 Maria Hendcke-Hoppe, Konsolidierung in der DDR-Außenwirtschaft, in: DA 17 (1984), S. 1060 ff., hier S. 1061 f.

51 Potthoff (Hrsg.), Die «Koalition der Vernunft», S. 59; eine Fülle einschlägiger Beispiele, insbesondere für die SPD, auf die sich auch Potthoffs Bemerkung bezieht, bei: Garton Ash, Im Namen Europas.

52 Entscheidungen des Bundesverfassungsgerichts, Bd. 77, Tübingen 1988, S. 150.

53 EA 42 (1987), D 533 f.

54 So die Schlagzeile der FAZ, 2. Dezember 1988.

55 Sten. Ber., Bd. 147, S. 8101.

56 FAZ, 15. Dezember 1990: «Willy Brandt und die ‹Lebenslüge›»; Garton Ash, Im Namen Europas, S. 685.

57 Andreas Vogtmeier, Egon Bahr und die deutsche Frage. Zur Entwicklung der sozialdemokratischen Ost- und Deutschlandpolitik vom Kriegsende bis zur Vereinigung, Bonn 1996, S. 287.

58 Rudolf Augstein, Eine Löwin namens Einheit, in: Der Spiegel Nr. 38, 18. September 1989, S. 15.

59 Igor F. Maximytschew/Hans-Hermann Hertle, Die Maueröffnung. Eine russisch-deutsche Trilogie, Teil I, in: DA 27 (1994), S. 1137 ff., Zit. S. 1141.

60 Neues Deutschland, 10. April 1987: «Kurt Hager beantwortet Fragen der Illustrierten ‹Stern›».

61 Neues Deutschland, 20. Januar 1989: «Schlußbemerkungen Erich Honeckers auf der Tagung des Thomas-Müntzer-Komitees».

62 AdG 59 (1989), S. 33396.

63 Zit. nach Brand, Souveränität für Deutschland, S. 134.

64 FAZ, 9. Oktober 1989: «Während Honecker spricht amüsieren sich Gorbatschow und Jake». Gorbatschow selbst erinnerte sich, diesen Ausspruch gegenüber «den deutschen Freunden», also der «Führung der DDR» getan zu haben: Gorbatschow, Erinnerungen, S. 935.

65 Günter Schabowski, Vor fünf Jahren barst die Mauer. Erinnerungen und späte Einsichten, in: FAZ, 8. November 1994.

66 Ralf Georg Reuth/Andreas Bönte, Das Komplott. Wie es wirklich zur deutschen Einheit kam, München 1993, S. 119.

67 AdG 59 (1989), S. 33888.

68 Ebd., S. 33946.

69 Maximytschew/Hertle, Maueröffnung, Teil II, a. a. O., S. 1145 ff., hier S. 1151.

70 Brigitte Seebacher-Brandt, Nation im Vereinigten Deutschland in: Aus Politik und Zeitgeschichte B 42/1994, S. 3 ff., Zit. S. 6.

13. Abgesang

1 Michail Gorbatschow, Perestroika. Die zweite russische Revolution. Eine neue Politik für Europa und die Welt, München 1987, S. 182.

2 EA 44 (1989), D 605.

3 George F. Kennan, Who Won the Cold War? Ask Instead What Was Lost, in: IHT, 29. Oktober 1992.

4 So zuletzt noch Gromyko in einem Interview, in: Der Spiegel, Nr. 17, 24. April 1989.

5 Altrichter, Kleine Geschichte der Sowjetunion, S. 193.

6 Gorbatschow, Erinnerungen, S. 845.

7 EA 45 (1990), D 170.

8 Damit war auch das für die weitere Entwicklung wichtige Verhältnis zwischen dem Bundeskanzler und dem Generalsekretär endgültig wieder im Lot, das sich nach einem Vergleich Gorbatschows mit Goebbels, den Kohl in einem Interview angedeutet hatte, in einer Krise befand: Interview durch «Newsweek», 27. Oktober 1986, S. 20.

9 EA 44 (1989), D 382.

10 Gorbatschow, Erinnerungen, S. 713; Genscher, Erinnerungen, S. 669 ff.

11 Sten. Ber., Bd. 156, S. 2092.

12 Interview durch Guido Knopp, 3 SAT, 9. Januar 1991.

13 Sten. Ber., Bd. 151, S. 13 510 ff.

14 Bender, Episode oder Epoche?, S. 125.

15 Interview durch Guido Knopp, a. a. O.
16 Ebd.
17 Ebd.
18 Ebd.
19 AdG 59 (1989), S. 33999.
20 Das sagte er jedenfalls seinem langjährigen Sonderberater: Jacques Attali, Verbatim, Bd. 3, Paris 1995, S. 350.
21 Ebd., S. 322.
22 EA 45 (1990), D 132.
23 AdG 60 (1990), S. 34431.
24 EA 45 (1990), D 347.
25 Sten. Ber., Bd. 151, S. 13512.
26 EA 46 (1991), D 574.
27 Ebd., D 9 und 11.
28 So der konservative Unterhausabgeordnete Robert Jackson, Weshalb die Briten skeptisch sind, in: FAZ, 13. Dezember 1995.
29 Attali, Verbatim, Bd. 3, S. 541.
30 Horst Teltschik, 329 Tage. Innenansichten der Einigung, Berlin 1991, S. 160f.
31 AdG 60 (1990), S. 34268.
32 EA 45 (1990), D 193.
33 Fred Oldenburg, Moskau und die Wiedervereinigung Deutschlands, Köln 1991, S. 22.
34 Text des Interviews in: FAZ, 8. März 1990: «Die Interessen der Nachbarn und der übrigen Welt berücksichtigen».
35 Falin, Politische Erinnerungen, S. 495.
36 Oldenburg, Moskau und die Wiedervereinigung Deutschlands, S. 27.
37 EA 45 (1990), S. 456ff.
38 Baker, The Politics of Diplomacy, S. 231.
39 EA 45 (1990), D 480.
40 Bulletin, Nr. 27, 20. Februar 1990, S. 215.
41 Brand, Souveränität für Deutschland, S. 246.
42 EA 45 (1990), D 510.
43 EA 46 (1991), D 310.
44 Ebd., S. 172.
45 Brand, Souveränität für Deutschland, S. 264f.
46 Bulletin, Nr. 121, 10. Oktober 1990, S. 1266.
47 Bender, Episode oder Epoche?, S. 62.
48 In diesem Sinne über die Stellung Japans: Ryohei Murata, Die japanische Außenpolitik in den neunziger Jahren, in: EA 48 (1993), S. 577ff., hier S. 578.
49 EA 41 (1991), D 86f.
50 Willy Brandt hatte am 15. September 1990 in einem Schreiben an Genscher betont, daß er «das Ausgraben der Figur ‹Nichtangriffsvertrag› für unglücklich» halte. Faksimile des Schreibens in: Gertrud Lenz, Willy Brandt 1913–1992. Eine Ausstellung der Friedrich-Ebert-Stiftung aus Anlaß des 80. Geburtstages, Bonn 1993, S. 69.
51 So die Bilanz nach der Fertigstellung. FAZ, 21. September 1995: «Baustelle des Jahrhunderts›: Deutsche Garnisonsstädtchen für russische Offiziere».
52 EA 45 (1990), D 656 und 658.
53 Egon Bahr, Rede über das eigene Land: Deutschland, in: ders., Sicherheit für und vor Deutschland. Vom Wandel durch Annäherung zur Europäischen Sicherheitsgemeinschaft, München/Wien 1991, S. 139ff., Zitat S. 141.

54 Zit. nach: Willy Brandt, «... was zusammengehört». Über Deutschland, Bonn [2]1993, S. 36.
55 Baker, The Politics of Diplomacy, S. 359.
56 Auswärtiges Amt (Hrsg.), Außenpolitik der Bundesrepublik Deutschland. Dokumente von 1949 bis 1994, Köln 1995, S. 793.
57 IHT, 23. April 1991: «Shaky Ground».
58 FAZ, 25. Februar 1991: «Kohl: Wir stehen fest und unverbrüchlich an der Seite unserer Verbündeten».
59 NYT, 6. April 1990: «Support for German Unity Found Growing in U. S.».
60 FAZ, 6. März 1991: «Deutsch-amerikanisches Verhältnis solide».
61 NYT, 27. Dezember 1991: «Germany Is a Challenge For Post-Soviet Europe».
62 Für Nachweise siehe: Gregor Schöllgen, Deutschlands neue Lage. Die USA, die Bundesrepublik Deutschland und die Zukunft des westlichen Bündnisses, in: EA 47 (1992), S. 125 ff.; Günther Heydemann, Partner oder Konkurrent? Das britische Deutschlandbild während des Wiedervereinigungsprozesses 1989–1991, in: Franz Bosbach (Hrsg.), Feindbilder. Die Darstellung des Gegners in der politischen Publizistik des Mittelalters und der Neuzeit, Köln u. a. 1992, S. 201 ff.
63 Gregor Schöllgen, Angst vor der Macht. Die Deutschen und ihre Außenpolitik, Berlin/Frankfurt a. M. 1993.
64 EA 49 (1994), D 430.
65 AdG 64 (1994), S. 39338.
66 Bulletin, Nr. 20, 15. März 1995, Zitate S. 162 f.
67 Matlock, Autopsy on an Empire, S. 539 ff.

14. Bilanz

1 Klaus Jürgen Gantzel/Torsten Schwinghammer (Hrsg.), Die Kriege nach dem Zweiten Weltkrieg 1945 bis 1992. Daten und Tendenzen, Münster 1995.
2 Christopher Greenwood, Anwendungsbereich des humanitären Völkerrechts, in: Dieter Fleck (Hrsg.), Handbuch des humanitären Völkerrechts in bewaffneten Konflikten, München 1994, S. 34 ff., hier S. 34–38.
3 Nach den Angaben der beiden an diesem Projekt beteiligten sowjetischen Wissenschaftler: Adamsky/Smirnov, Moscow's Biggest Bomb, a. a. O., hier S. 3.
4 Dazu im einzelnen Kap. 5, S. 169 f.
5 Karl-Heinz Kamp, Das nukleare Erbe der Sowjetunion – eine Aufgabe westlicher Sicherheitspolitik, in: EA 48 (1993), S. 623 ff., hier S. 628.
6 Adenauer, Teegespräche 1955–1958, S. 163.
7 AdG 44 (1974), S. 18571.
8 Zahlen nach von Beyme, Die Sowjetunion in der Weltpolitik, S. 121. Bezeichnenderweise blieben lediglich die entsprechenden rumänischen Exporte unter 50%.
9 Schmidt, Menschen und Mächte, S. 452. Dort auch die Zahlenangaben, S. 454.
10 Thomas Nipperdey, Deutsche Geschichte 1866–1918, Bd. 2: Machtstaat vor der Demokratie, München 1992, S. 250.

Literatur

Das Verzeichnis enthält eine Auswahl aus der kaum mehr überschaubaren Fülle einschlägiger Publikationen zum Thema des Buches. Die Gliederung dient der ersten Orientierung. Wenige Titel sind einer der Kategorien eindeutig zuzuordnen. Nicht aufgenommen wurden Einzelbeiträge in Zeitschriften oder Sammelwerken. Diese sind in wichtigen Fällen in den Nachweisen des Anmerkungsapparates zitiert. Dokumente finden sich unter dem Namen der herausgebenden bzw. bearbeitenden Person oder Institution. Berücksichtigt wurde vor allem die jüngere Literatur.

1. Dokumente

Auswärtiges Amt (Hrsg.): Außenpolitik der Bundesrepublik Deutschland. Dokumente von 1949 bis 1994, Köln 1995.

Buchstab, Günter (Bearb.): Die Protokolle des CDU-Bundesvorstandes, 1950 ff., Stuttgart 1986 ff.

Bundesarchiv (Hrsg.): Die Kabinettsprotokolle der Bundesregierung, Bd. 1 (1949)ff., bearb. von U. Enders [u. a.], Boppard 1982 ff.

Bundesministerium für Gesamtdeutsche Fragen [bzw. Bundesministerium für Innerdeutsche Beziehungen bzw. Bundesminister des Innern] (Hrsg.): Dokumente zur Deutschlandpolitik 1939 ff., begr. von Ernst Deuerlein, Frankfurt a. M. 1961 ff.

Bundesministerium für innerdeutsche Beziehungen (Hrsg.): Zehn Jahre Deutschlandpolitik. Die Entwicklung der Beziehungen zwischen der Bundesrepublik Deutschland und der Deutschen Demokratischen Republik 1969–1979. Sonderdruck Dokumentation, o. O. 1980.

Bundesministerium für Vertriebene (Hrsg.): Dokumentation der Vertreibung der Deutschen aus Ost-Mitteleuropa, bearb. von T. Schieder u. a., 5 Bde. in 10 und 3 Erg.-Bde., Düsseldorf [u. a.] 1953–61.

Butler, Rohan [u. a.] (Hrsg.): Documents on British Policy Overseas [1945 ff.], London 1984 ff.

Clissold, Stephen (Hrsg.): Yugoslavia and the Soviet Union 1939–1973. A Documentary Survey, London u. a. 1975.

Cold War International History Project Bulletin, Washington 1 (1992) ff.

Department of State: Bulletin, Washington 1941 ff.

Dass.: The China White Paper August 1949. Originally Issued as United States Relations with China. With special Reference to the Period 1944–1949. Reissued with the Original Letter of Transmittal to President Truman from Secretary of State Dean Acheson and with a New Introduction by Lyman P. van Slyke, Stanford 1967.

Dass.: Foreign Relations of the United States. Diplomatic Papers, 1945 ff., Washington 1967 ff.; außer der Reihe: The Conference at Malta and Yalta, 1945, Washington 1955; The Conference of Berlin (The Potsdam Conference), 1945, 2 Bde., Washington 1960.

Deutsche Gesellschaft für Auswärtige Politik (Hrsg. seit 1957): Europa-Archiv, Bd. 1 ff., Oberursel bzw. Bonn 1946 ff.

Dies. (Hrsg.): Europa. Dokumente zur Frage der europäischen Einigung, 3 Bde., Bonn 1962.

Dies. (Hrsg.): Probleme der internationalen Abrüstung. Die Bemühungen der Vereinten Nationen um internationale Abrüstung und Sicherheit 1945–1961, Frankfurt a. M./Berlin 1964.

Dies. (Hrsg.): Dokumente zur Berlin-Frage 1944–1966, München ³1967.

Dies. (Hrsg.): Dokumente zur Berlin-Frage 1967–1986, München 1987.

Deutscher Bundestag (Hrsg.): Verhandlungen des Deutschen Bundestages. Stenographische Berichte, Bonn 1950 ff.

Ders. (Hrsg.): Materialien der Enquete-Kommission «Aufarbeitung von Geschichte und Folgen der SED-Diktatur in Deutschland», 9 Bde. in 18, Baden-Baden 1995.

Deutsches Institut für Zeitgeschichte (Hrsg.): Dokumente zur Außenpolitik der Deutschen Demokratischen Republik, Bd. 1 ff., Berlin [Ost] 1954 ff.

Dass.: Dokumente zur Deutschlandpolitik der Sowjetunion, 3 Bde., Berlin [Ost] 1957–68.

Fischer, Alexander (Hrsg.): Teheran, Jalta, Potsdam. Die sowjetischen Protokolle von den Kriegskonferenzen der «Großen Drei», Köln ³1985.

Haas, Michael (Hrsg.): Basic documents of Asian regional organizations, 9 Bde., Dobbs Ferry 1974–85.

Higgins, Rosalyn: United Nations Peacekeeping 1946–1967. Documents and Commentary, 4 Bde., London u. a. 1969–81.

Institut für Zeitgeschichte (Hrsg.): Akten zur Auswärtigen Politik der Bundesrepublik Deutschland [1949 ff.]. Hrsg. im Auftrag des Auswärtigen Amtes. Haupthrsg. H.-P. Schwarz, München 1989 ff.

International Bank for Reconstruction and Development: Annual Reports, Washington 1946 ff.

International Currency Review Research Unit (Hrsg.): Comecon Reports, Bd. 1 ff., New York 1979 ff.

Israel State Archives (Hrsg.): Documents on the Foreign Policy of Israel, Bd. 1 ff., Jerusalem 1981 ff.

Jacobsen, Hans-Adolf u. a. (Hrsg.): Sicherheit und Zusammenarbeit in Europa (KSZE). Analyse und Dokumentation, 2 Bde., Köln 1973–78.

Ders./Tomala, Mieczyslaw (Hrsg.): Bonn – Warschau 1945–1991. Die deutsch-polnischen Beziehungen. Analyse und Dokumentation, Köln 1992.

Kommission der Europäischen Gemeinschaften (Hrsg.): Ten Years of Lomé – A record of ACP-EEC partnership 1976 to 1985, Brüssel 1986.

Krägenau, Henry/Wetter, Wolfgang: Europäische Wirtschafts- und Währungsunion. Vom Werner-Plan zum Vertrag von Maastricht. Analysen und Dokumentation, Baden-Baden 1993.

Kubina, Michael/Wilke, Manfred (Hrsg.): «Hart und kompromißlos durchgreifen». Die SED contra Polen 1980/81. Geheimakten der SED-Führung über die Unterdrückung der polnischen Demokratiebewegung, Berlin 1995.

Lipgens, Walter (Hrsg.): Documents on the History of European Integration, Bd. 1 ff., Berlin/New York 1985 ff.

Meissner, Boris (Hrsg.): Moskau-Bonn. Die Beziehungen zwischen der Sowjetunion und der Bundesrepublik Deutschland 1955–1973. Dokumentation, 2 Bde., Köln 1975.

Meißner, Werner (Hrsg.), Die DDR und China 1949 bis 1990. Politik – Wirtschaft – Kultur. Eine Quellensammlung, Berlin 1995.

Ministère des Affaires Etrangères (Hrsg.): Documents Diplomatiques Français [1954 ff.], Paris 1987 ff.

Ministerium für Auswärtige Angelegenheiten der DDR/Ministerium für Auswärtige Angelegenheiten der UdSSR (Hrsg.): DDR-UdSSR. 30 Jahre Beziehungen 1949 bis 1979. Dokumente und Materialien, 2 Halbbde., Berlin [Ost] 1982.

Dass.: Die Organisation des Warschauer Vertrages. Dokumente und Materialien 1955–1985, Berlin [Ost] ³1985.

Münch, Ingo von (Hrsg.): Dokumente des geteilten Deutschland. Quellentexte zur Rechtslage des Deutschen Reiches, der Bundesrepublik Deutschland und der Deutschen Demokratischen Republik, Bd. 1: [bis 1968], Stuttgart 1968; Bd. 2: seit 1968, Stuttgart 1974.

Ders.: Dokumente der Wiedervereinigung Deutschlands. Quellentexte zum Prozeß der Wiedervereinigung von der Ausreisewelle aus der DDR über Ungarn, die ČSSR und Polen im Spätsommer 1989 bis zum Beitritt der DDR zum Geltungsbereich des Grundgesetzes der Bundesrepublik Deutschland im Oktober 1990, Stuttgart 1991.

The Organisation for Economic Co-Operation and Development (Hrsg.): Oil Statistics. Supply and Disposal, Bd. 1 ff., Paris 1962 ff.

Potthoff, Heinrich (Hrsg.): Die «Koalition der Vernunft». Deutschlandpolitik in den 80er Jahren, München 1995.

Presse- und Informationsamt der Bundesregierung (Hrsg.): Bulletin, Bonn 1951 ff.

Dass.: Dokumentation zu den innerdeutschen Beziehungen. Abmachungen und Erklärungen, Bonn ¹²1989.

The Royal Ministry for Foreign Affairs (Hrsg.): Documents on Swedish Foreign Policy, New Series, Bd. I. C.1 (1950–1951)ff., Stockholm 1957 ff.

Schirmer, Wilhelm G./Meyer-Wöbse, Gerhard: Internationale Rohstoffabkommen. Vertragstexte mit einer Einführung und Bibliographie, hrsg. von Gottfried Zieger, München u. a. 1980.

Schlesinger, Arthur M., Jr. (Hrsg.): The Dynamics of World Power. A Documentary History of United States Foreign Policy 1945–1973, Bd. 1 ff., New York 1983 ff.

Siegler, Heinrich von (Bearb. bzw. Hrsg. seit 1945): Archiv der Gegenwart, Bd. 11 ff., Wien u. a. 1941 ff.

Ders. (Hrsg.): Dokumentation zur Abrüstung und Sicherheit von 1943 bis 1959, Bd. 1 ff., Bonn 1960 ff.

Sohn, Louis B. (Hrsg.): Basic Documents of African Regional Organizations, 4 Bde., Dobbs Ferry 1971–72.

Stockholm International Peace Research Institute (Hrsg.), SIPRI Yearbook of World Armaments and Disarmament, Bd. 1 ff., Stockholm u. a. 1969 ff.

Toynbee, Arnold J. [u. a.] (Hrsg.): Documents on International Affairs 1939–1946 ff., London u. a. 1951 ff.

Ders. [u. a.] (Hrsg.): Survey of International Affairs 1939–1946 ff., London u. a. 1955 ff.

Weber, Petra [u. a.] (Bearb.): Die SPD-Fraktion im Deutschen Bundestag. Sitzungsprotokolle 1949 ff., Düsseldorf 1993 ff.

Weltbank: Jahresberichte, Bd. 1 ff., Washington 1981 ff.

Dies.: Weltentwicklungsbericht, Bd. 1 ff., Washington 1978 ff.

Wengst, Udo [u. a.] (Bearb.): FDP-Bundesvorstand. Sitzungsprotokolle 1949 ff., Düsseldorf 1990 ff.

Werth, Nicolas/Moullec, Gael (Hrsg.): Rapports secrets soviétiques. La société russe dans les documents confidentiels 1921–1991, Paris 1994.

World Resources Institute, United Nations Environment Programme/United Nations Development Programme: Welt-Ressourcen – 1990–91 – Analysen, Daten, Berichte [= Internationaler Umweltatlas, 2. Erg. Lfg. 8/93], o. O. 1993.

Wünsche, Renate (Hrsg.): Dokumente der Nichtpaktgebundenen. Hauptdokumente der 1. bis 6. Gipfelkonferenz der nichtpaktgebundenen Staaten 1961–1979, Köln 1981.

2. Zeitungen

The Economist, London.
Le Figaro, Paris.
Financial Times, London.
Frankfurter Allgemeine Zeitung, Frankfurt a. M.
The Independent, London.
International Herald Tribune, London u. a.
Le Monde, Paris.
Moscow News, Moskau.
Neue Züricher Zeitung, Zürich.
Neues Deutschland, Berlin [Ost].
The New York Times, New York.
Newsweek, New York.
Sowjetunion heute, Köln.
Der Spiegel, Hamburg.
Süddeutsche Zeitung, München.
Time Magazine, New York.
The Times, London.
The Wall Street Journal, New York.
The Washington Post, Washington.
Die Welt, Hamburg.
Die Zeit, Hamburg.

3. Memoiren, Briefe, Tagebücher

Abs, Hermann J.: Entscheidungen [1991], Frankfurt a. M./Berlin 1993.

Acheson, Dean: Present at the Creation. My Years in the State Department, New York/London 1987.

Adenauer, Konrad: Erinnerungen, 4 Bde., Stuttgart 1965–68.

Ders.: Teegespräche, 4 Bde., bearb. von H. J. Küsters bzw. H. P. Mensing, Berlin 1984–92.

Allardt, Helmut: Politik vor und hinter den Kulissen. Erfahrungen eines Diplomaten zwischen Ost und West, Düsseldorf/Wien 1979.

Arce, Luz: Die Hölle. Eine Frau im chilenischen Geheimdienst. Eine Autobiographie, Hamburg 1994.

Attali, Jacques, Verbatim, 3 Bde., Paris 1993−95.

Auriol, Vincent: Journal du septennat, 7 Bde., Paris 1970−79.

Baker, James A., III: The Politics of Diplomacy. Revolution, War and Peace 1989−1992, New York 1995.

Barzel, Rainer: Auf dem Drahtseil, München/Zürich 1978.

Birrenbach, Kurt: Meine Sondermissionen. Rückblick auf zwei Jahrzehnte bundesdeutscher Außenpolitik, Düsseldorf/Wien 1984.

Blankenhorn, Herbert: Verständnis und Verständigung. Blätter eines politischen Tagebuchs 1949 bis 1979, Frankfurt a. M. u. a. 1980.

Brandt, Willy: Begegnungen und Einsichten. Die Jahre 1960−1975, Hamburg 1976.

Ders.: Die SPIEGEL-Gespräche, hrsg. von E. Böhme/K. Wirtgen [1993], Reinbek 1995.

Ders.: Erinnerungen. Mit den «Notizen zum Fall G». Erweiterte Ausgabe, Berlin/Frankfurt a. M. 1994.

Brzezinski, Zbigniew: Power and Principle. Memoirs of the National Security Adviser 1977−1981, New York [2]1985.

Bui Tin: Following Ho Chi Minh. The Memoirs of a North Vietnamese Colonel, London 1995.

Bush, George: Blick nach vorn. Eine Autobiographie in Zusammenarbeit mit Victor Gold, München 1988.

Byrnes, James F.: All In One Lifetime, New York 1958.

Chruschtschow, Nikita: Chruschtschow erinnert sich, hrsg. von S. Talbott, Reinbek 1971.

Ders.: Khrushchev Remembers. The Glasnost Tapes, hrsg. von J. L. Schecter, Boston u. a. 1990.

Churchill, Winston: The Churchill-Eisenhower Correspondence, 1953−1955, hrsg. von P. G. Boyle, Chapel Hill/London 1990.

Djilas, Milovan: Gespräche mit Stalin, Frankfurt a. M. 1962.

Dubček, Alexander: Leben für die Freiheit, München 1993.

Eden, Sir Anthony: Memoiren 1945−1957, Köln/Berlin 1960.

Eisenhower, Dwight D.: Die Jahre im Weißen Haus 1953−1956, Düsseldorf/Wien 1964.

Ders.: Wagnis für den Frieden 1956−1960, Düsseldorf/Wien 1966.

Ders.: The Papers of Dwight David Eisenhower, hrsg. von A. D. Chandler, Jr., u. a., Bd. 1 ff., Baltimore/London 1970 ff.

Ders.: The Eisenhower Diaries, hrsg. von R. H. Ferrell, New York/London 1981.

Falin, Valentin: Politische Erinnerungen, München 1993.

Forrestal, James: The Forrestal Diaries, hrsg. von W. Millis, New York 1951.

Gaulle, Charles de: Discours et messages I (juin 1940 − janvier 1946)ff., Paris 1970 ff.

Ders.: Memoiren der Hoffnung. Die Wiedergeburt 1958−1962, Wien u. a. 1970.

Genscher, Hans-Dietrich, Erinnerungen, Berlin 1995.

Gorbatschow, Michail: Erinnerungen, Berlin 1995.

Grewe, Wilhelm G.: Rückblenden 1976−1951. Aufzeichnungen eines Augenzeugen. Deutsche Außenpolitik von Adenauer bis Schmidt, Frankfurt a. M. u. a. 1979.

Groeben, Hans von der: Deutschland und Europa in einem unruhigen Jahrhundert, Baden-Baden 1995.

Gromyko, Andrej: Erinnerungen. Internationale Ausgabe, Düsseldorf u. a. 1989.

Jaruzelski, Wojciech: Mein Leben für Polen. Erinnerungen, München/Zürich 1993.

Kalugin, Oleg: The First Directorate. My 32 Years in Intelligence and Espionage Against the West, New York 1994.

Kennan, George F.: Memoirs 1925–1950, Boston/Toronto 1967.

Ders.: Memoirs 1950–1963, Boston/Toronto 1972.

Kennedy, Robert: Dreizehn Tage. Wie die Welt beinahe unterging, Darmstadt 1974.

Kissinger, Henry A.: Memoiren 1968–1973, München 1979.

Ders.: Memoiren 1973–1974, München 1982.

Kroll, Hans: Lebenserinnerungen eines Botschafters, Köln/Berlin 1967.

Krone, Heinrich: Aufzeichnungen zur Deutschland- und Ostpolitik 1954–1969, in: Rudolf Morsey/Konrad Repgen (Hrsg.), Adenauer-Studien III. Untersuchungen und Dokumente zur Ostpolitik und Biographie, Mainz 1974, S. 134–201.

Lenz, Otto: Im Zentrum der Macht. Das Tagebuch von Staatssekretär Lenz 1951–1953, bearb. von K. Gotto u. a., Düsseldorf 1989.

Macmillan, Harold: Erinnerungen, Frankfurt a. M./Berlin 1972.

Mao Zedong: Texte. Schriften, Dokumente, Reden und Gespräche 1949–1976, 6 Bde., hrsg. von H. Martin u. a., München 1979.

Matlock, Jack F., Jr.: Autopsy on an Empire. The American Ambassador's Account of the Collapse of the Soviet Union, New York 1995.

McGhee, George: Botschafter in Deutschland 1963–1968, München 1989.

McNamara, Robert S.: In Retrospect. The Tragedy and Lessons of Vietnam, New York 1995.

Mende, Erich: Die FDP. Daten, Fakten, Hintergründe, Stuttgart 1972.

Mendès France, Pierre: Choisir. Conversations avec Jean Bothorel, Paris 1974.

Mitterrand, François: Réflexions sur la politique extérieure de la France. Introduction à vingt-cinq discours (1981–1985), Paris 1986.

Ders.: De l'Allemagne, de la France, Paris 1996.

Ders.: Mémoires interrompus. Entretiens avec Georges-Marc Benamou. Paris 1996.

Molotow, W. M.: Fragen der Außenpolitik. Reden und Erklärungen April 1945 – Juni 1948, Moskau 1949.

Ders.: Molotov Remembers: Inside Kremlin Politics. Conversations with Felix Chuev, hrsg. von A. Resis, Chicago 1993.

Monnet, Jean: Erinnerungen eines Europäers, München/Wien 1978.

Ders.: Jean Monnet – Robert Schuman, Correspondance 1947–1953, Lausanne 1986.

Nasser, Gamal Abdel: Das Kairo-Dossier. Aus den Geheimpapieren des Gamal Abdel Nasser, hrsg. von M. Heikal, Wien u. a. 1972.

Nitze, Paul H.: From Hiroshima to Glasnost. At the Center of Decision. A Memoir, New York 1989.

Nixon, Richard: Memoiren, Köln 1978.

Peres, Shimon: Shalom. Erinnerungen, Stuttgart 1995.

Pieck, Wilhelm: Aufzeichnungen zur Deutschlandpolitik 1945–1953, hrsg. von R. Badstübner u. W. Loth, Berlin 1994.

Reagan, Ronald: Erinnerungen. Ein amerikanisches Leben, Berlin/Frankfurt a. M. 1990.

Reza Schah Pahlewi: Antwort an die Geschichte. Die Schah-Memoiren, München/Berlin 1979.

Riehl, Nikolaus: Zehn Jahre im goldenen Käfig: Erlebnisse beim Aufbau der sowjetischen Uran-Industrie, Stuttgart 1988.

Roosevelt, Franklin D.: Roosevelt and Churchill. Their Secret Wartime Correspondence, hrsg. von Francis L. Loewenheim u. a. [1975], New York 1990.

Sadat, Anwar El: Unterwegs zur Gerechtigkeit, Wien u. a. 1979.

Schmid, Carlo: Erinnerungen. Gesammelte Werke, Bd. 3, Bern u. a. 1979.

Schmidt, Helmut: Menschen und Mächte, Berlin 1987.

Schumacher, Kurt: Reden – Schriften – Korrespondenzen 1945–1952, hrsg. von W. Albrecht, Berlin/Bonn 1985.

Semjonow, Wladimir S.: Von Stalin bis Gorbatschow. Ein halbes Jahrhundert in diplomatischer Mission 1939–1991, Berlin 1995.

Spaak, Paul-Henri: Combats inachevés, 2 Bde., Paris 1969.

Stalin, Josef: Die unheilige Allianz. Stalins Briefwechsel mit Churchill 1941–1945, hrsg. von M. Rexin, Reinbek 1964.

Stepankow, Valentin: Das Kreml-Komplott. Putschisten, Drahtzieher, Hintermänner. Die Beweise des Generalstaatsanwalts, München 1992.

Stimson, Henry L./Bundy, McGeorge: On Active Service in Peace and War, New York 1948.

Strauß, Franz Josef: Die Erinnerungen, Berlin 1989.

Sudoplatov, Pavel u. a.: Special Tasks. The Memoirs of an Unwanted Witness – A Soviet Spymaster, Boston u. a. 1994.

Teltschik, Horst: 329 Tage. Innenansichten der Einigung. Berlin 1991.

Thatcher, Margaret: Downing Street No. 10. Die Erinnerungen, Düsseldorf u. a. 1993.

Truman, Harry S.: Memoirs, 2 Bde., Garden City 1955/56.

Ders.: Off the Record. The Private Papers of Harry S. Truman, hrsg. von R. H. Ferrell [1980], Harmondsworth u. a. 1982.

4. Biographien

Ambrose, Stephen E.: Eisenhower, 2 Bde., New York 1983.

Ders.: Nixon. The Triumph of a Politician 1962–1972, New York u. a. 1989.

Bar-Zohar, Michael: David Ben Gurion. Der Gründer des Staates Israel, Bergisch-Gladbach 1988.

Bullock, Alan: Ernest Bevin. Foreign Secretary 1945–1951 [1983], Oxford/New York 1985.

Ders.: Hitler und Stalin. Parallele Leben, Berlin 1991.

Carlton, David: Anthony Eden. A Biography, London 1981.

Carr, Jonathan: Helmut Schmidt, Düsseldorf/Wien ⁵1985.

Deutscher, Isaac: Stalin. Eine politische Biographie, Berlin 1989.

Duchêne, François: Jean Monnet. The First Statesman of Interdependence, New York/London 1994.

Gilbert, Martin: ‹Never Despair›. Winston S. Churchill 1945–1965 [1988], London 1990.

Girauld, René u. a. (Hrsg.): Pierre Mendès France et le rôle de la France dans le monde, Grenoble 1991.

Hargrove, Erwin C.: Jimmy Carter as President. Leadership and the Politics of the Public Good, Baton Rouge/London 1988.

Horne, Alistair: Macmillan, 2 Bde., London 1988/1989.

James, Robert Rhodes: Anthony Eden, London 1986.

Kapferer, Reinhard: Charles de Gaulle. Umrisse einer politischen Biographie, Stuttgart 1985.

Lacouture, Jean: Pierre Mendès France, Paris 1981.

Ders.: De Gaulle, 3 Bde., Paris 1984–1986.

Laitenberger, Volker: Ludwig Erhard. Der Nationalökonom als Politiker, Göttingen 1986.

Laqueur, Walter: Stalin. Abrechnung im Zeichen von Glasnost, München 1990.

Merseburger, Peter: Der schwierige Deutsche. Kurt Schumacher. Eine Biographie, Stuttgart 1995.

Mosley, Leonard: Dulles. A Biography of Eleanor, Allen, and John Foster Dulles and Their Family Network, New York 1978.

Pemberton, William E.: Harry S. Truman. Fair Dealer and Cold Warrior, Boston 1989.

Podewin, Norbert: Walter Ulbricht. Eine neue Biographie, Berlin 1995.

Pogue, Forrest C.: George C. Marshall: Statesman 1945–1959, New York 1987.

Poidevin, Raymond: Robert Schuman – homme d'État 1886–1963, Paris 1986.

Reeves, Thomas C.: John F. Kennedy. Die Entzauberung eines Mythos. Biographie, Hamburg 1992.

Schwarz, Hans-Peter: Adenauer, 2 Bde., Stuttgart 1986–91.

Stern, Carola: Ulbricht. Eine politische Biographie, Köln/Berlin 1963.

Sulzberger, C. L.: The last of the Giants, New York ²1971.

Talbott, Strobe: The Master of the Game. Paul Nitze and the Nuclear Peace, New York 1988.

Ulam, Adam B.: Stalin. Koloß der Macht, Eßlingen 1977.

Willequet, Jacques: Paul-Henri Spaak. Un Homme, des combats, o. O. 1975.

Wolkogonow, Dimitri: Stalin. Triumph und Tragödie. Ein politisches Porträt, Düsseldorf 1989.

5. *Länder, Regionen, Kontinente*

Altrichter, Helmut: Kleine Geschichte der Sowjetunion 1917–1991, München 1993.

Baring, Arnulf: Im Anfang war Adenauer. Die Entstehung der Kanzlerdemokratie, München ²1982.

Ders.: Machtwechsel. Die Ära Brandt-Scheel, Stuttgart ³1982.

Beyme, Klaus von: Die Sowjetunion in der Weltpolitik, München/Zürich 1983.

Birke, Adolf M.: Nation ohne Haus. Deutschland 1945–1961, Berlin 1989.

Black, Cyril E. u. a.: Rebirth. A History of Europe Since World War II, Boulder u. a. 1992.

Butenschön, Marianna: Estland, Lettland, Litauen. Das Baltikum auf dem langen Weg in die Freiheit, München/Zürich 1992.

Childs, David: Britain Since 1945. A Political History (³1992), London/New York 1995.

Cockcroft, James D.: Neighbours in Turmoil: Latin America, New York u. a. 1989.

Coutouvidis, John/Reynolds, Jaime: Poland 1939–1947, New York 1986.

Crystal, Jill: Kuwait. The Transformation of an Oil State, Boulder u. a. 1992.

Doering-Manteuffel, Anselm: Die Bundesrepublik Deutschland in der Ära Adenauer. Außenpolitik und innere Entwicklung 1949–1963, Darmstadt ²1988.

Ders. (Hrsg.): Adenauerzeit. Stand, Perspektiven und methodische Aufgaben der Zeitgeschichtsforschung (1945–1967), Bonn 1993.

Drysdale, A./Blake, G.: The Middle East and North Africa. A Political Geography, New York/Oxford 1985.

Elgey, Georgette: Histoire de la IVe République, 2 Bde., Paris 1965–68.

Eschenburg, Theodor u. a.: Geschichte der Bundesrepublik Deutschland, 5 Bde. in 6, Stuttgart/Wiesbaden 1981–87.

Fischer-Galati, Stephen (Hrsg.): The Communist Parties of Eastern Europe, New York 1979.

Floyd, David: Rumania. Russia's Dissident Ally, London/Dummow 1965.

Garton Ash, Timothy: Ein Jahrhundert wird abgewählt. Aus den Zentren Mitteleuropas 1980–1990, München/Wien 1990.

Grothusen, Klaus-Detlev (Hrsg.): Südosteuropa-Handbuch, 7 Bde., Göttingen 1975 – 93.

Haarmann, Ulrich (Hrsg.): Geschichte der arabischen Welt, München [3]1994.

Halperin Donghi, Tulio: Geschichte Lateinamerikas, Frankfurt a. M. 1994.

Henke, Klaus-Dietmar/Woller, Hans (Hrsg.): Politische Säuberung in Europa. Die Abrechnung mit Faschismus und Kollaboration nach dem Zweiten Weltkrieg, München 1991.

Hillgruber, Andreas: Europa in der Weltpolitik der Nachkriegszeit 1945–1963, München [4]1993.

Hsü, Immanuel C. Y.: The Rise of Modern China, New York/Oxford [4]1990.

Institut Charles de Gaulle (Hrsg.): De Gaulle en son siècle, 6 Bde., Paris 1991–92.

Kaplan, Karel: Der kurze Marsch. Kommunistische Machtübernahme in der Tschechoslowakei 1945–1948, München/Wien 1981.

Karnow, Stanley: Vietnam. A History [1983], Harmondsworth 1984.

Kindermann, Gottfried-Karl: Der Aufstieg Koreas in der Weltpolitik. Geschichte & Kultur, Kolonialherrschaft & Befreiung, Krieg & Teilung, Wiederaufbau & Demokratisierung, Wirtschaftsmacht & Spannungsherd, München 1994.

Krzeminski, Adam: Polen im 20. Jahrhundert. Ein historischer Essay, München 1993.

Lamb, Richard: The Macmillan Years 1957–1963. The Emerging Truth, London 1995.

Laqeur, Walter: Europa auf dem Weg zur Weltmacht 1945–1992, München 1992.

Lieven, Anatol: The Baltic Revolution. Estonia, Latvia, Lithuania and the Path to Independence, New Haven/London 1993.

Markert, Werner u. a. (Hrsg.): Osteuropa-Handbuch: Sowjetunion, 5 Bde., Köln u. a. 1965–76.

Meier, Viktor: Wie Jugoslawien verspielt wurde, München 1995.

Morgan, Kenneth O.: The People's Peace. British History 1945–1989, Oxford u. a. 1990.

Morsey, Rudolf: Die Bundesrepublik Deutschland. Entstehung und Entwicklung bis 1969, München [3]1995.

Ders./Repgen, Konrad (Hrsg.): Adenauer-Studien, 5 Bde., Mainz 1971–86.

Näth, Marie-Luise: Chinas Weg in die Weltpolitik. Die nationalen und außenpolitischen Konzeptionen Sun Yat-sens, Chiang Kai-sheks und Mao Tse-tungs, Berlin/New York 1976.

Narkiewicz, Olga A.: Petrification and Progress. Communist Leaders in Eastern Europe, 1956–1988, New York 1990.

Pryce-Jones, David: Der Untergang des sowjetischen Reichs, Reinbek 1995.

Quandt, William B. (Hrsg.): The Middle East. Ten Years after Camp David, Washington 1988.

Ramazani, R. K.: Revolutionary Iran. Challenge and Response in the Middle East, Baltimore/London 1986.

Rauchensteiner, Manfred: Der Sonderfall. Die Besatzungszeit in Österreich 1945 bis 1955, Graz u. a. 1979.

Rémond, René: Frankreich im 20. Jahrhundert, 2 Bde., Stuttgart 1994–95.

Renner, Hans: A History of Czechoslovakia since 1945, London/New York 1989.

Reynolds, David: Britannia Overruled. British Policy and World Power in the Twentieth Century, London/New York 1991.

Richter, James G.: Khrushchev's Double Bind: International Pressures and Domestic Coalition Politics, Baltimore/London 1994.

Rioux, Jean-Pierre: The Fourth Republic, 1944–1958, Cambridge u. a. 1987.

Rothermund, Dietmar (Hrsg.): Indien. Kultur, Geschichte, Politik, Wirtschaft, Umwelt. Ein Handbuch, München 1995.